« PAVILLONS »

Collection dirigée par
Maggie Doyle et Jean-Claude Zylberstein

DU MÊME AUTEUR

chez le même éditeur

Des garçons épatants, 1995, réédité en 2001
Les Loups-garous dans leur jeunesse, 1999

aux Éditions Fixot

Les Mystères de Pittsburgh, 1988
Avenue de l'Océan, 1991

MICHAEL CHABON

LES EXTRAORDINAIRES AVENTURES DE KAVALIER & CLAY

traduit de l'anglais (États-Unis)
par Isabelle D. Philippe

ROBERT LAFFONT

Titre original : THE AMAZING ADVENTURES OF KAVALIER & CLAY

ISBN 2-221-09414-X
(édition originale : ISBN 0-679-45004-1 Random House, New York)

À mon père

« Nous avons cette histoire de solutions impossibles à des problèmes insolubles. »

WILL EISNER, dans un entretien.

« Évasion miraculeuse ! »

NATHANIEL HAWTHORNE, *Wakefield*[1].

---

1. *Cf. Monsieur du miroir*, collection « Romantique », José Corti, traduit par Pierre Leyris. (*N.d.T.*)

Première partie

L'Artiste de l'évasion

1.

Dans les dernières années, pérorant devant un journaliste ou un public de fans vieillissants à un salon de la B.D., Sam Clay aimait à déclarer, à propos de sa plus grande création cosignée avec Joe Kavalier, que du temps où il était petit, isolé pieds et poings liés dans le vase clos ayant pour nom Brooklyn, à New York, il avait été hanté par des rêves de Harry Houdini. « À mes yeux, Clark Kent dans une cabine téléphonique et Houdini dans une caisse d'emballage, c'était tout à fait la même chose », expliquait-il doctement au Wondercon ou à Angoulême[1], ou encore au rédacteur en chef de *The Comics Journal*. « Vous n'étiez pas le même en sortant qu'en entrant. Le premier tour de magie de Houdini, vous savez, à l'époque de ses débuts. Il s'appelait "La Métamorphose". Cela n'a jamais été une simple question d'évasion. C'était aussi une question de transformation, oui, de transformation. » Mais la vérité, c'était que, gamin, Sammy ne s'était intéressé que passagèrement, au mieux, à Harry Houdini et à ses légendaires exploits ; ses grands héros à lui étaient Nikola Tesla, Louis Pasteur et Jack London. L'explication qu'il donnait de son rôle – du rôle de son imagination personnelle – dans la naissance de l'Artiste de l'évasion, comme de toutes ses meilleures fictions, sonnait pourtant juste. Ses rêves avaient toujours été « houdiniens » : c'étaient les rêves d'une chrysalide se débattant dans son cocon aveugle, assoiffée d'une bouffée d'oxygène et de lumière.

Houdini était un héros pour les hommes de petite taille, les jeunes citadins et les Juifs ; Samuel Louis Klayman était les trois à la fois. Il avait dix-sept ans quand l'aventure débuta : fort en gueule, peut-être pas aussi leste qu'il se plaisait à le croire, et enclin, comme beaucoup d'optimistes, à une légère émotivité. Il n'était pas beau, au sens conventionnel du mot. Son visage formait un triangle renversé : front large, menton pointu, avec une bouche boudeuse et un nez écrasé de bagarreur. Il se tenait voûté et s'habillait mal : on aurait

1. Festivals de la B.D. à Oakland, Californie, et en France. (*N.d.T.*)

dit toujours qu'il venait de se faire voler l'argent de son déjeuner. Il s'élançait chaque matin avec les joues glabres de l'innocence incarnée, mais vers midi son rasage impeccable n'était plus qu'un souvenir, sans que l'ombre bohème de son menton suffît à lui donner l'air d'un dur. Il se trouvait laid, mais c'était parce qu'il n'avait jamais vu ses traits au repos. Il avait distribué l'*Eagle* pendant la plus grande partie de 1931, afin de pouvoir s'offrir une paire d'haltères, qu'il avait soulevés tous les matins pendant les huit années suivantes jusqu'à ce que ses bras, sa poitrine et ses épaules fussent noueux et robustes ; la polio, en effet, lui avait laissé les jambes d'un garçon chétif. En chaussettes, il mesurait un mètre soixante-six. À l'instar de tous ses amis, il considérait comme un compliment qu'on le traitât de petit malin. Il avait une compréhension fervente, sinon exacte, des rouages de la télévision, de l'énergie nucléaire et de l'antigravitation, et caressait l'ambition – une entre mille ! – de finir ses jours sur les plages tièdes et ensoleillées du grand océan polaire de Vénus. C'était un lecteur omnivore et autodidacte, à l'aise avec Stevenson, London et Wells, respectueux envers Wolfe, Dreiser et Dos Passos, idolâtre de S.J. Perelman[1]*, et son régime éducatif, comme d'habitude, masquait de coupables appétits. Dans son cas, une passion cachée – une parmi tant d'autres, de toute façon – pour ces galions de quatre sous chargés de sang et de prodiges, les romans de gare, les « pulps ». Il s'était procuré et avait lu tous les numéros bihebdomadaires de *The Shadow* parus depuis 1933 et était en passe d'amasser les collections complètes de *The Avenger* et de *Doc Savage*.

La longue trajectoire de Kavalier & Clay – et la véritable histoire de la naissance de l'Artiste de l'évasion – débuta vers la fin octobre 1939, la nuit où la mère de Sammy se précipita dans sa chambre, plaqua la bague et les jointures de fer de sa main gauche contre sa tempe et lui ordonna de se pousser pour faire de la place dans son lit à son cousin de Prague. Sammy s'assit, le cœur battant dans les articulations de ses mâchoires. À la lumière blafarde du tube au néon fixé au-dessus de l'évier de la cuisine, il distingua un jeune homme mince de son âge, affalé tel un point d'interrogation contre le montant de la porte, une pile dépenaillée de journaux coincée sous un bras, l'autre jeté en travers du visage comme s'il avait honte. C'était, annonça Mrs Klayman, chassant charitablement Sammy vers le mur, Josef Kavalier, le fils de son frère Emil, qui avait débarqué ce soir-là à Brooklyn d'un autocar Greyhound en provenance de San Francisco.

– Qu'est-ce qu'il a ? demanda Sammy. (Il se glissa de côté jusqu'au moment où ses épaules touchèrent le plâtre glacé. Il prit soin de garder les deux oreillers.) Il est malade ?

---

1. Les astérisques renvoient à des notes en fin d'ouvrage.

– À ton avis ? répliqua sa mère, tapotant à présent l'étendue de drap libérée, comme pour éliminer toutes particules choquantes de lui-même que Sammy aurait pu laisser.

Elle venait de rentrer de sa dernière garde sur une rotation de nuit de quinze jours à Bellevue, où elle travaillait comme infirmière psychiatrique. Elle apportait avec elle l'air confiné de l'hôpital, mais le col ouvert de son uniforme dégageait un léger parfum d'eau de lavande, dont elle arrosait son corps menu. L'odeur naturelle de son corps, elle, était musquée, agressive, comme celle des copeaux frais de crayon.

– Il tient à peine debout, reprit-elle.

Sammy jeta un œil inquiet par-dessus sa mère, tentant de mieux voir le pauvre Josef Kavalier dans son costume de laine poché. Il savait vaguement qu'il avait des cousins tchèques. Mais sa mère ne lui avait jamais dit qu'ils devaient leur rendre visite, encore moins partager le lit de Sammy. Il ne comprenait pas très bien le rôle de San Francisco dans cette histoire.

– Voilà, dit sa mère en se redressant, apparemment satisfaite d'avoir cantonné Sammy dans les quinze centimètres les plus à l'est du matelas. (Elle se tourna vers Josef Kavalier.) Viens par ici, je veux te dire quelque chose. (Elle lui attrapa les oreilles comme on prend une cruche par les anses et pressa ses lèvres tour à tour sur ses deux joues.) Tu as réussi. D'accord ? Tu es là...

– D'accord, acquiesça son neveu, sans avoir l'air convaincu.

Elle lui tendit un gant de toilette et sortit de la chambre. Dès qu'elle fut partie, Sammy récupéra quelques précieux centimètres du matelas tandis que son cousin restait planté là, à frotter ses joues meurtries. Peu après, sa mère éteignit la lumière de la cuisine. Ils se retrouvèrent dans le noir. Sammy entendit son cousin prendre une profonde inspiration et expirer lentement. La pile de papier journal crépita, puis heurta le sol avec un pesant bruit de défaite. Les boutons de son veston cliquetèrent contre le dossier d'une chaise, son pantalon bruissa quand il l'enleva ; il laissa choir un soulier, puis l'autre. Sa montre-bracelet tinta contre le verre d'eau posé sur la table de nuit. Après quoi leur propriétaire et un courant d'air glacé se coulèrent sous les couvertures, apportant avec eux un relent de tabac froid, d'aisselles, de laine mouillée et de quelque chose de sucré et de plus ou moins nostalgique que, grâce à l'haleine de son cousin, Sammy identifia vite comme étant l'odeur des pruneaux du reste du rôti « spécial » de sa mère – les pruneaux ne représentaient qu'une petite partie de ce qui le rendait spécial – qu'il l'avait vue envelopper comme un paquet dans une feuille de papier sulfurisé et poser sur une assiette dans le Frigidaire. Elle savait donc que son neveu devait arriver ce soir-là, l'attendait même pour dîner et n'en avait pas parlé à Sammy.

Josef Kavalier se renversa sur le matelas, se racla une fois la gorge, replia les bras sous sa tête, puis, comme si on l'avait débranché, cessa de bouger. Il ne se tourna pas, ni ne s'agita non plus, ne fléchit pas même un orteil. Le Big Ben de la table de nuit émettait un tic-tac assourdissant. La respiration de Josef s'épaissit et se ralentit. Sammy se demandait s'il était possible de s'endormir avec un tel abandon quand son cousin prit la parole :

– Dès que je pourrai gagner un peu d'argent, je trouverai un logement et te laisserai ton lit, dit-il avec un accent vaguement allemand, agrémenté de drôles d'intonations écossaises.

– Ce serait gentil, acquiesça Sammy. Tu parles bien l'anglais.

– Merci.

– Où l'as-tu appris ?

– Je préfère ne pas le dire.

– C'est un secret ?

– C'est personnel.

– Tu peux me dire ce que tu faisais en Californie ? demanda Sammy. Ou est-ce confidentiel aussi ?

– Je venais de débarquer du Japon.

– Du Japon ?

Sammy en était malade d'envie.

Il n'était jamais allé plus loin que Buffalo sur ses jambes de paille, n'avait jamais entrepris de traversée plus méchante que celle du ruban vert toxique et flatulent qui séparait Brooklyn de l'île de Manhattan. Dans ce lit étroit, cette chambre guère plus large que le lit lui-même, au fond d'un appartement authentiquement petit-bourgeois d'Ocean Avenue, avec les ronflements de sa grand-mère qui ébranlaient les murs comme le passage d'un tram, Sammy nourrissait les habituels rêves brooklyniens d'envol, de métamorphose et d'évasion. Il rêvait avec une invention féroce, se transmuant en un grand romancier américain ou en un célèbre bel esprit, par exemple Clifton Fadiman*, ou peut-être en un médecin héroïque. Ou bien encore, par des exercices et la pure force de la volonté, il développait les pouvoirs mentaux qui allaient lui garantir une maîtrise surnaturelle des cœurs et des esprits des hommes. Dans le tiroir de son bureau reposaient – et cela déjà depuis un certain temps – les onze premières pages d'un énorme roman autobiographique qui devait s'intituler (à la manière « pérelmanienne ») *À travers le verre d'Abe, obscurément* ou (à la Dreiser*) *Le Désenchantement américain*, sujet sur lequel il était encore, généralement parlant, inculte. Il avait consacré un nombre impressionnant d'heures de concentration silencieuse – front plissé, respiration retenue – au développement de ses facultés cérébrales cachées de télépathie et de contrôle psychique. Il avait aussi été transporté par cette *Iliade* de l'épopée médicale, *The Microbe Hunters**. Dix fois, au moins. Mais comme la plupart des gens nés à Brooklyn, Sammy se considérait comme un réaliste. En général, ses projets d'évasion tournaient autour de l'acquisition de fabuleuses sommes d'argent.

Dès l'âge de six ans, il avait fait du porte-à-porte pour vendre graines, barres de friandises, plantes d'intérieur, détachants, produits d'entretien, abonnements à des magazines, peignes incassables et lacets de chaussures. Grâce au laboratoire « zarkovien* » offert par la table de cuisine, il avait inventé des « rattacheurs » de boutons quasi fonctionnels, des ouvre-bouteilles en tandem et des fers à repasser à froid. Plus récemment, l'intérêt commercial de Sammy avait été attiré par le domaine de l'illustration professionnelle. Les grands illustrateurs et dessinateurs humoristiques commerciaux – Rockwell*, Leyendecker*, Raymond*, Caniff*... – étaient alors à leur apogée. Partout, l'impression générale était qu'à sa table de dessin un homme pouvait non seulement bien gagner sa vie mais aussi modifier la texture et la tonalité même de la mentalité nationale. Dans le placard de Sammy s'entassaient des dizaines de blocs de papier journal ordinaire, remplis de chevaux, d'Indiens, de héros du football américain, de singes sensibles, de Fokker, de nymphes, de fusées pour la lune, de cow-boys, de Sarrasins, de jungles tropicales, de grizzlis, d'études de drapés de vêtements féminins, de chapeaux d'homme tout bosselés, de reflets dans des iris humains, de nuées dans le ciel d'Occident. Sa maîtrise de la perspective était mince, sa connaissance de l'anatomie humaine douteuse, son trait souvent sommaire, mais c'était un plagiaire entreprenant. Il découpait ses pages et ses planches préférées dans les quotidiens et les illustrés pour les coller dans un énorme cahier : un millier de positions et de styles différents. Il avait fait un large usage de sa bible de coupures de journaux en concoctant une contrefaçon de la B.D. *Terry et les Pirates* intitulée *Mer de Chine du Sud*, une fidèle imitation de la griffe du grand Milton Caniff. Il avait plagié Alex Raymond avec quelque chose qui avait pour titre *Le Mouron des planètes* et Chester Gould* dans une bande sur un agent du F.B.I. atteint du tétanos, *Doyle le Coup-de-poing américain*. Il avait essayé de pomper Burne Hogarth* et Lee Falk*, George Herriman*, Harold Gray* et Elzie Segar*. Il gardait des échantillons de bandes dessinées dans un gros carton à dessins sous son lit, attendant qu'une occasion, la chance de sa vie, se présente.

– Le Japon ? répéta-t-il, grisé par le parfum exotique « caniffien » qui flottait autour de ce nom. Qu'est-ce que tu fabriquais là-bas ?

– Les trois quarts du temps, j'ai eu des troubles intestinaux, répondit Josef Kavalier. Et j'en ai encore. Surtout la nuit...

Sammy médita un moment cette information, puis se rapprocha un peu plus du mur.

– Dis-moi, Samuel, reprit Josef Kavalier. Combien de croquis dois-je garder dans mon carton à dessins ?

– Pas Samuel, Sammy. Non, appelle-moi Sam.

– Sam.

– C'est quoi, ce carton ?

– Mon carton à dessins. Pour le montrer à ton patron. Le plus triste, c'est que j'ai été obligé de laisser tout mon travail à Prague, mais je peux très vite en réaliser beaucoup d'autres qui seront terriblement bons...

– Pour montrer à mon patron ! s'exclama Sammy, percevant dans son propre désarroi la trace importune de l'œuvre de sa mère. De quoi tu parles ?

– Ta mère a proposé que tu m'aides à trouver une place dans la société où tu travailles. Je suis graphiste, comme toi.

– Graphiste. (Une nouvelle fois, Sammy envia son cousin. C'était une déclaration que lui-même n'aurait été jamais capable de faire sans baisser ses yeux d'imposteur pour contempler le bout de ses chaussures.) Ma mère t'a dit que j'étais graphiste ?

– Graphiste, oui. Pour l'Empire Novelties Incorporated Company.

L'espace d'un instant, Sammy berça la petite flamme que ce compliment de seconde main avait allumée en lui. Puis il souffla dessus.

– Elle dit n'importe quoi ! s'écria-t-il.

– Pardon ?

– Elle en a plein la bouche.

– De quoi ?

– Je suis employé au stock. Parfois, on me laisse faire des collages pour une réclame. Ou quand ils ajoutent un nouveau produit à leur ligne, je dois réaliser l'illustration. Pour ça, ils me paient deux dollars pièce.

– Ah ! (Josef Kavalier eut une nouvelle longue expiration. Il n'avait toujours pas bougé un muscle. Sammy n'arrivait pas à décider si cette apparente immobilité absolue était le fruit d'une tension insupportable ou d'un calme extraordinaire.) Elle a écrit à mon père, tenta Josef. Dans sa lettre, je me rappelle, elle disait que tu créais des modèles d'inventions et d'engins merveilleusement modernes.

– Devine quoi !

– Elle disait n'importe quoi.

Sammy soupira, manière de laisser entendre que c'était malheureusement le cas. Un soupir plein de regrets, signe d'une patience à toute épreuve... et faux. En écrivant à son frère à Prague, sans doute sa mère avait-elle cru lui donner une description exacte de la situation. C'était Sammy qui racontait n'importe quoi depuis un an, en brodant, non seulement à son intention mais à l'intention de tous ceux qui pouvaient l'écouter, sur le caractère subalterne de sa place à l'Empire Novelties. Sammy fut un peu gêné, pas tant d'être pris la main dans le sac et de devoir avouer son modeste statut à son cousin que de cette preuve d'un crapaud dans l'omnisciente loupe maternelle. Puis il se demanda si sa mère, loin d'être dupe de ses vantardises, n'avait pas en réalité tablé sur le fait qu'il avait énormément exagéré l'importance de son influence sur Sheldon Anapol, le propriétaire d'Empire Novelties. S'il devait perpétuer la comédie à laquelle il avait voué tant de souffle et d'imagination, il serait alors pratiquement obligé de rentrer de son travail demain soir en serrant une place pour Josef Kavalier entre ses petits doigts crasseux d'employé du stock.

– J'essaierai quand même, dit-il, sentant à cet instant la première étincelle, le chatouillis de la possibilité, lui parcourir la colonne vertébrale.

Durant encore un bon moment, ni l'un ni l'autre ne parla. Cette fois-ci, Sammy sentait que Josef était toujours éveillé, il entendait presque le doute s'infiltrer goutte à goutte en lui, l'accabler. Sammy eut pitié de lui.

– Puis-je te poser une question ? lança-t-il.

– Laquelle ?

– Qu'est-ce que c'était que tous ces journaux ?

– Ce sont vos fameux journaux new-yorkais. Je les ai achetés au Capitol Greyhound Terminal. Je cherchais quelque chose sur Prague.

– Combien y en a-t-il ?

Pour la première fois, remarqua-t-il, Josef Kavalier se contracta nerveusement.

– Onze.

Sammy compta en vitesse sur ses doigts : il y avait huit quotidiens fédéraux. Dix, si l'on incluait l'*Eagle* et le *Home News*.

– Il m'en manque un.

– Il en manque ?

– Le *Times*, le *Herald Tribune* (il tapota sur deux de ses doigts), le *World-Telegram*, le *Journal-American*, le *Sun*. (Il changea de mains.) Le *News*, le *Post*. ... Euh ! le *Wall Street Journal*. Et l'*Eagle* de Brooklyn. Et puis le *Home News* du Bronx. (Il laissa retomber ses mains sur le matelas.) Quel est donc le onzième ?

– Le *Woman's Daily Wearing*.

– Tu veux dire le *Women's Wear Daily* ?

– Je ne savais pas le titre exact. Pour les vêtements. (Il se moqua de lui-même, en une série de raclements de gorge, comme pour s'éclaircir la voix.) Je cherchais un article sur Prague.

– Tu as trouvé ? Il devrait y avoir quelque chose dans le *Times*.

– Oui, un entrefilet. Rien sur les Juifs.

– Les Juifs, murmura Sammy, commençant à comprendre. (Josef n'espérait pas avoir des nouvelles des dernières manœuvres diplomatiques en cours à Londres et à Berlin, ou de l'exemple le plus récent de la brutalité d'Adolf Hitler. Il cherchait un article exposant en détail la condition de la famille Kavalier.) Tu connais le parler juif ? Le yiddish ? Tu connais ?

– Non.

– Quel dommage ! On a quatre journaux juifs à New York. Ils devraient bien avoir quelque chose...

– Et les journaux allemands ?

– Je n'en sais rien, mais je pense, oui. Nous avons pas mal d'Allemands, c'est sûr. Ils ont défilé et tenu des meetings dans toute la ville.

– Je vois.

– Tu t'inquiètes pour ta famille ?

Pas de réponse.

– Ils n'ont pas pu partir ?

– Non, pas encore. (Sammy sentit que Josef secouait la tête d'un mouvement brusque, comme pour mettre un terme à la discussion.) Je m'aperçois que j'ai fumé presque toutes mes cigarettes, poursuivit son cousin du ton neutre des guides de conversation. Tu peux peut-être...

– Tu sais, j'ai fumé ma dernière avant de me coucher, l'interrompit Sammy. Hé ! comment sais-tu que je fume ? Je sens le tabac ?

– Sammy ! cria sa mère. Dors.

Sammy se renifla.

– Berk ! Je me demande si Ethel sent cette odeur. Elle n'aime pas ça. Si j'ai envie de fumer, je dois sortir par la fenêtre, là, pour aller sur l'escalier de secours.

– On ne fume pas au lit, soupira Josef. Une raison supplémentaire pour partir.

– À qui le dis-tu, renchérit Sammy. Il me tarde d'être chez moi...

Ils restèrent allongés là quelques minutes, à rêver d'une cigarette et de toutes les choses que cette envie, dans sa parfaite frustration, paraissait condenser et incarner.

– Ton récipient à cendres, articula enfin Josef. Cendrier ?

– Dans l'escalier. C'est une plante.

– Elle est peut-être remplie de... *spacek* ?... *kippe*[1] ?... de chaume ?

– De mégots, tu veux dire ?

1. En tchèque, « mégots ; le deuxième mot, yiddish, signifie « tas ». (*N.d.T.*)

– De mégots.

– Oui, je pense. Ne me dis pas que tu fumerais...

Sans prévenir, dans une espèce de décharge d'énergie cinétique qui semblait à la fois la contrepartie et le produit de l'état de parfaite indolence qui l'avait précédée, Josef se retourna et se leva du lit. Les yeux de Sammy avaient déjà accommodé à l'obscurité de sa chambre, qui était toujours, de toute façon, incomplète. Une bande lumineuse bleuâtre, projetée par le néon de la cuisine, frangeait la porte de la pièce et se confondait avec un pâle rayon du Brooklyn nocturne, un composé formé des halos de réverbères, des phares de tramways et d'automobiles, des cheminées des trois aciéries en activité de la ville et de l'éclat diffus du royaume insulaire, sur l'autre rive, qui tombait de biais par l'interstice des rideaux. Dans cette fade lueur qui était, pour lui, la lumière maladive et régulière de l'insomnie, Sammy pouvait voir son cousin fouiller méthodiquement les poches des vêtements qu'il avait, un peu plus tôt, soigneusement suspendus au dossier de la chaise.

– La lampe ? chuchota Josef.

Sammy secoua la tête.

– Ma mère, répondit-il.

Josef revint s'asseoir sur le lit.

– Alors il nous faut travailler dans le noir.

Il tenait une feuille de papier à rouler pliée entre deux doigts de la main gauche. Sammy comprit. Il se redressa sur un bras et, de l'autre, tira les rideaux, lentement pour ne pas faire de bruit, ce qui les aurait trahis. Puis, serrant les dents, il souleva le châssis de la fenêtre proche de son lit, laissant entrer la rumeur glacée de la circulation et le murmure d'une froide rafale de nuit d'octobre. Le « cendrier » de Sammy était une jardinière rectangulaire en terre cuite, vaguement mexicaine, remplie d'un compost stérile de terreau horticole et de suie, et du squelette semi-pétrifié – ce qui était plutôt de circonstance – d'une cinéraire, qui était restée invendue pendant la période plantes d'intérieur de Sammy et avait ainsi précédé son tabagisme, acquisition encore assez récente datant d'environ trois ans. Une douzaine de bouts d'Old Gold écrasés se tortillaient autour du pied desséché. D'un air dégoûté, Sammy en recueillit une poignée – ils étaient légèrement humides – comme si c'étaient des insectes rampants nocturnes, puis les tendit à son cousin, lequel lui donna en échange une boîte d'allumettes qui l'invitait de manière suggestive à venir « déguster le crabe de Joe sur le quai du Pêcheur », et où il ne restait plus qu'une allumette.

Rapidement, mais non sans une certaine ostentation, Josef fendit sept mégots d'une main et versa la masse de brins spongieux dans sa feuille froissée de Zig Zag. En trente secondes, il leur avait confectionné une clope.

– Viens, souffla-t-il, traversant le lit à genoux pour se rapprocher de la fenêtre, où Sammy se joignit à lui.

En se contorsionnant, ils se faufilèrent par le cadre de l'ouverture et passèrent la tête et le haut du corps hors de l'immeuble. Josef présenta la cigarette à Sammy ; à la précieuse flamme de l'allumette qu'il abritait gauchement du vent, ce dernier vit que Josef avait produit comme par un tour de passe-passe un cylindre parfait, aussi compact, aussi droit et presque aussi régulier que s'il avait été roulé à la machine. Sammy aspira une longue bouffée de True Virginia Flavor, puis rendit la cigarette magique à son artisan. Ils fumèrent en silence jusqu'à ce qu'il ne reste plus que cinq millimètres de braise. Puis ils regrimpèrent à l'intérieur, abaissèrent la fenêtre et le store, et se rallongèrent dans le noir, compagnons de lit qui empestaient le tabac.

– Tu sais, reprit Sammy, nous, euh, nous nous sommes tous vraiment inquiétés... pour Hitler... et sa manière de traiter les Juifs... tout ça. Quand vous avez été... envahis... ma mère était... on était tous... (Il secoua la tête, ne sachant pas ce qu'il tentait de dire.) Tiens !

Il se redressa légèrement et tira un des oreillers de dessous sa tête.

Josef Kavalier souleva sa propre tête du matelas et fourra l'oreiller dessous.

– Merci, murmura-t-il, avant de reprendre son immobilité.

Au bout d'un certain temps, sa respiration devint régulière et se ralentit pour se muer en un râle enchifrené, laissant Sammy méditer seul, comme tous les soirs, ses habituels projets de métamorphose. Mais dans ses rêveries solitaires, Sammy s'aperçut que, pour la première fois depuis des années, il pouvait bénéficier de l'aide d'un complice.

2.

C'était un projet de métamorphose – un rêve de fabuleuse évasion – qui avait finalement porté Josef Kavalier à travers l'Asie et le Pacifique jusqu'au petit lit étroit de son cousin, dans Ocean Avenue.

Dès que l'armée allemande occupa Prague, on commença à parler, dans certaines sphères, d'envoyer le fameux *Golem* de la ville, l'automate miraculeux de Rabbi Lowe, dans la sécurité de l'exil. L'arrivée des nazis fut suivie de rumeurs de spoliations, d'expropriations et de pillages, en particulier d'artefacts et d'objets sacrés juifs. La grande crainte de ses gardiens secrets, c'était que le golem soit emballé et expédié pour orner un quelconque institut ou une collection privée berlinoise ou munichoise. Déjà, deux jeunes Allemands armés de carnets, le ton doucereux et les yeux perçants, avaient passé le plus clair de deux jours à fureter autour de l'Ancienne-Nouvelle Synagogue, dans l'avant-toit duquel la légende avait soustrait aux regards le champion dormant du ghetto. Les deux jeunes Allemands avaient prétendu être seulement des érudits passionnés, sans aucun lien officiel avec le *Reichsprotektorat*, mais personne n'y croyait. Le bruit courait qu'à Berlin certains membres haut placés du parti étaient des adeptes acharnés de la théosophie et des sciences prétendument occultes. Cela semblait n'être qu'une question de temps avant que le golem ne soit découvert dans son cercueil géant en sapin, plongé dans son sommeil sans rêves, et réquisitionné.

Au sein du cercle de ses gardiens, l'idée de transférer le golem à l'étranger, même pour le protéger, rencontrait une certaine résistance. Puisqu'il avait été façonné à l'origine avec le limon de la rivière Moldau, d'aucuns prétendaient qu'il risquait de se dégrader physiquement si on l'éloignait de son climat natal. Les férus d'histoire – qui, à l'instar des historiens du monde entier, se flattaient d'avoir un sens équilibré de la perspective – soutenaient, eux, que le golem avait déjà survécu à de nombreux siècles d'invasions, de désastres, de guerres et de pogroms sans avoir été exposé au grand jour ni déplacé, et dénoncèrent une réaction imprudente à une nouvelle mésaventure temporaire du sort des Juifs de Bohême. Poussés dans leurs retranchements, il y en eut même quelques-uns dans le cercle pour reconnaître qu'ils ne voulaient pas se séparer du golem parce que, dans le secret de leur cœur, ils n'avaient pas renoncé à l'espoir enfantin de voir le grand ennemi des antisémites et des pamphlétaires revenir un jour à la vie, dans un moment d'absolue nécessité, pour reprendre le combat. À la fin, le vote entérina la décision de le mettre à l'abri, de préférence dans un État neutre à l'écart et pas entièrement vide de Juifs.

Ce fut à ce moment-là qu'un membre du cercle secret, ayant des liens avec le milieu de la magie professionnelle praguoise, mit en avant le nom de Bernard Kornblum, un homme sur qui l'on pouvait compter pour réussir l'évasion du golem.

Bernard Kornblum était un *Ausbrecher*[1], un artiste illusionniste, spécialisé dans les tours avec camisole de force et menottes, le genre de prouesse rendue célèbre par Harry Houdini. Il avait récemment pris sa retraite (il avait au moins soixante-dix ans) pour se fixer à Prague, sa ville d'adoption, et attendait ce à quoi nul n'échappe un jour. Mais, à l'origine, il venait de Vilnius, la ville sacrée de l'Europe juive, un lieu célèbre, malgré sa réputation de réalisme, pour abriter des hommes ayant une vision amicale et bienveillante des golems. La Lituanie était officiellement neutre, et Hitler avait, dit-on, renoncé à toutes les ambitions qu'il avait nourries dans sa direction par un protocole secret du pacte Molotov-Ribbentrop. Kornblum fut donc dûment convoqué, arraché à sa place attitrée à une table de poker, dans la salle des cartes du Hofzinser Club, et amené au lieu de rencontre secret du cercle, aux Monuments funéraires Faleder, dans un atelier derrière le hall d'exposition des marbreries. On lui expliqua la nature du travail : le golem devait être tiré comme par enchantement de sa cachette, convenablement préparé pour le voyage, puis sorti du pays sans attirer l'attention afin d'être confié à des sympathisants de Vilnius. Les documents officiels nécessaires – bons de chargement, certificats des douanes – seraient fournis par des membres influents du cercle ou par leurs amis haut placés.

Bernard Kornblum accepta aussitôt de se charger de la mission du cercle. Même si, comme beaucoup de magiciens, il était un mécréant professionnel qui ne révérait que la Nature, cette Grande Illusionniste, Kornblum était un bon Juif. Plus important, il s'ennuyait et s'étiolait dans sa retraite, et avait, en fait, déjà envisagé un retour à la scène, peut-être malavisé, au moment où l'on avait fait appel à lui.

1. En allemand, un « échappé », un « évadé ». (*N.d.T.*)

Bien qu'il vécût dans une indigence relative, il refusa les généreux émoluments que lui offrait le cercle, et ne posa que deux conditions : il ne divulguerait ses projets à personne et n'accepterait aucune aide ni aucun conseil qu'il n'ait lui-même sollicité. Sur l'ensemble de son tour il tirerait le rideau, en quelque sorte, ne levant le voile qu'une fois l'opération réussie.

Cette clause restrictive paraissait au cercle non seulement charmante d'une certaine façon, mais aussi judicieuse. Moins les uns et les autres connaîtraient les détails, plus ils pourraient facilement, dans le cas d'un scandale, prétendre tout ignorer de l'évasion du golem.

Kornblum sortit des Monuments funéraires Faleder, qui n'étaient pas très loin de son propre logis de la rue Maisel, et rentra chez lui ; son esprit commençait déjà à échafauder et à forger l'armature d'un plan solide et élégant. Durant une courte période des années 1890, à Varsovie, Kornblum avait été contraint à une vie de criminel en tant que monte-en-l'air, et la perspective d'arracher le golem à son actuel abri sans éveiller de soupçons ranimait en lui de méchants vieux souvenirs de lumière au gaz et de pierres précieuses escamotées. Mais quand il pénétra dans le hall de son immeuble, tous ses plans furent bouleversés. La *gardienne*[1] sortit la tête pour lui dire qu'un jeune homme l'attendait dans sa chambre. Un beau garçon, d'après elle, bien habillé, au langage châtié. D'habitude, bien sûr, elle aurait fait patienter le visiteur dans l'escalier, mais elle avait cru reconnaître un ancien étudiant de *Herr Professor.* Chez ceux qui gagnent leur vie en flirtant avec la catastrophe, il se développe une faculté d'imagination pessimiste, d'anticipation du pire, qui est souvent pratiquement indiscernable de la clairvoyance. Kornblum sut tout de suite que son visiteur imprévu devait être Josef Kavalier. Son cœur se serra. Il y avait des mois de cela, il avait ouï dire que le jeune homme quittait les Beaux-Arts pour émigrer en Amérique. Il avait dû se passer quelque chose.

À l'entrée de son vieux professeur, Josef était debout et serrait son chapeau sur sa poitrine. Il portait un costume à la mode, en tweed écossais odorant. À en croire la rougeur de ses joues et l'excès de précautions qu'il prenait pour éviter de heurter sa tête au plafond mansardé, le gamin était complètement ivre. D'ailleurs, ce n'était plus un gamin. Il devait avoir près de dix-neuf ans.

– Qu'y a-t-il, mon fils ? demanda Kornblum. Pourquoi es-tu ici ?

– Je ne suis pas ici, répliqua Josef. (C'était un garçon aux cheveux noirs et au teint clair, avec des taches de rousseur, un nez tout à la fois large et écrasé, et des yeux bleus écartés, demi-bougies trop chargées de sarcasme pour passer pour songeuses.) Je suis dans un

1. En français dans le texte. (*N.d.T.*)

train à destination d'Ostende. (D'un grand geste, Josef feignit de consulter sa montre. Kornblum décida qu'il ne jouait pas la comédie.) Je passe Francfort sans m'arrêter en ce moment, voyez-vous...

– Je vois.

– Oui. La totalité de la fortune familiale a été dilapidée. Tous ceux qui doivent être soudoyés l'ont été. Nos comptes bancaires ont été vidés. La police d'assurance de mon père a été revendue. Les bijoux de ma mère, son argenterie. Les tableaux. Les trois quarts de notre beau mobilier. Le matériel médical. Les actions, les obligations. Tout cela pour que moi, le veinard, je puisse voyager dans ce train, voyez-vous ? Dans le compartiment fumeurs. (Il exhala une bouffée imaginaire de fumée.) Je fonce à travers l'Allemagne, en route pour ces bons vieux États-Unis d'Amérique, acheva-t-il dans un américain nasillard.

À l'oreille de Kornblum, son accent était excellent.

– Mon garçon...

– Avec tous mes papiers en règle, vous parlez...

Kornblum soupira.

– Ton visa de sortie ?

Il devinait. Les semaines précédentes, il avait entendu parler de ce genre de refus de dernière minute.

– Ils ont dit qu'il me manquait un timbre. Un seul. Je leur ai répondu que ce n'était pas possible. Tout était en ordre. J'avais une liste que m'avait préparée le sous-secrétaire aux visas de sortie en personne. Je leur ai montré cette liste.

– Mais ?

– Ils ont prétendu que les conditions requises avaient été modifiées le matin même. Ils avaient une directive, un télégramme d'Eichmann lui-même. J'ai été débarqué du train à Eger. À dix kilomètres de la frontière...

– Oh !

Kornblum se laissa glisser doucement sur le lit – pour cause d'hémorroïdes – et tapota la courtepointe à côté de lui. Josef s'assit, enfouit son visage dans ses mains. Il laissa échapper un soupir frémissant, ses épaules se contractèrent, les tendons saillirent sur sa nuque. Il luttait contre l'envie de pleurer.

– Écoute, reprit le vieux magicien. Écoute-moi. Je suis sûr et certain que tu seras capable de redresser la situation.

Ces paroles de consolation étaient plus froides que Kornblum ne l'eût aimé, mais ce dernier commençait à ressentir une certaine appréhension. Il était largement minuit passé, et le garçon avait un air de désespoir, de catastrophe imminente, qui ne pouvait manquer de le toucher, mais le rendait également anxieux. Cinq ans plus tôt, à son indéfectible regret, il avait eu une mésaventure avec ce garçon téméraire et malchanceux.

– Allons, reprit Kornblum en frappant d'une petite tape maladroite l'épaule de son visiteur. Tes parents vont sûrement s'inquiéter. Je vais te raccompagner chez toi.

Il ne manquait plus que cela ! Retenant brusquement sa respiration, comme un homme qui, de peur, saute d'un pont en feu dans une mer gelée, Josef se mit à pleurer.

– Je les ai déjà quittés une fois, marmonna-t-il en secouant la tête. Je ne peux pas leur refaire le coup une deuxième fois...

Toute la matinée, dans le train qui l'emportait vers l'ouest, Ostende et l'Amérique, Josef avait été tourmenté par l'amer souvenir de ses adieux. Il n'avait ni pleuré, ni particulièrement bien supporté les larmes de sa mère et de son grand-père, lequel avait chanté le rôle de Vitek pour la première de *Vec Makropulos* de Janáček à Brno en 1926 et avait la fâcheuse tendance, comme il est courant chez les ténors, de se montrer trop expansif. Mais Josef, lui, à la manière de bien des garçons de dix-neuf ans, pensait à tort qu'il avait eu le cœur brisé plusieurs fois et tirait vanité de la dureté imaginaire de cet organe. Ce matin-là, son stoïcisme de jeunesse lui permit de conserver son sang-froid pendant l'accolade larmoyante de son grand-père à la *Bahnhof*. Il s'était aussi senti honteusement content de partir. Il était moins heureux de quitter Prague qu'excité d'être en route pour l'Amérique, la maison de la sœur de son père et d'un cousin américain prénommé Sam, dans ce Brooklyn inimaginable avec ses cabarets, ses durs et le brio de la Warner Bros. La même allègre insensibilité à la Cagney qui l'avait empêché de montrer la peine qu'il avait d'abandonner toute sa famille et le seul foyer qu'il connaissait lui donnait également la possibilité de se dire que ce ne serait qu'une question de temps pour que tous viennent le rejoindre à New York. À Prague, d'ailleurs, la situation était alors incontestablement aussi mauvaise qu'elle devait jamais l'être. Donc, à la gare, Josef avait gardé la tête droite et les yeux secs et tiré à petits coups sur une cigarette, feignant résolument de prêter davantage attention aux autres voyageurs sur le quai, aux locomotives ensevelies sous la vapeur et aux soldats allemands dans leurs élégantes capotes qu'aux membres de sa propre famille. Il baisa la joue rugueuse de son grand-père, résista à la longue embrassade de sa mère, serra la main de son père et de son jeune frère, Thomas, qui lui tendit une enveloppe. Josef fourra celle-ci dans une poche de son veston avec une distraction étudiée, ignorant le tremblement de la lèvre inférieure de Thomas au moment où disparaissait l'enveloppe. Ensuite, alors que Josef montait dans le train, son père s'était pendu à ses basques et l'avait obligé à redescendre sur le quai. Dans le dos de Josef, il avait tendu les bras pour s'accrocher à lui dans une étreinte mélodramatique. Le contact de la moustache mouillée de larmes de son père avec sa joue était mortifiant. Josef s'était dégagé.

– À bientôt dans les journaux humoristiques, avait-il lancé.

Désinvolte, se répétait-il, toujours désinvolte ! L'espoir de mon salut réside dans mon panache.

Toutefois, dès que le train s'était mis en branle, et que Josef se fut rencogné sur la banquette de son compartiment de deuxième classe, il sentit tel un coup à l'estomac combien son attitude avait été brutale. Instantanément, il eut l'impression d'enfler, de trembler et de brûler de honte, comme si tout son corps se révoltait contre son comportement, comme si la honte pouvait déclencher chez lui la même réaction catastrophique qu'une piqûre d'abeille. Cette place même avait coûté exactement, avec le supplément des droits de départ et de la récente « taxe de correspondance », ce que la mère de Josef avait réussi à réunir en engageant au mont-de-piété une broche en émeraude, cadeau de son mari pour leur dixième anniversaire de mariage. Peu avant ce triste anniversaire, Frau Dr Kavalier avait fait une fausse couche au quatrième mois de grossesse. Brusquement, l'image de cet enfant qui n'était pas né – ç'aurait été une sœur – surgit dans l'esprit de Josef, une spirale de vapeur brillante, et fixa sur lui un regard émeraude empli de reproches. Lorsque les fonctionnaires de l'immigration montèrent à Eger pour le débarquer – son nom figurait sur leur liste avec plusieurs autres –, ils le trouvèrent dans un soufflet du train, qui chialait dans le coude de son bras, la morve au nez.

La honte du départ de Josef n'était rien, toutefois, comparée à l'insupportable ignominie de son retour. Durant le trajet vers Prague, entassé alors dans une voiture de troisième classe d'un train régional avec tout un groupe de familles d'agriculteurs sudètes, imposantes et bruyantes, qui se rendaient dans la capitale pour un quelconque rassemblement religieux, il passa la première heure à savourer un sentiment de juste punition pour son manque de cœur, son ingratitude, pour avoir abandonné sa famille. Mais alors que le train traversait Kladno, les inévitables retrouvailles familiales commencèrent à devenir imminentes. Loin de lui fournir l'occasion de compenser sa conduite impardonnable, lui semblait-il, son retour-surprise ne serait qu'un prétexte pour causer davantage de peine à sa famille. Pendant les six mois qui avaient suivi le début de l'Occupation, le centre d'intérêt de Herr Doktor Emil Kavalier et de sa femme Anna, de leur existence commune, avait été les démarches afin d'envoyer Josef en Amérique. Cette entreprise, en réalité, avait fini par représenter un nécessaire contrepoids à l'épreuve quotidienne consistant simplement à se débrouiller, une stimulante inoculation contre ses effets dévastateurs. Une fois que les Kavalier eurent décidé que Josef, né lors d'un court séjour de la famille en Ukraine en 1920, avait le droit, par un caprice du destin, d'émigrer aux États-Unis, la procédure complexe et coûteuse pour l'expédier là-bas avait redonné un certain ordre et un certain sens à leur vie. Comme ils seraient accablés de le voir se représenter à leur porte moins de onze heures après son départ ! Non, songeait-il, il ne pouvait absolument pas les décevoir en revenant. Quand le train entra enfin dans la gare de Prague en début de soirée, Josef resta assis à sa place, incapable de bouger, jusqu'au moment où un chef de train qui passait suggéra, non sans gentillesse, au jeune gentleman de bien vouloir descendre.

Ne sachant où aller, Josef se réfugia au bar de la gare, engloutit un litre et demi de bière et s'endormit sur-le-champ dans un box du fond. Au bout d'un temps indéterminé, un garçon vint le secouer, et Josef se réveilla ivre. Il se battit avec son sac de voyage pour sortir dans les rues de la ville qu'il était persuadé, le matin même, de ne plus jamais revoir. Il déambula dans la rue de Jérusalem, entra dans le Josefov. Et allez savoir pourquoi, presque inévitablement, ses pas le conduisirent rue Maisel, à l'appartement de son vieux maître. Il ne pouvait tout de même pas anéantir les espoirs de sa famille en remontrant son nez. Pas de ce côté-ci de l'océan Atlantique, en tout cas. Si Bernard Kornblum ne pouvait pas lui prêter son concours dans ses projets de fuite, il saurait au moins l'aider à se cacher.

Kornblum tendit une cigarette à Josef et l'alluma à sa place. Puis il gagna son fauteuil, s'y installa confortablement et en alluma une autre pour lui. Ni Josef Kavalier ni les gardiens du golem n'étaient les premiers à avoir approché Kornblum dans l'espérance désespérée que son expérience des cellules de prison, des camisoles de force et des coffres en fer pourrait d'une façon ou d'une autre s'étendre à l'ouverture des frontières d'États souverains. Jusqu'à cette nuit-là, Kornblum avait décliné ce genre de requêtes comme étant non seulement peu réalistes, ou au-delà de ses compétences, mais aussi excessives et prématurées. Maintenant toutefois, tandis qu'il regardait, assis dans son fauteuil, son ancien étudiant battre vainement les minces feuilles de papier en trois exemplaires – les billets de train et cartes d'immigration visées de son portefeuille de voyage –, ses oreilles perçantes détectèrent le cliquetis, pour lui reconnaissable entre tous, des gorges d'une grande serrure en fer en train de se remettre en place. Sous la direction d'Adolf Eichmann, les services de l'immigration étaient passés de l'extorsion cynique au vol pur et simple, prenant aux demandeurs tout ce qu'ils possédaient en échange de rien du tout. La Grande-Bretagne et l'Amérique avaient pratiquement fermé leurs portes. C'était uniquement grâce à l'obstination d'une tante américaine et au hasard géographique de sa naissance en Union soviétique que Josef avait pu obtenir un visa d'entrée aux États-Unis. Pendant ce temps, ici à Prague, pas même une vieille motte inutilisable de vase de la rivière n'était à l'abri du museau prédateur de l'envahisseur.

– Je peux te conduire à Vilnius, en Lituanie, lâcha enfin Kornblum. De là, tu devras trouver toi-même un chemin. Memel est aux mains des Allemands aujourd'hui, mais tu peux peut-être trouver un passage par Prökuls.

– La Lituanie ?

– Je le crains.

Au bout d'un moment, le garçon inclina la tête, haussa les épaules et écrasa sa cigarette dans un cendrier gravé aux armes – le kreutzer et la bêche – du Hofzinser Club.

– Oublie ce que tu fuis, murmura-t-il, citant une vieille maxime de Kornblum. Garde tes inquiétudes pour ce vers quoi tu fuis.

3.

La détermination de Josef Kavalier à prendre d'assaut le très fermé Hofzinser Club avait atteint son comble un beau jour de 1935, au cours du petit déjeuner où il s'était étranglé avec une bouchée d'omelette aux abricots en boîte. À l'appartement labyrinthique des Kavalier, sis dans un immeuble style Sécession, léger comme de la dentelle, aux abords du Graben[1], c'était un de ces rares matins où tout le monde s'était attablé pour prendre le petit déjeuner ensemble. Les médecins Kavalier avaient des horaires professionnels astreignants et, comme bien d'autres parents occupés, tendaient à la fois à négliger et à trop gâter leurs enfants. Herr Dr Emil Kavalier était l'auteur de *Grundsätzen der Endikronologie*, un ouvrage de référence, et le découvreur de l'« acromégalie de Kavalier ». Frau Dr Anna Kavalier, elle, était une neurologue de formation qui avait été analysée par Alfred Adler et avait fini depuis par traiter la crème des jeunes Praguois atteints de cathexie sur son divan à motifs cachemire. Ce matin-là donc, quand Josef se pencha tout à coup en avant en hoquetant, les yeux larmoyants, cherchant sa serviette à tâtons, le père tendit le bras de derrière son *Tageblatt* et lui tapa distraitement le dos. Sans lever les yeux du dernier numéro de *Monatsschrift für Neurologie und Psychiatrie*, sa mère rappela pour la dix millième fois à Josef de ne pas manger trop vite. Seul le petit Thomas avait remarqué, un instant avant que Josef ne pressât la serviette contre ses lèvres, le reflet d'un corps étranger dans la bouche de son frère. Il se leva de table et fit le tour pour se diriger vers la chaise de Josef. Il regarda fixement les mâchoires de son frère, le temps que celles-ci viennent lentement à bout du morceau d'omelette fautif. Josef l'ignora et s'enfourna une nouvelle fourchetée dans le bec.

– Qu'est-ce qu'il y a ? demanda Thomas.

1. Le vieux cimetière juif de Prague. (*N.d.T.*)

– Quoi, qu'est-ce qu'il y a ? répliqua Josef, qui mâchait avec précaution, comme s'il avait mal à une dent. Va-t'en !

À ce moment-là, Miss Horne, la préceptrice de Thomas, détacha ses yeux de son exemplaire vieux d'un jour du *Times* de Londres et étudia les deux frères.

– Vous avez perdu un plombage, Josef ?

– Il a quelque chose dans la bouche, dit Thomas. Ça brille.

– Qu'avez-vous donc dans la bouche, jeune homme ? intervint la mère des garçons, marquant sa place à table à l'aide d'un petit couteau à beurre.

Josef fourra deux doigts dans l'espace entre sa joue et sa gencive supérieure droites et en sortit une lamelle de métal plat, dentelée à une extrémité : une minuscule fourchette, guère plus longue que le petit doigt de Thomas.

– Qu'est-ce que c'est que ça ? lui demanda sa mère, comme si elle allait vomir.

Josef haussa les épaules.

– Une clef dynamométrique, balbutia-t-il.

– Eh bien quoi ! s'exclama son père à l'adresse de sa mère, avec le sarcasme peu subtil qui était en soi une subtilité et lui permettait de ne jamais paraître pris en défaut par le comportement souvent surprenant de ses enfants. Naturellement, c'est une clef dynamométrique.

– Herr Kornblum m'a dit que je devais m'y habituer, expliqua Josef. Il a dit qu'après la mort de Houdini, on s'était aperçu qu'il s'était creusé deux poches substantielles dans les joues.

Herr Dr Kavalier retourna à son *Tageblatt*.

– Une aspiration admirable, commenta-t-il.

Josef s'était intéressé à la magie professionnelle juste au moment où ses mains étaient devenues assez grandes pour manier un jeu de cartes. Prague possédait une importante tradition d'illusionnistes et de prestidigitateurs, et il n'était pas difficile pour un enfant aux parents absorbés et indulgents de trouver une bonne formation. Pendant un an, il avait suivi l'enseignement d'un Tchèque du nom de Bozic, qui se faisait appeler Rango et s'était spécialisé dans les manipulations de cartes et de pièces, le mentalisme et le vol à la tire. Il était capable également de couper une mouche en deux en lançant un trois de carreau. Josef avait vite assimilé la Pluie d'argent, le Kreutzer soluble, la Fausse Coupe du comte Erno et des rudiments du Grand-père défunt, mais après qu'il fut porté à l'attention des parents de Josef que Rango avait jadis tâté de la prison pour avoir remplacé les bijoux et l'argent de son public par de fausses pierres et du papier vierge, le garçon avait bien été entendu retiré de sa tutelle.

Les as et les reines fantômes, les pluies de couronnes d'argent et la subtilisation des montres-bracelets, qui avaient formé le fonds de commerce de Rango, étaient très bien pour se distraire. Et pour Josef, les longues heures passées planté devant la glace du lavabo, à répéter les empalmages, manipulations, escamotages et numéros de passe-passe grâce auxquels il paraissait lancer une pièce dans son oreille droite et, après lui avoir fait traverser la boîte crânienne, la ressortir de l'oreille gauche d'un copain ou d'un parent, ou encore glisser le valet de cœur dans le mouchoir d'une jolie jeune fille, exigeaient une intensité de concentration masturbatoire qui devenait presque plus jouissive que le tour lui-même. Puis un patient avait adressé son père à Bernard Kornblum. Tout changea. Sous la férule de Kornblum, Josef commença à apprendre le dur métier de l'*Ausbrecher*, de la bouche d'un de ses maîtres. À l'âge de quatorze ans, il avait décidé de consacrer sa vie à l'évasion minutée.

Kornblum était un Juif de l'Est osseux, avec une barbe rousse en broussaille qu'il relevait dans un filet de soie noire avant chaque prestation. « Ça les distrait », disait-il, en parlant de ses spectateurs, qu'il considérait avec ce mélange d'étonnement et de dédain propre à l'artiste chevronné. Comme il se produisait avec un minimum de boniments, trouver d'autres moyens de distraire le public était toujours un facteur important. « Si je pouvais travailler sans caleçon, disait-il encore, j'irais tout nu. » Son front était immense, ses doigts longs et habiles bien que disgracieux, avec des articulations noueuses ; ses joues, même par les matins de mai, avaient l'air irritées et desquamées, comme tannées par des vents polaires. Kornblum faisait partie des rares Juifs de l'Est que Josef avait rencontrés. Il y avait bien des réfugiés juifs de Pologne et de Russie dans le cercle de ses parents, mais c'étaient des médecins et des musiciens policés, « européanisés », originaires de grandes villes et qui parlaient français et allemand. Kornblum, dont l'allemand était gauche et le tchèque inexistant, était né dans un *shtètel* à la périphérie de Vilnius et avait passé la majeure partie de sa vie à parcourir les provinces de la Russie impériale, en se produisant dans les odéons, granges et places de marché de mille petites villes et villages. Il portait des complets à poitrine bombée, d'une coupe démodée, à la Rudolf Valentino. Comme son régime alimentaire consistait en grande partie en poissons en conserve – anchois, éperlans, sardines, thon... –, son haleine avait souvent des relents de marée. Bien qu'athée convaincu, il n'en demeurait pas moins casher, évitait de travailler le samedi et avait accroché une gravure sur acier du mont du Temple sur le mur oriental de sa chambre. Jusqu'à récemment, Josef, alors âgé de quatorze ans, avait très peu réfléchi à la question de sa propre judéité. Il croyait – c'était inscrit pieusement dans la constitution tchèque – que les Juifs n'étaient qu'une des nombreuses minorités ethniques qui constituaient la jeune nation dont Josef était fier d'être le fils. L'arrivée de Kornblum, avec son odeur baltique, ses bonnes manières défraîchies et son yiddish, fit forte impression sur lui.

Ce printemps et cet été-là, jusqu'à la mi-automne, Josef se rendit deux fois par semaine dans la chambre de Kornblum, au dernier étage d'une maison de guingois de la rue Maisel, dans le Josefov, pour être enchaîné au radiateur et avoir les mains et les pieds liés au moyen de longs rouleaux de grosse corde de chanvre. Au début, Kornblum ne lui donna pas le moindre conseil pour se libérer de cette coercition.

– Tu seras attentif, prévint-il l'après-midi du premier cours de Josef, alors qu'il l'entravait avec une chaise en bois courbé. Ça, je te le garantis. Tu t'habitueras aussi au contact de la chaîne. La chaîne est ton pyjama de soie désormais. C'est comme les bras aimants de ta mère...

En dehors de cette chaise, d'un lit de fer, d'une armoire et de l'image de Jérusalem sur le mur est, à côté de l'unique fenêtre, la chambre était presque nue. Le seul bel objet était un coffre chinois taillé dans une sorte de bois tropical, aussi rouge que du foie cru, avec de gros gonds de cuivre et une paire de serrures fantaisie également en cuivre, en forme de paons stylisés. Lesdites serrures s'ouvraient grâce à tout un système de leviers et de ressorts minuscules, dissimulés dans les ocelles en jade des sept plumes de la queue de chaque paon. Le magicien pressait les quatorze boutons de jade dans un ordre qui semblait changer à chaque nouvelle ouverture du coffre.

Au cours des premières séances, Kornblum se borna à montrer à Josef diverses sortes de serrures, qu'il sortait une à une de son coffre : serrures utilisées pour la fermeture de menottes, de boîtes aux lettres et de journaux intimes des dames, serrures de porte à bouterolles et à goupilles ; solides cadenas et serrures à combinaison prélevées sur des cassettes et des coffres-forts. Sans un mot, il démontait chaque modèle à l'aide d'un tournevis, puis le remontait. Vers la fin de l'heure, sans libérer encore Josef, il exposait les premières notions du contrôle de la respiration. Enfin, pendant les dernières minutes du cours, il délivrait son élève de ses chaînes pour le fourrer dans un cercueil de bois blanc. Assis sur le couvercle fermé, il buvait du thé et consultait sa montre-bracelet jusqu'à la fin du cours.

– Si tu es claustrophobe, lui expliqua Kornblum, nous devons le diagnostiquer maintenant. Pas quand tu seras enchaîné au fin fond de la Moldau, attaché à l'intérieur d'un sac postal, avec toute ta famille et tes voisins qui attendent que tu t'en sortes à la nage...

Au début du deuxième mois, il introduisit le crochet et la clef dynamométrique, et se mit en devoir d'appliquer ces merveilleux outils à chaque modèle de serrure qu'il gardait dans son coffre. Son toucher était habile et, quoiqu'il eût soixante ans bien sonnés, ses mains sûres. Il crochetait les serrures puis, pour l'édification de Josef, les démontait et les crochetait une nouvelle fois avec le mécanisme mis à nu. Les serrures, qu'elles soient neuves ou anciennes, anglaises, allemandes, chinoises ou américaines, ne résistaient guère plus de quelques secondes à ses bricolages. De surcroît, il avait réuni une petite bibliothèque de gros ouvrages poussiéreux, beaucoup illégaux ou interdits, certains marqués du cachet de la terrible Tcheka des Bolcheviks, où étaient répertoriées, en innombrables colonnes de caractères minuscules, les formules combinatoires, par numéro de lot, des milliers de serrures à combinaison fabriquées en Europe depuis 1900.

Des semaines durant, Josef supplia Kornblum de lui permettre de manier lui-même le crochet. Contrairement aux consignes, il s'était exercé sur les serrures de la maison au moyen d'une épingle à chapeau et d'un rayon de roue de bicyclette, avec un succès inégal.

– Très bien, dit enfin Kornblum. (Tendant à Josef son crochet et une clef dynamométrique, il le conduisit à la porte de sa chambre, sur laquelle il avait posé lui-même une superbe serrure Rätsel[1] toute neuve à sept goupilles. Puis il dénoua sa cravate et s'en servit pour aveugler Josef.) Pour voir à l'intérieur de la serrure, tu n'as pas besoin de tes yeux.

Josef s'agenouilla dans le noir et chercha à tâtons la poignée plaquée de cuivre. Le battant était glacé contre sa joue. Lorsque Kornblum ôta enfin son bandeau et, d'un geste, invita Josef à grimper dans le cercueil, Josef avait crocheté la Rätsel trois fois. La dernière, en moins de dix minutes.

La veille du jour où Josef avait provoqué un esclandre à la table du petit déjeuner, après des mois d'exercices respiratoires qui lui donnaient mal au cœur ainsi que des picotements à la tête, et d'un entraînement qui lui laissait les articulations des doigts endolories, il était entré dans la chambre de Kornblum et avait tendu ses poignets, comme d'habitude, pour être menotté et ligoté. Kornblum l'alarma avec un rare sourire. Il remit à Josef une petite trousse en cuir noir. Après l'avoir déroulée, Josef trouva la clef dynamométrique miniature et un jeu de crochets en acier, certains guère plus longs que la clef, d'autres deux fois plus, avec des poignées de bois poli. Aucun n'était plus gros qu'un crin de balai. Le bout en avait été taillé et recourbé pour former toutes sortes de lunes, diamants et autres tildes astucieux.

– C'est moi qui les ai fabriqués, dit Kornblum. Ils sont fiables.

1. En allemand, « énigme », « mystère ». (*N.d.T.*)

– Pour moi ? Vous les avez fabriqués pour moi ?

– C'est ce que nous allons décider maintenant, répondit Kornblum, montrant du doigt le lit où il avait étalé une paire de menottes allemandes flambant neuves et ses plus beaux cadenas américains Yale. Enchaîne-moi donc au fauteuil.

Kornblum se laissa lier au fauteuil au moyen d'une longueur de grosse chaîne. D'autres chaînes attachaient le fauteuil au radiateur, ainsi que ce dernier à son cou. Ses mains aussi furent menottées. Devant lui, afin qu'il puisse fumer. Sans un conseil ou une plainte de Kornblum, Josef retira les menottes et tous les cadenas sauf un au cours de la première heure. Mais le dernier cadenas, un Dreadnought d'une livre, un modèle Yale de 1927, à seize goupilles télescopiques, résista à tous ses efforts. Josef suait et jurait en tchèque à mi-voix, pour ne pas offenser son maître. Kornblum alluma une autre Sobranie.

– Les goupilles parlent, rappela-t-il enfin à Josef. Le crochet est un minicâble téléphonique. Les extrémités de tes doigts ont des oreilles.

Josef prit une profonde inspiration, glissa le crochet se terminant par une petite arabesque dans l'entrée de serrure et utilisa une nouvelle fois le bras dynamométrique. Rapidement, il effleura les goupilles d'avant en arrière du bout de son instrument, sentant chacune d'elles céder tour à tour, jaugeant la résistance des ressorts. Chaque serrure avait son propre point d'équilibre entre rotation et frottement : si on tournait trop fort, l'entrée de serrure se bloquait ; trop doucement, les goupilles n'accrochaient pas bien. Avec des cylindres à seize goupilles, trouver le point d'équilibre était entièrement une question d'intuition et de style. Josef ferma les yeux. Il entendit le fil du crochet vibrer dans les extrémités de ses doigts.

Avec un doux murmure métallique, le cadenas s'ouvrit brusquement. Kornblum hocha la tête, se leva et s'étira.

– Tu peux garder les outils, conclut-il.

Si lent que le progrès des leçons avec Herr Kornblum eût semblé à Josef, il avait été dix fois plus lent pour Thomas Kavalier. Le bricolage sans fin de serrures et de nœuds auquel Thomas avait secrètement assisté des nuits durant, à la faible clarté de la lampe de la chambre que les garçons partageaient, était loin d'être aussi intéressant à ses yeux que l'avait été la passion de Josef pour les manipulations de pièces de monnaie et la magie des cartes à jouer.

Thomas Masaryk Kavalier était un enfant espiègle, un lutin doté d'une épaisse crinière noire. Quand il était tout jeune, le gène musical de la famille maternelle s'était manifesté chez lui. À trois ans, il régalait les convives de longues arias emportées, baragouinées dans un italien incompréhensible. Pendant des vacances familiales à Lugano, quand il avait huit ans, on s'aperçut que, grâce à la lecture attentive de ses livrets d'opéra préférés, il avait réellement glané assez d'italien pour pouvoir discuter avec les chasseurs de l'hôtel. Constamment sollicité pour participer aux prestations de son frère, poser pour ses croquis et se porter garant de ses mensonges, il avait développé un authentique flair dramatique. Dans un carnet à carreaux, il avait écrit récemment les premières lignes d'un opéra, *Houdini*, situé dans le Chicago mythique. Pour ce projet, il était gêné par le fait de n'avoir jamais vu de numéro d'artiste de l'évasion. Dans son imagination, les exploits de Houdini étaient bien plus grandioses que tout ce que même l'ex-Mr Erich Weiss[1] en personne avait pu concevoir autrefois : sauts en armure d'avions en feu au-dessus de l'Afrique, évasions de boulets creux lancés dans des repaires de requins par des canons sous-marins. Au petit déjeuner de ce matin-là, la soudaine irruption de Josef dans un territoire jadis occupé de fait par l'illustre Houdini marqua un grand jour dans l'enfance de Thomas.

Après le départ de leurs parents – la mère pour son bureau de Narodny, le père afin d'attraper un train à destination de Brno, où il avait mission de rendre visite à la fille géante du maire –, Thomas ne lâcha pas Josef sur Houdini et ses joues.

– Il aurait pu faire rentrer une pièce de deux couronnes ? voulut-il savoir.

Couché à plat ventre sur son lit, il regardait Josef ranger la clef dynamométrique dans son étui spécial.

– Oui, sauf qu'on ne voit pas pourquoi il aurait pu avoir envie de le faire.

– Et une boîte d'allumettes ?

– Oui, je pense.

– Comment seraient-elles restées sèches ?

– Il aurait pu les envelopper dans de la toile cirée.

Thomas explora sa joue du bout de sa langue. Il frissonna.

– Quoi d'autre Herr Kornblum veut-il que tu y mettes ?

– J'apprends à devenir un artiste de l'évasion, pas une valise ! s'écria Josef avec impatience.

– Tu vas finir par réaliser une véritable évasion, alors ?

– J'en suis plus près aujourd'hui que je ne l'étais hier.

– Après tu pourras entrer au Hofzinser Club ?

– Nous verrons.

– Quelles sont les conditions ?

Josef roula les yeux, regrettant d'avoir parlé du Hofzinser Club à Thomas. C'était un club privé masculin, abrité dans une ancienne auberge d'une des rues les plus tortueuses et les plus crépusculaires

1. Autre nom de Houdini.

du Staré Mesto, et qui faisait office à la fois de cantine, de société de bienfaisance, de corporation et de salle de répétition pour les artistes magiciens de Bohême. Herr Kornblum y soupait presque tous les soirs. Aux yeux de Josef, il était clair que le club n'était pas seulement l'unique source de compagnie et d'échange pour son maître taciturne, mais également une véritable cour des Miracles, un répertoire vivant du savoir accumulé au fil de siècles de tours de passe-passe et d'illusion dans une ville qui avait donné au monde quelques-uns des plus grands charlatans, prestidigitateurs et fakirs de l'histoire. Josef voulait désespérément en être membre. En réalité, ce désir était devenu l'objet secret de toutes ses rêveries (rôle qui devait vite être usurpé par la préceptrice, Miss Dorothea Horne). La raison pour laquelle Josef était si irrité par les incessantes questions de Thomas tenait en partie au fait que son petit frère avait deviné la prééminence permanente de l'Hofzinser Club dans ses pensées. L'esprit de Thomas, lui, était rempli de visions orientales – « loukoums » – d'hommes portant jaquette et culotte de pacha, qui se promenaient dans le sourcilleux hôtel à colombages de Stupartskà avec le haut du torse séparé du bas et faisaient surgir de l'air des léopards et des oiseaux-lyres.

– Il faut seulement être invité.

– Est-ce qu'on doit avoir trompé la mort ?

– L'heure venue, je suis sûr que je recevrai mon invitation.

– Quand tu auras vingt et un ans ?

– Peut-être.

– Mais si tu mettais quelque chose au point pour leur montrer...

Cette supposition faisait écho au cours secret des ruminations de Josef. Il virevolta sur son lit et se pencha en avant pour regarder Thomas.

– Par exemple ?

– Si tu leur montrais comment tu peux te libérer de chaînes, ouvrir des serrures, retenir ton souffle, dénouer des cordes...

– Tout ça, c'est facile. On peut apprendre ces tours en prison.

– Bon, si tu faisais quelque chose de vraiment extraordinaire, enfin... quelque chose qui les laisserait babas.

– Une évasion.

– On pourrait te jeter d'un avion, ligoté à une chaise, avec le parachute attaché à une autre chaise, pour que tu tombes dans le vide. Comme ça...

Thomas se leva à quatre pattes de son lit, se dirigea vers son petit bureau, en sortit le carnet bleu dans lequel il composait *Houdini* et l'ouvrit à une page de la fin, où il avait dessiné la scène. On voyait Houdini en smoking dégringoler d'un avion de guingois, en compagnie d'un parachute, de deux chaises, d'une table et d'un service à thé, tous suivis de longs gribouillis pour indiquer la vitesse. Le magicien souriait en servant du thé à son parachute. Il semblait penser qu'il avait tout le temps du monde.

– C'est idiot, dit Josef. Qu'est-ce que je connais aux parachutes ? Qui va me laisser sauter d'un avion ?

Thomas rougit.

– C'est enfantin, admit-il.

– Peu importe, conclut Josef, qui se leva à son tour. Tu ne jouais pas avec les vieux machins de papa, tout à l'heure ? Avec ses instruments de la fac de médecine ?

– Je les ai ici, répondit Thomas.

Il se jeta par terre et roula sous le lit. L'instant suivant apparaissait une petite caisse de bois, couverte de toiles d'araignée pleines de poussière, et dont le couvercle s'articulait sur des boucles tordues en fil de fer.

Josef s'agenouilla, rabattit le couvercle et mit au jour des bouts disparates d'instruments et de fournitures scientifiques qui avaient survécu aux études médicales de leur père. Dans une déferlante de vieux copeaux d'emballage surnageaient une fiole d'Erlenmeyer cassée, une cornue avec un penny côté face en guise de bouchon, une paire de pinces à creuset, le coffret tendu de cuir contenant les vestiges d'un microscope Zeiss portatif (rendu depuis longtemps inutilisable par Josef, qui avait tenté une fois de s'en servir pour mieux voir la chute de reins de Pola Negri sur une photo de plage floue déchirée dans un journal) et autres articles dépareillés.

– Thomas ?

– C'est confortable là-dessous. Je ne suis pas claustrophobe. Je pourrais y rester des semaines.

– Il n'y avait pas... (Josef farfouilla dans le tas bruissant de copeaux.) On n'avait pas...

– Comment ?

Thomas s'extirpa de dessous le lit.

Josef éleva à la lumière une longue baguette de verre brillante et la brandit comme Kornblum lui-même eût pu le faire.

– Un thermomètre, dit-il.

– Pour quoi faire ? De qui tu vas prendre la température ?

– De la rivière.

À quatre heures du matin, le vendredi 27 septembre 1935, la température de l'eau de la rivière Moldau, qui était noire comme une cloche d'église et tintait contre le quai en pierre au nord de l'île de Kampa, atteignait 22,2 °C. La nuit était sans lune, et le brouillard recouvrait la rivière telle une tenture tirée par la main d'un prestidigitateur. Un vent aigre agitait bruyamment les gousses des branches nues des acacias de l'île. Les frères Kavalier étaient venus parés pour un temps froid. Josef avait veillé à ce qu'ils soient habillés de laine de la tête aux pieds, avec deux paires de chaussettes chacun. Dans le sac qu'il portait au dos, il trimbalait un bout de corde, un tronçon de chaîne, le thermomètre, une demi-saucisse de veau, un cadenas et des vêtements de rechange, plus deux paires de chaussettes supplémentaires pour son usage personnel. Il avait également un réchaud à pétrole portatif, emprunté à un camarade d'école dont la famille pratiquait l'alpinisme. Bien qu'il n'eût pas prévu de passer beaucoup de temps dans l'eau – pas plus d'une minute vingt-sept secondes, avait-il calculé –, il s'était entraîné dans une baignoire remplie d'eau froide et savait que, même dans le confort de la salle de bains familiale chauffée à la vapeur, il mettait plusieurs minutes à se réchauffer.

De toute son existence Thomas Kavalier ne s'était jamais levé si tôt. Il n'avait jamais vu les rues de Prague aussi désertes, les façades autant plongées dans l'obscurité, semblables à une rangée de lanternes dont les mèches eussent été mouchées. Les carrefours qu'il connaissait, les boutiques, les lions sculptés d'une balustrade qu'il longeait tous les jours en allant à l'école avaient l'air étranges et imposants. Les réverbères répandaient un faible halo lumineux, et les angles de rue étaient noyés d'ombre. Il ne cessait de s'imaginer qu'en se retournant il verrait leur père les poursuivre en chaussons et robe de chambre. Josef marchait vite et Thomas devait presser le pas pour rester à sa hauteur. L'air glacé lui brûlait les joues. Ils s'arrêtèrent plusieurs fois, pour des motifs qui ne furent jamais bien clairs pour Thomas, afin de se tapir sous un porche ou de s'abriter derrière l'aile galbée d'une Skoda en stationnement. Ils passèrent devant la porte de service ouverte d'une boulangerie, et Thomas fut submergé fugitivement de blancheur : un mur carrelé de blanc, un homme blême tout habillé de blanc, un nuage de farine qui tourbillonnait au-dessus d'une montagne de pâte à pain d'un blanc luisant. Au grand étonnement de Thomas, il y avait toutes sortes de gens debout à cette heure : fournisseurs, chauffeurs de taxi, deux ivrognes en train de pousser la chansonnette. Même une femme dans un long manteau noir, qui traversait le pont Charles en fumant et en parlant toute seule. Et des policiers. Ils furent contraints d'en croiser deux en catimini sur le chemin de Kampa. Enfant spontanément respectueux des lois, Thomas aimait bien les policiers. Il en avait peur aussi. Sa vision des prisons et des cachots avait été vivement influencée par la lecture d'Alexandre Dumas, et il ne doutait pas le moins du monde que des petits garçons y étaient enterrés sans pitié.

Il commença à se repentir d'avoir accompagné Josef. Il regrettait d'avoir eu l'idée de le pousser à faire ses preuves aux yeux des membres du Hofzinser Club. Ce n'était pas qu'il doutât des capacités de son frère. Cela ne lui serait jamais venu à l'esprit. Il avait juste peur. De la nuit, des ombres et de l'obscurité, des policiers, de la réaction de son père, des araignées, des voleurs, des ivrognes, des dames en pardessus et surtout, ce matin-là, de la rivière, plus sombre que toute autre chose à Prague.

Pour sa part, Josef avait seulement peur d'être empêché. Pas pris. Il ne pouvait rien y avoir d'illégal, se répétait-il, à se ligoter pour tenter ensuite de se dégager à la nage d'un sac à linge. Il ne croyait pas que la police ou ses parents considéreraient son projet d'un œil favorable – il pouvait même être poursuivi, pensait-il, pour se baigner dans la rivière hors saison –, mais il n'avait pas peur de la punition. Simplement il n'avait pas envie que quoi que ce soit lui interdise de mettre à exécution son évasion. Son emploi du temps était minuté. La veille, il avait posté une invitation au président du Hofzinser Club :

Les honorés membres du Hofzinser Club
sont cordialement invités
à assister à un nouveau et stupéfiant exploit
d'autolibération
par ce prodige de l'escapologie
CAVALIERI
au pont Charles
dimanche 29 septembre 1935
à quatre heures et demie du matin.

Il était content de la formule, mais cela ne lui laissait que deux jours pour se préparer. Pendant la quinzaine écoulée, il avait crocheté des serrures, les mains immergées dans un évier rempli d'eau glacée, et avait joué au contorsionniste pour se dégager de ses liens et délier ses chaînes dans la baignoire de ses parents. Ce soir, il tenterait l'« exploit d'autolibération » sur la berge de Kampa. Puis, deux jours plus tard, si tout marchait bien, il demanderait à Thomas de le pousser par-dessus le parapet du pont Charles. Il ne doutait absolument pas de réussir son coup. Retenir sa respiration une minute et demie ne lui posait aucune difficulté. Grâce à l'enseignement de Kornblum, il pouvait rester près de deux fois plus longtemps sans respirer. 22,2 °C, c'était plus froid que l'eau qui coulait dans les tuyaux de chez lui, mais encore une fois il n'avait pas l'intention de s'y attarder. Une lame de rasoir, destinée à fendre le sac à linge, était dissimulée en lieu sûr, entre deux épaisseurs de la semelle de sa chaussure gauche, tandis que le petit pied-de-biche de Kornblum et un crochet miniature que Josef s'était confectionné avec un filament métallique d'un balai-brosse de cantonnier étaient si confortablement logés à l'intérieur de sa joue qu'il était à peine conscient de leur présence. Des considérations telles que l'impact de sa tête sur l'eau ou sur une des piles de pierre du pont, son trac paralysant devant ce public éminent, ou encore la possibilité de couler sans pouvoir bouger n'empiétaient aucunement sur son idée fixe.

– Je suis prêt, lança-t-il, tendant le thermomètre à son petit frère. (Un glaçon dans la main de Thomas.) Entrons dans le sac.

Il ramassa le sac à linge qu'ils avaient chipé dans le placard de leur gouvernante, le tint ouvert et passa les deux jambes dans la large gueule de la poche comme dans un pantalon. Puis il empoigna le tronçon de chaîne que Thomas lui tendait et le passa plusieurs fois entre ses chevilles et autour de celles-ci avant d'en attacher les extrémités au moyen d'un lourd Rätsel qu'il avait acheté dans une quincaillerie. Ensuite, il présenta ses poignets à Thomas qui, comme il en avait reçu l'instruction, les lia ensemble à l'aide de la corde, qu'il noua serré avec un nœud deux demi-clefs et deux nœuds plats. Josef s'accroupit, et Thomas serra le cordon du sac au-dessus de sa tête.

– Dimanche, nous allons ajouter des chaînes et des serrures à la corde, dit Josef, la voix assourdie d'une manière qui troubla son frère.

– Mais comment vas-tu sortir, alors ?

Les mains du petit garçon tremblaient. Il renfila ses gants de laine.

– C'est juste pour l'effet. Je ne sors pas par là.

Le sac se gonfla soudain comme un ballon, et Thomas fit un pas en arrière. À l'intérieur du sac, Josef était penché en avant et tâtonnait, les deux bras tendus, pour chercher le sol. Le sac bascula.

– Oh !

– Que s'est-il passé ?

– Tout va bien. Roule-moi dans l'eau.

Thomas regarda le ballot informe à ses pieds. Celui-ci paraissait trop petit pour contenir son frère.

– Non ! cria-t-il à sa grande surprise.

– Thomas, s'il te plaît. Tu es mon assistant.

– Non, je ne suis pas ton assistant. Il n'y a même pas mon nom sur l'invitation.

– Excuse-moi, implora Josef. Je t'ai oublié. (Il attendit.) Thomas, je te présente mes plus plates excuses pour mon étourderie.

– D'accord.

– Maintenant roule-moi dans l'eau.

– J'ai peur. (Thomas s'agenouilla et se mit à dénouer le sac. Il avait conscience de trahir la confiance de son frère et l'esprit de la mission, et cela le mortifiait, mais c'était plus fort que lui.) Il faut que tu sortes tout de suite de là !

– Ça va aller, plaida Josef. Thomas ! (Couché sur le dos, risquant un œil par l'entrée soudain ouverte du sac, Josef secoua la tête.) Tu es ridicule. Allez, referme-moi ça. Et le Hofzinser Club, hein ? Tu ne veux pas que je t'emmène dîner là-bas ?

– Mais... ?
– Mais quoi ?
– Le sac est trop petit.
– Comment ?
– Il fait si noir dehors... il fait trop noir dehors, Josef.
– Thomas ? De quoi parles-tu ? Allez, *Tommy boy* ! ajouta-t-il en anglais. (C'était ainsi que Miss Horne l'appelait.) Dîner au Hofzinser Club, danseuses du ventre, délices turcs. Tout seuls, sans Mère ni Père...
– Oui, mais...
– Fais-le.
– Josef ! Est-ce que ta bouche saigne ?
– Bon sang, Thomas, ferme ce maudit sac !

Thomas céda. Vite, il se pencha pour fermer le sac et roula son frère dans la Moldau. Les éclaboussures le firent sursauter. Il fondit en larmes. Un large ovale d'ondes concentriques s'étendit à la surface des flots. Dans tous ses états, Thomas se promena un instant de long en large sur le quai, l'explosion d'eau résonnant encore dans sa tête. Les bas de son pantalon étaient trempés et un liquide glacé s'insinuait autour des languettes de ses chaussures. Il avait jeté son propre frère dans la rivière, il l'avait noyé comme une portée de petits chats.

Ce que Thomas se rappelait ensuite, c'est qu'il était sur le pont Charles. Il passait devant les statues du pont, courait vers la maison, vers le poste de police, la cellule où il se serait maintenant jeté avec joie. Mais alors qu'il longeait Saint-Christophe, il crut entendre quelque chose. Il se précipita vers le parapet du pont et regarda en bas. Il parvenait à peine à distinguer le sac d'alpiniste sur le quai, la faible lueur du réchaud. La surface de l'eau était intacte.

Thomas retourna à toutes jambes à l'escalier qui descendait sur l'île. Au moment où il contournait la bitte d'amarrage arrondie au départ de l'escalier, le claquement du marbre dur contre la paume de sa main lui sembla une exhortation à braver les flots noirs. Il dégringola les marches de pierre quatre à quatre, traversa l'esplanade vide, dévala la berge et tomba la tête la première dans la Moldau.

– Josef ! cria-t-il, juste avant que sa bouche ne se remplisse d'eau.

Pendant ce temps, Josef, aveugle, ligoté et saisi par le froid, retenait frénétiquement sa respiration, tandis que les éléments de son plan tournaient mal un à un. Quand il avait tendu les mains à Thomas, il avait croisé les poignets à l'endroit des bosses osseuses, aplatissant leurs tendres faces intérieures l'une contre l'autre après avoir été attaché, mais la corde semblait s'être rétractée dans l'eau, grignotant ce fameux centimètre de marge de manœuvre. Avec une panique qu'il n'aurait jamais cru possible, il sentit s'écouler presque une minute entière avant de pouvoir libérer ses mains. Ce triomphe le calma un peu. Il pêcha le levier et le crochet dans sa bouche et, les tenant précautionneusement, tendit les mains dans le noir vers la chaîne enroulée autour de ses jambes. Kornblum avait beau l'avoir mis en garde contre la mauvaise prise du crocheteur amateur, il fut secoué quand le levier se tordit comme la tige d'une toupie et lui échappa des doigts. Il perdit quinze secondes à la chercher à tâtons et puis en mit vingt ou trente de plus pour introduire le crochet dans la serrure. Les extrémités de ses doigts étaient gourdes de froid, et ce fut seulement par une vibration fortuite de son fil de fer qu'il réussit à atteindre les goupilles, à régler les poussoirs et à tourner l'entrée de la serrure. Cette même torpeur le servit beaucoup plus quand, allongeant la main pour attraper le rasoir caché dans sa semelle, il se coupa le bout de l'index droit. Même s'il ne voyait rien, il sentit le goût d'un filet de sang dans cet élément bourdonnant et obscur qui l'entourait.

Trois minutes et demie après avoir culbuté dans la rivière, en battant des pieds malgré ses lourdes chaussures et deux paires de chaussettes, il refit surface. Seuls les exercices respiratoires de Kornblum et le miracle de l'habitude l'avaient empêché d'exhaler le dernier atome d'oxygène contenu dans ses poumons à l'instant précis où il avait touché l'eau. Désormais haletant, il grimpa péniblement sur la berge et rampa à quatre pattes vers le réchaud qui chuintait. L'odeur d'huile de houille était semblable à l'odeur du pain chaud ou des brûlants trottoirs d'été. Il aspira de profondes goulées d'air. Le monde sembla alors entrer à flots dans ses poumons : arbres arachnéens, brouillard, les lanternes clignotantes accrochées le long du pont, une lumière qui brillait dans la vieille tour de Kepler dans le Keplermentinum. Brusquement, il eut un haut-le-cœur et cracha quelque chose d'amer, d'abominable et de brûlant. Il s'essuya les lèvres sur la manche de sa chemise de laine trempée et se sentit un peu mieux. Puis il prit conscience que son petit frère avait disparu. Frissonnant, il se releva avec ses vêtements qui pendaient, lourds comme une cotte de mailles, et aperçut Thomas dans l'ombre du pont, sous la statue de Brunswick, qui brassait maladroitement l'eau, barbotait, hoquetait, en train de se noyer.

Josef se remit à l'eau, qui était aussi glacée que la première fois, mais il ne sentait rien. En nageant, il eut la sensation que quelque chose le palpait, le tirait doucement par les jambes, essayait de l'entraîner au fond. C'était seulement la pesanteur terrestre, ou le courant rapide de la Moldau, mais, sur le moment, Josef s'imagina être englué dans la même substance infecte qu'il avait crachée dans le sable.

Lorsque Thomas vit Josef se diriger vers lui dans des gerbes d'éclaboussures, il éclata aussitôt en larmes.

– Pleure, dit Josef, se disant que respirer était essentiel et que pleurer était en partie une forme de respiration. C'est bien...

Josef passa un bras autour de la taille de son frère, puis tenta de les ramener, Thomas et le poids mort que lui-même était devenu, vers la berge de Kampa. Pendant qu'ils gigotaient et se débattaient au milieu de la rivière, ils n'arrêtaient pas de parler, bien que ni l'un ni l'autre ne pût se souvenir plus tard du sujet de leur discussion. Quel que fût celui-ci, tous deux eurent l'impression après coup que ç'avait été quelque chose de calme et de tranquille, comme les chuchotements qu'ils échangeaient parfois avant de s'endormir. À un moment, Josef s'aperçut qu'il avait les membres chauds, brûlants même, et qu'il allait se noyer. Sa dernière perception consciente fut la vision de Kornblum fendant les flots dans leur direction, sa barbe broussailleuse attachée dans une résille.

Josef revint à lui une heure plus tard, dans son lit, à la maison. Thomas, lui, mit deux jours de plus pour reprendre connaissance. Jusqu'au dernier moment, personne, et ses parents médecins moins que les autres, n'y croyait. Il ne fut jamais tout à fait le même par la suite. Il ne supportait plus le temps froid et resta enchifrené toute sa vie. Peut-être à cause d'une lésion des oreilles, il perdit également son goût pour la musique. Le livret de *Houdini* demeura inachevé.

Les leçons de magie furent interrompues, à la demande de Bernard Kornblum. Durant les semaines difficiles qui suivirent l'escapade des deux frères, Kornblum fut un modèle de correction et de sollicitude, apportant des jouets et des jeux pour Thomas, intercédant au nom de Josef auprès des Kavalier, endossant l'entière responsabilité des événements. Les médecins Kavalier croyaient leurs fils quand ceux-ci juraient que Kornblum n'était pour rien dans l'accident et, comme ce dernier avait sauvé les garçons de la noyade, ils ne demandaient pas mieux que de pardonner. Josef était tellement contrit et calmé qu'ils auraient même été disposés à l'autoriser à reprendre ses cours avec le vieux magicien sans-le-sou, qui ne pouvait certainement pas se permettre le luxe de perdre un élève. Mais Kornblum leur répondit que son temps avec Josef était terminé. Il n'avait jamais eu de disciple aussi naturellement doué, mais son art – qui était réellement le seul bien d'un artiste de l'évasion – n'avait pas été transmis. Il ne leur dit pas ce qu'il croyait désormais secrètement : à savoir que Josef était un de ces infortunés garçons qui deviennent des artistes de l'évasion, non pour montrer la supériorité de leurs machineries corporelles sur des dispositifs barbares et les lois de la physique, mais pour des raisons dangereusement métaphoriques. De tels hommes se sentent prisonniers de chaînes invisibles, emmurés, ligotés. Pour eux, l'exploit final d'autolibération n'était que trop prévisible.

Kornblum ne put toutefois s'empêcher d'asséner à son ancien

élève cette dernière critique sur sa prestation de cette nuit-là : « Ne te soucie pas de ce que tu fuis. Réserve tes inquiétudes pour ce vers quoi tu fuis. »

Quinze jours après le désastre de Josef, Thomas étant rétabli, Kornblum passa à l'appartement du Graben pour emmener les frères Kavalier dîner au Hofzinser Club, lequel se révéla un établissement assez quelconque, avec sa salle à manger exiguë et chichement éclairée, qui sentait le foie et les oignons cuits. Il y avait une petite bibliothèque remplie de livres moisis sur les arts de l'illusion et de la contrefaçon. Dans le salon, un feu électrique jetait une clarté négligeable sur un éparpillement de fauteuils recouverts de velours usé, quelques palmiers en pot et caoutchoucs poussiéreux. Un serveur chenu appelé Max laissa tomber de son mouchoir une poignée de vieux bonbons durs sur les genoux de Thomas. Ces derniers avaient un goût de café torréfié. Les magiciens, pour leur part, levèrent à peine les yeux de leurs échiquiers et de leurs silencieuses parties de bridge. Là où manquaient les cavaliers et les tours, ils se servaient de cartouches de fusil vides et de piles de kreutzers d'avant-guerre. Les cartes à jouer, elles, portaient les stigmates d'années d'écornures, de brisures et de manipulations aux mains d'anciens tricheurs professionnels. Étant donné que ni Kornblum ni Josef n'avaient de don pour la conversation, à table il revint à Thomas de se charger de ce fardeau, ce qu'il fit avec dévouement, jusqu'à ce qu'un membre du club, un vieux nécromancien qui dînait seul à la table voisine, lui eût ordonné de se taire. À neuf heures, comme promis, Kornblum ramena les garçons à la maison.

4.

Le duo de jeunes professeurs allemands qui jouaient les spéléologues avec leurs torches électriques dans les combles de l'Ancienne-Nouvelle Synagogue, ou *Altneuschul*, étaient repartis déçus, en l'occurrence ; en effet, le grenier situé sous les pignons en marches d'escalier de la vieille synagogue gothique était un cénotaphe. Vers le tournant du siècle précédent, les édiles praguois avaient décidé d'« assainir » l'ancien ghetto. Pendant le temps où le sort de l'Altneuschul avait paru incertain, les membres du cercle secret avaient pris leurs dispositions pour que le trésor qui leur avait été confié fût déménagé de sa vieille cachette, un tumulus de livres de prières dé-consacrés au fond du grenier de la synagogue, dans un appartement d'un immeuble avoisinant, récemment construit par un membre du cercle qui, dans la vie publique, était un promoteur immobilier prospère. Après cette explosion d'activité hors du commun, l'inertie inhérente au ghetto et la désorganisation du cercle reprirent leurs droits. On ne sait pourquoi, on ne revint jamais sur ce déménagement, censé n'être que temporaire, même après qu'il fut devenu clair que l'Altneuschul serait épargnée. Quelques années plus tard, l'ancienne *yèshiva*, dans la bibliothèque de laquelle le dossier du transfert avait été conservé, s'écroula sous la boule des démolisseurs, et le rouleau contenant ce dossier se perdit. En conséquence, le cercle ne put fournir à Kornblum qu'une adresse incomplète du golem. Le numéro exact de l'appartement où il avait été caché avait sombré dans l'oubli ou avait été l'objet d'une controverse. Le plus gênant, c'est qu'aucun des actuels membres du cercle ne se rappelait avoir posé les yeux sur le golem depuis le début de 1917.

– Alors pourquoi le rechanger de place ? demanda Josef à son vieux professeur, tandis qu'ils étaient plantés devant l'immeuble Art nouveau, défraîchi depuis longtemps et maculé d'empreintes de pouce noires, vers lequel ils avaient été dirigés.

Josef tira nerveusement sur sa fausse barbe, qui lui donnait des démangeaisons au menton. Il portait également une moustache et une perruque, toutes deux couleur carotte et de bonne qualité, plus une paire de grosses lunettes en écaille. Ce matin-là, en se regardant dans la glace de Kornblum avec son costume de tweed Harris acheté pour le voyage en Amérique, il s'était trouvé un air écossais assez convaincant. En revanche, moins claire pour lui était la raison pour laquelle passer pour un Écossais dans les rues de Prague avait de fortes chances de détourner l'attention des gens de sa quête personnelle et de celle de Kornblum. Comme pour bien des novices dans l'art du déguisement, il ne se serait guère senti plus voyant s'il avait été nu ou un homme-sandwich, affublé de deux placards publicitaires avec son nom et ses intentions imprimés dessus.

Il parcourut des yeux, de haut en bas, la Nicholasgasse, le cœur cognant contre ses côtes comme un bourdon derrière la vitre. Dans les dix minutes qu'ils avaient mis pour venir de la chambre de Kornblum jusqu'ici, Josef avait croisé sa mère trois fois, ou plutôt il avait croisé trois inconnues dont la ressemblance fugitive avec sa mère lui avait coupé le souffle. Cela lui rappela l'été précédent (après un des épisodes dont Josef croyait qu'il avait brisé son jeune cœur) où, chaque fois qu'il partait pour l'école, le club de tennis allemand de la Pelouse sous le pont Charles, ou pour aller nager à la *Militär- und Civilschwimmschule*, la possibilité de rencontrer une certaine Fraulein Felix avait transformé tout coin de rue et tout porche en théâtre potentiel de honte et d'humiliation. Sauf que maintenant c'était lui, oui, lui, qui trahissait les espoirs de quelqu'un d'autre. Il ne doutait pas que sa mère, en le croisant sur son chemin, serait capable de percer à jour ses faux favoris.

– Si même eux n'arrivent pas à le retrouver, qui le retrouvera ?

– Je suis sûr qu'ils pourraient le retrouver, affirma Kornblum, lequel avait rafraîchi sa propre barbe et rincé les craquelures rouge cuivré qu'il utilisait depuis des années, découverte qui avait été un choc pour Josef.

Il portait des lunettes non cerclées, un chapeau noir à large bord qui laissait son visage dans l'ombre, et s'appuyait de façon réaliste sur une canne de jonc. Kornblum avait exhumé leurs panoplies des profondeurs de son fabuleux coffre chinois, mais disait qu'elles provenaient à l'origine des biens de Harry Houdini, qui fit un usage fréquent et savant du déguisement dans la croisade qu'il mena toute sa vie pour rouler et démasquer les faux médiums.

– Leur crainte, j'imagine, reprit-il, c'est qu'ils ne vont pas tarder à être (il agita son mouchoir et toussa dedans) obligés d'essayer...

Après lui avoir donné de faux noms et fourré sous le nez des certificats et des lettres de créance dont Josef ne put jamais établir l'origine, Kornblum expliqua au concierge de l'immeuble qu'ils étaient mandatés par le Conseil juif (organisation officielle sans rapport avec le cercle secret du golem, bien que co-constitutive dans certains cas) pour surveiller le bâtiment, comme partie d'un programme permettant de suivre à la trace les mouvements des Juifs qui entraient dans Prague ou y circulaient. Un tel programme existait réellement, pris en charge par des semi-bénévoles et dans le climat de profonde terreur qui caractérisait toutes les relations du Conseil juif avec le *Reichsprotektorat*. Les Juifs de Bohême, de Moravie et des Sudètes étaient concentrés dans la ville, tandis que les Juifs praguois, eux, étaient chassés de leurs foyers et regroupés dans des quartiers séparés, souvent à raison de deux ou trois familles par appartement. Étant donné le désordre qui en résultait, le Conseil juif avait du mal à fournir au protectorat les renseignements précis que celui-ci exigeait continuellement. D'où la nécessité d'un recensement. Nommé par le protectorat du logement pour les Juifs, le concierge de l'immeuble où dormait le golem ne trouva rien à redire à leur histoire ou à leurs papiers, et les laissa entrer sans hésitation.

En commençant tout en haut pour redescendre les cinq étages jusqu'au rez-de-chaussée, Josef et Kornblum frappèrent à toutes les portes de l'immeuble et montrèrent leurs références, puis notèrent soigneusement noms et liens de parenté. Tant de personnes s'entassaient dans chaque appartement, et tant d'entre elles avaient été récemment mises au chômage, que les portes qui ne répondaient pas en pleine journée étaient rares. Dans certains appartements, des contrats stricts avaient été passés entre les occupants disparates, ou bien il existait une heureuse imbrication des caractères qui maintenait l'ordre, la courtoisie et la propreté. Mais, pour la plupart, les familles semblaient moins avoir emménagé ensemble que s'être entrechoquées, avec un impact qui avait projeté manuels scolaires, revues, articles de bonneterie, tuyaux, chaussures, journaux, chandeliers, bibelots, cache-nez, mannequins de couturière, vaisselle et photos sous verre dans toutes les directions, les éparpillant à travers des pièces qui avaient l'aspect provisoire d'un entrepôt de commissaire-priseur. Dans beaucoup de logements, il y avait une folle duplication et réduplication de meubles : canapés alignés comme des prie-Dieu, pêle-mêle de chaises suffisant pour monter une grande brasserie, jungle de lustres pendus au plafond, forêts de candélabres, pendules qui se disputaient l'heure rangées côte à côte sur une tablette de cheminée. Des conflits, tenant de l'incident de frontière, avaient inévitablement éclaté. Le linge étendu servait de ligne de démarcation entre les hostilités et la trêve. Calés sur diverses stations radiophoniques, des postes de T.S.F. se battaient en duel, leur volume agressivement à fond. Dans de telles conditions, faire chauffer une casserole de lait, frire un hareng fumé, ou l'abandon d'une couche sale pouvaient receler une valeur stratégique inestimable. On racontait des histoires de familles réduites à un silence hostile, qui ne communiquaient plus qu'au moyen de mots vengeurs ; à trois reprises, une simple question de Kornblum sur les relations de parenté chez les occupants donna lieu à d'amères récriminations sur les degrés de cousinage ou à des arguties testamentaires qui, dans un cas, faillirent se terminer par des horions. Un interrogatoire avisé des maris, des femmes, des grands-oncles et des grand-mères ne déboucha sur aucune allusion à un mystérieux locataire ou à une porte qui resterait toujours fermée.

Après quatre heures de faux-semblants ennuyeux et déprimants, quand M. Krumm et M. Rosenblatt, représentants du comité du recensement du Conseil juif de Prague, eurent frappé à tous les appartements de l'immeuble, il en restait encore trois à répertorier. Tous, en l'occurrence, au troisième étage. Mais Josef croyait sentir de la futilité – même s'il doutait que son professeur l'eût jamais admis – dans l'attitude voûtée du vieil homme.

– Peut-être... commença Josef, décidant ensuite, après un bref combat intérieur, de poursuivre sa pensée. Peut-être devrions-nous renoncer ?

Il était las de leur mascarade et, au moment où tous deux retrouvaient le trottoir, encombré par une presse de fin d'après-midi d'écoliers, d'ouvriers et de gouvernantes chargées de cabas et de pièces de viande emballées, tous sur le chemin de la maison, il prit conscience que sa peur d'être découvert, démasqué, reconnu par ses parents déçus, avait cédé le pas à un désir intense de les revoir. D'un instant à l'autre, il espérait – mourait d'envie – d'entendre sa mère l'appeler, de sentir la brosse humide de la moustache paternelle contre sa joue. Il y avait comme un résidu d'été dans le ciel bleu saturé d'eau et dans l'odeur fleurie exhalée par les gorges nues des passantes. La veille, des affiches étaient apparues pour faire la réclame d'un nouveau film qui avait pour vedette Emil Jannings, le grand acteur allemand, ami du Reich, pour lequel Josef avait une admiration coupable. Le moment était venu, il en était sûr, de se regrouper, de reconsidérer la situation au sein de sa famille et de définir une stratégie moins extravagante. L'idée que son précédent plan d'évasion, par les moyens conventionnels des passeports, des visas et des pots-de-vin, pouvait être renouvelé d'une façon ou d'une autre et remis en œuvre se mit à chuchoter doucement dans son cœur.

– Tu le peux, bien sûr, répliqua Kornblum, se reposant sur sa canne avec une lassitude qui semblait moins feinte que le matin même. Moi, je n'ai pas cette liberté. Même si je ne t'envoie pas, restent mes obligations antérieures...

– Je me disais justement que j'avais renoncé peut-être trop tôt à mon autre plan.

Kornblum inclina la tête, sans rien dire, et son silence contrebalança son signe de tête au point de l'annuler.

– Le choix n'est pas là, si ? s'enquit Josef au bout d'un moment. Entre votre manière et l'autre. Si je pars vraiment, je partirai selon votre manière, n'est-ce pas ? N'est-ce pas ?

Kornblum haussa les épaules, mais ses yeux n'étaient pas concernés par son geste. Étirés vers les tempes, ils brillaient d'intérêt.

– À mon humble avis de professionnel, acquiesça-t-il.

Pour Josef, peu de choses au monde avaient plus de poids que ces mots.

– Alors il n'y a pas le choix, reprit-il. Ils ont dépensé tout ce qu'ils avaient. (Il accepta la cigarette que lui proposa le vieil homme.) Qu'est-ce que je dis, si je pars ? (Il recracha un brin de tabac par terre.) Je dois partir !

– Ce que tu dois faire, mon garçon, observa Kornblum, c'est essayer de te rappeler que tu es déjà parti.

Ils allèrent à l'Eldorado Café, s'attablèrent et firent durer des sandwiches au beurre et aux œufs, deux verres d'eau Herbert et près d'un pack de Letka. Tous les quarts d'heure, Kornblum consultait sa montre. Cet intervalle de temps était si régulier, si exact, qu'il rendait le geste superflu. Au bout de deux heures, ils payèrent la note, marquèrent une halte aux toilettes des hommes pour vider leurs vessies et rajuster leurs tenues, puis retournèrent au 26, Nicholasgasse. Très vite, ils s'expliquèrent deux sur trois des mystérieux appartements, le 40 et le 41, découvrant que le premier, un minuscule deux pièces, appartenait à une dame d'âge respectable qui faisait la sieste la dernière fois que les pseudo-agents recenseurs étaient passés, et que le deuxième, selon la même petite vieille, était loué à une famille, les Zweig ou Zwang, qui s'était rendue à des obsèques à Zuerau ou à Zilina. La confusion alphabétique de leur informatrice semblait s'inscrire dans une incertitude plus globale – elle vint leur ouvrir en chemise de nuit avec une seule chaussette aux pieds et, pour une raison obscure, appelait Kornblum *Herr Kapitän* – qui englobait, entre bien d'autres sujets de doute, l'appartement 42, le troisième appartement inexpliqué, sur le ou les occupants duquel elle se montra incapable de fournir la moindre indication. Pendant la demi-heure qui suivit, des coups répétés à la porte du 42 n'eurent aucun effet.

Le mystère s'épaissit quand ils retournèrent chez les voisins du 43, le dernier des quatre appartements de l'étage. Plus tôt dans l'après-midi, Kornblum et Josef avaient parlé au chef de la maisonnée : deux familles, les femmes et les quatorze enfants de deux frères, réunies dans quatre pièces. C'étaient des Juifs pratiquants. Comme la première fois, l'aîné vint leur ouvrir. C'était un homme imposant, portant calotte et phylactères, avec une grande barbe broussailleuse qui parut beaucoup plus fausse à Josef que la sienne. Il ne consentit à leur parler que par une ouverture de dix centimètres, barrée d'une longueur de chaîne en cuivre, comme si, en les laissant entrer, il risquait de contaminer sa maison ou d'exposer les femmes et les enfants à des influences néfastes. Mais sa corpulence n'empêchait pas les cris et les rires d'enfants, les voix des femmes et l'odeur de carottes cuites et d'oignons à moitié fondus dans une poêle de graisse de s'échapper de l'intérieur.

– Qu'est-ce que vous lui voulez, à ce... ? demanda l'homme après que Kornblum l'eut questionné sur l'appartement 42. (Il parut réfléchir à deux fois au nom qu'il allait employer et s'interrompit.) Je n'ai rien à voir avec ça.

– Ça ? répéta Josef, incapable de se retenir, même si Kornblum lui avait recommandé de jouer le rôle de l'associé silencieux. Comment ça ?

– Je n'ai rien à dire. (Le visage allongé du bonhomme – c'était un tailleur de pierres précieuses, avec des yeux bleus tristes, proéminents – parut se plisser de dégoût.) En ce qui me concerne, ce logement est vide. J'y prête peu d'attention. Je ne saurais rien vous dire. Si vous voulez bien m'excuser...

Il claqua la porte. Josef et Kornblum échangèrent un regard.

– C'est le 42, déclara Josef, alors qu'ils montaient dans l'ascenseur bringuebalant.

– Nous le saurons bien, répondit Kornblum. Enfin, je me le demande.

Sur le trajet du retour, ils passèrent devant une poubelle et Kornblum y jeta la liasse de papier pelure découpé aux ciseaux sur laquelle lui et Josef avaient noté les noms des occupants de l'immeuble et leur nombre. Mais, avant d'avoir fait dix pas, Kornblum s'arrêta, se retourna et rebroussa chemin. D'un geste expérimenté, il remonta sa manche et plongea la main dans l'orifice du tambour rouillé. Son visage prit un air pincé, absent, stoïque, tandis qu'il farfouillait dans les ordures invisibles qui remplissaient le récipient. Au bout d'un moment, il en ressortit la liste, désormais souillée d'une vilaine tache verte. La liasse était épaisse d'au moins deux centimètres. D'une saccade de ses bras vigoureux, Kornblum la rompit proprement en deux. Il rassembla les moitiés et déchira cellesci en quarts, puis rassembla ceux-ci et les déchira en huitièmes. Son air demeurait neutre, mais après chaque lacération et repositionnement, la liasse de papier devenait plus épaisse, la force nécessaire pour la déchirer augmentait en proportion, et Josef sentait la fureur monter en Kornblum à mesure qu'il déchiquetait en mille morceaux l'inventaire, par nom et par âge, de tous les Juifs qui habitaient au 26,

Nicholasgasse. Puis, avec le sourire glacé de l'homme de spectacle, il éparpilla les bouts de papier dans la poubelle à la façon des pièces de la fameuse illusion de la Pluie d'or.

– Méprisable ! murmura-t-il.

Sur le moment comme après coup, Josef ne sut pas de qui ou de quoi il parlait. De la ruse elle-même ? Des occupants qui la rendaient plausible ? Des Juifs qui s'y étaient soumis sans poser de questions ou de lui-même pour y avoir recouru ?

À minuit bien passé, après avoir dîné de fromage dur, d'éperlans en conserve et de piments, et avoir passé la soirée à opérer la triangulation de la Rundesfunk[1], de Radio Moscou et de la B.B.C., Kornblum et Josef regagnèrent Nicholasgrasse. La luxueuse porte d'entrée – du verre épais monté sur un cadre en fer forgé représentant des lis penchés – était fermée à clef, mais, naturellement, cela ne posait aucune difficulté à Kornblum. En moins d'une minute, ils étaient à l'intérieur et montaient tout droit au troisième étage, leurs chaussures à semelle de crêpe silencieuses sur le tapis d'escalier usé. Les appliques murales dépendaient d'une minuterie et étaient depuis longtemps éteintes pour la nuit. Pendant qu'ils suivaient leur route, un silence général suintait des murs de la cage d'escalier et des couloirs, aussi suffocant qu'une odeur. Josef avançait à tâtons, hésitant, attentif au bruissement du pantalon de son maître ; Kornblum, lui, se déplaçait avec assurance dans l'obscurité. Il ne s'arrêta qu'à la hauteur de la porte 42. Il alluma son briquet, puis s'agrippa à la poignée de porte et se mit à genoux, se servant de la poignée pour ne pas perdre l'équilibre. Il passa le briquet à Josef. L'objet était brûlant dans la paume du garçon ; il le devint encore plus pendant que Josef le tenait allumé afin que Kornblum puisse dénouer le lacet de sa trousse à crochets. Une fois qu'il eut déroulé la petite trousse, Kornblum leva les yeux vers Josef avec une lueur interrogative, magistral amalgame de doute et d'encouragement. Du bout des doigts, il tapota les instruments. Josef inclina la tête et laissa la flamme s'éteindre. La main de Kornblum chercha celle de Josef. Josef la saisit et aida le vieil homme à se relever avec un craquement des articulations bien perceptible. Il lui repassa ensuite le briquet et s'agenouilla lui-même, pour voir s'il savait toujours forcer une porte.

Il y avait deux serrures, une montée sur la clenche et la deuxième posée un peu plus haut : un pêne dormant. Josef choisit une tige surmontée d'une parenthèse recourbée et, d'une torsion de la clef dynamométrique, vint rapidement à bout de la serrure du bas, un machin bon marché à trois goupilles. Mais le pêne dormant lui donna du mal. Il taquina et chatouilla ses goupilles, sonda leurs fréquences

1. Radiodiffusion allemande. (*N.d.T.*)

de résonance comme si son crochet était une antenne branchée sur l'inducteur tremblant de sa main. Mais aucun signal ne lui parvenait ; ses doigts étaient devenus sourds. D'abord il s'impatienta, puis perdit ses moyens, en soufflant et haletant entre ses dents. Quand il abandonna sur un *Scheiss !* proféré d'une voix sifflante, Kornblum posa une main pesante sur son épaule et ralluma le briquet. Josef baissa la tête, se redressa lentement et tendit le crochet à Kornblum. Dans le laps de temps avant que la flamme ne s'éteigne de nouveau, il fut mortifié par l'absence de réconfort que montrait l'expression de Kornblum. Quand il serait enfermé à l'intérieur d'un cercueil, dans un wagon de marchandises en gare de Vilnius, il lui faudrait être plus adroit.

Quelques secondes après que Josef eut rendu son instrument, ils se retrouvaient dans l'appartement 42. Kornblum referma délicatement la porte derrière eux et alluma la lumière. Ils eurent à peine le temps d'émettre un commentaire sur le choix improbable qui avait été fait de décorer le logis du golem avec une foison de fauteuils Louis XV, de peaux de tigre et de torchères en or moulu, quand une voix grave, cassante, intraitable, ordonna :

– Haut les mains, messieurs !

Leur interlocutrice était une femme d'une cinquantaine d'années, vêtue d'un peignoir de satin vert, avec des mules assorties. Deux femmes plus jeunes se tenaient derrière elle, arborant des airs féroces et des kimonos chamarrés, mais c'était la dame en vert qui tenait le revolver. Au bout d'un moment, un homme d'un certain âge émergea du couloir dans le dos des femmes, en chaussettes, ses pans de chemise claquant autour de lui, les jambes comme des allumettes, blafardes et cagneuses. Son visage couturé au nez en pomme de terre était étrangement familier à Josef.

– Max, murmura Kornblum, dont la physionomie et la voix trahissaient la surprise pour la première fois depuis que Josef le connaissait.

C'est à ce moment-là que Josef reconnut dans le vieillard à demi nu le serveur magicien, dispensateur de bonbons, de l'unique soirée que Thomas et lui avaient passée au Hofzinser Club, bien des années auparavant. Descendant en ligne directe, ainsi qu'il s'avéra plus tard, du créateur du golem, Rabbi Judah Lowe ben Bezalel, et première personne à avoir porté Kornblum à l'attention du cercle secret, le vieux Max Loeb embrassa la scène qui s'offrait à lui, plissant les yeux, tentant de concilier cette barbe grise avec un chapeau mou et la voix impérieuse que donne l'habitude de la scène.

– Kornblum ? finit-il par deviner. (Son expression soucieuse se mua aussitôt en un mélange de pitié et d'amusement. Il secoua la tête et fit signe à la dame en vert qu'elle pouvait abaisser son arme.) Je te le promets, Kornblum, tu ne le trouveras pas ici, reprit-il, avant d'ajouter avec un sourire acide : Je fouille cet appartement depuis des années.

Le lendemain matin de bonne heure, Josef et Kornblum se retrouvèrent dans la cuisine de l'appartement 42. Là, Trudi, la benjamine des trois prostituées, leur servit du café dans des tasses Herend ornées de festons. C'était une fille corpulente, pas très jolie, mais intelligente, qui suivait des études d'infirmière. Après avoir délivré Josef du fardeau de son innocence la nuit passée, selon une procédure qui prit moins de temps qu'elle ne mit à préparer ce fameux café, Trudi avait enfilé son kimono couleur fleur de cerisier et s'était réfugiée dans le petit salon pour étudier un texte sur la phlébotomie, abandonnant Josef à la tiédeur de sa courtepointe en duvet d'oie, à l'odeur de lilas de sa nuque et de ses joues conservée dans l'oreiller désormais froid, à l'obscurité parfumée de sa chambre et à la honte de la volupté.

Lorsque Kornblum entra dans la cuisine ce matin-là, lui et Josef à la fois se cherchaient et s'évitaient du regard, et leur conversation se limitait à des monosyllabes ; tant que Trudi resta à la cuisine, ils osèrent à peine respirer. Non que Kornblum regrettât d'avoir dévoyé son jeune élève. Il fréquentait des péripatéticiennes depuis des décennies et professait des vues libérales sur l'utilité et le bon sens des rapports sexuels. Leurs couches avaient été plus confortables et bien plus capiteuses que l'un ou l'autre ne l'eût imaginé dans la chambre exiguë du vieux magicien, avec son petit lit pliant et sa bruyante tuyauterie. Toutefois, Kornblum était gêné et, à l'arc coupable des épaules de Josef et à la nature fuyante de son regard, il concluait que le jeune homme était dans les mêmes dispositions d'esprit.

La cuisine de l'appartement 42 embaumait le bon café et l'*eau de lilas*[1]. Un pâle soleil d'octobre entrait à travers le rideau de la fenêtre et brodait une dentelle d'ombre sur la surface nette de la table en bois blanc. Trudi était une fille admirable. Pour Kornblum, les gonds anciens et fatigués de sa charpente délabrée semblaient avoir retrouvé un ronronnement élastique dans l'étreinte de sa propre partenaire, Mme Willi, la spécialiste du revolver.

– Bonjour, marmonna Kornblum.

Josef rougit jusqu'aux oreilles. Il ouvrit la bouche pour parler, mais sembla pris d'un accès de toux. Sa réponse se brisa et se dispersa dans les airs. Ils avaient perdu une nuit dans le plaisir, alors que tant de choses paraissaient dépendre de la célérité et du sacrifice de soi.

---

1. En français dans le texte. (*N.d.T.*)

Nonobstant cet inconfort moral, c'était à Trudi que Josef devait un précieux renseignement.

– Elle a entendu des gosses parler, confia-t-il à Kornblum après que la jeune femme, qui s'était penchée pour poser un baiser rapide et parfumé au café sur la joue de Josef, fut sortie de la cuisine à pas de loup et eut suivi le couloir pour regagner son lit défait. Il existe une fenêtre à laquelle on ne voit jamais personne.

– Les enfants, murmura Kornblum, avec un brusque hochement de tête. Bien sûr...(Il eut l'air dégoûté de lui-même pour avoir négligé cette source évidente de renseignements étonnants.) À quel étage se situe cette mystérieuse fenêtre ?

– Elle ne le savait pas.

– De quel côté de l'immeuble ?

– Elle ne le savait pas non plus. Je pensais qu'on pourrait trouver un gamin pour lui poser la question.

Kornblum eut un nouveau hochement de tête. Il tira une autre bouffée de sa Letka, tapota celle-ci, la tourna entre ses doigts, scruta le minuscule dessin d'avion imprimé sur le papier. Subitement, il se leva et se mit à farfouiller dans les tiroirs de la cuisine, faisant petit à petit le tour des placards jusqu'à ce qu'il eût trouvé une paire de ciseaux. Il emporta les ciseaux dans le salon doré, dont il entreprit d'ouvrir et de refermer les placards. Avec des gestes délicats et précis, il fureta dans les tiroirs d'une desserte ornementée de la salle à manger. À la fin, dans un guéridon du vestibule, il trouva un coffret de papier à lettres, de lourdes feuilles de vergé d'un bleu-vert pâle. Il revint à la cuisine avec le papier et les ciseaux, et se rassit.

– On raconte aux gens qu'on a oublié quelque chose, expliqua-t-il, pliant une feuille et la coupant en deux, sans hésitation, d'une main ferme et sûre. (En deux trois mouvements, il avait découpé le triangle de sustentation d'un bateau en papier, du genre de ceux que les enfants confectionnent avec du papier journal.) On leur dit qu'ils doivent mettre un de ces trucs à chaque fenêtre. Pour montrer qu'ils ont bien été comptés...

– Un bateau, dit Josef. Un bateau ?

– Pas un bateau, répliqua Kornblum.

Il posa les ciseaux, déplia son découpage et leva dans les airs une petite étoile de David bleue.

Josef frémit à la vue de celle-ci, glacé par la plausibilité de cette directive imaginaire.

– Ils ne le feront pas, balbutia-t-il, regardant Kornblum coller la petite étoile contre la vitre de la fenêtre. Ils refuseront...

– J'ose espérer que tu as raison, bonhomme, répondit Kornblum. Mais, pour nous, il vaut mieux que tu te trompes.

En moins de deux heures, tous les foyers de l'immeuble avaient pavoisé leurs fenêtres de bleu. Grâce à ce vil stratagème, la pièce qui contenait le golem fut redécouverte. Elle se trouvait au dernier étage du 26, Nicholasgasse, à l'arrière de l'immeuble ; son unique fenêtre donnait sur cour. À l'instar des bergers de l'Antiquité qui contemplaient le ciel de leurs champs, toute une génération d'enfants absorbés par leurs jeux avait élaboré une histoire naturelle des fenêtres qui les surveillaient d'en haut comme les étoiles. Perpétuellement fermée, cette fenêtre, tel un astéroïde rétrograde, avait attiré l'attention et enflammé les imaginations. Elle se révéla aussi être le seul moyen d'accès simple pour le vieil artiste de l'évasion et son protégé. Il y avait, ou plutôt il y avait eu jadis une porte d'entrée, mais celle-ci avait été comblée et recouverte de papier peint, sans doute au moment de l'installation du golem dans la chambre. Étant donné que le toit était facilement accessible depuis l'escalier d'honneur, Kornblum estima qu'ils se feraient moins remarquer en descendant au moyen de cordes, à la faveur de la nuit, et en entrant par la fenêtre qu'en tentant de se frayer un passage par la porte.

Une fois de plus, ils retournèrent dans l'immeuble après minuit. C'était le troisième soir de la présence clandestine de Josef dans cette ville. Mais, cette fois, ils vinrent en costume sombre et chapeau melon, et portaient des sacs noirs vaguement médicaux, accessoires fournis par un membre du cercle secret, directeur d'une morgue. Dans ce funèbre accoutrement, une main sous l'autre gantée de cuir, Josef descendit le long d'une corde jusqu'au rebord de la fenêtre du golem. Il glissa beaucoup plus vite qu'il n'en avait eu l'intention, presque au niveau de la fenêtre de l'étage inférieur, puis réussit à stopper sa chute d'une secousse brutale qui lui donna l'impression de s'être déboîté l'épaule. Il leva les yeux ; dans l'obscurité, il distinguait à peine le contour de la tête de Kornblum, dont l'expression était aussi indéchiffrable que ses poings, lesquels tenaient l'autre bout de la corde. Josef laissa échapper un léger soupir entre ses dents serrées et remonta jusqu'à la fenêtre du golem.

Celle-ci était fermée, mais Kornblum avait équipé son élève d'une longueur de gros fil de fer. Josef se balançait dans le vide, les chevilles enroulées autour de son bout de corde, à laquelle il se cramponnait d'une main, tandis que, de l'autre, il enfonçait le fil de fer dans l'interstice entre les châssis supérieur et inférieur de la fenêtre à guillotine. Sa joue racla la brique, son épaule le brûlait, mais la seule pensée de Josef était une prière pour qu'il n'échoue pas, cette fois. Au moment même où la douleur de l'articulation de son épaule commençait à empiéter sur la rage du désespoir, Josef réussit enfin à faire sauter le loquet. Il tripota le châssis du bas, le leva doucement et se projeta à l'intérieur. Haletant, il resta là, à faire des moulinets avec ses épaules. Un instant plus tard, il entendit un grincement de corde ou de vieux os, un léger râle. Puis les longues jambes maigres de Kornblum enfoncèrent la fenêtre ouverte. Le magicien alluma sa torche électrique et balaya la pièce de son faisceau jusqu'à ce qu'il eût trouvé une douille électrique pendant du plafond au bout d'un fil entortillé. Il se baissa pour plonger la main dans son sac d'entrepreneur de pompes funèbres, en sortit une ampoule et la tendit à Josef, lequel se dressa sur la pointe des pieds pour la visser dans la douille.

Le cercueil dans lequel le golem de Prague avait été couché était la simple caisse de bois blanc prescrite par la loi juive, mais large comme une porte et assez longue pour contenir deux adolescents tête-bêche. Il reposait sur une paire de gros chevalets de charpentier, au centre d'une pièce vide. Après plus de trente ans, le sol de la chambre du golem paraissait neuf. Sans un atome de poussière, brillant et lisse. Les murs étaient d'une blancheur immaculée et dégageaient encore une odeur de peinture fraîche. Jusqu'alors, Josef avait été porté à ne pas tenir compte de la bizarrerie du plan de fuite de Kornblum, mais, ce jour-là, en présence de cet énorme cercueil, dans cette pièce intemporelle, il sentit un picotement désagréable gagner sa nuque et ses épaules. Kornblum aussi s'approcha de la bière avec une défiance visible, tendant vers son couvercle de pin rugueux une main qui hésita un moment avant de le toucher. Il fit prudemment le tour du cercueil, sondant les têtes de clou, les comptant, vérifiant leur état, ainsi que celui des charnières et des vis qui maintenaient les charnières en place.

– Très bien, murmura-t-il, avec un hochement de tête, s'efforçant manifestement de se donner du cœur au ventre, autant qu'à Josef. Passons à la suite de notre plan !

La suite du plan de Kornblum, au cœur duquel ils étaient maintenant arrivés, donnait ceci :

D'abord, à l'aide des cordes, ils devaient tirer le cercueil par la fenêtre, le hisser sur le toit et, de là, en se faisant passer pour des employés des pompes funèbres, le descendre par l'escalier et le sortir de l'immeuble. Une fois au salon funéraire, dans une salle qui leur avait été réservée, ils prépareraient le golem pour l'expédier par le train en Lituanie. Ils commenceraient par truquer le cercueil, ce qui impliquait de retirer les clous d'un seul côté et de les remplacer par d'autres qui avaient été raccourcis, gardant un moignon juste assez long pour fixer le côté truqué au reste de la caisse. De cette manière, le moment venu, Josef pourrait, sans grande difficulté, retrouver l'air libre au moyen d'un bon coup de pied. Fidèles au principe sacré de la fausse piste, ils équiperaient ensuite le cercueil d'un « panneau de visite », en pratiquant une fente en travers du couvercle, à environ un tiers du bout qui contenait la tête, et en garnissant ce tiers supérieur d'un loquet, afin qu'on puisse l'ouvrir séparément du bas, comme la moitié supérieure d'une porte hollandaise. Cela permettrait de bien voir la tête et la poitrine du défunt golem, mais pas la portion de cercueil où Josef serait tapi. Là-dessus, ils étiquetteraient le cercueil, en se pliant à la complexité de tous les règlements et procédures en vigueur, et en collant les formulaires abscons nécessaires au transport des dépouilles humaines. De faux certificats de décès et autres documents requis les attendraient, bien cachés, dans le salon du funérarium. Le cercueil une fois prêt et muni des papiers nécessaires, ils le chargeraient dans un fourgon mortuaire pour le transporter à la gare de chemin de fer. Voyageant à l'arrière du fourgon, Josef devait monter dans la bière, s'allonger au côté du golem et rabattre sur lui le couvercle truqué. Arrivé à la gare, Kornblum vérifierait que le cercueil avait bien l'air plombé et le confierait aux bons soins des porteurs, qui le chargeraient dans le train. Quand le cercueil atteindrait la Lituanie, à la première occasion Josef déclouerait à coups de pied le panneau truqué, roulerait sur le côté pour se dégager et découvrirait le sort qui l'attendait sur les rives de la Baltique.

Toutefois, comme c'était si souvent le cas, à présent qu'ils étaient confrontés aux aspects matériels de leur tour, Kornblum rencontrait deux problèmes.

– C'est un géant, chuchota Kornblum d'une voix tendue, avec un hochement de tête. (Au moyen de son levier miniature, il avait retiré les clous de tout un côté du haut du cercueil et fait pivoter le couvercle sur ses gonds en fer-blanc galvanisé. Debout, il contemplait cette pitoyable masse d'argile inerte et innocente.) Et il est nu...

– Il est très grand.

– On n'y arrivera jamais par la fenêtre. Et même si nous y arrivons, on ne pourra jamais l'habiller.

– Pourquoi faut-il l'habiller ? Il a ces tissus, les châles juifs, rétorqua Josef, montrant du doigt les *tallaysim* dans lesquels le golem avait été enveloppé. (Ceux-ci étaient en lambeaux et maculés, et ne dégageaient pourtant aucun relent de putréfaction. La seule odeur, âcre et verte, que Josef sentait monter de la chair basanée du golem était trop fugitive pour avoir un nom, et ce n'est que plus tard, par un après-midi caniculaire d'été, qu'il devait l'identifier comme la douceâtre puanteur de la Moldau.) Les Juifs ne sont-ils pas censés être enterrés nus ?

– C'est exactement la question, répondit Kornblum, avant d'expliquer que, selon un décret récent, il était illégal de sortir du pays un Juif même mort sans l'autorisation directe du *Reichsprotektor* von Neurath. Nous devons mettre en pratique les astuces de notre profession. (Avec un mince sourire, il inclina la tête en direction de ses sacs noirs d'entrepreneur de pompes funèbres.) Farde ses joues et ses lèvres. Cache son crâne sous une belle perruque. On va regarder à l'intérieur du cercueil, et quand cela arrivera, nous voulons qu'on trouve un géant *goyisch* mort.

Il ferma les yeux comme pour se représenter ce qu'ils voulaient que les autorités voient, si elles devaient ordonner l'ouverture du cercueil.

– De préférence, dans un très beau costume, acheva-t-il.

– Les plus beaux costumes que j'aie jamais vus, déclara Josef, appartenaient à un géant défunt.

Kornblum le dévisagea, captant un sous-entendu dans ces mots qu'il ne parvenait pas à saisir.

– Alois Hora. Il mesurait plus de deux mètres.

– Il était du cirque Zeletny, non ? s'enquit Kornblum. La Montagne ?

– Il portait des costumes *made in England*, qui venaient de Savile Row. Des trucs immenses...

– Oui, oui, je m'en souviens, dit Kornblum, avec un hochement de tête. Je le voyais assez souvent au Café Continental. De beaux costumes, acquiesça-t-il.

– Je pense... commença Josef. (Après une hésitation, il reprit :) Je sais où en trouver un.

Il n'était pas rare, à cette époque, qu'un médecin spécialiste des troubles glandulaires accumulât une garde-robe de prodiges, constituée de maillots de corps aussi grands que des couvertures de cheval, de feutres guère plus gros que des coupelles à baies et de toutes sortes de merveilles diverses en matière de chemises et de formes de chaussure. Ces articles, que le père de Josef avait acquis ou qu'on lui avait donnés au fil des ans, étaient rangés dans un placard de son bureau à l'hôpital, dans l'intention louable mais irréaliste d'empêcher qu'ils ne devinssent des objets de curiosité morbide pour ses enfants. Aucune visite à leur père sur son lieu de travail ne se terminait sans que les garçons eussent au moins tenté de convaincre le docteur Kavalier de leur laisser voir la ceinture, grosse et ondulante comme un anaconda, du géant Vaclav Sroubek ou les mules ornées de fleurs de digitale de la minuscule Miss Petra Frantisek. Mais après que le bon docteur eut été déchargé de son poste à l'hôpital, avec les autres Juifs de la faculté, la garde-robe des merveilles avait atterri à la maison, et son contenu, emballé dans des caisses bien fermées, fini entreposé dans un placard de son bureau. Josef était sûr de pouvoir y trouver des costumes d'Alois Hora.

Ainsi, après avoir vécu trois jours à Prague comme une ombre, c'est comme une ombre qu'il retourna finalement chez lui. L'heure du couvre-feu avait déjà sonné. Les rues étaient désertes, à l'exception de quelques grosses berlines aux ailes ornées de drapeaux et aux impénétrables vitres teintées et, une fois, d'un camion rempli de gars en capote grise, armés de fusils. Josef se déplaçait lentement, avec prudence, se rencognant dans les porches d'entrée, plongeant sous un véhicule en stationnement ou un banc dès qu'il entendait un grincement de vitesses, ou quand la fourche des phares de passage tailladait les façades, les marquises, les pavés de la rue. Dans la poche de son veston, il avait les crochets dont Kornblum avait jugé qu'il aurait besoin pour sa mission. Mais en arrivant à la porte de service de l'immeuble proche du Graben, Josef s'aperçut, comme il arrivait souvent, que celle-ci était coincée en position ouverte à l'aide d'une boîte de conserve, probablement par une gouvernante sortie sans autorisation ou un mari vagabond.

Josef ne croisa personne dans le couloir de derrière ou dans l'escalier. Pas de bébé qui réclamait son biberon, pas d'air assourdi de Weber sur une radio du soir, pas de vieux fumeur absorbé par l'occupation nocturne de cracher ses poumons. Bien que les plafonniers et les appliques murales fussent allumés, le sommeil collectif de l'immeuble semblait encore plus profond que celui du 26, Nicholasgasse. Josef trouva ce silence inquiétant. Il éprouva dans la nuque le même picotement, la même chair de poule qu'en pénétrant dans la chambre nue du golem.

Comme il suivait furtivement le couloir, il remarqua qu'un amas de vêtements occupait le paillasson de la porte de l'appartement familial. Son cœur tressaillit un instant à la pensée, préconsciente, qu'un des costumes qu'il venait chercher avait été, par des voies oniriques, mystérieusement déposé là. Josef s'aperçut ensuite que ce n'était pas un simple tas de linge, mais qu'il était vraiment habité par un corps. Un ivrogne ou quelqu'un d'évanoui, ou encore qui avait rendu l'âme dans le couloir. Une fille, pensa-t-il, une des patientes de sa mère. Pour une analysante, ballottée par des vagues de transfert et de dé-sublimation, il était rare mais pas impossible de rechercher la sécurité du seuil du docteur Kavalier, ou bien, au contraire, enflammée par la haine spécifique du contre-transfert, de s'installer là dans un état désespéré, comme une mauvaise farce, tel un sac à papier d'étrons de chien auquel on eût mis le feu.

Mais les vêtements appartenaient à Josef, et le corps à l'intérieur était celui de Thomas. Le petit garçon reposait sur le côté, les genoux remontés contre la poitrine, la tête calée sur un bras tendu vers la porte, les doigts ouverts avec un air d'intention persistante, comme s'il s'était endormi la main sur la poignée de porte, puis s'était écroulé par terre. Il avait un pantalon en velours côtelé anthracite, luisant aux genoux, et un gros pull-over torsadé, avec un grand trou sous le bras et une auréole indélébile de cambouis ayant la forme de la Tchécoslovaquie sur l'empiètement, que son frère aimait mettre, Josef le savait, chaque fois qu'il se sentait seul ou malade. Par l'encolure du pull sortaient les revers passepoilés de sa veste de pyjama. Les ourlets de ses bas de pyjama dépassaient des jambes de sa culotte d'emprunt. La joue droite de Thomas était écrasée contre son bras allongé, et sa respiration crépitait, régulière et bruyante, dans son nez continuellement bouché. Josef sourit et s'agenouilla près de son frère pour le réveiller, le taquiner et l'aider à se recoucher. Puis il se souvint qu'il ne lui était pas permis – qu'il ne pouvait pas se permettre – de manifester sa présence. Il ne pouvait pas demander à Thomas de mentir à leurs parents, et ne comptait pas vraiment non plus qu'il en soit capable sur une longue durée. Il recula, tentant de réfléchir à ce qui avait bien pu se passer et quelle était la meilleure ligne d'action. Comment Thomas s'était-il retrouvé à la porte ? Était-ce la faute de celui ou celle qui avait laissé l'accès libre en bas ? Qu'est-ce qui pouvait bien l'avoir poussé à prendre le risque de rester dehors aussi tard, alors que, comme tout le monde le savait, quelques semaines plus tôt, une jeune fille de Vinhordy, à peine plus vieille que Thomas, avait été abattue dans une ruelle obscure pour violation du couvre-feu, après s'être glissée dehors pour chercher son chien ? Il y avait bien eu des formules officielles de regret de la part de von Neurath, mais aucune promesse que ce genre d'incident ne se reproduirait plus. Si Josef parvenait d'une manière ou d'une autre à réveiller son frère ni vu ni connu – par exemple, en jetant une pièce de cinq thalers à hauteur de sa tête depuis le coin du couloir –, Thomas sonnerait-il pour pouvoir rentrer ? Ou aurait-il trop honte et choisirait-il de passer le reste de la nuit par terre, dans ce couloir sombre et glacé ? Et comment lui, Josef, pourrait-il récupérer les habits du géant avec son frère couché endormi sur le seuil, ou même avec toute la famille réveillée et en effervescence à cause du caractère rebelle du petit garçon ?

Josef marcha sur quelque chose d'à la fois mou et rigide qui craqua sous son talon, ce qui coupa court à ses spéculations. Son cœur s'arrêta ; il baissa les yeux, sautant en arrière de dégoût, et aperçut, non pas une souris écrasée, mais l'étui à crochets en cuir que Kornblum lui avait autrefois donné en récompense. Les yeux de Thomas papillotèrent, et il renifla. Josef attendit, clignant des yeux pour voir si son frère allait se rendormir. Thomas s'assit brusquement. Du dos du bras, il essuya la salive de ses lèvres, battit des paupières et poussa un petit soupir.

– Mon Dieu ! s'exclama-t-il d'une voix endormie, l'air pas autrement surpris de trouver son frère en route pour Brooklyn accroupi à côté de lui, trois jours après son prétendu départ, dans le couloir de leur immeuble, au cœur de Prague.

Thomas rouvrit la bouche pour continuer à parler, mais Josef la lui ferma du plat de la main et pressa un doigt contre ses lèvres. Il secoua la tête et, d'un geste, montra la porte.

Au moment où il jetait les yeux en direction de l'entrée de leur logement, Thomas parut enfin se réveiller. Sa bouche se pinça pour former une moue, comme s'il avait quelque chose d'amer sur la langue. Ses épais sourcils noirs se plissèrent au-dessus de son nez. Il agita la tête, tenta encore de dire quelque chose, mais son grand frère lui couvrit de nouveau la bouche, moins doucement cette fois-ci. Josef ramassa son vieil étui à crochets, qu'il n'avait pas vu depuis des mois, des années peut-être, et qu'il croyait avoir perdu les rares fois où il y pensait. La serrure de la porte des Kavalier était un modèle qu'à une autre époque il avait crocheté plusieurs fois avec succès. Il leur ouvrit le chemin avec peu de difficulté et s'engagea dans le couloir, plein de reconnaissance pour son odeur familière de tabac à pipe et de narcisse, pour le lointain bourdonnement du réfrigérateur électrique. Puis il pénétra dans le salon et vit que le canapé et le piano avaient été recouverts d'édredons. L'aquarium ne contenait plus de poissons et avait été vidé de son eau. L'oranger dans son cache-pot en terre cuite incrusté d'amours avait disparu. Des caisses étaient empilées au milieu de la pièce.

– Ils ont déménagé ? demanda-t-il, en chuchotant le plus bas possible.

– Au 11 de la rue Dlouha, répondit Thomas d'une voix normale. Ce matin.

– Ils ont déménagé, répéta Josef, incapable maintenant d'élever le ton, même s'il n'y avait personne pour les entendre, personne à prévenir ou à déranger.

– C'est un endroit ignoble. Les Katz sont des gens ignobles.

– Les Katz ? (Il y avait bien des cousins de sa mère, qu'elle n'avait jamais beaucoup aimés, qui portaient ce nom.) Viktor et Renata ?

Thomas inclina la tête.

– Et les Jumeaux de la Morve. (Il roula effroyablement des yeux.) Et leur ignoble perroquet. Ils lui ont appris à dire : « Lève ton cul, Thomas. »

Il renifla, pouffa de rire avec son frère puis, avec un nouveau lent plissement de sourcils, commença à lâcher une série de sanglots crachotants, précautionneux et étranglés, comme s'ils étaient douloureux à sortir. Josef le prit dans ses bras avec des gestes raides et se demanda soudain depuis combien de temps il n'avait pas entendu Thomas pleurer à cœur ouvert, bruit qui avait été autrefois aussi banal dans la maison que le sifflement de la théière ou le grattement de l'allumette de leur père. Le poids de Thomas sur son genou était écrasant, son corps gauche et trop encombrant. Au cours de ces trois derniers jours, on eût dit qu'il était passé de l'état d'enfant à celui d'adolescent.

– Il y a aussi une tante infecte, reprit Thomas, et un beau-frère anormal qui arrivent demain de Friedland. Je voulais revenir ici. Juste pour ce soir. Sauf que je n'ai pas su forcer la serrure...

Thomas hocha la tête.

– Quelle journée ! dit Josef, tentant de réconforter son petit frère. Je n'ai jamais été aussi déçu de ma vie...

Thomas sourit poliment.

– Presque tout l'immeuble a déménagé, souffla-t-il, glissant à bas du genou de Josef. Seuls les Kravnik, les Policek et les Zlatny ont le droit de rester.

Il s'essuya la joue sur un avant-bras.

– Ne mets pas de morve sur mon pull-over, l'avertit Josef, repoussant le bras de son frère.

– Tu l'as laissé.

– Je pourrais me le faire envoyer !

– Pourquoi n'es-tu pas parti ? s'inquiéta Thomas. Qu'est-ce qui est arrivé à ton bateau ?

– Il y a eu des problèmes. Mais je devrais repartir ce soir. Il ne faut pas que tu dises à maman et à papa que tu m'as vu.

– Tu ne les verras pas ?

La question, l'intonation rauque et plaintive de la voix de Thomas au moment où il la posa, remua Josef. Il secoua la tête.

– J'avais juste un saut à faire ici pour prendre quelque chose.

– Faire un saut d'où ?

Josef ignora la demande de son frère.

– Tout est toujours là ?

– À part des vêtements et des ustensiles de cuisine. Et ma raquette de tennis. Et mes papillons. Et ta radio... (C'était un poste à vingt tubes, emboîté dans une espèce de coffre en bois de pin huilé, que Josef avait confectionné avec des pièces détachées, la radiodiffusion amateur ayant succédé à la prestidigitation et précédé l'art moderne dans le cycle des passions de Josef, comme Houdini et ensuite Marconi avaient cédé la place à l'inscription de Josef à l'Académie des beaux-arts.) Maman l'a gardée sur ses genoux dans le tram. Elle disait qu'en l'écoutant elle avait l'impression d'entendre ta voix et qu'elle aimait même mieux avoir ta voix en souvenir de toi que ta photographie.

– Elle disait que je n'étais pas photogénique, de toute façon.

– Oui, c'est vrai, en fait. La voiture revient ici demain matin pour chercher le reste de nos affaires. Je vais monter à côté du conducteur. C'est moi qui tiendrai les rênes. De quoi as-tu besoin ? Et toi, qu'est-ce que tu es venu chercher ?

– Attends ici, dit Josef.

Il avait déjà trop parlé ; Kornblum ne serait pas content.

Après s'être assuré que Thomas ne le suivait pas, il longea le couloir menant au bureau paternel, s'efforçant d'ignorer les empilements de caisses, les portes béantes qui auraient dû être fermées depuis longtemps à cette heure-ci, les tapis roulés, le claquement lugubre de ses talons sur le plancher nu. Dans le bureau de son père, le secrétaire et les bibliothèques avaient été emballés dans des couvertures écossaises et attachés avec des sangles de cuir, les tableaux et les rideaux décrochés. Les cartons contenant les vêtements mystérieux des monstres endocriniens avaient été extraits de leur placard et entassés opportunément juste à côté de la porte. Sur chacun avait été collée une étiquette, soigneusement libellée de l'écriture énergique et régulière de son père qui dressait un inventaire précis du contenu du carton :

ROBES (5) – MARTINKA
CHAPEAU (PAILLE) – ROTHMAN
ROBE DE BAPTÊME – SROUBEK

Il ne savait pas pourquoi, mais la vue de ces étiquettes toucha Josef. Leurs inscriptions étaient aussi lisibles que si elles avaient été dactylographiées, chaque lettre comme chaussée et gantée d'empattements, les parenthèses soigneusement recourbées, les tirets ondulés comme des éclairs stylisés. Ces étiquettes avaient été rédigées avec amour ; la meilleure manière dont son père exprimait cette émotion était le souci du détail. Dans ce perfectionnisme paternel – dans cette obstination, cette persévérance, ce goût de l'ordre, cette patience et ce calme –, Josef avait toujours trouvé du réconfort. Ici, sur ces caisses de souvenirs insolites, le docteur Kavalier semblait avoir composé une série de messages dans l'alphabet même de l'imperturbabilité en soi. Les étiquettes paraissaient témoigner de toutes les qualités dont son père et sa petite famille allaient avoir besoin pour survivre à l'épreuve à laquelle Josef les abandonnait. Sous la responsabilité de son père, les Kavalier et les Katz réussiraient sans aucun doute à former une de ces rares maisons où la convenance et l'ordre prévalaient. Avec patience et calme, persévérance et stoïcisme, une belle écriture et un bon étiquetage, ils feraient front à l'indignité, aux persécutions et aux privations.

Mais à ce moment-là, en fixant l'étiquette d'une caisse où il était marqué :

CANNE-ÉPÉE – DLUBECK
EMBAUCHOIRS – HORA
COSTUMES (3) – HORA
ASSORTIMENT DE MOUCHOIRS (6) – HORA

Josef sentit la terreur éclore dans son ventre. Il eut soudain la certitude que le comportement de son père et des autres ne changerait pas un iota à la situation. Ordonnés ou négligents, bien recensés et polis ou mélangés et querelleurs, les Juifs de Prague étaient de la poussière sur les bottes allemandes, une engeance à chasser d'un coup de balai aveugle. Le stoïcisme et le soin du détail ne leur vaudraient rien. Dans les années qui suivirent, chaque fois qu'il se remémorait ce moment, Josef était tenté de penser qu'il avait eu une prémonition de l'horreur à venir en regardant ces étiquettes plâtrées de moisi. Là, les choses étaient plus simples. Ses cheveux se dressèrent sur sa nuque en lui provoquant une sensation de picotement, signe d'une décharge d'ions. Son cœur lui battit dans la gorge, comme si on avait appuyé dessus avec le pouce. Un instant, il eut même la sensation d'admirer la graphie d'une personne décédée.

– Qu'est-ce que c'est ? s'enquit Thomas, quand Josef revint au salon avec un des sacs de vêtements gigantesques de Hora en bandoulière. Que s'est-il passé ? Qu'est-ce qu'il y a ?

– Rien, répondit Josef. Écoute, Thomas, il faut que je m'en aille. Je suis désolé...

– Je sais. (Thomas avait l'air presque fâché. Il s'assit par terre en tailleur.) Je vais passer la nuit ici.

– Non, Thomas. Je ne pense pas...

– Tu n'as rien à dire, le coupa Thomas. Tu n'es plus là, tu te rappelles ?

Ses paroles faisaient écho au sage conseil de Kornblum, mais bizarrement elles glacèrent Josef. Il ne pouvait se débarrasser de l'impression – répandue chez les revenants, dit-on – que ce n'était pas lui mais ceux qu'il hantait dont la vie était dépourvue de consistance, de sens et d'avenir.

– Tu as peut-être raison, proféra-t-il au bout d'un moment. Tu ne devrais pas rôder dans les rues la nuit, de toute façon. C'est trop dangereux.

Une main sur chacune des épaules de Thomas, Josef guida son frère vers la chambre qu'ils avaient partagée les onze années précédentes. Au moyen d'une couverture et d'un oreiller sans taie qu'il dénicha dans une malle, il lui confectionna un lit par terre. Il farfouilla ensuite dans quelques autres caisses jusqu'à ce qu'il eût trouvé un vieux réveil d'enfant, une tête d'ours avec des clochettes en cuivre en guise d'oreilles, qu'il remonta et régla sur cinq heures trente.

– Tu dois être retourné là-bas à six heures, lui recommanda-t-il, sinon ils s'apercevront de ta disparition.

Thomas inclina la tête et se glissa entre les couvertures de son lit de fortune.

– J'aimerais tant partir avec toi, dit-il.

– Je sais, murmura Josef. (Il dégagea les cheveux du front de son petit frère.) Moi aussi. Mais tu vas me rejoindre bientôt...

– Tu me le promets ?

– Je vais m'en occuper, répondit Josef. Je n'aurai de cesse jusqu'au jour où j'attendrai ton bateau dans le port de New York.

– Sur cette île qu'ils ont, bredouilla Thomas, les paupières papillotantes. Avec la statue de la Liberté...

– Je te le promets, dit Josef.

– Jure-le.

– Je le jure.

– Jure par le fleuve Styx.

– Je le jure par le fleuve Styx, acquiesça Josef.

Puis il se pencha et, à la surprise de tous les deux, embrassa son frère sur la bouche. C'était le premier baiser de cette nature entre eux depuis que le plus jeune était nouveau-né et le plus vieux un bambin en culottes courtes en adoration devant le bébé.

– Au revoir, Josef, dit Thomas.

En rentrant Nicholasgasse, Josef découvrit qu'avec l'ingéniosité qui le caractérisait Kornblum avait résolu le problème de l'extraction du golem. À l'aide d'un instrument innommable du métier des pompes funèbres, ce dernier avait découpé un rectangle au ras du sol, juste assez grand pour le passage de face du cercueil, dans le mince panneau de gypse qui avait servi à combler le chambranle de la porte à l'époque de l'installation du golem. Le recto du panneau de gypse donnant dans le couloir était recouvert du papier 1900 défraîchi, un motif de grands coquelicots entrelacés, qui décorait tous les couloirs de l'immeuble. Kornblum avait pris soin de ne découper ce léger revêtement extérieur que sur trois des quatre côtés du rectangle, laissant au sommet un rabat de papier peint intact. Il avait ainsi ménagé une trappe commode.

– Et si quelqu'un remarque quelque chose ? objecta Josef, après avoir fini d'inspecter le travail de son mentor.

Objection qui donna lieu à une autre des maximes impromptues et un brin cyniques de Kornblum.

– Les gens remarquent seulement ce qu'on leur dit de remarquer, riposta-t-il. Et encore, à condition de le leur rappeler...

Ils mirent au golem le complet qui avait appartenu au géant Alois Hora. Ce ne fut pas une mince affaire, étant donné que le golem était passablement rigide. Vu sa nature et sa composition, il n'était pourtant pas aussi raide qu'on eût pu l'imaginer. Son argile glacée semblait céder légèrement sous la pression des doigts, et un étroit rayon d'action, peut-être le plus vague souvenir de mouvement qui soit, était même inhérent au coude du bras droit, le bras qui aurait servi tous les soirs, selon la légende, à toucher la *mézouza* du montant de la porte d'entrée de son créateur, quand le golem revenait de ses travaux, en portant à ses lèvres ses doigts consacrés par la Bible. En revanche, ses genoux et ses chevilles étaient plus ou moins pétrifiés. Qui plus est, ses extrémités étaient mal proportionnées, comme il arrive souvent avec une œuvre d'artiste amateur, et beaucoup trop grandes pour son corps. Les énormes pieds restèrent accrochés dans les jambes du pantalon, de sorte qu'il fut particulièrement difficile de le lui enfiler. À la fin, Josef dut plonger les bras dans le cercueil et ceinturer le golem pour soulever le bas de son corps de plusieurs pouces, avant que Kornblum puisse faire passer dans la culotte les pieds, les jambes et le postérieur assez imposant du golem. Ils avaient décidé de ne pas s'embêter avec les sous-vêtements, mais pour le besoin de la vraisemblance anatomique – dans une démonstration de la minutie qui avait caractérisé sa carrière sur scène –, Kornblum déchira les vieux tallaysim en deux (après les avoir baisés), tortilla une des moitiés et fourra le résultat en haut des cuisses du golem, dans la fourche du pantalon, là où il n'y avait qu'un creux d'argile lisse.

– Il était peut-être censé être une femme, suggéra Josef, regardant Kornblum monter la fermeture Éclair du golem.

– Pas même le *Mah'er*[1] ne pourrait créer une femme avec de l'argile, répliqua Kornblum. Pour cela, il faut une côte. (Reculant d'un pas, il considéra le golem. Il tira sur un des revers du veston et lissa les fronces sur le devant du pantalon.) C'est vraiment un très beau costume.

C'était un des derniers qu'Alois Hora avait achetés avant sa mort, quand son corps avait été ravagé par le syndrome de Marfan, il allait donc parfaitement au golem, qui n'était pas aussi corpulent que La Montagne à la fleur de l'âge. Il était coupé dans une magnifique laine peignée anglaise gris et brun-roux, striée d'un fil bourgogne, et on eût pu facilement tailler dedans un costume pour Josef ainsi qu'un autre pour Kornblum, avec assez de tissu de reste, ainsi que le fit observer le magicien, pour un gilet chacun. La chemise était d'un beau sergé blanc, avec des boutons de nacre, et la cravate en soie bourgogne, ornée d'un motif gaufré de roses chou, légèrement excentrique, comme Hora avait toujours aimé les cravates. Il n'y avait pas de chaussures. Josef avait oublié d'en prendre, et, en tout état

1. De l'allemand *Macher*, « celui qui fait ». (*N.d.T.*)

de cause, aucune n'aurait été assez grande. Mais si les régions inférieures de l'intérieur du cercueil étaient inspectées, l'astuce échouerait de toute façon, chaussures ou pas.

Une fois habillé, une fois ses joues fardées, son crâne lisse couvert d'une perruque, son front et ses paupières munis de petits postiches de cils et de sourcils utilisés par les employés des pompes funèbres en cas de brûlure faciale ou de certaines maladies dépilatoires, le golem avait l'air indubitablement mort et passablement humain avec son teint terne et grisâtre, de la couleur du mouton bouilli. Il ne restait plus qu'une très légère empreinte de main humaine sur son front, d'où le nom de Dieu avait été effacé des siècles auparavant. Désormais, nos deux amis n'avaient plus qu'à le glisser par la trappe et à suivre le même chemin.

Opération qui se révéla assez aisée. Comme Josef l'avait remarqué en le soulevant pour lui mettre son pantalon, le golem pesait beaucoup moins que sa carrure et sa nature ne l'eussent laissé penser. En empruntant le couloir, puis en descendant l'escalier et en franchissant la porte du 26, Nicholasgasse, Josef eut l'impression de se colleter avec un cercueil en bois blanc substantiel et un habit de grande taille. Pas grand-chose d'autre.

– *Mach' bida lo nafsho*, dit Kornblum, citant les Midrashim[1], quand Josef commenta la légèreté de leur charge. « Son âme lui est un fardeau. » Cela, ce n'est rien. (D'un signe de tête, il indiqua le couvercle du cercueil.) Juste un vaisseau vide. Si tu n'étais pas dedans, j'aurais été obligé de le lester de sacs de sable...

Le trajet de l'immeuble au salon mortuaire dans le fourgon Skoda d'emprunt – Kornblum avait appris à conduire en 1908, disait-il, grâce aux leçons de Hans Kreutzler, célèbre élève de Franz Hofzinser – se déroula sans incident, ni rencontre avec les autorités. Le seul être qui les aperçut sortir le cercueil de l'immeuble, un ingénieur au chômage insomniaque, un certain Pilzen, se vit expliquer que le vieux M. Lazarus du 42 était finalement décédé après une longue maladie. Lorsque Mme Pilzen se présenta à l'appartement, le lendemain après-midi, une assiette de gâteaux secs aux œufs à la main, elle trouva un vieux monsieur ratatiné et trois femmes charmantes, bien qu'un peu inconvenantes, assises en kimono noir sur des tabourets bas, des rubans déchirés épinglés à leurs toilettes et les miroirs drapés, un ensemble de modalités qui, au cours des sept jours suivants, se révélèrent stupéfiantes pour les clients de l'établissement de Mme Willi, certains étant troublés, d'autres excités par le blasphème qui consistait à faire l'amour dans la maison d'un mort.

Dix-sept heures après que Josef fut entré dans le cercueil pour

1. En hébreu, « Commentaires », « Interprétations ». (*N.d.T.*)

s'allonger à côté du vaisseau vide, jadis animé par les espoirs condensés du Prague juif, son train approcha de la ville d'Oshmyany, sur la frontière entre la Pologne et la Lituanie. Les deux chemins de fer nationaux utilisaient des écartements de rail différents, et il fallait compter un contretemps d'une heure pour transborder les voyageurs et les marchandises de l'express d'un noir miroitant de fabrication soviétique à l'omnibus asthmatique datant de l'époque tsariste. De l'asservissement polonais à une fragile liberté baltique. La grosse motrice de la catégorie *Iosef Stalin* entra presque sans bruit en gare et poussa un soupir étonnamment sensible, voire mélancolique. Lentement, pour la plupart, comme peu désireux d'attirer l'attention par une fâcheuse manifestation d'impatience ou de nervosité, les voyageurs, un assez grand nombre de jeunes gens du même âge que Josef Kavalier, affublés des pardessus ceinturés, des knickerbockers et des larges chapeaux des *Chasidim*, descendirent sur le quai et se dirigèrent en bon ordre vers les fonctionnaires des douanes et de l'immigration qui attendaient en compagnie d'un représentant du bureau local de la Gestapo dans une salle surchauffée par un poêle ventru et ronflant. Les porteurs de la gare, une triste équipe d'avortons et de vieillards boiteux, dont peu avaient l'air capables de soulever un carton à chapeau, encore moins le cercueil d'un géant, ouvrirent les portes de la voiture dans laquelle le golem et son passager clandestin avaient voyagé, et lorgnèrent d'un air indécis le fardeau qu'ils étaient censés décharger et transporter vingt-cinq mètres plus loin, jusqu'à un wagon lituanien à quai.

À l'intérieur du cercueil, Josef était étendu, inconscient. Il avait défailli avec une lenteur atroce, parfois presque jouissive, sur une durée de quelque huit ou dix heures, alors que le balancement du train, la raréfaction de l'oxygène, le manque de sommeil et l'excès de tension nerveuse qu'il avait accumulée au cours de la dernière semaine, le ralentissement de sa circulation sanguine et une étrange émanation soporifique du golem lui-même qui paraissait liée à son odeur estivale d'eau croupie, tout contribuait à triompher du vif endolorissement de ses hanches et de son dos, des crampes musculaires de ses bras et de ses jambes, de la quasi-impossibilité où il se trouvait d'uriner, de l'engourdissement de ses jambes et de ses pieds, de ses sensations de fourmillement, parfois presque de tressaillement, des gargouillements de son estomac, de sa terreur, de son émerveillement et de son incertitude devant le voyage dans lequel il s'était lancé. Quand les porteurs sortirent le cercueil du train, il ne se réveilla pas, même si son rêve prit une coloration de danger pressant bien que vague. Il ne revint à lui qu'après qu'une belle giclée d'air glacé vert sapin lui eut piqué les narines, illuminant son sommeil d'un éclat qu'égalait seulement le pâle rayon de soleil qui pénétra dans sa prison quand le « panneau d'inspection » s'ouvrit brutalement.

Une fois de plus, ce furent les consignes de Kornblum qui évitèrent à Josef de tout perdre d'entrée de jeu. Dans l'éblouissement de la première panique qui suivit l'ouverture du panneau, alors que Josef avait envie de crier de douleur, d'ivresse et de peur, le nom « Oshmyany » semblait quelque chose de froid et de rationnel entre ses doigts, comme un crochet qui allait finir par le libérer. Kornblum, dont la connaissance encyclopédique des chemins de fer de cette région de l'Europe devait, quelques brèves années plus tard, intégrer un effroyable appendice, l'avait préparé à fond sur les étapes et les détails de son odyssée pendant qu'ils travaillaient à truquer le cercueil. Josef sentait le coudoiement des hommes, le balancement de leurs hanches pendant qu'ils portaient le cercueil, et ces sensations, ainsi que le parfum de la forêt septentrionale et des bribes de murmures en polonais, se transformèrent à la dernière minute en une prise de conscience du lieu où il se trouvait et du sort qui l'attendait. C'étaient les porteurs qui, d'eux-mêmes, avaient ouvert le cercueil en le transportant du train polonais au lituanien. Il entendait et comprenait vaguement qu'ils étaient épatés à la fois par l'absence de vie et le gigantisme de leur charge. Puis les dents de Josef claquèrent avec un léger tintement de porcelaine au moment où leurs mains lâchèrent le cercueil. Josef garda le silence et pria pour que le choc ne fît pas sauter les clous pipés et ne le propulsât pas à l'extérieur. Il espérait avoir été jeté ainsi dans le nouveau wagon de marchandises, mais craignait que ce ne soit seulement l'impact avec le quai de gare qui ait rempli sa bouche du sang de sa morsure à la langue. La lumière baissa et s'éteignit, et il souffla, sain et sauf dans l'obscurité sans air, éternelle. Puis la lumière revint.

– Qu'est-ce que c'est ? Qui est-ce ? demanda une voix allemande.

– Un géant, Herr lieutenant. Un géant mort.

– Un géant lituanien mort. (Josef entendit un bruissement de papier. L'officier allemand feuilletait la liasse de faux papiers que Kornblum avait apposée à l'extérieur du cercueil.) Nom et prénom : Kervelis Hailinodas. Décédé à Prague avant-hier au soir. Le vilain bougre !

– Les géants sont toujours vilains, lieutenant, intervint un des porteurs en allemand.

Les autres porteurs l'approuvèrent, citant pour preuve des cas similaires.

– Bon Dieu ! reprit l'officier allemand. Mais c'est un crime d'enterrer un complet pareil dans une vieille fosse sale... Tiens, toi. Va me chercher un levier pour ouvrir ce cercueil.

Kornblum avait muni Josef d'une bouteille de vin de Moselle vide, dans laquelle il devait, à de rares intervalles, introduire le bout de son pénis et soulager sa vessie au compte-gouttes. Mais il n'eut pas le temps de la remettre en place au moment où les porteurs commencèrent à racler et à attaquer les joints du cercueil géant à coups de pied. L'entrejambe du pantalon de Josef devint brûlante, puis refroidit immédiatement.

– Il n'y a pas de pince, Herr lieutenant, dit un des porteurs. On va l'ouvrir à coups de hache.

Josef lutta contre la peur panique qui lui labourait la poitrine comme un animal.

– Ah, non ! s'exclama l'Allemand avec un rire. Tu n'y penses pas. Je suis grand, d'accord, mais je ne suis pas si grand que ça. (Au bout d'un moment, l'obscurité revint dans le cercueil.) Continuez votre travail.

Il s'écoula un silence. Puis, avec une secousse, Josef et le golem se retrouvèrent dans les airs.

– Et lui aussi est vilain, commenta un des hommes, d'une voix à peine audible pour Josef, mais pas si vilain que ça !

Quelque vingt-sept heures plus tard, Josef titubait, ébloui, clignant des yeux, boitant, plié en deux, asphyxié et empestant l'urine, dans la grisaille mouchetée de soleil d'un matin d'automne en Lituanie. Caché derrière un pilier noir de suie de la gare de Vilnius, il regarda les deux complices du cercle secret retirer l'étrange cercueil géant venu de Prague. Par un détour, il clopina ensuite jusqu'à la maison du beau-frère de Kornblum, rue Pylimo, où on l'accueillit gentiment avec un repas, un bain chaud et un petit lit de camp dans la cuisine. Pendant qu'il séjournait là, afin de tenter d'organiser sa traversée de Priekulè à New York, il entendit parler pour la première fois d'un consul hollandais de Kovno qui délivrait des visas pour Curaçao, en liaison avec un fonctionnaire japonais qui accordait le droit de transiter via l'Empire nippon à tout Juif qui allait dans la colonie hollandaise. Deux jours après, il était à bord du Transsibérien ; une semaine plus tard, il arrivait à Vladivostok et, de là, prenait un bateau pour Kobé. De Kobé, il s'embarqua pour San Francisco, d'où il télégraphia à sa tante de Brooklyn pour lui demander de quoi payer l'autocar à destination de New York. C'est sur le vapeur avec lequel il passa sous le Golden Bridge qu'il plongea par hasard la main dans le trou de la doublure de la poche droite de son pardessus et découvrit l'enveloppe que son frère lui avait tendue solennellement près d'un mois auparavant. Elle contenait une unique feuille de papier, que Thomas y avait glissée à la hâte ce matin-là, au moment où ils quittaient tous ensemble l'appartement pour la dernière fois, dans le but d'exprimer les sentiments d'amour, de peur et d'optimisme que l'évasion de son frère lui inspirait. C'était le dessin de Harry Houdini en train de prendre tranquillement une tasse de thé en plein ciel que Thomas avait fait dans son carnet pendant sa carrière avortée de librettiste. Josef le contempla. En voguant vers la liberté, il avait la sensation de ne rien peser du tout, comme si on l'avait soulagé de tout fardeau.

Deuxième partie

Un tandem de gamins géniaux

1.

Quand le réveil sonna à six heures et demie ce vendredi-là, Sammy découvrit, en ouvrant les yeux, que Sky City, un plateau à cocktail chromé, garni de bouteilles modernes, de shakers et de fouets à champagne, subissait une attaque d'envergure. Dans les cieux proches de la ville spatiale natale de D'Artagnan Jones, le héros blond bien bâti du *Mouron des planètes*, la bande dessinée de Sammy, voltigeaient cinq démons à ailes de chauve-souris, les cornes soigneusement enroulées comme des bulots, les muscles emplumés au moyen d'un fin pinceau. Une araignée velue géante avec des yeux de femme pendait du dessous miroitant de Sky City, en se balançant au bout d'un fil poilu. D'autres démons à pattes de chèvre et tête de babouin dégringolaient des échelles, sabre au clair, et s'élançaient à l'aide de cordes du pont d'une caravelle fantastique, gréée d'antennes et d'ailettes méticuleusement représentées. À la tête de ces forces maléfiques, courbé sur la table à dessin, portant seulement des mi-bas noirs à baguettes ornés de losanges rouges et emmailloté dans un caleçon tchécoslovaque blanc cassé trop grand, se trouvait Josef Kavalier, qui grattait avec un des meilleurs stylos de Sammy.

Sammy rampa au pied de son lit pour jeter un coup d'œil par-dessus l'épaule de son cousin.

– Que diable fabriques-tu avec ma page ?

Absorbé par ses manœuvres de déploiement et penché dangereusement en arrière sur son tabouret surélevé, le capitaine de cette force d'invasion démoniaque fut pris par surprise. Il sursauta et le tabouret bascula, mais Josef se raccrocha au bord de la table et se redressa habilement, puis tendit la main juste à temps pour rattraper l'encrier avant que celui-ci se renversât à son tour. Il était rapide.

– Je suis désolé, répondit Josef. J'ai pris bien soin de ne pas abîmer tes dessins. Regarde ! (Il souleva une feuille superposée à l'ambitieuse planche pleine page, style *Prince Valiant**, à laquelle travaillait Sammy, et les cinq horribles démons chauves-souris disparurent.) Pour tout, j'ai utilisé des papiers différents.

Il décolla les commandos de démons à tête de babouin et souleva l'araignée de papier par le bout de son fil. En quelques gestes prompts de ses mains aux longs doigts, le siège diabolique de Sky City fut levé.

– Mince alors ! s'exclama Sammy, en donnant une tape sur l'épaule constellée de taches de rousseur de son cousin. Seigneur ! Regarde-moi ça ! Fais-moi voir ces trucs... (Il saisit la feuille en forme de rein que Josef Kavalier avait remplie de démons aux yeux de braise, cornus et baveux, puis avait découpée afin de la superposer au dessin de Sammy. Les proportions des monstres musculeux étaient parfaites, leurs attitudes vivantes et vraisemblables, le trait à l'encre précieux mais puissant. Le style était bien plus raffiné que celui de Sammy, lequel, bien que sûr, clair et parfois audacieux, n'était rien de plus que du dessin humoristique.) Tu as un sacré coup de crayon !

– J'ai été étudiant deux ans aux Beaux-Arts. À Prague.

– Les Beaux-Arts ! (Le directeur de Sammy, Sheldon Anapol, était impressionné par les garçons ayant fait des études recherchées. Le scénario magique, impossible, qui tourmentait l'imagination de Sammy depuis des mois sembla tout à coup vouloir décoller.) O.K., tu sais dessiner des monstres. Et des voitures ? Des immeubles ? demanda-t-il, simulant le ton monocorde propre aux patrons, s'efforçant de dissimuler son excitation.

– Bien sûr.

– Ton anatomie ne m'a pas l'air mal du tout.

– C'est une fascination pour moi.

– Tu peux me dessiner le son d'un pet ?

– Pardon ?

– À Empire, ils sortent tout un tas d'articles qui font des bruits de pet. Un pet, tu sais ce que ça veut dire ? (Sammy plaqua le creux d'une de ses mains contre l'aisselle opposée et actionna son bras, lâchant une giclée d'explosions mouillées. Son cousin, les yeux écarquillés, saisit l'idée.) Évidemment, on ne peut pas dire ça crûment dans les réclames. On doit dire quelque chose comme : « La doublure du chapeau pétomane émet un son plus facile à imaginer qu'à décrire. » Alors il faut vraiment que ça passe dans le crobard.

– Je vois, murmura Josef. (Il avait l'air de relever le défi.) Je dessinerais un souffle de vent. (Sur un bout de papier, il griffonna cinq traits horizontaux à la va-vite.) Puis j'ajouterais ce genre de petits machins.

Il saupoudra sa portée d'étoiles, de fioritures et de notations musicales déformées.

– Joli ! s'écria Sammy. Josef, écoute ! Je vais essayer de te trouver mieux qu'une place pour dessiner l'Harmonica Gravmonica à frottement, d'accord ? À nous la grosse galette !

– La grosse galette ? répéta Josef, l'air soudain hâve et affamé. Ça serait gentil de ta part, Sammy. J'ai besoin d'un peu de grosse galette. Oui, d'accord.

Sammy fut ahuri par l'avidité qui se lisait sur le visage de son cousin. Puis il comprit la raison de ce goût pour l'argent, ce qui l'effraya un peu. Il était déjà assez difficile d'être une déception à ses propres yeux et à ceux d'Ethel sans avoir à se tracasser pour quatre Juifs qui mouraient de faim en Tchécoslovaquie. Mais il réussit à ne pas tenir compte du tremblement dubitatif de sa voix et tendit la main.

– D'accord, souffla-t-il. Tope là, Josef !

Josef avança à son tour la main, puis eut un mouvement de recul. Il adopta ce qu'il devait prendre pour un accent américain, une curieuse espèce de nasillement de cow-boy britannique, et contracta ses traits en un prétendu strabisme de petit dur à la James Cagney.

– Appelle-moi Joe, dit-il.

– Joe Kavalier.

– Sam Klayman.

Les voilà repartis à se serrer la main, puis Sammy retira la sienne.

– En réalité, reprit-il, se sentant rougir, dans la profession on m'appelle Clay.

– Clay ?

– Ouais. Je, euh !... Ça a l'air plus professionnel, je trouve.

Joe inclina la tête.

– Sam Clay, répéta-t-il.

– Joe Kavalier ?

Ils échangèrent une nouvelle poignée de main.

– Les garçons ! appela Mme Klayman de la cuisine. Petit déjeuner !

– Surtout ne dis rien de tout ça à ma mère, recommanda Sam. Et ne va pas lui raconter que j'ai changé de nom...

Ils sortirent pour gagner la table en stratifié de la cuisine et s'assirent sur deux des chaises chromées rembourrées. Bubbie, qui ne connaissait aucun de ses descendants tchèques, était installée à côté de Joe, qu'elle ignorait complètement. Elle avait connu, pour le meilleur et pour le pire, tant d'êtres humains depuis 1846 qu'elle paraissait avoir perdu le désir, peut-être même la faculté, d'identifier des visages ou des événements datant d'après la Grande Guerre, quand elle avait accompli l'incomparable exploit de quitter Lemberg, sa ville natale, à l'âge de soixante-dix ans, pour accompagner en Amérique le benjamin de ses onze enfants. Aux yeux de Bubbie, Sammy ne s'était jamais senti être autre chose qu'une espèce d'ombre vaguement chérie, à travers laquelle perçaient les traits familiers de dizaines d'enfants et de petits-enfants nés avant lui, et dont certains étaient morts soixante ans auparavant. C'était une femme torte, comme désarticulée, qui se repliait tel un vieux plaid sur les sièges de l'appartement pour fixer de ses yeux gris, des heures durant, fantômes, imaginations, réminiscences et atomes de poussière pris dans les rayons obliques du soleil, ses bras sillonnés et grêlés comme des cartes en relief de grandes planètes, ses mollets massifs comprimés comme de la farce dans des bas de contention couleur de mou cru. Don Quichotte en jupon, elle se souciait de son apparence et passait une heure chaque matin à se maquiller.

– Mange, ordonna sèchement Ethel, posant devant Joe une pile de rectangles noirs et une flaque de mucilage jaune, qu'elle se sentit obligée d'identifier à l'intention de son neveu comme des toasts et des œufs.

Celui-ci enfourna une fourchetée dans sa bouche et mastiqua avec une expression circonspecte derrière laquelle Sammy crut détecter un soupçon de sincère dégoût.

Sammy, lui, mit en œuvre la rapide série d'opérations – combinant des éléments du pliage du linge mouillé, du pelletage de cendres humides et de la déglutition d'une carte secrète avant d'être capturé par des troupes ennemies – qui, dans la cuisine de sa mère, passait pour manger. Puis il se leva de table, s'essuya les lèvres du dos de la main et enfila son beau blazer en laine.

– Allez, Joe. Il faut y aller.

Et de se pencher pour planter un baiser sur la joue parcheminée de Bubbie.

Joe laissa tomber sa cuillère et, en voulant la ramasser, se cogna la tête à la table. Très fort. Bubbie poussa un cri. S'ensuivit une légère commotion de couverts et de raclements de chaises. Enfin Joe se leva à son tour et se tamponna délicatement les lèvres avec sa serviette en papier. Quand il eut fini, il lissa celle-ci et la reposa sur son assiette vide.

– Délicieux, articula-t-il. Merci.

– Tiens, dit Ethel, décrochant un élégant costume de tweed d'un cintre accroché au dossier d'une chaise de cuisine. J'ai repassé ton costume et nettoyé les taches de ta chemise.

– Merci, tante.

Ethel posa un bras sur les hanches de Joe et le serra contre elle avec fierté.

– En voilà un qui sait dessiner un lézard, je peux vous le dire.

Sammy rougit. Il s'agissait là d'une allusion aux difficultés particulières que Sammy avait rencontrées le mois précédent avec le Caméléon vivant (« Portez-le à votre revers pour épater et faire sensation ! ») qu'Empire avait récemment ajouté à sa ligne de produits. Le fait que Sammy n'ait eu aucune idée du genre de reptile que l'envoi de vingt-cinq cents à Empire Novelty pouvait procurer, étant donné qu'il n'y avait, en réalité, aucun caméléon vivant en magasin et qu'il n'y en aurait pas avant que Shelly Anapol ait vu combien de commandes tomberaient, avait aggravé une maladresse apparemment congénitale avec les reptiles. Sammy avait passé deux nuits plongé dans des encyclopédies et des livres de bibliothèque, à dessiner des centaines de lézards, des fins et des gros, de l'Ancien Monde et du Nouveau, des cornus et des mantelés, et avait accouché de quelque chose qui ressemblait vaguement à un écureuil chauve aplati.

– Il n'aura pas à dessiner des lézards ou des appareils photo bon marché, ou n'importe quelle autre *drèck*[1] qu'ils vendent, claironna Sammy, avant d'ajouter, oubliant l'avertissement qu'il avait donné à Joe : Pas si Anapol s'intéresse à mon plan...

– Quel plan ?

Sa mère étrécit les yeux.

– Les *comics*, lui hurla Sammy à la figure.

– Les comics !

Elle roula des yeux.

– Les comics ? répéta Joe. Qu'est-ce que c'est ?

– Des inepties, dit Ethel.

– Qu'est-ce que tu y connais ? riposta Sammy, agrippant le bras de Joe. (Il était presque sept heures. Anapol effectuait une retenue sur salaire si l'on arrivait après huit heures.) Il y a de la grosse galette dans les comics. Je connais un gars, Jerry Glovsky...

Il entraîna Joe dans le couloir qui conduisait dans l'entrée et à la porte de sortie, sachant exactement ce que sa mère allait dire ensuite.

– Jerry Glovsky, déclara-t-elle. Bel exemple ! Il est retardé. Ses parents sont cousins germains.

– Ne l'écoute pas, Joe. Je sais de quoi je parle.

– Il n'a pas envie de perdre son temps avec tes stupides comics !

– Ça ne te regarde pas ce qu'il fait, si ? siffla Sammy.

Cette réplique cloua le bec de sa mère, comme Sammy avait su que ce serait le cas. La question de ce qui regardait ou non une personne occupait une position centrale dans l'éthique d'Ethel Klayman, dont l'impératif catégorique était la suprême importance qu'il y avait à s'occuper de ses propres affaires. Cancans, mouches du coche et commentateurs de tout poil étaient les diables de sa démonologie personnelle. Elle était universellement en bisbille avec les voisins et se méfiait, à en friser la paranoïa, de tous les médecins, représentants, employés municipaux, membres du comité de la synagogue et colporteurs de passage.

Elle se tourna alors pour regarder son neveu.

– Tu as envie de dessiner des comics ? le questionna-t-elle.

1. En yiddish, « excrément », « merde ». (*N.d.T.*)

Joe resta planté là, la tête baissée, une épaule appuyée au montant de la porte. Pendant que Sammy et Ethel se disputaient, il avait feint d'étudier avec une gêne polie le tapis moutarde élimé. Mais voilà qu'il levait le nez. Ce fut au tour de Sammy de se sentir gêné. Son cousin le mesurait des yeux, avec une expression à la fois favorable et réprobatrice.

– Oui, tante, acquiesça-t-il. J'en ai envie. Mais j'ai une question. Qu'est-ce c'est que des comics ?

Sammy plongea la main dans son carton à dessins, en sortit un exemplaire froissé, à force d'être lu et relu, du dernier numéro d'*Action Comics** et le tendit à son cousin.

En 1939, la bande dessinée américaine, comme les castors et les cafards de la préhistoire, était plus grande et, à son encombrante façon, plus somptueuse que sa descendante moderne. Aspirant au format d'une revue glacée et à l'épaisseur d'un magazine à sensation, elle offrait soixante-quatre pages de papier bouffant (couverture comprise) pour un prix idéal de dix maigres cents. Alors que la qualité de ses illustrations intérieures était, en général, au mieux exécrable, la couverture prétendait au savoir-faire et au style des revues, en même temps qu'au brio des périodiques à sensation. La couverture des bandes dessinées, dans les premiers temps, était une réclame pour film de rêve, un court-métrage de deux secondes, qui s'animait dans votre esprit et dévidait ses splendeurs juste avant que vous n'ouvriez le paquet de papier grossier agrafé et que les lumières ne se rallument. Elle était souvent peinte à la main, au lieu d'être simplement encrée et coloriée, par des hommes possédant une solide réputation dans le métier, des compagnons illustrateurs capables de pondre fidèlement des laborantines enchaînées et langoureuses, des jaguars de la jungle dans le détail et des corps masculins musculairement corrects, dont les pieds donnaient l'impression de réellement supporter leur poids. Tenus à la main, soupesés, ces premiers numéros de *Wonder* et de *Detective*, avec leur équipage de pirates polychromes, leurs empoisonneurs hindous et leurs bras vengeurs à chapeau mou, leur abondante typographie, à la fois élégante et brute, semblent aujourd'hui encore promettre des aventures d'une variété légère mais tout ce qu'il y a de plus enrichissante. Bien trop souvent le décor représenté sur la jaquette n'avait pourtant aucun rapport avec le brouet clair contenu à l'intérieur. Sous sa couverture – d'où il se dégage aujourd'hui l'inévitable parfum de décomposition et de nostalgie propre aux marchés aux puces –, le *comic book* de 1939 était, artistiquement et morphologiquement, dans un état bien plus primitif. Comme pour toutes les formes d'art bâtardes et tous les sabirs, il y eut, d'abord, une période nécessairement très féconde de confusion génétique et grammaticale. Des hommes qui, la majeure partie de leur existence, dévoraient les *comic strips* de la presse et les périodiques à quatre sous et dont beaucoup étaient jeunes et novices dans l'utilisation du crayon, du pinceau à encre et des cruelles contraintes temporelles du travail à la pièce, se démenaient pour dépasser, d'une part, les strictes exigences spatiales des illustrations des journaux et, de l'autre, le pur verbiage surchauffé des pulps.

Au début, les éducateurs, les psychologues et le grand public avaient tendance à considérer le comic book comme un simple rejeton dégénéré de la bande dessinée des journaux, puis, quand à l'apogée de sa gloire désormais passée il fut lu par les présidents et les porteurs des voitures Pullman, comme un fier cousin américain du base-ball et du jazz tout en vitalité et en grâce indigènes. Une part de l'opprobre et du sentiment d'indignité qui devaient par la suite s'attacher à la forme du comic book tenait à la manière dont celui-ci avait d'abord inévitablement souffert, même à son meilleur moment, de la comparaison avec la splendeur maniérée de Burne Hogarth, Alex Raymond, Hal Foster* et autres rois du coup de crayon des pages comiques, avec l'humour bien réglé et l'ironie adulte de *Li'l Abner*, *Krazy Kat* ou *Abbie'n'Slats**, avec les histoires régulières, métriques, de Gould et Gray et de *Gasoline Alley**, ou encore avec la vertigineuse interaction, jamais surpassée, du récit verbal et visuel dans l'œuvre de Milton Caniff.

Au commencement, et jusqu'au début de 1939, les comic books n'avaient été, en réalité, rien d'autre que des publications de *digests* des bandes les plus populaires, arrachées à leurs berceaux d'origine pour être emprisonnées, non sans violence et coups de ciseaux, entre deux couvertures brillantes bon marché. Le rythme mesuré des comic strips – de trois à quatre planches, avec les feuilletons du vendredi et les résumés du lundi – pâtit dans les limites plus amples du comic book ; ce qui, distribué à la petite cuillère sur une base quotidienne, était noble, palpitant ou hilarant, devenait une affaire saccadée, répétitive, statique et inutilement délayée dans les pages de, disons, *More Fun* (1937)*, le premier comic book acheté par Sammy Klayman. En partie pour cette raison, mais aussi pour éviter de payer aux agences de presse les droits de réédition, les premiers éditeurs de comics se mirent à expérimenter un contenu original, en engageant des dessinateurs ou des sous-traitants de dessinateurs en vue de créer leurs propres personnages et leurs propres bandes dessinées. Ces artistes, s'ils avaient du métier, n'avaient en général ni succès ni talent et, s'ils avaient du talent, ils manquaient de métier. Ceux de cette dernière catégorie étaient pour la plupart des immigrés ou des enfants d'immigrés, ou encore des petits gars de la campagne fraîchement tombés de l'autocar. Ils avaient des rêves, mais, étant donné leurs noms de famille et leur manque de relations, aucune chance de réussir dans le monde inaccessible des couvertures du *Saturday Evening Post* et des réclames pour les ampoules Mazda. Nombre d'entre eux, il faut dire, ne savaient même pas exécuter un croquis réaliste de l'appendice corporel, de l'aveu de tous complexe, au moyen duquel ils espéraient gagner leur vie.

La baisse de qualité qui suivit la révolution du contenu fut immédiate et abrupte. Le trait devint hésitant, les poses maladroites, les compositions statiques, les arrière-plans inexistants. Notoirement difficiles à représenter dans une perspective réaliste, les pieds faillirent disparaître des planches, tandis que les nez étaient réduits aux variantes les plus simples de la vingt-deuxième lettre de l'alphabet. Les chevaux évoquaient des chiens maigrichons au torse surdimensionné, et les automobiles s'effaçaient prudemment sous les traits symbolisant la vitesse pour masquer le fait qu'elles n'avaient pas de portières, n'étaient jamais dessinées à l'échelle, et que toutes paraissaient identiques. Les jolies femmes, telle une flèche nécessaire dans le carquois du caricaturiste, s'en tiraient un peu mieux, mais les hommes tendaient à faire le pied de grue avec leurs costumes sans un pli qui évoquaient de la ferblanterie emboutie et leurs chapeaux qui avaient l'air de peser plus lourd que les autos ; mal à l'aise, le menton en galoche, ils échangeaient des coups de poing sur les traits de repère de leurs nez. Hercules de cirque, valets de chambre hindous géants et seigneurs de la jungle en pagne arboraient des musculatures fantaisistes, « œilceps », « octoceps » et « celtoïdes », et des abdomens pareils à quinze billes de billard dans leur râtelier. Les genoux et les coudes étaient pliés selon des angles douloureux, désarticulés. Au mieux la couleur était terne, au pire il n'y en avait quasiment pas. Parfois, tout était de deux tons de rouge, ou de deux tons de bleu. Mais avant tout les comic books souffraient, non d'une iconographie insuffisante – en effet, il y avait aussi là une vitalité considérable, un grand désir collectif, issu de la Crise de 1929, d'éducation personnelle, et même, de temps en temps, un malheureux dessinateur capable et talentueux –, mais bien d'un mauvais usage des papiers carbones. Tout était une variante, parfois très peu modifiée, d'une bande dessinée de la presse ou d'un héros de radio populaire. The Green Hornet[1] de la radio engendra diverses couleurs de guêpe, de scarabée et d'abeille ; The Shadow fut éclipsé par une légion de membres de groupes d'autodéfense en complet et chapeau de feutre, élevés par des lamas ; la moindre méchante était une Dragon Lady* à peine déguisée. Par conséquent, le comic book, presque dès son

1. Le Frelon vert.

invention, ou peu après celle-ci, se mit à dépérir par manque de finalité ou d'originalité. Il n'offrait rien qu'on ne puisse trouver ailleurs mieux fait ou moins cher. Et à la radio, c'était gratuit.

Puis, en juin 1938, apparut Superman. Il avait été envoyé par la poste aux bureaux des National Periodical Publications de Cleveland par un duo de petits Juifs qui l'avaient investi du pouvoir de cent hommes d'un monde lointain ainsi que de toute la puissance de l'optimisme et de la rage d'adolescents à lunettes. Le dessinateur, Joe Schuster, bien que tout juste doué sur le plan technique, avait apparement compris, dès le début, que la grande page rectangulaire de l'illustré offrait, pour le rythme et la composition, des possibilités qui étaient les trois quarts du temps inconnues de la presse ; il réunit trois planches verticalement en une seule pour montrer la saveur parabolique d'un des sauts de Superman, hauts comme des gratte-ciel brevetés (à ce stade de sa carrière, l'Homme d'acier ne savait pas bien voler), il choisit ses angles et composa ses images avec un certain flair cinématographique. L'auteur, Jerome Siegel, avait su forger, grâce à l'intensité incandescente de sa passion fanatique et de sa connaissance précise des pulps et de leurs ancêtres, un alliage magique de plusieurs personnages et archétypes antérieurs, de Samson à Doc Savage*, doué de ses propres et uniques propriétés de ductilité, de trempe et de brillant. Bien que conçu à l'origine comme un héros de la presse, Superman naquit dans les pages d'un comic book, où il prospéra, puis, après cette parturition miraculeuse, l'effigie commença finalement à émerger de sa frilosité transitoire et à énoncer un projet propre sur le marché des rêves à dix cents : exprimer la soif de pouvoir et le goût vestimentaire tape-à-l'œil d'une race d'individus démunis qui n'avaient pas le droit de s'habiller. Les comics étaient une affaire de jeunes, purement et simplement, et ils arrivaient juste au moment où les petits Américains commençaient, après dix ans de terribles épreuves, à trouver de temps en temps une pièce de dix cents au fond de leurs poches.

– Ça, c'est un comic book, dit Sammy.

– La grosse galette, tu m'as dit, riposta Joe, ayant l'air plus dubitatif que durant toute la matinée.

– Cinquante dollars par semaine. Peut-être davantage.

– Cinquante dollars ! s'exclama Ethel, dont le ton habituellement incrédule laissait percer, sembla-t-il à Sammy, une pointe d'incertitude, comme si le caractère manifestement exorbitant de leurs prétentions pouvait être une garantie de leur véracité.

– Quarante, au moins.

Ethel croisa les bras et resta plantée là, à mâchonner sa lèvre inférieure. Puis elle inclina la tête.

– Il faut que je te trouve une plus belle cravate, dit-elle à Joe, avant de se retourner pour rentrer dans l'appartement.

– Hé, Sam Clay ! chuchota Joe, montrant le paquet bien propre, enveloppé dans une serviette en papier, dans lequel il avait caché son petit déjeuner intact. (Il le tendit en l'air avec un petit sourire.) Où puis-je jeter ça ?

2.

Les bureaux d'Empire Novelty Company Inc. se trouvaient au quatrième étage du Kramler Building, sur un tronçon sordide de la Vingt-cinquième Rue, non loin de Madison Square. Immeuble de bureaux de treize étages, dont la façade de pierre avait la couleur d'un col de chemise maculé et dont les fenêtres, ornées d'un petit nombre de zigzags modernes, arboraient une barbe de suie, le Kramler tranchait comme un geste isolé d'optimisme commercial dans un îlot de maisons de rapport peu élevées en brique (des constructions minimales rapportant en loyers juste de quoi payer les taxes foncières du terrain qu'elles occupaient), de magasins de lainages condamnés par des planches et de sièges de sociétés de bienfaisance tombant en poussière qui accueillaient la population décroissante et éparpillée d'immigrés originaires de pays rayés de la carte. Il avait été inauguré à la fin de 1929, puis récupéré par la banque rétentionnaire après que le promoteur se fut défenestré de son bureau situé au treizième étage. Dans les dix années qui suivirent, le Kramler avait réussi à attirer un nombre réduit mais varié de locataires, parmi lesquels un éditeur de magazines érotiques, un distributeur de postiches, fausses barbes, gaines masculines et chaussures à talonnettes, ainsi que les agents de location de la côte est pour un cirque de troisième zone du Middle West, tous alléchés, comme Shelly Anapol l'avait été, par les bas loyers et une ambiance collégiale de canaillerie.

Malgré l'air de déshérence et de discrédit répandu dans le quartier, Sheldon P. Anapol – dont le beau-frère Jack Ashkenazy était propriétaire de Racy Publications Inc., au sixième étage du Kramler – était un homme d'affaires doué, sympathique et redoutable. En 1914, à l'âge de vingt ans, représentant de commerce sans le sou, il était allé travailler pour Hyman Lazar, fondateur d'Empire Novelty. Quinze ans plus tard, il avait économisé assez d'argent pour racheter sa société à Lazar, après que ce dernier se fut mis à dos ses créanciers. La combinaison d'un cynisme durement acquis, de frais généraux peu élevés, d'une ligne de produits copieusement médiocre et de la soif insatiable des petits Américains pour les postes transistors, les lunettes à rayons X et les vibrators avait permis à Anapol, non seulement de survivre à la Crise, mais de mettre ses deux filles dans une école privée et de subvenir aux besoins ou, comme il aimait à le dire, en évoquant l'imagerie inconsciente des bateaux de guerre et des paquebots de la Cunard, de « maintenir à flot » son énorme et dispendieuse épouse.

Comme celui de tous les grands représentants de commerce, le passé d'Anapol comprenait des tragédies et des déceptions. Orphelin pour cause de pogrom et de typhus, il avait été élevé par des parents insensibles. Pendant une bonne part de sa jeunesse, sa corpulence, héritée de générations d'Anapol mal dégrossis à la mâchoire carrée, avait fait de lui la cible des plaisanteries et l'objet du mépris des femmes. Jeune homme, il jouait assez bien du violon pour espérer faire une carrière musicale, jusqu'à ce qu'un mariage hâtif et l'entretien consécutif de ses deux filles style cuirassés lourds, Belle et Candace, l'eussent contraint à une vie de déplacements commerciaux. Toutes ces péripéties l'avaient laissé endurci, meurtri, chiffonné et enclin à l'appât du gain, mais pourtant pas aigri. Pendant sa période sur les routes, il avait toujours été bien accueilli dans les boutiques isolées des marchands de farces et attrapes, des hommes qui en étaient souvent à leur troisième ou quatrième travail, et presque universellement fauchés, après des années de conjectures et de calamités, d'intuitions de ce qui était amusant et de ce qui ne l'était pas. La vision franchement comique d'Anapol, avec ses immenses complets déboutonnés, ses chaussettes dépareillées et ses yeux tristes de violoniste, en train de présenter un modèle de perruque blonde en crins de chevaux ou de montrer un dentifrice qui noircissait les dents, avait été la clef de voûte de maintes grosses ventes à WilkesBarre ou à Pittsfield.

Pendant la dernière décennie, il n'était toutefois guère allé plus loin que Riverdale, et au cours de l'année passée, après une aggravation de ses perpétuelles « difficultés » avec sa femme, Anapol n'avait que rarement quitté le Kramler Building. Il avait un lit et une table de chevet de chez Macy, et dormait dans son bureau, derrière un vieux dessus-de-lit en tapisserie drapé sur un bout de corde à linge. Sammy avait obtenu sa première augmentation l'automne précédent, après avoir trouvé un portant de vêtements vide qui traînait un soir dans la Septième Avenue et l'avoir rapporté à travers les rues pour servir de vestiaire à Anapol. Ce dernier, qui avait lu beaucoup de littérature commerciale et travaillait en fait éternellement à un traité mâtiné d'autobiographie, qu'il appelait tantôt *La Science de l'opportunité*, tantôt, plus pathétiquement, *Mon échantillon de peine*, non seulement prêchait l'initiative mais la récompensait, un penchant sur lequel Sammy fondait maintenant tous ses espoirs.

– Alors, parle, ordonna Anapol.

Comme d'habitude à cette heure matinale, il portait seulement ses chaussettes, ses fixe-chaussettes et un caleçon à motifs éclatants assez grand, songea Sammy, pour mériter le nom de peinture murale. Il était en train de se raser, penché sur un minuscule lavabo au fond de son bureau. Levé depuis l'aube, comme tous les matins, il avait concocté un coup pour une des parties d'échecs qu'il disputait par courrier avec des joueurs de Cincinnati, de Fresno et de Zagreb, avait correspondu avec d'autres amoureux solitaires du compositeur Szymanovski qu'il avait regroupés dans une association de soutien international, écrit des menaces voilées à des débiteurs particulièrement récalcitrants dans une prose grinçante, vivante et à peine grammaticale, où fleurissaient les allusions à Jéhovah et à George Raft, et rédigé sa missive quotidienne à Maura Zell, sa maîtresse, qui était girl dans la troupe itinérante des *Pearls of Broadway*. Il attendait toujours huit heures pour commencer sa toilette et semblait faire grand cas de l'effet que son impériale personne à demi nue produisait sur ses employés au moment où ceux-ci entraient à la file pour travailler.

– Permettez-moi d'abord de vous poser une question, monsieur Anapol, dit Sammy en étreignant son carton à dessins, planté sur l'ovale râpé du tapis chinois qui recouvrait les trois quarts du plancher du bureau d'Anapol, une vaste pièce isolée par des cloisons d'aggloméré verni et de verre des bureaux de Mavis Magid, la secrétaire d'Anapol, et des cinq employés aux expéditions, à l'inventaire et à la comptabilité. (Un porte-chapeaux, des chaises droites et un bureau à cylindre, tous de seconde main, avaient été récupérés en 1933 dans les locaux d'une société d'assurance vie du quartier qui avait fait faillite et transportés par chariot dans le couloir jusqu'à leur emplacement actuel.) Combien vous demandent-ils, à National, pour la quatrième de couverture d'*Action Comics* ce mois-ci ?

– Non, c'est à moi de te poser une question, répliqua Anapol. (Il s'éloigna du miroir et tenta, comme il le faisait tous les matins, de convaincre quelques longues mèches de cheveux de venir s'aplatir sur le sommet chauve de son crâne. Jusque-là, il n'avait rien dit sur le carton à dessins de Sammy, que ce dernier n'avait d'ailleurs jamais auparavant eu le courage de lui montrer.) Qui est ce garçon assis dehors ?

Anapol ne se retourna pas, et il n'avait pas non plus détourné les yeux du minuscule miroir à barbe depuis que Sammy était entré dans la pièce, mais il apercevait Joe dans la glace. Joe et Sammy étaient assis dos à dos, séparés par la cloison de bois et de verre qui isolait le bureau d'Anapol de son empire. Sammy tordit le cou pour jeter un coup d'œil à son cousin. Sur les genoux de Joe, il y avait une planche à dessin en bois blanc, un carnet de croquis et des crayons. Sur la chaise voisine, reposait un portfolio en carton bon marché qu'ils avaient acheté dans un bazar de Broadway. L'idée, c'était que Joe le remplisse rapidement d'esquisses excitantes de héros musclés pendant que Sammy vendait son idée à Anapol et gagnait du temps. « Tu devras travailler vite », avait-il pressé Joe, qui lui avait assuré être capable d'assembler en dix minutes tout un panthéon de justiciers en caleçon. Mais en entrant, pendant que Sammy lui vantait Mavis Magid, Joe avait perdu de précieuses minutes à fouiner dans la livraison de Sensass Radios Miniatures dont l'arrivée du Japon, la veille au matin, avait mis Anapol en fureur. Toute la livraison était défectueuse et, même selon ses critères peu exigeants, invendable.

– C'est mon cousin Joe, répondit Sammy, jetant à la dérobée un nouveau coup d'œil par-dessus son épaule. (Penché sur son travail, Joe regardait fixement ses doigts et bougeait sa tête lentement de gauche à droite, comme si un invisible faisceau électronique émis par ses yeux guidait la pointe de son crayon sur le papier. Il croquait le bombement d'une épaule imposante, reliée à un bras gauche épais. À part ce bras et un certain nombre de légères et énigmatiques lignes directrices, il n'y avait rien d'autre sur la page.) Le neveu de ma mère.

– Il est étranger ? D'où vient-il ?

– De Prague. Comment le savez-vous ?

– À sa coupe de cheveux.

Anapol s'avança vers le portant et décrocha un pantalon de son cintre.

– Il a débarqué hier soir, expliqua Sommy.

– Et il cherche une place.

– Bon, évidemment...

– J'espère, Sammy, que tu lui as dit que je n'ai de travail pour personne.

– En fait... je l'ai peut-être légèrement induit en erreur sur ce chapitre, monsieur.

Comme un autre de ses jugements infaillibles à l'emporte-pièce se confirmait, Anapol eut un nouvel hochement de tête. La jambe gauche de Sammy se mit à tressaillir. C'était la plus mauvaise des deux et la première à faiblir quand il était nerveux ou sur le point d'être pris en flagrant délit de mensonge.

– Et tout ceci a un rapport, poursuivit Anapol, avec ce que National me demande pour la quatrième de couverture d'*Action Comics*...

– Ou de *Detective**.

Anapol fronça les sourcils. Il leva les bras, puis disparut dans un immense maillot de corps en fil qui n'avait pas exactement l'air blanchi de frais. Sammy en profita pour vérifier le travail de Joe. Une silhouette massive avait fini par émerger : une tête carrée, un torse épais, presque tubulaire. Bien que campé d'un trait sûr, le personnage avait quelque chose de lourd. Les jambes étaient puissantes et bottées, mais lesdites bottes étaient de gros brodequins d'ouvrier, prosaïquement lacés devant. La jambe de Sammy se mit à trembler un peu plus fort. La tête d'Anapol ressortit du maillot de corps. Il fit descendre celui-ci sur son ventre velu de morse, puis le fourra dans son pantalon. Ses sourcils étaient toujours froncés. Il passa ses bretelles sur ses épaules et les fit claquer pour les mettre en place. Les yeux toujours rivés sur la nuque de Joe, il se dirigea ensuite vers son bureau et bascula un interrupteur.

– J'ai besoin de Murray, dit-il dans le haut-parleur. La semaine est calme, ajouta-t-il à l'adresse de Sammy. Voilà la seule raison de mon indulgence pour toi.

– Je comprends, souffla Sammy.

– Assieds-toi.

Sammy s'assit et appuya son portfolio contre ses jambes, soulagé de pouvoir le poser. Il était plein à craquer de ses propres dessins, concepts, prototypes et pages définitives.

Mavis Magid eut Murray Edelman en ligne. Le directeur de la réclame d'Empire Novelty informa Anapol, comme Sammy savait qu'il le ferait parce qu'il effectuait chaque semaine de son plein gré des heures supplémentaires dans le service d'Edelman, assimilant ce qu'il pouvait du point de vue biaisé et exclamatif du vieil homme sur le monde publicitaire, que National demandait près de sept fois le tarif courant pour l'espace offert par la quatrième de couverture de ses titres les plus vendeurs : le numéro d'août d'*Action*, le dernier pour lequel on avait des chiffres, s'était vendu à près d'un million et demi d'exemplaires. D'après Murray, la seule et unique raison de la montée en flèche des ventes de certains titres tenait à l'état encore relativement embryonnaire du marché de la bande dessinée.

– *Superman*, murmura Anapol en raccrochant son téléphone, avec le ton de quelqu'un qui commande un plat inconnu dans un restaurant exotique.

Il se mit à faire les cent pas derrière son bureau, les mains croisées dans le dos.

– Pensez à ce qu'on pourrait vendre comme produits si nous avions notre propre Superman, s'entendit dire Sammy. On pourrait l'appeler *Vibrator Comics... Coussin Pétomane Comics...* Pensez à ce que vous économiseriez en réclame ! Pensez-y...

– Ça suffit, le coupa Anapol, cessant de faire les cent pas pour enfoncer une nouvelle fois l'interrupteur. (Les traits de son visage s'étaient altérés pour prendre une expression tendue, vaguement dégoûtée, que Sammy était capable d'identifier, au bout d'un an sous ses ordres, comme la prémonition refoulée de l'argent. Sa voix s'était muée en un chuchotement rauque.) J'ai besoin de Jack.

Mavis passa un coup de fil dans les étages supérieurs, aux bureaux de Racy Publications Inc., maison mère de *Racy Police Stories*, *Racy Western* et *Racy Romance*. Jack Ashkenazy fut requis au téléphone. Il confirma ce que Murray York avait déjà dit. Tous les éditeurs de pulps et de périodiques de New York avaient remarqué l'explosion des ventes d'*Action Comics* du groupe National et de sa vedette portant cape et bottes.

– Ouais ? marmonna Anapol. Ouais ? Vraiment ? Tu as trouvé ?

Il écarta le combiné de son oreille et le fourra sous son aisselle gauche.

– Ils cherchent un Superman de leur cru dans les étages, déclara-t-il à Sammy.

Celui-ci bondit de son siège.

– Nous pouvons leur en fournir un, patron, lança-t-il. Nous pouvons fournir à Ashkenazy son propre Superman lundi matin. Mais, de vous à moi, ajouta-t-il, s'efforçant de parler comme son grand héros, John Garfield[1], qui était dur et doucereux en même temps, le garçon des rues prêt à porter des costumes luxueux et à courir où se trouvait la grosse galette, je vous conseillerais de garder tout cela pour vous.

Anapol éclata de rire.

– Oh ! Vous me conseillez ? Pas possible ! s'exclama-t-il. (Il secoua la tête.) J'y songerai.

Il garda le combiné coincé sous le bras et prit une cigarette dans le coffret posé sur son bureau. Il l'alluma et aspira une bouffée pour réfléchir, sa mâchoire massive proéminente et contractée. Puis il reprit en main le combiné et souffla de la fumée dans le micro.

– Tu ferais peut-être mieux de descendre dans mon bureau, Jack, articula-t-il. (Il raccrocha une nouvelle fois et inclina la tête en direction de Joe Kavalier.) C'est ton artiste ?

– Nous le sommes tous les deux, répliqua Sammy. Des artistes, je veux dire...

Il décida d'opposer aux doutes d'Anapol un aplomb qu'il parvint rapidement à éprouver. Il se dirigea vers la cloison et, avec affectation, frappa à la vitre. Sursautant, Joe se détourna de son travail. Sammy, ne voulant pas risquer de compromettre sa propre confiance

1. Acteur américain (1913-1952) : *They Made Me a Criminal* (1939)... (*N.d.T.*)

en soi, se retint de regarder de près ce que Joe avait fait. Au moins, toute la page semblait remplie !

– Puis-je... ? demanda-t-il à Anapol, montrant la porte d'un geste.

– Tu peux aussi bien lui dire d'entrer.

Sammy fit signe à Joe de venir les rejoindre, tel un M. Loyal qui accueillerait un célèbre trapéziste sous les projecteurs. Joe se leva en rassemblant son carton à dessins et ses crayons épars, puis, son carnet de croquis serré contre lui, il entra timidement dans le bureau d'Anapol, avec son costume de tweed trop grand, son visage famélique et sa cravate d'emprunt, son air à la fois réservé et pathétiquement désireux de plaire. Il regardait le propriétaire d'Empire Novelty comme si toute la grosse galette promise par Sammy était entassée dans la carapace ballonnée de Sheldon Anapol et, à la moindre piqûre et au moindre petit trou, allait se déverser en un irrésistible torrent de billets verts.

– Bonjour, jeune homme ! dit Anapol. On me raconte que vous savez dessiner.

– Oui, monsieur ! répondit Joe, d'une voix bizarrement étranglée qui les fit tous tressaillir.

– Pose-le ici.

Sammy tendit la main pour prendre le carnet et constata, à sa grande surprise, qu'il ne parvenait pas à le dégager. Il craignit un instant que son cousin ait réalisé quelque chose de si abominable qu'il avait peur de le montrer. Mais il aperçut ensuite le coin gauche supérieur de l'esquisse de Joe, où derrière une tour de guingois se profilait une grosse lune, dont une chauve-souris, elle aussi de travers, traversait la face à tire-d'aile, et comprit qu'au contraire son cousin ne pouvait tout simplement pas le lâcher.

– Joe, murmura-t-il.

– Il me faut un peu plus de temps pour le terminer, répondit Joe, tendant son carnet à Sammy.

Anapol contourna son bureau, planta la cigarette incandescente dans un coin de sa bouche et prit le carnet des mains de Sammy.

– Regardez-moi ça ! s'exclama-t-il.

Sur le dessin, il était minuit dans une ruelle pavée, hachurée d'ombres menaçantes. Des toits de tuiles, des fenêtres à tout petits carreaux, des flaques gelées sur le sol étaient suggérés de manière évocatrice. À grandes enjambées, un homme grand et bien bâti émergeait des ombres pour apparaître dans la clarté de la lune balafrée par la chauve-souris. Sa carrure était aussi robuste et impressionnante que ses bottes ferrées. Son costume était composé d'une tunique aux plis profonds, d'un lourd ceinturon et d'un gros bonnet de laine informe qui avait l'air sorti d'un Rembrandt. Les traits du personnage, bien que beaux et réguliers, paraissaient figés, et son regard hardi était vide. Il avait quatre caractères hébraïques gravés sur le front.

– Mais ce n'est pas le golem ? s'écria Anapol. Mon nouveau Superman est donc le golem ?

– Je n'ai pas... le concept est nouveau pour moi, se défendit Joe, dont l'anglais se gauchit. J'ai juste dessiné la première chose que j'avais à l'esprit qui ressemblait à... Pour moi, ce Superman n'est... peut-être... qu'un golem américain. (Du regard, il quêta le soutien de Sammy.) Ce n'est pas vrai ?

– Hein ? fit Sammy, luttant pour dissimuler sa consternation. Ouais, bien sûr, mais Joe... le golem... est... bon !... juif.

Anapol frotta son menton épais, regardant l'image. Il montra le carton à dessins du doigt.

– Faites-moi voir ce que vous avez d'autre là-dedans.

– Il a dû laisser tout son travail à Prague, plaça promptement Sammy, pendant que Joe dénouait les rubans de son carton à dessins. Il a juste torché quelques nouveaux trucs ce matin.

– Eh bien ! il n'est pas très rapide, fit remarquer Anapol, en voyant que le carton de Joe était vide. Il a du talent, c'est évident, mais...

L'air dubitatif réapparut sur son visage.

– Joe ! s'écria Sammy. Dis-lui où tu as été étudiant !

– À l'Académie des beaux-arts de Prague, répondit Joe.

Anapol cessa de se frotter le menton.

– À l'Académie des beaux-arts ?

– Qu'est-ce que c'est ? Qui sont ces lascars ? Qu'est-ce qui se passe ici ?

Jack Ashkenazy entra dans le bureau en coup de vent, sans prévenir ni frapper. Il avait encore tous ses cheveux et s'habillait beaucoup plus élégamment que son beau-frère, avec une prédilection pour les vestes à carreaux et les chaussures bicolores. Comme il avait réussi en affaires, un peu à la manière du Kramler Building, plus facilement que son beau-frère, il n'avait pas été forcé de développer le charme chiffonné du représentant de commerce de son aîné, mais partageait l'avidité d'Anapol à débarrasser la jeunesse d'Amérique de l'oppressant couvercle national d'ennui, dix cents après dix cents. Il décrocha le cigare de sa bouche et arracha le carnet à dessin des mains d'Anapol.

– Maaagnifique ! dit-il. Mais la tête est trop grosse.

– La tête est trop grosse ? répéta Anapol. C'est tout ce que tu as à dire ?

– Le corps aussi est trop gros. On dirait qu'il est fait de pierre.

– Mais il est fait de pierre, crétin ! C'est un golem...

– D'argile, en fait, précisa Joe, qui toussota. Je peux réaliser quelque chose de plus léger.

– Il peut faire tout ce qu'il veut, ajouta Sammy.

– Tout, acquiesça Joe. (Ses yeux s'agrandirent au moment où une inspiration sembla lui venir, et il se tourna vers Sammy.) Je devrais peut-être leur montrer mes pets...

– Il n'a lu qu'un seul comic book, poursuivit Sammy, ignorant son intervention. Mais moi je les ai tous lus, patron. J'ai lu tous les numéros d'*Action*. J'ai épluché cette littérature. Je sais comment c'est fait. Regardez.

Il ramassa son propre carton à dessins et en dénoua les cordons. C'était un modèle bon marché en carton de chez Woolworth, comme celui de Joe, mais bosselé, éraflé et soigneusement lacéré. On ne pouvait pas s'asseoir dans la salle d'attente d'un directeur artistique avec un carton flambant neuf. Tout le monde aurait su que vous étiez un débutant. L'automne précédent, Sammy avait passé un après-midi entier à taper sur le sien à l'aide d'un marteau, à le piétiner chaussé d'une paire de talons hauts de sa mère et à verser du café dessus. Malheureusement, depuis qu'il l'avait acheté, il n'avait réussi à placer que deux bandes dessinées : une dans un magazine complètement dénué d'humour qui s'appelait *Laff* et l'autre dans *Belle-Views*, le bulletin maison du pavillon psychiatrique où sa mère travaillait.

– Je peux tout faire, se vanta-t-il, sortant une poignée d'échantillons de son travail pour les faire circuler.

Plus précisément, ce qu'il voulait dire, c'est qu'il pouvait tout plagier.

– Ce n'est pas si mal, commenta Anapol.

– Ce n'est pas génial non plus, répliqua Ashkenazy.

Sammy lança un regard furibond à Ashkenazy, non parce qu'Ashkenazy aurait insulté son travail – nul n'était plus conscient de ses limites artistiques que Sam Clay – mais parce que Sammy se sentait à la lisière de quelque chose de merveilleux, d'un royaume où des cataractes d'argent et le cours impétueux de son imagination soulèveraient enfin son petit radeau de fortune pour l'emporter vers la liberté infinie de la pleine mer. Or Jack Ashkenazy, dont il pouvait facilement, s'imagina Sammy, crever les yeux larmoyants au moyen du coupe-papier posé sur le bureau d'Anapol, menaçait de lui barrer la route. Anapol capta la lueur visionnaire meurtrière dans les yeux de Sammy et prit un risque.

– Que dirais-tu si nous laissions ces garçons rentrer chez eux pour le week-end et essayer de nous pondre un Superman ? (Il fixa Sammy d'un regard impitoyable.) Notre propre style de Superman, naturellement...

– Bien sûr.

– Combien de pages représente une histoire de Superman ?

– Une douzaine, peut-être.
– Je veux un personnage et une histoire de douze pages pour lundi.
– Nous aurons besoin d'un peu plus de temps, déclara Ashkenazy. D'habitude, il y a cinq ou six personnages là-dedans. Tu sais, un espion. Un détective. Un vague vengeur des humiliés. Un méchant Chinois. Ces deux-là ne peuvent pas trouver tout ça eux-mêmes et aussi le dessiner. J'ai des dessinateurs à ma disposition, Shelly. J'ai George Deasey...
– Non ! s'écria Sammy. (George Deasey était le rédacteur en chef de Racy Publications. C'était un vieux journaliste grincheux, tyrannique, qui remplissait les ascenseurs du Kramler Building de l'odeur exacerbée du whisky.) C'est à moi. À nous, à Joe et à moi. Patron, je peux m'en charger.
– Absolument, patron, renchérit Joe.
Anapol sourit d'une oreille à l'autre.
– Écoute voir ! dit-il. Vous me rapportez un Superman, poursuivit-il, posant une main apaisante sur l'épaule de Sammy. Nous verrons ensuite si vous pouvez vous en charger ou pas. D'accord, Jack ?
Une grimace tordit les traits habituellement aimables d'Ashkenazy.
– Il faut que je te dise, Shelly. J'ai de sérieux doutes. Je dois te préciser...
– Les radios, intervint Joe. Les petites radios, de l'autre côté.
– Oouah ! ne me parle pas de ces maudites radios, Joe, tu veux bien ? répliqua Sammy.
– Quoi, les miniatures ? dit Anapol.
Joe inclina la tête.
– C'est juste les fils qui sont mal mis. Tous pareil. Un petit fil n'est pas, hum ! Comme ça. (Il frappa l'extrémité d'un index avec l'autre.) Fixé au résisteur.
– Tu veux dire à la résistance ?
– O.K.
– Tu t'y connais en radios ? (Anapol plissa les yeux d'un air indécis.) Tu es en train de nous dire que tu saurais les réparer ?
– Oh ! assurément, patron. C'est simple pour moi.
– Combien ça va nous coûter ?
– Pas grand-chose. Quelques cents pour le... je ne connais pas le mot. (Il forma un pistolet avec ses doigts.) *Weichlot*[1]. On doit le fondre.
– Le souder ? Un fer à souder ?
– O.K. Mais je peux en emprunter un peut-être.
– Juste quelques cents, hein ?
– Sans doute un cent pour la radio, chaque radio.

1. En allemand, « soudure à l'étain ». (*N.d.T.*)

– Ça augmente très peu mes coûts.

– Mais, O.K., je ne demande rien pour faire le travail.

Sammy dévisagea son cousin, ébahi et juste un tantinet interloqué qu'il eût su mener les négociations. Il vit Anapol lever un sourcil lourd de signification à l'adresse de son beau-frère, pour lui promettre quelque chose ou le menacer.

Finalement, Jack Ashkenazy inclina la tête.

– Juste une petite chose, dit-il, posant une main sur le bras de Joe pour le retenir avant qu'il ait le temps de se faufiler hors du bureau, avec son golem aux yeux inexpressifs et son carton à dessins vide. C'est d'un comic book qu'il s'agit, O.K. ? « Pas mal » est peut-être plus juste que « magnifique »...

3.

Les cousins tinrent la première réunion officielle de leur association devant le Kramler Building, dans le halo composé de leurs expirations et de la vapeur souterraine qui montait en sifflant d'un soupirail du trottoir.

– C'est bien, dit Joe.

– Je sais.

– Il a dit oui, rappela Joe à son cousin, qui restait planté là, à tapoter le devant de son pardessus d'une main distraite, un air affolé sur le visage, comme s'il craignait d'avoir oublié quelque chose d'important dans le bureau d'Anapol.

– Oui, c'est vrai. Il a dit oui.

– Sammy. (Joe tendit le bras et saisit la main vagabonde de Sammy, l'arrêtant dans la fouille de ses poches, de son col et de sa cravate.) C'est bien.

– Oui, c'est bien, nom de Dieu ! J'espère vraiment que nous serons à la hauteur...

Joe lâcha la main de Sammy, troublé par cette soudaine expression de doutes. Il s'était complètement laissé prendre par l'audace avec laquelle Sammy avait appliqué la science de l'opportunité. Toute la matinée, le trajet bruyant dans l'obscurité clignotante sous l'East River, le courant ascendant d'avertisseurs et d'immeubles de bureaux verticaux qui les avait arrachés à la station de métro, les dix mille hommes et femmes qui les avaient immédiatement entourés, les sonneries de téléphone et le jacassement des employés et des secrétaires dans le bureau de Sheldon Anapol, la masse sournoise et tourmentée d'Anapol lui-même, la discussion des chiffres de vente, de la concurrence et des gros encaissements, tout cela était si conforme à l'image tirée du cinéma que Joe avait de la vie en Amérique que si un avion avait dû alors se poser dans la Vingt-cinquième Rue et débarquer une douzaine de Fées de la Démocratie en maillot de bain venues lui décerner la présidence de General Motors, un contrat avec Warner Bros et une superbe garçonnière dans la Cinquième Avenue avec piscine dans la salle à manger, il aurait accepté ces menus cadeaux avec la même absence de surprise que dans ses rêves. Jusqu'ici il n'avait pas eu idée de considérer que la belle démonstration d'esprit d'entreprise de son cousin avait peut-être été entièrement du bluff, qu'il faisait 8 °C et qu'il n'avait ni chapeau ni gants, que son estomac était aussi vide que son portefeuille, et que Sammy et lui n'étaient qu'un tandem de deux blancs-becs esclaves d'une promesse irréfléchie et incertaine.

– Mais j'ai confiance en toi, lança Joe. Je te crois.

– C'est agréable à entendre.

– Je suis sérieux.

– J'aimerais bien savoir pourquoi...

– Parce que, répondit Joe, je n'ai pas le choix.

– Oh, non !

– J'ai besoin d'argent, poursuivit Joe, avant de tenter d'ajouter : Bon Dieu !

– L'argent. (Ce mot parut avoir un effet reconstituant sur Sammy, l'arracher à sa stupeur.) Très bien. O.K. Avant tout, nous avons besoin de munitions.

– De munitions ?

– De bras, de gars...

– De dessinateurs.

– Si on parlait seulement de « gars » pour le moment ?

– Tu sais où on peut en trouver ?

Sammy réfléchit un instant.

– Je crois, répondit-il. Viens !

Ils se mirent en route dans ce que Joe estima être la direction de l'ouest. En marchant, Sammy sembla vite perdu dans ses cogitations. Joe essaya d'imaginer le cours des pensées de son cousin, mais les détails de leur future mission n'étaient pas clairs pour lui. Au bout d'un moment, il renonça et se borna à marcher du même pas. L'allure de Sammy était décidée, courbée, et Joe avait du mal à ne pas prendre les devants. Un bourdonnement le suivait partout, qu'il attribua d'abord à la circulation du sang dans ses oreilles, avant de comprendre que c'était le bruit produit par la Vingt-cinquième Rue elle-même. Une centaine de machines à coudre dans un atelier clandestin au-dessus de leurs têtes, les bouches d'aération à l'arrière d'un entrepôt, les trains qui roulaient dans les profondeurs sous le revêtement noir de la rue. Joe renonça donc à suivre son cousin, à croire ou à avoir confiance en lui, et se contenta de marcher en direction de l'Hudson, la tête à l'envers, étourdi par la nouveauté de l'exil.

– Qui est-il ? dit enfin Sammy, alors qu'ils traversaient une grande artère qu'une plaque identifiait, de manière plus ou moins improbable, comme la Sixième Avenue.

La Sixième Avenue ! L'Hudson !

– Qui est-il ? répéta Joe.

– Qui est-il et qu'est-ce qu'il fait ?

– Il vole.

Sammy secoua la tête.

– Superman vole déjà.

– Alors le nôtre ne vole pas ?

– Je pense seulement que j'aimerais...

– Être original.

– Si possible. Essaie de le voir sans qu'il vole, au moins. Pas d'acrobatie aérienne, pas la force de cent hommes, pas de peau pare-balles...

– O.K., répondit Joe. (Le bourdonnement parut légèrement diminuer.) Et les autres, ils font quoi ?

– Eh ben, Batman...

– Il vole, comme une chauve-souris.

– Non, il ne vole pas.

– Mais il est bien aveugle.

– Non, il se déguise seulement en chauve-souris. Il ne possède aucun caractère des chauves-souris. Il utilise ses poings...

– Ça m'a l'air ennuyeux.

– En fait, ça donne la chair de poule. Tu aimerais ça.

– Un autre animal peut-être ?

– Euh ! Bon, ouais. O.K. Un faucon, l'Homme-Faucon*.

– Un faucon, oui, O.K. Mais cette petite bête doit bien voler...

– Ouais, tu as raison. Raye la famille des oiseaux de la liste. Le... euh... le Renard. Le Requin...

– Un animal qui nage, alors.

– Peut-être, un qui nage. D'ailleurs, non. Je connais un gars qui travaille à la boutique Chesler, il m'a dit qu'ils réalisent déjà un gars qui nage. Pour Timely.

– Un lion ?

– Oui, le Lion. L'Homme-Lion...

– Il pourrait être invincible, il rugit très fort.

– Il a un super-rugissement ?

– Qui sème la terreur.

– Qui casse les assiettes !

– Les méchants deviennent sourds !

Ils s'esclaffèrent. Joe s'arrêta de rire.

– Nous devons être sérieux, je crois, articula-t-il.

– Tu as raison, approuva Sammy. Le Lion, je ne sais pas. Les lions sont paresseux. Que dis-tu du Tigre ? L'Homme-Tigre, Tiger-man. Non, non. Les tigres sont des tueurs. Merde ! Voyons...

Ils se mirent à éplucher les registres du règne animal, en se concentrant naturellement sur les prédateurs : l'Homme-Chat, l'Homme-Loup, le Hibou, la Panthère, l'Ours noir. Ils examinèrent les primates : le Singe, L'Homme-Gorille, le Gibbon, le Chimpanzé, le Mandrill, au cul magique multicolore qui servait à éblouir ses adversaires.

Une fois de plus, Joe rappela son cousin à l'ordre :

– Sois sérieux.

– Excuse-moi, excuse-moi. Écoute, laissons tomber les animaux. Tout le monde va se rabattre sur eux. Dans deux mois, je te le dis, le temps que notre lascar arrive dans les kiosques, il y aura des gars qui courront dans tous les sens, déguisés en ces maudits animaux de zoo ! Oiseaux, cafards, monstres sous-marins. Et je te parie n'importe quoi qu'il y aura cinq hurluberlus qui seront vraiment forts, invulnérables et capables de voler....

– Et si notre personnage allait aussi vite que la lumière ? suggéra Joe.

– Ouais, c'est mieux d'être rapide, j'imagine.

– Et s'il peut enflammer des choses. S'il peut... écoute ! S'il peut, tu sais ? Lancer des flammes avec ses yeux !

– Ses globes oculaires fondraient.

– Avec ses mains, alors. Ou... oui, il se transforme en une boule de feu !

– Timely fait déjà ça aussi. Ils ont l'Homme-Feu et l'Homme-Eau*.

– Il se transforme en glace. Il crée de la glace partout.

– Pilée ou des glaçons ?

– Ce n'est pas bon ?

Sammy secoua la tête.

– La glace, murmura-t-il. Je ne vois pas beaucoup d'histoires avec la glace.

– Il se transforme en électricité, alors ? tenta Joe. En acide ?

– Il se transforme en jus de viande, il se transforme en un énorme chapeau. Écoute, arrête. Arrête. Vraiment, arrête !

Ils s'immobilisèrent au beau milieu du trottoir, entre les Sixième et Septième Avenues. Et c'est à cet instant précis que Sam Clay eut une révélation, qu'il finirait plus tard par voir comme le seul effleurement indéniable de l'ourlet diaphane, couleur dollar, que l'Ange de New York lui eût accordé dans toute son existence.

– Ce n'est pas la question, reprit-il. Qu'il ressemble à un chat, à une araignée ou à une saleté de carcajou, qu'il soit énorme ou minuscule, qu'il crache des flammes, de la glace, des rayons de la mort ou du Vat 69, qu'il se transforme en feu, en eau, en pierre ou en caoutchouc indien. Il pourrait être un Martien, il pourrait être un fantôme, il pourrait être un dieu, un démon, un magicien ou un monstre. D'accord ? Ça n'a pas d'importance, parce qu'en ce moment, tu vois, à cet instant présent, il faut prendre le train en marche, c'est moi qui te le dis. Le moindre petit crève-la-faim new-yorkais de mon genre qui croit qu'il y a de la vie sur Alpha du Centaure, qui s'est fait dérouiller au collège et est capable de flairer un dollar sur la brèche, est là, dehors, à cet instant même, à tenter de sauter dedans, à déambuler avec un crayon en poche en radotant : « Il ressemble à un épervier, non, à une tornade, non, à un maudit chien viennois. » O.K. ?

– O.K.

– Et peu importe ce qu'on dégote et comment on l'habille, un autre personnage avec le même truc, avec le même genre de bottes et le même petit bidule sur la poitrine est déjà sur le marché, ou sort demain ou va être pondu par notre lascar en moins de dix jours.

Joe écoutait patiemment, attendant la chute de cette péroraison, mais Sammy semblait avoir perdu le fil. Joe suivit le regard de son cousin le long du trottoir, mais ne vit que ce qui ressemblait à deux marins anglais, en train d'allumer leurs cigarettes avec une seule allumette abritée du vent.

– Donc... ? reprit Sammy. Donc... ?

– Donc ce n'est pas la question, souffla Joe.

– C'est ce que je te dis.

– Continue.

Ils se remirent en marche.

– Comment n'est pas la question, déclara Sammy. Quoi n'est pas non plus la question.

– La question, c'est pourquoi.

– La question, c'est pourquoi.

– Pourquoi, répéta Joe.

– Pourquoi fait-il ça ?

– Mais il fait quoi ?

– Il se déguise en singe, en glaçon ou en maudite boîte de maïs.

– Pour lutter contre le crime, c'est ça ?

– Ouais, pour combattre le crime. Pour combattre le mal. Mais tous ces gars ne font pas autre chose. Ils ne vont pas plus loin. Ils se contentent de... Tu sais, c'est ce qu'il faut faire, alors ils le font. C'est passionnant, hein ?

– Je vois.

– Sauf Batman. Tu sais... tu vois, ouais, c'est valable. C'est ce qui rend Batman valable, et pas du tout rasoir, même si c'est juste un gars qui se déguise en chauve-souris pour tabasser les gens.

– Quels sont les motifs de Batman ? Le pourquoi ?

– Ses parents ont été assassinés, tu vois ? De sang-froid. Sous ses yeux, quand il était gosse. Par un cambrioleur.
– La vengeance, alors.
– Ça, c'est passionnant, acquiesça Sammy. Tu vois ?
– Et il est devenu fou.
– Enfin...
– Et c'est pour ça qu'il met une panoplie de chauve-souris.
– En réalité, les auteurs ne vont pas jusqu'à dire ça, corrigea Sammy. Mais on peut le lire entre les lignes, à mon avis.
– Il nous reste donc à trouver le pourquoi.
– Oui, trouver le pourquoi, approuva Sammy.
– Flattop[1] !
Levant les yeux, Joe vit un jeune homme planté devant eux. Il était rondouillard, avec le buste court, et son visage presque invisible, à part sa paire de grosses lunettes noires, était emmitouflé sous un amoncellement complexe de cache-nez, casquette et oreillettes.
– Julius, annonça Sammy. Je te présente Joe. Joe, un ami du quartier, Julius Glovsky.
Joe tendit la main. Julius l'examina un moment, puis tendit sa propre petite main. Il portait un pardessus de laine noir, une chapka en cuir fourré aux oreillettes gigantesques et un pantalon en velours côtelé vert trop court.
– Le frère de ce gars est celui dont je t'ai parlé, expliqua Sammy à Joe. Celui qui fait son beurre dans les comics. Qu'est-ce qui t'amène par ici ?
Quelque part du fond de ses pelures, Julius Glovsky haussa les épaules.
– J'ai besoin de voir mon frangin.
– N'est-ce pas remarquable ? Nous avons besoin de le voir aussi.
– Ah, ouais ? Pourquoi ? (Julius Glovsky frissonna.) Raconte-moi vite, avant que mes roubignolles se ratatinent.
– Serait-ce à cause du froid ou, tu sais, parce qu'elles sont atrophiées ?
– Marrant.
– Je suis marrant.
– Dommage que ce ne soit pas drôle...
– Marrant, répéta Sammy.
– Moi, je suis marrant. Qu'est-ce que tu as derrière la tête ?
– Pourquoi tu ne viens pas travailler pour moi ?
– Pour toi ? Pour faire quoi ? Vendre des lacets ? On en a encore toute une boîte à la maison. Ma mère s'en sert pour trousser les volailles.

1. « La Brosse ». Personnage du mauvais garçon dans *Dick Tracy*. (*N.d.T.*)

– Pas des lacets de chaussures. Mon patron, tu sais, Sheldon Anapol ?

– Comment le connaîtrais-je ?

– Quoi qu'il en soit, c'est mon patron. Il est en affaire avec son beau-frère, Jack Ashkenazy, que tu ne connais pas non plus, mais qui publie *Racy Science*, *Racy Combat*, etc. Ils vont sortir des illustrés, tu vois, et ils cherchent des talents neufs.

– Quoi ? (Jules pointa sa tête de tortue hors des ombres de sa carapace de laine.) Tu crois qu'ils pourraient m'engager ?

– Ils le feront si je le leur dis, fanfaronna Sammy. Vu que je suis le directeur artistique en chef...

Joe regarda Sammy et leva un sourcil. Sammy haussa les épaules.

– Joe et moi, nous montons le premier titre en ce moment. Ça ne va être que des héros d'aventures. Tous costumés, improvisa-t-il alors. Tu sais, comme Superman, Batman, The Blue Beetle[1]... Ce genre de truc.

– En maillot, alors.

– Voilà ! Maillot, masque, tout en muscles. Ça va s'appeler *Masked Man Comics*[2], poursuivit-il. Joe et moi, on a bien soigné l'histoire pilote, mais on a besoin de matériaux supplémentaires. Tu pourrais apporter ta pierre, je pense ?

– Merde ! Par Flattop, oui. Un peu...

– Et ton frère ?

– Sûr, il cherche toujours plus de commandes. Ils l'ont embauché sur *Romeo Rabbit* à trente dollars par semaine.

– O.K. Alors il est engagé lui aussi. Vous êtes tous les deux engagés, à une condition.

– Laquelle ?

– Il nous faut un lieu où travailler, dit Sammy.

– Venez, alors, lança Julius. On peut bosser au Trou à rats, je pense. (Au moment où ils se mettaient en route, Julius se pencha vers Sammy, en baissant la voix. Le gamin dégingandé au grand nez s'était laissé distancer de quelques pas pour allumer une cigarette.) Mais enfin, qui est ce type ?

– Lui ? fit Sammy. (Prenant le gamin par le coude, il le tira en avant comme s'il le ramenait sur scène pour saluer. Il leva le bras pour attraper une poignée de cheveux de son cousin et tirer dessus : il lui balançait la tête d'un côté à l'autre sans le lâcher, tout en lui souriant. Si Joe avait été une jeune femme, Julius aurait eu presque tendance à penser que Sammy avait le béguin.) C'est mon associé.

1. Le Scarabée bleu. (*N.d.T.*)
2. *L'Homme masqué.* (*N.d.T.*)

4.

Sammy avait treize ans quand son père, la Molécule Majuscule, revint à la maison. Le groupe des Variétés Wertz avait fermé ses portes, victime à la fois de Hollywood, de la crise de 1929, d'une gestion calamiteuse, du mauvais temps, de la rareté des talents, du philistinisme et de nombreux autres fléaux et Érinyes dont le père de Sammy devait invoquer les noms avec une rage incantatoire, au cours des longues balades qu'ils firent ensemble cet été-là. À un moment ou à un autre, et sans grande cohérence ni logique, il rejetait le blâme de son soudain chômage sur les banquiers, les syndicats, les patrons, Clark Gable, les catholiques et les protestants, les propriétaires de théâtre, les agissements des bonnes sœurs, les agissements des caniches, les agissements des singes, les ténors irlandais, les Canadiens anglais, les Canadiens français et Mr Hugo Werz en personne.

– Le diable les emporte ! concluait-il invariablement, avec un moulinet du bras qui, dans le crépuscule d'un mois de juillet à Brooklyn, était enluminé par l'arc incandescent de son cigare. Un de ces quatre matins, la Molécule dira « Merde ! » à tout le monde...

Son recours libre et insouciant aux obscénités, comme ses cigares, ses accès de fureur lyrique, son amour des gestes explosifs, ses fautes de grammaire et son habitude de parler de lui à la troisième personne étaient miraculeux pour Sammy ; jusqu'à cet été 1935, il avait peu de souvenirs ou d'impressions précises de son père. Et n'importe laquelle des qualités mentionnées ci-dessus (parmi plusieurs autres que possédait son père) eût donné à sa mère des raisons suffisantes pour bannir la Molécule de la maison pendant dix ans. Ce n'est qu'avec la plus grande répugnance – et grâce à l'intervention directe du rabbin Baitz – qu'elle avait accepté de laisser son homme rentrer à la maison. Dès l'instant de la réapparition de son père, Sammy comprit pourtant que seule la dure nécessité avait pu décider le Génie de la culture physique à retourner auprès de sa femme et de son rejeton. Pendant les douze dernières années, il avait vagabondé, « libre comme l'oiseau sur la branche », entre les mystérieuses villes du Nord de la tournée Wertz, d'Augusta, dans le Maine, à Vancouver, en Colombie britannique. Une agitation quasi pathologique, associée à l'air de regret mélancolique qui imprégnait le petit visage intelligent, simiesque, de la Molécule quand il parlait de son époque sur les routes, apprit à son fils qu'il lèverait de nouveau le camp dès que l'occasion se présenterait.

Le professeur Alphonse von Clay, la Molécule Majuscule (né Alter Klayman à Drakop, un village de campagne à l'est de Minsk), avait abandonné femme et enfant après la naissance de Sammy, même si, par la suite, il devait expédier un mandat postal hebdomadaire d'un montant de vingt-cinq dollars. Sammy en vint à connaître son père uniquement par les histoires pleines d'amertume d'Ethel Klayman et les rares et trompeuses coupures ou photos de journaux que la Molécule envoyait, déchirées dans la page des spectacles du *Tribune* d'Helena, de la *Gazette* de Kenosha ou du *Bulletin* de Calgary, et saupoudrées de cendre de cigare, avant d'être fourrées dans une enveloppe gaufrée par l'empreinte d'un verre et du nom de quelque hôtel miteux. Sammy laissait celles-ci s'accumuler dans le sac à chaussures en velours bleu qu'il glissait chaque soir sous son oreiller avant de se coucher. Il rêvait souvent et intensément du petit homme musculeux à la moustache de gondolier qui était capable de soulever un coffre-fort de banque au-dessus de sa tête et de battre un cheval de trait au tir à la corde. Les salves d'applaudissements et les honneurs décrits par les coupures, ainsi que les noms des monarques européens et moyen-orientaux qui les lui avaient prétendument accordés, changeaient au fil des ans, mais les principaux faits mensongers de la biographie de la Molécule Majuscule demeuraient invariables : dix ans de solitude à étudier les textes de grec ancien dans les bibliothèques poussiéreuses de l'Ancien Monde ; des heures de pénibles exercices accomplis quotidiennement depuis l'âge de cinq ans ; un régime diététique uniquement à base de légumes frais, de fruits de mer et de fruits tout court, consommés crus ; une vie entière vouée à la méditation de pensées pures, salutaires et innocentes, et à l'abandon total des conduites malsaines et immorales.

Au cours des ans, Sammy parvint à extorquer goutte à goutte à sa mère de rares et précieux renseignements concrets sur son père. Il savait que la Molécule, qui devait son nom de scène à la circonstance particulière où, chaussé de cothurnes lamés or hauts comme le mollet, il avait atteint à peine la taille de un mètre cinquante-sept, avait été emprisonné par le tsar en 1911, dans la même cellule qu'un hercule de cirque politisé originaire d'Odessa et connu sous le nom de Belz Le-Train-de-Marchandises. Sammy savait que c'était Belz, un anarcho-syndicaliste, et non les sages de la Grèce antique, qui avait discipliné le corps de son père et lui avait appris à se passer d'alcool et de jeu, sinon de sexe et de cigares. Comme il savait aussi que c'était au Kurtzburg's Saloon, dans le Lower East Side, que sa mère était tombée amoureuse en 1919 d'Alter Klayman, fraîchement débarqué dans ce pays et qui travaillait comme marchand de glaces et déménageur de pianos indépendant.

Miss Kavalier avait près de trente ans quand elle se maria. Elle mesurait dix centimètres de moins que son minuscule mari, était nerveuse, avec des mâchoires serrées, des yeux gris pâle comme un fond d'eau de pluie dans un plat oublié sur le rebord de la fenêtre. Elle portait ses cheveux noirs tirés en un chignon implacable. Pour Sammy, il était impossible d'imaginer sa mère comme elle avait dû être au cours de cet été 1919. Une jeune femme sur le retour, chavirée et transportée au paradis par une soudaine bouffée érotique, clouée sur place par les bras sillonnés de veines du sémillant homoncule qui charriait, les doigts dans le nez, des blocs de glace de cent livres dans la pénombre du bar de son cousin Lev Kurtzburg, dans Ludlow Street. Non qu'Ethel fût insensible. Au contraire, elle était capable, à sa manière, d'être une femme passionnée, sujette à des crises de nostalgie larmoyante, facilement offensée, précipitée dans les abîmes d'un désespoir noir par les mauvaises nouvelles, la malchance ou les honoraires du médecin.

– Emmène-moi avec toi, dit Sammy à son père un soir après dîner, comme ils longeaient Pitkin Avenue pour aller à New Lots, Canarsie ou n'importe quel autre lieu où l'instinct vagabond de la Molécule le poussait cette nuit-là.

Comme les chevaux, avait remarqué Sammy, son père ne s'asseyait presque jamais. Il repérait toute pièce où il mettait les pieds, arpentait les lieux d'abord de long en large, puis d'avant en arrière, regardait derrière les rideaux, sondait les coins de visu ou de la pointe d'une chaussure, se laissait rebondir en cadence sur les coussins du fauteuil ou du canapé pour les essayer, puis sautait à nouveau sur ses pieds. Obligé de rester au même endroit pour une raison ou une autre, il se balançait sur ses talons comme quelqu'un pris d'un besoin pressant, en entrechoquant les pièces de dix cents au fond de sa poche. Il ne dormait jamais plus de quatre heures par nuit ; même alors, selon la mère de Sammy, il n'arrêtait pas de s'agiter : il se débattait des pieds et des mains, haletait et pleurait dans son sommeil. Et il semblait incapable de rester en place plus d'une heure ou deux d'affilée. Même si cela le mettait en rage et l'humiliait, le processus de devoir chercher un travail, sillonner le bas de Manhattan et Times Square, hanter les bureaux des agents artistiques et des tourneurs lui convenait assez bien. Les jours où il séjournait à Brooklyn et traînait dans l'appartement, il rendait tout le monde fou avec sa façon de faire les cent pas et de se balancer, ou de partir en expédition toutes les heures au magasin du coin pour aller chercher des cigares, des stylos, un journal hippique, un demi-poulet rôti. N'importe quoi. Au cours de leurs promenades digestives, le père et le fils couraient partout et se posaient peu souvent. Ils explorèrent les faubourgs jusqu'à Kews Gardens et à East New York. Ils prirent le ferry au Bush Terminal pour Staten Island, où ils se rendirent à pied de St. George à Todt Hill, rentrant bien après minuit. Quand, et c'était rare, ils sautaient dans un tram ou attrapaient un train, ils restaient debout, même si la voiture était vide. Sur le ferry de Staten Island, la Molécule parcourait les ponts tel un personnage de Conrad, en surveillant anxieusement l'horizon. Dans le courant de la promenade, il leur arrivait de temps en temps de marquer une pause chez un marchand de cigares ou dans un drugstore, où la Molécule commandait alors un tonique au céleri pour lui et un verre de lait pour le gamin et, dédaignant les tabourets chromés et leurs coussins en skaï, descendait son Cel-Ray debout. Une fois, dans Flatbush Avenue, ils étaient entrés dans un cinéma qui donnait *Les Trois Lanciers du Bengale*, mais ils n'assistèrent qu'aux actualités avant de retourner dans la rue. Les seules directions où la Molécule n'aimait pas s'aventurer étaient celle de Coney Island, dans les médiocres attractions de laquelle il avait souffert un martyre non spécifié par le passé, et celle de Manhattan. Il en avait eu son content dans la journée, prétendait-il, et qui plus est, la présence sur cette île du Palace Theater, le temple et le sanctuaire sacré du music-hall, était considérée comme un reproche vivant par l'ombrageuse et rancunière Molécule, qui n'avait jamais foulé ses planches et ne les foulerait jamais.

– Tu ne peux pas me laisser avec elle ! Ce n'est pas sain pour un garçon de mon âge d'habiter avec une femme pareille...

La Molécule s'arrêta et se tourna vers son fils. Comme toujours, il portait un des trois costumes noirs en sa possession, repassé et luisant d'usure aux coudes. Même si, à l'instar des autres, celui-ci avait été taillé sur mesure, il peinait à contenir son physique. Son père avait le dos et les épaules aussi larges que la calandre d'un camion, les bras aussi épais que les cuisses d'un homme normal. Quant à ses cuisses, serrées l'une contre l'autre, elles rivalisaient de largeur avec sa poitrine. Sa taille semblait bizarrement fragile, comme le goulot d'un sablier. Il portait les cheveux coupés ras et une moustache anachronique en guidon de vélo. Dans ses photos de promotion, où il posait souvent torse nu ou en maillot moulant, il apparaissait lisse tel un lingot poli. Mais en vêtements de ville, il avait un air peu commode, comique. Avec les poils sombres qui dépassaient de ses manchettes et de son col, il ressemblait ni plus ni moins au singe en barboteuse d'un dessin animé qui faisait la satire d'une vanité humaine, trop humaine.

– Écoute-moi, Sam. (La Molécule paraissait interloquée par la requête de son fils, presque comme si celle-ci concordait avec ses propres sentiments. Ou alors – la pensée traversa l'esprit de Sammy – comme s'il avait été pris sur le point de quitter la ville.) Rien ne me rend plus heureux que je t'emmène avec moi, reprit-il, avec le flou exaspérant que lui permettaient ses fautes de grammaire. (D'une paume pesante, il ramena les cheveux de Sammy en arrière.) Mais enfin, bon Dieu ! quelle idée idiote !

Sammy voulut discuter, mais son père leva une main. Il avait autre chose à dire, et dans la pondération de son discours Sammy sentit ou imagina une faible lueur d'espoir. Il avait choisi un soir particulièrement propice pour lancer son appel, il le savait. Cet après-midi-là, ses parents s'étaient querellés pendant le repas. Littéralement. Ethel méprisait le régime diététique de la Molécule, soutenant que non seulement la consommation de légumes crus n'avait aucun des effets positifs que lui attribuait son mari, mais aussi qu'à la première occasion le drôle tournait en catimini le coin de la rue pour se régaler de steak, de côtes de veau et de frites. Cet après-midi-là donc, après des heures de chasse à l'emploi, le père de Sammy était revenu au logement de Sackman Street (c'était pendant les jours qui précédèrent l'emménagement à Flatbush) avec un plein sac de courgettes italiennes. Avec un clin d'œil et un large sourire, il les déversa sur la table de la cuisine, tel un butin de marchandises volées. Sammy n'avait jamais vu pareils légumes. Ils étaient frais et lisses et, quand on les frottait les uns contre les autres, émettaient un crissement caoutchouteux. On voyait à quel endroit du pied ils avaient été détachés. Leurs tiges coupées net, ligneuses et hexagonales, suggéraient un enchevêtrement de feuilles vertes qui donnait l'impression de remplir la cuisine de leur légère odeur terreuse. La Molécule brisa une des courgettes en deux et tendit sa chair pâle et brillante vers le nez de Sammy. Puis il lança une des deux moitiés dans sa bouche et la croqua, en souriant et en adressant des clins d'œil à Sammy pendant qu'il mâchait.

– C'est bon pour les jambes, avait-il déclaré, en sortant de la cuisine pour évacuer les déceptions de la journée grâce à une bonne douche.

La mère de Sammy fit bouillir les courgettes jusqu'à ce qu'il ne restât plus qu'une masse de fibres grises.

Quand la Molécule vit le résultat, il y eut un échange vif et aigre. La Molécule avait ensuite brusquement saisi son fils, comme un homme tend la main pour prendre son chapeau, et traîné Sammy hors de la maison dans la chaleur de la soirée. Ils marchaient depuis six heures. Le soleil s'était couché depuis longtemps ; à l'ouest, le ciel brumeux était un moiré de violet, d'orange et de bleu-gris pâle. Ils déambulaient dans l'avenue Z, dangereusement proche de la zone interdite des premiers désastres scéniques de la Molécule.

– Je ne pense pas que tu t'imagines comment c'est pour moi là-bas, lança ce dernier tandis qu'ils marchaient toujours. Tu crois que c'est comme un cirque au cinéma. Tous les clowns, le nain et la femme-canon assis autour d'une belle flambée, en train de manger du goulasch et de chanter des ritournelles en s'accompagnant à l'accordéon.

– Je ne crois pas ça ! se récria Sammy, même si cette opinion était d'une stupéfiante exactitude.

– Si je t'emmenais avec moi – je dis seulement si –, tu aurais à travailler très dur, poursuivit la Molécule. Tu ne seras accepté que si tu peux travailler.

– Je peux travailler, répliqua Sammy, tendant un bras en direction de son père. Regarde ça.

– Ouais, dit la Molécule. (Avec beaucoup de soin, il tâta de haut en bas les bras robustes de son fils, un peu comme Sammy avait palpé les courgettes dans l'après-midi.) Tu as des bras qui ne sont pas mal. Mais tes jambes ne sont pas aussi bonnes.

– Enfin, merde alors ! Je veux dire, j'ai eu la polio, papa, qu'est-ce que tu veux ?

– Je sais que tu as eu la polio. (La Molécule marqua une nouvelle halte. Il plissa le front, et Sammy lut sur son visage un mélange de colère, de regret et de quelque chose d'autre qui ressemblait presque à de l'envie. Il piétina son mégot de cigare, s'étira et s'ébroua légèrement, comme pour tenter de se dégager des filets constricteurs que sa femme et son fils avaient jetés sur son dos.) Quelle journée j'ai eue ! Saperlipopette !

– Comment ? s'inquiéta Sammy. Hé, où vas-tu ?

– J'ai besoin de réfléchir, répondit son père. J'ai besoin de réfléchir à ce que tu me demandes.

– O.K., dit Sammy.

Son père s'était remis en marche. Il tourna à droite dans Nostrand Avenue et avança à grands pas sur ses petites jambes épaisses, avec Sammy qui luttait pour se maintenir à sa hauteur, jusqu'à ce qu'il arrive devant un immeuble insolite, de style arabe, à moins qu'il ne fût censé avoir l'air marocain. Situé en plein milieu du pâté de maisons, il était flanqué d'une échoppe de serrurier et d'une cour herbue, occupée par des piles de stèles funéraires vierges. Deux tours maigrichonnes, surmontées de mottes pointues de plâtre écaillé, s'élançaient dans le ciel de Brooklyn, à chaque coin du toit. C'était une construction sans fenêtres, dont la vaste surface était revêtue, avec une lassante minutie, d'une mosaïque de petites tuiles carrées, bleues comme l'abdomen des mouches et d'un gris savonneux qui avait dû jadis être blanc. De nombreuses tuiles étaient manquantes, ébréchées, éraflées ou à moitié détachées. L'entrée était un grand porche, carrelé également de bleu. Malgré son apparence abandonnée et son petit air toc « mystères de l'Orient de Coney Island », l'ensemble avait quelque chose de fascinant. Il rappelait à Sammy la cité de coupoles et de minarets dont on pouvait avoir un vague et illusoire aperçu sur le devant d'un paquet de Chesterfield, derrière le nom. À côté de la voûte du porche, BRIGHTON GRAND HAMMAM était écrit en petits carreaux blancs bordés de bleu.

– Qu'est-ce qu'un ham... mam ? demanda Sammy au moment d'entrer, les narines immédiatement assaillies par une âcre senteur de pin et par un mélange d'odeurs de repassage roussi, de linge mouillé et de quelque chose de plus profond sous le reste, un fumet humain, salé et fétide.

– C'est un *shvitzboud*[1], répondit la Molécule. Tu sais ce qu'est un shvitzboud ?

Sammy inclina la tête.

– Quand l'heure est venue de réfléchir, j'aime prendre un shvitzboud.

– Oh !

– Je déteste réfléchir.

– Ouais, acquiesça Sammy. Moi aussi.

Ils laissèrent leurs vêtements au vestiaire, dans une grande armoire en fer noir grinçante qui se referma avec le cliquetis sonore d'un instrument de torture. Puis, leurs pieds claquant sur le dallage, ils suivirent un long couloir carrelé et entrèrent dans la grande salle du Brighton Hammam. Le bruit de leurs pas résonnait comme s'ils se trouvaient dans un local absolument immense. La chaleur était suffocante ; Sammy avait l'impression de ne pas pouvoir remplir ses poumons d'air. Il avait envie de courir retrouver la relative fraîcheur d'une soirée brooklynienne, mais continuait à avancer doucement, se frayant un chemin à l'aveuglette dans les ondoyants lambeaux de vapeur, une main posée sur le dos nu de son père. Ils grimpèrent sur une banquette basse carrelée et s'adossèrent au mur. Chaque carreau formait un carré brûlant contre la peau de Sammy. On ne distinguait pas grand-chose, mais un vicieux petit courant d'air ou les caprices de la machinerie génératrice de vapeur, invisible et asthmatique, produisaient de temps en temps une trouée dans le voile de brume. Sammy vit alors qu'il se trouvait effectivement dans un espace imposant, nervuré d'arêtes de porcelaine décorées de faïence bleu et

1. En yiddish, « bain de vapeur », de l'allemand *Schwitzbad*. (*N.d.T.*)

blanc fendue par endroits, embuée et jaunie. Aussi loin que son regard portait, il n'y avait pas d'autres hommes ni petits garçons avec eux dans la salle, mais il n'en était pas sûr et craignait obscurément qu'un visage inconnu ou un membre nu ne surgisse soudain de la pénombre.

Ils restèrent longtemps assis sans rien dire ; à un moment, Sammy prit conscience, premièrement que son corps rejetait de véritables torrents de sueur, avec un abandon qu'il n'avait jamais montré jusque-là dans sa vie, et deuxièmement que, depuis le début, il voyait son existence dans le music-hall : chargé d'une brassée de costumes à paillettes, il suivait un long couloir sombre du Royal Theater de Racine, dans le Wisconsin, passait devant un studio de répétition, où un piano tintait, et sortait par l'entrée des artistes pour se diriger vers le camion qui attendait par un samedi d'été. La profonde nuit du Midwest riche en hannetons, en effluves d'essence et de roses, l'odeur des costumes moisis mais ressuscités par la transpiration et les produits de maquillage des girls qui venaient de les quitter – tout cela il l'imaginait, le humait et l'entendait avec la vivacité d'un rêve, même s'il était pleinement réveillé jusqu'à plus ample informé.

Alors son père déclara :

– Je sais que tu as eu la polio. (Sammy fut surpris ; son père semblait furieux au plus haut point, comme s'il avait honte d'être resté assis là, tout ce temps, à se mettre dans une colère noire, alors qu'il était supposé se détendre.) J'étais là. C'est moi qui t'ai trouvé sur les marches de l'immeuble. Tu étais évanoui.

– Tu étais là ? Quand j'ai eu la polio ?

– J'étais là.

– Je ne m'en souviens pas.

– Tu étais bébé.

– J'avais quatre ans.

– Donc tu avais quatre ans. Tu ne te souviens pas.

– Je m'en serais souvenu !

– J'étais là. Je t'ai porté dans la chambre que nous avions.

– C'était à Brownsville.

Sammy ne pouvait empêcher le scepticisme de poindre dans sa voix.

– J'étais là, nom de Dieu !

Comme emporté par une bouffée de colère, le rideau de vapeur qui pendait entre Sammy et son père se déchira brusquement ; le gamin vit alors, vraiment pour la première fois, le sombre et superbe spectacle de son père nu. Aucune photo de studio aux poses étudiées ne l'avait préparé à cette vision. Son père luisait, massif, velu comme un sauvage. Les muscles de ses bras et de ses épaules formaient des bosses et des ornières dans une étendue de terre brune compacte. Les racines fourchues d'un arbre séculaire semblaient sillonner la surface de ses cuisses et, là où sa peau n'était pas couverte de poils sombres, elle était bizarrement ridée par des réseaux irréguliers d'une espèce de tissu organique affleurant sous l'épiderme. Son pénis était niché dans l'ombre de ses cuisses, tel un tronçon de corde épaisse. Sammy le regardait fixement, puis prit conscience de ce qu'il faisait. Il détourna la tête et son cœur bondit. Il y avait un homme avec eux. Une serviette jaune sur les genoux, il était assis à l'autre bout de la salle. Un jeune homme basané aux cheveux noirs, avec un seul long sourcil et un torse parfaitement lisse. Son regard croisa un instant celui de Sammy, l'évita, puis revint à la charge. C'était comme si un tunnel d'air frais s'était ouvert entre eux. Sammy reporta les yeux sur son père, l'estomac noyé d'aigreurs de gêne, de confusion et d'excitation. Il ignorait pourquoi, mais cette splendeur hirsute le dépassait. Il se contenta donc de baisser les yeux sur la serviette drapée autour de ses propres jambes, maigres comme des allumettes.

– Tu étais si lourd à porter, reprit son père, j'ai pensé que tu devais être mort. Sauf que tu étais brûlant entre mes mains. Le médecin est venu, on t'a couvert de glace, et quand tu t'es réveillé, tu ne pouvais plus marcher. Quand tu es rentré de l'hôpital, j'ai commencé à te prendre avec moi, je t'ai promené, je te portais et je te tirais, et je t'ai obligé à marcher. Jusqu'à ce que tu aies les genoux tout bleus et en sang, je t'ai obligé à marcher. Jusqu'à ce que tu en pleures. D'abord cramponné à moi, puis à tes béquilles et enfin sans béquilles. Tout seul...

– Merde, alors ! s'exclama Sammy. Je veux dire... euh... Maman me l'a jamais dit.

– Ça t'étonne ?

– Sincèrement, je ne m'en souviens pas.

– Dieu est miséricordieux, rétorqua sèchement la Molécule. (Il ne croyait pas en Dieu, son fils le savait bien.) Tu détestais la moindre minute, tu me détestais autant dire.

– Mais maman a menti.

– Je suis choqué.

– Elle m'a toujours raconté que tu étais parti quand j'étais tout bébé.

– C'est vrai. Mais je suis revenu. Je suis là quand tu tombes malade. Ensuite, je reste pour te réapprendre et t'aider à marcher.

– Et puis tu es reparti.

La Molécule parut choisir d'ignorer cette remarque.

– C'est pour ça que je cherche autant à te promener aujourd'hui, reprit-il. Pour renforcer tes jambes.

Cette seconde raison possible de leurs balades – après l'agitation naturelle de son père – avait déjà traversé l'esprit de Sammy. Il était flatté et avait foi en son père, ainsi que dans l'efficacité des longues promenades.

– Alors tu m'emmèneras ? lança-t-il. Quand tu partiras ?

La Molécule hésitait toujours.

– Et ta mère ?

– Tu plaisantes ? Elle est impatiente de se débarrasser de moi. Elle déteste autant m'avoir dans les jambes que t'avoir toi.

La Molécule sourit à cette déclaration. Selon toute apparence, le retour de son mari à la maison n'était qu'un désagrément pour Ethel. Ou pire : une trahison de ses principes. Elle désapprouvait ses habitudes, sa façon de s'habiller, son régime alimentaire, ses lectures et son langage. Chaque fois qu'il tentait d'échapper aux chaînes de son anglais gauche et vulgaire et de communiquer avec sa femme en yiddish, que tous les deux parlaient couramment, elle l'ignorait, feignait de ne pas entendre ou jetait d'un ton sec : « Tu es en Amérique, parle donc américain ! » En sa présence comme derrière son dos, elle le critiquait pour sa grossièreté, ses histoires interminables sur sa carrière au music-hall et son enfance passée dans le giron des œuvres sociales. Elle lui reprochait de ronfler trop fort, de rire trop fort, en un mot de vivre trop fort, en dépassant le seuil de tolérance des êtres civilisés. Tous ses échanges avec lui paraissaient consister uniquement en récriminations et en invectives. Pourtant, la nuit précédente, comme toutes les nuits depuis son retour, elle l'avait invité, d'une voix qui tremblait d'une pudeur de jeune fille, à venir dans son lit et lui avait permis de la posséder. À quarante-cinq ans, elle n'était pas très différente de ce qu'elle avait été à trente, maigre, nerveuse et lisse, avec une peau de la couleur des coquilles d'amande et une jolie et douce touffe de poils noirs comme de l'encre entre les jambes, qu'il aimait empoigner pour tirer dessus jusqu'à ce qu'elle crie. C'était une femme goulue qui s'était passée de la compagnie d'un homme pendant dix ans ; au retour, inattendu, de celui-ci, elle lui accorda ces mêmes parties et usages de sa personne qu'elle avait été encline à garder pour elle lors de leur première vie commune. Et après avoir joui, elle restait étendue à ses côtés dans l'obscurité de la chambrette qu'elle avait isolée de la cuisine par un rideau de perles, caressait son grand torse poilu et lui répétait à l'oreille à voix basse tous les vieux mots doux et témoignages de sa gratitude envers lui. La nuit, dans le noir, elle ne détestait pas l'avoir dans ses jambes. C'est cette pensée qui avait arraché un sourire à la Molécule.

– Si j'étais toi, je n'en serais pas si sûr, dit-il.

– Ça m'est égal, papa, répliqua Sammy. Je veux partir. Mince, je veux seulement m'en aller...

– Très bien, acquiesça son père. Je te promets de t'emmener quand je partirai.

Mais, le lendemain matin, quand Sammy se réveilla, son père était déjà parti. Il avait trouvé un engagement, expliquait son mot, et partait en tournée avec le vieux Carlos dans le Sud-Ouest, où il passa le reste de sa carrière à jouer dans des théâtres étouffants et poussiéreux, de Kingman jusqu'à Monterrey au sud. Même si Sammy continuait à recevoir des cartes postales et des coupures de journaux, la Molécule Majuscule ne repassa jamais à moins de mille cinq cents kilomètres de New York. Un soir, environ un an avant l'arrivée de Joe Kavalier, un télégramme annonça à la mère et au fils que, sur un champ de foire à l'entrée de Galveston, Alter Klayman était mort écrasé sous les roues arrière d'un tracteur Deere, qu'il tentait de redresser. Cette nouvelle avait anéanti l'espoir le plus doux de Sammy pour le numéro qui consistait à s'évader de cette vie : travailler avec un partenaire.

5.

Les deux derniers étages d'une certaine maison rouge dans les Vingtièmes Rues Ouest, durant les dix années avant que celle-ci ne soit abattue avec toutes ses voisines pour céder la place à un gigantesque pâté d'immeubles ornés de redents, le Patroon Town, étaient une tombe notoire pour les espoirs des dessinateurs humoristiques. Parmi les dizaines et les dizaines de jeunes John Held et Tad Dorgan* qui s'étaient présentés, bardés de portfolios odorants, cadeaux de fin d'études secondaires, de diplômes d'écoles de dessin par correspondance, ainsi que du fier insigne consistant en un ongle du pouce rongé souligné d'encre, pour chercher à se loger sous ses chevrons pourris, un seul, un gamin unijambiste originaire de New Haven du nom d'Alfred Caplin*, était allé à la rencontre du type de succès que tous avaient cru pouvoir trouver. Et le père du Schmoo* n'y avait passé que deux nuits avant d'emménager dans une meilleure chambre à l'autre bout de la ville.

La propriétaire, Mrs Waczukowski, était la veuve d'un gagman du syndicat Hearst qui avait signé ses planches Wacky et ne lui avait laissé, à sa mort, que l'immeuble, un mépris non dissimulé pour tout vétéran ou néophyte du dessin humoristique, et une part considérable dans leur mutuel problème d'alcoolisme. À l'origine, il y avait eu six chambres séparées aux deux derniers étages, mais au fil des ans celles-ci avaient été réaménagées en un duplex improvisé, avec trois chambres, un grand atelier, un salon où un ou deux dessinateurs de passage dormaient sur une paire de vieux canapés ainsi que ce qu'on appelait, généralement sans ironie, la cuisine : une ancienne chambre de bonne, équipée d'une plaque chauffante, d'un garde-manger composé d'une armoire à fournitures en acier volée au Polyclinic Hospital et d'une étagère en bois fixée par des tasseaux au rebord extérieur de la fenêtre, où le lait, les œufs et le bacon étaient conservés pendant les mois d'hiver.

Jerry Glovsky avait emménagé environ six mois plus tôt. Depuis lors, Sammy, en compagnie de son voisin et ami Julius Glovsky, le petit frère de Jerry, était passé plusieurs fois à l'appartement. Bien qu'ignorant pour une grande part des détails du passé des lieux, Sammy avait été sensible à leur charme « fumée de cigare à couper au couteau » de fraternité masculine, d'années de dur labeur et de peine au service d'absurdes et de glorieuses visions en noir et blanc. À l'heure actuelle, il y avait deux autres occupants « permanents », Marty Gold et Davy O'Dowd, qui, à l'instar de l'aîné des Glovsky, versaient tous deux leur sueur pour Moe Shiflet, alias Moe Skinflight, un « sous-traitant » de B.D. inédites qui revendait ses matériaux, habituellement de médiocre qualité, aux agences de presse et, plus récemment, aux éditeurs d'illustrés. La maison semblait toujours pleine de jeunes hommes maculés d'encre en train de boire et de fumer, traînant ici et là avec leurs gros orteils nus qui dépassaient du bout de leurs chaussettes. Dans toute la ville de New York, il n'y avait pas de lieu d'embauche plus logique pour le genre d'hommes de peine dont Sammy avait besoin afin de poser la première pierre de la cathédrale fantastique et bon marché qui devait être l'œuvre de sa vie.

Il n'y avait personne. Personne de conscient, en tout cas. Les trois jeunes gens frappèrent de grands coups à la porte jusqu'à ce que Mrs Waczukowski, les cheveux relevés avec des papillotes roses, un peignoir ramené autour des épaules, finisse par monter péniblement du rez-de-chaussée et leur dise de ficher le camp.

– Rien qu'une minute, madame, supplia Sammy, et nous ne vous embêterons plus.

– Nous avons laissé là des antiquités de prix, renchérit Julius, avec la façon de parler les mâchoires serrées de Mr Peanut.

Sammy cligna des yeux, et les deux autres sourirent à la logeuse de toutes leurs dents. Finalement, celle-ci leur tourna le dos, les expédiant tous en enfer d'un geste éloquent de la main, pour battre en retraite dans l'escalier.

Sammy se retourna vers Julius.

– Où est Jerry, alors ?

– Ça me dépasse.

– Merde, Julius ! On doit entrer. Où sont les autres ?

– Ils sont peut-être partis avec lui.

– Tu n'as pas de clef ?

– Est-ce que j'habite ici ?

– On devrait peut-être entrer par la fenêtre.

– Au quatrième étage ?

– Merde ! (Sammy flanqua un léger coup de pied dans la porte.) Il est midi passé et nous n'avons toujours pas tiré une ligne ! Bon Dieu ! (Il leur faudrait retourner au Kramler Building et demander à travailler aux tables défoncées des bureaux de Racy Publications, solution qui les mettrait inévitablement dans le périmètre funeste du regard de George Deasey.)

Agenouillé au pied de la porte, Joe en effleura le montant de haut en bas du bout des doigts, mania la poignée.

– Qu'est-ce que tu fabriques, Joe ?

– Je pourrais nous faire entrer, sauf que j'ai oublié mes outils.

– Quels outils ?

– Je sais crocheter les serrures, expliqua-t-il. J'ai été formé. À quoi ? À me libérer de choses. De boîtes, de cordes, de chaînes... (Il se releva et montra sa poitrine.) *Ausbrecher*. L'Évadé. Non, comment on dit ? Artiste de l'évasion.

– Tu as une formation d'artiste de l'évasion ?

Joe inclina la tête.

– Toi ?

– Comme Houdini.

– Ce qui veut dire que tu peux te sortir de trucs, poursuivit Sammy. Donc tu peux nous faire entrer.

– Normalement. Entrer, sortir, c'est juste la même chose dans l'autre sens. Malheureusement, j'ai laissé mes outils à Flat Bush.

Il tira un petit canif de sa poche et se mit à sonder la serrure au moyen de sa fine lame.

– Attends, souffla Julius. Une seconde, Houdini. Sammy, je ne pense pas qu'on devrait entrer par effraction...

– Tu es sûr de savoir ce que tu fais ? lança Sammy.

– Tu as raison, répondit Joe. Nous sommes pressés.

Il rangea son canif et redescendit les marches. Sammy et Julius lui emboîtèrent le pas.

De retour dans la rue, Joe se hissa sur le noyau d'escalier qui surmontait le balustre droit du perron, une sphère en ciment ébréchée sur laquelle un locataire depuis longtemps disparu avait commis une cruelle caricature du visage lunaire et bougon de feu Mr Waczukowski. Il retira son veston et le lança à Sammy.

– Joe, qu'est-ce que tu fais encore ?

Joe ne répondit pas. Perché un instant sur le noyau aux yeux protubérants, ses longs pieds côte à côte dans leurs richelieus à semelle de crêpe, il étudiait l'échelle métallique escamotable de l'escalier de secours. Il sortit une cigarette de sa poche de poitrine et abrita une allumette dans le creux de sa main. Il exhala pensivement un nuage de fumée, puis cala la cigarette entre ses dents et se frotta les mains. Après quoi il bondit du haut de la tête de Mr Waczukowski, les bras tendus. L'escalier de secours résonna sous l'impact de ses paumes ; l'échelle s'abaissa et, avec un grincement rouillé, descendit lentement de quinze centimètres poussifs, puis de trente, quarante-cinq, avant de se coincer, laissant Joe pendre à un mètre cinquante du trottoir.

Joe effectua un rétablissement pour tenter de la desserrer et balança ses jambes d'avant en arrière, mais le mécanisme resta bloqué.

– Viens, Joe, dit Sammy. Ça ne marchera pas.

– Tu vas te rompre le cou, renchérit Julius.

Joe lâcha l'échelle de la main droite, tira une bouffée de sa cigarette, puis recala celle-ci entre ses dents. Alors il se raccrocha à l'échelle et se balança en y mettant tout le poids du corps, décrivant à chaque poussée un arc de plus en plus large. Brusquement, il se plia en deux, lâcha complètement prise et se servit de son élan pour se projeter sur la plate-forme du bas de l'escalier de secours. C'était un acte parfaitement gratuit, accompli uniquement pour l'épate ou les sensations fortes ; il aurait pu facilement monter à l'échelle une main après l'autre. Il aurait pu aussi facilement se rompre le cou. Il marqua une halte sur le palier pour détacher la cendre de l'extrémité de sa cigarette.

À cet instant, le vent du nord soutenu qui, toute la journée, avait pourchassé les nuages au-dessus de New York réussit enfin à les dissiper, dégageant une trouée d'un bleu évanescent sur Chelsea. Un rayon de soleil jaune tomba de biais, entortillé de volutes de vapeur et de fumée, un éblouissant ruban de miel, un filon de quartz jaune qui marbra le granit gris terne de l'après-midi. Les fenêtres de la vieille maison rouge s'emplirent de lumière, puis débordèrent. Illuminé ainsi de derrière par une fenêtre pleine à ras bord, Josef Kavalier semblait briller d'un éclat incandescent.

– Regarde-le ! s'écria Sammy. Regarde de quoi il est capable...

Au fil des ans, évoquant ses souvenirs pour le profit de ses amis ou des journalistes ou, encore plus tard, des éditeurs de fanzines pleins de vénération, Sammy devait inventer et raconter toutes sortes de fables des origines, fantaisistes, divertissantes et souvent contradictoires, mais c'était de la conjugaison du désir, du souvenir enfoui de son père et de l'illumination fortuite de la fenêtre d'une maison que l'Artiste de l'évasion était né. Pendant qu'il regardait Joe posté, flamboyant, sur l'escalier de secours, Sammy ressentit une douleur à la poitrine qui se révéla être, comme il arrive si souvent quand la mémoire et le désir s'associent à un effet passager de la météo, les affres de la création. Le désir qu'il éprouvait en regardant Joe était indiscutablement physique, mais au sens où Sammy avait envie d'habiter le corps de son cousin, non de le posséder. C'était, en partie, une aspiration – assez répandue chez les inventeurs de héros – à être quelqu'un d'autre. À être plus que le résultat de deux cents régimes, scénarios et programmes d'amélioration personnelle qui se heurtaient toujours à son éternelle incapacité à cerner un soi concret à améliorer. Joe Kavalier possédait un air de compétence, de confiance en ses propres capacités que Sammy n'avait finalement appris qu'à simuler au moyen d'un effort constant de toute sa vie.

En même temps, alors qu'il admirait l'exploit téméraire de la longue silhouette cavalière de Joe, son étalage de force pour la force – et pour l'amour de l'étalage –, la mémoire de son père relégua inévitablement le frisson de la passion dans l'ombre, à moins qu'elle ne le nourrît ou encore s'entrelaçât à lui. Nous croyons que nos cœurs, une fois brisés, se cicatrisent grâce à un tissu indestructible qui les empêche de se briser de nouveau exactement au même endroit. Mais en observant Joe, Sammy revécut le brisement de cœur de ce jour de 1935 où la Molécule Majuscule s'en était allée pour de bon.

– Remarquable, commenta sèchement Julius, d'une voix qui sous-entendait que l'expression de son ami avait quelque chose de drôle, et pas au sens humoristique du mot. Si seulement il savait dessiner...

– Il sait dessiner, riposta Sammy.

Joe escalada les marches cliquetantes de l'escalier de secours jusqu'à la fenêtre du troisième étage, souleva le châssis à guillotine et tomba la tête la première dans la pièce. Un instant plus tard, un cri incroyablement mélodieux à la Fay Wray [1] fusait de l'appartement.

– Hein ? fit Julius. Ce gars peut alors très bien se débrouiller dans le milieu de la B.D.

---

1. Actrice américaine spécialiste des cris (cf. *King Kong*, 1933). (*N.d.T.*)

6.

L'air d'être au bord des larmes, une jeune fille aux anglaises brunes indisciplinées s'engouffra en trombe dans la cage d'escalier. Elle portait un pardessus d'homme à chevrons. La tête pendant à un angle comiquement penaud, Joe se frictionnait la nuque, debout au milieu de l'appartement. Sammy eut juste le temps de remarquer que l'inconnue portait une paire de bottes noires de mécanicien dans une main et un rouleau de tuyau noir dans l'autre, avant qu'elle ne bouscule Julius Glovsky, manquant l'expédier par-dessus la rampe, et ne descende lourdement l'escalier jambes nues. Les trois jeunes gens dans son sillage immédiat restèrent plantés là, à échanger mutuellement des regards, abasourdis, tels des philosophes cyniques sur les traces d'un prodige irrécusable.

– Qui était-ce ? demanda Sammy, se caressant la joue à l'endroit où elle l'avait effleuré avec son parfum et son écharpe en alpaga. Elle était peut-être belle, je pense.

– Elle l'était. (Joe se dirigea vers un fauteuil en peau de cheval défoncé et ramassa une grosse besace posée dessus.) Elle a oublié ça, je crois. (C'était du cuir noir, avec des sangles épaisses et des fermoirs compliqués en métal également noir.) Son sac à main.

– Ce n'est pas un sac à main, objecta Julius, promenant nerveusement ses regards autour du salon pour évaluer les dégâts qu'ils avaient déjà commis. (Il jeta un regard mauvais à Sammy, comme s'il sentait qu'un autre plan insensé de son ami commençait déjà à tomber à l'eau.) C'est probablement à mon frère. Tu ferais mieux de le reposer.

– Jerry transporte des documents secrets maintenant ? (Sammy prit le sac des mains de Joe.) Soudain c'est Peter Lorre ?

Il ouvrit les fermoirs et souleva le lourd rabat.

– Non ! protesta Joe, qui plongea en avant pour rattraper l'objet, mais Sammy mit celui-ci hors de portée. Ce n'est pas gentil, le gronda Joe, cherchant à tendre le bras pour le récupérer. On devrait respecter son intimité.

– Ça ne peut pas être à elle, s'entêta Sammy, qui trouva pourtant dans la sacoche noire un poudrier en écaille de tortue d'aspect coûteux, un opuscule plié dans tous les sens dont le titre était *Pourquoi la céramique moderne est-elle un art populaire ?*, un tube de rouge à lèvres (*Andalucia* d'Helena Rubinstein), une boîte à pilules en or émaillé et un portefeuille contenant deux billets de vingt dollars et un de dix.

Plusieurs cartes de visite de son portefeuille déclinaient ses nom et prénom, de façon un tant soit peu extravagante : Rosa Luxemburg Saks, travaillant au département artistique du magazine *Life*.

– Je ne crois pas qu'elle portait de culotte, reprit Sammy.

Julius était trop ému par cette révélation pour parler.

– Elle n'en avait pas, confirma Joe. (Les deux autres le regardèrent.) Je suis entré par la fenêtre et elle dormait là. (D'un geste, il désigna la chambre de Jerry.) Dans la chambre. Vous l'avez entendue crier, non ? Elle a enfilé sa robe et son manteau.

– Tu l'as vue, souffla Julius.

– Oui.

– Elle était nue.

– Toute nue.

– Je parie que tu ne saurais pas la dessiner.

Julius retira son pull-over. Celui-ci était de la couleur de la semoule de blé. Dessous, il en portait un autre, identique. Julius se plaignait toujours d'avoir froid, même par temps chaud ; en hiver, il doublait de volume pour sortir. Au fil des ans, sa mère, se fondant uniquement sur des informations glanées dans les pages des journaux yiddish, lui avait diagnostiqué diverses maladies aiguës et chroniques. Tous les matins, elle le forçait à avaler quantité de cachets et de pilules, à manger un oignon cru et à prendre une cuillerée d'huile de ricin et de tonique vitaminé. Julius perpétrait lui-même un grand nombre de nus et était universellement admiré dans le quartier de Sammy pour ses interprétations dévêtues de Fritzi Ritz, Blondie Bumstead et Daisy Mae*, qu'il vendait dix cents, ou vingt-cinq pour celles de Dalie Arden*, dont il rendait le ravissant buisson pubien d'un coup de crayon luxuriant, dont tout le monde s'accordait à dire que c'était exactement celui dont le grand Alex Raymond l'aurait gratifiée si la morale publique et les contraintes du voyage interplanétaire l'avaient permis.

– Bien sûr que je saurais, répliqua Joe. Mais je ne veux pas.

– Je te file un dollar si tu me croques Rosa Saks couchée nue sur le lit, proposa Julius.

Joe reprit la besace de Rosa des mains de Sammy et s'installa dans le fauteuil en cuir de cheval. Il semblait hésiter entre ses besoins matériels et le désir qu'il avait, comme l'avait eu Sammy, de s'accrocher à une merveilleuse apparition et de la garder pour son plaisir personnel. À la fin, il soupira et jeta la besace de côté.

– Trois dollars, marchanda-t-il.

Julius n'était pas ravi, mais il opina tout de même du chef. Il retira un nouveau pull-over.

– Applique-toi, dit-il.

Joe s'agenouilla pour saisir un moignon de crayon Conté, abandonné sur le cageot de lait retourné à ses pieds. Il ramassa une relance non ouverte de la bibliothèque municipale de New York et la posa à plat sur le cageot. Les longs doigts de sa main droite, tachés de jaune aux extrémités, glissèrent nonchalamment sur le dos de l'enveloppe. Ses traits devinrent animés, comiques même : il loucha, fit la moue, tordit les lèvres d'un côté à l'autre, ébaucha une grimace. Au bout de quelques minutes, aussi abruptement qu'elle avait commencé, sa main s'immobilisa et ses doigts lâchèrent le crayon d'une chiquenaude. Le front plissé, il leva l'enveloppe en l'air, comme pour considérer le sujet de son dessin et pas simplement la qualité du trait. Son expression s'imprégna de douceur et de regret. Il n'était pas trop tard, semblait-il penser, pour déchirer l'enveloppe et garder pour lui seul cette ravissante vision. Son visage retrouva ensuite son air habituel, endormi, indifférent. Il passa l'enveloppe à Julius.

Son vol plané par la fenêtre l'avait expédié sur le plancher de la chambre. Joe avait donc décidé de dessiner Rosa Saks telle qu'il l'avait vue pour la première fois, à hauteur de ses yeux, au moment où il s'était relevé en regardant plus loin que le gland sculpté qui couronnait le pied du lit. Elle dormait couchée à plat ventre, la jambe droite étalée après s'être libérée des couvertures et laissant exposé un peu plus de la moitié d'un *touh'ès* rebondi et affriolant. Son pied droit se profilait en gros au premier plan, mince, les orteils recroquevillés. Les lignes de sa jambe nue et de celle qui était cachée convergeaient au point de fuite ultime, dans un roncier sauvage et ombré de noir. Dans les lointains du dessin, les creux et la longue vallée centrale de son dos montaient vers les chutes de Niagara au fusain de sa chevelure qui estompaient presque la partie inférieure de sa figure, ses lèvres entrouvertes, sa mâchoire carrée et peut-être un peu lourde. C'était une tranche vive de la mémoire de Joe, dix centimètres sur vingt-trois, mais rendue par un trait net et posé, avec une précision à la fois anatomique et sentimentale : on sentait la tendresse de Joe pour ce petit pied pelotonné, ce dos cambré, cette bouche ouverte, rêveuse, qui prenait une dernière inspiration inconsciente. On aurait voulu qu'elle puisse continuer à dormir, aussi longtemps qu'on la contemplait.

– Tu n'as pas montré ses nichons ! s'exclama Julius.

– Pas pour trois dollars, rétorqua Joe.

Avec force récriminations et signes de mauvaise volonté, Julius paya Joe, puis fourra l'enveloppe dans la poche revolver de son pardessus, après l'avoir glissée d'un geste protecteur dans un exemplaire de *Planet Stories*[1]. À la mort de Julius, trente-trois ans plus tard, le dessin de Rosa Saks en dormeuse nue fut retrouvé parmi ses affaires, dans une boîte de bonbons Barracini, avec une *yarmoulka*, souvenir de la *bar-mitsva* de son fils aîné, et un bouton de Norman Thomas[2]. Exposé dans une rétrospective du Cartoon Art Museum de San Francisco, il lui fut faussement attribué. Quant aux *Erreurs communes dans le dessin en perspective*, le livre de bibliothèque en souffrance, des recherches récentes ont révélé qu'il avait été restitué en 1971, en vertu d'une campagne d'amnistie municipale.

1. Pulp de science-fiction. (*N.d.T.*)
2. Homme politique américain, fondateur de l'UCLA (*American Civil Liberties Union*) en 1917, secrétaire du parti socialiste américain, pacifiste convaincu qui critiqua l'usage de la bombe atomique contre le Japon (1884-1968). (*N.d.T.*)

7.

Dans le style immémorial des jeunes gens sous pression, ils décidèrent de s'allonger un moment et de perdre leur temps. Ils se déchaussèrent, remontèrent leurs manches de chemise et desserrèrent leurs cravates. Ils changèrent les cendriers de place, expédièrent sur le sol des piles de magazines, mirent un disque et, de manière générale, firent comme s'ils étaient chez eux. Ils se trouvaient dans la salle où les petits génies avaient leurs tables à dessin et leurs tabourets, local diversement baptisé, par ses occupants successifs au fil des années, le Toril, l'Enfer, le Trou à rats et les Studios Palooka[1]. Ce dernier nom était souvent appliqué à l'ensemble de l'appartement, à l'immeuble, parfois au quartier, et même, par les matins tristes de gueule de bois et de flemmardise, avec vue depuis la fenêtre de la salle de bains sur un lever de soleil couleur de bourbon et de cendres, au monde entier, qui était sacrément dégueulasse. À un moment donné, au siècle dernier, ç'avait été la chambre d'une dame élégante. Il restait des appliques à gaz rococo en cuivre et des godrons à oves, mais les trois quarts du papier moiré vert mousse avaient été arrachés pour dessiner dessus, laissant les murs seulement recouverts d'un vaste réseau brunâtre de colle craquelée. Mais, à dire vrai, Sammy et Joe ne prêtaient guère attention à leur environnement. C'était juste la clairière où ils avaient fini par dresser la tente de leur imagination. Sammy était vautré sur un canapé violet boiteux ; Joe, par terre, prit fugitivement conscience qu'il était étendu sur un tapis natté ovale et fétide, dans un appartement récemment fui par une jeune fille qui l'avait frappé, au cours des brefs instants de leur rencontre, comme étant la plus belle qu'il eût jamais vue de sa vie, dans un immeuble dont il avait escaladé la façade afin de pouvoir commencer à réaliser

1. Mot d'origine inconnue, popularisé par Jack Conway, joueur de base-ball américain mort en 1928. Par extension, un individu maladroit, un athlète nul. C'est le titre d'une B.D. de Ham Fisher sur un boxeur, *Joe Palooka*, et aussi le titre d'un film où joue la célèbre Lupe Velez (1934). (*N.d.T.*)

des bandes dessinées pour une société qui vendait des coussins pétomanes à Manhattan, à New York, où il avait débarqué via la Lituanie, la Sibérie et le Japon. Puis une chasse d'eau résonna quelque part dans l'appartement. Sammy ôta ses chaussettes avec un soupir de bonheur, et le sentiment que Joe avait de l'étrangeté actuelle de sa vie, de l'abîme béant, du chemin long et irréversible qui le séparaient de sa famille, s'évanouit de son esprit.

Tout univers, le nôtre compris, commence dans le dialogue. Tout golem de l'histoire du monde, de la chèvre délicieuse du rabbin Hanina au Frankenstein fabriqué avec le limon du fleuve par le rabbin Judah Lowe ben Bezalel, a été créé par le langage, par des murmures, une incantation et des bavardages cabalistiques – a été littéralement amené à l'existence par la parole. Kavalier et Clay – dont le golem devait être formé de traits noirs et des points quadrichromes du lithographe – s'affalèrent, allumèrent la première des cinq dizaines de cigarettes qu'ils devaient griller cet après-midi-là et se mirent à parler. Minutieusement, avec un certain humour triste, inspiré en partie par la conscience de ses fautes de grammaire, Joe relata l'histoire de ses études interrompues auprès de l'*Ausbrecher* Bernard Kornblum et expliqua le rôle que son vieux maître avait joué dans son départ de Prague. Il dit simplement à Sammy qu'il était sorti en contrebande au milieu d'une cargaison d'artefacts non spécifiés que Sammy décrivit tout haut comme de vieux grimoires hébreux fermés par des agrafes d'or. Joe ne le détrompa pas. Il était gêné maintenant d'avoir dessiné un golem impassible, coiffé d'un bonnet phrygien, alors qu'on lui demandait un Superman agile et aérien, et avait le sentiment que, dorénavant, moins on parlerait de golems, mieux ce serait. Sammy était curieux des détails de l'évasion et débordait de questions. Était-ce vrai qu'il fallait être désarticulé ? que Houdini était un prodige grâce à ses cavités articulaires réversibles du coude et du genou ? Non et non. Était-ce vrai que Houdini pouvait se déboîter les épaules à volonté ? Selon Kornblum, non. Dans ce métier, était-il plus important d'être fort ou adroit ? Il exigeait plus de finesse que de dextérité, plus d'endurance que de force. En général, est-ce qu'on trouvait le chemin de la sortie en coupant, en crochetant ou en bricolant ? Les trois et plus encore : on faisait levier, on se tortillait, on tailladait, on donnait des coups de pied. Joe se rappelait certaines choses que Kornblum lui avait racontées sur sa carrière dans le spectacle : les conditions pénibles, les voyages incessants, l'esprit de camaraderie chez les artistes, la transmission soigneuse et suivie du savoir accumulé chez les magiciens et les illusionnistes.

– Mon père aussi était dans le music-hall, le coupa Sammy, dans le spectacle.

– Je sais. Une fois, j'en ai entendu parler par mon père. C'était un hercule. Il était très fort.

– C'était le Juif le plus fort du monde, dit Sammy.

– Il ne l'est plus ?

– Il est mort.

– Je suis désolé.

– C'était un salaud, déclara Sammy.

– Oh !

– Pas au sens propre. C'est seulement manière de parler. C'était un *shmock* ! Il est parti quand j'étais petit et n'est jamais revenu.

– Oh !

– Il était tout en muscles. Sans cœur. C'était Superman sans Clark Kent.

– C'est pour ça que tu ne veux pas que notre zazou (il avait adopté le terme de Sammy) soit fort ?

– Mais non ! Je veux juste que notre zazou ne ressemble pas à M. Tout-le-monde, tu sais...

– Mea culpa, dit Joe, qui pressentait quand même qu'il avait raison.

Il entendait l'admiration percer dans la voix de Sammy même quand celui-ci qualifiait feu Mr Klayman de salaud.

– Comment est ton père ? s'enquit Sammy.

– C'est un brave homme. Il est médecin. Malheureusement, il n'est pas le Juif le plus fort du monde.

– C'est ce qu'il leur faut là-bas, observa Sammy. Ou regarde-toi. Tu es sorti. Ce qu'il leur faut peut-être, c'est un genre de super-Kornblum. Hé ! (Il se leva et se mit à marteler sa paume gauche de sa main droite.) Ooh ! ooh ! ooh ! O.K. Attends une minute.

Alors il pressa ses mains contre ses tempes. On voyait presque l'idée se frayer un passage dans son esprit à coups de coude, telle Athéna dans le crâne de Zeus. Joe s'assit. Il se repassa mentalement leur dernière demi-heure de conversation, comme s'il recevait une transmission en direct du cerveau de Sammy, distingua dans ses propres pensées la silhouette, les contours sombres, les contorsions chorégraphiées d'un héros costumé, dont le pouvoir serait celui des évasions perpétuelles et impossibles[1]. Il ne faisait qu'imaginer, anticiper ou, bizarrement, se remémorer ce personnage plein de panache quand Sammy rouvrit les yeux. Sa physionomie était crispée et

1. Le souvenir encore vivant de Harry Houdini dans la mémoire américaine treize ans après sa disparition – de son mythe, de ses mystérieuses aptitudes, de son physique, de ses exploits, de sa chasse passionnée aux escroqueries et aux impostures et de leur dénonciation – est une source trop souvent négligée de l'idée de super-héros en général. Un argument en sa faveur, pour ainsi dire. (*N.d.A.*)

enfiévrée par l'excitation. Pour reprendre une autre de ses expressions, on eût vraiment dit qu'il avait les tripes en effervescence.

– O.K., reprit-il. Écoute-moi ça. (Il se mit à marcher de long en large entre les tables à dessin, en regardant ses pieds, et déclama d'une voix aiguë et glapissante de ténor que Joe reconnut être celle des animateurs de la radio américaine.) À... euh... tous ceux qui... euh... peinent dans les liens de l'esclavage...

– Liens ?

Les joues de Sammy devinrent cramoisies et il laissa tomber la voix de radio.

– Les chaînes, si tu veux. Écoute. C'est de la bande dessinée, d'accord ?

– D'accord.

Il reprit ses allées et venues et ses intonations de présentateur de radio, et continua à composer sa série historique d'exclamations.

– À tous ceux qui peinent dans les liens de l'esclavage et... euh... les chaînes de l'oppression, il offre l'espoir de l'affranchissement et la promesse de la liberté ! (Son élocution devenait maintenant plus assurée.) Armé d'une discipline mentale et d'un physique superbe, d'une fine équipe d'assistants et d'une antique sagesse, il parcourt le globe, accomplissant des exploits stupéfiants et venant à la rescousse de ceux qui languissent dans les fers de la tyrannie ! C'est... (il marqua une pause et lança un regard vulnérable et plein de joie à Joe, désormais prêt à se perdre complètement dans son histoire)... l'Artiste de l'évasion !

– L'Artiste de l'évasion. (Joe testa le nom. Il sonnait magnifiquement à son oreille ignorante : un être loyal, utile et fort.) C'est un spécialiste de l'évasion en costume. Qui combat le crime...

– Il ne se contente pas de le combattre, il en libère le monde. Il libère les gens, tu vois ? Il arrive à l'heure la plus sombre. Il guette dans les ténèbres. Guidé seulement par la lumière de... la lumière de...

– Sa clef d'or !

– C'est formidable !

– Je le vois, acquiesça Joe.

Son costume serait sombre, bleu sombre, bleu nuit, simple, fonctionnel, orné juste de l'emblème d'une clef à crochet sur la poitrine. Joe se dirigea vers une des tables à dessin et grimpa sur le tabouret. Il empoigna un crayon et une feuille de papier, et commença à dessiner rapidement, fermant sa paupière intérieure pour y projeter, en quelque sorte, l'image d'un homme souple, un acrobate, qui venait de lui sauter à l'esprit, un homme en train d'atterrir, un gymnaste qui sortait des cordes, le talon droit prêt à rencontrer le sol, la jambe gauche levée et fléchie au genou, les bras en l'air, les mains étendues, et tenter de cerner la physique des mouvements humains, les concessions mutuelles des tendons et des ensembles de muscles, de forger, d'une manière encore inconnue des illustrateurs, une base anatomique à la grâce et au style.

– Ouaou ! s'exclama Sammy. Ouaou, Joe ! C'est bon, c'est beau...

– Il est là pour libérer le monde, renchérit Joe.

– Exactement.

– Puis-je te poser une question ?

– Demande-moi n'importe quoi. J'ai tout là-dedans.

Sammy se tapa la tête d'un geste suffisant qui rappela presque douloureusement Thomas à Joe. L'instant suivant, après qu'il eut entendu la question de Joe, Sammy eut exactement le même air penaud.

– Où est le pourquoi ?

Sammy inclina lentement la tête, puis s'immobilisa.

– Le pourquoi, répéta-t-il. Merde !

– Tu m'as dit...

– Je sais, je sais. Je sais ce que j'ai dit, d'accord ? (Il prit son manteau et ramassa le dernier paquet de cigarettes.) Allons faire un tour...

8.

Le rideau lui-même est légendaire : ses dimensions, son poids, son coloris plus foncé que le chocolat, le raffinement européen de son étoffe. Il tombe en plis lourds, tel un glaçage versé des cintres de l'avant-scène du plus célèbre théâtre du plus fameux bloc d'immeubles de la plus grande ville du monde. Va pour Empire City, patrie de l'Excelsior Building surmonté de son aiguille, le plus haut immeuble jamais construit. Patrie de la statue de la Liberté, sur son île au milieu de l'Empire Bay, l'épée levée en signe de défi aux tyrans du monde entier. Patrie aussi de l'Empire Palace Theater, dont le légendaire Rideau Noir tremble actuellement, alors qu'à droite de la scène la plus étroite des fentes s'ouvre dans l'empâtement sombre de son somptueux velours. Par cet étroit orifice, un adolescent jette un coup d'œil. Son visage, d'habitude un rond blanc confiant surmonté de boucles blondes ébouriffées, est chiffonné d'inquiétude. Il ne compte pas les spectateurs ; la représentation se joue à guichets fermés comme cela a été le cas pour chaque soirée de l'actuel engagement. Il cherche quelqu'un ou quelque chose dont personne ne discutera, qu'il a seulement deviné. L'être ou la chose dont la venue ou la présence a chagriné la troupe toute la journée.

À ce moment-là, une main aussi massive et dure qu'un bois d'élan, rattachée par de solides tendons à un bras semblable à une branche de chêne, agrippe le gamin par l'épaule et le tire dans les coulisses.

– Tu sais à quoi t'en tenir, jeune homme, dit le géant de plus de deux mètre quarante à qui la main appartient. (Il a le front d'un singe, la posture d'un ours et l'accent d'un professeur de médecine viennois. Il est capable de fendre un tambour d'acier comme si c'était une boîte métallique de tabac, de soulever une voiture de chemin de fer par un coin, de jouer du violon comme Paganini et de calculer la vitesse des astéroïdes et des comètes d'une desquelles il porte le nom. Son nom est Alois Berg, et la comète s'appelle la comète de Berg, mais pour les amateurs de théâtre et pour ses amis, d'habitude, il est simplement Big Al.) Viens, il y a un problème avec l'aquarium.

En coulisse, les instruments de torture et de contrainte se trouvent à leur place, l'air à la fois menaçant et comique, prêts à être tirés, roulés ou hissés par les machinistes sur les planches historiques du Palace Theatre. Il y a un lit d'asile d'aliénés réglementaire, équipé de sangles. Une cuve à lait allongée, en fer riveté. Une roue de sainte Catherine moyenâgeuse et un portant chromé incongru, auquel pend, accroché à de banals cintres de fer, un assortiment fantastique de camisoles de force, de cordes, de chaînes et de grosses sangles de cuir. Il y a aussi le fameux aquarium, une grande boîte rectangulaire de verre, de la taille d'un dauphin, dressée sur un bout : une cabine téléphonique noyée. Le verre est épais de deux centimètres et demi, trempé et impossible à falsifier. Les joints sont propres et étanches. Le bâti qui maintient le verre est robuste et fiable. Le jeune homme sait tout cela parce que c'est lui qui a construit l'aquarium. Il porte, nous le voyons maintenant, un tablier de cuir rempli d'outils. Un crayon est coincé derrière son oreille, une craie accrochée à une ficelle dans sa poche. S'il y a un problème avec l'aquarium, il peut le régler. Il doit le régler : le lever de rideau a lieu dans moins de cinq minutes.

– Qu'est-ce qui se passe ? (Le gamin – en réalité, c'est presque un homme – se fraie un passage vers le réservoir avec assurance, sans se soucier de la béquille coincée sous son bras, nullement ému par sa jambe gauche qui est boiteuse depuis qu'il est tout petit.)

– On dirait qu'il ne bouge plus, qu'il est immobilisé. (Big Al s'approche à son tour de l'aquarium et lui assène une bourrade amicale. Le caisson de cinq cents kilos bascule et l'eau à l'intérieur s'agite et se répand. Il pourrait apporter le caisson sur scène tout seul, mais il y a des règles syndicales, et davantage de mise en scène dans les cinq gros machinistes exigés par la prouesse.) En un mot de deux syllabes, bloqué.

– Quelque chose est coincé dans cette roulette.

Le jeune homme se baisse à l'aide de sa béquille, une main après l'autre, se met sur le dos et se faufile sous un coin de la lourde base du réservoir. Il y a une roulette bandée de caoutchouc et montée sur une chape en acier à chaque coin. À un des coins, quelque chose est venu se loger entre la bande pneumatique et la chape. Le jeune homme décroche un tournevis de son ceinturon d'outils et se met à fureter ici et là. Sa voix résonne de dessous l'aquarium :

– Al, qu'est-ce qu'il a aujourd'hui ?

– Rien de spécial, Tom, répond Big Al. Il est simplement fatigué. C'est la dernière. Et puis il n'est plus aussi jeune qu'il l'a été...

Un petit homme menu avec un turban les a rejoints en silence. Son visage est brun et toujours jeune, son regard sombre et sensible. Il ne s'est jamais associé à un groupe, réunion ou discussion autrement qu'en silence. La furtivité est dans sa nature. Il est laconique, prudent et leste. Personne ne sait son âge, ni combien de vies il a vécu avant d'entrer dans la carrière du Maître de l'évasion. Il pourrait être médecin, pilote d'avion, marin, chef cuisinier. Il est chez lui sur tous les continents, connaît l'argot des policiers et des voleurs. Il n'a pas son pareil pour payer un surveillant de prison à cacher une clef dans une cellule avant une évasion acrobatique, ou un journaliste à gonfler le nombre de minutes que le Maître a passées sous l'eau après avoir sauté d'un pont. Il s'appelle Omar, un nom à l'évidence si usé que le public croit largement qu'avec son turban et sa peau couleur de désert ce n'est rien d'autre qu'atmosphère, déguisement, un élément du truc à frissons de Misterioso le Grand. Mais si ses origines et sa véritable identité sont sujettes à caution, son teint basané, lui, est authentique. Quant au turban, personne en dehors de la troupe ne sait à quel point son front dégarni le tracasse.

– D'accord. Alors, qu'est-ce qui vous arrive ? insiste le jeune homme. À toi et à Omar. Vous vous êtes comportés bizarrement toute la journée.

Omar et Big Al échangent des regards. Pour eux, révéler un secret est plus qu'une malédiction ; cela va à l'encontre de leur caractère et de leur éducation. Ils seraient incapables de se confier au gamin, même s'ils le voulaient.

– L'imagination, répond à la fin Omar, d'un ton catégorique.

– Trop de romans à quatre sous, trop de pulps, renchérit Big Al.

– Dites-moi, alors. (Le jeune homme, Tom Mayflower, s'extirpe de dessous le réservoir, agrippant un bouton de cuir noir tombé d'un devant de manteau ou d'une manche, gravé d'un drôle de symbole, comme trois ovales enchevêtrés.) Qu'est-ce que c'est que la Chaîne de fer ?

Big Al se tourne de nouveau vers Omar, mais son camarade a déjà disparu, aussi silencieusement qu'il était venu. Même s'il sait qu'Omar est allé prévenir le Maître, Big Al le maudit de le laisser seul répondre ou non à la question. Il saisit le bouton, à l'œillet duquel un bout de fil est encore accroché, et le fourre dans la poche de son gigantesque gilet.

– Deux minutes, articule-t-il, soudain aussi brusque que leur ami enturbanné. Tu l'as réparé ?

– C'est parfait, répond Tom, acceptant la grande main en forme de bois d'élan que lui tend Big Al et se remettant tant bien que mal sur ses pieds branlants. Comme tout ce que je fais...

Plus tard, il se rappellerait cette réponse désinvolte et la regretterait avec le feu de la honte. Car l'aquarium n'est pas parfait, loin de là.

À huit heures cinq, Tom frappe. Il y a une étoile sur la porte et, dessous, les mots « Mr Misterioso » peints sur un bout de carton.

L'oncle de Tom, Max Mayflower, n'a jamais manqué un lever de rideau jusque-là. Tout son numéro, en effet, est minuté à la demi-seconde près, conçu sur mesure et continuellement révisé pour s'adapter aux talents et, de plus en plus, aux limites de sa vedette. Son manque de ponctualité inédit a réduit Big Al au silence et poussé Omar à lâcher un chapelet de jurons dans un idiome barbare. Mais ni l'un ni l'autre n'a le cran de déranger celui qu'ils appellent Maître. C'est Miss Fleur de Prunier, la costumière, qui a poussé Tom vers la porte. Naturellement, tout le monde croit que la couturière chinoise sans âge est secrètement amoureuse de Max Mayflower. Naturellement, elle est secrètement amoureuse de lui. Il y a même des rumeurs sur ces deux-là et les origines quelque peu brumeuses de Tom Mayflower, mais bien qu'il aime tendrement Miss Fleur de Prunier et son oncle, Tom prend ces rumeurs pour les ragots qu'elles sont. Miss Fleur de Prunier non plus n'oserait jamais déranger le Maître dans sa loge avant le spectacle, mais elle sait que Tom est capable comme personne de pénétrer certains mystères et humeurs du grand homme. Postée derrière lui, elle lui donne une nouvelle petite poussée dans le creux des reins.

– C'est Tom, annonce le jeune homme, sans obtenir de réponse, avant de prendre la liberté, sans précédent, d'ouvrir la porte de la loge interdite.

Son oncle est assis à sa coiffeuse. Son corps est devenu fibreux et coriace, comme un épi qui durcit à mesure qu'il se flétrit. Ses jambes nerveuses sont déjà moulées dans le tissu bleu foncé de son costume, mais le haut de son torse demeure nu. Semé de taches de rousseur, il est légèrement marqué de fines mèches d'un orange terne, seuls vestiges de la toison rousse dont il était jadis couvert. Son ardente crinière s'est transformée en une brosse grise. Ses mains sont sillonnées de veines, ses doigts noueux comme du bambou. Pourtant, jusqu'à ce soir, Tom n'a jamais remarqué chez lui aucun signe – dans son corps, sa voix ou son cœur – du triomphe de l'âge. Maintenant il est affalé, à moitié dévêtu. Son crâne nu luit dans le miroir éclairé, tel un *memento mori*.

– Comment est la salle ? demande-t-il.

– Il ne reste plus de places assises. Vous ne les entendez pas ?

– Si, répond son oncle. Je les entends.

Quelque chose, un accent d'apitoiement sur soi dans la voix du vieil homme, irrite Tom.

– Vous ne devriez pas considérer cela comme allant de soi, lui reproche-t-il. Je donnerais n'importe quoi pour les entendre m'acclamer ainsi.

Le vieil homme se redresse sur son siège et regarde Tom. Il incline la tête, tend la main pour attraper son jersey bleu foncé et le passe par la tête, puis enfile les souples bottes bleues d'acrobate créées pour lui à Paris par Claireaux, le célèbre costumier de cirque.

– Tu as raison, bien sûr, acquiesce-t-il, frappant sur l'épaule de l'adolescent. Merci de me l'avoir rappelé.

Il met ensuite son masque, une sorte de foulard avec des trous pour les yeux, qui s'attache derrière et lui couvre toute la moitié supérieure du crâne.

– On ne sait jamais, reprend-il en quittant sa loge. Tu auras peut-être ta chance un jour...

– C'est peu probable, répond Tom, même si c'est son désir le plus cher, et même s'il connaît les secrets, les mécanismes, les modalités et les aléas de l'art de l'évasion mieux que tout homme, sauf un. Pas avec ma jambe...

– Il est déjà arrivé des choses plus étonnantes, conclut le vieil homme.

Planté là, Tom regarde avec admiration la manière dont le vieil homme se redresse en sortant, la façon dont ses épaules se mettent en place et dont sa démarche redevient élastique, bien que calme et contrôlée. Tom se souvient alors du bouton qu'il a trouvé logé dans la roulette de l'aquarium et court après son oncle pour le prévenir. Mais le temps qu'il atteigne les coulisses, l'orchestre a déjà attaqué l'ouverture de *Tannhäuser*, et Misterioso est entré en scène à grands pas, les bras tendus.

Le numéro de Misterioso est continu ; du premier salut au dernier, l'artiste ne sort pas de scène pour changer de costume, pas même après la saucée qu'il prend pendant le tour de l'Évasion de l'aquarium. Les entrées et les sorties supposent boniments, substitutions et transformations. À l'instar du costume moulant qui promet de trahir tout outil caché, la présence constante de l'illusionniste est censée garantir la pureté et l'intégrité du numéro. Cela provoque donc un émoi considérable dans la troupe quand – après le tonnerre d'applaudissements qui salue l'émergence de Misterioso, délivré de ses chaînes, de ses liens et de ses fers, toujours debout et en vie, de son aquarium – l'artiste se rue dans les coulisses en chancelant, les mains pressées sur une tache qui s'étend à son flanc, plus sombre que l'eau et d'aspect visqueux. Lorsque, un instant plus tard, l'aquarium est poussé hors de scène par les cinq machinistes du syndicat, Omar aux yeux perçants remarque tout de suite la traînée de gouttes d'eau que celui-ci a laissée sur scène et dont il découvre l'origine dans un petit trou – parfait – de la vitre de la paroi de devant.

– Lâchez-moi, balbutie le vieil homme, en entrant d'un pas vacillant dans sa loge. (Il repousse Omar et Big Al.) Retrouvez-le, leur ordonne-t-il. (Et eux de disparaître dans le théâtre. Lui se tourne vers le régisseur.) Baissez le rideau. Dites à l'orchestre de jouer une valse. Tom, viens avec moi.

Le jeune homme suit son oncle à l'intérieur de la loge et regarde avec stupeur, puis avec horreur, le vieil homme retirer son jersey trempé. Une étoile de sang de guingois perle sur ses côtes. La blessure située sous le sein gauche est petite, mais déborde comme une tasse.

– Prends-en un autre dans la malle, dit Max Mayflower. (Tom ne sait pourquoi, mais le trou de balle donne encore plus d'autorité que d'habitude à ses paroles.) Mets-le.

Immédiatement, Tom devine l'incroyable requête que son oncle s'apprête à lui imposer. Dans sa peur et son excitation, et avec *Le Beau Danube bleu* qui résonne sans fin dans ses oreilles, il ne tente pas de discuter ni de s'excuser de ne pas avoir équipé l'aquarium de verre blindé, ni même de demander à son oncle qui lui a tiré dessus. Il se contente de s'habiller. Il a déjà essayé le costume, bien sûr, en cachette. Cela ne lui prend pas plus d'une minute.

– Il ne te reste que la Lévitation du cercueil, lui explique son oncle. Et puis tu as fini.

– Ma jambe, proteste Tom. Comment suis-je censé faire ?

À ce moment-là son oncle lui remet une petite clef, en or ou plaqué or, antique et ouvragée. La clef du journal intime d'une dame ou d'un tiroir de bureau d'un homme important.

– Garde-la sur toi, recommande Max Mayflower. Tout ira bien.

Tom prend la clef, mais il ne sent rien sur le moment. Cloué sur place, il tient sa clef si serré qu'elle palpite dans sa paume, pendant que, sous ses yeux, son oncle bien-aimé perd tout son sang à la lumière crue de la loge avec l'étoile sur la porte. L'orchestre attaque la valse pour la troisième fois.

– Le spectacle doit continuer, dit son oncle d'un ton sec.

Tom y va donc, glissant la clef d'or dans une des trente-neuf poches que Miss Fleur de Prunier a dissimulées dans tout le costume. Ce n'est qu'au moment où il entre vraiment en scène, devant les acclamations frénétiques et ironiques du public las de la valse, qu'il s'aperçoit non seulement qu'il a oublié sa béquille dans la loge, mais aussi que, pour la première fois de sa vie, il marche sans boiter.

Deux malabars coiffés d'un fez le chargent de chaînes et l'aident à entrer dans un sac postal de grosse toile. Une dame originaire de banlieue resserre l'ouverture du sac et attache les extrémités de la corde au moyen d'un cadenas gros comme un jambon. Big Al le soulève comme s'il était un bébé emmailloté et le porte tendrement jusqu'au cercueil, qui a été minutieusement inspecté au préalable par le maire d'Empire City, son préfet de police et le chef de la brigade des pompiers, et déclaré aussi hermétique qu'un tambour. À présent, ces mêmes braves gens, pour la plus grande joie de la salle, se voient distribuer des marteaux et de gros clous à vingt cents. Allègrement, ils enferment Tom dans le cercueil. Si l'un d'eux remarque qu'au cours des dix dernières minutes Misterioso a grossi de dix kilos et grandi de trois centimètres, il ou elle le garde pour soi. Quelle différence cela peut-il faire, de toute façon, si ce n'est pas le même homme ? Il aura quand même à se battre avec les chaînes, les clous et cinq bons centimètres de bois de frêne. Pourtant, chez le public féminin, au moins, il y a une imperceptible différence, une intensification ou un assombrissement dans la fièvre de leur admiration et de leurs craintes. « Regarde-moi ces épaules, disent les femmes entre elles. Je n'avais pas remarqué... »

À l'intérieur du cercueil entièrement bricolé, lequel a été glissé dans un sarcophage de marbre ouvragé au moyen d'une poulie qui a servi ensuite à remettre en place le couvercle, lui aussi en marbre, avec l'irrévocabilité d'une sonnerie de tocsin, Tom s'efforce de chasser de sa tête les images d'étoiles sanglantes et de trous de balle. Il se concentre sur la routine du numéro, l'enchaînement des phases rapides et patientes qu'il connaît si bien, et, une à une, les pensées nécessaires refoulent les autres, si terribles. Il se libère de celles-ci. Pendant qu'il force le couvercle du sarcophage avec la pince à levier qui a été opportunément scotchée dessous, son esprit est vide et paisible. Toutefois, quand il s'avance dans la lumière des projecteurs, il est presque bouleversé par les applaudissements, renversé, submergé par eux comme par une grande marée purificatrice. Toutes ses années d'infirmité et de doute de soi sont balayées. Et lorsqu'il voit Omar lui faire signe des coulisses, le visage encore plus grave que d'habitude, il n'est pas disposé à renoncer à ce moment.

– Mon rappel ! proteste-t-il, pendant qu'Omar l'emmène.

C'est la seconde parole qu'il en viendra à regretter ce jour-là.

L'homme connu professionnellement sous le nom de Misterioso a longtemps habité, selon un détail emprunté sans vergogne à Gaston Leroux, des appartements secrets sous l'Empire Palace Theatre. Ceux-ci sont lugubres et somptueux. Il y a une chambre pour chacun – Miss Fleur de Prunier a sa propre suite, naturellement, à l'autre bout de l'appartement par rapport à celle du Maître –, mais quand elle ne parcourt pas le monde, la troupe préfère hanter la vaste salle d'orgue, avec son Helgenblatt à quatre-vingts tuyaux, semblable à une cathédrale, et c'est ici, vingt minutes après que la balle eut pénétré dans sa cage thoracique pour venir se loger près du cœur, que Max Mayflower rend le dernier soupir. Avant l'issue fatale, toutefois, il raconte à son pupille, Tom Mayflower, l'histoire de la clef d'or, au service de laquelle – et non à celui de Thalie ou de Mammon – lui et d'autres ont fait mille fois le tour du globe.

Quand il était jeune homme, dit-il, guère plus vieux que Tom ne l'est aujourd'hui, il était un panier percé, un noceur et un petit morveux. Un play-boy, gâté pourri et débauché. Quittant le manoir familial de Nabab Avenue, il sortait tous les soirs dans les pires bouges et lieux de plaisir d'Empire City. Il avait connu d'énormes pertes au jeu, suivies d'ennuis avec de très mauvais sujets. Quand ils ne purent pas récupérer leurs prêts, ces individus enlevèrent finalement le jeune Max et demandèrent une rançon si exorbitante que les rentes de celle-ci eussent suffi à financer leur secrète intention, qui était de prendre le contrôle de tout le crime et de tous les criminels des États-Unis d'Amérique. Ce qui devait, à son tour, leur permettre de diriger le pays entier, raisonnaient-ils. Ces hommes traitèrent Max avec beaucoup de brutalité et se moquèrent de ses appels à la pitié. La police et les agents fédéraux le recherchaient partout. En vain. Pendant ce temps, le père de Max, l'homme le plus riche de l'État dont Empire City était la capitale, se laissa fléchir. Il aimait son fils débauché. Il voulait le récupérer. La veille du jour où tombait l'ultimatum, il prit sa décision. Le lendemain matin, les vendeurs de journaux de l'*Eagle* débarquèrent dans les rues et montrèrent au ciel leurs luettes de vétérans : « LA FAMILLE PAIE LA RANÇON ! » s'égosillaient-ils.

À présent, poursuit oncle Max, imagine que quelque part, dans un des endroits secrets du monde (Tom entrevoit un vague croisement entre une *bodega* et une mosquée), un exemplaire de l'*Eagle* d'Empire City portant ce gros titre à scandale soit furieusement écrasé par une main sortant d'une manche de lin blanc bien coupée. Le propriétaire de la main et du costume de lin eussent été difficile à distinguer dans l'ombre. En revanche, ses pensées seraient claires, sa colère vertueuse, et une petite clef d'or aurait pendu au revers de son veston blanc.

Max, en l'occurrence, était retenu dans une maison abandonnée des faubourgs d'Empire City. Plusieurs fois il tenta de se délivrer de ses liens, sans même réussir à bouger un doigt ou un orteil. Deux fois par jour, on le désentravait juste assez pour pouvoir utiliser les toilettes et, même s'il essaya d'atteindre la fenêtre à maintes reprises, il ne parvint même pas à soulever le loquet. Au bout de quelques jours, il avait donc sombré dans l'enfer gris et intemporel du prisonnier. Il rêvait tout éveillé et dormait les yeux ouverts. Dans un de ses rêves, un homme indistinct, en costume de lin blanc, pénétrait dans sa cellule. Entrait simplement tout droit par la porte. Il était agréable, apaisant et soucieux. Les serrures, déclara-t-il en montrant la porte de la cellule de Max, ne signifient rien pour nous. En y travaillant quelques secondes, il défit les liens qui attachaient Max à une chaise et l'invita à se sauver. Il y avait un bateau qui les attendait, ou une grosse voiture ou un avion ; dans son grand âge et si près de la mort, le vieux Max Mayflower ne s'en souvenait plus. Puis l'inconnu rappela à Max, avec un air sérieux, mais suave et exercé, que la liberté était une dette qui ne pouvait être remboursée qu'en rachetant la liberté des autres. À ce moment-là, l'un des ravisseurs de Max entra dans la pièce. Il agitait un exemplaire de l'*Eagle* avec la nouvelle de la capitulation du père de Max et, jusqu'à ce qu'il ait vu l'inconnu en blanc, il avait l'air vraiment très content. Puis il dégaina son pistolet et toucha l'inconnu au ventre.

Max fut fou de rage. Sans réfléchir, sans une pensée pour sa propre sécurité, il se rua sur le gangster et essaya de lui arracher son arme. Celle-ci résonna comme une cloche dans ses os, et l'homme tomba à terre. Max se retourna vers l'inconnu et berça sa tête sur ses genoux. Il lui demanda son nom.

– J'aimerais pouvoir te le dire, répondit l'inconnu. Mais il y a des règles. (Il tressaillit.) Regarde, je suis fichu. (Il avait un accent très particulier, policé et britannique, avec un drôle de nasillement occidental.) Prends la clef, prends-la.

– Moi, prendre votre clef ?

– Non, tu ne sembles pas indiqué, c'est vrai. Mais je n'ai pas le choix.

Max détacha l'épingle du revers de l'homme. Une petite clef d'or était accrochée à celle-ci, identique à celle que Max avait donnée à Tom une demi-heure plus tôt.

– Arrête de gâcher ta vie, furent les derniers mots de l'inconnu. Tu as la clef.

Max consacra les dix années suivantes à une recherche infructueuse de la serrure susceptible d'être ouverte au moyen de la clef d'or. Il consulta les maîtres serruriers et quincailliers du monde entier. Il se plongea dans la tradition des évasions de prison et des fakirs, des nœuds de marin et des rites de ligotage *arapahos*. Il examina de près les œuvres de Joseph Bramah, le plus grand serrurier qui ait jamais vécu. Il rechercha les conseils des spirites « délieurs » de cordes qui furent les pionniers de la profession d'artiste de l'évasion et étudia même, un temps, avec Houdini en personne. Dans le feu de l'action, Max Mayflower devint un maître de l'autolibération, mais cette quête était coûteuse. Il mangea la fortune de son père et, à la fin, n'avait toujours aucune idée de l'usage du cadeau que l'inconnu lui avait fait. Il persévéra quand même, soutenu sans le savoir par les pouvoirs mystiques de la clef. Finalement, la nécessité l'obligea à chercher du travail. Il s'engagea dans le show-business, forçant des serrures pour de l'argent. Misterioso était né.

C'est en sillonnant le Canada avec une attraction à la manque qu'il rencontra le professeur Alois Berg pour la première fois. À l'époque, le professeur vivait dans une cage garnie d'abats d'animaux et rongeait des os, déguenillé, enchaîné à ses barreaux. Il était couvert de pustules et empestait. Il montrait les dents au public payant, aux enfants en particulier. Sur le côté de sa cage, en grosses lettres rouges, était peint l'accrocheur : REGARDEZ L'OGRE ! Comme tous les autres membres de la troupe, Max évitait l'ogre, qu'il méprisait pour être le plus infâme des monstres, jusqu'à ce soir fatidique où son insomnie fut soulagée par les accents inattendus de Mendelssohn qui flottaient dans la douce nuit d'été du Manitoba. Max partit à la recherche de la source de cette musique et se retrouva, à son grand étonnement, devant la misérable voiture de fer, au fond du terrain de foire. Au clair de lune, il lut les trois petits mots : REGARDEZ L'OGRE ! À ce moment-là, Max, qui n'avait jamais jusque-là considéré la question, comprit que tout homme, peu importait sa condition, possédait une âme immortelle rayonnante. Séance tenante, il décida d'acheter la liberté de l'Ogre au patron de l'attraction, ce qu'il fit grâce au seul bien précieux qui lui restait.

– La clef, murmure Tom. La clef d'or...

Max Mayflower incline la tête.

– J'ai ouvert moi-même les fers de sa jambe.

– Merci, dit aujourd'hui l'Ogre, dans la salle située sous la scène du Palace Theatre, les joues mouillées de larmes.

– Tu as mille fois remboursé ta dette, mon vieux, le réconforte Max Mayflower, tapotant la grande main calleuse. (Puis il reprend son récit :) Au moment où je retirais le cercle de fer de sa pauvre cheville enflammée, un homme est sorti de l'ombre. Entre les voitures, précise-t-il, le souffle plus court. Il avait un costume blanc... Au début, j'ai cru que c'était lui... le même homme... Même si je savais... qu'il était là où... je vais moi-même aller...

L'homme expliqua à Max qu'il avait, enfin et sans le vouloir, trouvé la serrure qui correspondait à la petite clef d'or. Il expliqua d'ailleurs quantité de choses. Il dit que lui et l'homme qui avait arraché Max à ses ravisseurs appartenaient à une ancienne société secrète connue sous le nom de Ligue de la clef d'or. Ses membres parcouraient le monde en agissant, toujours anonymement, pour garantir la liberté des autres, qu'elle soit physique ou métaphysique, affective ou économique. Dans cette mission, ils étaient inlassablement en butte aux agents de la Chaîne de fer, dont les objectifs étaient noirs et opposés. C'étaient des représentants de la Chaîne de fer qui avaient kidnappé Max des années plus tôt.

– Et ce soir, ajoute Tom.

– Oui, mon garçon. Ce soir, c'étaient encore eux. Ils sont devenus puissants. Leur vieux rêve de diriger une nation entière a fini par se réaliser.

– L'Allemagne.

Max incline faiblement la tête et ferme les yeux. Les autres se rapprochent encore, sombres, la tête baissée, pour entendre la fin de l'histoire.

L'homme, reprend Max, lui avait donné une seconde clef d'or. Puis, avant de se fondre de nouveau dans les ombres, il l'avait chargé, ainsi que l'Ogre, de continuer son œuvre de libération.

– Et c'est ce que nous avons fait, n'est-ce pas ? dit Max.

Big Al incline la tête et, embrassant les visages affligés de la troupe, Tom prend conscience que tous sont là parce qu'ils ont été libérés par Misterioso le Grand. Omar était jadis l'esclave d'un sultan africain. Miss Fleur de Prunier a trimé pendant des années dans les ateliers clandestins sombres et grouillants de Macao.

– Et qu'est-ce que je deviens, moi ? murmure-t-il, presque pour lui.

Mais le vieil homme rouvre les yeux.

– Nous t'avons trouvé dans un orphelinat d'Europe centrale. C'était un lieu cruel. Je regrette seulement d'avoir pu sauver si peu d'entre vous... (Il toussote, et sa salive est mouchetée de rouge.) Excuse-moi, reprend-il. J'avais l'intention de te raconter tout cela. À ton vingt et unième anniversaire. Mais aujourd'hui... je te choisis comme j'ai été choisi. Ne gaspille pas ta vie. Ne laisse pas la faiblesse de ton corps devenir une faiblesse de ton esprit. Rembourse ta dette de liberté. Tu as la clef.

Voilà les dernières paroles du Maître. Omar lui ferme les yeux. Tom enfouit son visage entre ses mains et pleure un moment. Quand il relève les yeux, il s'aperçoit que tous le regardent.

Il convoque Big Al, Omar et Miss Fleur de Prunier autour de lui, puis lève la clef haut dans les airs et prononce un serment sacré : il consacrera sa vie à combattre secrètement les forces maléfiques de la Chaîne de fer, en Allemagne ou partout où elles relèvent leurs vilaines têtes, et à œuvrer pour la libération de tous ceux qui souffrent dans leurs chaînes. Comme l'Artiste de l'évasion. Le son de leurs voix vibrantes résonne dans les complexes et antiques canalisations de ce magnifique vieux théâtre. Il monte et se répercute dans les tuyaux jusqu'à ce qu'il ressorte par une grille du trottoir, où il est distinctement audible pour deux jeunes gens qui passent à pied, le col remonté pour se protéger de la froide nuit d'octobre, absorbés par leur rêve, pris par leur désir de rappeler le golem à la vie.

9.

Ils marchaient depuis des heures à la lumière des réverbères, sous des averses intermittentes, insouciants, fumant et parlant jusqu'à en avoir mal à la gorge. À la fin, ils eurent l'impression de ne plus rien avoir à se dire et prirent sans un mot le chemin du retour, portant l'idée à eux deux, longeant la lisière tremblante de la réalité qui séparait New York d'Empire City. Il était tard. Les cousins étaient affamés, fatigués, et avaient grillé leur dernière cigarette.

– Quoi ? dit Sammy. À quoi penses-tu ?

– J'aimerais qu'il soit réel, répondit Joe, qui eut soudain honte de lui.

Voilà qu'il était libre d'une manière dont sa famille pouvait seulement rêver. Et que faisait-il de sa liberté ? Il rôdait en discutant et inventait un tas d'inepties sur un être qui ne pouvait libérer rien ni personne d'autre que des signes noirs barbouillés sur un bout de papier bon marché. À quoi cela rimait-il ? À quoi bon marcher, discuter, fumer des cigarettes ?

– Je te parie, s'exclama Sammy, qui posa la main sur l'épaule de Joe, je te parie que tu vas y arriver !

Ils se trouvaient au coin de la Sixième Avenue et de la Trente-quatrième Rue, au milieu d'une nuée turbulente de lumières et de gens. Sammy demanda à son cousin d'attendre une minute. Joe resta planté là, les mains dans les poches ; avec une félicité honteuse, il classait désespérément ses pensées dans les rangées et les colonnes de petites cases avec lesquelles il projetait de trousser la première aventure de l'Artiste de l'évasion : Tom Mayflower en train de revêtir le costume et le masque bleu nuit de feu son maître, la poitrine décorée à la hâte, grâce à l'aiguille experte de Miss Fleur de Prunier, de l'emblème évocateur de la clef d'or. Tom en train de suivre l'espion nazi jusqu'à son repaire. Une pleine page de coups de poing enthousiastes, suivis, après esquive de projectiles, corps à corps et poutres qui s'effondrent, d'une explosion. Nettoyé, le nid de vipères de la Chaîne de fer. Et puis la dernière planche : la troupe rassemblée sur la tombe de Misterioso, Tom appuyé à la béquille qui lui sert de couverture. Et le visage spectral du vieil homme en train de leur sourire du haut des cieux.

– J'ai trouvé des cigarettes. (Sammy sortit des paquets de cigarettes par poignées d'un sac de papier brun.) J'ai aussi du chewing-gum. (Il tendit plusieurs paquets de Black Jack.) Tu aimes le chewing-gum ?

Joe sourit.

– Je crois qu'il va falloir que je m'y habitue.

– Ouais, tu es en Amérique maintenant. On mâche pas mal de chewing-gum ici.

– Et ça, qu'est-ce que c'est ?

Joe montrait du doigt le journal qu'il voyait coincé sous le bras de Sammy.

Sammy prit l'air sérieux.

– Je veux juste te dire une chose, commença-t-il. Voilà ! Nous allons faire un malheur avec cette bande dessinée. Je veux dire, c'est bien de faire un malheur. Je ne peux pas t'expliquer comment je le sais. C'est juste... c'est une sorte de pressentiment que j'ai eu toute ma vie, mais je ne sais pas, quand tu es arrivé... je le savais... (Il haussa les épaules et détourna le regard.) Peu importe ! Tout ce que je veux dire, c'est que nous allons vendre un million d'exemplaires de ce truc et gagner un argent fou. Et tu vas pouvoir prendre cet argent et payer ce qu'il faut pour faire venir ta mère, ton père, ton frère et ton grand-père jusqu'ici, où ils seront en sécurité. Je... c'est ma promesse. J'en suis sûr, Joe.

Le désir de croire son cousin dilata le cœur de Joe. Il s'essuya les yeux sur la manche rugueuse du veston de tweed que sa mère lui avait acheté à la Boutique anglaise du Gruben.

– D'accord, souffla-t-il.

– Et en ce sens, tu vois, il sera vraiment réel. L'Artiste de l'évasion. Il fera ce qu'on dit qu'il est capable de faire...

– D'accord, répéta Joe. *Ja ja*, je te crois. (Cela le rendait impatient d'être consolé, comme si les paroles de réconfort donnaient plus de crédit à ses peurs.) Nous ferons un malheur.

– C'est ce que je te dis.

– Qu'est-ce que c'est que ces journaux ?

Avec un clin d'œil, Sammy lui tendit un exemplaire de chacun des numéros du vendredi 27 octobre 1939 du *New Yorker Staats-Zeitung und Herold* et d'un quotidien tchèque, le *New Yorske Listy*.

– Je me suis dit que tu y trouverais peut-être des informations, répondit-il.

– Merci, dit Joe, ému, regrettant la manière dont il avait rembarré Sammy. Et, bon, merci pour ce que tu viens de me dire.

– De rien, répondit Sammy. Attends d'entendre mon idée pour la couverture.

10.

Les actuels occupants habituels des Studios Palooka, Jerry Glovsky, Marty Gold et Davy O'Dowd, rentrèrent vers dix heures, avec un demi-poulet rôti, une bouteille de vin rouge, une autre d'eau de Seltz, une cartouche de Pall Mall et Frank Pantaleone. Ils franchirent la porte d'entrée en ergotant bruyamment, l'un d'eux imitait même une trompette bouchée. Puis ils se turent. En réalité, ils se turent si brusquement – et si totalement – qu'on eût dit qu'ils s'attendaient à des intrus. Toujours est-il qu'en montant, ils furent surpris de découvrir que les Studios Palooka avaient été transformés en l'espace de quelques heures pour devenir le centre nerveux et créatif d'Empire Comics. Jerry asséna trois calottes sur l'oreille de Julius.

– Qu'est-ce que vous fabriquez ? Qui vous a dit que vous pouviez entrer ? Qu'est-ce que c'est que ce bin's ?

Il poussa de côté la tête de Julius et saisit le bout de planche sur lequel ce dernier dessinait au crayon la page deux de l'aventure que lui et Sammy avaient concoctée pour la superbe création personnelle de Julius, une histoire terrifiante de ce Chasseur des Régions ténébreuses, de cet Ennemi du mal en personne.

– *Le Chapeau noir*, murmura Jerry.

– Je ne me rappelle pas t'avoir dit que tu pouvais te servir de ma table. Ou de mon encre. (Marty Gold s'avança et subtilisa la bouteille d'encre de Chine dans laquelle Joe s'apprêtait à tremper son pinceau, puis tira son tabouret tout tacheté hors de leur portée, répandant une collection de stylos et de crayons sur le tapis et se troublant complètement. Marty se troublait facilement. Il était noiraud, boulot, transpirait beaucoup et était, Sammy l'avait toujours pensé, un peu chochotte. Mais il était capable de contrefaire Caniff mieux que personne, surtout dans sa manière de traiter les noirs, jetant sur le papier des obliques, des taches, des continents entiers de noir, bien plus librement que Sammy ne l'eût jamais osé, et signant toujours son œuvre d'un O ultra-gros dans « Gold ».) Ou de mes pinceaux, d'ailleurs...

Il tenta d'attraper le pinceau qui était dans la main de Joe. Une goutte d'encre tomba sur la page que celui-ci était occupé à encrer, anéantissant un travail de dix minutes sur les effroyables appareils rangés dans les coulisses de l'Empire Palace Theatre. Joe regarda Marty, sourit. Il recula son pinceau hors de la portée de Marty, puis le lui présenta avec un grand geste du bras. Au même moment, il passa lentement son autre main sur celle qui tenait le pinceau. Le pinceau disparut. L'air stupéfait, Joe tendit ses paumes vides.

– Comment êtes-vous entrés ici ? s'écria Jerry.

– Ta petite amie nous a laissés entrer, répondit Sammy. Rosa.

– Rosa ? Ah ! Elle n'est pas ma petite amie.

Ce n'était pas dit de manière défensive, mais comme un état de fait. Jerry avait seize ans quand Sammy l'avait connu, et il sortait déjà avec trois filles à la fois. À l'époque, une telle abondance était encore un peu une nouveauté pour lui, et il en avait parlé sans arrêt. Rosalyn, Dorothy et Yetta. Sammy se souvenait encore de leurs prénoms. La nouveauté avait passé depuis longtemps ; le chiffre trois avait désormais épuisé son charme auprès de Jerry. Grand, il avait fière allure, l'air rusé, et portait ses cheveux ondulés et brillantinés coiffés en accroche-cœurs romantiques. Sans beaucoup d'encouragements de la part de ses amis, il cultivait la réputation d'avoir un certain sens de l'humour, auquel il attribuait, de manière peu convaincante aux yeux de Sammy, son succès incontestable auprès des femmes. Il possédait un style de dessin loufoque *bigfoot*[1], pompé, à peu près à parts égales, sur Elsie Segar et sur George McManus*, et Sammy n'était pas entièrement sûr de la manière dont il se tirerait d'une aventure pure et simple.

– Si elle n'est pas ta petite amie, observa Julius, alors pourquoi était-elle à poil dans ton pieu ?

– La ferme, Julius, ordonna Sammy.

– Vous l'avez vue à poil dans mon pieu ?

– Hélas, non ! répondit Sammy.

– Je blaguais, dit Julius.

– Ça sent le poulet, non ? demanda Joe.

– Ce n'est pas mal, murmura Davy O'Dowd.

Il avait des cheveux roux coupés ras, de petits yeux verts et était bâti comme un jockey. Il venait de Hell's Kitchen[2] et avait perdu un bout d'oreille dans une bagarre à l'âge de douze ans. C'était tout ce que Sammy savait de lui. La vue du moignon rose de son oreille

---

1. « Grosse pointure », « gros calibre ». (*N.d.T.*)

2. « La Cuisine infernale », quartier jadis mal famé de New York, quadrilatère entre la Neuvième Avenue et l'Hudson, depuis la Trentième Rue jusqu'à la Cinquante-neuvième Rue. (*N.d.T.*)

gauche donnait toujours un peu envie de vomir à Sammy, mais Davy en était fier. Soulevant la feuille de papier calque qui recouvrait chacune d'entre elles, il lut attentivement les cinq pages de *La Légende de la clef d'or* que Sammy et Joe avaient déjà terminées. À mesure qu'il parcourait chaque page, il la passait ensuite à Frank Pantaleone, qui grognait.

– On dirait un truc du genre de Superman, commenta Davy.

– C'est mieux que Superman !

Sammy descendit de son tabouret et alla les aider à admirer son œuvre.

– Qui a encré ça ? demanda Frank, grand, voûté, les mâchoires tristes, qui venait de Bensonhurst et perdait déjà ses cheveux, bien que n'ayant pas encore vingt-deux ans.

En dépit de son apparence de chien battu, ou peut-être fidèle à celle-ci, il était un dessinateur doué qui avait décroché un prix artistique municipal lors de sa dernière année à Music & Art et avait suivi des cours à Pratt. Il y avait de bons professeurs à Pratt, des peintres et des illustrateurs professionnels, des artistes sérieux. À l'instar de Joe, Frank réfléchissait aux questions de l'art et se voyait comme un artiste. De temps à autre, il dégotait un job de décorateur à Broadway – son père était une personnalité dans le syndicat des machinistes. Il avait pondu une B.D. d'aventures de son cru, *Les Voyages de Marco Polo*, une planche dominicale à laquelle il prodiguait de riches détails à la Foster. On disait que King Features était intéressé.

– C'est toi ? demanda-t-il à Joe. Du beau boulot. Tu as fait aussi le dessin au crayon, non ? Klayman en aurait été incapable.

– Je me suis occupé de la conception, précisa Sammy. Joe ne savait même pas ce qu'était un comic book jusqu'à ce matin.

Sammy jouait l'offensé, mais il était si fier de Joe que les éloges de Frank Pantaleone lui donnaient un peu le vertige.

– Joe Kavalier, se présenta Joe, tendant sa main à Frank.

– Mon cousin. Il vient de débarquer du Japon.

– Ouais ? Enfin, qu'est-ce qu'il fait avec mon pinceau ? pesta Marty. Un Windsor & Newton en poil de martre rouge à un dollar. C'est Milton Caniff qui m'a donné ce pinceau...

– C'est ce que tu as toujours prétendu, ironisa Frank. (Le regard froid et animé d'un intérêt plus que professionnel, il examina les pages suivantes, en mâchonnant le renflement de sa lèvre inférieure. On voyait qu'il se disait qu'il pourrait faire mieux, à l'occasion. Sammy ne croyait pas à sa chance. Hier encore, son rêve de publier des comics n'était que ceci : un rêve, encore moins plausible que le cours habituel de ses chimères. Aujourd'hui, il avait une paire de héros costumés et une équipe qui pourrait bientôt inclure une pointure comme Frank Pantaleone.) Ce n'est vraiment pas mal du tout, Klayman.

– *Le Chapeau... noir*, répéta Jerry. (Il secoua la tête.) Qu'est-ce qu'il est ? Redresseur de torts la nuit, fabricant de chemises le jour ?

– C'est un play-boy plein aux as, répondit gravement Joe.

– Va dessiner ta Bunny, dit Julius. Moi, je suis payé sept dollars cinquante la page. Ce n'est pas vrai, Sammy ?

– Absolument.

– Sept dollars cinquante ! s'exclama Marty. (Avec une servilité feinte, il repoussa vite le tabouret en direction de Sammy et de Joe, et reposa la bouteille d'encre à côté de ce dernier.) Aie la bonté d'utiliser mon encre, Joe-*san*.

– Qui paie à ce tarif-là ? voulut savoir Jerry. Pas Donnenfeld. Il ne t'embaucherait pas.

– Donnenfeld va bientôt me supplier de travailler pour lui, riposta Sammy, ne sachant au juste qui était Donnenfeld, avant d'expliquer la chance merveilleuse qui les attendait tous, si seulement ils se décidaient à la saisir. Bon, voyons ! (Sammy arbora son air le plus sérieux, suça la pointe d'un crayon et griffonna quelques rapides calculs sur un bout de papier.) En plus du *Chapeau noir* et de *L'Artiste de l'évasion*, il me faut – trente-six, quarante-huit – trois autres histoires de douze pages. Ça fera soixante pages, plus les couvertures intérieures. Plus, telles que je vois les choses, nous devons avoir deux pages de simple blabla. (Afin que leurs produits puissent être classés comme périodiques et ainsi bénéficier d'un tarif postal réduit, les éditeurs d'illustrés veillaient à ajouter au minimum les deux pages de texte pur requises par le code postal. Habituellement, sous forme de nouvelle poids plume, écrite à coups de poing.) Soixante-quatre. Mais, O.K., voilà le hic. Tous les personnages doivent porter un masque. C'est là l'astuce. Ce comic book va s'appeler *L'Homme masqué*. Ce qui signifie pas de Chinois, pas de détectives, pas de vieux loups de mer costauds...

– Tous masqués, répéta Marty. Bonne idée !

– L'Empire, hein ? dit Frank. Franchement...

– Franchement, franchement, franchement, franchement, franchement... répétèrent-ils tous en chœur.

Frank disait « franchement » à tout bout de champ. Ils adoraient le mettre en boîte.

– ... je suis un tantinet surpris, poursuivit-il, sans sourciller. Je suis surpris que Jack Ashkenazy te paie sept dollars cinquante la page. T'es sûr que c'est ce qu'il a dit ?

– Sûr et archisûr. Plus... Ah ouais ! comment ai-je pu oublier... On met Hitler en couverture. C'est l'autre astuce. Et c'est notre Joe, lança-t-il, en montrant son cousin d'un signe de tête mais en regardant Frank, qui va le dessiner tout seul.

– Moi ? s'écria Joe. Tu veux que je dessine Hitler pour la couverture de la revue ?

– En train de recevoir un coup de poing en pleine poire. (Sammy décocha au ralenti un grand coup de poing à Marty, s'arrêtant à trois centimètres de son menton.) Vlam !

– Fais-moi voir, dit Jerry. (Il prit une page des mains de Frank et souleva le rabat de papier calque.) On dirait exactement Superman.

– Ce n'est pas vrai.

– Hitler. Ton méchant va être Adolf Hitler.

Les sourcils levés, Jerry fixa Sammy avec un étonnement qui n'était pas très respectueux.

– Juste sur la couverture.

– Jamais ils ne vont marcher là-dedans !

– Pas Jack Ashkenazy, acquiesça Frank.

– Qu'est-ce qu'il y a de mal avec Hitler ? protesta Davy. C'est une blague.

– On devrait peut-être l'appeler Racy Dictator[1], suggéra Marty.

– Ils marcheront ! Fichez-moi le camp d'ici ! brailla Sammy, les chassant à coups de pied de leur propre atelier. Toi, donne-moi ça. (Sammy arracha les pages à Jerry, les serra contre sa poitrine et regrimpa sur son tabouret.) Parfait. Écoutez, vous tous. Rendez-moi un service, d'accord ? Vous ne voulez pas être de la partie, très bien, alors restez en dehors. Ça m'est égal. (Il embrassa le Trou à rats d'un regard dédaigneux : John Garfield, frimeur dans son grand complet de soie, en train de promener ses regards sur le marécage d'eau glacée où a fini son petit saint d'ami d'enfance.) Vous avez probablement déjà trop de travail sur les bras.

Jerry se tourna vers Marty.

– Il nous accable de ses sarcasmes.

– J'ai remarqué.

– Je ne sais si je pourrais supporter de recevoir des ordres de ce mariolle. Il y a des années que j'ai des problèmes avec ce mariolle.

– Moi, je vois comment tu pourrais.

– Si Tokyo Joe veut bien encrer pour moi, intervint Frank Pantaleone, je suis des vôtres. (Joe accepta d'un signe de tête.) Alors, je suis des vôtres. Fran... À dire vrai, j'ai déjà quelques idées dans ce sens, de toute façon.

– Tu veux bien m'en passer une ? demanda Davy. (Frank haussa les épaules.) Alors, moi aussi je suis des vôtres.

– Très bien, très bien, accepta enfin Jerry, agitant les mains en

1. « Dictateur corsé ». (*N.d.T.*)

signe d'abdication. Tu m'as déjà pris tout ce putain d'Enfer, de toute façon ! (Il redescendit l'escalier.) Je vais préparer du café. (Il se retourna et tendit le doigt vers Joe.) Mais ne touche pas à mon repas. C'est mon poulet !

– Et ils ne peuvent pas dormir ici non plus, renchérit Marty Gold.

– Et si tu arrives du Japon, il faut que tu nous dises aussi comment ça se fait que tu puisses être le cousin de Sammy et avoir autant l'air juif, ajouta Davy O'Dowd.

– Nous sommes au Japon, répondit Sammy. Nous sommes partout.

– Le jujitsu, lui rappela Joe.

– Pertinent, conclut Davy O'Dowd.

11.

Aucun d'eux ne ferma l'œil de deux jours. Ils burent le café de Jerry jusqu'à la dernière goutte, puis rapportèrent des plateaux en carton du restaurant grec qui restait ouvert toute la nuit sur la Huitième Avenue, un jus de chaussette noir dans des gobelets en papier bleu et blanc. Comme promis, Jerry fut impitoyable dans sa gestion du poulet rôti, mais la quête d'un deuxième demi-volatile fut nécessaire, accompagné de sacs de sandwiches, de hot-dogs, de pommes et de beignets ; ils vidèrent aussi le garde-manger extérieur de trois boîtes de sardines, d'une d'épinards, d'un paquet de Wheaties, de quatre Bouillon cubes et de quelques vieux pruneaux. L'appétit de Joe était encore en rade quelque part à l'est de Kobé, mais Sammy acheta un pain que son cousin tartina de beurre et dévora au cours du week-end. Ils engloutirent quatre cartouches de cigarettes. Ils mirent la radio à fond. À la fin des émissions, ils passèrent des disques et, dans les moments de silence, ils se rendaient mutuellement fous avec leurs fredonnements. Ceux qui avaient des petites amies annulèrent leurs rendez-vous.

Assez rapidement, il devint évident que Sammy, privé de sa bible de planches découpées et de poses plagiées, était le dessinateur le moins talentueux de la bande. Moins de douze heures après ses débuts dans la carrière de dessinateur de comics, il déclara forfait. Il dit à Joe d'aller de l'avant et de concevoir tout seul le reste des illustrations pour l'histoire de l'Artiste de l'évasion, en se guidant, si besoin était, sur quelques numéros d'*Action*, de *Detective* et de *Wonder* qui jonchaient le plancher de l'Enfer. Joe ramassa un exemplaire de *Detective* et se mit à le feuilleter.

– Alors, l'idée, c'est que je dessine très mal comme ces types.

– Ces gars ne cherchent pas à mal dessiner, Joe. Une partie de leur travail est O.K. Il y en a même un, Craig Flessel*, qui est vraiment excellent. Essaie de garder l'esprit ouvert. Regarde-moi ça. (Sammy attrapa un exemplaire d'*Action* et l'ouvrit à une page où Joe Schuster montrait Superman en train d'arracher Lois Lane des griffes de quelques filous qui roulaient des mécaniques. Des profiteurs de guerre, autant que Sammy se souvenait. L'arrière-plan était réduit à l'essentiel : des hiéroglyphes pour représenter le laboratoire, une cabane en rondins, un sommet de montagne escarpé. Les mentons étaient proéminents, les musculatures conventionnelles, les yeux de Lois des fentes emplumées.) C'est simple, c'est dépouillé. Si tu restais assis là, à remplir chaque planche de toutes tes petites chauves-souris, flaques et fenêtres à vitraux, à dessiner le moindre muscle et la moindre petite dent d'après Michel-Ange, et si tu te coupais l'oreille par-dessus, c'est ça qui serait moche. Le principal, c'est de se servir des images pour raconter une bonne histoire.

– Les histoires sont bonnes ?

– Parfois les histoires sont bonnes. La nôtre est rudement bonne, si je te le dis.

– Rudement, articula Joe, laissant échapper ce mot lentement, telle une bonne bouffée de cigarette.

– Rudement quoi ?

Joe haussa les épaules.

– Je répétais, c'est tout.

Il s'avéra que le véritable talent de Sammy résidait ailleurs que dans l'usage du crayon ou du pinceau. Cela devint évident pour tout le monde après que Davy O'Dowd fut revenu dans l'Enfer après un bref entretien avec Frank sur de possibles idées pour son personnage. Déjà absorbé par ses propres idées ou par leur absence, Frank travaillait à la table de cuisine et, malgré sa promesse à Davy, ne pouvait pas être dérangé. Davy sortit de la cuisine en se grattant la tête.

– Mon héros vole, déclara Davy O'Dowd. Ça, je le sais.

Joe jeta un regard à Sammy, qui se frappa le front de la main.

– *Oy !* s'exclama-t-il.

– Comment ?

– Il vole, hein ?

– Ça te gêne ? D'après Frank, il s'agit d'inventions nées du désir.

– Hein ?

– Des inventions nées du désir. Tu sais, comme tout ce que n'importe quel petit gamin souhaite pouvoir faire. Comme pour toi, hé ! tu ne veux plus traîner la jambe. Alors boum ! tu donnes à ton lascar une clef magique et il peut marcher.

– Oh !

Sammy n'avait pas choisi de considérer le processus de création des personnages d'une manière aussi crue. Il se demanda quels autres souhaits il avait peut-être intégrés sans le savoir dans le personnage du boiteux Tom Mayflower.

– J'ai toujours rêvé pouvoir voler, confia Davy. Pas mal de gars ont dû avoir ce rêve...

– C'est un fantasme courant, ouais.

– Il me semble que ça en fait quelque chose dont on ne doit pas abuser, intervint Jerry Glovsky.

– D'accord, alors il peut voler. (Sammy regardait Joe.) Joe ?

Joe leva fugitivement les yeux de son travail.

– Pourquoi.

– Pourquoi ?

Sammy hocha la tête.

– Pourquoi peut-il voler ? Pourquoi veut-il voler ? Et comment se fait-il qu'il se serve de sa faculté de voler pour combattre le crime ? Pourquoi ne devient-il pas simplement le deuxième meilleur monte-en-l'air du monde ?

Davy roula les yeux.

– Qu'est-ce que c'est ? Le catéchisme du comic book ? Je ne sais pas.

– Une chose après l'autre. Comment vole-t-il ?

– Je ne sais pas.

– Arrête de dire que tu ne sais pas.

– Il a de grandes ailes.

– Pense à autre chose. Fusée portable ? Bottes antigravitationnelles ? Casquette-autogire ? Pouvoirs mythologiques du vent ? Poussière interstellaire ? Transfusion sanguine à partir d'une abeille ? Hydrogène dans les veines ?

– Ralentis, ralentis, implora Davy. Bon Dieu, Sam !

– Je suis doué pour cette merde. Tu as peur ?

– Juste gêné pour toi.

– Faut savoir. O.K., c'est un fluide. Un fluide antigravitationnel coule dans ses veines. Il a un petit engin qu'il porte sur la poitrine et qui lui injecte ce truc.

– Admettons.

– Ouais, il a besoin de ce truc pour rester en vie, vous voyez ? L'aspect vol n'est qu'un bienfait secondaire inattendu. C'est un savant, un médecin. Il travaillait sur une forme de... disons... sang artificiel. Pour les champs de bataille, vous savez. Hémato-synthé, ça s'appelle. Il est peut-être, merde ! je ne sais pas... Il est peut-être fait de météorites de fer de l'espace intersidéral pilées. Parce que le sang est à base de fer. Tout ce que vous voulez. Mais ensuite des criminels, non, des espions ennemis, font une effraction dans son laboratoire et tentent de voler sa découverte. Quand notre héros se défend, ils tirent sur lui et sa fiancée, et les laissent tous les deux pour morts. Il est trop tard pour la fille, O.K., dommage, mais notre lascar réussit à se brancher à sa pompe magique juste avant de mourir. Je veux dire, il meurt vraiment, médicalement parlant, mais ce truc, cette météorite liquide, le ramène de très loin. Et quand il revient à...

– Il sait voler !

Davy promena un regard réjoui autour de la pièce.

– Il sait voler et se lance à la poursuite des espions qui ont tué sa fiancée. Maintenant il peut faire ce qu'il a toujours voulu faire, à savoir aider les forces de la démocratie et de la paix. Mais il n'oublie pas qu'il a un handicap. Que sans sa pompe à hémato-synthé, il est un homme mort. Il ne cessera jamais d'être... d'être...

Sammy claqua des doigts, cherchant un nom.

– Le Mort vivant volant, suggéra Jerry.

– L'Homme-Sang, proposa Julius.

– Le Martinet, dit Marty Gold. L'oiseau le plus rapide du monde.

– Je dessine des ailes vraiment jolies, se vanta Davy O'Dowd. Jolies et duveteuses.

– Oh, très bien ! Zut ! s'exclama Sammy. Elles seront là juste pour l'effet. Nous le baptiserons le Martinet.

– Ça me botte.

– Il ne cessera jamais d'être le Martinet, reprit Sammy. Pas une satanée minute de son existence !

Il s'interrompit et se frotta le menton du dos de la main. Il avait mal à la gorge, les lèvres sèches, et avait l'impression de parler depuis une semaine. Jerry, Marty et Davy échangèrent tous des regards, puis Jerry sauta à bas de son tabouret et entra dans sa chambre. Quand il reparut, il portait une vieille machine à écrire Remington.

– Quand tu en auras fini avec Davy, tu m'appelleras, dit-il.

Jerry réussit à s'éclipser une heure, le samedi soir, pour aller rendre son sac à Rosa Saks. Puis encore deux heures, le dimanche après-midi. Il rentra avec, au cou, la marque incurvée des dents d'une certaine Mae. Quant à Frank Pantaleone, il disparut le vendredi, vers minuit, et finit par réapparaître tout habillé dans la baignoire vide, derrière le rideau de douche, sa planche à dessin sur les genoux. Après avoir fini une page, il braillait : « Petit ! » et Sammy courait monter celle-ci à Joe, qui ne leva pas les yeux de la traînée brillante de son pinceau avant le lundi, deux heures du matin.

– Maaagnifique ! commenta Sammy. (Il avait terminé ses scénarios depuis plusieurs heures, mais était resté éveillé à coups de café jusqu'à ce que ses globes oculaires tressautent, pour tenir compagnie à Joe pendant qu'il terminait la couverture conçue par ses soins. C'était le premier mot que l'un ou l'autre ait prononcé depuis une heure.) Allons voir s'il reste quelque chose à manger...

Joe dégringola de son tabouret et alla poser sa couverture sur la pile de cartons d'illustration et de papier-calque haute de trente centimètres qui allait être le premier numéro de leur comic book. Il remonta son pantalon d'un coup sec, fit tourner sa tête plusieurs fois sur le pivot de son cou qui craquait et suivit Sammy dans la cuisine. Là, ils trouvèrent leur bonheur et se mirent à dévorer un léger souper consistant en la demi-carcasse – déjà trois fois dépiautée – d'un poulet désormais tout blanchâtre, neuf biscuits secs, une sardine, un peu de lait, ainsi qu'un butoir de porte jaune : un morceau de fromage adamantin qu'ils trouvèrent sous la bouteille de lait, coincé entre les planchettes de l'étagère à l'extérieur de la fenêtre. Frank Pantaleone et Julius Glovsky étaient rentrés chez eux, à Brooklyn, depuis longtemps ; Jerry, Davy et Marty dormaient dans leurs chambres. Les cousins mastiquèrent leur casse-croûte en silence. Joe regarda par la fenêtre la cour désolée, blanche de givre. Ses yeux aux paupières lourdes étaient cernés d'ombres profondes. Il plaqua son front haut contre la vitre glacée.

– Où suis-je ? murmura-t-il.

– À New York, répondit Sammy.

– New York. (Il médita le nom.) New York, États-Unis. (Il ferma les yeux.) Ce n'est pas possible.

– Tu vas bien ? (Sammy posa sa main sur l'épaule de Joe.) Joe Kavalier.

– Sam Clay.

Sammy sourit. Une fois de plus, comme la première fois qu'il avait enfermé les deux noms récemment américanisés de leur association dans un élégant rectangle à l'encre sur la première page des débuts de l'Artiste de l'évasion, le ventre de Sammy baigna dans une chaleur inconfortable et il sentit ses joues devenir cramoisies. Ce n'était pas seulement le feu de la fierté, ni celui du plaisir subreptice qu'il prenait à symboliser ainsi son attachement croissant pour Joe. Il éprouvait également, pour la perte du professeur von Klay, de la peine, une peine moitié affectueuse, moitié honteuse qu'il ne s'était jamais autorisé à ressentir jusque-là. Il pressa l'épaule de Joe.

– Nous avons réalisé quelque chose de formidable, Joe. Tu te rends compte ?

– La grosse galette, répliqua Joe, qui rouvrit les yeux.

– Mais oui, acquiesça Sammy. La grosse galette.

– Je me souviens maintenant.

Outre l'Artiste de l'évasion et le Chapeau noir, leur livre comptait désormais l'aventure inaugurale, encrée et mise en pages par Marty Gold, de la carrière d'un troisième héros, le Bonhomme des neiges de Jerry Glovsky, en gros The Green Hornet en combinaison bleu et blanc, doté d'un domestique coréen, d'un fusil qui tirait des « gaz glaçants » et d'un roadster que le texte de Sammy décrivait « bleu métallique comme les yeux détecteurs de mal » du Bonhomme des neiges. Jerry avait réussi à imposer son style loufoque, le laissant percer à bon escient dans le rendu de Fan, le domestique aux dents en avant mais combatif, et de l'adversaire du Bonhomme des neiges, le baveux au monocle et aux doigts pareils à des serres, la redoutable Main d'obsidienne. Ils possédaient aussi la première livraison du Martinet de Davy O'Dowd, aux ailes luxuriantes et soyeuses à la Alex Raymond, et d'Onde radio, dessiné par Frank Pantaleone et encré par Joe Kavalier, avec, de l'aveu de Sammy, des résultats mitigés. C'était la faute de Sammy. Pour la création d'Onde radio, il avait cédé devant l'expérience et le coup de crayon de Frank, sans oser lui proposer son aide dans l'élaboration ou l'intrigue de la bande dessinée. Cette preuve de déférence avait abouti à un héros dessiné de manière éblouissante, costumé avec goût, superbement musclé et magnifiquement encré, sans petite amie indiscrète, comparse querelleur, sans identité secrète ironique, commissaire de police empoté, talon d'Achille, sans corps d'alliés secrets ni quête de revanche personnelle. Juste la faculté douteuse, bien rendue et sommairement expliquée, de se déplacer dans les airs « sur les rails invisibles des ondes hertziennes » et de bondir sans prévenir de la façade d'une radio Philco[1] dans la planque d'un gang de voleurs de bijoux amateurs de jazz. Il apparut vite à Sammy qu'une fois au courant de son existence, tous les filous de la ville natale d'Onde radio n'avaient simplement qu'à éteindre leurs radios afin de pouvoir prospérer tranquillement, mais le temps qu'il puisse y jeter un coup d'œil, Joe en avait déjà encré la moitié.

Julius, lui, avait fait du bon boulot sur son épisode du Chapeau, en illustrant un des arguments du Shadow revu et corrigé dans un style sans relief, légèrement humoristique, pas trop différent de celui du Joe Shuster de Superman, juste avec de plus belles maisons et de plus belles voitures. Sammy était également satisfait de l'aventure de l'Artiste de l'évasion, bien que les mises en pages de Joe soient, pour être honnête, un peu statiques et trop précieuses, puis bâclées et même proches des pattes de mouche tout à la fin.

Le fleuron indiscutable de l'ensemble était la couverture. Ce n'était pas un dessin, mais une peinture, exécutée à la détrempe sur un support lourd, avec une patte policée d'illustrateur, à la fois stylisée et hautement réaliste, qui rappelait à Sammy James Montgomery Flagg*, mais que Joe avait trouvée, disait-il, chez un dessinateur allemand du nom de Kley. À la différence des grandes couvertures antinazies à venir, il n'y avait pas de raffut de chars d'assaut ni d'avions en feu, pas de mignons casqués ni de femmes en train de

1. Récepteur de radio dit cathédrale produit de 1928 à 1934. (*N.d.T.*)

crier. Il y avait juste les deux principaux protagonistes, l'Artiste de l'évasion et Hitler, sur une tribune néoclassique pavoisée de drapeaux nazis sur fond de ciel bleu. Joe avait mis à peine quelques minutes pour camper l'Artiste de l'évasion – jambes écartées, gros poing droit décrivant un arc de cercle en travers de la page pour décocher un uppercut magistral – et des heures entières pour peindre les rehauts et les ombres qui faisaient paraître l'image si réelle. Le tissu bleu foncé du costume de l'Artiste de l'évasion était creusé de plis et de fronces quasi palpables, et ses cheveux – ils avaient décidé que le foulard lui servant de masque laissait ses cheveux visibles – brillaient comme de l'or tout en ayant l'air en désordre et ébouriffés par le vent. Sa musculature était maigre et discrète, crédible, et les veines de ses bras ondulaient sous l'effort. Quant à Hitler, il vous fondait dessus par-derrière, traversait de part en part la peinture pour sortir par la droite, la tête rejetée en arrière, la mèche en bataille, les bras battant l'air, la mâchoire tirant une longue banderole rouge de dents. La violence de l'image était saisissante, magnifique, incroyable. Elle suscitait chez le lecteur de mystérieuses réactions de haine satisfaite, de crainte servile transmuée en formidable châtiment, que peu d'artistes travaillant en Amérique, à l'automne 1939, eussent pu exploiter avec autant de facilité et d'efficacité que Joe Kavalier.

Joe inclina la tête et serra la main de Sammy en retour.

– Tu as raison, dit-il. On a peut-être pondu quelque chose de bon.

Joe s'adossa au mur de la kitchenette, puis se laissa glisser à terre. Sammy s'assit à côté de lui et lui tendit le dernier petit biscuit salé. Josef le lui prit des doigts mais, au lieu de le manger, il se mit à en détacher des miettes qu'il jetait dans l'espace de l'Enfer. De profil, son nez était une voile gonflée ; ses cheveux retombaient sur son front en boucles épuisées. Il semblait à un million de kilomètres de là. Sammy s'imagina qu'il devait se rappeler avec nostalgie quelque endroit de sa patrie, une merveille qu'il avait vue naguère, un couplet publicitaire pour une pommade, une poule dansante dans un musée de pacotille, les favoris de son père, la bordure en dentelle de la combinaison de sa mère. Tout à coup, telle la fleur en papier cachée à l'intérieur d'une des capsules du Jardin miracle Instantané d'Empire Novelty, la conscience de tout ce que son cousin avait laissé derrière lui fleurit dans le cœur de Sammy, couleur de sang.

À cet instant, Joe dit, presque pour lui-même :

– Oui, j'aimerais bien revoir cette Rosa Saks.

Sammy éclata de rire. Joe le dévisagea, trop fatigué pour lui poser des questions, et Sammy était lui aussi trop fatigué pour expliquer sa réaction. Quelques minutes de plus s'écoulèrent en silence. Le menton de Sammy tomba sur sa poitrine. Après avoir pendillé un moment, sa tête se redressa avec un sursaut. Il rouvrit brusquement les yeux.

– C'était la première femme que tu voyais nue ?

– Non, répondit Joe. Je dessinais d'après des modèles aux Beaux-Arts.

– Exact.

– Tu en as vu, toi ?

Naturellement, la pure et simple observation d'une femme dévêtue n'était pas la seule chose implicite dans cette question. Voilà longtemps que Sammy avait préparé un compte-rendu détaillé de la perte de sa virginité, l'émouvant récit d'une rencontre avec Roberta Blum sous l'estacade lors de sa dernière soirée à New York, la veille de son départ pour l'université, mais il s'aperçut qu'il n'avait pas l'énergie d'en parler. Il se contenta donc de répondre :

– Non.

Quand Marty Gold monta doucement à l'étage une heure plus tard, cherchant désespérément un verre de lait pour contrebalancer les effets du café qu'il avait ingurgité, il trouva les deux cousins endormis sur le sol de la kitchenette, à moitié dans les bras l'un de l'autre. Insomniaque, ulcéré, Marty était de très mauvaise humeur, et c'est tout à son honneur qu'au lieu de piquer sa crise parce qu'ils avaient enfreint son interdiction de dormir à l'appartement, il jeta une couverture de l'armée sur Sammy et Joe, une qui était revenue d'Ypres avec le fils Waczukowski et avait réchauffé les cinq orteils d'Al Capp*. Après quoi il rentra la bouteille de lait qui était sur le rebord de la fenêtre et l'emporta dans son lit.

12.

Le jour se leva. C'était le plus beau lundi matin de toute l'histoire de New York. Le ciel était aussi bleu que le ruban d'un agneau primé à un concours agricole. Au sommet du Chrysler Building, les gargouilles aérodynamiques miroitaient, telle une section de cuivres. Beaucoup des six mille onze pommiers de l'île étaient chargés de fruits. Une odeur agreste de pommes et de crottin de cheval flottait dans l'air. Sammy sifflota *Frenesi*[1] pendant toute la traversée de la ville, jusque dans le hall d'entrée du Kramler Building. En sifflotant, il caressait un fantasme dans lequel il se voyait, d'ici quelques années, propriétaire des Clay Publications Inc., sortant cinquante titres par mois, du sensationnel à l'intello, avec un personnel réparti sur deux cent trois étages du Rockefeller Center. Il achetait à Ethel et Bubbie une maison sur Long Island, en pleine cambrousse, avec un jardin potager. Il engageait un infirmier pour Bubbie, quelqu'un pour lui donner son bain, lui tenir compagnie et écraser ses pilules avec une banane. Quelqu'un pour procurer du répit à sa mère. L'infirmier était Steve, un gars râblé à l'allure soignée, qui jouait au football le dimanche avec ses frères et leurs copains. Il portait un casque en cuir et un sweat-shirt marqué ARMY. Le dimanche, Sammy, lui, laissait son bureau chrome et granite poli et prenait le train pour leur rendre visite, se régalant dans sa salle à manger privée de chair de tortue, la plus abominable et la plus immonde de toutes, que la Molécule Majuscule avait une fois goûtée à Richmond et n'avait jamais oubliée jusqu'à son dernier jour. Sammy accrochait son chapeau au mur du charmant cottage ensoleillé de Long Island, embrassait sa mère et sa grand-mère, et invitait Steve à jouer à la dame de pique et à fumer un cigare. Oui, par cette dernière belle matinée de sa vie en tant que Sammy Klayman, il se sentait dangereusement optimiste.

1. Célèbre morceau de jazz d'Artie Shaw et son orchestre, enregistré à Hollywood le 3 mars 1940. (*N.d.T.*)

– Vous m'avez apporté un nouveau Superman ? lança Anapol sans préambule, quand Sammy et Joe entrèrent dans son bureau.

– Attendez de voir, répondit Sammy.

Anapol fit de la place sur son bureau. Ils ouvrirent les cartons à dessins l'un après l'autre et empilèrent les pages.

– Combien en avez-vous ? s'informa Anapol, levant un sourcil.

– On a tout un livre, répondit Sammy. Patron, permettez-moi de vous présenter (il prit une voix grave et agita les mains en direction de la pile) l'exemplaire zéro du premier titre d'Empire Comics, *L'Homme...*

– D'Empire Comics ?

– Ouais, je pensais.

– Pas Racy Comics ?

– C'est peut-être mieux.

Anapol tritura son menton en galoche.

– Empire Comics.

– Et leur premier titre... (Sammy souleva la feuille de papier-calque posée sur la peinture de Joe.) *L'Homme masqué Comics.*

– Ça devait s'appeler *Vibrator* ou *Coussin pétomane*, je croyais !

– C'est comme ça que vous voulez l'appeler ?

– Je veux vendre des nouveautés, répliqua Anapol. Je veux écouler des radios.

– *Radio Comics*, alors.

– *Sensass Radio Miniature Comics*, renchérit Joe, ayant visiblement l'impression que cela sonnait bien.

– Ça me plaît, approuva Anapol, qui chaussa ses lunettes et se pencha pour examiner la couverture. Il est blond, très bien. Il cogne sur quelqu'un. Parfait. Quel est son nom de bataille ?

– L'Artiste de l'évasion.

– L'Artiste de l'évasion. (Il plissa le front.) Il cogne sur Hitler.

– Et comment !

Anapol émit un grognement. Il saisit la première page, lut les deux premières planches de l'histoire, puis parcourut des yeux le reste. Rapidement, il feuilleta les deux pages suivantes. Puis il renonça.

– Tu sais bien que les inepties m'exaspèrent, déclara le principal grossiste ès mandibules jacassières à bobards du Nord-Est. (Il mit les pages de côté.) Je n'accroche pas, je ne saisis pas.

– Que voulez-vous dire ? Comment, vous ne saisissez pas ? C'est un artiste de l'évasion surhumain. Aucunes menottes ne peuvent le retenir. Aucune serrure ne lui résiste. Il vole au secours de ceux qui souffrent dans les chaînes de la tyrannie et de l'injustice. Houdini, mais mâtiné de Robin des Bois et d'un soupçon d'Albert Schweitzer.

– À propos, je vois que tu as le tour de main pour ça, concéda Anapol. Je ne dis pas que c'est bien. (Ses traits grossiers et abattus se contractèrent, et il eut l'air d'avoir des renvois de son petit déjeuner. Il flaire l'odeur de l'argent, songea Sammy.) Vendredi, Jack a discuté avec son distributeur, Seaboard News. Il s'avère que Seaboard recherche aussi un Superman. Et nous ne sommes pas les seuls dont ils aient entendu parler. (Il bascula l'interrupteur qui appelait sa secrétaire.) Je veux Jack dans mon bureau. (Il empoigna le téléphone.) Tout le monde rêve de s'imposer dans cette mode de personnages costumés. Nous devons sauter le pas avant que la bulle crève.

– J'ai déjà sept gars alignés, patron, se vanta Sammy. Y compris Frank Pantaleone, qui vient de vendre une de ses bandes à King Features. (C'était presque vrai.) Et Joe, ici présent. Vous voyez de quel genre de boulot il est capable. Que dites-vous de la couverture ?

– Cogner sur Adolf Hitler, murmura Anapol, penchant la tête d'un air dubitatif. Je n'en sais rien. Allô, Jack ? Ouais. C'est ça. O.K. (Il raccrocha.) Je ne vois pas Superman s'engager dans la politique. Non que, personnellement, je verrais un inconvénient à ce que quelqu'un claque le beignet à Hitler.

– C'est la question, patron, répliqua Sammy. Des tas de gens n'y verraient aucun inconvénient. Quand ils voient ce...

D'un geste de la main, Anapol balaya la controverse.

– Je ne sais pas, je ne sais pas. Assieds-toi. Arrête de parler. Pourquoi tu ne peux pas te taire et te conduire en gentil garçon comme ton cousin ?

– Vous m'avez demandé...

– Et maintenant je te demande d'arrêter. C'est pour ça qu'il y a un bouton sur les radios. Tenez. (Il ouvrit un tiroir de son bureau et en sortit sa boîte à cigares.) Vous avez bien travaillé. Prenez un cigare. (Sammy et Joe en prirent un chacun, et Anapol alluma les londrès à vingt cents au moyen du Zippo en argent qui lui avait été offert en témoignage de gratitude par une souscription générale de l'International Szymanowski Society.) Asseyez-vous. (Ils s'assirent.) Nous allons voir ce qu'en dit George.

Sammy se renversa sur son siège pour exhaler un orgueilleux nuage à queue de pie de fumée bleuâtre. Puis il se pencha en avant.

– George ? George qui ? Pas George Deasey ?

– Non, George Jessel[1]. Qu'est-ce que tu crois ? George Deasey, bien sûr. Il est rédacteur en chef, non ?

– Mais je pensais... vous aviez dit... (Les protestations de Sammy furent interrompues par un gros accès de toux. Il se leva, s'appuya

1. Fantaisiste et acteur américain (*Lucky Boy*, 1929). De 1953 à 1954, il produisit et anima le George Jessel Show. Il est aussi célèbre pour sa maxime : « Le mariage est une erreur que tout homme doit commettre. » (*N.d.T.*)

au bureau d'Anapol et essaya de vaincre sa quinte. Joe lui tapa dans le dos.) Monsieur Anapol... je pensais que j'allais être le rédacteur en chef !

– Je n'ai jamais dit ça. (Anapol s'assit. Les ressorts de son fauteuil crissèrent comme la coque d'un bateau en péril. Le fait qu'il s'assoie était mauvais signe ; Anapol ne parlait affaires que debout.) Je ne vais pas m'occuper de ça, Jack non plus. George est dans la profession depuis trente ans. Il est futé. À la différence de vous et de moi, il est allé à l'université. À l'université de Columbia, oui, Sammy. Il connaît des écrivains, il connaît des artistes, il respecte les délais et ne gaspille pas d'argent. Jack a confiance en lui.

Avec le recul, il est facile de dire que Sammy aurait dû le voir venir. En réalité, il était bouleversé. Il avait eu confiance en Anapol, l'avait respecté. Anapol était le premier homme qui ait réussi que Sammy connaissait personnellement. Consciencieux dans son travail, il était également un vagabond aussi inlassable, aussi autoritaire, aussi éloigné de sa famille que le père de Sammy. Être trahi par lui était un coup terrible. Jour après jour, Sammy avait écouté les sermons d'Anapol sur l'esprit d'initiative, la science de l'opportunité et, comme ceux-ci s'accordaient avec ses propres conceptions sur le mode de fonctionnement du monde, Sammy y avait cru. Il ne pensait pas possible de montrer plus d'initiative ni de saisir une opportunité plus scientifiquement qu'il ne l'avait fait ces trois derniers jours. Sammy aurait bien voulu discuter, mais une fois privés de leur pilier central de la « récompense dans l'entreprise », les arguments pour le promouvoir, lui, au rang de rédacteur en chef, et non pas l'indiscutablement rodé et qualifié George Deasey, lui parurent soudain dérisoires. Alors il se rassit. Son cigare s'était éteint.

Un instant plus tard, portant un veston couleur maïs sur un pantalon de velours vert et une cravate écossaise orange et vert, Jack Ashkenazy entrait, suivi de George Deasey, qui, comme toujours, semblait d'humeur grincheuse. Ainsi qu'Anapol l'avait mentionné, il était diplômé de Columbia, promotion de 1912. Au cours de sa carrière, George Debevoise Deasey avait publié de la poésie symboliste dans *Seven Arts*, couvert l'Amérique latine et les Philippines en tant que correspondant pour l'*American* et l'*Examiner* de Los Angeles, et écrit plus de cent cinquante romans de gare sous son nom et une dizaine de pseudonymes, y compris, avant d'être nommé rédacteur en chef de tous leurs titres, plus de soixante aventures du plus gros vendeur de Racy, le cousin de The Shadow, Gray Goblin, vedette de *Racy Police Stories*. Il ne tirait pourtant aucune fierté ni véritable satisfaction de ces faits d'armes, ni d'aucune de ses autres expériences et réussites, parce que, lorsqu'il avait dix-neuf ans, son frère Malcolm, qu'il idolâtrait, avait épousé Oneida Shaw, l'amour de sa vie, pour l'emmener dans une exploitation d'hévéas au Brésil, où tous deux étaient morts d'une dysenterie amibienne. Le souvenir amer de ce tragique épisode, bien qu'altéré depuis belle lurette par le temps et réduit à un tas de cendres dans son cœur, s'était durci extérieurement en un ensemble bien connu, sinon exactement aimé, de manies et d'attitudes : entre autres, une tendance à l'ivrognerie, une prodigieuse capacité de travail, un cynisme général et un style éditorial solidement fondé sur le respect impitoyable des délais et sur la gestion-surprise, imprévisible et dévastatrice comme la chute des météores de l'espace, des remontrances scabreuses et lettrées dont il fustigeait régulièrement ses subordonnés tremblants. Grand et corpulent, avec des lunettes cerclées d'écaille et une moustache rouquine tombante, il affectionnait les chemises à col empesé et les gilets montants de sa génération d'hommes de lettres. Il ne professait que mépris pour les pulps et ne perdait jamais une occasion de se tourner lui-même en dérision parce qu'il en vivait, mais prenait quand même son travail au sérieux. Ses romans, dont chacun était torché en deux ou trois semaines, étaient même écrits avec verve et une touche d'érudition.

– Alors on passe aux comics, maintenant, hein ? lança-t-il à Anapol, tandis qu'ils échangeaient une poignée de main. La décadence de la culture américaine fait un nouveau grand bond en avant.

Il sortit sa pipe de sa poche revolver.

– Sammy Klayman et son cousin Joe Kavalier, annonça Anapol, qui posa une main sur l'épaule de Sammy. Sammy, que tu vois, est le responsable de toute cette chose. N'est-ce pas, Sammy ?

Sammy tremblait. Ses dents claquaient. Il avait envie de prendre un objet lourd et contondant et d'éclater la cervelle d'Anapol sur son sous-main. Il avait envie de se sauver de la pièce en pleurant. Mais il se contenta de fixer Anapol jusqu'à ce que le gros homme ait détourné les yeux.

– Ça vous dit sûrement de travailler pour moi, les garçons ? demanda Deasey. (Avant qu'ils puissent répondre, il émit un petit gloussement déplaisant et secoua la tête. Il plongea une allumette dans le fourneau de sa pipe, puis aspira six courtes bouffées de fumée parfumées à la cerise.) Bon, regardons ça.

– Prends un siège, George, s'il te plaît, gémit Anapol, son arrogance saturnine naturelle cédant le pas, comme d'habitude en présence d'un non-Juif muni d'un diplôme, à une flagornerie finie. Mes garçons ont fait du très bon boulot, je crois.

Deasey s'assit et tira la pile de pages vers sa droite. Ashkenazy se serrait derrière pour regarder par-dessus son épaule. Au moment où Deasey soulevait la protection de papier-calque du travail de couverture, Sammy jeta un coup d'œil à Joe. Assis raide sur sa chaise, les mains sur ses genoux, son cousin scrutait le visage du rédacteur en chef. L'air d'intégrité perdue et de sûreté de jugement de Deasey avait impressionné Joe.

– Qui a réalisé cette couverture ? (Deasey examina la signature, puis Joe par-dessus ses lunettes rondes.) Kavalier, c'est vous ?

Joe se leva de sa chaise. Il tenait littéralement son chapeau d'une main, et tendit l'autre à Deasey.

– Josef Kavalier. Comment allez-vous ?

– Je vais bien, monsieur Kavalier. (Ils se serrèrent la main.) Et vous êtes embauché.

– Merci, répondit Joe, avant de se rasseoir en souriant.

Il était tout heureux d'avoir obtenu cette place. Mais il ne savait pas par quoi Sammy passait, l'humiliation qu'il subissait. Toutes ses vantardises devant sa mère ! Ses fanfaronnades avec Julius et les autres ! Au nom du ciel, comment pourrait-il regarder de nouveau Frank Pantaleone en face ?

Deasey reposa la couverture à sa gauche, tendit la main pour prendre la première page et commença à lire. Après avoir fini, il la glissa sous la couverture de Joe et saisit la page suivante. Il ne leva les yeux qu'après que toute la pile fut passée à sa gauche et qu'il eut tout lu jusqu'au bout.

– C'est toi qui as assemblé cette maquette, fiston ? (Il souriait à Sammy.) Tu sais, n'est-ce pas, que c'est de la vraie camelote. Superman aussi est de la vraie camelote, bien sûr. Comme Batman, Blue Beetle. Toute la ménagerie...

– Vous avez raison, répondit Sammy entre ses dents. Mais la camelote se vend.

– C'est vrai, par Dieu, concéda Deasey. Je peux en témoigner personnellement.

– Tout est de la camelote, George ? protesta Ashkenazy. J'aime ce gars qui passe à la radio. (Il se tourna vers Sammy.) Où as-tu cherché ça ?

– La camelote ne me gêne pas, intervint Anapol. Est-ce le même genre de camelote que Superman ? Voilà ce que j'aimerais savoir.

– Messieurs, puis-je m'entretenir avec vous en privé ? demanda Deasey.

– Excusez-nous, les garçons, dit Anapol.

Sammy et Joe allèrent s'asseoir sur les chaises à l'extérieur du bureau d'Anapol. Sammy essaya d'écouter à travers la paroi de verre. On entendait Deasey murmurer indistinctement d'une voix grave. De temps en temps, Anapol l'interrompait d'une question. Au bout de quelques minutes, Ashkenazy sortit, adressa un clin d'œil à Sammy et à Joe, et quitta les bureaux d'Empire. Quand il revint quelques instants plus tard, il portait une fine liasse de papiers tapés à la machine. Cela ressemblait à un contrat. La jambe gauche de Sammy se mit à tressauter. Ashkenazy s'immobilisa à la porte du bureau d'Anapol et invita avec de grands gestes les deux cousins à entrer.

– Messieurs ? lança-t-il.

Sammy et Joe le suivirent à l'intérieur.

– Nous désirons acheter l'Artiste de l'évasion, déclara Anapol. Nous vous paierons cent cinquante dollars pour les droits.

Joe consulta Sammy du regard, les sourcils levés. La grosse galette.

– C'est tout ? riposta Sammy, même s'il en avait espéré cent, au mieux.

– Les autres personnages, les auxiliaires, nous offrons quatre-vingt-cinq dollars pour l'ensemble, poursuivit Anapol. (Voyant les traits de Sammy s'affaisser légèrement, il ajouta :) Ç'aurait été vingt dollars pièce, mais Jack a trouvé que Mr Radio valait un peu plus.

– Il s'agit seulement des droits, petit, précisa Ashkenazy. Nous vous engageons aussi tous les deux. Sammy à soixante-quinze dollars par semaine et Joe à six dollars la page. George veut que tu sois son assistant, Sam. Il dit voir un grand potentiel en toi.

– Il est certain que tu connais ta camelote, approuva George.

– En outre, nous donnerons vingt dollars à Joe pour chaque couverture qu'il réalisera. Quant à tous vos copains et associés, cinq dollars la page.

– Mais, bien sûr, il faudra que je les voie d'abord, précisa Deasey.

– Ce n'est pas assez, objecta Sammy. Je leur ai dit que le tarif par page serait de huit dollars.

– Huit dollars ! s'écria Ashkenazy. Mais je ne donnerais pas huit dollars même à John Steinbeck*...

– C'est cinq dollars, répéta gentiment Anapol. Et nous voulons une autre couverture.

– Une autre, murmura Sammy. Je vois.

– Ce truc de cogner sur Hitler, Sammy, ça me rend nerveux.

– Comment ? Qu'est-ce que c'est ?

L'attention de Joe s'était un peu relâchée pendant les négociations financières ; il avait entendu cent cinquante dollars, six dollars la page, vingt par couverture. Ces chiffres lui semblaient très bons. Mais voilà qu'il croyait avoir entendu Sheldon Anapol affirmer qu'il n'utiliserait pas la couverture sur laquelle Hitler se faisait casser la figure. Or rien de ce que Joe avait peint ne l'avait jamais autant satisfait. La composition en était simple, naturelle et moderne : les deux protagonistes, l'estrade circulaire, la plaque bleu et blanc du ciel. Les personnages avaient du poids et du volume ; l'écrasement du corps d'Hitler, représenté en train de voltiger, était audacieux et pas très esthétique, mais d'une manière qui était parlante. Le drapé des vêtements était juste ; l'uniforme de l'Artiste de l'évasion avait bien l'air d'un uniforme – comme du jersey froncé par endroits mais collant –, pas simplement de la chair coloriée en bleu. Et, surtout, le plaisir que Joe prenait à l'administration de cette brutale correction était intense, durable et étrangement rédempteur. De temps à autre, au cours des quelques derniers jours, il s'était consolé avec la pensée qu'un exemplaire de cet illustré finirait peut-être par se frayer un chemin jusqu'à Berlin pour atterrir sur le bureau de Hitler en personne, que celui-ci regarderait la peinture dans laquelle Joe avait canalisé toute sa rage refoulée et se frotterait la mâchoire en cherchant une dent manquante avec sa langue.

– Nous ne sommes pas en guerre avec l'Allemagne, disait Ashkenazy, agitant le doigt en direction de Sammy. C'est illégal de se moquer d'un roi ou d'un président, ou de ce genre de personnage, si on n'est pas en guerre avec eux. Nous pourrions être poursuivis...

– Puis-je suggérer qu'on garde l'Allemagne dans l'histoire si on change de nom, et qu'on ne parle pas d'Allemands, ni de nazis ? s'enquit Deasey. Mais il faut absolument une image différente pour la couverture. Sinon, je peux la confier à Pickering ou à Clemm, ou à un autre de mes maquettistes habituels.

Sammy jeta un regard à Joe, qui, debout, gardait les yeux baissés et hochait légèrement la tête, comme s'il savait depuis le début que cela aboutirait à quelque chose de ce genre. Quand il releva les yeux, toutefois, son visage était composé, sa voix calme et mesurée.

– Je tiens à ma couverture, déclara-t-il.

– Joe, plaida Sammy. Réfléchis un instant. On peut concevoir autre chose. Quelque chose de tout aussi bon. Je sais que c'est important pour toi. Pour moi aussi, c'est important. Je pense que ce devrait être aussi important pour ces messieurs et, franchement, ils me font un peu honte en ce moment – il jeta à Anapol un regard mauvais –, mais réfléchis bien. C'est tout ce que j'ai à dire.

– C'est tout réfléchi, Sam. Je ne suis pas d'accord pour une autre couverture. Tant pis.

Sammy inclina la tête, puis se retourna vers Sheldon Anapol. Il ferma les yeux, très fort, comme prêt à sauter dans un torrent rapide, encombré de glaces. Sa foi en lui-même avait été ébranlée. Il ne savait plus ce qui était bien, ni au bonheur de qui il devait accorder la priorité. Est-ce que cela aiderait Joe s'ils laissaient tomber leur projet ? S'ils s'accrochaient et transigeaient, est-ce que cela lui ferait du mal ? Est-ce que cela aiderait les Kavalier restés à Prague ? Il rouvrit les yeux et regarda Anapol bien en face.

– C'est impossible, reprit Sammy, bien que cela lui coûtât beaucoup d'efforts. Non, je suis désolé, vous avez la couverture. (Il s'adressa à Mr Deasey.) Monsieur Deasey, cette couverture est de la dynamite et vous le savez bien.

– Qui demande de la dynamite ? s'écria Ashkenazy. La dynamite vous explose à la figure. On peut perdre un doigt...

– Nous ne changerons pas la couverture, patron, poursuivit Sammy.

Puis, faisant appel à toutes ses facultés de courage caché et de fausse bravade, il empoigna un des cartons à dessins et commença à le remplir de fragments de planches d'illustrations. Il s'interdisait de penser à ce qu'il faisait. « L'Artiste de l'évasion combat le mal. » Il noua les rubans du carton pour le fermer et le tendit à Joe, toujours sans regarder le visage de son cousin. Il attrapa un autre carton. « Hitler est le mal. »

– Calmez-vous, jeune homme, ordonna Anapol. Jack, nous pouvons peut-être monter le tarif de la page à six pour les autres, *ni*[1] ? Six dollars la page, Sammy. Et huit pour ton cousin. Allez, monsieur Kavalier, huit dollars la page ! Ne soyez pas ridicule.

Sammy tendit le deuxième carton à Joe et s'attaqua au troisième.

– Il n'y a pas que vos personnages, pensez-y, insinua George Deasey. Vos amis verront peut-être les choses différemment.

– Viens, Joe, dit Sammy. Tu as entendu ce qu'il a dit avant. Tous les éditeurs de la place veulent être de la partie. Nous sommes tranquilles.

Ils leur tournèrent le dos, sortirent et se dirigèrent vers l'ascenseur.

– Six et demi ! cria Anapol. Hé ! mes radios, alors !

Joe regarda par-dessus son épaule, puis reporta les yeux sur Sammy, dont les traits retroussés s'étaient transformés en un masque impassible. D'une pression déterminée du doigt, Sammy appuya sur le bouton pour descendre. Joe pencha la tête vers son cousin.

– Sammy, c'est une farce ? chuchota-t-il. Ou nous sommes sérieux ?

Sammy médita sa question. L'ascenseur tinta. Le liftier ouvrit la porte.

– À toi de me le dire, répondit Sammy.

1. « *Ni* est sans doute le mot le plus utilisé dans le yiddish parlé... C'est l'équivalent verbal du soupir, du grognement, du froncement de sourcils, du ricanement. » Cf. *Les Joies du yiddish*, Leo Rosten, Calmann-Lévy. (*N.d.T.*)

Troisième partie

La guerre des illustrés

1.

Les oreilles bourdonnant encore d'obus d'artillerie, du sifflement des roquettes et du fracassant ak ak ak ! de Gene Krupa[1] émis par le poste Crosley dans un coin de l'atelier, Joe Kavalier posa son pinceau et ferma les yeux. Depuis les sept derniers jours, il n'avait en gros rien fait d'autre que dessiner, peindre et fumer des cigarettes. Il plaqua une main sur sa nuque et fit effectuer quelques lentes rotations aux os qui soutenaient sa tête remplie de batailles. Ses vertèbres craquèrent et crissèrent. Les articulations de sa main lui élançaient et le fantôme d'un pinceau marquait son index. À chaque inspiration, il sentait une petite boule dure de nicotine et de glaire crépiter dans ses poumons. Il était six heures du matin, un lundi d'octobre 1940. Il venait de gagner la Deuxième Guerre mondiale et en était enchanté.

Il glissa à bas de son tabouret et alla contempler ce petit matin d'octobre par les fenêtres du Kramler Building. De la vapeur fusait en chuintant par les orifices de la rue. Une équipe de cinq ou six ouvriers en combinaison de toile marron, avec des casquettes blanches à visière plantées sur le sommet de leurs têtes, se servaient d'un tuyau d'arrosage et de grands balais hérissés pour chasser à grande eau une marée brunâtre dans les caniveaux, en direction des bouches d'égout du carrefour de Broadway. Joe ouvrit tout grand le châssis grinçant de la fenêtre et pointa le nez dehors. La journée allait être belle, semblait-il. À l'est, le ciel était bleu vif Superman. Il flottait dans l'air une désagréable odeur de pluie d'octobre, mêlée aux légers relents âcres d'une usine de vinaigre en bordure de l'East River, sept pâtés de maisons plus loin. Pour Joe, à cet instant précis, c'était le parfum de la victoire. New York ne paraît jamais plus belle qu'à un jeune homme qui vient de réaliser quelque chose qu'il sent devoir étendre les autres raides.

Au cours de la dernière semaine, déguisé en Artiste de l'évasion, en Maître de l'esquive, Joe avait volé jusqu'en Europe (à bord d'un

1. Batteur de jazz qui jouait avec Mezz Mezzrow. (*N.d.T.*)

autogire bleu nuit), dévasté le *Schloss*[1] flanqué de tours de l'abominable Gantelet de fer, libéré Fleur de Prunier de son cachot souterrain, vaincu le Gantelet lors d'un long combat viril, avant d'être capturé par les comparses de celui-ci et emmené de force à Berlin, où il avait été attaché par des sangles à une bizarre guillotine à lames multiples qui aurait dû le trancher comme un œuf dur sous le regard suffisant du Führer en personne. Naturellement, patiemment, irréductiblement, il s'était libéré de ses liens d'acier riveté pour se jeter à la gorge du dictateur. À ce moment-là – il restait vingt pages jusqu'à la réclame de Charles Atlas[2] sur la troisième de couverture – une division entière de la Wehrmacht était passée entre les doigts de l'Artiste de l'évasion et ce larynx ardemment convoité. Au fil des dix-huit pages suivantes et des planches qui se bousculaient, s'entassaient, s'empilaient les unes sur les autres et menaçaient de déborder dans les marges de la page, la Wehrmacht, la Luftwaffe et l'Artiste de l'évasion s'étaient en effet affrontés aux poings. Avec le Gantelet de fer dans les choux, le combat était honnête. À la toute dernière page, dans un moment transcendant de l'histoire des fantasmes nés du désir, l'Artiste de l'évasion avait capturé à son tour Adolf Hitler et l'avait traîné devant un tribunal mondial. Le caquet enfin rabaissé par la défaite et la honte, Hitler avait été condamné à mort pour ses crimes contre l'humanité. La guerre était finie. Une ère de paix universelle fut déclarée, les peuples européens asservis et persécutés – parmi eux, implicitement et passionnément, la famille Kavalier de Prague – furent libérés.

Joe se pencha en avant, les mains appuyées sur le rebord de la fenêtre, l'arête inférieure du châssis lui entamant le dos, et inspira une bouffée d'air matinal, fraîche et vinaigrée. Il se sentait content et plein d'espoir, pas le moins du monde fatigué, alors qu'il n'avait pas dormi plus de quatre heures d'affilée de toute la semaine. Il inspecta la rue de haut en bas. La sensation d'y être relié, de savoir où elle menait, l'envahit soudain. Le plan de l'île – qui évoquait à ses yeux un homme dont le Bronx serait la tête, un bras levé pour saluer – était net dans son esprit, écorché tel un modèle anatomique pour dévoiler son système circulatoire de rues et d'avenues, de lignes de métro, de tramway et d'autobus.

Quand Marty Gold aurait fini de repasser à l'encre les pages que Joe venait d'achever, elles seraient ficelées sur le tansad d'une moto par le jeune d'Iroquois Color, suivraient Broadway, passeraient

1. En allemand, « château ». (*N.d.T.*)
2. Culturiste (1893-1972) qui posa en maillot léopard dans une campagne publicitaire pour une nouvelle gymnastique, la « tension dynamique ». Il fut aussi le modèle d'une statue d'Abraham Lincoln par Arthur Lee. (*N.d.T.*)

devant Madison Square, Union Square et Wanamaker's, et arriveraient à l'usine d'Iroquois, dans Lafayette Street. Là-bas, une des quatre gentilles dames d'un certain âge, dont deux se prénommaient Florence, décideraient au jugé, avec un aplomb et une véhémence surprenante, la couleur adéquate pour les nez en compote, les Dornier en feu, l'armure alimentée au diesel du Gantelet de fer et toutes les autres choses dessinées par Joe et encrées par Marty. Les gros appareils Heidelberg aux lentilles tricolores rotatoires photographieraient les pages en couleurs, et les négatifs – un cyan, un magenta, un jaune – seraient corrigés au moyen de filtres par Mr Petto, le vieux graveur italien qui louchait, avec sa visière verte en celluloïd démodée. Les similigravures couleur obtenues seraient réexpédiées en ville, par les ramifications des artères, jusqu'à l'immense bâtiment d'ateliers au coin de la Quarante-septième Ouest et de la Septième, où des hommes aux chapeaux carrés en papier journal plié travaillaient aux grandes presses à vapeur pour publier les dernières nouvelles de la haine implacable que Joe vouait au Reich allemand, afin que celles-ci puissent retrouver une fois de plus le macadam new-yorkais, cette fois-ci sous la forme de comics pliés et agrafés, ficelés en un millier de petits paquets, qui seraient livrés par les camions de Seaboard News dans les kiosques et les confiseries de la ville, jusqu'aux limites extérieures de ses districts et au-delà, où ils seraient ensuite accrochés comme du linge ou des bans de mariage à des présentoirs en fil de fer.

Non que Joe se sentît chez lui à New York. C'était là un sentiment qu'il ne se serait jamais permis d'éprouver. Mais il était plein de gratitude envers son Q.G. d'exil. Après tout, New York lui avait révélé sa vocation, cette nouvelle, grande et insensée forme d'art américaine. Elle avait mis à ses pieds les rotatives, les appareils de photogravure et les camions de livraison qui lui donnaient les moyens de mener, sinon une vraie guerre, du moins un succédané acceptable. Et elle le payait généreusement pour cela : il avait déjà sept mille dollars – la rançon de sa famille – à la banque.

À cet instant l'émission musicale s'acheva, et le présentateur de WEAF[1] vint à l'antenne commenter l'annonce, ce matin-là, par le gouvernement de la France libre, de la promulgation d'une série de mesures inspirées des lois allemandes de Nuremberg et destinées à lui permettre de « surveiller », selon la curieuse formule du journaliste, sa population juive. Cette aggravation de la situation, rappela le journaliste à ses auditeurs, suivait des bulletins récents selon

1. Acronyme de *Western European Army Forces*, « Forces militaires de l'Europe de l'Ouest ». (*N.d.T.*)

lesquels des Juifs français – des communistes, pour la plupart – avaient été envoyés dans des camps de travail en Allemagne.

Joe retomba en arrière dans les bureaux d'Empire, se cognant le haut du crâne au montant de la fenêtre. Il se précipita vers la radio, en massant la bosse qui commençait à se former sur sa tête, et monta le volume. Mais, apparemment, c'était là tout qu'il y avait à dire des Juifs de France. Le reste des nouvelles de guerre concernait les bombardements aériens de Tobrouk et de Kiel en Allemagne, ainsi que le harcèlement continu des Alliés et des navires neutres à destination de la Grande-Bretagne par des sous-marins allemands. Trois bâtiments supplémentaires avaient été perdus. Parmi eux, un tanker américain transportant une cargaison d'huile tirée des graines des tournesols du Kansas.

Joe était à plat. Le sentiment de triomphe qu'il ressentait après avoir terminé une histoire était toujours fugace et semblait même diminuer à chaque livraison. Cette fois-ci, il avait duré environ une minute et demie avant de tourner à la honte et à la frustration. L'Artiste de l'évasion était un champion invraisemblable, ridicule et surtout chimérique, livrant une guerre perdue d'avance. Les joues de Joe étaient brûlantes de confusion. Il perdait son temps. « Imbécile », souffla-t-il, en s'essuyant les yeux du dos de la main.

Joe entendit le ronronnement de l'antique ascenseur du Kramler Building, puis le sifflement et le ferraillement de la porte qui coulissait sur le côté. Il s'aperçut que sa manche de chemise était maculée, non seulement de larmes, mais de café et de traînées de graphite. Le poignet était effiloché et plein d'encre. Il prit conscience de la crasse et des traces moites du manque de sommeil sur sa peau. Il ne savait même plus à quand remontait sa dernière douche.

– Regardez-moi ça ! s'exclama Sheldon Anapol. (Il portait un costume en galuchat gris clair que Joe ne lui connaissait pas, aussi gigantesque et miroitant qu'un fanal de phare. Son visage était rouge brique, brûlé par le soleil, et ses oreilles pelaient. De pâles lunettes fantômes encadraient ses yeux lugubres qui, allez savoir pourquoi, le paraissaient sensiblement moins qu'à l'ordinaire, en ce matin d'automne.) Je dirais que tu es ici à la première heure si je ne savais pas que tu n'es jamais parti...

– Je viens de finir *Radio Comics*, expliqua Joe d'un air maussade.

– Alors, qu'est-ce qu'il y a ?

– C'est dégueulasse.

– Ne me dis pas que c'est dégueulasse. Je n'aime pas t'entendre parler ainsi.

– Je sais.

– Tu es trop dur envers toi-même.

– Pas vraiment.

– C'est dégueulasse ?
– C'est complètement idiot.
– Idiot, passe encore. Fais-moi voir.

Anapol traversa l'espace qui était occupé autrefois par les bureaux et les classeurs du service des expéditions d'Empire Novelties, mais qu'encombraient maintenant, à sa surprise maintes fois exprimée, les planches à dessin et les tables de travail d'Empire Comics Inc.

Au mois de janvier, *Sensass Radio Miniature Comics* avait démarré avec un tirage vite épuisé de trois cent mille exemplaires[1]. Sur la couverture du numéro alors dans les kiosques – destiné à être le premier des titres d'Empire (il y en avait actuellement trois) à franchir la barre du million d'exemplaires –, les mots *Miniature* et *Sensass*, qui avaient rapetissé tous les mois jusqu'à n'être plus qu'une tache grosse comme une fourmi rudimentaire dans le coin supérieur gauche, avaient fini par être abandonnés et, avec eux, toute l'idée de promouvoir des nouveautés au moyen des comics. En septembre, Anapol s'était retrouvé contraint par les arguments implacables du bon sens de vendre le stock et les avoirs d'Empire Novelties Inc. à Johnson-Smith Co., le plus gros marchand de nouveautés bon marché du pays. C'était cette vente historique et son montant qui avaient financé le voyage de deux semaines à Miami Beach d'où Anapol venait de rentrer, le visage rougeaud et luisant comme une pièce de dix cents. Il n'avait pas pris de vacances depuis quatorze ans, comme il en avait informé tout le monde plusieurs fois avant son départ.

– Comment c'était, la Floride ? s'enquit Joe.

Anapol leva les épaules.

– Je vais te dire. Ils sont bien organisés là-bas, en Floride. (Il semblait répugner à l'admettre, comme si, au fil des ans, il avait fourni des efforts considérables pour dénigrer la Floride.) Ça me plaît bien.

– Qu'est-ce que vous avez fait ?

– Manger, essentiellement. Je restais dehors dans ma véranda. J'avais mon violon. Un soir, j'ai joué à la belote avec Walter Winchell[2].

---

1. En 1998, la filiale new-yorkaise de Sotheby's a présenté un exemplaire rare et en très bon état du n° 1 de *Sensass Radio Miniature Comics*. La mise à prix fut fixée à dix mille dollars. Les agrafes étaient brillantes, ses coins non écornés, ses pages blanches comme des touches de piano. La couverture avait un long pli transversal, mais après plus d'un demi-siècle – trois générations nous séparent aujourd'hui de cette année troublée dans cette ville violente mais innocente – la joie et la rage incarnées dans le formidable punch de Kavalier frappaient toujours. Après des enchères vives, il s'est vendu quarante-deux mille deux cents dollars. (*N.d.A.*)

2. (1897-1972). Chroniqueur et commentateur américain, spécialiste du monde du crime et du show-business, et qui a joué dans quelques films des années 1930. (*N.d.T.*)

– Un bon joueur de cartes ?
– On pourrait le croire, mais je l'ai écrasé.
– Oh !
– Ouais, moi aussi j'ai été surpris.

Joe glissa la pile de pages en direction d'Anapol, et l'éditeur commença à opérer le tri. Il avait tendance à s'intéresser davantage à leur contenu et à montrer un regard légèrement plus perspicace que lors de son premier contact avec les comics. Anapol n'avait jamais été un amateur de bandes dessinées, si bien qu'il avait mis un certain temps simplement pour apprendre à lire un illustré. À présent, il survolait chacun deux fois, d'abord pendant qu'il était en cours de réalisation, puis de nouveau au moment où il arrivait dans les kiosques. Il achetait un exemplaire en allant prendre son train et le lisait pendant le trajet de retour à Riverdale.

– L'Allemagne ? s'écria-t-il, s'arrêtant sur la première planche de la deuxième page. Nous les appelons des Allemands maintenant ? George est d'accord ?

– Un tas de gars les appellent aussi des Allemands, monsieur, riposta Joe. The Spy Smasher, The Human Torch[1]. Vous allez passer pour l'idiot de service.

– Oh ! c'est vrai, alors ? ironisa Anapol, retroussant un coin de sa bouche.

Joe inclina la tête. Dans ses trois premières apparitions, l'Artiste de l'évasion, avec sa compagnie de phénomènes, avait tourné dans une Europe à peine romancée, où il chantait les louanges des élites nazies de Zothénie, de Gothsylvanie, de Draconie et d'autres obscurs bastions pseudonymes de la Chaîne de fer, pendant qu'il vaquait secrètement à ses véritables affaires : organiser des évasions pour les chefs de la résistance et les aviateurs britanniques capturés, arracher de grands savants et de grands penseurs des griffes du méchant dictateur, Attila Haxoff, et libérer des captifs, des missionnaires et des prisonniers de guerre. Mais Joe s'était vite rendu compte que cela n'allait pas assez loin. Pour les Alliés comme pour lui. Sur la couverture du quatrième numéro, les lecteurs furent stupéfaits de voir l'Artiste de l'évasion soulever un panzer entier à l'envers au-dessus de sa tête et faire tomber une pyramide de soldats gothsylvaniens par la trappe, comme un gosse qui secoue son cochon pour le vider de ses pièces.

Entre les deuxième et troisième de couverture du numéro 4 de *Radio Comics*, le lecteur apprenait que la Ligue de la clef d'or, représentée pour la première fois dans le « sanctuaire de sa montagne secrète sur le toit du monde », avait réuni, en ces temps de grande

1. Le Tueur d'espions, la Torche humaine, héros des publications Timely. (*N.d.T.*)

urgence, une assemblée exceptionnelle des maîtres du monde éparpillés à ses quatre coins. Il y avait un maître chinois, un maître hollandais, un maître polonais, un maître pourvu d'un capuchon en fourrure qui était peut-être un Lapon. Les maîtres assemblés semblaient être pour la plupart des hommes assez âgés, proches des gnomes. Tous s'accordèrent pour dire que notre lascar, Tom Mayflower, même s'il était novice dans ce jeu et encore bien jeune, était celui d'entre eux qui se battait le plus dur et accomplissait le plus d'exploits. Par vote ils le proclamèrent donc « champion de la liberté en situation d'urgence ». Le pouvoir de la clef de Tom Mayflower fut multiplié par vingt. Ce dernier s'aperçut qu'il était désormais capable d'avoir la peau d'un avion, de prendre un sous-marin au lasso avec un câble d'acier emprunté à un pont voisin, ou encore de nouer les lacs d'amour super-héroïques de rigueur dans une batterie de canons antiaériens. Il améliora également l'ancien tour de Ching Ling Fou[1] consistant à attraper les balles : l'Artiste, lui, était capable d'attraper les obus d'artillerie. C'était douloureux, et il tombait raide, mais il en était capable et se relevait après coup en titubant pour dire quelque chose comme : « Je voudrais bien voir Gaby Hartnett[2] faire ça ! »

À partir de là, ç'avait été la guerre totale. L'Artiste et sa bande se battaient sur terre, sur mer, dans les cieux de la forteresse Europe, et les représailles lancées par les laquais de la Chaîne de fer s'intensifièrent dramatiquement. Mais il devint vite clair pour Sammy que si le nombre de pages mensuel de Joe n'augmentait pas – s'il n'était pas contraint de se battre vingt-quatre heures sur vingt-quatre –, son cousin risquait d'être prisonnier de la futilité de sa rage. C'est vers cette période, heureusement, que les chiffres totaux du premier tirage du deuxième numéro de *Radio Comics* dépassèrent largement le demi-million. Aussitôt Sammy proposa d'ajouter un deuxième titre à leur catalogue ; Anapol et Ashkenazy, après la plus brève des réunions, donnèrent leur aval à deux nouvelles publications, qui s'appelleraient *Triumph Comics* et *Le Monitor*. Sammy et Joe entamèrent une série de longues balades à travers les rues de Manhattan et d'Empire City : ils discutaient, rêvaient et tournaient en rond selon la manière traditionnelle des créateurs de golem. Au retour de la dernière de ces promenades ésotériques, ils avaient accouché du Moniteur, de Mr Machine Gun, ainsi que du Dr E. Pluribus Hewnham, le Savant américain, remplissant les deux illustrés de personnages dessinés par l'écurie désormais régulière d'Empire :

1. Surnommé le « Magicien des dieux ». Le 23 mars 1918, il mourut néanmoins d'une balle qui lui perfora le poumon droit. Faux Chinois, mais vrai Écossais de Brooklyn, il s'appelait William Elsworth Robinson. (*N.d.T.*)

2. Fameux joueur de base-ball de l'époque. (*N.d.T.*)

Gold, les Glovsky, Pantaleone. Comme Sammy l'avait prédit, les deux titres firent un malheur, et Joe ne tarda pas à se retrouver tous les mois responsable de plus de deux cents pages de matière artistique et de massacres en masse imaginaires sur une échelle qui, bien des années plus tard, horrifiait encore le bon docteur Fredric Wertham quand il entreprit ses recherches sur le contenu violent des comics.

– Nom de Dieu ! s'exclama Anapol, en tressaillant. (Il était arrivé au moment où, vers la fin de l'histoire, l'Artiste de l'évasion allait s'attaquer aux divisions de panzers regroupées et prendre d'assaut la cavalerie de la Wehrmacht.) Aïe !

– Oui.

Anapol montra quelque chose d'un doigt épais.

– Est-ce un os qui sort du bras du gars ?

– C'est censé en être un.

– On peut montrer un os qui sort d'un bras humain ?

Joe haussa les épaules.

– Je peux l'effacer.

– Non, ne l'efface pas. Juste... Bon Dieu !

Anapol donnait l'impression d'avoir envie de vomir, comme c'était généralement le cas quand il inspectait le travail de Joe. Toutefois, Sammy avait rassuré Joe, disant qu'il ne s'agissait pas d'un dégoût pour la violence représentée, mais né de la conscience, toujours pénible à Anapol pour une raison ou une autre, de la facilité avec laquelle la toute dernière bagarre de l'Artiste allait passer la rampe auprès des petits Américains remarquablement assoiffés de sang.

Ce furent les scènes de bataille de Joe – le type de planche ou de séquence qu'on appelait « castagne » dans la profession – qui valurent d'abord à son travail d'être remarqué, à la fois dans la presse et par les timides jeunes gens d'Amérique. Ces scènes ont été qualifiées de sauvages, d'hystériques, de violentes, d'extrêmes et même de bruegeliennes ! Elles regorgent de fumée, de feu et d'éclairs. On voit d'immenses troupeaux de bombardiers, des flottilles de cuirassés hérissés de pointes, des tapis d'obus en fleur. En haut dans un coin, un château bombardé profile sa morne silhouette sur un pic. Dans un coin du bas, une grenade explose dans un poulailler tandis que voltigent les poules et les œufs. Des chasseurs Messerschmitt descendent en piqué, des torpilles à ailettes labourent les vagues. Et quelque part au milieu de tout cela se débat l'Artiste de l'évasion, attaché avec une chaîne d'ancre à la tête d'un missile téléguidé de l'Axe.

– Tu vas aller trop loin un de ces jours, commenta Anapol en secouant la tête. (Il reconstitua la pile de bristols et prit la direction de son bureau.) Quelqu'un va payer les pots cassés.

– Quelqu'un paie déjà les pots cassés, lui rappela Joe.

– Bon, pas ici.

Anapol déverrouilla sa porte et entra. Sans y avoir été invité, Joe le suivit. Il voulait qu'Anapol comprenne l'importance du combat, adhère à la propagande que lui et Sammy produisaient en série sans se laisser intimider. S'ils ne parvenaient pas à provoquer l'indignation des Américains contre Hitler, alors l'existence de Joe, la mystérieuse liberté qui lui avait été accordée et avait été refusée à tant d'autres perdaient tout sens.

Anapol balaya du regard le maigre mobilier de la pièce, les étagères à moitié écroulées, la lampe de bureau à l'abat-jour fêlé, comme s'il les voyait pour la première fois.

– Oui, ce lieu est vraiment un dépotoir, déclara-t-il, comme s'il approuvait un critique inaudible. (Peut-être sa femme, songea Joe.) Je suis content de partir d'ici.

– Avez-vous entendu parler de Vichy ? s'obstina Joe. Des lois promulguées par les Français ?

Anapol posa un sac en papier sur son bureau et l'ouvrit. Il en sortit un filet d'oranges.

– Non, je n'en ai pas entendu parler, répondit-il. Une orange de Floride ?

– Ils ont pour plan de restreindre la liberté des Juifs, là-bas.

– C'est terrible, murmura Anapol, lui tendant une orange. (Joe la fourra dans la poche revolver de son pantalon.) Je n'arrive toujours pas à croire que je vais me retrouver dans l'Empire State Building. (Son regard devint vitreux et lointain.) Empire Comics, Empire State Building. Tu vois le lien ?

– Comme il existe déjà les mêmes lois en Tchécoslovaquie.

– Je sais, ce sont des cochons. Tu as raison. Dis-moi, quelles sont les nouvelles de ta famille ?

– Toujours les mêmes.

Des enveloppes portant l'adresse inconnue de la rue Dlouha arrivaient au rythme de deux par mois, les baroques pattes de mouche de sa mère recouvertes d'aigles et de croix gammées. En matière de nouvelles, ces lettres n'apportaient souvent rien du tout ; elles avaient été vidées de leur contenu par la censure. Joe était obligé de dactylographier ses réponses ; en effet, alors que sur la page de ses illustrés il avait un des traits les plus sûrs de la profession, quand il s'installait pour écrire à son frère – les trois quarts de ses lettres étaient adressées à son frère –, sa main tremblait trop violemment pour tenir le stylo. Ses missives étaient laconiques, comme pour prévenir les débordements de l'émotion. Dans chacune, il suppliait Thomas de ne pas désespérer, l'assurait qu'il n'avait pas oublié sa promesse et qu'il faisait tout son possible pour les faire venir à New York. « Rien n'a changé. »

– Écoute, dit Anapol. Je ne t'empêcherai pas de couper leurs satanées têtes si c'est là ce que tu veux, aussi longtemps que tu vendras assez de comics. Tu le sais.

– Je le sais.

– C'est juste que... ça me rend nerveux.

Tout le phénomène des comic books, en l'occurrence, rendait Anapol un peu nerveux. Pendant quinze ans il s'était échiné à sillonner les arrière-pays tristes et reculés de la Pennsylvanie et du Massachusetts. Il avait manqué de sommeil, frôlé la faillite, avalé mille kilomètres par jour, mangé de manière effroyable, contracté un ulcère, négligé ses filles et s'était crevé le cul pour tenter de faire rire les négociants en nouveautés. Aujourd'hui, alors qu'il n'avait rien fait d'autre que se laisser convaincre, par quelqu'un qu'il considérait jusque-là comme un jeune fou, de mettre au pot sept mille dollars qu'il possédait tout juste, il se retrouvait soudain riche. Toutes les tables et les équations servant à quantifier la nature du monde avaient été remises en question. Il avait rompu sa liaison avec Maura Zell, était rentré chez sa femme, avait assisté aux services des Dix Jours de pénitence pour la première fois en quarante ans.

– Je suis inquiet pour toi, Kavalier, poursuivit-il. Ça ne peut pas te faire de mal, j'imagine, de te libérer de tes instincts de tueur ou de ce que tu veux de cette manière (d'un geste vague il montrait l'atelier), mais je ne peux m'empêcher de penser qu'à long terme ça va seulement te rendre... te rendre...

Anapol parut avoir perdu le fil. Il avait fouillé dans son sac en papier pour sortir divers autres souvenirs de son voyage. Une conque marine à la sensuelle lèvre rose. Une tête de singe hilare fabriquée avec deux moitiés de noix de coco. Et une photo sous verre d'une maison aux couleurs crues, peintes à la main. La maison trônait au milieu d'une parcelle de pelouse émeraude vif. Derrière, le ciel était d'un bleu criard. C'était un bâtiment moderniste, bas, de plain-pied et gris pâle, doté du cachet d'une boîte à œufs. Anapol disposa la photo sur son bureau, à côté de celles de sa femme et de ses filles. Le cadre était sobre, en émail noir uni, comme pour laisser entendre que l'image qu'il renfermait était un document d'une rare importance, un diplôme ou une licence d'État.

– Qu'est-ce que c'est ? demanda Joe.

Anapol plissa les yeux en fixant la photo.

– C'est ma maison de Floride, répondit-il d'un ton hésitant.

– Je croyais que vous étiez allés à l'hôtel.

Anapol hocha la tête. Il avait l'air en même temps nauséeux, heureux et dubitatif.

– Nous y sommes allés. Au Delano.

– Vous avez acheté une maison là-bas ?

– Apparemment. Ça me paraît fou maintenant. (Il tendit le doigt vers la photo.) Ce n'est même pas ma maison. Il n'y a pas de maison. Juste un lopin de sable vaseux délimité par une ficelle attachée à de petits bâtons. Au milieu de Palm River, en Floride. Sauf qu'il n'y a pas de Palm River non plus...

– Vous êtes allés en Floride et vous avez acheté une maison.

– Pourquoi je n'aime pas ta façon de te répéter ? Pourquoi ai-je l'impression que tu me reproches quelque chose ? Serais-tu en train de me dire que je n'ai pas le droit de gaspiller mon argent comme ça me chante, Kavalier ?

– Absolument pas, monsieur, balbutia Joe. Je n'y songerais pas. (Il bâilla. Un bâillement profond, à se déboîter la mâchoire, qui fit frémir tout son corps. Il était épuisé, mais le spasme qui le secouait était le produit de la colère, pas de la fatigue. Les seuls profiteurs de guerre que Joe combattait dans les pages d'Empire Comics depuis janvier étaient Sheldon Anapol et Jack Ashkenazy. À eux deux, ils avaient empoché quelque chose comme six cent mille dollars, selon les estimations de Sammy.) Excusez-moi.

– C'est juste, dit Anapol. Rentre chez toi. Va dormir. Tu as une mine de déterré.

– J'ai un rendez-vous, répliqua Joe avec raideur, mettant son chapeau et jetant son veston par-dessus son épaule. Au revoir.

2.

Dans les circonstances normales, l'expédition au consulat d'Allemagne, dans le centre-ville, décourageait déjà Joe ; aujourd'hui, il trouvait même difficile de prendre le métro. Il se sentait obscurément furieux contre Sheldon Anapol. Il sortit un comic book de la poche revolver de son veston et essaya de lire. Il était devenu un consommateur fidèle et soigneux des comics. En arpentant les bouquinistes de la Quatrième Avenue, il avait réussi à se procurer un exemplaire de presque tout ce qui avait été publié dans les quelques dernières années, acquérant en même temps, tant qu'il y était, des piles de vieux *New York Mirror* du dimanche, afin de pouvoir étudier le travail fougueux, précis et pictural de Burne Hogarth dans *Tarzan*. La même intensité masturbatoire de concentration que Joe avait autrefois apportée à l'étude magique de la T.S.F., voilà qu'il l'appliquait à cette forme d'art naissante, hybride et très ouverte, dans les bras canailles de laquelle il était tombé. Il remarqua la forte influence que les films avaient sur des artistes comme Joe Shuster et le Bob Kane de *Batman*, et commença à explorer un vocabulaire cinématographique : un gros plan serré, disons, sur le visage d'un enfant ou d'un soldat terrifié, ou un zoom de plus en plus rapproché, au long de quatre planches, sur les créneaux et le donjon d'une sinistre redoute zothénienne. Grâce à Hogarth, il apprit à se pencher sur le contenu émotionnel, pour ainsi dire, d'une planche, choisissant avec soin, parmi l'infinité d'instants potentiels à fixer et à reproduire, celui où les émotions du personnage étaient les plus extrêmes. Et en lisant les comic books qui donnaient la vedette au grand Louis Fine*, comme celui qu'il tenait actuellement entre les mains, Joe apprit à voir le héros de bande dessinée, dans son costume moulant, non comme une absurdité de la littérature de pacotille, mais comme une célébration lyrique de la forme humaine nue (quoique coloriée) en action. Il n'était pas seulement question de violence et de châtiment dans les premières histoires de Kavalier & Clay ; le travail de Joe exprimait également la joie simple d'un mouvement sans entrave ou d'un corps sain, d'une manière qui captait les désirs pas seulement de son cousin infirme mais d'une génération entière de gringalets, d'empotés et de boucs émissaires des cours de récréation.

Aujourd'hui, il ne parvenait pourtant pas à se concentrer sur l'exemplaire de *Wonderworld Comics* qu'il avait emporté avec lui. Ses pensées oscillaient entre l'irritation contre la frivolité, l'indécence même, de la soudaine prospérité d'Anapol et l'appréhension de son rendez-vous avec l'adjudant major chargé du relogement des minorités au consulat d'Allemagne, dans Whitehall Street. Ce n'était pas la prospérité en elle-même qui le heurtait, car c'était là une preuve de son succès et de celui de Sammy, mais bien plutôt la part disproportionnée qui revenait à Anapol et à Ashkenazy, alors que c'étaient les deux cousins qui avaient inventé l'Artiste de l'évasion et assumaient tout le travail consistant à lui donner vie. Non, ce n'était même pas cela. C'était l'incapacité de l'argent, et de tous les fantasmes guerriers refoulés qui avaient permis de le gagner, à faire autre chose qu'enrichir la garde-robe et grossir les portefeuilles financiers des propriétaires d'Empire Comics qui le révoltait ainsi et provoquait sa fureur. Et rien n'était plus parfaitement garanti pour accentuer son sentiment d'impuissance fondamental qu'une matinée passée avec l'adjudant major Milde au consulat d'Allemagne. Il n'y avait pas de quête plus démoralisante que la chasse aux chimères de l'immigration.

Chaque fois qu'il se retrouvait face à une matinée ou à une semaine vide entre deux parutions, Joe enfilait un beau costume, une cravate discrète, un chapeau bien formé, et se mettait en route comme il l'avait fait ce matin, chargé d'une serviette de documents qui ne cessait d'enfler, pour tenter d'avancer dans le dossier des Kavalier de Prague. Il rendait des visites continuelles aux bureaux de la HIAS[1], à l'United Jewish Appeal for Refugees and Overseas Needs[2], aux agences de voyages, au siège new-yorkais du Comité d'action présidentiel, à l'adjudant major merveilleusement courtois du consulat d'Allemagne, avec lequel il avait rendez-vous ce matin à dix heures. Pour un certain échantillon de commis de cette ville de timbres en caoutchouc, de papier carbone et de pique-notes, il était devenu une figure familière : un garçon grand et mince de vingt ans, avec de bonnes manières et un costume froissé, qui apparaissait au beau milieu d'un après-midi étouffant, l'air douloureusement enjoué. Il se découvrait toujours. L'employé de bureau – une femme, le plus souvent – cloué sur sa chaise droite par trois cents mètres cubes d'air

1. Acronyme de *Hebrew Immigrant Aid Society*, « Association d'aide aux immigrés israélites ». (*N.d.T.*)

2. Le « Recours juif uni pour les réfugiés et les besoins d'outre-mer ». (*N.d.T.*)

rance et enfumé qui collait comme de la pâte à beignets aux hélices des ventilateurs du plafond, assourdi par le fracas des classeurs métalliques, dyspeptique, désespéré et mourant d'ennui, levait les yeux et voyait que l'épaisse tignasse bouclée de Joe avait été transformée par son couvre-chef en une sorte de casque noir et brillant, ce qui valait à celui-ci un sourire.

– Je viens vous empoisonner une fois de plus, disait Joe dans son anglais de plus en plus entaché d'argot, avant de sortir de la poche de poitrine de son veston un mince étui à cigares rempli de cinq panatelas à quinze cents ou, quand il avait affaire à une femme, un éventail pliant en papier orné de fleurs roses, ou encore simplement une bouteille glacée de Coca-Cola, couverte de gouttelettes perlées.

Et elle acceptait l'éventail ou le soda, écoutait sa supplique et se mettait en quatre pour l'aider. Mais il n'y avait pas grand-chose à faire. Tous les mois, les revenus de Joe augmentaient et, tous les mois, il réussissait à mettre de plus en plus d'argent de côté pour s'apercevoir ensuite qu'il ne pouvait pas le dépenser. Les prébendes et les pots-de-vin bureaucratiques des premières années du protectorat étaient de l'histoire ancienne. L'obtention d'un visa américain, qui n'avait jamais été chose facile, était devenue quasi impossible. Le mois précédent, alors qu'un statut de résident permanent lui avait été accordé, il avait réuni et envoyé au département d'État sept déclarations sur l'honneur rédigées par d'éminents endocrinologues et psychiatres new-yorkais, certifiant que les trois membres les plus âgés de la famille seraient un apport unique et précieux pour le peuple de son pays d'adoption. Avec chaque mois qui passait, cependant, le nombre de réfugiés à atteindre l'Amérique diminuait, et les nouvelles du pays devenaient plus sombres et plus fragmentaires. On parlait de déplacements, de repeuplements ; les Juifs de Prague devaient tous être expédiés à Madagascar, à Teresina, dans une vaste réserve en Pologne. Joe finit par recevoir trois courriers officiellement décourageants du sous-secrétariat aux visas, accompagnés du conseil poli de ne plus tenter de démarches sous ce rapport.

Son impression d'être piégé dans les rets de la bureaucratie, d'être impuissant à aider ou à libérer sa famille, se faisait jour dans les comics. À mesure, en effet, que les pouvoirs de l'Artiste de l'évasion augmentaient, les entraves requises pour le contenir, par ses ennemis ou (comme cela arrivait désormais plus rarement) par lui quand il se produisait en public, devenaient plus sophistiquées, voire baroques. De gigantesques pièges à ours aux mâchoires coupantes comme des rasoirs le disputaient à des aquariums remplis de requins électriques. L'Artiste était attaché à d'énormes réchauds à gaz où ses ravisseurs n'avaient qu'à jeter un malheureux mégot de cigarette pour le brûler vif, ligoté à quatre blindés grondants pointés aux quatre points cardinaux, il était enchaîné à une cerise de fer au fond d'un immense gobelet d'acier dans lequel on versait un « milk-shake » mousseux de quarante tonnes de béton frais, pendu au percuteur à ressort d'un canon géant braqué sur la capitale de la « Latvonie occupée » de telle façon que, s'il se libérait, des milliers d'innocents citoyens mourraient. L'Artiste était étendu, attaché et menotté sur le trajet de moissonneuses-batteuses, de forces aveugles païennes, de raz de marée ou d'essaims d'abeilles préhistoriques géantes, ressuscitées par la science maléfique de la Chaîne de fer. Il était emprisonné dans de la glace ou des cages en feu, étranglé par des plantes grimpantes.

Il faisait alors très chaud dans la rame de métro. Le ventilateur au milieu du plafond était immobile. Une goutte de sueur éclaboussa une planche de l'histoire de la Flamme cracheuse de feu, mince et chorégraphique dans le style du grand Lou Fine, que Joe feignait de lire. Il referma son illustré et le remit dans sa poche. Il commença à avoir la sensation de ne plus pouvoir respirer. Il desserra sa cravate et gagna le bout de la voiture, où il y avait une lucarne ouverte. Une petite brise murmurante soufflait du tunnel noir, mais elle était fétide et peu rafraîchissante. À la station d'Union Square, une place assise se libéra et Joe s'y installa. Il se renversa sur la banquette et ferma les yeux. Il avait l'impression de ne pas pouvoir se débarrasser de la formule « surveiller sa population de Juifs ». Toutes ses plus grandes angoisses pour la sécurité de sa famille semblaient repliées sous l'enveloppe inoffensive de ce premier mot. Au cours de l'année précédente, ses parents avaient eu leurs comptes bancaires gelés. Ils avaient été chassés des jardins publics de Prague, des compartiments à couchettes et des wagons-restaurants des chemins de fer nationaux, des écoles publiques et des universités. Ils ne pouvaient plus circuler en tramway. Récemment, les règlements étaient devenus plus complexes. Peut-être dans le but d'exposer au regard de tous l'insigne révélateur de la yarmoulka, les Juifs avaient l'interdiction de porter des casquettes. Ils n'avaient pas le droit non plus de porter des sacs à dos. Il leur était défendu de manger des oignons ou de l'ail ; la consommation de pommes, de fromages et de carpe leur était également interdite.

Joe plongea la main dans sa poche et en tira l'orange qu'Anapol lui avait donnée. Grosse, toute lisse, elle était parfaitement sphérique et plus orange que tout ce que Joe avait jamais vu. À Prague, sans doute eût-elle paru un prodige, monstrueux et illicite. Il la pressa contre son nez et inhala, cherchant à puiser un peu de courage et de réconfort dans les prometteuses huiles essentielles de son écorce. Mais, à la place, il sentit seulement de la panique. Son souffle était court et laborieux. L'odeur nauséabonde du tunnel entrant à flots par la lucarne ouverte semblait chasser toutes les autres. Tout d'un coup, l'épouvantable squale qui patrouillait sans arrêt dans les entrailles de Joe refit surface. « Tu ne peux pas les sauver », murmura une voix tout près de son oreille. Joe se retourna. Il n'y avait personne.

Il se surprit à fixer la dernière page du journal, le *Times*, que lisait l'homme à côté de lui. Son regard se posa sur la colonne de la marine marchande. Le *Rotterdam* était attendu au port à huit heures du matin. Dans vingt minutes.

Joe s'était souvent imaginé le jour où il irait accueillir sa famille au moment où celle-ci débarquerait du *Rotterdam* ou du *Nieuw Amsterdam*. Il savait que les quais Hollande-Amérique se trouvaient sur l'autre berge, à Hoboken. Il fallait prendre le ferry pour s'y rendre. Quand la rame s'arrêta à la station de la Huitième Rue, Joe descendit.

Il remonta la Huitième Rue à pied jusqu'à Christopher Street, puis gagna le fleuve, se faufilant tel un pickpocket dans la foule qui venait de descendre des ferries en provenance du New Jersey : hommes aux mâchoires serrées, avec chapeau rigide, costume et chaussures obsidienne, le journal coincé sous le bras ; femmes brusques aux lèvres rouge brique, en robes fleuries et talons durs. Tous se ruaient pour dévaler les rampes et arriver dans Christopher, puis se dispersaient telles des gouttes de pluie chassées par le vent sur une vitre. Bousculé, demandant pardon, se confondant en excuses quand il heurtait les autres, à demi submergé par les âcres miasmes de fumée de cigare et les violents accès de toux qu'ils apportaient avec eux de l'autre rive, Joe faillit renoncer et rebrousser chemin.

Mais il déboucha alors devant l'énorme hangar à la peinture écaillée qui desservait les ferries du Delaware, de Lackawanna et du Western Railroad, côté Manhattan. C'était une ancienne grange imposante, dont le haut pignon central était doté de l'improbable fronton harmonieux d'une pagode chinoise. Les passagers qui débarquaient ici du New Jersey gardaient un petit souvenir du vent et de leur aventure : chapeaux de travers, cravates en bataille. L'odeur de l'Hudson imprégnant les lieux remuait en Joe des souvenirs de la Moldau. Les ferries eux-mêmes le distrayaient. C'étaient des bâtiments larges et bas sur l'eau, recourbés aux deux extrémités comme des chapeaux cabossés, qui traînaient après eux les pompeux flots de fumée noire vomis par leurs majestueuses cheminées. À la vue de la paire de grosses timoneries situées de chaque côté des bateaux, Joe descendait en imagination le Mississippi hanté par les ours jusqu'à La Nouvelle-Orléans.

Planté sur le pont avant, son chapeau à la main, il scrutait la brume, tandis que le terminus de la DL&W et les toits rouges peu élevés de Hoboken se rapprochaient. Il inspira la fumée de charbon et une bouffée d'air salé, bien réveillé et empreint de l'optimisme du voyage. L'eau changeait de couleur par bandes allant du vert-de-gris au café glacé. Le fleuve était aussi encombré que les rues elles-mêmes : barges débordant d'ordures et grouillant de goélands ; tankers aux cales remplies de pétrole, de kérosène ou d'huile de lin ; cargos noirs anonymes et, au loin, à la fois émouvant et terrible, le magnifique vapeur de la Holland America Line, au bras du fier remorqueur qui lui servait d'escorte, hautain, distant. Derrière Joe s'étalait le fouillis aussi régulier qu'erratique de Manhattan, espacé comme la superstructure d'un pont suspendu entre les hautes piles du centre-ville et de Wall Street.

À un moment, vers la moitié de la traversée, il eut une vision qui lui redonna espoir. Les folles flèches d'Ellis Island et la tour élégante du New Jersey Central terminus entrèrent en conjonction, se fondant pour former une espèce de couronne rouge recourbée. L'espace d'un instant, ce fut comme si Prague flottait devant ses yeux, juste au large des quais de Jersey City, dans les reflets de la brume d'automne, même pas à trois kilomètres de là.

Il savait bien que les chances d'une apparition soudaine de sa famille, indemne, sans tambour ni trompette, en haut de la passerelle du *Rotterdam*, étaient nulles. Mais à Hoboken, alors qu'il descendait River Street et longeait les bars rustiques et les hôtels bon marché réservés aux marins pour atteindre l'embarcadère de la Huitième Rue, en compagnie de toutes les autres personnes venues attendre l'arrivée de leurs êtres chers, Joe s'aperçut qu'il ne pouvait empêcher une petite flamme de s'allumer dans sa poitrine. Quand il fut parvenu à l'embarcadère, celui-ci semblait grouiller de centaines d'hommes, de femmes et d'enfants qui criaient et s'étreignaient. Il y avait une rangée étincelante de taxis, il y avait des limousines noires. Des porteurs circulaient bruyamment avec leurs diables, en braillant « Porteur ! » avec une délectation d'opéra bouffe. L'élégant bâtiment noir et blanc de 24 170 tonneaux se dressait telle une montagne en smoking.

Joe vit plusieurs familles réunies. Quelques-unes d'entre elles semblaient avoir été séparées par un simple désir de voyager. Elles venaient des pays en guerre. Il entendait parler allemand, français, yiddish, polonais, russe, tchèque même. Deux hommes dont Joe ne parvint pas à deviner la relation exacte, mais dont il décida finalement qu'ils devaient être frères, passèrent à côté de lui en se tenant par le cou. L'un disait à l'autre avec une joyeuse sollicitude : « La première chose à faire, mon salaud, c'est te bourrer la gueule ! » De temps à autre, l'attention de Joe était distraite par le spectacle d'un couple qui s'embrassait ou par des individus d'allure vaguement officielle qui échangeaient une poignée de main, mais, le plus souvent, il observait les familles. C'était une vision incroyablement réconfortante ; il s'étonnait de ne pas avoir pensé plus tôt à venir ici attendre le *Rotterdam*. Il se sentait exclu et profondément envieux, mais le sentiment qui dominait chez lui, c'était le désir lancinant du bonheur qui accompagnait ces réunions. C'était comme de humer un vin qu'il ne pouvait pas boire. Il ne l'en enivrait pas moins.

En regardant les passagers émerger de dessous la tente rayée de la passerelle, il fut surpris de reconnaître le docteur Emil Kavalier. Son père apparut dans l'écart entre deux vieilles dames ; il louchait avec des airs de myope derrière les verres en mica de ses lunettes, la tête penchée légèrement en arrière, scrutant les visages, en quête d'un en particulier, c'était celui de Joe, oui, il s'élança dans cette direction, un sourire s'épanouit sur sa figure. Mais il fut enveloppé par une grande blonde en pelisse de loup gris. Ce n'était pas du tout son père. Le sourire, sinon la femme, ne cadrait pas. L'homme remarqua le regard de Joe et, au moment où il passait avec sa maîtresse, il porta la main à son chapeau et inclina la tête d'un geste qui, une fois de plus, était étrangement identique à celui du père de Joe. Le trille désespéré du sifflement d'un solliciteur donna à Joe un frisson dans le dos.

À son retour en ville, même s'il était en retard pour son rendez-vous, il se rendit à pied de Christopher Street à Battery. Il reniflait, et ses oreilles lui brûlaient de froid, mais le soleil était tiède. Il avait surmonté sa crise de panique du métro, le désespoir provoqué par les nouvelles de Vichy et sa rancœur contre la prospérité d'Anapol. Il acheta une banane à un étal de fruits, puis une autre quelques rues plus loin. Il avait toujours énormément aimé les bananes ; elles constituaient la seule gâterie de sa soudaine fortune. Le temps qu'il arrive au consulat d'Allemagne de Whitehall Street, il avait dix minutes de retard, mais il se dit que tout irait bien. Ce n'était qu'une affaire de paperasse, et la secrétaire serait sans doute capable de traiter le problème elle-même. Joe n'avait peut-être même pas besoin de voir l'adjudant major.

Cette pensée était séduisante. L'adjudant major, Herr Milde, était un homme courtois et affable, qui semblait prendre à cœur – réellement, il semblait y prendre plaisir – de faire perdre son temps à Joe. Tout en ne faisant jamais promesses ni pronostics, et en paraissant ne jamais posséder la moindre information qui eût ne serait-ce qu'un rapport très lointain avec la situation de la famille Kavalier, il refusait fermement, sinon avec pédanterie, d'écarter la possibilité que les parents de Joe puissent un jour se voir accorder leurs visas de sortie et l'autorisation de partir. « Ce genre de chose est toujours possible », affirmait-il, bien qu'il n'en fournît jamais d'exemples. La cruauté de Milde rendait impossible pour Joe de faire ce que sa tête lui conseillait et que rejetait son cœur : abandonner tout espoir que sa famille s'échappe avant la défaite de Hitler.

– Ce n'est pas grave, lui dit Fraulein Tulpe quand Joe entra dans le bureau de Milde. (Celui-ci se trouvait dans un recoin du consulat, lequel occupait un étage intermédiaire d'un sinistre immeuble de bureaux néoclassique non loin du Bowling Green, tout au fond, entre le bureau de l'agriculture et les toilettes pour hommes. La secrétaire de Milde était une jeune femme maussade, avec des lunettes en écaille et des cheveux couleur paille. Elle aussi était immanquablement polie avec Joe, d'une manière qui, dans son cas, semblait avoir pour but d'exprimer une légère aversion.) Il n'est pas encore rentré de son petit déjeuner.

Joe inclina la tête et s'assit à côté du distributeur d'eau réfrigérée, lequel salua son arrivée par la remontée d'un borborygme dans son réservoir.

– Tard, le petit déjeuner, dit-il d'une voix mal assurée.

La secrétaire parut le fixer plus longtemps que d'ordinaire. Il baissa les yeux vers son pantalon froissé, le coude semi-permanent de sa cravate, les taches d'encre sur ses poignets de chemise. Ses cheveux lui donnèrent l'impression d'être raides et collants. Il empestait sans aucun doute. Un instant, il regretta vivement de ne pas s'être arrêté en route aux Studios Palooka pour prendre une douche, au lieu d'avoir bêtement perdu une heure dans la traversée jusqu'à Hoboken. Puis il se dit : « Qu'elle aille au diable ! Qu'elle respire mon fumet de Juif ! »

– C'est un petit déjeuner d'adieu, l'informa-t-elle, retournant à sa machine à écrire.

– Qui s'en va ?

À cet instant, Herr Milde rentra. C'était un homme carré, d'allure athlétique, au menton volontaire, les tempes légèrement dégarnies. Il avait des traits sévères, réguliers, qu'enlaidissaient seulement ses grandes dents jaunes et chevalines, quand il relevait la lèvre supérieure.

– C'est moi, lança-t-il. Entre autres. Je suis désolé de vous avoir fait attendre, Herr Kavalier.

– Vous retournez en Allemagne ? s'enquit Joe.

– J'ai été muté en Hollande, répondit-il. J'embarque mardi sur le *Rotterdam*.

Ils entrèrent dans son bureau. Milde indiqua à son visiteur une des deux chaises à pieds métalliques et lui offrit une cigarette, que Joe refusa pour allumer une des siennes à la place. C'était un geste mesquin, mais qui lui procura une certaine satisfaction. Si Milde le remarqua, il n'en laissa rien paraître. Il croisa les doigts sur le sous-main de son bureau et arrondit le dos, légèrement penché en avant, comme s'il était désireux d'aider Joe d'une façon ou d'une autre. Cela faisait partie de sa politique de la cruauté.

– J'espère que vous allez bien, reprit-il.

Joe hocha la tête.

– Votre famille aussi ?

– Aussi bien qu'on peut s'y attendre.

– Je suis content de l'apprendre.

Ils restèrent un moment assis en chiens de faïence. Joe attendait la dernière momerie, le dernier numéro de l'adjudant. Quoi que ce soit, il était capable de tout supporter aujourd'hui. Sur l'embarcadère de Hoboken, des gens semblables aux siens avaient pu rejoindre les leurs à l'autre bout du monde, il en avait été témoin. Le tour était encore jouable. Il l'avait vu de ses propres yeux.

– Bon, je vous en prie, poursuivit Milde, un peu abruptement. J'ai un emploi du temps chargé, et je vais partir tard.

– Mais certainement, répondit Joe.

– De quoi souhaitiez-vous m'entretenir ?

Sa question plongea Joe dans la confusion.

– Moi, je souhaitais vous entretenir ? s'écria-t-il. Vous m'avez téléphoné !

À présent, c'était au tour de Milde d'avoir l'air confus.

– Je vous ai téléphoné ?

– Fraulein Tulpe m'a téléphoné. Elle m'a dit que vous aviez un problème avec les papiers de mon frère. Thomas Masaryk Kavalier.

Il cita le deuxième prénom par patriotisme.

– Ah, oui ! acquiesça Milde avec un signe de tête, les sourcils levés. (Il n'avait aucune idée de ce dont Joe parlait, c'était évident. Il tendit le bras pour prendre les dossiers en attente dans la corbeille métallique posée sur son bureau et trouva celui de Joe. Il le feuilleta quelques instants avec une apparente diligence, allant d'avant en arrière au milieu des feuillets gaufrés de papier pelure qu'il contenait. Il secoua la tête et fit claquer sa langue.) Je suis désolé, déclara-t-il, levant le dossier pour le reposer dans la corbeille. Je n'arrive pas à retrouver de référence à... Tenez !

Un bout de papier jaune pâle qui avait l'air d'avoir été peut-être détaché d'un téléscripteur tomba du dossier. Milde le récupéra. Le front plissé, il parcourut très lentement son contenu, comme si celui-ci présentait un développement difficile à suivre.

– Bon, bon, dit-il. C'est regrettable. Je ne... il apparaît que votre père est décédé.

Joe éclata de rire. Un bref instant, il crut que Milde plaisantait. Mais Milde n'avait jamais plaisanté lors des précédentes audiences, et Joe voyait bien que son interlocuteur ne badinait pas non plus en ce moment. Sa gorge se serra. Il sentit ses yeux lui brûler. S'il avait été seul, il aurait fondu en larmes, mais il n'était pas seul, et il aurait préféré mourir plutôt que de donner le plaisir à Milde de le voir pleurer. Il fixa ses genoux, serrant les dents pour mettre le holà à ses émotions.

– Je viens de recevoir une lettre... articula-t-il faiblement, se mordant la langue. Ma mère ne me dit rien.

– Quand la lettre a-t-elle été postée ?

– Il y a près d'un mois.

– Votre père est mort depuis seulement trois semaines. Il est dit ici que la cause était une pneumonie. Ici...

Par-dessus son bureau, Milde tendit à Joe le bout de papier jaune clair déchiqueté. Il avait été détaché d'une liste de décès beaucoup plus longue. Le nom d'EMIL KAVALIER figurait au milieu de dix-huit autres, qui commençaient par Eisenberg et allaient par ordre alphabétique jusqu'à Kogan, chacun d'eux accompagné d'une notice laconique donnant l'âge, la date et la cause du décès. Cela semblait être une liste partielle des Juifs qui étaient morts à Prague ou dans ses environs au cours des mois d'août et de septembre. Le nom du père de Joe avait été entouré au crayon.

– Pourquoi... ? (Joe ne parvenait pas à mettre de l'ordre dans le nœud de questions qui interféraient dans ses pensées.) Pourquoi n'ai-je pas été prévenu ? réussit-il enfin à énoncer.

– J'ignore comment cette feuille de papier, que je vois pour la première fois, a trouvé place dans votre dossier, répliqua Milde. C'est tout à fait mystérieux. La bureaucratie est une puissance mystérieuse. (Il parut prendre conscience que l'humour n'était peut-être pas de mise dans ces circonstances. Il toussota.) C'est regrettable, comme je vous l'ai dit.

– C'est peut-être une erreur, suggéra Joe. (Ce devait en être une, songea-t-il, puisque je l'ai vu cet après-midi à Hoboken !) Une erreur d'identité.

– Ce type d'erreur est toujours possible, admit Milde. (Il se leva et lui tendit la main pour lui exprimer ses condoléances.) Je rédigerai un mémo sur le cas de votre père à l'intention de mon successeur. Je m'assurerai qu'on prenne des renseignements.

– C'est très aimable à vous, marmonna Joe, se levant à son tour lentement de sa chaise. (Il eut un élan de gratitude envers Milde. On prendrait des renseignements. Il avait réussi au moins à obtenir cela pour sa famille. Ne serait-ce que dans cette mesure, on s'intéresserait désormais à leur cas.) Au revoir, Herr Milde.

Après coup, Joe s'aperçut qu'il n'avait aucun souvenir d'être sorti du bureau de Milde, d'avoir suivi le dédale de couloirs, pris l'ascenseur pour descendre et traversé le vestibule. Il avait erré dans Broadway jusqu'à la rue suivante avant qu'il ne lui vînt à l'esprit de se demander où il allait. Il était entré dans un bar et avait téléphoné au bureau. Sammy était là. Il était déjà lancé sur les pages de Joe en termes grandiloquents, mais dès qu'il perçut le silence de Joe à l'autre bout du fil, il renversa la vapeur et demanda :

– Qu'est-ce qui se passe ?

– Je viens du consulat, dit Joe. (Le combiné du téléphone était démodé, avec un tube pour parler et un écouteur cylindrique. Il y en avait un semblable dans la cuisine de leur maison près du Graben.) De mauvaises nouvelles m'y attendaient.

Joe lui raconta comment, tout à fait par hasard, il avait appris la mort de son père.

– Il y a peut-être eu une erreur ?

– Non, répondit Joe, à présent plus lucide. (Il était un peu secoué, mais ses pensées lui paraissaient plus claires. Sa gratitude envers l'adjudant major Milde s'était muée une fois de plus en colère.) Ce n'est pas une erreur, j'en suis sûr.

– Où es-tu ? questionna Sammy.

– Où suis-je ? (Joe regarda autour de lui et prit conscience pour la première fois qu'il se trouvait dans un bar de Broadway, tout au bout de la ville.) Où suis-je... (La deuxième fois, ce n'était plus une question.) Je pars pour le Canada.

– Non ! entendit-il Sammy crier au moment où il raccrochait.

Il se dirigea vers le bar.

– Je me demande si vous pourriez m'aider, lança-t-il au barman.

Le barman était un bonhomme assez âgé au crâne luisant, avec d'énormes yeux bleus chassieux. Quand Joe s'adressa à lui, il était en train d'essayer d'expliquer à un de ses clients comment marchait l'abaque qu'il utilisait pour calculer les additions. Le client parut ravi de l'interruption.

– Montréal, le Canada, répéta le barman, après que Joe lui eut confié où il souhaitait aller. Vous devez partir de Grand Central Station, je crois.

Le client tomba d'accord. Il dit que Joe devait prendre l'Adirondack.

– Pourquoi voulez-vous aller là-bas ? s'enquit-il. Si vous ne me trouvez pas trop indiscret...

– Je vais m'engager dans la Royal Air Force.

– C'est vrai ?

– Oui. Oui, j'en ai marre d'attendre.

– Bravo, mon gars ! s'exclama le client.

– Ils parlent français là-bas, dit le barman. Attention !

3.

Joe ne repassa pas à la maison prendre ses affaires. Il ne voulait pas risquer de tomber sur quelqu'un qui tenterait de le détourner de son projet. De toute façon, il n'y avait rien qu'il ne puisse acheter dans un drugstore ou trouver dans un distributeur automatique de gare routière ; il avait toujours son passeport et son visa sur lui. La R.A.F. le vêtirait, le chausserait et le nourrirait.

Dans le train, il occupa son temps à se tracasser pour son entretien avec les agents recruteurs. Son statut d'étranger résidant aux États-Unis serait-il un obstacle à son engagement dans la R.A.F. ? Trouveraient-ils un défaut caché dans son physique ? Il avait entendu parler de gars qui avaient été recalés parce qu'ils avaient les pieds plats ou une mauvaise vue. Si l'armée de l'air ne le prenait pas, il entrerait dans la Royal Navy. S'il n'était pas jugé apte pour la marine, il tenterait alors sa chance dans l'infanterie.

Mais à proximité de Croton-on-Hudson, son ardeur commença à fléchir. Il s'efforça de se remonter le moral avec des idées de lâchers de bombes sur Kiel ou Tobrouk, mais ses fantasmes lui firent l'effet de fâcheuses réminiscences de ses scènes de castagne de *Radio*, *Triumph* et du *Monitor*. À la fin, ni son inquiétude ni ses bravades ne purent lui cacher plus longtemps la pensée qu'il était orphelin.

À leur manière facétieuse, délicate, son père et lui s'adoraient. Mais maintenant que son père était mort, Joe n'avait que des regrets. Ce n'était pas juste le regret habituel des choses non dites, des remerciements inexprimés et des pardons différés. Joe ne regrettait pas encore les futures occasions perdues de discuter de leurs sujets préférés, tels que les réalisateurs de cinéma (tous deux vénéraient Buster Keaton) ou les races de chiens. Ce genre de regrets ne viendraient qu'après, quelques jours plus tard, lorsqu'il comprendrait que la mort signifiait vraiment qu'on ne devait jamais plus revoir le disparu. Ce qu'il regrettait le plus en ce moment, c'était simplement de ne pas avoir été là quand c'était arrivé, d'avoir laissé à sa mère, à son grand-père et à son frère la terrible épreuve de regarder son père mourir.

Emil Kavalier, comme de nombreux médecins, avait toujours été un mauvais patient. Il refusait de reconnaître qu'il pouvait tomber malade et n'avait pas pris un seul jour de congé de maladie de sa vie. Quand il était terrassé par la grippe, il suçait des pastilles à la menthe, absorbait d'énormes quantités de bouillon de poule et vaquait à ses occupations. Joe ne pouvait même pas l'imaginer malade. Comment était-il mort ? À l'hôpital ? À la maison ? Joe se le représenta couché dans un grand lit à volutes, au milieu d'un appartement en désordre, comme ceux qu'il avait entrevus là où le golem avait été caché.

Qu'allaient devenir sa mère, son grand-père et son petit frère ? Leurs noms figuraient peut-être déjà sur une autre liste que personne ne s'était soucié de lui communiquer. La pneumonie était-elle contagieuse ? Non, il était absolument certain que non. Mais la mauvaise santé et le dénuement pouvaient la favoriser. Si son père avait été sujet à pareille chose, dans quelle forme physique devait être Thomas ? Il imagina que le peu de nourriture et de médicaments que ses parents possédaient allait en priorité à Thomas. Son père avait peut-être sacrifié sa santé à celle de Thomas. Toute sa famille était-elle morte ? Comment le saurait-il ?

Lorsque l'Adirondack entra dans Albany cet après-midi-là, le saut de Joe dans l'inconnu de la guerre avait fini par lui paraître une inconnue de trop à supporter. Il s'était persuadé qu'il était bien plus probable que sa mère et Thomas étaient toujours en vie. Et si c'était le cas, alors ils avaient autant besoin de secours qu'avant. Il ne pouvait pas les abandonner plus longtemps en se sauvant pour tenter, comme l'Artiste de l'évasion, de mettre fin à lui tout seul à la guerre. Il était impératif qu'il restât concentré sur le possible. En tout état de cause – c'était une pensée cruelle, mais il ne put s'empêcher de l'avoir – il y aurait un visa de moins à tenter d'arracher au Reich.

Il descendit du train à Union Station, à Albany, et resta planté sur le quai, bouchant le passage aux voyageurs qui montaient. Un homme aux lunettes rondes à monture invisible le frôla au passage et Joe se remémora l'inconnu, sur la passerelle du *Rotterdam*, qu'il avait pris pour son père. Avec le recul, cela ressemblait à un présage.

Le chef de train pressa Joe de se décider ; il retardait le départ. Joe hésita. Tous ses doutes étaient contrebalancés par une forte envie de tuer des soldats allemands.

Joe laissa le train repartir sans lui, puis éprouva des regrets et des remords lancinants. Il s'attarda dehors, devant la station de taxis. Il pouvait monter dans un véhicule et ordonner au conducteur de le conduire à Troy. S'il manquait le train à Troy, il pourrait toujours demander au conducteur de l'emmener tout droit à Montréal. Son portefeuille était bien garni.

Cinq heures plus tard, Joe était de retour à New York. Il avait sept fois changé d'idée en longeant l'Hudson. Il avait passé tout le voyage au wagon-restaurant et était ivre. Dans la soirée, il descendit du train en titubant. Une vague de froid s'était installée. L'air lui brûlait les narines et ses yeux étaient irrités. Il remonta sans but la Cinquième Avenue, puis entra dans un bar Longchamps et commanda un whisky-soda. Il se dirigea ensuite une nouvelle fois vers le téléphone.

Sammy mit une demi-heure pour le rejoindre ; à ce moment-là, Joe était assez soûl, sinon complètement imbibé. Sammy entra dans le vacarme du Longchamps, tira Joe à bas de son tabouret et le prit dans ses bras. Joe eut beau essayer, cette fois-ci il ne put se retenir. Ses pleurs sonnaient à ses propres oreilles comme un rire triste et rauque. Aucun des clients du bar ne savait quoi faire de lui. Sammy entraîna Joe vers un box du fond de la salle et lui tendit son mouchoir. Après que Joe eut ravalé le reste de ses sanglots, il confia à Joe le peu qu'il savait.

– A-t-il pu y avoir une erreur ?

– Ce genre de chose est toujours possible, répondit amèrement Joe.

– Oh ! nom de Dieu ! s'exclama Sammy. (Il avait commandé deux bouteilles de Ruppert's et contemplait le goulot de la sienne. Ce n'était pas un buveur, et il n'avait même pas avalé une gorgée.) J'appréhende d'annoncer la nouvelle à ma mère.

– Ta pauvre mère, murmura Joe. Et ma pauvre mère...

La pensée que sa mère était veuve provoqua un regain de larmes. Sammy fit le tour de la table et se glissa à ses côtés dans le box. Puis ils restèrent un moment simplement assis là. Joe repensa à ce matin même, où il avait pointé la tête dehors pour saluer le jour et s'était senti aussi puissant que l'Artiste de l'évasion, porté par les énergies mystico-tibétaines de sa rage.

– Inutile, monologua-t-il.

– Qu'est-ce qui est inutile ?

– Moi.

– Joe, ne dis pas ça !

– Je ne suis bon à rien, insista Joe.

Il avait le sentiment de devoir quitter le bar. Il n'avait plus envie de rester assis à boire et à pleurnicher. Il voulait tenter quelque chose, trouver quelque chose à faire. Il empoigna Sammy par la manche et l'épaule de son caban et lui donna une bourrade, manquant le projeter hors du box.

– Ouste ! dit-il. Allons-y.

– Où allons-nous ? s'enquit Sammy, se levant de table.

– Je n'en sais rien, répondit Joe. Travailler. Je vais travailler.

– Mais tu viens de... D'accord, dit Sammy, regardant Joe dans les yeux. Ce n'est peut-être pas une si mauvaise idée.

Ils sortirent du Longchamps et s'engouffrèrent dans l'obscurité fraîche et nauséabonde du métro.

Sur le quai en direction du sud, à un ou deux mètres des cousins, se tenait un monsieur à l'air maussade, sombre. À la coupe de son pardessus ou à des ondes indéfinissables émanant de son menton, de ses yeux ou de sa coupe de cheveux, Joe eut la certitude qu'il était allemand. Cet homme les regardait au grand angle. Même Sammy dut reconnaître après coup que l'inconnu les avait regardés au grand angle. C'était un Allemand sorti tout droit d'une planche de Joe Kavalier : massif, séduisant à sa manière prognathe et prédatrice, portant un beau costume. Comme l'attente du train se prolongeait, Joe décida qu'il n'aimait pas ce qu'il estimait être l'air supérieur avec lequel le prétendu Allemand l'observait. Il envisagea quantité de styles possibles, en anglais et en allemand, pour exprimer son sentiment sur l'inconnu et son œil panoramique. Optant finalement pour une manifestation plus universelle, il cracha avec une désinvolture feinte sur la portion de quai les séparant. Cracher en public était à l'époque assez courant dans cette ville de fumeurs, et ce geste eût pu sans risque rester ambigu si le missile de Joe n'avait dépassé sa cible. De la salive glaçait la pointe de la chaussure de l'autre voyageur.

– Tu viens de cracher sur cet homme ? s'offusqua Sammy.

– Comment ? fit Joe. (Lui-même n'en revenait pas.) Hé, oui !

– Il ne l'a pas fait exprès, monsieur, dit Sammy à l'homme. Il est un peu nerveux en ce moment...

– Alors il me présente ses excuses, proposa l'homme, non sans raison.

Son accent était à couper au couteau, indiscutablement teuton. Il attendait ses excuses avec l'air de celui qui était habitué à en recevoir quand il les demandait. Il s'approcha de Joe d'un pas. Il était plus jeune que Joe ne l'avait cru au début, et encore plus imposant. Il donnait l'impression de pouvoir plus que se débrouiller dans une bagarre.

– Oh, mon Dieu ! s'exclama Sammy à mi-voix. Joe, je crois que c'est Max Schmeling.

Il y avait d'autres voyageurs qui attendaient le train, et leur intérêt était éveillé. Ils se mirent à discuter pour savoir si l'homme sur les chaussures de qui Joe avait craché était ou non Max Schmeling, le Taureau Noir des Uhlans, ancien champion du monde des poids lourds.

– Je suis désolé, marmonna Joe, pensant vaguement ce qu'il disait.

– Comment ? répondit l'homme, mettant une main en cornet à son oreille.

– Va-t'en au diable ! s'écria Joe, avec plus de sincérité cette fois.

– Merdeux ! cracha l'autre, soignant son anglais.

Avec une rapidité de pugiliste, il bouscula Joe contre un pilier de fer, referma un bras autour de son cou et lui décocha un coup de poing nerveux à l'estomac. Les poumons de Joe se vidèrent brutalement de leur air. Il bascula en avant, heurtant le quai en béton du menton. Ses globes oculaires lui firent l'effet de tinter dans leurs orbites. Il eut l'impression d'avoir un parapluie ouvert à l'intérieur de sa cage thoracique. Il attendit, s'affala sur le ventre sans ciller des yeux tel un poisson, pour voir s'il pouvait toujours respirer. Puis il laissa échapper un long gémissement sourd, petit à petit, pour tester les muscles de son diaphragme.

– Oh là là ! cracha-t-il enfin.

Sammy s'agenouilla près de lui et l'aida à se relever sur un genou. Joe aspirait de grandes goulées d'air irrégulières. L'Allemand se retourna vers les autres personnes présentes sur le quai, un bras levé dans un geste de défi ou, peut-être, sembla-t-il à Joe, pour les prendre à témoin. Tout le monde avait vu Joe cracher sur sa chaussure, n'est-ce pas ? Après quoi le colosse leur tourna le dos et partit d'un air dédaigneux à l'autre bout du quai. Le train entra en gare, tous les gens montèrent dedans et l'incident fut clos. Quand ils retournèrent aux Studios Palooka, Sammy, à la demande de Joe, ne dit rien sur son père. Mais il raconta à tout le monde que Joe s'était fait botter le cul par Max Schmeling. Joe eut droit à leurs félicitations ironiques. Il apprit qu'il avait eu de la chance que Schmeling eût retenu son coup.

– La prochaine fois que je revois ce type, fulmina Joe à sa grande surprise, je lui rends la monnaie de sa pièce !

Joe ne rencontra jamais plus Max Schmeling ou son sosie. En tout cas, il y a tout lieu de croire que Schmeling ne se trouvait absolument pas à New York mais en Pologne, ayant été mobilisé dans la Wehrmacht et envoyé au front en punition de sa défaite face à Joe Louis en 1938.

4.

Il ne pouvait y avoir guère plus de deux mille ressortissants allemands à New York à ce moment-là, mais, durant les quinze jours qui suivirent, partout où Joe allait en ville, il se débrouillait toujours pour tomber au moins sur l'un d'eux. Comme s'il avait acquis, ainsi que Sammy le remarqua, un super-pouvoir de son cru : celui d'être devenu un aimant pour Allemands. Il les trouvait au hasard des ascenseurs et des autobus, Chez Gimbel et dans les restaurants Longchamps. Au début, il se contentait de les observer ou d'écouter leurs conversations, les classant en bons ou en mauvais Allemands avec une certitude péremptoire, même s'ils ne parlaient que de la pluie et du beau temps ou de la saveur de leur thé. Mais il ne tarda pas à commencer à les approcher et à tenter d'engager avec eux une conversation menaçante par ses amabilités et ses allusions.

– *Woher kommen Sie ?* demanda-t-il à un malheureux, rencontré alors qu'il achetait une livre de steak chez un boucher de la Huitième Avenue, au coin de la rue des Studios Palooka. *Schwabenland*[1] *?*

L'homme opina du bonnet avec circonspection.

– De Stuttgart, répondit-il.

– Comment ça se passe là-bas ? (Il entendit la note d'intimidation, de sous-entendu inquiétant, s'insinuer dans sa voix.) Tout le monde va bien ?

L'homme haussa les épaules en rougissant et, un sourcil levé, quêta silencieusement le secours du boucher.

– Il y a un problème ? demanda ce dernier à Joe.

Lequel répondit qu'il n'y en avait absolument aucun. Mais en sortant de la boucherie avec ses côtes d'agneau, il se sentit étrangement content d'avoir déconcerté sa victime. Il se disait qu'il aurait dû avoir honte de ce sentiment. Il croyait que c'était le cas à un certain niveau. Mais il ne pouvait s'empêcher de se remémorer avec

1. « D'où venez-vous ?... De Souabe ? » (*N.d.T.*)

plaisir le regard furtif et les joues cramoisies de l'homme quand il s'était adressé à lui dans sa langue maternelle.

Le lendemain, un samedi – il y avait environ une semaine que Joe avait appris le décès de son père –, Sammy l'emmena voir un match des Dodgers de Brooklyn. L'idée, c'était de faire prendre l'air à Joe et de lui remonter le moral. Sammy avait un faible pour le football et nourrissait une tendresse particulière pour l'arrière vedette des Dodgers, Ace Parker. Joe avait vu du rugby anglais à Prague et, une fois qu'il eut décidé qu'il n'y avait pas grande différence avec le football américain, il renonça à essayer de suivre le jeu et resta simplement assis, à fumer et à boire de la bière dans le vent aigre. Le terrain d'Ebbets avait un air vaguement délabré qui lui rappelait un dessin d'un illustré, *Popeye* ou *Toonerville Tramway**. Des pigeons tournoyaient dans les coins sombres des tribunes. Il flottait une odeur d'huile capillaire mêlée de bière, avec un relent plus faible de whisky. Dans le public, les hommes faisaient circuler des flasques et exprimaient à voix basse des sentiments comiquement véhéments.

Au bout d'un moment, Joe fit deux découvertes. La première, qu'il était complètement soûl. La deuxième, que, deux rangs derrière lui, un peu plus haut sur la gauche, étaient assis deux Allemands. Ils buvaient de la bière dans de gros gobelets en papier. Des garçons souriants, blonds, flegmatiques, des frères peut-être. Ils échangeaient des commentaires animés et, somme toute, semblaient apprécier le jeu, même s'ils ne paraissaient guère plus initiés que Joe. Ils poussaient des acclamations à chaque mauvaise réception de la balle, sans se préoccuper de savoir qui la récupérait.

– Tu n'as qu'à les ignorer, l'avertit Sammy, circonspect devant la chance agressive qu'avait son cousin pour dénicher des Allemands.

– Ils me regardent, riposta Joe, absolument certain que c'était vrai.

– Mais non, ils ne te regardent pas.

– Si, ils regardent de ce côté-ci !

– Joe !

Joe ne cessait de jeter des coups d'œil par-dessus son épaule, s'imposant à leur conscience, à leur perception du match. Pratiquement, s'installant sur leurs genoux. Peu après, malgré leur ébriété, ils prirent conscience de son attention. Un certain nombre de froncements de sourcils et de regards de travers s'ensuivirent. Un des deux frères – oui, ce devaient être des frères – avait le nez cassé et une oreille abîmée, ce qui montrait qu'il savait se servir de ses poings. Vers la fin du troisième quart-temps, Joe entendit ce qu'il crut dur comme fer être une réflexion antisémite circuler de l'homme qui avait l'air d'un boxeur à son frère ou à son copain. Il lui semblait que l'homme avait dit « sale Juif ». Joe se leva. Il escalada le dossier de son siège. La rangée derrière lui était occupée et, en la franchissant, il flanqua un coup de coude dans l'oreille d'un de ses voisins. Il dégringola dans la rangée des Allemands, manquant perdre l'équilibre. Les Allemands s'esclaffèrent. Joe se cogna brutalement les côtes contre l'accoudoir d'un siège, mais il joua des pieds et des mains pour se relever et, sans un mot, fit tomber le chapeau du boxeur. Ce dernier atterrit au pied de l'autre, dans une flaque grumeleuse de bière renversée et de coquilles de cacahuètes. L'homme à l'oreille en chou-fleur eut l'air très surpris, puis interloqué, quand Joe le saisit par son col de chemise. Joe tira si fort que trois boutons sautèrent et volèrent dans toutes les directions avec des sifflements audibles. Mais l'homme avait une bonne allonge et réussit à entourer la nuque de Joe avec une main. Il le tira à lui et, en même temps, de l'autre main, plaqua son poing contre sa tempe. Pendant que Joe était ainsi immobilisé, penché par-dessus le siège, le nez écrasé sur le genou gauche du bonhomme, le frère bourrait son dos de coups, comme s'il plantait des clous dans une planche au moyen de deux marteaux. Avant que Sammy et quelques spectateurs assis à des places voisines aient pu détacher les deux Allemands de Joe, ils lui avaient fermé l'œil droit, ébréché une dent, contusionné la cage thoracique et abîmé un costume neuf. Un membre du service d'ordre arriva alors et expulsa Joe et Sammy d'Ebbets Field. Ils s'en retournèrent en silence. Joe pressait un gobelet en papier rempli de glace sur son orbite sensible. La douleur était vive. Une odeur de vespasienne flottait sur la rampe descendant aux grilles du stade. Une odeur virile, aigre et revigorante.

– Qu'est-ce que tu fiches ? lui demanda Sammy. Tu es fou ?

– Excuse-moi, bredouilla Joe. J'ai cru qu'il avait dit quelque chose.

– Pourquoi souris-tu, nom de Dieu ?

– Je n'en sais rien.

Ce soir-là, quand Sammy et lui allèrent dîner chez Ethel Klayman, Joe se pencha pour ramasser la serviette de table qu'il avait laissée tomber. Après s'être redressé, il avait un point d'exclamation de sang sur la joue.

– Il te faut une suture, déclara sa tante de son ton le plus péremptoire.

Joe protesta. Il avait dit à ses amis avoir peur des aiguilles et des médecins, mais la vérité, c'est qu'il trouvait sa plaie à la tête édifiante. Ce n'était pas tant qu'il avait le sentiment de mériter la douleur, mais celle-ci l'arrangeait. Il avait beau nettoyer la coupure, la comprimer le mieux possible, la recouvrir d'un bandage épais, la première moucheture de sang révélatrice réapparaissait en moins d'une heure. C'était comme le souvenir de la maison familiale, un hommage au stoïque refus paternel de la maladie, des blessures ou de la souffrance.

– Ça va aller, affirma-t-il.

Sa tante lui empoigna le coude avec son grappin de fer à cinq dents et l'obligea à s'asseoir sur le couvercle des W.-C. de la salle de bains. Elle demanda à Sammy d'aller chercher une bouteille de slivovitz qu'un ami de son défunt mari avait laissée en 1935 et qui était restée intacte depuis lors. Puis elle coinça la tête de Joe sous son bras gauche et le recousit. Le fil était bleu foncé, exactement de la même couleur que l'uniforme de l'Artiste de l'évasion.

– Ne va pas te chercher des ennuis, l'implorait-elle en lui piquant la peau avec sa longue et fine aiguille. Tu en auras assez tôt...

Sur ces entrefaites, Joe alla se chercher des ennuis. Sans raison, il se mit à monter tous les jours à Yorkville, où il y avait beaucoup de bars à bière allemands, de tavernes allemandes, d'associations amicales allemandes et de Germano-Américains. Le plus souvent, il se bornait à rôder un moment dans les parages et rentrait de ses expéditions sans incident, mais une chose en entraînait parfois une autre. Les quartiers ethniques de New York ont toujours été vigilants devant les incursions d'étrangers incontrôlés. En attendant l'autobus, il eut droit à un nouveau coup de poing à l'estomac dans la Quatre-vingt-dixième Rue Est, de la part d'un individu qui n'avait pas bien pris le rictus dont Joe s'armait chaque fois qu'il s'aventurait dans les coins chics. Un après-midi où il traînait devant une confiserie, Joe attira l'attention de quelques petits gamins du quartier, dont l'un, pour des raisons n'ayant rien à voir avec la politique ou les théories raciales, l'atteignit à la nuque avec la grosse huître gluante de sa boulette de papier mâché. Ces gamins étaient tous des lecteurs assidus de l'Artiste de l'évasion et des admirateurs du travail de Joe Kavalier. S'ils avaient su qui il était, ils auraient sans doute profondément regretté d'avoir tiré sur lui à la sarbacane. Mais ils n'aimaient tout simplement pas son allure. Avec la cruelle acuité des enfants, ils avaient observé qu'il y avait quelque chose de bizarre chez Joe Kavalier, dans son costume froissé, son air d'irascibilité rentrée qui couvait, les mèches bouclées qui hérissaient sa chevelure imparfaitement lissée en arrière tel un mécanisme qui aurait explosé. Il était la cible désignée des amateurs de farces et attrapes. Il avait l'air de quelqu'un qui cherchait les ennuis.

Là, il faut préciser qu'un très grand nombre de New-Yorkais allemands étaient violemment opposés à Hitler et aux nazis. Ils écrivaient des épîtres indignées aux rédacteurs en chef des principaux quotidiens pour condamner l'inaction des Alliés et des Américains après l'*Anschluss* et l'annexion des Sudètes. Ils rejoignaient les ligues antifascistes, se colletaient avec les chemises brunes – cet automne-là,

Joe était loin d'être le seul jeune homme à sortir dans les rues de New York en quête de bagarre – et soutenaient vigoureusement la politique du président quand il agissait contre Hitler et sa guerre. Néanmoins, un assez bon nombre d'Allemands new-yorkais étaient ouvertement fiers des réalisations sociales, culturelles, sportives et militaires du Troisième Reich. Parmi eux se trouvait un petit groupe qui était régulièrement actif dans diverses organisations patriotiques, nationalistes, généralement racistes et parfois violentes favorables aux objectifs de la patrie. Joe revenait fréquemment de Yorkville avec des journaux et des tracts antisémites qu'il épluchait de la première à la dernière page, la rage au ventre, avant de les fourrer dans un des trois cageots à pêches qui lui servaient de meuble classeur. (Les deux autres contenaient ses lettres du pays et ses illustrés.)

Un jour qu'il hantait les rues de Yorkville, Joe remarqua un écriteau peint à la main à la fenêtre d'un bureau du premier étage : LIGUE ARYANO-AMÉRICAINE.

Planté là, le nez levé vers la fenêtre, Joe conçut l'obscur fantasme de monter quatre à quatre dans ce bureau et de faire irruption dans ce nid de vipères, les pieds projetés droit vers le lecteur, hors du cadre, pendant que des éclats acérés de la porte volaient dans toutes les directions. Il se voyait patauger dans un maelström de chemises brunes, de poings, de coudes et de bottes et trouver, dans cette déferlante d'hommes, le triomphe. Ou sinon l'expiation, le châtiment ou la délivrance. Il épia cette fenêtre pendant près d'une demi-heure afin d'essayer d'entrevoir un membre réel de ce parti. Personne ne pénétra dans l'immeuble ni ne passa derrière la fenêtre du premier étage. Joe ne tarda pas à abandonner et rentra à la maison.

Fatalement, Joe retourna à Yorkville. En face du Q.G. de la L.A.A. se trouvait un *Konditorei*[1], Haussman's. D'une table près de la devanture, Joe avait une vue imprenable sur la porte du vestibule de l'immeuble et la fenêtre. Il commanda une tranche de l'exquis *Sacher Torte* de la maison et un café, exceptionnellement buvable pour New York, et attendit. Une tranche de gâteau et deux cafés plus tard, toujours pas de signe d'activité aryano-américaine. Il paya l'addition et traversa la rue. Le répertoire de l'immeuble, ainsi qu'il l'avait déjà remarqué, comportait un optométriste, un comptable, un éditeur et la L.A.A., mais aucune de ces raisons sociales ne semblait avoir de patients, de clients ou d'employés. Ce bâtiment, le Kuhn Building, était un tombeau. Il prit l'escalier pour monter au premier étage ; la porte des bureaux de la L.A.A. était fermée à clef. Le jour gris qui filtrait par la vitre dépolie de la porte prouvait qu'il n'y avait aucune lampe allumée à l'intérieur. Joe essaya la poignée, puis il posa un

1. En allemand, « pâtissier ». (*N.d.T.*)

genou à terre pour examiner la serrure. C'était une Chubb, un modèle ancien et robuste, mais s'il avait eu ses outils elle n'aurait présenté aucun problème. Malheureusement, ses crochets et son levier se trouvaient dans un tiroir près de son lit, aux Studios Palooka. Il fouilla ses poches et trouva un porte-mine dont l'agrafe métallique, fixée au manche par une bague à deux dents, pouvait assez bien servir, une fois convenablement déformée, de pied-de-biche. Mais restait le problème du crochet. Il redescendit et déambula autour du pâté de maisons jusqu'à ce qu'il eût trouvé un vélo d'enfant enchaîné aux barreaux d'une fenêtre de la Quatre-vingt-huitième Rue Est. Rouge fraise, il avait l'air neuf, avec ses chromes brillants tels des miroirs et ses pneus luisants et adhérents. Joe attendit un moment, pour s'assurer que personne n'était en vue. Puis il empoigna le guidon étincelant et, avec des coups sauvages du talon de sa chaussure dans la roue de devant, réussit à détacher un rayon. Il l'agita pour le dégager de la jante, puis regagna en courant le carrefour de la Quatre-vingt-septième et de York. Se servant d'une grille métallique comme d'une presse à emboutir et du trottoir lui-même comme d'une lime grossière, il put se confectionner un crochet en état à partir de la tige fine et résistante du rayon.

Après être remonté aux bureaux de la Ligue aryano-américaine, il frappa au montant en chêne de la porte labourée de cicatrices. Pas de réponse. Il remonta son pantalon, s'agenouilla, cala son front contre le battant et se mit à l'ouvrage. Les outils rudimentaires, le manque d'entraînement ainsi que la pulsation de sa surexcitation dans ses artères et ses articulations rendaient le travail plus difficile que prévu. Joe retira son veston, retroussa ses manches. Il fit basculer son chapeau dans ses mains et le posa par terre près de lui. Enfin, il ouvrit son col de chemise et tira sa cravate de côté. Il jurait et suait, guettant si avidement le bruit de la porte d'en bas qu'il ne pouvait pas entendre la serrure réagir à l'action de ses doigts. Il mit presque une heure pour entrer.

Cela fait, il ne trouva pas le laboratoire sophistiqué ou l'officine fasciste à laquelle il s'attendait, mais un bureau en bois, un fauteuil, une lampe, une machine à écrire et un grand meuble classeur en chêne. Les stores vénitiens étaient poussiéreux et tordus, et il leur manquait des lamelles. Le plancher était nu et constellé de brûlures de cigarettes. Le téléphone, quand Joe décrocha, était coupé. À un mur était accroché un cadre : une lithographie en couleurs du Führer d'humeur romantique, le menton tenu à un angle poétique, son toupet brun soulevé par une brise alpine. Contre un autre mur se dressait un rayonnage surchargé de diverses publications, en anglais et en allemand, dont les titres évoquaient les objectifs et les prédictions du national-socialisme et du rêve pangermanique.

Joe alla se planter derrière le bureau. Il tira le fauteuil et s'y installa. Le sous-main disparaissait sous une avalanche de notes et de mémos, certains dactylographiés, d'autres griffonnés d'une écriture minuscule et anguleuse.

... l'hypnose utilisée sur F.T. le prouve
nouvelle étude de F.T. et du vieil homme haschischin de la montagne
F.T. maître épéiste

Il y avait des tickets d'autobus, des emballages de bonbons, un talon de billet des Polo Grounds. Un exemplaire d'un livre intitulé *Thuggee**. Une collection de coupures de journaux et d'articles prélevés dans *Photoplay* et *Modern Screen*. Tous les papiers des revues, nota Joe, semblaient concerner la vedette de cinéma Franchot Tone[1]. Mais les couches de paperasse et de notations énigmatiques étaient entrelardées de dizaines de comics : *Superman*, *Marvel Mystery*, *Flash*, *Whiz*, *Shield-Wizard*... et aussi, Joe ne pouvait pas ne pas le remarquer, des derniers numéros de *Radio*, de *Triumph* et du *Monitor*. Par endroits, les amoncellements de papier étaient positivement hauts comme des montagnes. Trombones, punaises et plumes de stylo étaient éparpillés à la ronde, telles des marques stylisées sur une carte. Une boîte de café Savarin vide était hérissée d'une palissade dentelée de crayons. Joe tendit la main et, de deux grands gestes rapides des bras, envoya tout voltiger. Les punaises crépitèrent en heurtant le sol.

Joe visita les tiroirs. Dans l'un d'entre eux, il trouva un avis de New York Telephone qui promettait, sérieusement ainsi qu'il s'avéra, d'interrompre la ligne si le compte de L.A.A. demeurait impayé, un manuscrit tapé à la machine et, inexplicablement, le menu de la récente réception de mariage, à l'hôtel Trevi, de Bruce et Marilyn Horowitz. Joe arracha le tiroir et le renversa. Le manuscrit se partagea en deux parties qui s'affalèrent à la manière d'un jeu de cartes qu'on laisse choir. Joe ramassa un feuillet et le parcourut. Cela ressemblait à de la science-fiction. Un certain Rex Mundy visait le cuir suppurant d'un ignoble Zid avec son pistolet à rayons, tandis qu'une certaine Krystal DeHaven était pendue, la tête en bas, à une chaîne, au-dessus de la gueule béante d'un Tork affamé.

Il froissa la page et reprit sa razzia dans les tiroirs du bureau. Un autre contenait un portrait encadré de Franchot Tone ; dans le coin inférieur gauche, fichée dans l'interstice entre le verre et le bord intérieur du cadre, il y avait une planche que Joe reconnut

---

1. (1905-1968.) Acteur américain qui a joué dans *Moulin-Rouge*, *Les Mutinés du Bounty* (1935), etc. (*N.d.T.*)

immédiatement pour avoir été découpée dans les pages du premier numéro de *Radio Comics*. C'était un gros plan de ce bon vieux Max Mayflower jeune, riche et je-m'en-foutiste. Son expression était songeuse, ses joues creusées de fossettes. Dans la bulle il disait : « Oh ! Q'est-ce que ça peut faire ? L'important, c'est de s'amuser. » Joe remarqua que l'angle de la tête de Max, une certaine asymétrie dans sa physionomie et son nez ciselé étaient très similaires, pour ne pas dire identiques, à ceux de Franchot Tone sur le portrait de promotion. Personne n'avait jamais remarqué ni commenté cette ressemblance jusque-là. Tone n'était pas un acteur dont le travail ou le visage étaient particulièrement familiers à Joe, mais à présent, en étudiant le long visage mince empreint de mélancolie sur la photo glacée – elle était dédicacée « À Carl, avec toutes les amitiés de Franchot Tone » – il se demandait s'il n'avait pas inconsciemment décalqué son personnage sur Tone.

Dans le dernier tiroir, en bas à droite, tout au fond, il y avait un petit journal intime relié en cuir. Une inscription datant de décembre 1939 était portée sur la page de garde. « À Carl, un lieu où mettre en ordre ses brillantes pensées, affectueusement, Ruth. » La première cinquantaine de pages du journal contenait une dissertation en lettres minuscules et impétueuses, dont la substance – dans la mesure où Joe était capable d'y comprendre quelque chose – semblait être que Franchot Tone était membre d'une association secrète d'assassins, financée par la société dont le père de Tone était directeur, American Carborundum, qui voulait absolument éliminer Adolf Hitler. Cette révélation s'arrêtait au beau milieu d'une phrase, et les pages restantes étaient occupées par plusieurs centaines de variations sur le nom Carl Ebling. Une véritable encyclopédie de styles de signature, allant d'une graphie fleurie aux pattes de mouche. Joe ouvrit le journal au centre, empoigna chaque moitié et le déchira en deux par le dos.

Après en avoir fini avec le bureau, Joe se dirigea vers la bibliothèque. Froidement, méthodiquement, il envoya les piles de livres et de pamphlets voler par terre. S'il s'autorisait à sentir quoi que ce soit, il craignait que ce ne soit ni de la rage ni de la satisfaction, mais simplement de la pitié pour la folle et poussiéreuse nullité de la ligue à membre unique de Carl Ebling. Il continua donc sans rien sentir, les mains gourdes, les affects pincés comme un nerf. Il décrocha le portrait de Hitler et celui-ci tomba avec un tintement. Passant ensuite au meuble classeur, il retira le tiroir du haut, A-D, le retourna et le secoua pour détacher son contenu, comme l'Artiste quand il vidait la tourelle d'un char de ses soldats. Il arracha E-J et s'apprêtait à renverser son contenu sur le monticule d'A-D, quand il remarqua la légende dactylographiée sur l'onglet d'un des tout premiers dossiers du tiroir : « Empire Comics Inc. »

La chemise, assez grosse, contenait la totalité des dix numéros de *Radio Comics* sortis jusqu'ici. Quelque vingt-cinq feuilles de papier pelure, dactylographiées serré, étaient jointes par un trombone au premier numéro. C'était un rapport de Carl Ebling, président de la Confrérie new-yorkaise, L.A.A., sous forme de note à l'attention de tous les membres de la Ligue. Le sujet en était, tenez-vous bien, le spécialiste de l'évasion aux super-pouvoirs, plus connu comme l'Artiste de l'évasion. Joe s'assit dans le fauteuil, alluma une cigarette et commença à lire. Dans le paragraphe d'introduction de la note de Carl Ebling, le héros costumé, son éditeur et ses créateurs, les « auteurs de bandes dessinées juifs » Joe Kavalier et Sam Clay, étaient tous désignés comme des menaces pour la réputation, la dignité et les ambitions du nationalisme allemand sur le sol américain. Carl Ebling avait lu un article du *Saturday Evening Post*[1] détaillant le succès et le tirage croissants de la collection d'illustrés d'Empire, et il exposait brièvement les effets négatifs qu'une propagande antiallemande aussi grossière pouvait avoir sur les esprits de ceux entre les mains de qui reposait l'avenir des peuples saxons, les enfants de l'Amérique. Après quoi il attirait l'attention hypothétique de ses lecteurs sur le remarquable air de famille existant entre Max Mayflower, le Misterioso originel, et l'agent secret des Alliés, Franchot Tone. Là-dessus, tout sens critique semblait abandonner l'auteur. Dans les paragraphes suivants, et pendant le reste de sa note, Ebling se contentait – il n'y avait pas de meilleure formule – de récapituler et de décrire les aventures de l'Artiste de l'évasion, du premier numéro qui expliquait ses origines jusqu'au plus récent à être arrivé dans les kiosques. Les résumés d'Ebling étaient soignés et exacts, tout bien considéré. Mais le plus frappant, à mesure qu'Ebling continuait à ajouter, de mois en mois, une nouvelle rubrique à son dossier sur Empire, c'était la façon dont ses accents d'indignation et de mépris absolu se nuançaient avant de s'évanouir complètement. Dès la quatrième livraison, il avait cessé de truffer ses notations de termes tels que « scandaleux » ou « insultant » ; dans le même temps, ses fiches s'allongeaient et devenaient plus détaillées, se décomposant parfois en un exposé planche par planche de l'action des illustrés. L'ultime résumé, celui du numéro le plus récent, était long de quatre pages et dénué de jugement critique au point d'être totalement neutre. Dans la dernière phrase, Ebling paraissait prendre conscience du fait qu'il s'était éloigné de son dessein initial et ajoutait avec une hâte dépourvue de ponctuation qui impliquait une

1. « Combattre les dessous du fascisme », numéro du 17 août 1940. (*N.d.A.*)

certaine reprise en main penaude : « Bien sûr tout cela relève de l'habituelle propigande (*sic*) belliciste juive. » Mais pour Joe il était clair que la note d'Ebling n'avait de véritable but que l'exégèse, l'archivage exhaustif de dix mois de pure allégresse. Malgré lui, Carl Ebling était un fan.

Joe avait bien reçu des lettres de lecteurs au cours des derniers mois, de lecteurs et de lectrices – mais le plus souvent, c'étaient des garçons – répandus dans tous les États-Unis, de Las Cruces à LaCrosse, cependant celles-ci se limitaient en général à l'expression plutôt simpliste de leur admiration et à des demandes d'illustrations dédicacées de l'Artiste, en assez grand nombre pour que Joe eût conçu une illustration standard, qu'au début il dessinait chaque fois à la main, mais qu'il avait donné récemment à photocopier avec sa signature pour économiser du temps. La lecture de la note d'Ebling marqua la première fois où Joe pressentit la possibilité d'un lectorat adulte de son travail. L'intensité de la passion d'Ebling, son enthousiasme érudit, regorgeant de notes de bas de page, d'analyses thématiques et de listes des personnages, le touchaient étrangement, pour honteux et embarrassés qu'ils fussent. Il était conscient – il ne pouvait pas le nier – de son désir de connaître Ebling. Il balaya du regard les dégâts qu'il avait causés dans les sinistres et modestes bureaux de la Ligue aryano-américaine et éprouva un remords passager.

Puis, sans transition, ce fut à son tour d'avoir honte, non seulement d'avoir étendu, si passagèrement que ce soit, les faveurs de sa sympathie à un nazi, mais aussi d'avoir produit un travail qui plaisait à un tel homme. Joe Kavalier n'était pas le seul auteur de comics à percevoir le fascisme, sous forme d'image inversée, inhérent à son surhomme antifasciste : Will Eisner, un autre auteur de bandes dessinées juif, revêtit de propos délibéré ses héros alliés, les Blackhawks, d'uniformes inspirés des fringants costumes macabres des Waffen S.S. Mais Joe était peut-être le premier à rougir de glorifier, au nom de la démocratie et de la liberté, la brutalité vengeresse d'un homme très, très fort. Depuis des mois il se répétait – et écoutait Sammy lui répéter – qu'ils accéléraient, en feignant de s'acharner sur Haxoff, Hynkel, Hassler ou Hitler, l'intervention des États-Unis dans la guerre qui se déroulait en Europe. Il lui vint alors à l'esprit de se demander si tout ce qu'ils avaient fait jusque-là n'était pas de donner libre cours à leurs pires pulsions personnelles et de permettre ainsi l'émergence d'une nouvelle génération d'hommes qui ne connaissaient que la force et la domination.

Par la suite, il ne sut jamais s'il n'avait pas entendu le bruit fait par Carl Ebling pour pénétrer dans l'immeuble, monter l'escalier et tourner sa poignée de porte forcée, parce que lui-même était perdu dans ses pensées ou parce qu'Ebling avait le pas léger, ou bien si l'homme avait senti la présence d'un intrus et espéré le surprendre. En tout cas, ce n'est que lorsque les gonds grincèrent que Joe, levant les yeux, découvrit une version plus âgée, plus blafarde de Franchot Tone, le menton veule encore plus veule, le front dégarni encore plus avancé dans le processus. Il était planté dans l'encadrement de la porte de la Ligue aryano-américaine, avec un parka gris miteux, dont la fermeture Éclair était remontée, et tenait un gros nerf de bœuf noir à la main.

– Qui diable êtes-vous ? (Ce n'était pas l'élégant accent traînant de Tone, mais quelque chose de plus ou moins local.) Comment êtes-vous entré ?

– Je m'appelle Mayflower, répondit Joe. Tom Mayflower.

– Qui ? Mayflower ? C'est...

Son regard se posa sur le gros dossier d'Empire. Sa bouche s'ouvrit, puis se referma.

Joe, lui, ferma le dossier et se leva lentement. Sans quitter les mains d'Ebling des yeux, il se mit à contourner le bureau par le côté.

– Je partais, murmura Joe.

Ebling hocha la tête et plissa les yeux. Il avait l'air frêle, phtisique peut-être. La fin de la trentaine ou la quarantaine, la peau pâle et semée de taches de rousseur. Il battait des paupières et déglutissait sans arrêt. Joe profita de ce qu'il sentait être une nature indécise et fonça vers la porte. Ebling le toucha à la nuque avec sa matraque. Le crâne de Joe résonna comme une cloche en cuivre et ses genoux se dérobèrent. Ebling le frappa une deuxième fois. Joe se raccrocha au chambranle, puis se retourna pour recevoir un autre coup au menton. La douleur balaya le reste de honte et de remords qui lui brouillait l'esprit ; une vague de colère le submergea. Il se jeta sur Ebling et empoigna le bras qui maniait le nerf de bœuf, tirant dessus si fort que l'articulation craqua. Ebling poussa un cri. Joe le balança par le bras et le projeta contre le mur. La tête d'Ebling heurta le coin du rayonnage où la littérature nazie avait été empilée, et il s'affala par terre tel un pantalon vide.

Dans le contrecoup de sa première victoire, Joe espéra – jamais il n'oublia cet espoir fou, malsain – que son adversaire était mort. Les oreilles bourdonnantes, il restait à haleter et à déglutir au-dessus d'Ebling et espérait que cette âme tordue s'était détachée de son corps. Mais non, un souffle soulevait et creusait tour à tour la fragile charpente du nazi américain. La vision de ce mouvement involontaire, furtif, étancha le flot de colère de Joe. Il retourna au bureau et récupéra son veston, ses cigarettes et ses allumettes. Il s'apprêtait à lever le camp quand ses yeux tombèrent sur le dossier d'Empire Comics, du haut duquel un coin de la note d'Ebling dépassait. Il rouvrit la chemise, dégagea la note de son trombone et retourna celle-ci. Au dos du dernier feuillet, au moyen de son porte-mine, il réalisa un croquis rapide de l'Artiste dans la pose standard qu'il avait choisie pour les envois dédicacés : le maître de l'évasion souriant, les bras tendus, les poignets encerclés par une paire de menottes fendue en deux.

« À mon pote Carl Ebling, écrivit-il au bas du dessin en grosses et allègres lettres cursives. Bonne chance. L'Artiste de l'évasion. »

5.

Le vendredi 25 octobre, peu après trois heures de l'après-midi (d'après à la fois son journal et la déposition qu'il fit à la police), James Haworth Love, actionnaire majoritaire et président du conseil d'administration d'Oneonta Mills, se trouvait en compagnie d'Alfred E. Smith, président à vie de la société de l'Empire State Building, dans le bureau encombré de souvenirs de ce dernier, au trente-deuxième étage de l'immeuble le plus haut du monde, quand le gérant entra « le visage couleur de cendre et l'air de quelqu'un sur le point de rendre tripes et boyaux », selon l'expression même de l'industriel dans son compte-rendu privé des événements de la journée. Après un prudent regard oblique à Love, le gérant, Chapin L. Brown, informa son patron qu'ils étaient confrontés à une situation délicate au vingt-cinquième.

Alfred Emanuel Smith – étrillé par Herbert Hoover dans sa course à la Maison-Blanche de 1928 – était un vieil ami politique et un associé de Love depuis son mandat de gouverneur de l'État de New York. En fait, cet après-midi-là, Love était dans le bureau de Smith afin de recruter ses services comme prête-nom pour un consortium qui avait espoir de remettre d'actualité le vieux rêve de Gustav Lindenthal[1] d'un pont sur l'Hudson haut de huit cent quarante mètres et large de soixante, à hauteur de la Cinquante-septième Rue, et dont les accès par l'est devraient être construits sur une large parcelle de terrain du West Side, devenue récemment la propriété de Love. Smith et Love n'étaient nullement des confidents – James Love se passait de confidents, autant que Smith pût en juger –, mais le magnat du textile était un homme d'une réserve, voire d'une manie du secret, presque légendaire, célèbre pour garder ses projets pour soi. Avec un signe de tête confidentiel à l'intention de son invité, censé lui signifier sa confiance implicite dans sa discrétion et sa perspicacité, Smith dit

1. Ingénieur célèbre pour ses nombreux projets et constructions de ponts (1850-1935). (*N.d.T.*)

qu'il était d'avis que Brown ferait mieux de cracher le morceau. Brown adressa à son tour un signe de tête à Mr Love, posa les poings sur ses hanches comme pour retrouver son aplomb et poussa un bref soupir, apparemment destiné à exprimer à la fois l'incrédulité et la rancune.

– Nous avons peut-être une bombe dans l'immeuble, proféra-t-il.

À trois heures, poursuivit-il, un individu prétendant représenter un mouvement de nazis américains – Brown prononçait « nazzzzis » – avait téléphoné pour prévenir, avec une fausse voix de baryton assourdie par un mouchoir, qu'il avait dissimulé, quelque part dans les bureaux des occupants du vingt-cinquième étage, un puissant engin explosif. La bombe était réglée pour exploser, avait affirmé le correspondant téléphonique, à trois heures trente, tuant tout le monde à proximité et endommageant peut-être la structure même du célèbre édifice.

Dans sa déposition à la police, Mr Love déclara que Son Honneur avait accueilli la nouvelle aussi gravement qu'elle lui avait été annoncée, même si, comme il le nota dans son journal, aucune sorte d'inquiétude n'eût pu faire pâlir son visage rubicond.

– Avez-vous prévenu M'Naughton ? demanda Smith.

Son attitude était calme et sa voix rocailleuse normale, mais une intonation étranglée, comme de la colère rentrée, y perçait, et ses yeux bruns, qui avaient en général le regard un peu triste courant chez les hommes joviaux, saillaient de sa tête de vieux bébé à bajoues. Le capitaine M'Naughton était le chef de l'escadron de pompiers privé de l'immeuble. Brown inclina une nouvelle fois la tête.

– Ils sont en train d'évacuer tout l'étage, répondit-il. Les gars de M'Naughton y sont actuellement pour chercher ce maudit engin.

– Appelez Harley et dite-lui que je descends, ordonna Smith.

Déjà debout, il contournait son bureau pour se diriger vers la porte. Smith était originaire du Lower East Side, un petit dur de l'ancien 4e secteur, et ses sentiments pour l'immeuble dont il était, aux yeux des New-Yorkais et de tout le pays, le symbole humain, étaient ceux d'un propriétaire. Il se retourna en sortant pour embrasser son bureau d'un dernier regard, comme au cas où il ne le reverrait plus, se dit Love. Tel un vieux grenier, la pièce était bourrée de trophées et de souvenirs de sa carrière, qui avait failli le mener à Washington, mais l'avait finalement conduit à régner sur ce royaume aérien (normalement) bien plus harmonieux. Smith soupira. Ce jour-là marquait le début du dernier week-end de cette grandiose aventure de deux ans qu'avait été la Foire mondiale de New York, dont le Q.G. officiel était installé dans l'Empire State Building. Un banquet princier était prévu le soir même, dans la salle à manger de l'Empire State Club, au vingt et unième étage. Smith détestait voir un banquet princier gâché pour quelque raison que ce soit. Plein de regrets, il secoua la tête. Puis, posant sur sa tête son melon brun, sa marque de fabrique, il prit son visiteur par le bras et montra le chemin vers la batterie d'ascenseurs. Dix cabines desservaient l'étage, toutes à usage local et circulant entre le vingt-cinquième et le quarante et unième.

– Vingt-cinquième, lança Smith au liftier au moment où ils montaient dedans. (Bill Roy, le garde du corps, suivait pour protéger la vieille carcasse irlandaise de Smith.) Vingt-cinquième, répéta Smith, qui adressa un clin d'œil à Mr Brown. Les gars des histoires comiques ?

– Empire, confirma Mr Brown, avant d'ajouter avec aigreur : Très comique.

Au vingt-neuvième, l'ascenseur ralentit comme pour s'arrêter, mais le liftier appuya sur un bouton, et la machine, ayant été en quelque sorte promue express sur le champ de bataille, continua à descendre.

– Quel Empire ? demanda Love. Quelles histoires comiques ?

– Ils les appellent des comics, répondit Mr Brown. La boîte, c'est Empire Comics. De nouveaux locataires.

– Des comics...

Love était veuf sans enfants, mais il avait vu ses neveux lire des comics deux étés plus tôt, à Miskegunquit. À l'époque, il avait été seulement sensible au charme de la scène : les deux jeunes garçons étendus sans chemise, les pieds nus, dans un hamac qui se balançait, suspendu entre deux ormes sains, dans une bande tachetée adextrée de soleil, leurs jambes duveteuses enchevêtrées, l'attention instable de chacun totalement absorbée par un barbouillage aux couleurs vives grossièrement agrafé intitulé *Superman*. Love avait suivi la conquête subséquente des journaux, des paquets de céréales et, dernièrement, du Mutual Broadcasting System par le héros bien bâti en maillot, et était connu pour jeter un œil aux aventures de Superman en bandes dessinées.

– Mais qu'est-ce que les Bundistes[1] peuvent avoir contre eux ?

– Tu as déjà vu un de ces illustrés, Jim ? s'enquit Smith. Si j'avais dix ans, je serais étonné qu'il y ait encore des nazis là-bas, en Allemagne, vu la manière dont nos amis d'Empire leur sont tombés dessus à bras raccourcis...

Les portes de l'ascenseur s'ouvrirent sur le spectacle déconcertant et cauchemardesque d'une centaine de personnes qui se dirigeaient vers l'escalier dans un silence total. Mis à part quelques rares rappels pressants, pas spécialement courtois, de l'un des dizaines de policiers

1. Le *German-American Bund*, ancienne organisation américaine pro-nazie. (*N.d.T.*)

de l'immeuble grouillant sur le palier que toute bousculade n'aboutirait qu'à une jambe cassée, les seuls bruits qu'on entendait étaient le roulement de tambour des bottes de caoutchouc et des cirés, le crissement et le claquement des semelles et des talons, et le tapotement impatient des pointes de parapluie sur le carrelage. Alors que son cercle sortait de l'ascenseur, James Love remarqua qu'un gros policier, après un signe de tête à Chapin Brown, y entrait derrière eux pour en bloquer les portes. Tous les ascenseurs étaient isolés par un cordon de gardes en casaque bleue qui se balançaient d'avant en arrière sur leurs talons, les mains jointes dans le dos. Une défense impénétrable, aux visages rébarbatifs.

– Le capitaine Harley a pensé qu'il valait mieux évacuer les personnes présentes en groupe et les garder toutes ensemble, expliqua Brown. Je suis enclin à être d'accord.

Al Smith eut un hochement de tête.

– Inutile d'effrayer tout l'immeuble, observa-t-il, jetant un coup d'œil à sa montre. Pas encore, en tout cas.

Le capitaine Harley se dépêcha alors de venir les rejoindre. C'était un Irlandais grand et robuste, avec l'orbite oculaire gauche couturée de cicatrices, serrée comme un poing autour de la marotte blanc et bleu de l'œil.

– Vous ne devriez pas être ici, monsieur le gouverneur, dit-il, avant de tourner son œil enflammé vers Love. J'ai ordonné d'évacuer l'étage. Avec tout le respect que je vous dois, ça vaut pour vous aussi, et votre invité.

– Harley, avez-vous oui ou non trouvé cette bombe ? demanda Smith.

Harley secoua la tête.

– Les hommes sont toujours en train de fouiller les lieux.

– Et qu'allez-vous faire de tout ce monde ? insista Smith, en regardant les derniers retardataires, entre autres un jeune homme voûté à lunettes, l'air renfrogné, qui semblait emmailloté dans quatre ou cinq couches de vêtements, disparaître dans la cage d'escalier.

– Nous les faisons descendre au poste de secours...

– Envoyez tous ces braves gens Chez Nedick. Offrez-leur un jus d'orange à mes frais. Je n'ai pas envie qu'ils traînent sur le trottoir en jacassant. (Baissant la voix, Smith se mit à chuchoter avec des airs de conspirateur, non entièrement dénués d'amabilité, même dans ces circonstances.) En fait, non, reprit-il. Écoutez. Demandez à un de vos gars de les conduire tous Chez Keen, d'accord, et de dire à Johnny ou qui vous voulez de servir la compagnie et de tout mettre sur la note d'Al Smith.

Harley fit signe à un de ses hommes et l'expédia à la poursuite des évacués.

– Si vous n'avez toujours pas trouvé l'engin dans... (Smith vérifia encore sa montre)... dix minutes, je veux que vous dégagiez aussi le vingt-troisième, le vingt-quatrième, le vingt-sixième et le vingt-septième. Envoyez-les... je ne sais pas... Chez Stouffer ou un endroit de ce genre. Compris ?

– Oui, monsieur le gouverneur. Pour vous dire la vérité, je n'allais attendre que cinq minutes avant d'évacuer les autres étages.

– J'ai confiance en M'Naughton, répliqua Smith. Dix minutes.

– Très bien, Votre Honneur, mais il y a un seul petit problème, reprit le capitaine Harley, passant une main charnue d'abord sur ses lèvres, puis sur toute la moitié inférieure de son visage, qui resta marbrée de rouge. (C'était le geste de frustration d'un homme qui luttait contre un penchant naturel à casser quelque chose en deux.) Je m'y attelais quand je vous ai entendus descendre.

– Qu'est-ce que c'est ?

– Il y en a un qui refuse de sortir.

– Qui ne veut pas sortir ?

– Un certain Mr Joe Kavalier. Un jeune étranger. Il n'a pas plus de vingt ans.

– Et pourquoi ce garçon refuse-t-il de sortir ? s'enquit Al Smith. Qu'est-ce qui lui prend ?

– Il dit qu'il a trop de travail.

Love s'étrangla de rire, puis détourna le visage afin de ne pas offenser le policier ou son hôte par son hilarité.

– Eh bien, par exemple... Emportez-le alors, reprit Smith. Que cela lui plaise ou non...

– J'aimerais bien, Votre Honneur. Malheureusement... (Harley hésita et se malaxa un peu plus les bajoues avec son battoir.) Mr Kavalier a jugé bon de s'attacher à sa table de dessin avec des menottes. Par les chevilles, pour être exact.

Cette fois-ci, Mr Love s'arrangea pour noyer son éclat de rire dans une quinte de toux.

– Comment ? (Smith ferma un instant les yeux, puis les rouvrit.) Comment diable s'est-il débrouillé ? Où a-t-il trouvé ces menottes ?

Là, Harley devint cramoisi et marmonna une réponse à peine audible.

– Qu'est-ce que vous racontez ? demanda Smith.

– Elles m'appartiennent, Votre Honneur, avoua Harley. Et pour vous dire la vérité, j'ignore vraiment comment il a mis la main dessus...

L'accès de toux de Love était déjà devenu tout à fait sincère. Il fumait trois paquets par jour, et ses poumons étaient bien mal en point. En général, pour éviter toute gêne en public, il riait le moins souvent possible.

– Je vois, murmura Smith. Bon, enfin, capitaine, demandez à deux de vos gars les plus costauds de sortir aussi cette satanée table.

– C'est qu'elle est... euh... bon, encastrée, Votre Honneur. Boulonnée au mur...

– Alors déboulonnez-la ! Éjectez-moi ce C.O.N. de là ! Son satané taille-crayon est sans doute piégé...

Harley fit signe à deux de ses hommes les plus corpulents.

– Attendez, reprit Smith, qui consulta sa montre. Nom de Dieu ! (Il repoussa son chapeau melon en arrière, ce qui lui donnait l'air à la fois plus jeune et plus canaille.) Je me charge de dire un mot à ce blanc-bec. Comment s'appelle-t-il déjà ?

– Kavalier avec un K, Votre Honneur. Sauf que je ne vois pas l'utilité, ou pour quelle raison vous laissez...

– Pendant mes onze années comme président de cet immeuble, capitaine Harley, je ne vous ai jamais envoyé, vous ou vos hommes, porter la main sur un de nos locataires. On n'est pas dans un hôtel borgne de la Bowery ! (Il se mit en marche vers la porte d'Empire Comics.) J'espère que nous pouvons encore consacrer une minute à la raison avant de flanquer à la porte Mr Kavalier avec un K !

– Vous me permettez de venir avec vous ? intervint Love.

Il s'était remis de son accès de gaieté, même si son mouchoir de poche contenait désormais la preuve qu'il y avait quelque chose de vil et de brunâtre à l'intérieur de lui.

– Je ne peux pas te laisser faire ça, objecta Smith. Ce serait irresponsable de ma part.

– Tu as une femme et des enfants, Al. Moi, tout ce que j'ai, c'est mon argent.

Smith dévisagea son vieil ami. Avant que Chapin Brown ne débarque pour les interrompre avec son histoire d'alerte à la bombe, ils discutaient, non du pont sur l'Hudson, projet jeté une fois de plus aux oubliettes avec la brutale et prochaine retraite de la vie publique de Love, mais plutôt de ses vues bien arrêtées et moult fois exprimées sur la guerre que la Grande-Bretagne était en train de perdre en Europe. Fidèle partisan de Churchill, James Love figurait en effet parmi le petit nombre de puissants industriels du pays qui, presque dès le début, soutinrent activement l'entrée de l'Amérique dans le conflit. Même s'il était fils et petit-fils de millionnaires, il avait été travaillé toute sa vie, à peu près comme le président des États-Unis, par de fortes impulsions libérales qui, si imprévisibles fussent-elles – les usines de Love employaient indifféremment des ouvriers syndiqués et non syndiqués –, faisaient de lui un antifasciste naturel. Transmis de millionnaire à millionnaire dans la famille de Love, le souvenir de la prospérité colossale et durable que les contrats de guerre et du gouvernement avaient apportée aux Lainages Oneonta pendant la guerre de Sécession jouait sans aucun doute également un rôle dans ses conceptions. Tout cela était connu – et plus ou moins bien compris – d'Al Smith et l'amenait à conclure que l'idée de risquer la mort aux mains des nazis américains avait un certain attrait aux yeux de quelqu'un qui s'était efforcé, d'une manière ou d'une autre, d'entrer en guerre depuis près de deux ans déjà. Et puis, en 1936 ou 1937, l'homme avait perdu sa femme, célèbre pour sa beauté, qui avait été emportée par le cancer. Depuis cette époque il revenait aux oreilles de Smith de vagues rumeurs de mœurs dissolues, suggérant la conduite d'un être qui, à l'occasion de cette tragédie, avait également perdu ses repères ou, tout au moins, sa peur de la mort. Ce que Smith ignorait, c'était que le seul véritable grand ami dans la vie de James Love, Gerhardt Frege, avait été un des premiers à mourir – de blessures internes – à Dachau, peu après l'ouverture du camp en 1933[1]. Smith ne soupçonnait pas, et n'aurait même jamais imaginé, que l'animosité de James Love envers les nazis et leurs sympathisants américains était, au fond, une affaire personnelle. Mais il y avait dans ses yeux une ferveur qui à la fois inquiétait Smith et le touchait.

– Nous lui accordons cinq minutes, trancha Smith. Et puis je demande à Harley de sortir ce vaurien par les bretelles.

La salle d'attente d'Empire Comics était une froide et moderne étendue de marbre et de cuir, une toundra noire givrée de verre et de chrome. L'effet était imposant et intimidant, d'une splendeur glaciale, assez semblable à sa décoratrice, Mrs Sheldon Anapol, même si ni Love ni Smith n'avaient le moyen, naturellement, de dresser ce parallèle. Il y avait un long bureau de réception semi-circulaire, revêtu de marbre noir et strié d'anneaux de Saturne en verre, derrière lequel trois pompiers en vareuse noire, accroupis, le visage dissimulé sous un lourd masque de soudeur, furetaient soigneusement à l'aide de manches à balai. Au mur face à la réception était accroché un tableau représentant un géant agile et masqué en combinaison bleu foncé, les bras ouverts dans un geste extatique, jaillissant du nœud de grosses chaînes de fer qui lui entravaient les reins, le ventre et la poitrine. Sur ladite poitrine, il portait l'emblème d'une clef stylisée. Des lettres hautes d'un pied formaient un arc au-dessus de sa tête, proclamant hardiment L'ARTISTE DE L'ÉVASION !, tandis qu'à ses pieds deux soldats du feu marchaient à quatre pattes et fouillaient les tiroirs et les espaces prévus pour les jambes du bureau de la réception, à la

1. Socialiste, skieur alpin et, comme Love, élève de Rhodes (ils s'étaient connus à Trinity College), Frege fut privé de son titre de champion national allemand sur le déclin et condamné à Dachau pour « avoir sollicité un acte de perversion » dans la *Bahnhof* de Munich. (*N.d.A.*)

recherche d'une bombe. La visière étincelante, les hommes levèrent la tête pendant que Harley montrait le chemin au gouverneur Smith et à Mr Love.

– Vous avez trouvé quelque chose ? lança Smith.

Un des pompiers, un gars plutôt âgé dont le casque paraissait beaucoup trop grand pour lui, secoua la tête.

L'atelier de graphisme, peu importait son nom, n'avait rien du vernis et de l'éclat de la salle d'attente. Le sol était du béton badigeonné de bleu clair, jonché de vieux mégots et de carnations froissées de papier à dessin. Les tables était un bric-à-brac de modèles flambant neufs et à moitié déglingués, mais la lumière du jour entrait sur trois côtés, avec une vue spectaculaire, sinon à couper le souffle, sur la mairie et les tours des quotidiens du centre-ville, l'écusson vert de Central Park, les remparts du New Jersey et le terne reflet métallique de l'East River, sans oublier un aperçu de la mantille de fer du Queensboro Bridge. Les fenêtres étaient fermées et un nuage de fumée planait dans la pièce. Dans un coin du fond, contre un mur d'où sa table de dessin scellée se détachait de biais, un jeune homme pâle était penché, maigre, ébouriffé, les pans de chemise sortis, ajoutant des mètres de volutes de fumée au nuage déjà existant. Al Smith fit signe à Harley de les laisser.

– Cinq minutes, répéta ce dernier en se retirant.

Dès que le capitaine de police ouvrit la bouche, le jeune homme pivota sur son tabouret. Avec un regard de myope, il loucha en direction de Smith et de Love qui s'avançaient, l'air légèrement contrarié. C'était un beau petit Juif aux grands yeux bleus, avec un nez aquilin et un menton volontaire.

– Jeune homme, l'interpella Mr Smith. Monsieur Kavalier, c'est ça ? Je suis Al Smith. Voici mon ami, Mr Love.

– Joe, se présenta le jeune homme.

Sa main était ferme et sèche dans celle de Love. Même s'il avait l'air de les avoir portés un peu trop longtemps, ses vêtements étaient d'assez bonne qualité : chemise en popeline à la poche de poitrine brodée d'un monogramme, cravate de soie grège, pantalon gris en laine peignée à large revers. Mais il avait l'air sous-alimenté d'un immigré, les yeux creux, meurtris et méfiants, les extrémités des doigts maculées de nicotine. Ses ongles soigneusement manucurés avaient été abîmés par l'encre. Il avait l'air surmené, mort de fatigue et – pensée surprenante pour Love, qui n'était pas un homme particulièrement attentif aux sentiments des autres – triste. Un New-Yorkais moins raffiné lui aurait probablement demandé où avaient lieu les obsèques.

– Dis donc, jeune homme, reprit Smith. Je suis venu t'adresser une requête personnelle. Voyons, j'admire ta conscience professionnelle. Mais j'aimerais que tu m'accordes une faveur, une faveur personnelle, tu comprends ? Voilà. Allez, viens maintenant et permets-moi de t'offrir un verre. D'accord ? On va régler ce petit problème et puis tu seras mon invité au club. O.K., petit ? Qu'est-ce que tu en dis ?

Si Josef Kavalier fut ou non impressionné par ce geste généreux de la part d'une des personnalités les plus connues et les plus aimées de la vie contemporaine américaine, un homme qui eût pu jadis être président des États-Unis, il n'en montra rien. Il se contentait de paraître amusé, songea Love, et une pointe d'irritation perçait sous cet amusement.

– J'aimerais bien, une autre fois peut-être, merci, répondit-il avec un vague accent des Habsbourg. (Il tendit la main vers une pile de papiers à dessin et en prit un nouveau sur le dessus. Celui-ci sembla à l'observateur Love, qui était toujours prêt à s'intéresser aux secrets et aux méthodes de n'importe quelle forme de fabrication ou de création, avoir été préimprimé de neuf grandes formes carrées, en trois rangées de trois.) Seulement j'ai tant de travail...

– Tu aimes vraiment ton travail, je vois, remarqua Love, surprenant l'air de désintérêt amusé du jeune homme.

Joe Kavalier baissa les yeux vers ses chaussures. Une paire de menottes métalliques attachait sa cheville gauche, avec sa chaussette grise ornée de pendules blanches et bordeaux, à un des pieds de sa table.

– Je ne voulais pas être dérangé, vous savez ? (Du bout de son crayon, il tapota sa feuille de papier.) Il me reste tant de cases à remplir.

– Oui, très bien, c'est tout à fait admirable, fiston, répondit Smith. Mais sapristi ! Combien de dessins pourras-tu pondre quand ton bras tombera dans la Trente-troisième Rue ?

Le jeune homme enveloppa du regard l'atelier vide, à l'exception de la fumée de sa cigarette et de deux pompiers, dont les boucles de ciré cliquetaient pendant qu'ils arpentaient la pièce à quatre pattes en grognant.

– Il n'y a pas de bombe, déclara-t-il.

– Tu crois que cette histoire est un canular ? demanda Love.

Joe Kavalier fit signe que oui, puis pencha la tête vers son travail. Il considéra la première petite case de la page sous un angle, puis sous un autre. Ensuite, rapidement, d'un trait ferme et assuré, il se mit à dessiner. Dans le choix de l'image qu'il était en train de mettre sur le papier, il n'avait pas l'air de suivre le scénario tapé à la machine empilé à côté de son coude. Peut-être l'avait-il entièrement mémorisé. Love tordit le cou pour mieux voir ce que le gamin dessinait. On eût dit un avion, un qui serait pourvu des féroces jambières d'un Stuka. Oui, un Stuka, qui faisait un piqué à pleins gaz. La précision du détail était impressionnante. L'appareil était solidement riveté. Pourtant, une certaine exagération dans la flèche de la voilure évoquait une grande vitesse et même une ombre de malveillance prédatrice.

– Monsieur le gouverneur ? (C'était Harley. Il semblait désormais irrité aussi contre Smith.) J'ai deux hommes fin prêts avec une pince.

– Un instant, cria Love, avant de se sentir rougir.

C'était à Al Smith de décider, bien sûr – c'était l'immeuble d'Al Smith –, mais Love était impressionné par la bonne mine du jeune homme, son air de certitude en ce qui concernait l'imposture de la bombe. Comme toujours, le spectacle d'un être humain adroit dans ses réalisations le fascinait. Lui non plus n'était pas prêt à partir.

– Vous avez trente secondes, concéda Harley, ressortant en baissant la tête. Avec tout le respect que je vous dois...

– Bon, alors, Joe, dit Smith, consultant une fois de plus sa montre. (Sa voix et son expression trahissaient plus de nervosité que tout à l'heure. Mais son ton se fit patient et légèrement condescendant, et Love devina qu'il essayait d'être psychologue.) Si tu refuses d'évacuer les lieux, tu vas peut-être me dire pourquoi le Bund... Serait-ce le Bund ?

– Non, la Ligue aryano-américaine.

Smith regarda Love, qui secoua la tête.

– Je ne crois pas en avoir jamais entendu parler, hasarda Smith.

La bouche de Joe Kavalier se retroussa en un petit rictus éloquent, comme pour laisser entendre que cela n'était guère étonnant.

– Pourquoi ces Aryens sont-ils si remontés contre vous autres ? Comment sont-ils tombés sur ces dessins controversés ? Je ne savais pas que les nazis lisaient des comic books !

– Toutes sortes de gens les lisent, riposta Joe. Je reçois du courrier de tout le pays. De Californie, d'Illinois. Du Canada aussi.

– Vraiment ? s'étonna Love. Combien de tes comics vends-tu par mois ?

– Jimmy... commença Smith, en tapotant le cristal de sa montre-bracelet d'un doigt boudiné.

– Nous avons trois titres, répondit le jeune homme. Bien qu'on arrive à cinq maintenant.

– Et combien en vends-tu en un mois ?

– Monsieur Kavalier, c'est un sujet passionnant, mais si vous refusez de venir sans faire d'histoires, je vais me voir dans l'obligation de...

– Près de trois millions, calcula Joe Kavalier. Mais ils passent tous de main en main au moins une fois. Ils sont échangés contre d'autres, entre les jeunes. Alors le nombre de nos lecteurs, Sam, mon associé, Sam Clay dit qu'il représente peut-être le double de nos ventes. Ou plus...

– *Das ist bemerkenswert*[1] *!* s'exclama Love.

Pour la première fois, Joe Kavalier parut surpris.

– *Ja*, sans blague.

– Et ce lascar dans le hall, avec la clef sur la poitrine, c'est votre attraction vedette ?

– L'Artiste de l'évasion, le plus grand spécialiste de l'évasion du monde. Aucune chaîne ne le retient. On l'envoie libérer les gens emprisonnés dans le monde entier. C'est du solide. (Joe sourit pour la première fois, un sourire empreint d'autodérision, mais pas assez pour cacher son évidente fierté professionnelle.) C'est mon associé et moi qui l'avons créé.

– Je parie que ton associé a eu assez de jugeote pour se laisser évacuer, commenta Smith, revenant au prétendu but de cette conversation.

– Il est en rendez-vous. Et il n'y a pas de bombe...

À cet instant, alors même que Joe disait « bombe », il y eut une explosion de cris – Brrrang ! – juste au-dessus de leurs têtes. James Love sursauta et lâcha sa cigarette.

– La voie est libre, commenta Smith, s'épongeant le front avec un mouchoir. Eh bien, Dieu merci !

– Bonté divine !

De la cendre était répandue sur tout le veston de Love, qui se brossa furtivement en rougissant.

– La voie est libre ! clama une voix enrouée. (L'instant d'après, le pompier assez âgé pointa la tête dans l'atelier.) Ce n'était qu'un vieux réveil, Votre Honneur, déclara-t-il à Smith, l'air à la fois soulagé et déçu. Dans le bureau d'un certain Mr... Clay. Fixé avec un adhésif à deux chevilles peintes en rouge.

– Je le savais, murmura Joe, s'attaquant à sa deuxième petite case.

– La dynamite n'est même pas rouge, commenta le vieux pompier en sortant. Pas vraiment...

– Ce type lit trop de comics, ajouta Joe.

– Monsieur le gouverneur !

Ils se retournèrent. Trois hommes entraient dans l'atelier. L'un d'eux, déplumé et énorme dans toutes ses parties et ses extrémités, avait l'allure d'un responsable d'un minable syndicat ouvrier. L'autre, grand et juste bedonnant, avait des cheveux roussâtres qui s'éclaircissaient, un héros du football décati. Derrière les deux costauds se

1. « C'est remarquable. » (*N.d.T.*)

tenait un minuscule jeune homme à l'air belliqueux, accoutré d'un complet gris rayé trop grand, avec des épaulettes si larges que c'en était presque comique. Le petit se précipita immédiatement vers la table à dessin où Joe Kavalier travaillait. Il adressa un signe de tête à Love, en le toisant, et posa une main sur l'épaule de Kavalier.

– Monsieur Anapol, n'est-ce pas ? dit Smith, serrant la main du gros homme. Nous avons eu un peu d'émotion dans la maison.

– Nous étions à table ! s'écria Anapol, qui s'était approché pour sa poignée de main avec Al Smith. Nous sommes revenus en courant dès que nous avons appris la nouvelle ! Monsieur le gouverneur, je suis vraiment désolé de tous les ennuis que nous vous avons causés. À mon avis (à cet instant il décocha un coup d'œil à Kavalier & Clay) ces deux jeunes têtes brûlées ont peut-être poussé le bouchon un peu trop loin dans nos publications.

– Peut-être bien, répondit Love. Mais ce sont de braves gosses, et je les félicite.

Anapol parut déconcerté.

– Monsieur Anapol, puis-je vous présenter un vieil ami, Mr James Love. Mr Love est...

– ... Oneonta Mills ! le coupa Anapol. Monsieur James Love. Quel plaisir ! Je regrette que nous soyons contraints de nous rencontrer dans de telles...

– Allons donc ! l'arrêta Love. Nous nous sommes bien amusés. (Il ignora le froncement de sourcils que sa déclaration provoqua sur la figure d'Al Smith.) Monsieur Anapol, ce n'est sans doute guère le moment ni l'endroit pour cela, mais ma firme vient de regrouper tous nos différents comptes en un consortium pour les placer chez Burns, Baggot & DeWinter, poursuivit Love. Vous les connaissez peut-être ?

– Bien sûr, acquiesça Anapol. Le Knackfolder Trousers Man. Le « Fou dansant ».

– Ce sont des garçons intelligents, et un des trucs intelligents dont ils m'ont parlé, c'est de regarder d'un œil neuf nos comptes radio. J'aimerais qu'un de leurs gars s'asseye autour d'une table avec vous, Mr Kavalier que voici et Mr... Clay, c'est ça ? pour discuter d'un moyen de financer votre Artiste de l'évasion pour Oneonta Mills.

– Financer ?

– À la radio, patron, intervint le petit, qui saisissait vite. (Il avança le menton, prit une voix grave et attrapa un microphone imaginaire.) Oneonta Mills, fabricants des chaussettes et sous-vêtements thermiques de la marque Koo-Zee-To[1], vous présentent *Les Extraordinaires Aventures de l'Artiste de l'évasion* ! (Il dévisagea Love.) C'est ça, l'idée ?

---

1. *Cf.* l'anglais *cosy toes* : « orteils au chaud ». (*N.d.T.*)

– Quelque chose dans ce genre, admit Love. Oui, ça me plaît.

– L'idée, répéta Anapol. Une émission de radio. (Il pressa une main sur son ventre comme s'il ne se sentait pas bien.) Ça me rend un peu nerveux. Avec tout le respect que je vous dois, et je ne dis pas que je ne suis pas intéressé, mais...

– Enfin, réfléchissez-y, monsieur Anapol. Je présume qu'il doit y avoir d'autres personnages disponibles, mais j'ai l'intuition que celui-ci est pour moi. Disons que je vais téléphoner à Jack Burns et m'arranger pour que vous vous asseyiez autour d'une table cette semaine, conclut Love. C'est-à-dire, si vous êtes libres, messieurs.

– Mais je suis libre, répondit Anapol, se ressaisissant. Mon associé, Jack Ashkenazy, sera libre aussi, j'en suis sûr. Et voici notre rédacteur en chef, Mr George Deasey.

Love serra la main de Deasey, avec un mouvement de recul devant l'odeur de clou de girofle qui masquait le relent de whisky de son haleine.

– Mais ces jeunes gens ici présents, poursuivit Anapol, ils fournissent du bon boulot, comme vous avez vu, et ce sont de très braves petits, bien que peut-être un tantinet excitables. Mais ce sont... comment dirais-je ?... ce sont les ouvriers saisonniers de cette ferme.

Sam Clay et Joe Kavalier échangèrent un regard où Love vit le feu d'une rancune couvant sous la cendre.

– Meuh ! fit Sam Clay, en haussant ses énormes épaulettes.

– Je vais avoir besoin de votre déposition, monsieur Anapol, intervint le capitaine Harley. Ainsi que de la vôtre, monsieur le gouverneur, et celle de votre invité. Ça ne prendra pas longtemps.

– Que diriez-vous de descendre régler la question au club ? proposa Al Smith. Je boirais bien un verre...

À ce moment-là entra un télégraphiste en livrée bleue, porteur d'une lettre exprès.

– Sheldon Anapol ? demanda-t-il.

– Présent, répondit Anapol, signant le reçu de livraison. George, reste ici et veille à ce que les choses retournent à la normale.

Deasey inclina la tête. Anapol donna un pourboire au télégraphiste et sortit derrière Al Smith. Love fit signe à Smith qu'il le suivait, puis se retourna vers les deux jeunes gens. Appuyé d'une épaule à celle de son associé, Sam avait l'air un peu dans les vapes, comme s'il avait reçu un coup sur la tête. Puis il se dirigea vers un rayonnage bas, dans un coin de la pièce. Il réunit à la va-vite une pile de publications, qu'il apporta à Love, en regardant son aîné dans les yeux.

– Vous aimeriez peut-être apprendre à connaître un peu mieux le personnage ? suggéra-t-il. Notre personnage.

– Notre comme dans... ?

– Notre, comme dans Joe et moi. L'Artiste de l'évasion. Mais il y a aussi le Monitor, les Four Freedoms, Mr Machine Gun. Toutes les principales ventes d'Empire. Tenez. Joe, est-ce que tu as... Ouais. (Il chercha à tâtons dans le fouillis sous la table de Joe Kavalier pour retrouver une feuille de papier à lettres dont l'en-tête sophistiqué montrait un groupe de beaux éphèbes musclés paresseusement alanguis autour des caractères. Un garçon aux cheveux hirsutes et au nez crochu était perché sur l'esperluette de « Kavalier & Clay ».) J'ai toujours pensé que l'Artiste serait parfait pour la radio.

– Eh bien, je n'ai pas vraiment qualité pour juger, monsieur Clay, tergiversa Love, sans méchanceté, en prenant les publications et la feuille de papier. Pour être tout à fait honnête, mon seul souci, c'est de savoir s'il nous aidera à vendre ou non des chaussettes. Mais je dirais (son visage prit alors une drôle d'expression que Joe aurait presque qualifiée d'œillade) que j'aime beaucoup ce que j'ai vu ici aujourd'hui. Prenez soin de vous, les garçons.

Il sortit de l'atelier de graphisme, troublé mais pas outre mesure, par un élan de sympathie pour Kavalier & Clay. Love voyait les choses comme elles étaient. Ces gamins avaient trouvé par hasard ce personnage de l'Artiste de l'évasion puis, en échange d'un paiement symbolique et de la possibilité de voir leurs noms imprimés, avaient cédé tous les droits à Anapol et Cie. Anapol et Cie prospéraient en ce moment. Suffisamment pour louer le quart d'un étage de l'Empire State Building, assez aussi pour exercer une impressionnante influence culturelle de masse sur l'immense marché américain des enfants et des analphabètes. Et pendant que Messrs Kavalier & Clay, à en juger par leur mise, avaient part dans une certaine mesure à la prospérité générale, Sheldon Anapol venait de leur donner à comprendre à tous deux que le cours du flot d'argent près duquel ils avaient établi leur campement avait été détourné et ne les arroserait donc plus. Dans sa vie d'homme d'affaires, Love avait déjà vu quantité de petits génies abandonnés au milieu des pierres blanchies et des cactus de leurs rêves. Ces deux-là auraient sans doute d'autres idées lumineuses ; du reste, personne n'était jamais retors de naissance en affaires. Le sentiment de pitié de Love, bien que sincère – et inspiré en partie par le charme sombre de Joe et la vivacité d'esprit des deux jeunes gens – dura le temps que l'ascenseur mit pour le déposer dans le vestibule somptueusement lambrissé de l'Empire State Club. Il n'imagina pas un instant qu'il venait de mettre en branle les rouages, non pas d'une autre ruine mineure du sud de Manhattan, mais, pour un peu, de la sienne.

Dans l'atelier – qui résonnait de nouveau de commérages, de mastications de chewing-gum et de la musique trépidante de Hampton à la radio – George Deasey s'était posté dans l'encadrement de la porte de son bureau. Il fronça ses sourcils rouquins et pinça les lèvres, l'air anormalement ému.

– Messieurs, dit-il à Joe et à Sammy. Un mot.

Il réintégra son bureau et, comme c'était son habitude, s'allongea au milieu du parquet et commença à se curer les dents. Il avait été piétiné par un cheval de cavalerie exaspéré par une mouche, en couvrant une des nombreuses tentatives de l'U.S. Marine Corps pour capturer A.C. Sandino, et par des après-midi frais comme celui-ci son dos avait tendance à s'ankyloser. Son cure-dents était en or massif, un héritage de son père, ancien magistrat adjoint de la cour d'appel de New York.

– Ferme la porte, lança-t-il à Sam après que les garçons furent entrés. Je veux que personne n'entende ce que j'ai à vous dire.

– Pourquoi ? s'enquit Sammy, fermant docilement la porte en suivant Joe à l'intérieur.

– Parce que vous me verriez très peiné qu'on puisse avoir l'impression mal fondée que je me soucie de vous, monsieur Clay.

– Ça ne risque pas, commenta Sammy.

Il s'affala sur une des deux chaises droites qui flanquaient l'énorme bureau de Deasey. S'il était piqué au vif par l'insulte, il n'en laissa rien voir. Il s'était endurci sous les petits coups de férule que Deasey lui administrait sans arrêt. Pendant les premiers mois où ils avaient travaillé pour lui, les jours où Deasey avait persécuté Sammy avec une rudesse particulière, Joe avait souvent écouté dans le noir, en feignant de dormir, son cousin glapir dans son oreiller, étendu crispé à côté de lui dans le lit. Deasey se moquait de sa grammaire. Au restaurant, il tournait en ridicule la manière dont il se tenait à table, le manque de finesse de son palais et son étonnement devant des choses aussi simples que les coquilles de beurre ou le velouté de pommes de terre glacé. Il offrit à Sammy la possibilité d'écrire un roman du Gobelin gris pour *Racy Police Stories*, soixante mille mots à un demi-cent le mot. Sammy, qui dormait deux heures par nuit depuis un mois, rédigea trois livres, que Joe avait lus et appréciés, pour voir Deasey les disséquer l'un après l'autre, chaque fois avec des critiques acerbes et laconiques qui étaient infailliblement exactes. À la fin, il les avait tout de même achetés tous les trois.

– Tout d'abord, reprit Deasey, monsieur Clay, où en est *La Frégate inconnue* ?

– À la moitié, répondit Sammy. (C'était un quatrième Gray Goblin que Racy Publications, qui tournait actuellement dans l'ombre de sa jeune société-sœur, mais dégageait toujours des bénéfices pour Jack Ashkenazy, avait commandé à Sammy. Comme l'ensemble des soixante-douze titres précédents de la collection, il serait publié, bien sûr, sous le pseudonyme maison de Harvey Slayton. Pour le moment, autant que Joe sache, Sammy n'en avait pas même écrit la première ligne. Le titre était l'un des deux cent quarante-cinq que Deasey avait imaginés lors d'une cuite de deux jours à Key West, en 1936, et à travers lesquels il poursuivait depuis son petit bonhomme de chemin. *La Frégate inconnue* était le numéro soixante-treize sur la liste.) Je vous le remets lundi.

– Il me le faut.

– Je tiendrai parole.

– Monsieur Kavalier. (Deasey avait une manière sournoise de laisser pendre sa tête vers vous, la moitié du visage dissimulée sous une main, comme sur le point de piquer un somme, impression d'autant plus forte s'il était, comme maintenant, allongé par terre. Puis, tout à coup, ses paupières tombantes se rouvraient, et vous vous retrouviez la cible d'un regard perçant, inquisitorial.) Je vous en prie, rassurez-moi. Dites-moi que mes soupçons sur votre complicité dans la mascarade de cet après-midi ne sont pas fondés.

Joe réussit péniblement à croiser le regard de Torquemada endormi de Deasey. Bien sûr, il savait que l'alerte à la bombe était le fait de Carl Ebling, en représailles directes à son attaque du Q.G. de la L.A.A. quinze jours plus tôt. Visiblement, Ebling avait repéré les bureaux d'Empire, suivi le déménagement du Kramler Building, observé les allées et venues des employés, préparé sa grosse bombe rouge de bande dessinée. Une détermination aussi inébranlable aurait dû être alarmante, malgré le caractère inoffensif de la riposte du jour. Joe aurait vraiment dû dénoncer Carl Ebling sur-le-champ, faire arrêter et emprisonner cet homme. La perspective de son incarcération, en toute justice, eût dû lui procurer une certaine satisfaction. Mais pourquoi, au contraire, cela lui faisait-il l'effet d'une reddition ? Il semblait à Joe qu'Ebling aurait pu tout aussi facilement le dénoncer, lui, pour effraction intérieure, destruction de biens et même voies de fait, mais avait préféré suivre sa route solitaire et clandestine, engageant avec Joe – d'accord, le gars croyait à tort que son adversaire était Sam Clay, d'une façon ou d'une autre Joe allait devoir remettre les choses en place – une bataille privée, un *concours à deux*[1]. Dès l'instant où la secrétaire d'Anapol avait pris la communication, Joe avait su, avec l'instinct de l'illusionniste en matière de fumisterie, que l'alerte était du chiqué, la bombe une fiction. Ebling voulait effrayer Joe, le pousser sous la menace à mettre un terme à la guerre des comics qu'il trouvait si insultante pour le Troisième Reich et la personne d'Adolf Hitler. Mais, en même temps, il ne souhaitait pas réellement annihiler la source d'un plaisir qui ne devait

1. En français dans le texte. (*N.d.T.*)

être que trop rare dans son existence *verbitterte*[1] et solitaire. Si la bombe avait été réelle, songeait Joe, je l'aurais naturellement livré à la police. Il ne lui vint pas à l'esprit que, si la bombe avait été réelle, il serait peut-être déjà mort, que le prochain coup dans leur bataille, s'il n'était pas asséné par la force impersonnelle de la loi mais par Joe lui-même, pouvait très bien réifier le conflit existant dans l'esprit déséquilibré d'Ebling et, surtout, qu'il avait commencé à s'égarer dans un labyrinthe de vengeance fantasmatique, dont le centre, jonché d'ossements, se situait à seize mille kilomètres et à trois ans de distance.

– Pas du tout, répondit Joe. Je ne connais même pas ce type.

– Quel type ?

– Je viens de vous le dire. Je ne le connais pas.

– Il y a quelque chose de louche là-dedans, déclara Deasey d'un ton dubitatif. Mais cela me dépasse.

– Monsieur Deasey, intervint Sammy, pourquoi vouliez-vous nous voir ?

– Oui, je voulais... Dieu m'est témoin, je voulais vous mettre en garde.

Telle une épave arrachée aux fonds marins par un treuil, Deasey se releva lourdement. Il s'imbibait depuis bien avant le déjeuner et faillit tomber au moment où il se retrouva debout. Il s'approcha de la fenêtre. Le bureau, un behémoth en chêne tigré, labouré de cicatrices et pourvu de cinquante-deux cases et de vingt-quatre tiroirs, l'avait suivi depuis son ancien antre dans le Kramler. Lesdits tiroirs étaient garnis de rubans de machine neufs, de crayons bleus, de flacons de whisky, de rouleaux noirs de tabac fort de Virginie, de feuilles vierges de papier ministre, d'aspirine, de Sen-Sen et de *sal hepatica*. Deasey gardait les deux, le meuble et la pièce où celui-ci se trouvait, impeccables, bien rangés et sans un atome de poussière. C'était la première fois dans toute sa carrière qu'il avait jamais eu un bureau à lui tout seul. Ces cinquante pieds carrés de moquette neuve, de papier vierge et de rubans à écrire noirs étaient la marque et le résumé palpable de ce à quoi il était parvenu. Il soupira, glissa deux doigts entre les lamelles des stores vénitiens et laissa entrer un faible rayon de lumière automnale dans la pièce.

– Quand ils ont adapté *Gray Goblin* sur la chaîne DuMont, dit-il, vous vous en souvenez, monsieur Clay ?

– Bien sûr, répondit Sammy. Je l'écoutais quelquefois.

– Et *Le Roulier d'élite* ? Vous vous souvenez de celui-là ?

– Avec le grand fouet à bétail ?

---

1. En allemand, « aigrie ». (*N.d.T.*)

– Combattre le mal au milieu des amarantes. *Le Sherpa de la police montée* ?

– Oui, absolument. Ils ont tous démarré sous forme de pulps, c'est ça ?

– Ils ont une origine commune sur une scène bien plus exclusive et décrépite que celle-là, répliqua Deasey.

Sammy et Joe échangèrent un regard incertain. Deasey se tapotait le front du bout de son cure-dents.

– C'était donc vous, *le Sherpa de la police montée* ? suggéra Sammy.

Deasey acquiesça d'un signe de tête.

– Il est apparu dans *Racy Adventure*.

– Et Whisky, le chien esquimau avec lequel il a un lien presque surnaturel ?

– Celui-là est passé pendant cinq ans sur N.B.C. Blue, expliqua Deasey. Je n'ai pas touché un cent. (Il se détourna de la fenêtre.) Maintenant, petits, c'est à votre tour d'être dans le pétrin.

– Ils doivent bien nous payer quelque chose, après tout ! protesta Sammy. Je veux dire, ce n'est peut-être pas dans le contrat...

– Ce n'est pas dans le contrat.

– Mais Anapol n'est pas un voleur. C'est un homme honorable.

Deasey serra les lèvres en retroussant les commissures. Joe mit un moment pour comprendre qu'il souriait.

– Je sais d'expérience que les personnes honorables respectent les contrats qu'elles ont signés, répondit enfin Deasey. Et à la lettre.

Sammy consulta Joe du regard.

– Il ne me rassure pas, déclara-t-il. Il te rassure, toi ?

La question d'une émission radiophonique, en réalité tout l'échange qui avait eu lieu avec l'homme frêle aux cheveux argentés et à l'air impatient, avait dans une large mesure échappé à Joe. Il était encore bien moins savant en anglais qu'il ne le prétendait, surtout quand il était question de sport, de politique ou d'affaires. Il ne voyait pas le rôle que les chaussettes ou le pétrin pouvaient jouer dans la discussion.

– Ce monsieur désire faire une émission à la radio autour de l'Artiste de l'évasion, énonça-t-il lentement, se sentant lent et lourd d'esprit, obscurément maltraité par des individus impénétrables.

– Ce qui l'intéressait, répliqua Deasey, c'est de demander à ses agents de presse d'explorer cette possibilité.

– Et si c'est le cas, vous dites qu'ils n'auront pas à nous payer pour ça.

– C'est ce que je dis.

– Mais ils doivent nous payer, bien sûr !

– Pas un cent.

– Je veux jeter un coup d'œil à ce contrat ! s'emporta Sammy.

– Jette un coup d'œil à tout ce que tu veux, riposta Deasey. De la première à la dernière ligne. Prends un avocat et demande-lui d'y fourrer son nez. Tous les droits – radio, cinéma, édition, sifflets en fer, pochettes-surprises... – tous appartiennent à Anapol et à Ashkenazy. À cent pour cent.

– Je croyais que vous vouliez nous mettre en garde. (Sammy avait l'air contrarié.) Il me semble que le moment où il fallait nous mettre en garde, c'était il y a un an, quand nous avons mis nos signatures au bas de ce contrat de merde, excusez mon langage.

Deasey hocha la tête.

– D'accord, acquiesça-t-il.

Il se dirigea vers une bibliothèque vitrée d'homme de loi, garnie d'un exemplaire de chacun des magazines bon marché où ses romans avaient paru, tous reliés en maroquin et sobrement titrés en caractères dorés RACY POLICEMAN ou RACY ACE, avec le numéro et la date de publication et, dessous, la mention identique : ŒUVRES COMPLÈTES DE GEORGE DEASEY[1]. Il recula d'un pas pour contempler ses livres avec, sembla-t-il à Joe, un indiscutable air de regret, bien que Joe n'eût su dire exactement ce qu'il regrettait.

– Voici ma mise en garde, prenez-la pour ce qu'elle vaut. Ou appelez cela conseil, si vous préférez. Vous étiez sans défense quand vous avez signé ce contrat l'an dernier, les garçons. Vous l'êtes moins aujourd'hui. Vous vous êtes bien débrouillés. Vous avez proposé de bonnes idées, qui se sont bien vendues. Vous avez commencé à vous faire un nom. Maintenant on peut discuter le mérite qu'il y a à se faire un nom dans une industrie de troisième zone, en produisant des inepties à l'intention d'abrutis, mais ce qui ne fait pas de doute, c'est qu'il y a de l'argent à ramasser en ce moment dans ce secteur, et vous deux avez le chic pour le flairer. Anapol le sait. Il sait aussi que, si vous le vouliez, vous pourriez sans doute vous présenter chez Donenfield, Arnold ou Goodman, et conclure un bien meilleur marché avec eux pour pondre des niaiseries. Alors voilà ma mise en garde : arrêtez de donner votre daube à Anapol comme si elle lui était due.

– Le faire payer à partir de maintenant, l'obliger à nous donner une part du gâteau, conclut Sammy.

---

1. Cette légendaire bibliothèque de mortification a été perdue et fut largement considérée comme apocryphe jusqu'en 1993, année où un de ses volumes, le numéro 23 de *Racy Attorney*, réapparut dans un magasin Ikea d'Elizabeth, dans le New Jersey, où il servait d'accessoire distingué et discret à une unité murale de modèle de plancher baptisée « Hjörp ». Il porte la signature de l'auteur et l'inscription probablement fausse bien que fascinante : « À mon camarade Dick Nixon ». (*N.d.A.*)

– Vous me l'avez ôté de la bouche.
– Mais en attendant...
– Vous êtes baisés, messieurs. (Il consulta sa montre de gousset.) Maintenant, sortez. J'ai mes propres incapables à planquer dans le coin avant de... (Il s'interrompit et regarda Joe, puis baissa les yeux de nouveau vers sa montre, comme pour essayer de prendre une décision. Quand il releva le nez, son visage arborait un rictus hypocrite, d'une gaieté presque répugnante.) Au diable l'avarice ! s'écria-t-il. J'ai besoin d'un verre. Monsieur Clay...
– Je sais, le coupa Sammy. Je dois terminer *La Frégate inconnue*.
– Non, monsieur Clay, murmura Deasey, les prenant maladroitement tous les deux par les épaules pour les entraîner vers la porte. Ce soir, vous allez voguer dessus.

6.

Quand Carl Ebling regarda dans le *Times* le lendemain matin, il fut déçu de ne pas trouver la moindre mention d'une alerte à la bombe à l'Empire State Building, imputée à la Ligue aryano-américaine ou à un diabolique terroriste (bien que pour le moment bidon) qui signait – empruntant ce sobriquet à un méchant masqué qui fit des apparitions isolées dans les pages de *Radio Comics* pendant toute la période d'avant-guerre – Le Saboteur. Ce dernier détail eût été assez improbable, étant donné qu'Ebling, dans sa précipitation à cacher l'engin dans le bureau de sa Némésis imaginaire, Sam Clay, avait oublié de laisser la missive qu'il avait préparée tout spécialement et signée de son nom de guerre. En épluchant tous les autres journaux dominicaux, il ne trouva toujours pas un mot l'associant à ce qui s'était passé en ville la veille. Toute l'affaire était passée sous silence.

La réception donnée en l'honneur de Salvador Dalí le dernier vendredi de la foire mondiale de New York eut considérablement plus de retentissement. Elle eut droit à vingt lignes dans la colonne de Leonard Lyon, une mention dans celle d'Ed Sullivan et une satire non signée d'E.J. Kahn dans le *Talk of the Town* de la semaine suivante. Elle fut également décrite dans une des lettres de W.H. Auden à Christopher Isherwood*, à Los Angeles, et figure dans les mémoires publiés d'au moins deux piliers de la scène artistique de Greenwich Village.

Les invités d'honneur, le satrape du surréalisme et sa femme russe, Gala, se trouvaient à New York pour la fermeture d'une attraction conçue et réalisée par Dalí, *Le Rêve de Vénus*, qui avait compté parmi les prodiges de l'aire de divertissement de la foire. Leur hôte, un riche New-Yorkais du nom de Longman Harkoo, était le propriétaire d'une galerie d'art et librairie surréaliste, Les organes du facteur, dans Blecker Street, inspirée du facteur rêveur de Hauterives. Harkoo, qui avait vendu plus d'œuvres de Dalí que n'importe quel autre marchand au monde et qui parrainait *Le Rêve de Vénus*, avait connu George Deasey à l'université, où le futur sous-secrétaire de l'Agit-prop pour l'Inconscient avait deux ans d'avance sur le futur Balzac de la littérature de gare. Ils s'étaient retrouvés à la fin des années 1920, quand Hearst avait envoyé Deasey en poste à Mexico.

– Ces têtes olmèques, racontait Deasey dans le taxi qui les emportait en ville. (C'est lui qui avait insisté pour qu'ils prennent un taxi.) Il ne voulait parler de rien d'autre. Il a tenté d'en acheter une. D'ailleurs, j'ai jadis ouï dire qu'il en avait bien acheté une et l'avait cachée dans la cave de sa maison.

– Vous vous en êtes servi dans *La Pyramide de crânes*, intervint Sammy. Ces énormes têtes. Il y avait un compartiment secret dans l'oreille gauche.

– Il est déjà assez malheureux que vous les ayez lus, observa Deasey. (Sammy s'était préparé à la rédaction de sa première contribution en tant que Harvey Slayton en s'immergeant profondément dans l'œuvre de Deasey.) Mais je trouve incroyablement triste, Clay, que vous vous souveniez même des titres. (En réalité, pensa Joe, il avait l'air très flatté. Il ne s'attendait probablement plus, à ce stade d'une carrière qu'il jugeait en public être un échec, à rencontrer un admirateur sincère de ses livres. Il semblait avoir découvert en lui-même une tendresse – dont il était le premier surpris – pour les deux cousins, mais particulièrement pour Sammy, qui voyait encore comme un tremplin pour la gloire littéraire des ouvrages que Deasey avait déjà depuis longtemps catalogués comme « une longue descente en vrille, graissée par des chèques réguliers, vers le Tartare des plumitifs pseudonymes ». Il avait montré certains de ses vieux poèmes à Sammy, ainsi que le manuscrit jauni d'un roman sérieux qu'il n'avait jamais achevé. Joe subodorait que Deasey avait destiné ces révélations à être des avertissements pour Sammy, mais son cousin avait choisi de les interpréter comme la preuve que le succès dans les pulps n'était pas incompatible avec le talent et qu'il ne devait pas abandonner ses ambitions littéraires personnelles.) Où en étais-je ?

– À Mexico, lui souffla Joe. Les têtes olmèques.

– Merci. (Deasey prit une gorgée à sa flasque. Il buvait une marque de whisky extrêmement bon marché, du Brass Lamp. Sammy prétendait que ce n'était absolument pas du whisky, mais du véritable pétrole lampant, étant donné que Deasey était myope comme une taupe.) Oui, les mystérieux Olmèques. (Deasey remit sa lampe magique dans sa poche de poitrine.) Et Mr Longman Harkoo.

Harkoo, leur dit Deasey, était de longue date un personnage de Greenwich Village, apparenté aux fondateurs d'un des grands magasins chics de la Cinquième Avenue. Il était veuf – deux fois – et vivait dans une drôle de maison avec une fille du premier lit. En plus de gérer au jour le jour les affaires de sa galerie, d'orchestrer ses querelles avec ses camarades du Parti communiste américain et d'organiser ses célèbres fêtes, il écrivait aussi, à ses moments perdus, un roman en grande partie dénué de ponctuation, déjà long de plus d'un millier de feuillets, qui décrivait au microscope le processus de sa propre naissance. Il avait adopté ce nom improbable pendant l'été de 1934, en partageant une maison avec André Breton à La Baule, alors qu'une pâle silhouette, richement dotée et se présentant comme le Long Man of Harkoo, était apparue cinq nuits de suite dans ses rêves.

– Ici, cria Deasey au chauffeur. (Le taxi s'arrêta devant une rangée d'immeubles d'habitation modernes et impersonnels.) Tu veux bien payer la course, Clay ? Je suis un peu à court.

Sammy jeta un regard mauvais à Joe, qui estima que son cousin aurait dû s'y attendre. Deasey était le tapeur classique d'un certain genre, à la fois sans-gêne et autoritaire. Mais Joe s'était aperçu qu'à sa manière, Sammy, lui, était le grippe-sou classique. Le concept général de taxi semblait à Sammy recherché et décadent, l'égal de la dégustation des ortolans. Joe sortit un dollar de son portefeuille et le fit passer au chauffeur.

– Gardez la monnaie, dit-il.

La maison Harkoo était entièrement invisible de l'avenue, « tel un emblème (répressif, de ce point de vue) de mauvaises pulsions refoulées », comme Auden le dit dans sa lettre à Isherwood, cachée au cœur d'un îlot municipal qui était passé par la suite aux mains de l'université de New York et avait été rasé pour former aujourd'hui le site de l'énorme Levine School of Applied Meteorology. Le rempart massif de constructions attenantes et d'immeubles d'habitation qui enfermait la maison Harkoo et son terrain sur quatre côtés pouvait être seulement battu en brèche par une étroite ruelle qui s'enfonçait ni vu ni connu entre deux bâtiments et pénétrait, par un tunnel de vernis du Japon, dans sa cour sombre et feuillue.

La maison, une fois qu'ils y accédèrent, était une folie orientale de poche, un Topkapi miniature, guère plus grande qu'une caserne de pompiers, empilée sur son minuscule terrain. Elle se pelotonnait tel un chat endormi autour d'une tour centrale surmontée d'un dôme qui évoquait, entre autres choses, une tête d'ail. Grâce à un habile usage de la perspective tronquée et à tout un jeu d'échelles, le manoir parvenait à paraître beaucoup plus spacieux qu'il ne l'était réellement. Son luxuriant manteau de vigne vierge, la mélancolie de sa cour et l'enchevêtrement anarchique de ses pignons et de ses flèches donnaient au lieu un air d'antiquité, mais, en réalité, il avait été achevé en septembre 1930, à peu près à l'époque où Al Smith posait la première pierre de l'Empire State Building. À l'instar de cet édifice, c'était une sorte d'habitation de rêve qui, à l'origine, comme le Long Man of Harkoo lui-même, était apparue à Longman Harkoo pendant son sommeil, lui fournissant ainsi le prétexte qu'il cherchait depuis longtemps pour démolir la vieille et ennuyeuse bâtisse Renaissance grecque qui avait été la demeure de sa famille maternelle depuis la fondation de Greenwich Village. Ce manoir avait lui-même remplacé un édifice bien plus ancien, remontant aux premières années du dominion britannique, où – à ce que prétendait Harkoo – un de ses ancêtres juifs hollandais avait logé le Diable pendant sa tournée des colonies de 1682.

Joe remarqua que Sammy restait un peu en arrière pour embrasser la tour du regard, en se massant distraitement le haut de la cuisse gauche, le visage grave et tendu à la lumière des flambeaux qui flanquaient la porte. Avec son costume rayé luisant, il rappelait à Joe leur personnage du Monitor, armé pour se battre contre des ennemis perfides. Brusquement, Joe se sentit aussi inquiet. Jusqu'à présent, avec toutes ces histoires de bombe, de Lainages Oneonta et d'émissions radiophoniques, ils ne s'étaient pas encore mis dans la tête qu'ils étaient venus en ville avec Deasey pour se rendre à une réception.

Aucun des deux cousins n'était amateur de soirées. Même si Sammy était fou de swing, il ne pouvait pas, bien entendu, danser sur ses jambes en cure-pipe. Son anxiété lui coupait l'appétit et, de toute façon, il était trop gêné par ses manières pour avaler quoi que ce soit. En outre, il n'aimait pas le goût de l'alcool ni celui de la bière. Introduit dans un maudit cercle de bavardages et de jazz, il se retrouvait toujours désespérément entraîné derrière une plante en pot. Mélange d'effronterie et d'insouciance, son don de la conversation, grâce auquel il avait concocté en vitesse *Sensass Radio Miniature Comics* et toute l'idée d'Empire avec, l'abandonnait. Mettez-le dans une salle pleine de gens au travail et il était impossible de le faire taire ; le travail n'était pas du travail pour lui. Les soirées, en revanche, étaient du travail. Les femmes étaient du travail. Aux Studios Palooka, chaque fois que la conjonction fortuite de jeunes filles et d'une bouteille se présentait, Sammy disparaissait purement et simplement, comme la fortune de Mike Campbell, d'abord petit à petit, puis d'un coup.

Joe, au contraire, avait toujours été le héros de la fête à Prague. Il connaissait des tours de cartes et tenait l'alcool. C'était un excellent danseur. Mais, à New York, tout cela avait changé. Il avait trop de travail, et les soirées lui paraissaient une grosse perte de temps. La conversation, plus ou moins argotique, allait trop vite ; il avait du mal à suivre les blagues et les boniments des hommes, ainsi que le sournois double langage des dames. Il était assez orgueilleux pour ne pas apprécier qu'une chose qu'il disait sérieusement donne le fou rire à toute la salle. Mais le plus grand obstacle qu'il rencontrait, c'est qu'il ne se sentait jamais le droit de s'amuser en société. Même quand il allait au cinéma, c'était dans un état d'esprit purement professionnel. Il étudiait les films à la recherche d'idées sur la lumière, l'iconographie et le rythme, qu'il pourrait emprunter ou adapter dans son travail de graphiste. Actuellement, il reculait près de son cousin, levant les yeux vers la façade maussade de la maison éclairée par le flambeau, prêt à se sauver au premier signal de Sammy.

– Monsieur Deasey, commença Sammy, écoutez. Je crois que je vous dois un aveu... je n'ai même pas encore écrit la première ligne de *La Frégate inconnue*. Ne pensez-vous pas qu'il vaudrait mieux...

– Oui, renchérit Joe. Et moi, j'ai la couverture du *Monitor.*

– Vous avez besoin de prendre un verre, les enfants. (Deasey avait l'air très amusé par leurs soudains scrupules de conscience et de courage.) Cela vous facilitera beaucoup les choses quand on vous précipitera tous les deux dans le volcan. Vous êtes puceaux, je suppose ? (Ils gravirent les marches du perron en traînant les pieds. Deasey se retourna et son visage sembla tout à coup grave et réprobateur.) Surtout ne le laissez pas vous prendre dans ses bras, recommanda-t-il.

7.

À l'origine la soirée avait été prévue pour la minuscule salle de bal du manoir, mais quand cette pièce fut rendue inhabitable par le bruit du respirateur de Salvador Dalí, tout le monde se pressa finalement dans la bibliothèque. Comme toutes les pièces de la maison, la bibliothèque était exiguë, construite à une échelle de trois quarts, ce qui donnait aux visiteurs la troublante sensation d'être des géants. En poussant pour entrer derrière Deasey, Sammy et Joe trouvèrent les lieux pleins à craquer de symbolistes transcendantaux, de puristes et de vitalistes, de rédacteurs de publicité affublés de costumes de la couleur des nouvelles Studebaker, de joueurs de banjo socialistes, de journalistes à *Mademoiselle*, de spécialistes des rites cannibales de la Youghiogeny et des adorateurs d'oiseaux des montagnes d'Indochine, d'auteurs de requiems dodécaphoniques et de slogans pour Eas-O-Cran, le « laxatif authentique » de la Nouvelle-Angleterre. Le gramophone – et le bar, bien sûr – avait également été monté dans la bibliothèque, et les notes d'un solo à la trompette de Louis Armstrong virevoltaient au-dessus des têtes des invités entassés. Sous ce brillant vernis de jazz et une couche vaporeuse de bavardages, on entendait le grondement sourd et pesant du compresseur à air invisible. Mêlé aux odeurs de tabac et de parfums, l'atmosphère ambiante avait un léger relent d'huile de graissage des quais.

– Bonsoir, George. (Harkoo, un homme large et rond, qui n'avait décidément rien de long, mais perdait ses cheveux, lesquels étaient cuivrés et coupés ras, se frayait péniblement un chemin vers eux.) J'espérais bien que tu te montrerais.

– Salut, Siggy.

Deasey se raidit et tendit la main d'un geste qui parut à Joe défensif ou même protecteur. Puis, l'instant d'après, l'individu qu'il appelait Siggy l'avait enfermé dans une prise de lutte, où l'affection semblait le disputer à un désir de briser les os de l'autre.

– Mr Clay, Mr Kavalier, annonça Deasey, se dégageant de cette étreinte comme Houdini se secouait et se trémoussait pour se libérer d'une camisole de force mouillée. Permettez-moi de... vous présenter... Longman Harkoo, alias Mr Siegfried Saks pour ceux qui préfèrent ne pas céder à ses caprices.

Joe éprouva une sensation de malaise, comme si ce nom avait un sens pour lui, mais sans arriver à mettre le doigt dessus. Il chercha « Siegfried Saks » dans sa mémoire, battant les cartes pour tenter de faire sortir l'as qu'il savait être là, quelque part.

– Bienvenue !

Ce Mr Saks-là lâcha son ami et se tourna en souriant vers les cousins, qui reculèrent tous deux d'un pas, mais il se borna à leur tendre la main avec un pétillement malicieux de ses doux yeux bleus, qui avaient l'air d'insinuer que leur propriétaire ne soumettait à ses prises démoniaques que ceux qui aimaient le moins être touchés. À une époque où, dans la taxinomie de l'élégance masculine, l'on réservait encore une place honorable au genre Boule de suif, Harkoo était un exemple classique de l'espèce Potentat mystique et réussissait à paraître à la fois imposant, élégant et ultramondain dans un ample cafetan brun et violet, lourdement rebrodé, qui descendait presque sur l'empeigne de ses sandales mexicaines. Il avait une bague de grenats au petit doigt de son pied droit calleux, remarqua Joe. Un vénérable Brownie Kodak pendait à un lacet de cuir orné de perles indiennes accroché autour de son cou.

– Désolé de tout ce raffut en bas, continua-t-il avec une intonation lasse.

– C'est vraiment lui ? s'enquit Sammy. À l'intérieur de ce machin ?

– Oui, c'est bien lui. J'ai essayé de le cajoler pour qu'il sorte. Je lui ai dit que c'était une idée magnifique en... vous savez... en théorie, mais qu'en pratique... Bah ! c'est un homme terriblement obstiné. Mais je n'ai jamais connu de génie qui ne le soit pas.

À leur arrivée, le portier leur avait montré du doigt Dalí planté dans la salle de bal, laquelle donnait juste dans le vestibule. Il portait un scaphandre, avec sa combinaison en toile caoutchoutée et son casque sphérique en cuivre. Une femme saisissante, que Deasey reconnut être Gala Dalí, se tenait loyalement aux côtés de son mari au milieu de la pièce déserte, en compagnie de deux ou trois autres personnes trop obstinées, trop obséquieuses ou peut-être trop sourdes pour être dérangées par l'insupportable bourdonnement crachotant de l'énorme machine pneumatique à essence à laquelle le Maître était relié par un tuyau en caoutchouc. Tous criaient à tue-tête. Ainsi que E.J. Kahn le rapporta dans *The New Yorker* :

« Nul à cette soirée n'a eu la grossièreté de demander à Dalí ce qu'il voulait dire par cet attirail. La majorité des personnes présentes y ont vu une allusion au benthos ténébreux de l'inconscient humain ou encore au *Rêve de Vénus*, qui, comme chacun sait, représentait un pensionnat de jeunes filles déguisées en sirènes et nageant à demi nues dans un aquarium. Quoi qu'il en soit, et selon toute vraisemblance, Dalí n'aurait pas pu entendre la question à travers son casque de plongée. »

– Mais peu importe, poursuivit Harkoo avec entrain, nous sommes tous douillettement installés ici. Bienvenue, bienvenue ! Les comic books, non ? Merveilleux moyen d'expression ! J'adore ça. Je suis un lecteur assidu. Un passionné, assurément.

Sammy sourit d'une oreille à l'autre. Harkoo décrocha l'appareil photographique de son cou et le tendit à Joe.

– Je serais très honoré si vous me tiriez le portrait.

– Je vous prie ? Je vous demande pardon ?

– Prenez une photo de moi, avec cet appareil. (Il regarda Deasey.) Parle-t-il anglais ?

– Il a son anglais à lui. Mr Kavalier est de Prague.

– Très bien ! Oui, vous devez prendre ma photo ! J'ai un sensible déficit d'impressions tchèques.

Deasey adressa un signe de tête à Joe, qui colla le viseur de l'appareil à son œil gauche et cadra la grosse figure de vieux bébé timbré de Longman Harkoo. Harkoo plaqua sur ses bajoues et ses sourcils une expression neutre, presque absente, mais ses yeux luisaient de plaisir. De sa vie Joe n'avait jamais rendu quelqu'un aussi heureux aussi facilement.

– Comment je fais le point ? lui demanda Joe, baissant l'appareil.

– Oh ! Ne vous tracassez pas pour ça. Vous n'avez qu'à me regarder et à appuyer sur le petit levier. Votre esprit fera le reste.

– Mon esprit. (Joe prit un instantané de son hôte, puis lui rendit l'appareil.) Votre appareil est... (Il chercha le mot anglais.) Télépathique.

– Tous les appareils le sont, répondit doucement son hôte. J'ai été déjà photographié par sept mille cent... dix-huit... personnes, chaque fois avec cet appareil-ci, et je puis vous assurer qu'il n'existe pas deux portraits semblables. (Il tendit l'appareil photographique à Sammy, et ses traits, comme gravés par une machine, reprirent le même masque corpulent et benoît.) Quelle autre explication possible peut-il y avoir, sinon l'interférence d'ondes émanant de l'esprit du photographe ?

Joe ne sut quoi répliquer à cela, mais il voyait bien qu'on espérait de lui une réponse. Comme l'intensité des attentes de son hôte augmentait, il comprit un peu tard ce que devait être cette réponse.

– Aucune autre, dit-il enfin.

Longman Harkoo parut heureux au plus haut point. Il posa un bras sur les épaules de Sammy et l'autre sur celles de Joe et, avec pas mal de bousculades et d'excuses, réussit à leur faire faire la tournée de leurs voisins immédiats. Il les présenta à des peintres, des écrivains et divers consommateurs de cocktails, pour chacun desquels il fournissait, sans même paraître s'arrêter pour ordonner ses pensées, un mini-curriculum vitae effleurant les points forts de leurs œuvres, de leurs vies sexuelles ou de leurs liens de parenté.

– ... sa sœur a épousé un Roosevelt, ne me demandez pas lequel... vous devez avoir vu son *Art & Agôn*... elle se tient juste sous une des toiles de son ex-mari... il a été giflé en public par Siqueiros[1]...

La plupart des noms étaient peu familiers à Joe, mais il reconnut Raymond Scott, un compositeur qui avait récemment fait un tabac avec une série d'airs de variétés pseudo-jazz, effrénés, fantaisistes et cacophoniques[2]. L'autre jour, justement, quand Joe s'était arrêté à Hippodrome Radio, on passait son nouveau disque, *Yesterthoughts and Stranger*, sur le système de sonorisation du magasin. Scott soumettait le portable R.C.A. à un régime soutenu de galettes de Louis Armstrong, tout en expliquant ce qu'il avait voulu dire en qualifiant Satchmo d'Einstein du blues. Pendant que les notes s'envolaient du haut-parleur recouvert de tissu, il les montrait du doigt comme pour illustrer ses propos et tenta même d'en attraper une avec les mains. Il ne cessait de monter le son, afin de rivaliser avec les conversations moins essentielles qui se déroulaient tout autour de lui. Là-bas, sous le cactus saguaro, se trouvait la jeune artiste, Loren MacIver, dont Joe avait admiré les tableaux lumineux à la galerie Paul Matisse[3]. Grande, trop maigre selon les canons de Joe, mais pourvue d'un type de beauté new-yorkais – anguleux, électrique et chic –, elle discutait avec une autre grande Aryenne à la plastique saisissante, qui serrait un minuscule bébé contre ses seins.

– Miss Uta Hagen[4], leur souffla Harkoo. Elle est mariée à José Ferrer[5], il est quelque part par là. Ils donnent *Charley's Aunt*[6].

Les femmes tendirent leurs mains. MacIver avait les yeux noircis au khôl, les lèvres peintes d'un surprenant coloris chocolat.

---

1. David Alfaro Siqueiros (1896-1974), muraliste mexicain engagé. (*N.d.T.*)
2. Plus tard, ses mélodies ont illustré les dessins animés de Bugs Bunny de Chuck Jones. (*N.d.T.*)
3. Cette première exposition de Loren MacIver (1901-1998) date de 1940. La galerie Paul Matisse restera son marchand jusqu'en 1990. (*N.d.T.*)
4. Uta Thyra Hagen, actrice allemande qui émigra aux États-Unis en 1926 et épousa Herbert Berghof du Herbert Berghof Studio, dont elle eut une fille, Letitia. (*N.d.T.*)
5. Comédien américain (1909-1992), qui a aussi joué au cinéma (*Moulin-Rouge*, 1952). (*N.d.T.*)
6. « La tante de Charley », farce de Brandon Thomas (1896) souvent adaptée au cinéma. (*N.d.T.*)

– Ces messieurs réalisent des comics, leur dit Harkoo. Les aventures d'un lascar baptisé l'Artiste de l'évasion. Il porte une combinaison. Tout en muscles. Un air insipide...

– L'Artiste de l'évasion ! s'exclama Loren MacIver, dont le visage s'éclaira. Oh ! je l'adore.

– C'est vrai ? s'écrièrent ensemble Sammy et Joe.

– Un homme masqué, qui aime être attaché avec des cordes ?

Miss Hagen éclata de rire.

– Ça m'a l'air osé !

– C'est tout à fait surréaliste, renchérit Harkoo.

– C'est bon, non ? chuchota Sammy à Joe. (Joe inclina la tête.) D'avoir un écho.

Ils se faufilèrent devant plusieurs autres C.V. consommateurs de cocktails, et aussi une collection de vrais surréalistes, pareils à des raisins disséminés dans un pudding. Ces derniers formaient une équipe remarquablement sérieuse, sobre même. Ils portaient des costumes sombres avec gilets et cravates substantielles. La plupart paraissaient être américains : Peter Blume, Edwin Dickinson, Joseph Cornell*, un gaillard timide et courtois. Ils partageaient un air d'ingénuité yankee à monture d'acier qui entourait leur pandémonium intérieur à la façon d'une banlieue. Joe s'efforçait de retenir tous les noms, mais il ignorait toujours qui était Charley ou ce qu'Uta Hagen avait donné à sa tante.

À l'autre bout de la bibliothèque, un certain nombre d'hommes jouant des coudes avaient formé un petit cercle autour d'une femme très jeune, très jolie, qui parlait en s'égosillant. Joe avait du mal à comprendre ce qu'elle leur racontait, mais ç'avait tout l'air d'une histoire qui donnait une piètre opinion de son bon sens – l'inconnue rougissait et souriait en même temps – et elle se terminait indiscutablement sur le mot « merde ». La jeune femme traîna ce mot, l'étira jusqu'à ce qu'il mesure plusieurs fois sa longueur normale, l'enroula autour d'elle en deux ou trois grandes boucles et s'en délecta comme si c'était un châle somptueux.

– Meeeeeeeeeeerde !

Les hommes autour s'esclaffèrent, et la jolie personne rougit de plus belle. Elle portait une espèce de robe-tablier ample et sans manches, et on vit le feu de ses joues gagner ses épaules et le haut de ses bras. À ce moment-là, elle leva les yeux et son regard croisa celui de Joe.

– Saks, murmura Joe, sortant enfin son as. Rosa Luxemburg Saks.

– Non, dit Sammy. C'est elle ?

8.

C'était fascinant de revoir ses traits après tant de temps. Bien que Joe n'eût pas oublié la jeune fille qu'il avait surprise ce matin-là dans la chambre de Jerry Glovsky, il s'aperçut que, dans ses rêvasseries nocturnes, il s'était diablement mal souvenu d'elle. Il ne se serait jamais rappelé que son front était si large et si haut, son menton aussi délicatement pointu. En réalité, son visage eût paru trop long s'il n'avait été contrebalancé par un arc-boutant de nez extravagant. Sa bouche, plutôt petite, dessinait un trait d'union rouge vif qui s'incurvait vers le bas à un coin, juste assez pour être lu comme un sourire d'amusement, dont elle-même n'était pas exempte, devant le tableau général de la vanité humaine. Pourtant, dans ses yeux, il y avait quelque chose d'indéchiffrable, qui se refusait à toute lecture, la vacuité déterminée qui masque des calculs hostiles chez les animaux prédateurs, alors que, chez les victimes, elle fait partie de leur irrésistible effort pour sembler avoir disparu.

Les hommes qui l'entouraient s'écartèrent à contrecœur au moment où Harkoo, jouant l'obstruction pour Joe et Sammy à la façon d'un arrière pour les Dodgers tant aimés de ce dernier, les introduisait de force dans le cercle.

– Nous nous sommes déjà rencontrés, babilla Rosa.

C'était presque une question. Elle avait une drôle de voix masculine, grave, vibrante, puissante au point de friser le crachement d'un haut-parleur, comme si elle défiait les autres de l'écouter avant de juger. Mais c'est qu'elle était peut-être tout simplement ivre, pensa Joe. Il y avait un verre de liquide ambré dans sa main. En tout cas, il ne savait pourquoi mais sa voix s'accordait bien avec ses traits dramatiques et la masse indomptable de boucles laineuses brunes, retenues ici et là par une pince héroïque, qui constituait sa coiffure. Elle gratifia la main de Joe d'une pression qui tenait de la même hardiesse que sa voix. Une poignée de main d'homme d'affaires, sèche, brusque et énergique. Cependant il remarqua qu'elle rougissait peut-être plus visiblement que jamais. La peau délicate de ses clavicules était marbrée.

– Je ne crois pas, répondit Joe. (Il toussota, en partie pour cacher son embarras, en partie pour camoufler la suave réplique que venait de lui fournir le souffleur accroupi devant les feux de la rampe de son désir, en partie aussi parce qu'il avait la gorge absolument sèche. Il eut le désir absurde de se pencher – elle était petite, le sommet de sa tête lui arrivait à l'épaule – et de l'embrasser sur la bouche devant tout le monde, comme il eût pu le faire en rêve, avec cette longue descente euphorique de la distance séparant leurs lèvres qui durait des minutes, des heures, des siècles. À quel point cela serait-il surréaliste ? Finalement, il plongea la main dans sa poche et sortit ses cigarettes.) Je ne pourrais jamais oublier une personne comme vous, reprit-il.

– Oh, mon Dieu ! s'exclama un de ses chevaliers servants, dégoûté.

La jeune femme à qui il était en train de mentir eut un sourire qui – Joe ne pouvait le dire – eût pu être flatté ou épouvanté. Ce sourire, en effet, réussissait l'exploit de découvrir ses dents d'une manière surprenante pour une bouche qui, à l'état contemplatif, avait été réduite à une si petite moue.

– Euh, fit Sammy.

Lui au moins avait l'air impressionné par la suavité de Joe.

– C'est notre signal, dit Longman Harkoo, posant une nouvelle fois son bras sur l'épaule de Sammy. Si nous allions prendre un verre ?

– Oh ! non, je ne...

Sammy tendit le bras vers Joe pendant qu'Harkoo l'emmenait, comme s'il craignait que leur hôte ne soit prêt à le traîner au volcan promis. Joe le regarda partir le cœur sec. Puis il tendit son paquet de Pall Mall à Rosa. Elle en tira une cigarette et la porta à ses lèvres, aspira une longue bouffée. Joe se sentit obligé de lui signaler que la cigarette n'était pas allumée.

– Oh ! s'écria-t-elle, s'étranglant de rire. Je suis idiote !

– Rosa, la tança un des hommes plantés à côté d'elle. Vous ne fumez pas !

– Je viens de commencer, se défendit Rosa.

On entendit de sourds murmures, puis la nuée de messieurs qui l'entourait sembla se dissoudre. Elle ne s'en aperçut même pas. Elle se pencha vers Joe et leva le nez, recourbant sa main autour de la sienne et de la flamme de l'allumette. D'une couleur indéterminée entre champagne et vert dollar, ses yeux brillaient. Joe se sentit fébrile et légèrement pris de vertige, mais le parfum frais du talc Shalimar qu'elle dégageait était comme un garde-fou auquel il pouvait se raccrocher. Ils étaient très près l'un de l'autre. Pendant qu'il tentait en vain de s'empêcher de penser à elle couchée nue, à plat ventre, sur le lit de Jerry Glovsky, à son derrière opulent et duveteux avec son sillon sombre, le creux alluvial de ses reins, elle recula d'un pas pour mieux l'étudier.

– Vous êtes sûr qu'on ne s'est pas déjà rencontrés ?

– Complètement.

– D'où êtes-vous ?

– De Prague.

– Vous êtes tchèque alors ?

Il inclina la tête.

– Juif ?

Il inclina de nouveau la tête.

– Depuis quand êtes-vous ici ?

– Un an, avoua-t-il, avant de préciser, et cette prise de conscience l'emplit d'étonnement et de chagrin : Un an jour pour jour.

– Êtes-vous venu avec votre famille ?

– Seul, répondit-il. Je les ai laissés là-bas. (Sans prévenir, l'image de son père – ou son fantôme – descendant à grands pas la passerelle du *Rotterdam*, les bras ouverts, lui traversa l'esprit comme un éclair. Les larmes lui piquèrent les yeux, une main fantomatique lui serra la gorge. Joe toussa une fois et dispersa de la main la fumée de sa cigarette, comme si celle-ci le gênait.) Mon père est mort il n'y a pas longtemps.

Elle secoua la tête, l'air triste, choquée et, pensa-t-il, absolument ravissante. Comme la désinvolture avait abandonné Joe, une facette plus sincère de sa nature se sentait donc plus libre de se confier à elle.

– Je suis vraiment désolée pour vous, murmura-t-elle. Je suis de tout cœur avec les vôtres.

– Il y a pire, murmura Joe. Tout ira bien.

– Vous savez que nous allons entrer en guerre, déclara-t-elle. (Rosa ne rougissait plus. La noceuse à la voix claironnante de tout à l'heure, qui racontait une histoire sur elle se terminant par un juron, semblait s'être évanouie.) Nous le devons et nous le ferons. Roosevelt prendra les dispositions nécessaires. Il y travaille en ce moment. Nous ne les laisserons pas gagner.

– Non, renchérit Joe, même si la façon de voir de Rosa n'était guère représentative de ses compatriotes, dont la plupart pensaient qu'il fallait éviter à tout prix de s'engager dans les événements d'Europe. Je crois...

À sa grande surprise, il se trouva dans l'incapacité d'achever sa phrase. Elle tendit la main et lui prit le bras.

– Ce que je dis, reprit-elle, c'est juste... je ne sais pas. « Ne perdez pas espoir », je pense. Vraiment, vraiment, je le pense, Joe.

À ses mots, au contact de sa main, à sa manière de prononcer son court et neutre prénom américain, dénué de tout poids et lien de parenté, Joe fut submergé par un flot de gratitude si puissant que cela l'effraya, parce que, dans sa grandeur et sa force, celui-ci paraissait refléter le peu d'espoir qu'il gardait réellement. Il s'écarta.

– Merci, dit-il avec raideur.

Elle laissa retomber sa main, consternée de l'avoir vexé.

– Je suis désolée, répéta-t-elle.

Elle leva un sourcil perplexe, impertinent, à deux doigts, songea-t-il, de le reconnaître. Joe détourna les yeux, le cœur dans la gorge, se disant que si elle était capable de se souvenir de lui et des circonstances de leur première rencontre, toutes ses chances avec elle seraient ruinées. Elle agrandit les yeux, et le sang vermeil de l'humiliation lui monta à la gorge, aux joues et aux oreilles. Joe la vit faire un effort pour ne pas regarder ailleurs.

Juste à cet instant, une succession de bruits métalliques stridents déchira l'air, comme si l'on avait jeté une clef à molette dans les pales d'un ventilateur géant. Le silence tomba dans la pièce, et tout le monde resta planté à écouter les sons râpeux et hachés céder le pas à une plainte mécanique oscillatoire. Une femme poussa un cri d'horreur, dont les mélodieux accents portaient depuis la salle de bal du rez-de-chaussée jusqu'en haut. Tout le monde se tourna vers la porte de la bibliothèque.

– Au secours ! cria d'en bas une voix rauque, masculine. Il va se noyer !

9.

Salvador Dalí gisait sur le dos, au beau milieu du parquet de la salle de bal, frappant sans résultat sur le casque de son scaphandre de ses mains gantées. À genoux près de lui, sa femme se battait farouchement avec l'écrou à ailettes qui maintenait le casque boulonné au col de cuivre du scaphandre. Une veine saillait sur son front. Un lourd pendentif d'onyx noir qu'elle portait au bout d'une grosse chaîne en or n'arrêtait pas de battre contre la cloche du casque de plongée.

– *Il devient bleu*[1], observa-t-elle, en proie à une panique glacée.

Deux des invités coururent aux côtés de Dalí. L'un d'eux – c'était le compositeur, Scott – écarta les mains de la señora Dalí et s'empara des ailettes de l'écrou. Longman Harkoo roula à toute vitesse à travers la pièce, montrant une légèreté étonnante pour quelqu'un de sa corpulence. Il entreprit de frapper le compresseur asthmatique avec la semelle de la sandale de son pied droit.

– C'est bloqué ! Il y a surcharge ! Oh ! Mais qu'est-ce qu'il a, cet engin... ?

– Notre ami manque d'oxygène, observa quelqu'un.

– Enlevez-lui son casque ! suggéra un autre.

– Merde ! que croyez-vous que j'essaie de faire ? cria le compositeur.

– Arrêtez de crier ! tonna Harkoo, qui poussa alors Scott de côté, saisit l'écrou à ailettes entre ses doigts charnus et mit tout son poids et tout son élan dans une puissante torsion.

L'écrou tourna. Harkoo sourit de toutes ses dents. L'écrou continua à tourner, et le sourire de Harkoo s'effaça. L'écrou tourna, tourna et tourna encore, à vide : il s'était soudé au boulon.

Joe observait la scène depuis l'entrée, planté à côté de Rosa. Tandis que l'écrou tournait désespérément entre les doigts de son père, elle

1. En français dans le texte. (*N.d.T.*)

avait saisi le bras de Joe des deux mains, sans paraître s'en rendre compte, et s'y cramponnait. L'appel au secours exprimé implicitement par ce geste excita son compagnon et l'alarma à la fois. Il mit la main dans sa poche et sortit le couteau Victorinox, cadeau de Thomas pour son dix-septième anniversaire.

– Que faites-vous ? s'enquit Rosa en le lâchant.

Sans répondre, Joe traversa la pièce d'un pas rapide et s'agenouilla près de Gala Dalí, dont les aisselles sentaient curieusement le fenouil. Après avoir vérifié que Salvador Dalí commençait vraiment à se cyanoser, il ouvrit le tournevis de son couteau à plusieurs lames. Il cala la tige d'acier dans la fente de la tête du boulon pour immobiliser celui-ci. Il s'attaqua ensuite à l'écrou. À travers le grillage métallique du hublot, ses yeux croisèrent ceux de Dalí, exorbités par la peur et l'asphyxie. Un flot d'espagnol assourdi crépita de l'autre côté du verre épais de trois centimètres. Autant que Joe puisse en juger – son espagnol était pauvre –, Dalí implorait abjectement l'intercession de la Sainte Mère de Dieu. Le boulon résistait. Joe se mordit sauvagement la lèvre et força jusqu'à avoir la sensation que les extrémités de ses doigts allaient éclater. On entendit un bruit sec ; le boulon se mit à grincer et à jouer. Puis, peu à peu, il céda. Quatorze secondes plus tard, avec un pan ! de bouchon de dom pérignon, Joe arracha le casque d'un coup.

Dalí émit de grands sanglots haletants pendant qu'on l'aidait à retirer son scaphandre. Quoique lucrative, New York était, à bien des égards, une ville dangereuse pour lui : au printemps 1938, il avait fait la une des journaux en passant à travers une vitrine de Bonwit Teller[1]. On lui apporta un verre d'eau ; il s'assit et le but jusqu'à la dernière goutte. Le bras gauche de sa célèbre moustache s'était étiolé. Il demanda une cigarette. Joe lui en offrit une et gratta une allumette. Dalí inhala à fond, toussa, détacha un brin de tabac de sa lèvre. Puis il fit un signe de tête à Joe.

– *Jeune homme, vous avez sauvé une vie de très grande valeur*[2], déclara-t-il.

– *Je le sais bien, maître*[3], répondit Joe, qui sentit une main peser sur son épaule.

C'était Longman Harkoo. Le visage rayonnant, c'était tout juste s'il ne se balançait pas d'avant en arrière dans ses sandales devant la tournure prise par les événements. Le fait qu'un peintre mondialement célèbre ait failli mourir d'un accident de plongée dans un

1. Créateur de mode, célèbre des années 1930 à 1950. (*N.d.T.*)
2. En français dans le texte. (*N.d.T.*)
3. En français dans le texte. (*N.d.T.*)

salon de Greenwich Village conférait à sa réception un éclat surréaliste incontestable.

– On a eu chaud, susurra-t-il.

La réception refermait ensuite ses doigts sur Joe, le tenant précieusement sous sa coupe. Il était un héros[1]. Les invités s'attroupèrent, lui jetèrent à la tête des poignées d'adjectifs hyperboliques et de grossières remontrances, approchant leurs binettes en fer-blanc de la sienne, comme pour avoir une giclée de la timbale sonnante de son moment de gloire. Sammy réussit à nager ou à se frayer un passage à coups d'épaule à travers les personnes qui félicitaient Joe ou s'agrippaient à lui, et lui donna l'accolade. George Deasey lui apporta une boisson qui était brillante et froide comme du métal dans sa bouche. Inclinant lentement la tête, sans un mot, Joe acceptait leurs hommages et leurs acclamations avec l'air maussade et distrait d'un athlète victorieux qui reprenait son souffle. Ce n'était rien à ses yeux : un brouhaha, de la fumée, des bousculades, un mélange de parfums et d'huiles capillaires, un élancement douloureux à la main droite. Il promena ses regards autour de la pièce, se hissa sur la pointe des pieds pour voir par-dessus les têtes gominées des hommes, scruta l'épaisse forêt de plumes des chapeaux de femmes à la recherche de Rosa. Toute son abnégation, toutes ses intentions pures d'Artiste de l'évasion étaient oubliées dans l'ivresse du triomphe doublé d'un sentiment de calme intérieur, très voisin de celui qui l'envahissait après une correction. Sa bonne fortune, sa vie, tout l'appareil de sa conscience de soi, lui semblait-il, étaient concentrés dans la question de savoir ce que Rosa Saks allait penser de lui désormais.

« Elle bondit vraiment sur lui depuis l'autre bout de la pièce », ainsi que E.J. Kahn devait le raconter par la suite – désignant, dans son article, Rosa (qu'il connaissait à peine) sous la formule « une ravissante jeune artiste du Village » – puis, après avoir réussi à l'atteindre, elle parut soudain prise d'un accès de timidité.

– Que vous a-t-il dit ? voulut-elle savoir. Dalí.

– Merci, répondit Joe.

– C'est tout ?

– Il m'a appelé « *jeune homme*[2] ».

– J'ai cru vous entendre parler français, insista-t-elle, serrant ses

1. Quinze jours après que le papier de Kahn eut paru dans *The New Yorker*, livrant certains détails des difficultés de Josef Kavalier et de sa famille, Kahn réexpédia à Joe un chèque de douze dollars, un autre de dix et une lettre d'une Mrs F. Bernhard de la Quatre-vingt-seizième Rue Est, qui lui proposait un repas familial de *schnitzel* (« escalope ») et de *knödelen* (« quenelles »). Il est probable que Joe n'a jamais répondu à cette dame. En revanche, les registres indiquent que les chèques ont bien été encaissés. (*N.d.A.*)

2. En français dans le texte. (*N.d.T.*)

bras autour d'elle pour réprimer un frisson de fierté évidente, presque maternelle.

Voyant son exploit si largement récompensé par le feu des joues de Rosa et son regard fixe, Joe resta planté, à se gratter l'aile du nez du pouce de la main droite, gêné de la facilité de son succès, tel un boxeur qui envoie son adversaire au tapis dix-neuf secondes après le début du premier round.

– Je sais qui vous êtes, reprit-elle, piquant un nouveau fard. Je veux dire, je... me souviens de vous maintenant...

– Je me souviens de vous aussi, avoua-t-il, espérant ne pas paraître grivois.

– Comment vous... j'aimerais que vous voyiez mes peintures, balbutia-t-elle. Si vous voulez bien, je veux dire. J'ai mon... mon atelier en haut de la maison.

Joe hésita. Depuis le moment de son arrivée à New York, il ne s'était pas permis de parler à une femme pour le plaisir. Ce n'était pas chose facile à faire en anglais. De toute façon, il n'était pas venu ici pour flirter avec les filles. Il n'avait pas le temps ; d'ailleurs, il sentait qu'il n'avait pas droit à de telles distractions ou aux engagements inévitablement occasionnés par celles-ci. Il estimait – même s'il n'était pas clairement exprimé, ce sentiment était puissant et, à sa manière, un réconfort pour lui – ne pouvoir justifier sa propre liberté que dans la mesure où il s'en servait pour gagner la liberté de ceux qu'il avait laissés derrière lui. Sa vie en Amérique était quelque chose de conditionnel, de provisoire, d'exempt de relations personnelles en dehors de son amitié et de son association avec Sammy Clay.

– Je...

À cet instant précis, l'attention de Joe fut distraite : quelqu'un, quelque part dans le salon, parlait allemand. Il se retourna pour scruter les visages et le brouhaha des conversations, jusqu'à ce qu'il trouve les lèvres qui remuaient en mesure avec les élégantes syllabes teutonnes qu'il entendait. C'étaient des lèvres charnues, d'une sensualité non dénuée de sévérité, les coins tournés vers le bas dans une expression pourtant intelligente, désapprobatrice, celle qu'inspirent un esprit caustique et un âpre bon sens. Leur propriétaire était un individu soigné et en bonne santé, avec un pull-over à col roulé et un pantalon en velours noir, le menton inexistant mais le front haut et large, un nez empreint d'une dignité toute germanique. Il avait les cheveux fins et blonds, et ses yeux d'un noir brillant montraient une lueur malicieuse qui démentait la gravité du personnage. Son regard exprimait beaucoup d'enthousiasme, le plaisir qu'il tirait du sujet de son discours. Il parlait, autant que Joe puisse savoir, de la troupe de danse nègre des Nicholas Brothers.

Joe ressentit l'exultation familière, la flamme de l'adrénaline qui consumait le doute et le désarroi pour ne laisser qu'une pure vapeur de rage, transparente et incolore. Il prit une profonde inspiration et tourna le dos à l'Allemand[1].

– J'aimerais bien voir votre travail, articula-t-il.

1. Ce qui était probablement aussi bien. Cet homme était en effet Max Ernst, pas seulement un artiste dont Joe admirait l'œuvre, mais un antifasciste engagé, ennemi public des nazis et compagnon d'exil. (*N.d.A.*)

10.

La pente de l'escalier était raide, les marches étroites. Il y avait trois étages au-dessus du rez-de-chaussée, et elle l'emmena tout en haut. En montant, il faisait de plus en plus sombre, à en avoir la chair de poule. De chaque côté de l'escalier, les murs étaient tapissés de centaines de portraits encadrés de son père, minutieusement agencés comme des tuiles pour couvrir le moindre centimètre d'espace libre. Sur chacun de ces portraits, autant que Joe puisse en juger après une hâtive inspection, le sujet arborait la même expression niaise de celui qui retient un pet, et s'il y avait une différence significative entre eux, mis à part le fait que certaines personnes étaient, à l'évidence, plus expertes que d'autres à mettre un objectif au point par télépathie, celle-ci échappa à Joe. Pendant qu'ils se frayaient un chemin dans l'obscurité croissante, Joe avait la sensation de ne se guider que sur la lumière émise par le frottement de la main de Rosa contre son poignet, sur le courant régulier de basse tension transmis par le milieu conducteur de leur transpiration. Il titubait comme un ivrogne et riait quand elle le pressait de monter plus vite. Il était vaguement conscient de sa douleur à la main, mais choisit de l'ignorer. Au moment où ils atteignaient le palier du dernier étage, une mèche de cheveux de Rosa s'accrocha au coin de sa bouche, et il la mâchonna un moment entre ses dents.

Elle l'introduisit dans une petite chambre au cœur de la maison, qui s'incurvait bizarrement à l'endroit où elle s'adossait à la tour centrale. Outre son petit lit blanc en fer de jeune fille, une minuscule coiffeuse et une table de nuit, Rosa y avait fait entrer un chevalet, un agrandisseur, deux rayonnages, une table à dessin et mille et une autres choses empilées les unes sur les autres, éparpillées à la ronde et compressées avec une ingéniosité et un entrain remarquables.

– C'est votre atelier ! s'exclama Joe.

Une rougeur plus légère cette fois, en haut des oreilles.

– Et aussi ma chambre, répondit-elle. Mais je n'allais pas vous demander d'y monter !

Il y avait quelque chose d'indubitablement exultant dans la pagaille instaurée par Rosa. Son atelier était à la fois la toile, le journal, le musée... et le fumier de son existence. Elle ne le « décorait » pas, elle l'animait. Ce matin-là, par exemple, vers quatre heures, à moitié empêtrée dans le tulle de son rêve, elle avait tendu la main pour attraper le mégot mâchouillé d'un Ticonderoga qu'elle gardait près de son lit à cette fin. Quand elle s'était réveillée, juste après l'aube, elle avait trouvé un bout de feuille de papier dans sa main gauche, où était griffonnée l'inscription énigmatique « lampedusa ». Elle avait couru à son dictionnaire intégral, posé sur son lutrin solitaire dans la bibliothèque, où elle avait appris que c'était le nom d'une petite île de la Méditerranée, entre Malte et la Tunisie. Puis elle était remontée dans sa chambre, avait pris une grosse punaise à tête émaillée rouge dans une boîte El Producto qu'elle gardait sur son bureau suprêmement « encombré » et avait fixé le bout de papier sur le mur est de sa chambre, où il empiétait désormais sur une photographie, déchirée dans les pages de *Life*, du fils aîné de l'ambassadeur Joseph Kennedy, beau, hirsute et portant un cardigan à la Choate[1]. Ce bout de papier venait rejoindre une reproduction d'un portrait d'Arthur Rimbaud à dix-sept ans, songeur, avec le menton dans la main ; le texte complet de son unique pièce, un drame en un acte inspiré par Jarry et intitulé *Oncle Homoncule* ; des planches, découpées dans des livres d'art, d'un détail de Jérôme Bosch représentant une femme poursuivie par un céleri animé, de la *Madone* d'Edvard Munch, de plusieurs tableaux « bleus » de Picasso et de la *Cosmic Flora* de Klee ; la carte de l'Atlantide d'Ignatius Donnelly*, décalquée ; une photo aux couleurs grotesquement vibrantes, avec encore la gracieuse autorisation de *Life*, de quatre riantes tranches de bacon ; une sauterelle boiteuse morte, les antérieurs figés en une attitude implorante, ainsi que trois cents autres bouts de papier portant le riche vocabulaire de ses rêves, un lexique étonnant qui incluait « épaulard », « vidange », « trévire » et des mots complètement inventés, tels que « luben » et « salacteur ». Socquettes, chemisiers, jupes, maillots de corps et culottes entortillées étaient dispersés sur des piles branlantes de livres et d'albums phonographiques. Le plancher disparaissait sous une épaisse couche de chiffons trempés de peinture et de palettes en carton au chromatisme chaotique. Les toiles entassées par quatre s'alignaient contre les murs. Elle avait découvert le potentiel surréaliste de la nourriture, qui lui inspirait des émotions plutôt complexes de pionnière : partout traînaient des portraits de tiges de brocoli, de têtes de chou, de mandarines, de fanes de navet, de champignons, de betteraves. De

1. Rufus C. Choate (1799-1859), juriste américain. (*N.d.T.*)

grands tableaux multicolores de guingois, qui rappelèrent Robert Delaunay à Joe.

Quand ils étaient entrés dans la chambre, Rosa s'était dirigée vers le phonographe pour l'allumer. Dès que l'aiguille était entrée en contact avec le sillon, les rayures du disque s'étaient mises à crépiter et à grésiller telle une bûche en train de brûler. Puis un joyeux gémissement des violons avait rempli la pièce.

– Schubert, lança Joe, se balançant sur ses talons. *La Truite.*

– *La Truite* est mon disque préféré, renchérit Rosa.

– À moi aussi.

– Écoutez.

Quelque chose heurta Joe au visage, quelque chose de doux et de vivant. Joe frotta sa bouche et un petit papillon noir lui resta dans la main. Celui-ci avait l'abdomen rayé transversalement de bleu électrique. Joe frissonna.

– Des papillons de nuit, expliqua Rosa.

– Parce qu'il y en a d'autres ?

Elle hocha la tête et montra son lit du doigt.

Joe s'aperçut alors qu'il y avait énormément de papillons dans la pièce, la plupart petits, bruns et quelconques, éparpillés sur les couvertures du lit étroit, mouchetant les murs, endormis dans les plis des rideaux.

– C'est ennuyeux, répondit-elle. Ils ont envahi le haut de la maison. Personne ne sait vraiment pourquoi. Asseyez-vous.

Il trouva un coin du lit exempt de papillons et s'assit.

– Apparemment, il y avait aussi des papillons dans toute notre dernière maison, reprit-elle, s'agenouillant devant lui. Et dans la précédente. Celle où il y a eu un meurtre. Qu'avez-vous donc au doigt ?

– Il est douloureux. Depuis que j'ai tourné la vis.

– Il m'a l'air luxé.

L'index droit de Joe était légèrement tordu, un signe de parenthèse d'un nouveau genre.

– Donnez-moi votre main. Allez, ce n'est pas grave. J'ai failli être infirmière autrefois.

Il lui confia sa main, sentant la fine poigne de fer, le savoir-faire opiniâtre, qui constituait l'armature de son style artiste du Village. Elle tourna et retourna sa main, en tâta délicatement la chair et les articulations du bout des doigts.

– Ça ne vous fait pas mal ?

– Si, avoua-t-il.

La douleur, maintenant qu'il y prêtait attention, était assez aiguë.

– Je peux le remettre en place.

– Vous êtes vraiment infirmière ? Je croyais que vous travailliez à la revue *Life*.

Elle secoua la tête.

– Non, je ne suis pas vraiment infirmière, répondit-elle avec vivacité, comme pour passer sur quelque incident ou émotion qu'elle préférait garder pour elle. C'est juste quelque chose que j'ai... tenté. (Elle eut un soupir d'explication, comme si elle-même était lasse de son histoire.) Je voulais être infirmière en Espagne. Vous savez ? Pendant la guerre. J'ai été une engagée volontaire. J'ai été affectée dans un hôpital tenu par le P.C.A.[1] à Madrid, mais je... Hé ! (Elle laissa retomber la main de Joe.) Comment saviez-vous que... ?

– J'ai vu votre carte professionnelle.

– Ma... Oh ! (Il fut récompensé par un nouveau rougissement.) Oui, c'est une mauvaise habitude, reprit-elle, retrouvant sa grosse voix dramatique même s'il n'y avait pas foule pour entendre sa déclaration, de laisser ses affaires dans les chambres des hommes.

Selon la formule de Sammy, Joe ne goba pas son cinéma. Il aurait parié, non seulement que l'oubli de son sac à main dans la chambre de Jerry Glovsky avait mortifié Rosa Luxemburg Saks, mais que ses habitudes n'incluaient même pas la visite régulière de chambres masculines.

– Ça va vous faire mal, lui promit-elle.

– Beaucoup ?

– Horriblement, mais rien qu'une seconde.

– Très bien.

Elle le regarda longuement et s'humecta les lèvres. Il venait de remarquer que les iris brun clair de ses yeux étaient mouchetés d'or et de vert quand, brusquement, elle lui tordit la main d'un côté et l'index de l'autre et, lui étoilant le bras jusqu'au coude de zébrures de feu instantanées, remit l'articulation en place.

– Ouïe !

– Vous avez mal ?

Il secoua la tête, mais des larmes roulaient sur ses joues.

– Quoi qu'il en soit, continua-t-elle, j'ai eu un billet sur le *Bernardo*, New York-Carthagène. Pour le 25 mars 1925. Le 23, ma belle-mère est morte subitement. Mon père a été terrassé de chagrin. J'ai reporté la traversée d'une semaine. Le 31, les Phalangistes ont pris Madrid.

Joe se souvenait de la chute de Madrid. Elle avait eu lieu quinze jours après la chute – mentionnée en minuscules, oubliée... – de Prague.

– Vous avez été déçue ?

1. Sigle du Parti communiste américain. (*N.d.T.*)

– Accablée. (Elle pencha la tête de travers, comme pour écouter l'écho du mot qu'elle venait de prononcer, puis la secoua d'un air décidé. Une boucle de cheveux se décrocha d'une pince et lui dégringola le long du visage. Avec humeur, elle la chassa sur le côté.) Vous voulez savoir ? Sincèrement, j'ai été soulagée. Quelle trouillarde, hein ?

– Je ne pense pas.

– Oh ! si, je suis trouillarde, très trouillarde. Voilà pourquoi je n'arrête pas d'oser faire des choses qui me font peur.

Il eut une idée.

– Comme quoi, par exemple ?

– Comme de vous pousser à monter dans ma chambre.

Indiscutablement, c'était le moment de l'embrasser. Maintenant, le trouillard, c'était lui. Il se pencha et, de sa main valide, entreprit d'examiner une pile de toiles au pied du lit.

– C'est très bon, commenta-t-il au bout d'un moment. (La touche de Rosa avait quelque chose de rapide et d'impatient, mais ses « portraits » – le terme de « nature morte » ne suffisait pas – de produits alimentaires, de boîtes de conserve et de quelques rares pieds de porc ou côtes d'agneau étaient à la fois baroques, honorables et terrifiants, et parvenaient à suggérer parfaitement leur sujet sans se perdre dans les détails. Le trait de Rosa était hardi ; elle savait dessiner aussi bien que lui, peut-être mieux. Mais elle manquait d'application dans son travail. Sa peinture était striée, constellée de taches, semée de poussières et de poils ; les bords des toiles étaient souvent laissés en blanc et déchiquetés. Là où elle n'arrivait à rien, elle barbouillait le tout à grands et furieux coups de pinceau.) Je sens presque leur odeur. Quel meurtre ?

– Hein ?

– Vous disiez qu'il y avait eu un meurtre.

– Ah, oui ! Caddie Horslip. C'était une femme du monde ou une débutante ou... Mon arrière-grand-oncle a été pendu pour cette histoire. Moses Espinoza. Cela avait fait sensation à l'époque, dans les années 1860, je crois. (Elle s'aperçut qu'elle lui tenait toujours la main, la lâcha.) Voilà. Comme neuve. Avez-vous une cigarette ?

Il en alluma une pour elle. Elle était restée à genoux devant lui, et il y avait quelque chose dans sa posture qui l'excitait. Joe avait l'impression d'être un soldat blessé qui essayait de tomber sa jolie infirmière américaine dans un hôpital de campagne.

– C'était un lépidoptériste, reprit-elle. Moses.

– Un... ?

– Il étudiait les papillons.

– Ah !

– Il l'a endormie à l'éther et tuée avec une épingle. C'est du moins ce que dit mon père. Il ment probablement. J'ai réalisé un livre des songes là-dessus.

– Une épingle, répéta-t-il. Aïe ! (Il agita son doigt blessé.) Ça va, je crois. Vous l'avez remis en place.

– Hé ! Qu'est-ce que vous en dites ?

– Merci, Rosa.

– Vous êtes le bienvenu, Joe. Joe... Vous n'êtes pas un Joe très convaincant...

– Pas encore, répliqua-t-il. (Il fléchit sa main, la retourna, l'examina.) Vais-je pouvoir toujours dessiner ?

– Je n'en sais rien. Vous savez dessiner maintenant ?

– Je ne suis pas mauvais. Mais qu'est-ce qu'un livre des songes ?

Elle posa la cigarette brûlante sur un disque phonographique placé par terre à côté d'elle et alla à son bureau.

– Aimeriez-vous en voir un ?

Joe se pencha et ramassa la cigarette, en la tenant bien droit entre les extrémités de ses doigts, comme si c'était un bâton de dynamite prêt à exploser. Elle avait fondu une petite motte dans le second mouvement de l'*Octuor* de Mendelssohn.

– Tiens, en voilà un. Je n'arrive pas à trouver le Caddie Horslip, semble-t-il.

– Vraiment ? dit-il froidement. Quelle surprise !

– Ne faites pas le malin, c'est repoussant chez un homme.

Il lui rendit sa cigarette et lui prit des mains un grand volume relié en toile noire avec le dos rouge. C'était un registre de comptes, deux fois plus gros que son épaisseur normale, comme un livre qui serait resté dehors sous la pluie, à cause de toutes les choses collées à l'intérieur. En tournant la première page, il trouva les mots « Rêve d'avion n° 13 », notés d'une écriture bizarre, appliquée, pareille à une jonchée de bâtonnets de bois.

– Numéroté, observa-t-il. On dirait un illustré.

– Eh bien, ils sont si nombreux. Je m'y perdrais.

Rêve d'avion n° 13 racontait plus ou moins la trame d'un rêve qu'elle avait eu sur la fin du monde. Il ne restait pas d'autres êtres humains que Rosa, et elle s'était retrouvée à bord d'un hydravion rose qui volait vers une île habitée par des lémures sensibles. Ce n'était pas tout, apparemment. Il y avait une sorte de « bande-son » graphique, construite autour d'images relatives à Peter Tchaïkovski et à son œuvre, et bien sûr, une abondante iconographie sur les aliments, mais, autant que Joe puisse en juger, c'était là l'essentiel. Le récit tirait toute sa force de la technique du collage, à partir d'illustrations découpées dans les revues et les livres. Il y avait des images tirées d'ouvrages d'anatomie, une musculature éclatée de la jambe humaine, une représentation picturale du péristaltisme. Elle avait déniché une vieille histoire de l'Inde, et beaucoup des lémures de son rêve apocalyptique avaient la tête et le regard calme, horizontal, des déesses et des princes hindous. Un manuel de cuisine des produits de la mer, riche en photographies en couleurs de crustacés ébouillantés et de poissons entiers pochés aux yeux en gelée, avait été exploité à fond. Parfois, elle avait écrit des phrases en travers des images, dont aucune n'avait beaucoup de sens pour Joe ; quelques pages étaient même presque entièrement constituées de ses textes broussailleux, enluminés pour ainsi dire par les collages. On y trouvait aussi des dessins et des diagrammes au crayon-mine, ainsi qu'un système élaboré d'annotations en marge dans le style B.D., semblables aux créatures qu'on trouve tapies au coin des pages des livres médiévaux. Joe se mit à lire, assis sur la chaise de bureau, mais, sans s'en apercevoir, il n'avait pas tardé à se relever pour se promener de long en large dans la chambre. Il marcha sur un papillon, toujours sans s'en apercevoir.

– Ce travail doit vous prendre des heures, remarqua-t-il.

– Oui, des heures.

– Combien en avez-vous réalisés ?

Elle montra du doigt un coffre peint au pied de son lit.

– Pas mal.

– C'est beau, émouvant.

Il se rassit sur le lit et acheva sa lecture, puis elle lui demanda ce qu'il faisait dans la vie. Pour la première fois depuis un an Joe s'autorisa à se voir comme un dessinateur, sous la pression de l'intérêt de Rosa pour lui et de ses propres réalisations. Il décrivit les heures qu'il avait consacrées à ses couvertures, à prodiguer des détails sur les joints et les ailettes d'un générateur d'ondes mortelles, à déformer et à exagérer ses perspectives avec une précision mathématique, à travestir Sammy, Julius et les autres, à prendre des photographies-tests pour reproduire correctement ses positions, à peindre de voluptueuses traînées de feu qui, une fois imprimées, donnaient l'impression de brûler l'encre et le papier brillant de la couverture elle-même. Il lui parla de ses expérimentations sur le vocabulaire cinématographique, de son sens de la force émotionnelle contenue dans une planche et de l'intervalle de temps infiniment extensible et contractile qui ponctuait les planches d'une page de comic book. Installé sur le lit couvert de papillons de Rosa, il sentit resurgir toutes les affres et les inspirations de l'époque où sa vie n'avait tourné qu'autour de l'art, où la neige tombait comme les notes de piano de l'ouverture du *Concert de l'Empereur*, et son excitation sexuelle lui rappelait un passage de Nietzsche, tandis qu'un gros caillot de peinture cramoisie veinée de rouge dans un Vélasquez par ailleurs inintéressant lui donnait envie d'une pièce de viande saignante.

À un moment, il remarqua qu'elle le regardait avec un drôle d'air d'impatience, ou de panique. Il s'interrompit.

– Qu'y a-t-il ?

– Lampedusa, répondit-elle.

– Qu'est-ce que c'est, Lampedusa ?

Les yeux de Rosa s'agrandirent d'impatience ou de panique pendant qu'elle attendait. Elle inclina la tête.

– Vous voulez parler de l'île ?

– Oh !

Elle jeta ses bras autour de son cou et il tomba à la renverse sur le lit. Les papillons de nuit s'éparpillèrent. Le dessus-de-lit en satin lui caressa la joue comme une aile de papillon.

– Hé ! s'exclama Joe.

Puis elle posa sa bouche sur la sienne et l'y laissa, les lèvres entrouvertes pour lui chuchoter une phrase inintelligible de son livre des songes.

– Hello ! Hé, Joe ! Tu es là-haut ?

Joe se rassit.

– Merde !

– C'est votre frère ?

– Mon cousin Sam, mon associé. Je suis ici, Sam, cria-t-il.

Sammy passa la tête à la porte de la chambre.

– Oh ! Salut, dit-il. Bon Dieu, excusez-moi. Je voulais juste...

– Elle est infirmière, balbutia Joe, se sentant étrangement coupable, comme s'il avait en quelque sorte trahi Sammy et devait justifier sa présence en ce lieu. (Il tendit sa main guérie.) Elle me l'a remise en place.

– C'est formidable, euh... Salut. Sam Clay.

– Rosa Saks.

– Écoute, Joe, je... euh... je me demandais simplement si tu étais prêt à quitter cette... excusez-moi, Miss, je sais que vous habitez ici et tout... cette bicoque qui donne la chair de poule.

Joe voyait bien que Sam était bouleversé.

– Qu'y a-t-il ?

– La cuisine...

– La cuisine ?

– Elle est noire.

Rosa eut un rire.

– C'est vrai, acquiesça-t-elle.

– Je ne sais pas. Je veux juste... je veux juste rentrer à la maison, tu sais. M'attaquer à ce machin. Le... euh... désolé. N'y pense plus. Salut.

Sammy fit volte-face et disparut. En l'absence de Joe, il avait vécu une drôle d'expérience. Il avait déambulé dans la salle de bal et dans une petite serre située derrière, puis s'était aventuré dans la cuisine de l'hôtel particulier, dont les murs et le sol étaient revêtus de carrelage noir étincelant, les plans de travail recouverts d'émail noir. Un nombre considérable de personnes s'y entassait également, et, dans l'espoir de trouver un endroit où il pourrait s'isoler ne serait-ce qu'un moment et peut-être utiliser les toilettes, il avait tourné dans un vaste office. Là, il était tombé sur la vision improbable de deux hommes enlacés : chacun portait, avec la surdétermination d'un rêve, une cravate et la moustache, et leurs moustaches s'entremêlaient d'une manière qui, pour une raison ou une autre, avait rappelé à Sammy l'habitude qu'avait sa mère de poser le peigne de son fils dans les poils de la brosse sur sa table de toilette quand il était petit.

Sammy était sorti de la cuisine rapidement, à reculons, pour se lancer à la recherche de Joe : il avait envie de partir sur-le-champ, il le sentait. Il connaissait l'homosexualité, bien entendu, mais en théorie, sans l'avoir jamais vraiment rattachée à un sentiment humain. Certainement jamais à aucune émotion personnelle. Il ne lui était jamais venu à l'idée que deux hommes, même des homosexuels, puissent s'embrasser ainsi. Il avait supposé, dans la mesure où il s'était autorisé à y penser, que la chose devait se résumer à une histoire de fellations dans des passages sombres ou aux pratiques immondes de marins britanniques assoiffés d'amour. Mais ces inconnus à cravate et à moustache, ils s'embrassaient comme on s'embrassait au cinéma, avec tendresse, passion et juste un soupçon de provocation. Un des gars avait même caressé la joue de l'autre.

Sammy farfouilla dans la profusion de fourrures et de pardessus pendus aux patères de l'entrée jusqu'à ce qu'il retrouve le sien. Il se coiffa de son chapeau et sortit. Il marqua une pause sur la marche du haut. Ses pensées étaient désordonnées et inédites pour lui. Il était affreusement jaloux ; c'était comme si une grosse pierre ronde s'était logée au centre de sa poitrine, mais il n'aurait su dire avec certitude s'il était jaloux de Joe ou de Rosa Luxemburg Saks. En même temps, il était content pour son cousin. Dans cette grande ville, c'était un miracle qu'il ait réussi à retrouver, un an après, la fille au postérieur miraculeux. À la différence de Sammy, elle saurait peut-être trouver enfin un moyen de distraire Joe, au moins un peu, de son projet évident de se faire démolir le portrait par tous les Allemands de New York. Il se retourna pour regarder le portier, un gars à l'air canaille, avec un veston gris graisseux, en train de fumer une cigarette, adossé à la porte d'entrée. Qu'est-ce qui avait tant secoué Sammy dans la scène dont il avait été témoin ? De quoi avait-il peur ? Pourquoi fuyait-il ?

– Vous avez oublié quelque chose ? s'enquit le portier.

Sammy leva les épaules. Il fit demi-tour et rentra dans la maison.

Pas tout à fait certain de ce qu'il faisait, il se força à retraverser la salle de bal, laquelle était, maintenant que Dalí avait abandonné son scaphandre, bondée de gens heureux et sûrs d'eux-mêmes qui savaient ce qu'ils voulaient et qui ils aimaient, et à revenir dans la cuisine carrelée de noir. Planté autour du fourneau, un groupe discutait sur la bonne manière de préparer du café turc, mais les deux hommes de l'office avaient disparu, sans laisser aucune trace de leur présence. Avait-il imaginé toute la scène ? Un tel baiser était-il réellement possible ?

– C'est une tapette ? demandait Rosa à Joe en cet instant.

Ils étaient toujours assis sur le lit, main dans la main.

Joe fut d'abord choqué par cette suggestion, puis changea soudain d'avis.

– Pourquoi dis-tu ça ? demanda-t-il.

Elle eut un haussement d'épaules.

– Il donne cette impression, répondit-elle.

– Hum, marmonna Joe. Je n'en sais rien. C'est... (il haussa à son tour les épaules)... un garçon bien.

– Et toi, tu es un garçon bien ?

– Non, dit Joe.

Il se pencha pour lui donner un nouveau baiser. Leurs dents s'entrechoquèrent. Bizarrement, cela le rendit conscient de tous les os de sa tête. Sa langue à elle était laiteuse et salée, une huître dans la bouche de Joe. Elle posa ses mains sur ses épaules et il la sentit se préparer à le repousser, ce qu'elle fit au bout d'un moment.

– Je m'inquiète pour lui, déclara-t-elle. Il avait l'air un peu perdu. Tu devrais aller le chercher.

– Il se débrouillera.

– Joe, implora-t-elle.

– Oh ! (Elle voulait qu'il s'en aille, il le comprenait. Ils avaient poussé le bouchon aussi loin qu'elle y était disposée pour le moment. Ce n'était pas ce à quoi il s'attendait d'une fleur de bohème mal embouchée, mais il avait l'intuition qu'elle lui réservait à la fois plus et moins que cela.) D'accord, poursuivit-il. Oui, j'ai... j'ai du pain sur la planche moi aussi.

– Bien, souffla Rosa. Va travailler. Tu m'appelleras ?

– Je peux ?

– UNiversité 4-3212, énuméra-t-elle. Tiens. (Elle se leva pour se diriger vers sa table à dessin et griffonna le numéro sur une feuille de papier, puis déchira celle-ci et en tendit un bout à Joe.) Demande à celui qui décroche de promettre absolument de prendre un message, parce que les gens d'ici sont horriblement peu fiables pour ce genre de chose. Attends une minute ! (Elle inscrivit un autre numéro.) C'est le numéro du bureau. Je travaille à *Life*, au service culturel. Et voici mon numéro à la T.R.A. J'y suis trois après-midi par semaine et le samedi. J'y serai demain.

– Au drap ?

– Non, à la Transatlantic Rescue Agency[1]. Je suis secrétaire bénévole, là-bas. C'est une petite opération, de ce côté-ci. On n'a pas beaucoup d'argent. Vraiment, il n'y a que moi et Mr Hoffman. Oh ! c'est un homme merveilleux, Joe. Il a un bateau, qu'il a acheté lui-même, et il se démène en ce moment pour arracher d'Europe autant d'enfants juifs que ce bateau peut en contenir.

– Des enfants, répéta Joe.

– Oui. Quels sont... est-ce qu'il y a... tu as des enfants dans ta famille ?

– Où c'est ? demanda Joe. Le D.R.A. ?

Rosa inscrivit une adresse à Union Square.

– J'aimerais te voir là-bas demain, murmura Joe. Est-ce que c'est possible ?

1. « Agence de sauvetage transatlantique ». (*N.d.T.*)

11.

– Nous possédons un seul bateau, déclara Hermann Hoffman.

Grassouillet, il avait des fossettes, une barbiche soignée, des poches sous les yeux qui avaient l'air d'avoir toujours été là et un postiche d'un noir brillant, presque agressif dans son évidente artificialité. Son bureau à la Transatlantic Rescue Agency donnait sur les arbres gris fer et les feuillages rouille d'Union Square. Pour son complet en worsted souris, il avait dépensé vingt fois ce que Joe, dont les économies devenaient plus draconiennes à mesure qu'augmentait son revenu, avait dépensé pour le sien. Avec la précision de celui qui coupe un jeu de cartes, Hoffman tira trois cigarettes d'un paquet sur lequel figurait un pharaon doré : une pour Rosa, une pour Joe et la dernière pour lui-même. Ses ongles étaient bien coupés et nacrés, sa marque de cigarettes, Thoth-Amon, importée d'Égypte et excellente. Joe n'arrivait pas à comprendre pourquoi un tel homme portait une moumoute qui avait l'air d'avoir été commandée grâce à la quatrième de couverture de *Radio Comics*.

– Un bateau, vingt-deux mille dollars et un demi-million d'enfants.

Hoffman sourit. Un air de défaite se lisait sur son visage.

Joe jeta un coup d'œil à Rosa, qui leva un sourcil. Elle l'avait prévenu qu'Hoffman et son agence, en se battant pour accomplir l'impossible, fonctionnaient perpétuellement à deux doigts de la faillite. Afin d'éviter d'avoir le cœur brisé, disait-elle, son patron adoptait l'attitude d'un pessimiste invétéré. Elle hocha la tête, une fois, pour exhorter Joe à parler.

– Je comprends, marmonna Joe. Je savais, bien sûr...

– C'est un très beau navire, reprit Hoffman. Il s'appelait la *Lionne*, mais nous l'avons rebaptisé l'*Arche de Miriam*. Pas très grand, mais extrêmement bien entretenu. Nous l'avons racheté à la compagnie Cunard, qui l'avait affecté sur la ligne Haiphong-Shanghai. Le voilà. (Il montra du doigt une photographie coloriée sur le mur derrière Joe. Un paquebot pimpant, à la ligne de flottaison rouge vif, naviguait sur une mer vert bouteille sous un soleil héliotrope. C'était une très grande photo dans un cadre de platine. Hoffman la contempla amoureusement.) À l'origine, il a été construit pour la P&O Company, en 1893. Une bonne part de notre dotation initiale est partie dans son acquisition et sa remise en état, laquelle, à cause de l'importance que nous accordons à l'hygiène et à l'aspect humain, s'est révélée être assez dispendieuse. (Nouveau sourire de chien battu.) Les trois quarts du solde sont allés sur des comptes bancaires ou dans les matelas de divers responsables et fonctionnaires allemands. Après avoir déduit ce qui nous sert à payer le personnel et les documents à fournir, je ne sais sincèrement pas ce que nous pourrons accomplir avec le peu qui nous reste. Nous ne serons peut-être pas en mesure d'assurer financièrement la traversée de la moitié des enfants que nous avons déjà décidé d'amener ici. Cela va nous coûter plus de mille dollars par tête.

– Je comprends, balbutia Joe. Si je puis dire, je...

Joe consulta une nouvelle fois Rosa du regard. Pendant la nuit, elle avait subi une totale transformation. Joe en était épaté. C'était comme si elle avait cherché à effacer toute trace de la demoiselle aux papillons. Elle portait un kilt écossais Black Watch, un collant sombre et un chemisier blanc uni boutonné au col et aux poignets. Ses lèvres étaient nues, et elle avait repassé sa chevelure rebelle en deux tresses crêpelées séparées par une raie au milieu. Elle avait même mis une paire de lunettes. Joe était interloqué devant cette métamorphose, mais trouvait rassurante la présence de la fille chenille. S'il était entré dans les bureaux de la T.R.A. pour trouver une portraitiste de légumes aux cheveux en bataille, il aurait peut-être douté un peu des lettres de créance de l'agence. Il ignorait laquelle des deux poses, papillon ou chenille, était la moins sincère, mais de toute façon il était maintenant très reconnaissant à Rosa.

– Mr Kavalier a de l'argent, monsieur Hoffman, intervint Rosa. Il a les moyens de payer lui-même la traversée de son frère.

– J'en suis heureux pour vous, monsieur Kavalier, mais dites-moi... Le *Miriam* peut accueillir trois cent vingt-quatre passagers. Nos agents européens ont déjà préparé le transport de trois cent vingt-quatre enfants allemands, français, tchèques et autrichiens, avec une liste d'attente considérablement plus longue que cela. L'un d'entre eux devrait donc être laissé derrière pour céder la place à votre frère ?

– Non, monsieur.

– Est-ce là ce que vous me proposez de faire ?

– Non, monsieur.

Joe s'agita pitoyablement sur son siège. Ne pouvait-il rien trouver de mieux à dire à cet homme que « Non, monsieur », maintes et maintes fois, comme un enfant à qui on remontre ses erreurs de conduite ? Le destin de son frère pouvait très bien se régler dans cette pièce. Et tout dépendait de lui. S'il était, aux yeux d'Hoffman, de quelque manière que ce soit insuffisamment... quelque chose, l'*Arche de Miriam* quitterait Portsmouth sans Thomas Kavalier. Il jeta furtivement un nouveau regard à Rosa. « Tout va bien, lui disait son visage. Parle-lui, discute avec lui. »

– Je crois savoir qu'il reste peut-être de la place à l'infirmerie, poursuivit Joe.

Ce fut alors au tour d'Hoffman de lancer un regard à Rosa.

– Eh bien, oui ! Dans les meilleures circonstances, peut-être. Mais imaginez que la rougeole se déclare ou qu'il y ait une sorte d'accident...

– C'est un garçon très petit, plaida Joe. Pour son âge. Il ne prendrait pas beaucoup de place.

– Ils sont tous petits, monsieur Kavalier, rétorqua Hoffman. Si je pouvais en entasser trois cents de plus sans danger, je le ferais.

– Oui, mais qui paierait pour eux ? s'écria Rosa, qui s'impatientait. (Elle tendit le doigt vers Hoffman. Joe remarqua une traînée de peinture aubergine sur sa paume de main.) Vous nous dites que trois cent vingt-quatre ont le feu vert pour la traversée, mais vous savez bien que, pour le moment, nous ne pouvons pas payer pour plus de deux cent cinquante !

Hoffman se renversa dans son siège et la considéra avec ce que Joe espérait n'être qu'une horreur feinte.

Rosa couvrit sa bouche de sa main.

– Excusez-moi, dit-elle. Je me tais.

Hoffman se tourna vers Joe.

– Prenez garde quand elle tend le doigt vers vous, monsieur Kavalier.

– Oui, monsieur.

– Elle a raison. Les fonds manquent chez nous. L'adverbe approprié, je crois, c'est « chroniquement ».

– Voilà ce que je me disais, reprit Joe. Et si je payais pour un autre enfant, en plus de mon frère ?

Hoffman se redressa, le menton dans le creux de ses mains.

– J'écoute, dit-il.

– Il est possible, très probable même, que je puisse m'arranger pour payer les billets de deux ou peut-être trois autres.

– Vraiment ? s'exclama Hoffman. Et qu'est-ce que vous faites dans la vie, cher monsieur ? Vous êtes plus ou moins dessinateur, c'est ça ?

– Oui, monsieur, acquiesça Joe. Je travaille dans la bande dessinée.

– Il a beaucoup de talent, renchérit Rosa, même si, la veille, elle avait avoué à Joe n'avoir jamais de sa vie regardé entre les couvertures d'un comic book. Et il est très bien payé !

Hoffman sourit. Depuis quelque temps, il s'inquiétait de l'apparente absence d'un compagnon convenable dans la vie de sa jeune secrétaire.

– La bande dessinée, répéta-t-il. Je n'entends parler que de cela. Superman, Batman... Mon fils, Maurice, est un lecteur fidèle. (Hoffman tendit le bras pour prendre un cadre posé sur son bureau et retourna celui-ci, révélant le visage d'une version réduite de lui-même, poches sous les yeux et tout.) Il a sa bar-mitsva dans un mois.

– Félicitations, balbutia Joe.

– Et pour quel comic book dessinez-vous ? Pour *Superman* ?

– Non, mais je connais un gars, un jeune homme, qui le fait. Moi, je travaille à Empire Comics, monsieur. Nous réalisons l'Artiste de l'évasion. Et aussi, votre fils les connaît peut-être, le Monitor, Mr Machine Gun. J'en dessine pas mal. Je gagne environ deux cents dollars par semaine. (Il se demanda s'il n'aurait pas dû apporter ses bulletins de paie ou quelque autre forme de documents financiers.) En général, je réussis à mettre de côté la totalité, moins vingt-cinq.

– Bonté divine ! s'exclama Hoffman, reportant le regard sur Rosa (dont l'expression aussi trahissait une grande surprise). Nous sommes dans la mauvaise branche, mon petit.

– Ça m'en a tout l'air, patron, acquiesça-t-elle.

– L'Artiste de l'évasion, continua Hoffman. Je crois que j'ai peut-être vu ça, mais je n'en suis pas sûr...

– C'est un génie de l'évasion. Un artiste magicien.

– Un artiste magicien ?

– C'est exact.

– Vous vous y connaissez en magie ?

Cette question était à double tranchant. C'était plus qu'une amicale demande de renseignements, même si Joe ne parvenait pas à s'imaginer pourquoi.

– Je l'ai étudiée, répondit-il. À Prague. J'ai été l'élève de Bernard Kornblum.

– Bernard Kornblum ! s'exclama Hoffman. Kornblum ! (Sa physionomie se radoucit.) Je l'ai vu sur scène une fois.

– Vous avez vu Kornblum ? (Joe se tourna vers Rosa.) C'est stupéfiant.

– Je suis complètement stupéfaite, dit Rosa. Était-ce à Königsberg, monsieur ?

– En effet, c'était à Königsberg.

– Quand vous étiez jeune ?

Il inclina la tête.

– Quand j'étais jeune. J'ai été moi-même magicien amateur à une époque. Je pratique encore, de temps en temps. Bon, laissez-moi voir. (Il agita les doigts, puis s'essuya les mains à une serviette de table invisible. Sa cigarette s'était volatilisée.) *Voilà*[1] *!* (Il roula ses yeux aux paupières lourdes vers le plafond et sa cigarette réapparut comme par enchantement.) *Et voilà*[2] *!* (La cigarette glissa de ses doigts et dégringola sur son veston, laissa une traînée de cendres sur le revers, puis tomba par terre. Hoffman jura. Il repoussa sa chaise en arrière, se posa une main sur le crâne et, avec un grognement, se pencha pour ramasser sa cigarette. Quand il se rassit, la trame de sa perruque semblait s'être libérée de sa chaîne. Toute sa tête était hérissée de gros cheveux noirs qui oscillaient comme un tas de limaille vers un aimant lointain mais puissant.) Je manque terriblement d'entraînement, je le crains. (Il tapota sa moumoute.) Vous êtes adroit ?

Kornblum avait dédaigné le baratin comme étant indigne du véritable maître. Alors Joe se leva de sa chaise, sans un mot, et retira son veston. Il jeta ses manchettes et offrit négligemment ses mains vides à l'inspection d'Hoffman. Il était conscient de prendre des risques. Le travail rapproché n'avait jamais été son fort. Il espérait que son index était guéri.

– Comment va ton doigt ? chuchota Rosa.

– Très bien, répondit Joe. Voudriez-vous bien me passer votre briquet ? Je n'en aurai besoin qu'un instant.

– Mais bien sûr, répondit Hoffman, tendant son briquet en or à Joe.

– Et une autre cigarette, je le crains.

Hoffman s'exécuta, en observant Joe attentivement. Joe s'écarta du bureau, porta la cigarette à ses lèvres, l'alluma et inhala à fond. Puis il leva le briquet entre le pouce et l'index de sa main droite et recracha un long jet de fumée bleuâtre. Le briquet disparut. Joe aspira une autre profonde bouffée et la garda, se pinça le nez et fit saillir ses yeux d'un air comique. La Thoth-Amon disparut à son tour. Il rouvrit la bouche et expira lentement. La fumée aussi avait disparu.

– Excusez-moi, dit Joe. Quel maladroit !

– Très joli. Où est passé le briquet ?

– Voici la fumée.

Joe leva sa main gauche fermée, se la passa sur le visage, puis desserra le poing comme une fleur. Un rond de fumée effilochée en sortit. Joe sourit. Puis il saisit son veston, accroché au dossier de sa chaise, et sortit son propre étui à cigarettes. Il ouvrit l'étui et montra la cigarette égyptienne nichée à l'intérieur, tel un œuf brun dans un carton rempli de blancs. Elle était toujours allumée. Il se pencha en

1. En français dans le texte. (*N.d.T.*)
2. En français dans le texte. (*N.d.T.*)

avant et roula le bout incandescent dans le cendrier posé sur le bureau d'Hoffman jusqu'à son extinction. En se redressant, il remit la cigarette à sa bouche et claqua des doigts devant les braises mortes. Le briquet réapparut. Joe produisit une nouvelle flamme et ralluma la cigarette.

– Ah ! s'exclama-t-il en expirant, comme s'il entrait dans un bain chaud.

Rosa applaudit.

– Comment as-tu fait ? s'enquit-elle.

– Je te le dirai peut-être un jour, répondit Joe.

– Oh, non ! ne faites pas ça, intervint Hoffman. Tenez, monsieur Kavalier. Si vous voulez bien accepter de soutenir financièrement, disons deux enfants, en plus de votre frère, alors nous commencerons à étudier le cas de votre frère et ferons notre possible pour lui trouver de la place sur le *Miriam.*

– Merci, monsieur. (Joe se tourna vers Rosa, qui jouait une fois de plus à la femme d'affaires. Elle inclina la tête. Il avait réussi son coup.) C'est très...

– Mais, d'abord, j'ai une faveur à vous demander.

– Qu'est-ce que c'est ? Tout ce que vous voulez.

Hoffman pencha la tête vers le portrait de Maurice.

– Si j'étais un homme riche, monsieur Kavalier, je financerais toute cette entreprise de ma poche. Les choses étant ce qu'elles sont, presque tout l'argent dont je dispose va dans l'agence. J'ignore si vous le savez, ou comment cela se passait à Prague, mais ici, à New York, les bar-mitsva ne sont pas bon marché. Dans le cercle où nous évoluons, ma femme et moi, elles peuvent être princières. C'est déplorable, mais on n'y peut rien ! Photographe, traiteur, salle de bal de l'hôtel Trevi. Cela me coûte les yeux de la tête...

Joe hocha lentement la tête et jeta un regard à Rosa. Hoffman lui demandait-il vraiment de l'aider à payer la réception en l'honneur de son fils ?

– Avez-vous idée, poursuivit Hoffman, à combien cela va me revenir d'engager un magicien ?

Une cigarette apparut entre les doigts de sa main droite. Elle brûlait toujours, remarqua Joe. C'était celle qu'il avait laissée tomber par terre tout à l'heure. Joe était certain d'avoir vu Hoffman la ramasser et l'écraser dans le cendrier. Après plus ample considération, il en était un peu moins certain.

– Je me demande si vous consentiriez à monter un numéro.

– Ce serait un plaisir.

– Excellent, conclut Hoffman.

Ils sortirent de son bureau. Rosa ferma la porte et lui sourit, les yeux écarquillés.

– Que dis-tu de ça ?

– Merci, dit-il. Merci beaucoup, Rosa.

– Je vais lui ouvrir un dossier tout de suite. (Elle gagna son bureau, s'assit et prit un imprimé dans une corbeille posée sur son bureau.) Dis-moi comment s'écrit son nom. Kavalier.

– Avec un K.

– Kavalier avec un K. Thomas. Il y a un *H* ou... ?

– Oui, il y a un *H*, la coupa-t-il. Je veux te voir, je veux t'inviter au restaurant.

– Ah ça, avec plaisir ! répondit-elle, sans lever les yeux. Second prénom ?

12.

Quand il déambula de nouveau dehors, le ciel brillait comme un nickel et l'air embaumait les amandes sucrées. Il en avait acheté un sachet, et celui-ci lui tenait chaud à travers la poche revolver de son complet à douze dollars. Il traversa la rue pour se diriger vers le square. Thomas venait en Amérique ! Il avait rendez-vous pour dîner !

En traversant le parc, malgré lui il essayait de comprendre le secret du tour d'Hoffman. Où avait-il dissimulé le porte-cigarettes d'où il avait subtilisé la cigarette allumée ? Quel genre de porte-cigarettes pouvait garder une cigarette allumée aussi longtemps ? Il arriva à la moitié du square avant de trouver la réponse : le postiche.

À l'instant précis où il passait devant la statue de George Washington, il remarqua devant lui un petit groupe de gens, agglutinés autour d'un des longs bancs verts à sa droite. Se figurant qu'un occupant du banc du parc devait distribuer des tranches de la toute dernière friandise macabre en provenance des champs de bataille et des capitales d'Europe, Joe pêcha une noix de cajou dans son sac, la lança en l'air, renversa la tête et rattrapa la noix, sans cesser de marcher. Alors qu'il dépassait le petit noyau de personnes qui chuchotaient entre elles, il vit pourtant que toutes semblaient regarder, non pas le banc, mais l'érable grand et élancé qui se dressait juste derrière, dans une cage en dentelle de fer. Quelques-unes souriaient même, nota-t-il. Une femme d'un certain âge, avec un manteau de laine écossaise, recula d'un petit pas dansant, la main pressée sur son cœur, riant de confusion devant sa frayeur. Il doit y avoir un animal quelconque dans l'arbre, pensa Joe. Une souris, un singe ou un varan échappé du zoo de Central Park. Il se dirigea vers le banc et, comme personne ne lui fit de place, se dressa sur la pointe des pieds pour mieux voir.

Un fait surprenant de la part du magicien Kornblum, Joe s'en souvenait, c'était qu'il croyait en la magie. Pas en la prétendue magie des bougies, des pentacles et des chauves-souris. Ni dans les envoûtements de cuisine des grand-mères slaves, avec leurs herbiers et leurs rognures du petit doigt de pied d'une vierge aveugle, ligotée dans un sac en peau de chèvre. Ni en l'astrologie, la théosophie, la chiromancie, les baguettes de sourcier, les séances de spiritisme, les statues qui pleurent, les loups-garous, les prodiges ou les miracles. Kornblum considérait tout cela comme une imposture bien différente – bien plus destructrice – que la qualité d'illusion qu'il exerçait, dont le succès, après tout, augmentait en proportion directe de la conscience aiguë, constante, de ses publics qu'en dépit de toute la vigilance qu'ils pouvaient apporter, ils étaient trompés. Ce qui enchantait Kornblum, au contraire, c'était la magie impersonnelle de la vie, quand il lisait par exemple un article de revue sur un poisson capable de se camoufler en adoptant l'apparence de sept autres variétés des fonds marins, ou quand il apprenait aux actualités que des savants avaient découvert une étoile qui émettait des radiations sur une longueur d'onde dont la valeur en mégahertz approchait de *pi*. Dans le domaine de l'activité humaine, cette sorte d'enchantement était souvent, bien que pas toujours, une affaire plus triste, tantôt magnifique, tantôt cruelle. Son fonds de commerce consistait alors en ironies, en coïncidences, et les seuls vrais mauvais présages, reconnaissables et impossibles à ignorer avec le recul, étaient ceux qui se manifestaient d'eux-mêmes.

Sur le fût gracile du jeune érable dans sa cage du côté ouest d'Union Square, était posée une énorme phalène. Elle papillonnait avec la langueur d'une dame qui s'évente, vert irisé avec des reflets dorés, aussi grosse que la pochette de soie de la dame alanguie. Ses ailes étaient étendues à plat, et quand, de temps en temps, celles-ci palpitaient, la femme au manteau écossais poussait un cri perçant, au grand amusement des autres rassemblés autour, puis faisait un bond en arrière.

– Qu'est-ce que c'est que ce papillon ? demanda Joe à son voisin.

– Le gars, là-bas, dit que c'est un lune.

L'homme ébaucha un signe de tête vers un individu corpulent, planté plus près de l'arbre et de la phalène que les autres, qui avait l'air d'un banquier et portait un chapeau tyrolien orné d'une plume vert papillon.

– C'est exact, acquiesça l'imposant bonhomme, d'une voix étrangement mélancolique. Un papillon lune. Nous en voyions de temps à autre quand j'étais jeune. Au Mount Morris Park...

Il tendit sa main potelée, protégée par son gant en peau de porc jaune, vers le cœur bleu battant de son souvenir d'enfance.

– Rosa, articula Joe à mi-voix.

À ce moment-là, tel un trope ambigu de bon augure, le papillon lune s'envola avec un froufroutement audible, se projeta dans le ciel infini et partit en zigzag dans la direction du Flatiron Building.

13.

On a tant et plus décrit et célébré les illuminations et les dancings d'Empire City – cette ville éblouissante ! –, ses boîtes de nuit et ses clubs de jazz, ses avenues de néon et de chrome, ses hôtels chics, leurs thés dansants sur les toits éclairés par des chapelets de lampions. Mais, par cet après-midi automnal d'acier, notre destination est un endroit à mille lieues des avertisseurs et du tohu-bohu. Ce soir, nous descendons sous terre, dans un local situé bien loin des talons hauts et des marteaux-piqueurs, plus bas que les rats et les légendaires alligators, plus bas même que les ossements des Algonquins et des terribles loups. Au bureau 99, un petit box bien rangé, tout blanc et privé d'aération, au bout d'un couloir du troisième sous-sol de la bibliothèque municipale d'Empire City. Ici, à une table de travail qui se trouve à de plus grandes profondeurs que les voies mêmes du métro, siège la jeune Miss Judy Dark, sous-assistante documentaliste des volumes retirés du prêt. C'est ce que nous apprend la plaque nominative posée devant elle. C'est une créature pâle et menue, en tailleur gris uni, qui, à l'évidence, ne sait pas ce qu'est la vraie vie. Deux fois par semaine, un bonhomme au teint couleur de papier journal bouilli passe à son bureau pour emporter les livres qu'elle a officiellement déclarés morts. Toutes les dix minutes environ, les murs sont ébranlés par le grondement du métro qui roule à toute vitesse dans les quartiers chics au-dessus de sa tête.

En ce jour d'automne particulier, seule la perspective d'une nouvelle soirée solitaire s'offre à elle. Elle fera griller sa viande et s'endormira sur son livre, probablement une histoire d'amour et de magie. Puis, dans des rêves qu'elle-même trouve banals, Miss Dark connaîtra de nouvelles aventures en soie et en cotte de mailles. Demain matin, elle se réveillera seule et suivra la même routine.

Pauvre Judy Dark ! Pauvres petites bibliothécaires du monde entier, ces jeunes filles secrètement ravissantes, à la beauté défigurée à jamais par la cruauté d'une paire de grosses lunettes à monture noire !

Judy ferme sa serviette et éteint sa lampe, sans oublier de prendre son parapluie au portemanteau. Elle-même est une sorte d'ombrelle humaine, repliée, bien sanglée. Elle suit le long couloir et marche accidentellement dans une grande flaque ; chaque fois qu'il pleut, il y a des infiltrations au troisième sous-sol. Ses pieds sont trempés jusqu'à la cheville. Avec des chaussures qui grincent, elle pénètre dans l'ascenseur. Telle une plongeuse, elle remonte lentement à la surface de la ville. Après avoir relevé son col, elle se dirige vers la porte d'entrée de la bibliothèque. Ce soir, comme tous les soirs, elle est la dernière à quitter les lieux.

Un policier est posté à l'entrée. Il est là pour aider à garder le Livre.

– Bonne nuit, Miss, dit le policier en déverrouillant la lourde porte de bronze pour elle.

C'est un gars aux larges épaules, avec un menton en galoche et des yeux qui pétillent parce que les chaussures de la retardataire grincent.

– Bonne nuit.

Miss Dark est mortifiée par le bruit de ses pieds.

– Je m'appelle O'Hara.

Il a des cheveux drus et brillants, luisants comme une giclée de peinture noire.

– Judy Dark.

– Eh bien, Miss Dark, j'ai une petite question à vous poser.

– Oui, monsieur O'Hara ?

– Qu'est-ce qui pourrait vous arracher un sourire ?

Une douzaine de réponses cinglantes se bousculent sur ses lèvres, mais elle ne dit rien. Elle s'efforce ardemment de pincer la bouche, mais, à sa consternation, ne peut s'empêcher de sourire. O'Hara profite de sa confusion pour prolonger un moment leur conversation.

– Avez-vous eu l'occasion de voir le Livre dans tout le remue-ménage d'aujourd'hui, Miss Dark ? Vous aimeriez que je vous le montre ?

– Je l'ai regardé, répond-elle.

– Et qu'en avez-vous pensé ?

– Il est ravissant.

– Ravissant ? tente-t-il. Vous trouvez ?

Elle incline la tête, fuyant son regard, et sort dans la nuit. Il pleut, bien entendu. Le parapluie fait ce dont sa propriétaire n'a jamais été capable et Miss Dark rentre chez elle. Elle fait griller sa côte de veau et allume la radio. Elle dîne en se demandant pourquoi elle a menti au policier. En réalité, elle n'est pas allée voir le Livre de Lô, même si elle en meurt d'envie. Elle voulait y aller pendant l'heure du déjeuner, mais il y avait trop de monde massé autour de la vitrine. Elle se demande aussi ce qu'est donc le Livre, sinon ravissant.

Le Livre de Lô était le livre sacré des mystérieux anciens Cimmériens. L'année précédente – ainsi qu'il avait été largement rapporté à l'époque –, ce texte mythique, considéré depuis longtemps comme perdu, avait été retrouvé dans l'arrière-boutique d'une cave à vins de Manhattan. C'est le plus vieux livre du monde : trois cents pages d'antiquités, dans un étui de cuir incrusté de rubis, de diamants et d'émeraudes, consacrées aux étranges détails du culte de la grande déesse papillon de nuit cimmérienne, Lô. Aujourd'hui, il était montré au public dans le majestueux hall d'exposition de la bibliothèque municipale, derrière une vitrine en verre armé. La moitié de la ville, semblait-il, était venue l'admirer. Chassée par la cohue, Miss Dark était revenue au bureau 99 sans y avoir jeté ne serait-ce qu'un coup d'œil et avait pris son déjeuner sur place. À présent, levant les yeux de son assiette vide pour contempler les murs de son appartement vide, elle ressent un vif pincement de regret. Elle aurait dû accepter la proposition du policier. Il n'est peut-être pas trop tard, se dit-elle. Elle met son chapeau, son manteau et une paire de chaussures sèches et repart dans la nuit. En arrivant là-bas, elle prétextera auprès de l'agent O'Hara qu'elle a oublié quelque chose.

Mais, à son arrivée, l'agent O'Hara paraît avoir déserté son poste et, qui plus est, il a laissé la porte d'entrée ouverte. Curieuse et vaguement contrariée – et si quelqu'un essayait vraiment de dérober le Livre de Lô ? –, elle pénètre doucement dans le hall d'exposition. Là, sur le sol de marbre noir, des hommes masqués de sombre entourent le corps allongé de l'agent O'Hara. Miss Dark plonge derrière une tapisserie providentielle. Elle frémit d'horreur pendant que les inconnus – un trio simiesque en chandail de docker et casquette de vendeur de journaux – utilisent un ouvre-boîtes armé d'un diamant pour fendre le couvercle de la vitrine et délester ainsi Empire City de son livre. À la hâte, ils fourrent la relique dans un sac. Maintenant, que faire d'O'Hara ? Un des voleurs est certain, dit-il, que le flic l'a reconnu. Lui et O'Hara ont grandi dans le même pâté de maisons il y a bien longtemps. Ils auraient peut-être intérêt à supprimer ce pauvre crétin.

C'en est trop pour la sous-assistante documentaliste des volumes retirés du prêt. Elle se précipite dans le hall empli d'échos avec le vague plan d'effrayer ou, au moins, de détourner les bandits de leur funeste projet. À moins qu'elle ne puisse les éloigner en attirant leur attention de son côté. Profitant de la confusion momentanée créée par son apparition et son « Non ! » retentissant, elle s'empare du sac contenant le Livre sacré de Lô et sort de la galerie en courant. Ayant retrouvé leur présence d'esprit, les voleurs se lancent à sa poursuite, pistolet au poing. Des jurons jaillissent de leurs lèvres en torrents de signes typographiques et de ponctuation erratique.

Miss Dark, terrifiée, mais pas au point que cela l'empêche de nourrir la pensée ironique que, pour la première fois de sa vie, elle sait l'effet que cela produit d'avoir des hommes qui lui courent après, fonce vers l'endroit le plus sûr qu'elle connaisse : son coquet petit trou carré sous terre. Elle ne peut pas se permettre d'attendre l'ascenseur. En dévalant l'escalier de secours tête baissée, elle a l'étrange sensation que le Livre de Lô s'est animé dans ses bras et palpite. Mais non, c'est juste l'écho de son cœur battant !

Ils la rattrapent dans l'interminable couloir du troisième sous-sol. Elle se retourne, un pistolet étincelle, puis pousse une éclatante fleur blanche. Mais, dans ce couloir sombre et exigu, le projectile se perd. Il ricoche, tricotant un indescriptible réseau de traînées de vitesse d'un bout à l'autre du couloir avant de se loger, finalement, au cœur d'une canalisation du plafond. La conduite se casse en deux. De celle-ci dégringole une ligne à haute tension, tel un serpent qui choit d'un arbre sur un porcelet. Elle atterrit dans la flaque même qui a abîmé les chaussures de Miss Dark un peu plus tôt. Maintenant, une foultitude de watts parcourent son corps frêle et le circuit de fil d'or et de pierres précieuses incrusté sur l'étui en cuir du Livre de Lô. Un éclair inonde tout de blanc, sauf le squelette röntgen noir de Miss Judy Dark, qui pousse un cri peu distingué : « Aïe ! »

– Joli coup, commente un des malandrins.

Ils dégagent le livre de sa molle étreinte et décampent avec lui vers le monde de la surface, laissant Miss Judy Dark pour morte.

Ce qu'elle est peut-être. Elle s'envole, cheveux au vent, dans une colonne spiralée de fumée et de lumière. Étonnamment, la première chose qu'on note à son sujet n'est peut-être pas qu'elle semble voler nue, son intimité artistiquement voilée par les spires de son hélice astrale. Non, ce qu'on remarque en premier, c'est qu'on dirait qu'il lui a poussé une immense paire d'ailes de papillon à deux pointes. Elles sont vert d'eau, d'aspect diaphane. Comme l'avion de Wonder Woman, elles sont même peut-être visiblement invisibles, à la fois spectrales et solides. Tout autour d'elle, à l'extérieur de la colonne qui monte en spirale à l'infini, la réalité se dissout en paysages oniriques et prodiges géométriques délirants. Des échiquiers se diluent, des paraboles se recourbent en astérisques, en volutes et en soleils. De mystérieux hiéroglyphes fusent, telles les étincelles d'une chandelle romaine. Agitant régulièrement ses grandes ailes fantomatiques, Miss Dark accepte étrangement tout cela sans sourciller. En effet, morte ou vivante, il n'y a aucun doute que Judy Dark, cette ombrelle humaine, s'est enfin ouverte vers le ciel.

Finalement, dans le lointain vaste et intemporel, elle distingue quelque chose qui a une apparence de solidité, une tache de gris minéral, vacillante. En se rapprochant, elle aperçoit un éclair argenté, un massif spectral de cyprès, le socle et le péristyle d'une ébauche de temple pyramidal, à la fois druidique et babylonien, lui rappelant de surcroît vaguement la grande institution dans les entrailles de laquelle elle a si longtemps passé ses journées à rêver. Il paraît toujours plus imposant, puis la spirale finit par s'effilocher autour d'elle et s'évanouit pour la déposer sur le seuil du temple, vêtue désormais de ses seules ailes. Les énormes portes, coulées en argent massif et ornées de croissants de lune, grincent en s'ouvrant lentement vers l'intérieur pour la laisser entrer. Après un dernier regard à la chrysalide brisée de son ancienne vie, Judy Dark franchit le portail et pénètre dans une chambre haute. Là, dans un rayonnement surnaturel émis par la queue de mille vers luisants qui se tortillent, siège sur un trône barbare une géante aux cheveux de jais, avec d'immenses ailes vertes, des antennes sensuellement fourrées et une expression pénétrante. De toute évidence, c'est Lô, la déesse papillon cimmérienne. Nous le savons avant même qu'elle n'ouvre sa bouche couleur de sorbe.

– Toi ? s'étonne la déesse, ses capteurs s'inclinant de consternation. Tu es celle élue par le Livre ? C'est toi qui vas être la nouvelle Maîtresse de la nuit ?

Miss Dark – pudiquement enveloppée à présent de volutes de fumée de neige carbonique – concède que cela semble improbable. Nous remarquons seulement maintenant, peut-être pour la première fois, que notre Judy ne porte plus de lunettes. Ses cheveux lâchés ondoient autour de son visage avec l'abandon de Linda Darnell[1]. Tout d'un coup, l'idée de sa qualité de Maîtresse de la nuit – quoi que cela puisse signifier – est on ne sait pourquoi moins difficile à avaler.

– Sache qu'avant que ma patrie, la grande Cimmérie, ne soit plongée dans des ténèbres éternelles, explique la déesse, elle était gouvernée par des femmes.

Ah ! se souvient-elle, le visage pensif, les yeux noyés de larmes. C'était le paradis ! Tout le monde était heureux au royaume de Cimmérie, paisible, content. Les hommes, en particulier. Et puis un mécontent au cœur racorni, Nanok, se forma aux voies de l'effusion de sang et de la magie noire, et s'installa sur un trône d'obsidienne. Il envoya ses armées de démons combattre les pacifiques Cimmériens ; l'issue était inévitable. Les hommes prirent le pouvoir dans le monde entier, Lô fut bannie dans les régions infernales et le royaume de Cimmérie plongé dans sa légendaire nuit perpétuelle.

---

1. Actrice américaine des années 1940, célèbre pour ses grands yeux (1921-1965). (*N.d.T.*)

– Et depuis que la Cimmérie est tombée dans les ténèbres éternelles, reprend Lô, les hommes ont créé un beau gâchis. Guerres, famines, esclavage. Les choses allaient si mal au bout d'un moment que je me suis senti le devoir d'envoyer de l'aide. Une championne, sortie du monde des ténèbres pour voler dans les ténèbres, mais toujours à la recherche de la lumière. Une guerrière, ayant assez de pouvoir pour aider à réparer les nombreuses injustices répandues dans le monde.

« Malheureusement, poursuit la déesse, son pouvoir n'est plus ce qu'il était. Elle est capable de garantir, pour ainsi dire, une seule Maîtresse de la nuit à la fois. La précédente incarnation ayant enfin, après mille ans, passé la limite d'âge, la déesse papillon a envoyé son livre sacré pour trouver une nouvelle jeune fille digne d'endosser les ailes vertes magiques du grand papillon lune.

« J'avoue que j'avais en tête quelqu'un d'un peu plus... robuste, ajoute-t-elle. Mais je pense que tu devrais faire l'affaire. Pars, maintenant. (Elle agite son antique main fine et, entre elle-même et Judy, trace le contour d'une lune dans les airs.) Retourne dans le royaume des mortels pour hanter la nuit où le mal rôde si souvent. Tu possèdes à présent tout le pouvoir mystique de l'ancienne Cimmérie.

– Si vous le dites, balbutie Judy. Mais, enfin...

– Oui ? Qu'y a-t-il ?

– Je crois vraiment qu'il me faut des vêtements.

La déesse, une vieille routière, ne peut réprimer le vague croissant pâle d'un sourire.

– Tu vas t'apercevoir, Judy Dark, que tu n'as qu'à imaginer quelque chose pour qu'il en soit ainsi.

– Mince alors !

– Prends garde... Il n'y a pas de force plus puissante que celle d'une imagination débridée.

– Oui. Je veux dire, oui, maîtresse.

– D'habitude, les filles trouvent toujours une tenue exigeant des bottes. J'ignore pourquoi. (Elle lève les épaules, puis déploie la large envergure de ses ailes.) Maintenant, pars. Et n'oublie pas : si jamais tu avais besoin de moi, tu n'as qu'à venir à moi dans tes rêves.

À des mondes et des éternités de là, dans un vieil immeuble délabré en bordure du fleuve, deux des voleurs s'attaquent aux pierreries de l'étui du livre ancien au moyen d'un ciseau et de pinces. Ligoté et bâillonné, l'agent O'Hara est affalé sur une chaise, dans un coin. Il pleut toujours, l'air est un peu frais et le troisième voleur tente d'allumer du feu dans un vieux poêle noir ventru.

– Tiens, dit le premier voleur en tendant le bras pour arracher une liasse de pages du Livre de Lô. Je parie que ce vieux bouquin va bien brûler.

On entend un léger froufroutement, comme une robe de bal bouffante ou une immense et soyeuse paire d'ailes. Levant les yeux, ils voient une ombre géante entrer par la fenêtre.

– Une chauve-souris ! s'écrie un des voleurs.

– Un oiseau ! dit un autre.

– Non, une demoiselle ! braille le troisième, pas fou, s'élançant ventre à terre vers la porte.

La demoiselle se retourne, ses yeux lancent des éclairs. La toilette qu'elle a imaginée pour elle est vert irisé, partie *La Veuve joyeuse*, partie Norman Bel Geddes[1], ornée d'ailettes et de rémiges, et lacée devant avec une savante complexité. Dans sa culotte moulante verte, le bas de son corps est à peine dissimulé par un semblant de jupon, ses quinze kilomètres de jambes galbés dans un collant résille noir, et ses bottines ont des talons aiguilles. Elle porte un capuchon violet, surmonté d'une paire d'antennes richement fourrées, qui lui couvre les yeux et le nez mais laisse ses boucles noires dégringoler librement sur ses épaules nues. Et dans son dos resplendit une paire de grandes ailes à double pointe, non plus fantomatiques mais vertes comme des feuilles, chacune parée d'un œil fixe aveugle.

– C'est ça, rentre dans ton trou de souris, crie-t-elle à l'adresse de celui qui a pris la direction de la porte.

Elle allonge le bras. Une lumière vert vif ondoie de ses doigts tendus et prend le voleur dans son filet avant qu'il puisse atteindre la sortie. On entend un grésillement désagréable, un craquement de brindilles et de pommes de pin, au moment où un squelette humain entier est rapidement comprimé à l'intérieur d'une peau très exiguë. Puis un silence. Enfin un tout petit cri aigu.

– Zut ! s'exclame la femme papillon.

– Elle a transformé Louie en souris ! hurle le premier voleur.

Lui aussi court maintenant.

– Plus un pas !

La lumière verte bondit une nouvelle fois. Avec un bruit encore plus répugnant que la fois précédente, les atomes et les fibres du corps du voleur sont réarrangés et réduits à de froids atomes de glace bleutée. Il scintille, tel un homme de diamant. Les bords de son chapeau mou étincellent.

– Hop là ! murmure la femme papillon. Bonté divine !

– Quel genre de poupée es-tu donc ? exige de savoir le dernier voleur. Pourquoi tu nous cherches ?

– Je veux juste vous en faire baver, mon grand, répond-elle.

D'un seul coup, le bonhomme explose en flammes d'une telle intensité qu'elles font fondre son complice d'antan et le transforment

1. Décorateur et concepteur industriel américain (1893-1958). (*N.d.T.*)

en une petite flaque sur le sol. La queue roussie et fumante, la souris fonce se mettre à l'abri de la latte de parquet la plus proche.

– J'ai encore de petites choses à apprendre, je crois, songe la Maîtresse de la nuit de fraîche date.

Elle détache le policier, qui a commencé à reprendre connaissance dans toute cette agitation. Il ouvre les yeux à temps pour voir une femme court vêtue, avec d'énormes ailes vertes, s'élancer dans le ciel. Un moment encore, il se racontera, sans y croire totalement, que cette vision était la dernière image d'un rêve déjà à demi effacé. Ce n'est qu'après être rentré chez lui et être allé examiner sa belle gueule cabossée dans la glace, qu'il découvre sur sa joue la trace rouge en forme de papillon des lèvres de l'inconnue.

14.

Deasey, comme ils l'avaient prévu, protesta contre le dernier exemple de dégénérescence du tandem Kavalier & Clay.

– Je ne peux pas permettre que cela arrive à mon pays, déclara-t-il. Les choses vont déjà assez mal...

Sammy et Joe ne furent pas pris au dépourvu.

« Elle ne montre rien que n'importe quel gosse ne puisse voir à Jones Beach » était la riposte dont ils étaient convenus. C'est Sammy qui la prononça.

– Exactement comme à Jones Beach, renchérit Joe.

Il n'était jamais allé à Jones Beach.

La matinée était sombre et, comme d'habitude par temps froid, Deasey était étendu par terre à la manière d'une vieille peau d'ours. Avec un luxe de précautions, il se remit en position assise. Son énorme corpulence bougea de manière audible sur ses articulations arthritiques.

– Laissez-moi jeter un autre coup d'œil, ordonna-t-il.

Sammy lui tendit la feuille de bristol avec l'étude de personnage pour Papillon Lune, « le premier objet sexuel créé spécialement pour la consommation des petits garçons », selon la formule mémorable de Jules Feiffer*. C'était une pin-up. Une femme dotée des jambes de Dolores del Río[1], d'une chevelure noire ensorcelante et de seins dont chacun était de la taille de sa tête. Son visage était allongé, son menton fin, et sa bouche un trait d'union rouge vif, tourné d'un côté vers le bas en un petit sourire effronté. Sa paire d'antennes fourrées pendaient à des angles espiègles, comme pour savourer le désir du spectateur.

Le cure-dents en or frétilla de haut en bas.

---

1. Pulpeuse actrice américaine (1905-1983), qui joua dans *Carioca*, une comédie musicale avec Fred Astaire (1933), *Voyage au bord de la peur*, d'Orson Welles (1942), *Les Cheyennes*, de John Ford, etc. (*N.d.T.*)

– Peine perdue comme d'habitude, monsieur Kavalier. Mes condoléances.

– Merci.

– Ça signifie que vous pensez que ça peut être un succès, traduisit Sammy.

– C'est très difficile de rater son coup en pornographie, riposta Deasey.

Il contempla les falaises brunes et desséchées du New Jersey, au-delà du fleuve, et se paya le luxe de se remémorer un après-midi d'hiver vieux de douze ans, sur une terrasse tiède et ensoleillée ayant vue sur Puerto Concepción et la mer de Cortez, où il s'était installé au clavier de sa machine portable Royal et avait commencé à travailler à un grand roman tragique sur l'amour entre deux frères et une femme en train de mourir. Bien que ledit roman eût été abandonné depuis longtemps, la machine à écrire était encore aujourd'hui sur son bureau, le feuillet 252 de *La mort porte un sarong noir* toujours inséré dans le rouleau. Cette *fonda*, cette terrasse, ce ciel déchirant, ce roman, songea Deasey, ils devaient tous être encore là, ils l'attendaient. Il n'avait qu'à y revenir.

– Monsieur Deasey ? dit Joe.

Deasey mit fin à sa contemplation de l'étendue de ciel gréseux et de palissades rouillées et regagna son bureau. Il décrocha le téléphone.

– Merde ! lâcha-t-il. Nous laisserons la décision à Anapol. J'ai le pressentiment qu'on cherche peut-être un nouveau type de personnage, de toute façon.

– Pourquoi ça ? s'enquit Sammy.

Deasey fixa Sammy, puis Joe. Il voulait leur dire quelque chose.

– Pourquoi quoi ?

– Pourquoi Shelly et Jack pourraient-ils chercher un nouveau type de personnage ?

– Je n'ai jamais dit cela. Appelons-le. Passez-moi Mr Anapol, lança-t-il dans l'interphone.

– Et Ashkenazy ? suggéra Joe. Qu'est-ce qu'il dira ?

– Sérieusement, vous en doutez ? répliqua Deasey.

15.

– Magnifique. (Ashkenazy poussa un soupir.) Regardez-moi ces... ces...

– On appelle ça des nichons, le coupa Anapol.

– Regardez-les donc ! Lequel d'entre vous a eu cette idée ? s'enquit Ashkenazy. (Il fixa Joe d'un œil, tout en gardant l'autre rivé sur Papillon Lune. L'abondance avait apporté avec elle toute une panoplie de complets neufs, des costumes trois pièces écossais, à rayures, à chevrons audacieux, à carreaux excentriques, chacun de la couleur d'une variété différente de courge, du jaune potiron au vert Véronèse. Les étoffes étaient des laines ou des cachemires somptueux, les coupes amples et voyantes, si bien qu'il n'avait plus l'air d'un pronostiqueur de champs de courses, avec son bout de cigare mâchonné et ses pouces accrochés à son gilet. Désormais, il ressemblait à un chef de gang, qui aurait truqué la troisième à l'hippodrome de Belmont.) Je parie que c'est toi, Kavalier.

Joe regarda Sammy.

– Nous en sommes les deux auteurs, répondit Joe. Sammy et moi. Sammy, surtout. J'ai juste dit un truc sur un papillon de nuit.

– Oh ! Allons, ne sois pas modeste, Joe ! s'écria Sammy, s'avançant pour taper sur l'épaule de Joe. C'est lui qui l'a pratiquement pondu...

L'exercice de la magie, que Joe avait repris devant le miroir de la chambre de Jerry Glovsky immédiatement après sa rencontre avec Hermann Hoffman, semblait également avoir joué un rôle dans cette parturition. Il était tout de même vrai que, pendant quelque temps, Sammy s'était creusé la cervelle pour trouver une « super-femme ». L'addition du sexe au concept du héros costumé coulait de source et, en dehors de quelques essais mineurs dans d'autres maisons – la Sorcière de Zoom, la Femme en rouge... –, restait encore à tenter. Sammy avait joué avec les idées d'une femme féline, d'une femme oiseau, d'une amazone mythologique (toutes n'allaient pas tarder à être essayées ailleurs) et d'une boxeuse, Kid Vixen, quand Joe avait proposé son secret hommage à la jeune fille de Greenwich Village. À sa manière, l'idée d'une femme papillon de nuit coulait aussi de source. La National avait un autre énorme succès sur les bras avec le Batman des *Detective Stories*, et la séduction d'une héroïne nocturne, qui tirerait son pouvoir de la lumière de la lune, était évidente.

– Je ne sais pas, tergiversait Anapol. Ça me rend un tantinet nerveux. (Du bout des doigts, il prit des mains de son associé la peinture de Papillon Lune, où Joe avait investi tout l'optimisme et le désir que Rosa – de l'aveu général, dans la réalité une créature un brin moins plantureuse – avait remués en lui. Les trois quarts du temps, il avait travaillé en érection. Anapol écarta une lettre qui reposait ouverte sur le buvard de son bureau et y laissa tomber à la place l'illustration, comme si celle-ci était absolument brûlante ou avait trempé dans le phénol.) Ces nichons-là sont énormes, les gars !

– Nous le savons, monsieur Anapol, acquiesça Sammy.

– Mais un papillon de nuit, je ne sais pas, ce n'est pas un insecte populaire. Pourquoi pas plutôt un papillon de jour ? Il doit y avoir des noms accrocheurs là-dedans. Point... euh !... quoi ? Point rouge... L'Aile bleue... Iridescente... je ne sais pas, moi...

– Mais elle ne peut pas être un papillon de jour, protesta Sammy. C'est la Maîtresse de la nuit !

– Autre petit problème. On ne peut pas dire « Maîtresse ». Je reçois déjà cinquante lettres par jour de prêtres et de pasteurs. D'un rabbin de Schenectady. Papillon Lune, Papillon Lune...

Les symptômes d'une nausée naissante transparaissaient dans ses yeux et sa mâchoire molle. Ils allaient toucher un joli pactole avec cette trouvaille.

– George, tu penses que c'est une bonne idée ?

– Oh ! ce sont des bêtises, monsieur Anapol, répondit gaiement Deasey. Suprêmement pures.

Anapol hocha la tête.

– Tu ne t'es encore jamais trompé, articula-t-il, ramassant la lettre qu'il avait poussée de côté pour la parcourir rapidement avant de la reposer. Et toi, Jack ?

– Personne n'a rien de pareil, confirma Ashkenazy.

Anapol se tourna du côté de Sammy.

– C'est réglé, alors. Rameute Pantaleone, les Glovsky, tous les gens dont tu as besoin pour réaliser le reste du livre. Diable si ça me regarde ! Tu n'as qu'à faire que des poupées. Nous pourrions peut-être l'appeler *All Doll*. Hein ? *All Doll*. C'est nouveau, non ?

– Je n'ai jamais rien entendu de tel.

– Que les autres nous copient pour changer. Ouais, bon ! engage les jeunes, George, et mets-les au travail. Je veux une maquette pour lundi.

– C'est reparti ! commenta Sammy. Il y a juste un truc, monsieur Anapol.

Ashkenazy et Anapol le regardèrent. On voyait qu'ils savaient ce qui allait suivre. Sammy jeta un coup d'œil à Deasey, se remémorant le discours tenu par le chef de la rédaction vendredi soir, dans l'espoir d'y trouver un encouragement. Deasey observait la scène avec une vive attention, le visage inexpressif mais blême. Des gouttes de sueur perlaient sur son front.

– Oui, oui, répondit Anapol. Allez-y !

– Nous voulons assister à l'émission radiophonique de l'Artiste de l'évasion. C'est le premier point.

– Le premier ?

– Deuxièmement, vous reconnaissez que ce personnage, Papillon Lune, est à moitié le nôtre. Cinquante pour Empire Comics, cinquante pour Kavalier & Clay. Nous récupérons la moitié du marchandisage et la moitié de l'émission radio si émission il y a. La moitié de tout. Sinon nous le proposons, avec nos services, ailleurs...

Anapol tourna la tête à demi vers son associé.

– Tu avais raison, murmura-t-il.

– Et nous voulons aussi une augmentation, reprit Sammy, après un nouveau coup d'œil à Deasey, résolu à enfoncer le clou, maintenant que le sujet semblait prêter à discussion.

– Deux cents dollars de plus par semaine, précisa Joe.

Le départ de l'*Arche de Miriam* était prévu pour les premiers jours de printemps de l'année suivante. À ce tarif, s'il mettait de côté deux cents dollars supplémentaires par semaine, il pourrait financer quatre, cinq, peut-être une demi-douzaine de traversées de plus que ce qu'il avait promis.

– Deux cents dollars par semaine ! s'écria Anapol.

Deasey gloussa et secoua la tête. Il paraissait sincèrement amusé.

– Et... euh ! ouais, la même chose aussi pour Mr Deasey, ajouta Sammy. Il va avoir davantage de pain sur la planche.

– Monsieur Clay, vous ne pouvez pas négocier à ma place, observa sèchement Deasey. Je suis la direction.

– Oh !

– Mais je vous remercie.

Tout d'un coup, Anapol eut l'air très las. Entre les fausses alertes à la bombe, les millionnaires et les lettres de menace de célèbres avocats remises en main propre par porteur, il n'avait pas beaucoup dormi depuis vendredi. La nuit précédente, il s'était tourné et retourné des heures durant, pendant qu'à côté de lui Mrs Anapol lui grognait de rester tranquille.

« Requin ! » l'avait-elle appelé.

– Requin, tiens-toi donc tranquille ! (Elle l'appelait « requin » parce qu'elle avait lu dans la chronique de Frank Buck que cet animal ne pouvait littéralement pas s'arrêter de bouger sinon il mourrait.) Qu'est-ce qui t'arrive, mon Dieu ? C'est comme de vouloir dormir avec une bétonneuse dans son lit...

« J'ai été à deux doigts de sauter ! » avait-il envie de lui dire pour la centième fois.

Il avait décidé de ne pas souffler mot de la bombe de pacotille dans les bureaux d'Empire, tout comme il n'avait pas parlé des lettres de menace qui arrivaient régulièrement les unes après les autres depuis que Kavalier & Clay avait déclaré une guerre unilatérale à l'Axe.

– Je vais y laisser jusqu'à ma dernière chemise, avait-il proféré à la place.

– Alors tu y laisseras ta chemise, se gaussa sa femme.

– C'est une sacrée belle chemise que je vais y laisser. Tu sais combien il y a d'argent dans la radio ? Avec les épingles, les crayons, les boîtes de céréales. Nous ne nous occupons pas seulement des nouveautés, tu sais ? Il y a des pyjamas de l'Artiste de l'évasion, des serviettes de toilette, des jeux de société, des boissons non alcoolisées...

– Ils ne vont pas tout te prendre !

– Ils vont essayer.

– Laisse-les donc essayer. Entre-temps, tu continues ta radio et moi, j'ai l'occasion de rencontrer un homme important et cultivé comme James Love. Je l'ai vu aux actualités, une fois. On dirait John Barrymore.

– C'est vrai qu'on dirait John Barrymore.

– Alors qu'est-ce qui t'arrive ? Pourquoi ne peux-tu jamais profiter de ce que tu as ?

Anapol remua légèrement dans le lit et produisit sa dernière entrée dans une encyclopédique démonstration de gémissements. Comme c'était le cas tous les soirs depuis qu'Empire avait emménagé dans l'Empire State Building, ses genoux lui élançaient, son dos était endolori et il avait un torticolis aigu. Son beau bureau de marbre noir était si spacieux et si haut de plafond qu'il en était mal à l'aise. Il n'arrivait pas à s'habituer à avoir tant de place. Résultat, il avait tendance à rester assis le dos rond toute la journée, recroquevillé dans son fauteuil, comme pour simuler les effets paradoxalement réconfortants de logements plus étroits et inconfortables. Cela l'enquiquinait.

– Sammy Klayman, articula-t-elle finalement.

– Sammy, acquiesça-t-il.

– Alors ne le sacque pas.

– Il le faut.

– Et pourquoi cela ?

– Parce que l'intéresser créerait ce que ton frère appelle un « dangereux président » !

– Parce que ?

– Parce que. Parce que ces deux-là ont signé un contrat. Un contrat industriel standard, parfaitement légal. Ils ont renoncé à tous leurs droits sur le personnage, maintenant et pour toujours. Ils ne sont tout simplement pas habilités.

– Ce serait donc contraire à la loi, d'après ce que tu dis, poursuivit sa femme avec son habituelle légère pointe d'ironie, que tu leur donnes un peu de l'argent de la radio...

Une mouche entra dans la chambre. Anapol, en pyjama de soie verte orné d'un galon noir, sortit du lit. Il ralluma la lampe de chevet et enfila son peignoir. Il saisit un exemplaire de *Modern Screen* avec la photo de Dolores del Río en couverture, le roula et aplatit la mouche contre la fenêtre. Il nettoya les dégâts, retira son peignoir, se remit au lit et éteignit la lumière.

– Non, répondit-il. Ce ne serait pas contraire à cette fichue loi.

– Bon, avait alors commenté Mrs Anapol. Je ne veux pas que tu enfreignes les lois. Le jury apprend que tu es dans la bande dessinée, on t'enfermera à Sing Sing aussi sec.

Là-dessus, elle se retourna et se cala pour la nuit. Anapol avait poussé un gémissement, s'était écroulé et avait bu trois verres de Bromo-Seltzer, jusqu'à ce qu'il trouve enfin les grandes lignes d'un plan qui soulageât les affres d'une conscience modeste mais sincère, et apaisât les angoisses provoquées par l'hostilité croissante que la guerre de Kavalier & Clay semblait attirer sur Empire Comics. Il n'avait pas eu le temps de consulter son beau-frère, mais il était sûr que Jack le soutiendrait.

– Donc, disait-il maintenant. Vous pouvez participer à l'émission radiophonique. À supposer qu'il y en ait une. Nous vous citerons au générique, d'accord. Quelque chose comme... que sais-je ? « Oneonta Mills, etc. présentent *Les Aventures de l'Artiste de l'évasion*, adaptées du personnage de Joe Kavalier et Sam Klay qui anime chaque mois les pages de etc. » En plus, pour chaque épisode qui passe sur les ondes, disons que vous deux serez payés. En droits d'auteur. Mettons cinquante dollars par émission.

– Deux cents, surenchérit Sammy.

– Cent.

– Cent cinquante.

– Cent. Allez, cela fait trois cents par semaine. Considérez donc peut-être quinze mille dollars par an à vous partager.

Sammy regarda Joe, qui hocha la tête.

– O.K.

– Petit dégourdi. Très bien. C'est comme votre Miss Papillon.

Cinquante pour cent est hors de question. Vous n'avez absolument aucun droit sur elle. Vous êtes tombés dessus en tant qu'employés d'Empire Comics émargeant à notre budget. Elle nous appartient. Sur ce point, nous avons la loi pour nous, je le sais, parce que j'ai déjà consulté mon avocat, Sid Foehn de Harmattan, Foehn & Buran, sur ce sujet par le passé. D'après ce qu'il m'a expliqué, c'est exactement la même chose qu'aux Bell Laboratories. Toute invention qu'un des gars met au point là-bas, peu importe qui en a eu l'idée ou combien de temps ils ont travaillé dessus, même s'ils ont tout fait tout seuls, cela n'a aucune importance. Du moment qu'ils sont employés là-bas, elle appartient au laboratoire.

– Ne nous blousez pas, monsieur Anapol, intervint brusquement Joe.

Tout le monde parut choqué. Joe avait sous-évalué la force du mot « blouser » en anglais. Il croyait que cela signifiait simplement traiter quelqu'un injustement, sans avoir nécessairement de mauvaises intentions.

– Je ne vous blouserai jamais, mes petits, riposta Anapol, l'air profondément blessé. (Il sortit son mouchoir et se moucha.) Excusez-moi, mais j'ai pris froid. Laissez-moi finir, d'accord ? Comme je vous dis, cinquante pour cent, nous serions fous, idiots, stupides, d'accepter, et vous ne pouvez pas non plus me menacer d'emmener cette poupée ailleurs, parce que, comme je vous dis, vous l'avez créée à mes frais et elle m'appartient. Consultez un avocat de votre côté, si vous voulez. Mais, écoutez, évitons le conflit. Pourquoi non ? En reconnaissance des excellents résultats que vous obtenez jusqu'ici, en pondant ces histoires, et seulement pour vous montrer, petits, et vous le savez, que nous apprécions ce que vous avez fait pour nous, nous sommes prêts à accepter de vous intéresser à cette affaire de Miss Papillon. À concurrence de combien ?

Il jeta un regard à Ashkenazy, lequel haussa laborieusement les épaules.

– Quatre ? croassa-t-il.

– Mettons cinq, concéda Anapol. Cinq pour cent.

– Cinq pour cent ! s'exclama Sammy, comme si la main charnue d'Anapol l'avait giflé.

– Cinq pour cent ! cria à son tour Joe.

– À vous partager.

– Comment ?

Sammy bondit de son siège.

– Sammy. (Joe n'avait jamais vu son cousin la figure si rouge. Il essaya de se rappeler s'il l'avait déjà vu se mettre en colère.) Sammy, cinq pour cent, ça pourrait quand même atteindre les centaines de milliers de dollars. (Pour une telle somme, combien de bateaux pourraient être armés et remplis des enfants perdus du monde entier ? Avec assez d'argent, cela n'aurait peut-être plus d'importance si les portes de toutes les nations du monde étaient closes... Un homme très riche pourrait avoir les moyens d'acheter, quelque part, une île déserte et tempérée, et construire à ces pauvres gosses un pays qui soit à eux.) Qui sait ? Les millions, un jour...

– Mais cinq pour cent, Joe ! Cinq pour cent de quelque chose que nous avons créé à cent pour cent !

– Et moins cent pour cent pour Jack et moi, répliqua Anapol. Vous savez, petits, il n'y a pas si longtemps encore, cent dollars représentaient beaucoup d'argent pour vous, autant que je m'en souvienne...

– Mais oui, mais oui, admit Joe. O.K., écoutez, monsieur Anapol, je regrette d'avoir dit que vous nous blousiez. Je pense que vous êtes très régulier.

– Merci, dit Anapol.

– Sammy ?

Sammy poussa un soupir.

– O.K., je marche.

– Attendez une minute, reprit Anapol. Je n'ai pas terminé. Vous avez vos droits d'auteur radio. Et votre mention au générique. Et les augmentations aussi. Zut ! nous augmenterons aussi les émoluments de George et ce sera un plaisir. (Deasey tira un chapeau imaginaire à Anapol.) Et nous vous intéresserons tous les deux à raison de cinq pour cent au personnage de Miss Papillon de nuit. À une seule condition.

– Laquelle ? s'enquit prudemment Sammy.

– Nous ne pouvons plus nous permettre d'avoir le cirque que nous avons eu ici vendredi. J'ai toujours pensé que vous alliez trop loin avec cette affaire nazie, mais l'argent rentrait et j'étais vraiment mal placé pour me plaindre. Mais maintenant nous y mettons un terme. D'accord, Jack ?

– Fichez un peu la paix aux nazis, petits, renchérit Ashkenazy. Laissez Marty Goodman se taper les alertes à la bombe. (C'était l'éditeur de Timely Periodicals, maison de Human Torch et de Sub-Mariner*, qui donnaient tous les deux maintenant du fil à retordre aux héros d'Empire dans les sweepstakes antinazis.) D'accord ?

– Qu'est-ce que ça signifie « ficher la paix » ? lança Joe. Vous voulez dire ne plus combattre du tout les nazis ?

– Plus du tout.

À présent, c'était au tour de Joe de se lever de sa chaise.

– Monsieur Anapol...

– Non, voyons, écoutez. Vous savez bien tous les deux que je n'ai aucune amitié pour Hitler, et je suis sûr que nous allons finir par devoir nous occuper de lui, etc. Mais des alertes à la bombe ? Des maniaques complètement tordus, habitant ici même, à New York, qui m'écrivent des lettres pour me dire qu'ils vont défoncer ma grosse tête de Juif ? Ça, je m'en passe.

– Monsieur Anapol...

Joe avait l'impression que le sol se dérobait sous ses pieds.

– Nous avons déjà assez de problèmes ici, chez nous. Et je ne parle pas des espions ni des saboteurs. Gangsters, flics corrompus, je ne sais pas moi. Jack ?

– Rats, ajouta Ashkenazy. Cafards...

– Que l'Artiste de l'évasion et les autres s'occupent un temps de ce genre de choses !

– Patron... balbutia Sammy, voyant le sang se retirer du visage de son cousin.

– Qui plus est, ce que James Love pense personnellement m'indiffère. Je connais l'Oneonta Mills Company. Le conseil d'administration de cette société est un ramassis de conservateurs, de distingués Yankees inflexibles, et ce n'est pas le genre à accepter de financer quelque chose qui risque de les faire sauter. Sans parler de Mutual, N.B.C. ou quiconque à qui nous finirons par refiler le bébé...

– Mais personne ne va sauter ! s'écria Joe.

– Vous avez eu raison une fois, jeune homme, rétorqua Anapol. Il n'y aura peut-être pas de deuxième fois.

Sammy croisa ses bras épais sur sa large poitrine, les coudes saillants.

– Et si nous refusons cette condition, alors ?

– Alors vous ne touchez pas cinq pour cent de Papillon Lune. Vous n'avez pas d'augmentation. Vous ne nous tirez pas un sou de l'argent de la radio.

– Mais nous pourrions toujours continuer à pondre nos dessins. Nous pourrions continuer à combattre les nazis, Joe et moi.

– Certes, répondit Anapol. Je suis sûr que Marty Goodman serait trop heureux de vous engager tous les deux pour lancer des grenades sur Hermann Göring. Mais vous seriez finis dans cette maison.

– Patron, plaida Sammy. Ne faites pas ça.

Anapol leva les épaules.

– Ça ne dépend pas de moi, mais de vous. Vous avez une heure, annonça-t-il. Je désire que ceci soit entièrement réglé avant la réunion avec les responsables de la radio, qui est prévue pour le déjeuner, aujourd'hui même.

– Je n'ai pas besoin d'une heure, dit Joe. Ma réponse est non. N'y pensez plus. Vous êtes des lâches, et puis vous êtes faibles. Non et non !

– Joe ? murmura Sammy, se calmant à présent, essayant de tout concilier. Tu es sûr ?

Joe inclina la tête.

– Il n'y a plus rien à ajouter alors, déclara Sammy.

Il posa sa main au creux du dos de Joe et les cousins sortirent de la pièce.

– Monsieur Kavalier, appela alors George Deasey, s'extirpant de son fauteuil. Monsieur Clay. Un mot. Veuillez nous excuser, messieurs.

– Je t'en prie, George, approuva Anapol, en tendant au rédacteur en chef la peinture de Papillon Lune. Fais-leur entendre raison.

Sammy et Joe suivirent Deasey hors du bureau d'Anapol pour entrer dans l'atelier.

– Messieurs, dit Deasey. Je vous prie de m'en excuser, mais je sens venir un autre petit discours.

– C'est inutile, trancha Sammy.

– Celui-ci s'adresse surtout à Mr K. ici présent, je pense.

Joe alluma une cigarette, exhala un long jet de fumée, détourna les yeux. Il n'avait pas envie d'écouter. Il était conscient d'être déraisonnable. Mais, depuis un an déjà la déraison – la poursuite résolue et dévorante d'un grotesque semblant de guerre contre des ennemis qu'il ne pourrait jamais vaincre, par des moyens qui ne pourraient jamais non plus réussir – représentait le seul salut possible pour sa santé mentale. Aux gens dont les familles ne sont pas retenues prisonnières d'être raisonnables !

– Dans la vie, reprit Deasey, il n'y a qu'un seul moyen pour ne pas être laminé par les déceptions, la superficialité et les désillusions. Et cela consiste toujours à s'assurer, au maximum de vos possibilités, que vous agissez uniquement pour de l'argent.

Joe ne souffla mot. Sammy eut un rire nerveux. Il était prêt à soutenir Joe, bien entendu, mais il voulait être sûr, dans la mesure où l'on peut être sûr de quoi que ce soit, que c'était vraiment une bonne chose. Il rêvait de suivre le conseil de Deasey – de suivre toute consigne paternelle qui se présentait – mais en même temps il détestait l'idée de céder si catégoriquement au cynisme général du bonhomme.

– Parce que, monsieur K., quand je vois la manière dont vous chargez, mois après mois, nos différents amis costumés d'estourbir Herr Hitler et ses comparses, de réduire leur artillerie à des bretzels et ainsi de suite, j'ai parfois le sentiment, eh bien ! que vous nourrissez peut-être, disons-le, d'autres ambitions pour votre travail chez nous.

– C'est vrai, répondit Joe. Vous le savez bien.

– Cela me navre de vous entendre, déclara Deasey. Ce type de travail est le tombeau de toute forme d'ambition, Kavalier. Croyez-m'en. Quoi que vous puissiez espérer réaliser, que ce soit d'un point de vue artistique ou... sous l'effet d'autres considérations, vous échouerez. Je n'ai guère foi dans le pouvoir de l'art, mais je me souviens de la saveur de cette foi, si vous le permettez, du temps où j'avais votre âge, de son goût sur la langue. Par respect pour vous et le bel idiot que je fus jadis, je vous concède ce point. Mais ceci... (Il inclina la tête en direction du dessin de Papillon Lune, puis amplifia son geste d'une spirale lasse de la main qui englobait les bureaux d'Empire Comics.) Inefficace, jugea-t-il. Inutile...

– Je ne vous crois pas, protesta Joe, se sentant lui-même faiblir comme si son interlocuteur exprimait ses pires angoisses personnelles.

– Joe, intervint Sammy. Pense à ce que tu pourrais faire avec tout l'argent qui est en jeu. Pense au nombre d'enfants à qui tu pourrais payer la traversée. Ça, c'est réel, Joe. Pas juste une guerre de comic book ! Ni avoir des mots avec un Boche dans le métro new-yorkais...

C'était là le problème, songeait Joe. Céder à Anapol et Ashkenazy, cela équivaudrait à admettre que tout ce qu'il avait réalisé jusqu'alors était, selon la formule de Deasey, inefficace et inutile. Une perte d'un temps précieux. Il se demanda si ce n'était peut-être pas juste par vanité qu'il déclinait leur offre. Puis l'image de Rosa s'imposa à son esprit : assise sur le lit défait, la tête penchée de côté, les yeux écarquillés, elle écoutait et inclinait la tête pendant qu'il lui parlait de son travail. Non, conclut-il. En dépit de ce que raconte Deasey, j'ai confiance – bizarrement, adressés à l'image de Rosa, ces mots ne paraissaient ni banals ni ampoulés – dans le pouvoir de mon art.

– Oui, nom de Dieu ! je veux cet argent, lança Joe. Mais je ne peux pas arrêter mon combat maintenant.

– O.K., dit Sammy. (Il soupira et embrassa le studio du regard, les épaules tassées, la figure empreinte de nostalgie. C'était la fin du rêve papillotant qui était né un an plus tôt, dans l'obscurité de sa chambre de Brooklyn, avec le grattement d'une allumette et le partage d'une cigarette roulée à la main.) C'est ce que nous allons leur dire, alors.

Il fit demi-tour pour rentrer dans le bureau d'Anapol.

Deasey tendit le bras pour le saisir par l'épaule.

– Un petit instant, Clay, dit-il.

Sammy se retourna. Il n'avait jamais vu leur chef de la rédaction avoir un air si hésitant.

– Oh, Seigneur ! gémit Deasey. Qu'est-ce que je fais ?

– Oui, qu'est-ce que vous faites ? insista Joe.

Le chef de la rédaction plongea la main dans la poche de poitrine de son veston de tweed et en sortit une feuille de papier pliée.

– C'était dans ma boîte aux lettres, ce matin.

– Qu'est-ce que c'est ? demanda Sammy. C'est de qui ?
– Vous n'avez qu'à lire, répondit Deasey.
C'était une photocopie d'une lettre de la firme Philipps, Nizer, Benjamin & Krim.

Chers Messieurs Ashkenazy et Anapol,
Ce courrier vous est adressé au nom de National Periodical Publications Inc., dite National. National est le propriétaire exclusif de tous droits de reproduction, nom déposé et autres droits de propriété intellectuelle des journaux illustrés *Action Comics* et *Superman*, ainsi que du personnage de Superman qui y figure. National a récemment pris connaissance de l'existence de votre périodique *Radio Comics* dont la vedette est le personnage de fiction « l'Artiste de l'évasion ». Ce personnage est une tentative évidente de plagier l'œuvre protégée de notre client, à savoir la série particulière qui présente les aventures du personnage de fiction connu sous le nom de Superman, que notre client publie depuis juin 1938. Comme tel, votre personnage constitue un non-respect évident des droits de reproduction, noms déposés et droits ordinaires de notre client. Par la présente, nous vous mettons en demeure de mettre immédiatement fin à la poursuite de la publication de votre magazine de bande dessinée *Radio Comics*. Nous demandons également que tous les exemplaires existants de ces périodiques soient détruits, avec une lettre certifiant cette destruction, authentifiée par un responsable de votre société.
Si vous ne mettez pas fin à cette publication, ou si vous ne nous soumettez pas ce certificat de destruction dans un délai de cinq jours à compter de la réception de la présente, National Periodical Publications Inc. se réserve le droit de déposer tous les justes recours légaux, y compris celui de demander l'interdiction de votre prochaine publication de *Radio Comics*. Ce courrier vous est adressé sans renoncer à tous les droits et recours de notre client, en toute justice et toute équité, tous étant expressément réservés par la présente.

– Mais il n'a rien de Superman ! se récria Sammy après avoir achevé sa lecture. (Deasey lui jeta un regard torve et Sammy comprit qu'il était à côté de la plaque. Il tenta de se frayer péniblement un chemin jusqu'à ladite plaque. Manifestement, il y avait dans cette lettre quelque chose que Deasey considérait pouvoir leur être utile, même s'il refusait d'aller jusqu'à leur dire ce que c'était.) Mais ça n'a pas d'importance, si ?
– Ils ont déjà eu la peau de Victor Fox et de Centaur là-dessus, observa Deasey. Ils poursuivent également Fawcett.
– J'ai eu vent de cette histoire, intervint Joe. Ils ont obligé Will

Eisner* à témoigner, et il a dû avouer que Victor Fox* lui avait demandé : « Dessine-moi un Superman. »

– Ouais, bon, c'est ce que Shelly m'a raconté aussi, tu te rappelles ? Il a dit : « Oh ! Oh ! »

– Il est très probable que vous serez cité comme témoin, déclara fermement, lentement, Deasey, comme s'il parlait à un idiot. Votre déposition pourrait être préjudiciable, j'imagine...

Sammy frappa le bras de Deasey avec la lettre.

– Ouais, murmura-t-il. Ouais. Hé ! merci, monsieur Deasey.

– Qu'est-ce que tu vas dire ? demanda Joe à Sammy, alors que son cousin regardait fixement la porte du bureau d'Anapol.

Sammy se redressa de toute sa hauteur et se passa une main sur le sommet de la tête.

– Je vais témoigner et proposer de faire un faux serment, je pense.

Quatrième partie

L'âge d'or

1.

En 1941, la meilleure année qu'elle eût jamais connue, l'association de Kavalier & Clay rapporta 59 832 dollars 27 cents. Le montant des recettes perçues cette année-là par Empire Comics Inc. – au titre des ventes de tous les comics ayant pour vedettes des personnages créés pour totalité ou partie par Kavalier & Klay, des ventes de deux cent mille exemplaires chacun des deux Whitman's Big Little Books* dont l'Artiste de l'évasion était le héros, et des ventes de Clefs de la liberté, de porte-clefs, de lampes électriques de poche, de tirelires, de jeux de société, de figurines en caoutchouc, de jouets à ressort et divers autres articles de l'évasion, ainsi que des rentrées issues de l'accord d'une licence de l'intrépide fiancée de l'Artiste à Choffee Cereals pour leurs Frosted Chaff-Os et aussi de l'émission radio de l'Artiste que N.B.C. commença à diffuser en avril –, bien que difficile à estimer, s'élevait à près de 12 à 15 millions de dollars. Sur ses 29 000 et des poussières, Sammy en donnait un quart au gouvernement, puis la moitié de ce qui restait à sa mère pour ses dépenses personnelles et celles de sa grand-mère.

Avec le reliquat, il vivait comme un roi. Il se régala donc de saumon fumé tous les matins au petit déjeuner pendant sept semaines. Il assistait aux matches de base-ball à Ebbet Fields et siégeait dans les tribunes. Il pouvait dépenser jusqu'à deux dollars pour dîner, et une fois même, un jour où il ne tenait plus sur ses jambes, il traversa dix-sept pâtés de maisons en taxi. Il possédait l'équivalent de toute une semaine d'immenses complets voyants : cinq « gratte-ciel » gris à rayures fines et en worsted, taillés sur mesure à vingt-cinq dollars pièce. Il s'offrit même un phonographe Capehart Panamuse. Celui-ci lui coûta 645 dollars, presque autant que la moitié d'une Cadillac 61 neuve. Décoré dans un style Hepplewhite[1] au charme un peu ridicule, érable et bouleau incrusté de frêne, il trônait de façon inquiétante

1. Ébéniste anglais (?-1786), créateur de mobilier caractérisé par l'usage de courbes gracieuses. (*N.d.T.*)

dans l'appartement sinon moderne, plutôt spartiate, des cousins – peu après s'être liée d'amitié avec Joe, Rosa avait commencé à faire pression sur lui pour qu'il déménage du Trou à rats de Chelsea. L'appareil exigeait qu'on passe de la musique, puis qu'on garde le silence respectueux du pécheur qui se fait sermonner. Sammy l'adorait, comme il n'avait jamais rien adoré dans sa vie. La triste palpitation de la clarinette de Benny Goodman sortait de manière si poignante de ses somptueux haut-parleurs « panamusicaux » que Sammy avait envie de pleurer. Le Panamuse était entièrement automatique : on pouvait empiler vingt disques et les jouer dans n'importe quel ordre, sur les deux faces. Les merveilleuses opérations du mécanisme du changement de disque, dans la manière de l'époque, étaient fièrement exposées à l'intérieur de la vitrine, et les nouveaux invités de l'appartement, à l'instar des visiteurs de l'Hôtel américain de la Monnaie, avaient toujours droit à un coup d'œil aux rouages. Sammy en fut toqué des semaines durant. Pourtant, chaque fois qu'il contemplait le phono, la mauvaise conscience et même l'horreur le tenaillaient à cause du prix. Sa mère devait mourir sans jamais avoir eu vent de son existence.

Le plus drôle, c'est qu'après avoir mis sur la table la somme importante, bien qu'encore négligeable, que Sammy dépensait chaque mois en livres, revues, disques, cigarettes et distractions, plus sa moitié des cent dix dollars de loyer mensuel, il lui restait encore tant d'argent qu'il ne savait qu'en faire. Celui-ci s'accumulait donc sur son compte bancaire, ce qui le rendait nerveux.

– Tu devrais te marier, lui répétait à l'envi Rosa.

Son nom avait beau ne pas figurer sur le bail, Rosa était devenue la troisième occupante de l'appartement et, de fait, son âme. Elle les avait aidés à le dénicher (c'était un immeuble neuf de la Cinquième Avenue, juste au nord de Washington Square), à le meubler, et quand elle s'aperçut qu'elle ne pourrait jamais, sinon, partager une salle de bains avec Sammy, à s'assurer les services hebdomadaires d'une femme de ménage. Au début, elle passait seulement une ou deux fois par semaine, après son travail. Elle avait quitté sa place à *Life* pour un petit boulot : retoucher, dans des teintes atroces, des photos en couleurs de casseroles de pruneaux-et-nouilles[1], d'horribles gâteaux mousseline et de canapés au bacon pour un éditeur de livres de cuisine bon marché qui étaient offerts en prime dans les bazars. C'était un travail fastidieux, et quand les choses allaient vraiment mal, Rosa aimait donner libre cours à de minutieuses pulsions surréalistes. À l'aérographe elle ornait un ananas en arrière-plan d'un tentacule noir et luisant, ou elle cachait un minuscule explorateur

1. Clin d'œil au comic strip *Chic and Noodles* de Milton Caniff. (*N.d.T.*)

polaire dans les pics glacés d'un désert de meringue. Les bureaux de l'éditeur étaient situés dans la Quinzième Rue Est, à dix minutes de l'appartement. Rosa passait souvent à cinq heures avec un plein sac de feuilles et de tubercules improbables, et d'étranges recettes culinaires auxquelles son père avait pris goût pendant ses voyages : *tagine*, *mole*, un machin vert et gluant qu'elle qualifiait d'« aérodynamique ». En général, ces plats avaient une saveur exquise, et leur garniture exotique servait à masquer assez bien, songea Sammy, les avances assez rétrogrades de Rosa pour conquérir le cœur de Joe grâce à la cuisine. Elle-même n'y touchait presque pas.

– Il y a une fille au bureau, lança Rosa au petit déjeuner un matin, en posant devant Sammy une assiette d'œufs brouillés au chorizo. (Elle était régulièrement invitée au petit déjeuner, si « invitée » était le terme adéquat pour désigner quelqu'un qui faisait les courses pour le repas, préparait celui-ci, vous le servait et rangeait la cuisine quand vous aviez fini. Leurs voisins de palier étaient visiblement outrés par cet anticonformisme, et les yeux du portier pétillaient d'un air égrillard quand il tenait la porte à Rosa le matin.) Barbara Drazin. Elle est bien roulée. Et elle cherche. Tu devrais me laisser te la présenter...

– Une étudiante ?

– De City College.

– Non merci.

En levant le nez du plat de pâtisseries que Rosa avait disposées, comme d'habitude, avec un tel art de la photogénie que Sammy répugnait à déranger le feuilleté au fromage qu'il convoitait, il surprit le coup d'œil qu'elle lança à Joe. C'était un regard qu'il les avait déjà vus échanger, chaque fois que le sujet de la vie amoureuse de Sammy revenait sur le tapis, comme c'était trop souvent le cas quand Rosa était dans les parages.

– Quoi ! s'exclama-t-il.

– Rien.

Elle étendit sa serviette de table sur ses genoux, d'un air bizarrement plein de sous-entendus, et Joe continua à bricoler une espèce de bidule à ressort pour distribuer les cartes qui entrait dans son numéro. Il avait une prestation de magie le lendemain soir, une barmitsva au Pierre Hotel. Sammy s'empara du feuilleté au fromage, provoquant l'effondrement de la pyramide du livre de cuisine cadeau.

– Il y a que tu trouves toujours une excuse, poursuivit-elle, sans jamais avoir besoin d'une réponse pour soutenir la conversation.

– Ce n'est pas une excuse, riposta Sammy, c'est une disqualification !

– Et pourquoi les étudiantes sont-elles disqualifiées ? J'ai oublié...

– Parce qu'elles me donnent l'impression d'être bête.

– Mais tu n'es pas bête ! Tu es extrêmement cultivé, tu parles plutôt bien et tu vis de ta plume ou, pour être plus précise, de ta machine à écrire.

– Je le sais. Ce n'est pas un sentiment rationnel. Et je ne supporte pas non plus les femmes idiotes. C'est juste, je crois, que j'ai honte de ne pas avoir de bagage universitaire. Et puis je suis gêné quand elles commencent à me demander ce que je fais et que je suis obligé de leur dire que je suis auteur de comics. Ensuite, j'ai droit soit à : « Ça alors ! n'est-ce pas de la littérature... enfin... de quatre sous ? » Ou bien à de la condescendance. « Les comics ? J'adore les comics !... », ce qui est encore pire.

– Barbara Drazin ne te donnerait pas l'occasion d'avoir honte de ce que tu fais, affirma Rosa. D'ailleurs, je lui ai dit que tu avais aussi écrit trois romans.

– Oh, mon Dieu ! s'exclama Sammy.

– Je suis désolée.

– Je t'en supplie, Rosa. Combien de fois dois-je te répéter de ne plus parler de ça à personne ? O.K. ?

– Vraiment, je suis désolée. C'est juste que je...

– Pour l'amour du ciel, c'étaient des pulps, j'étais payé au mètre. Pourquoi crois-tu qu'ils ont inventé le pseudonyme ?

– D'accord, dit Rosa, d'accord. À mon humble avis, tu devrais quand même la rencontrer.

– Merci, mais non merci. J'ai trop de travail, de toute façon.

– Il est en train d'écrire un roman, expliqua Joe, occupé à peler une Chiquita. (Il semblait prendre beaucoup de plaisir dans les échanges entre sa petite amie et son meilleur ami. Son unique contribution à la décoration de l'appartement avait été la pile de cageots de bois où il rangeait sa collection bourgeonnante d'illustrés.) À ses heures perdues, ajouta-t-il, la bouche pleine, blanche de banane. Un vrai...

– Ouais, bon, dit Sammy, se sentant rougir. À la vitesse où j'avance, on sera tous à la maison de retraite pour le lire !

– Je vais le lire, proposa Rosa. Sammy, j'aimerais tant ! Je suis sûre qu'il est très bon.

– Il ne l'est pas. Mais merci. Tu parles sérieusement ?

– Bien sûr.

– Peut-être, répondit-il, pour la première mais nullement la dernière fois de leur longue association. Dès que j'aurai mis en forme le premier chapitre...

À son arrivée dans les bureaux d'Empire en cette matinée d'avril modèle – ciel échevelé, jonquilles qui swinguaient comme un grand orchestre sur chaque plaque de vert, amour dans l'air, etc. –, Sammy sortit du tiroir du fond de son bureau le premier (et unique) chapitre, maintes fois remanié du *Désenchantement américain*, glissa une feuille de papier vierge dans le rouleau de sa machine à écrire et essaya de travailler, mais la discussion avec Rosa l'avait laissé mal à l'aise. Pourquoi ne voulait-il pas, au moins, disons, prendre un verre avec une belle fille de City College ? Comment savait-il même qu'il n'aimait pas sortir avec des étudiantes ? C'était comme s'il disait qu'il n'aimait pas le golf. Il se doutait bien que ce n'était pas un jeu pour lui, mais en réalité, le plus près qu'il eût jamais été d'un terrain de golf, c'était à l'ancien terrain Tom Thumb de Coney Island, avec ses moulins à vent au plâtre écaillé. Pourquoi, d'ailleurs, n'était-il pas jaloux de Joe ? Rosa était une fille superbe, douce, qui embaumait la poudre de riz. Même s'il était vrai qu'il trouvait remarquablement facile de l'aborder, de la taquiner, de se confier à elle et de baisser la garde en sa présence, plus facile qu'avec n'importe quelle fille, il n'avait que très peu envie d'elle. Par moments, cette absence de sentiment érotique, si marquée et si évidente pour tous deux que Rosa n'avait aucun scrupule à flâner dans l'appartement en petite culotte, couverte seulement des pans flottants d'une des chemises de Joe, tourmentait Sammy. Couché dans son lit la nuit, il essayait de s'imaginer en train de l'embrasser, de caresser ses épaisses boucles brunes, de relever ses pans de chemise pour découvrir le ventre pâle caché dessous. Mais de telles chimères s'estompaient invariablement à la lumière du jour. La vraie question, c'était : Pourquoi n'était-il pas plus jaloux de Rosa ?

« Il était simplement heureux de voir son ami heureux », tapa-t-il à la machine. C'était un roman autobiographique, après tout. « Il y avait un abîme dans la vie de cet homme que personne ne pourrait jamais combler. »

Le téléphone sonna. C'était sa mère.

– J'ai ma soirée de libre, lui dit-elle. Pourquoi ne l'amènes-tu pas et nous fêterons *Shabbès*. Il peut amener aussi sa petite amie.

– Elle est un peu difficile pour la nourriture, objecta Sammy. Qu'est-ce que tu mijotes ?

– Très bien, ne viens pas.

– Je serai là.

– Je ne veux pas de toi.

– Je serai là. Maman ?

– Quoi ?

– Maman ?

– Mais quoi ?

– Maman ?

– Quoi encore ?

– Je t'aime.

– Sacré farceur.

Et de raccrocher.

Il rangea *Le Désenchantement américain* dans son tiroir et se remit à travailler au texte de *Kid Vixen*, chronique d'une boxeuse redresseuse de torts, avec des illustrations de Marty Gold, qu'il avait ajoutée pour entourer *All Doll*, en même temps que la *Venus McFury* des frères Glovsky, histoire d'une détective délurée qui était la réincarnation d'une des antiques Érinyes, et la *Greta Gatling* de Frank Pantaleone, une bande dessinée de « cow-girl ». Le premier numéro d'*All Doll Comics* avait épuisé tout son tirage d'un demi-million d'exemplaires. Le numéro 6 était actuellement en fabrication, et les commandes étaient extrêmement importantes. Sammy avait une petite idée pour le prochain épisode de Kid Vixen, impliquant un crêpage de chignon entre Kid et une championne de boxe nazie qu'il envisageait d'appeler Brunehilde La Teigne. Mais, ce matin, il semblait ne pas pouvoir se concentrer. Le plus drôle, c'était que, aussi opiniâtrement qu'il s'était battu avec Sheldon Anapol pour leur permettre de continuer à bosser sur les nazis, mener la guerre de la bande dessinée devenait toujours plus rude. Même si la futilité n'était pas un registre familier à Sammy, il avait commencé à être rongé par le même sentiment d'inefficacité, de faux-semblant permanent, qui avait tourmenté Joe dès le début. Sauf que Sammy ne voyait pas comment lutter contre cela. Lui n'était pas prêt à chercher la bagarre aux matches de base-ball.

Il s'acharna sur son texte, qu'il reprit trois fois, en buvant du Bromo-Seltzer avec une paille, pour apaiser le pincement d'angoisse qui commençait à lui tenailler le ventre. Même si Sammy aimait sa mère et avait besoin de son soutien, cinq minutes de conversation avec elle suffisaient à déchaîner une rage matricide dans son cœur. Les grosses sommes d'argent qu'il lui remettait, bien qu'elle fût agréablement étonnée par celles-ci et se débrouillât toujours, avec sa brusquerie habituelle, pour le remercier, ne prouvaient rien à ses yeux. Gagner des sommes folles pour gâcher sa vie, dans son opinion, n'ajoutait qu'au pointage cosmique du gaspillage. Le plus exaspérant pour Sammy, c'était la façon dont, face à ce soudain afflux d'argent, Ethel refusait obstinément de modifier tout élément de son existence, à part choisir de meilleurs morceaux de viande, acheter un jeu neuf de couteaux à découper et accumuler des dépenses somptuaires en sous-vêtements pour Bubbie et elle-même. Le reste, elle le mettait de côté. Elle voyait chaque gros chèque comme le dernier, certaine, comme elle disait, que « la bulle finirait par éclater ». Chaque mois où la bulle des comics, non seulement continuait à flotter, mais gonflait de manière exponentielle ne faisait que confirmer la croyance d'Ethel selon laquelle le monde était désaxé et devenait de plus en plus fou, si bien qu'au moment où l'épingle frapperait enfin, l'éclatement serait d'autant plus terrible. Oui, c'étaient toujours des tonnes de gaieté qui débarquaient chez cette vieille Ethel pour profiter des festivités et des bons moments, blaguer, chanter et souper des délicieux fruits de sa cuisine. Bubbie aurait cuit au four un de ses *babkas* à la Bubbie, amers et friables, sur lesquels tous devaient s'extasier, même si, à leur goût, on eût dit qu'elle les avait préparés en 1887, puis oubliés dans un tiroir jusqu'à la veille.

La seule perspective intéressante de la journée, c'était que lui et Joe avaient été également invités à descendre au studio de radio pour rencontrer l'équipe des *Extraordinaires Aventures de l'Artiste de l'évasion*, qui répétait le lundi suivant en début d'après-midi. Jusqu'ici, Burns, Baggot & DeWinter, l'agence de publicité, avait tenu à l'écart de la production Sammy, Joe et le personnel d'Empire en général, alors que Sammy avait appris que plusieurs des premiers épisodes étaient adaptés directement de leurs comics. Un jour, Sammy était même tombé par hasard sur les rédacteurs de l'émission, tandis qu'ils sortaient de Chez Sardi. Ils le reconnurent grâce au dessin peu flatteur qui avait paru dans le *Saturday Evening Post*, l'arrêtèrent pour lui dire bonjour et lui passèrent l'aimable brosse à reluire de leur dédain. Sammy leur trouva à tous un petit air d'étudiant, avec leurs pipes et leurs nœuds papillons. Un seul reconnut avoir lu un comic book, et la totalité d'entre eux considérait sans doute le genre comme indigne de leur mépris. Un autre avait collaboré par le passé à *Mr Keen Tracer if Lost Persons*[1], un troisième à *Mrs Wiggs of the Cabbage Patch*[2].

Mais après la première diffusion, lundi, il devait y avoir une réception à laquelle Sammy et Joe étaient conviés. Et en ce vendredi enchanteur, ils se rendaient à Radio City pour jeter un coup d'œil, si l'on peut dire, aux incarnations vocales de leurs personnages.

– Le dîner de Shabbès, murmura Joe, alors qu'ils longeaient le Time-Life Building.

Joe prétendait avoir vu un jour Ernest Hemingway en sortir, et Sammy guetta l'écrivain en passant.

– Je l'ai vu, je te dis.

– Tu l'as vu, c'est sûr. Oui, le dîner de Shabbès. Chez ma mère. On y bouffe mal, la maison est une vraie fournaise. Tu ne vas pas manquer ça !

1. *Mr Keen à la recherche des disparus*, feuilleton radiophonique qui dura de 1937 à 1957, interprété par Bennett Kilpack et produit par Frank et Anne Hummert. (*N.d.T.*)

2. *Mrs Wiggs et son lopin de choux*, film de Norman Tauroq, avec Pauline Lord et W.C. Fields, adapté d'un roman d'Alice Caldwell Hegan (1901). (*N.d.T.*)

– J'ai rendez-vous avec Rosa, avança Joe. Nous sommes censés manger avec son père, à la maison, je crois.

– C'est ce que tu fais presque tous les soirs ! Allez, Joe, ne me laisse pas y aller seul. Je vais devenir fou, complètement fou, je te le dis.

– Rosa a raison, observa Joe.

– Comme d'habitude. Mais pourquoi, cette fois ?

– Tu as besoin d'une femme.

Le hall de l'immeuble R.C.A. était frais et obscur. Pour la première fois de la journée, le léger claquement des talons sur le sol dallé et la solennité sombre et rassurante des peintures murales de Sert et Brangwyn[1] permirent à Sammy d'éprouver ce qu'il reconnut vaguement être un sentiment de tranquillité. Un jeune homme grassouillet les attendait au bureau du vigile, en mordillant un doigt bien manucuré. Il se présenta comme Larry Sneed, assistant du producteur George Chandler, et leur montra comment signer le registre des entrées et accrocher des laissez-passer à leurs vestons.

– Mr Chandler est réellement content que vous ayez pu venir, lança Sneed par-dessus son épaule.

– C'était gentil de sa part de nous inviter.

– Eh bien, il est devenu un vrai fan de votre travail.

– Il nous lit ?

– Oh ! C'est sa nouvelle bible.

Ils sortirent de l'ascenseur, descendirent un escalier, traversèrent un hall pour gagner un autre escalier, celui-ci tout en parpaings gris et marches métalliques, puis suivirent un lugubre couloir blanc, passèrent devant la porte fermée d'un studio dont le voyant était allumé, tournèrent à gauche pour entrer dans un autre studio. L'atmosphère était fraîche, enfumée et sombre. À un bout de la grande salle jaune, trois groupes d'acteurs en tenue sport, des scripts à la main, déambulaient autour de trois microphones. Au milieu de la pièce, deux hommes écoutaient, assis à une petite table. Des pages de script traînaient partout, éparpillées sur le sol et amoncelées dans les coins. Il y eut une détonation. Sammy fut seul à sursauter dans le studio. Il regarda fiévreusement autour de lui. Trois individus se tenaient à l'écart sur la gauche, au milieu d'un assortiment d'ustensiles de cuisine, de bois de charpente et de ferraille. L'un d'eux tenait un revolver. Tous suaient abondamment malgré l'air conditionné.

– Oh ! ils m'ont eu ! cria Larry Sneed, étreignant son gros ventre couvert de soie et pivotant sur lui-même. Ha, ha, ha ! (Il fit mine de rire. Le comédien qui lisait son texte s'arrêta de parler et tout le

1. José María Sert, peintre catalan (1876-1945) et Frank Brangwyn, graveur et illustrateur anglais (1867-1956). (*N.d.T.*)

monde se retourna pour regarder. Ils semblaient ravis du dérivatif, songea Sammy, excepté le réalisateur qui fronça les sourcils.) Salut, tout le monde ! Désolé de vous interrompre. Monsieur Chandler, voici deux jeunes gens sémillants comme moi qui désirent rencontrer nos magnifiques interprètes. Mr Sam Clay et Mr Joe Kavalier.

– Bonjour les gars, dit un des deux hommes à la table centrale, en se levant. (Il avait à peu près le même âge qu'aurait eu le père de Sammy, mais lui était grand et distingué, avec une barbiche et d'énormes lunettes noires qui, trouva Sammy, lui donnaient l'air d'un scientifique. Il leur serra la main.) Voici Mr Cobb, notre réalisateur. (Cobb inclina la tête. Comme Chandler, il portait un costume et une cravate.) Et cette bande dépenaillée est notre troupe. Oubliez leur apparence, ils ont répété toute la semaine. (Chandler montra les acteurs rassemblés autour des micros, oignant chacun de loin d'un petit mouvement du doigt pendant qu'il citait leur nom et leur rôle.) Voilà Miss Verna Kaye, notre Fleur de Prunier. Pat Moran, notre Big Al. Et Howard Fine, le méchant commandant X. Là-bas, puis-je vous présenter Miss Helen Portola, notre Rose vénéneuse ? Ewell Conrad, qui joue Omar, et Eddie Fontaine, dans le rôle de Pedro. Sans oublier notre présentateur, Mr Bill Parris.

– Mais Rose vénéneuse est morte, protesta Joe.

– Nous ne l'avons pas encore occise à la radio, expliqua Chandler. Et ce grand et beau gaillard, là-bas, est notre Artiste de l'évasion, Mr Tracy Bacon.

À cet instant précis, Sammy avait trop l'esprit ailleurs pour remarquer Mr Tracy Bacon.

– Pedro ? s'étonna-t-il.

– Le vieux machiniste portugais. (Chandler hocha la tête.) Un élément comique pour détendre les esprits. La personne qui parraine l'émission a estimé que nous devions alléger un peu l'atmosphère.

– Rachui de chuous chuonnaître, lança Eddie Fontaine, portant la main à son chapeau portugais imaginaire.

– Et le vieux Max Mayflower ? voulut savoir Sammy. Et le membre de la Ligue de la clef d'or ? Vous avez supprimé la Ligue ?

– Nous avons essayé avec la Ligue, n'est-ce pas, Larry ?

– Oui, nous avons essayé, monsieur Chandler.

– Quand on démarre un feuilleton, il vaut mieux aller droit au fait, déclara Cobb. Sauter les préliminaires.

– Nous expliquons tout ça dans l'intro, expliqua Chandler. Bill ?

– Armé d'un magnifique entraînement physique et mental, commença Bill Paris, d'une équipe d'auxiliaires d'élite et de l'antique sagesse, il parcourt le globe, accomplissant de stupéfiants exploits...

Toute la troupe fit chorus pour le mot de la fin.

– ... et venant au secours de ceux qui croupissent dans les chaînes de la tyrannie !

– Voici l'Artiste de l'évasion !

Tout le monde rit, sauf Joe, qui tapa dans ses mains. Mais pour une raison ou une autre, Sammy était ulcéré.

– Et Tom Mayflower ? insista-t-il. Qui va le jouer ?

Une voix grinçante et enjouée d'adolescent résonna dans un coin.

– C'est moi qui vais être Tom, monsieur Clay ! Et bon sang ! j'en suis rudement excité !

Cet échange plia de nouveau l'assistance en deux. Tracy Bacon regardait Sammy droit dans les yeux en souriant, les joues rouges surtout de plaisir, apparemment, devant l'expression médusée de Sammy. Bacon était un Artiste de l'évasion si parfait qu'on eût dit qu'il avait été choisi pour jouer le rôle dans un film, non sur les ondes. Il mesurait plus de un mètre quatre-vingts, avait les épaules larges, une fossette au menton et des cheveux blonds brillants qui encadraient le haut de sa tête à la façon d'un casque de cuivre poli. Il portait une chemise en oxford déboutonnée sur un maillot de corps à côtes, un blue-jean et des chaussettes sans chaussures. Bien que pas aussi développés, peut-être, que ceux de l'Artiste de l'évasion, ses muscles étaient nettement dessinés. Beau gosse, pensa Sammy, et impérialement svelte.

– Je vous en prie, messieurs, prenez place, reprit Chandler. Larry, trouve-leur un endroit où s'asseoir.

– Ce gars-là est la copie conforme de l'Artiste de l'évasion, murmura Joe. J'en ai la chair de poule.

– Je sais, acquiesça Sammy. Et il a la voix de Tom Mayflower...

Ils s'assirent dans un coin pour assister à la répétition. Le script avait été adapté – très librement – du troisième épisode de l'Artiste, où apparaissait le personnage de Rose vénéneuse, la méchante sœur de Fleur de Prunier, inspiré directement de la *Dragon Lady* de Caniff et que Sammy, honteux du caractère flagrant de son emprunt, avait supprimé dans le numéro 4 de *Radio Comics*. Dans le grand opéra situé sur le Bund de Shangpo, Rose s'était interposée entre une balle destinée à Tom Mayflower et le revolver d'un agent nazi, dont elle avait été jusque-là l'alliée.

Mais les gars de la radio l'avaient ressuscitée, et Sammy devait admettre qu'elle passait bien. Helen Portola était le seul membre de la troupe à ne pas être en tenue sport et, dans sa robe de popeline vert vif, elle avait un air pimpant, appétissant. Lorsqu'elle sifflait son texte diabolique à l'Artiste, dont elle avait annihilé les pouvoirs grâce au légendaire Œil de la Pierre de lune volé, elle regardait Tracy Bacon avec des yeux enamourés et avait des accents langoureux. Walter Winchell avait déjà associé leurs noms dans sa chronique.

Dans l'ensemble, Sammy trouva ces deux heures déprimantes. C'était la première fois – mais nullement la dernière – qu'il voyait un autre auteur s'approprier une de ses créations pour servir ses objectifs, et cela le contrariait à tel point qu'il en avait honte. C'était pratiquement la même chose – mis à part Pedro, bien sûr – pourtant, d'une certaine façon, c'était complètement différent. Le ton général semblait plus léger, plus enjoué que les comics d'origine, sans doute en partie à cause de l'éclat presque audible du sourire de Tracy Bacon. Les dialogues rappelaient beaucoup ceux de *Mr Keen à la recherche des disparus*. Ç'avait beau être logique, cela aussi déprimait plus ou moins Sammy. Il avait écrit des dialogues aussi mauvais – même si, à l'instigation de Deasey, il s'était penché sur le travail de dialoguistes mordants comme Irwin Shaw et Ben Hecht* – mais, dits à haute voix, ils lui semblaient encore pires. Il trouvait tous les personnages lents à la détente, vaguement retardés. Gêné, Sammy s'agita sur son siège. Joe fut momentanément perdu par les échanges, mais parut brusquement se secouer. Il se pencha de son côté.

– Ce n'est pas génial ? dit-il, chuchotant à présent, ce qui signifiait qu'il mijotait quelque chose. (Il consulta sa montre-bracelet.) Merde ! Cinq heures. Il faut que je m'en aille, mon zazou.

– Tu dois t'en aller, « mon zazou » ?

– Oui, « zazou ». C'est comme « vieux ». « Qu'est-ce qui t'arrive, zazou ? » « Ne sois pas en retard, zazou. » Tu ne dis jamais « zazou » ?

– Non, c'est un truc que je ne dis jamais, répondit Sammy. Il n'y a que les Nègres qui disent ça, Joe. Ethel nous attend vers six heures.

– Oui, O.K. Six heures.

– C'est dans une heure.

– O.K.

– Tu viens, hein ? insista Sammy.

Mr Cobb se retourna sur son siège et les fusilla de nouveau du regard. Ils se couvrirent la bouche. D'un signe de tête, Joe montra la sortie. Sammy se leva et le suivit dans le hall. Joe referma la lourde porte du studio et s'y appuya d'une épaule.

– Joe, tu m'as promis de venir.

– J'ai bien fait attention à ne pas dire ça.

– Bon, je n'ai pas ton dossier sous les yeux, mais c'était le sens général.

– Sammy, je t'en prie. Ne m'y oblige pas. Je ne veux pas venir. Je veux sortir avec ma petite amie. J'ai envie de m'amuser. (Il rougit. Pour Joe, il était encore difficile d'admettre qu'il pouvait s'amuser.) Ce n'est pas ma faute si tu n'as personne...

La porte du studio s'ouvrit à la volée, projetant Joe contre le mur.

– Désolé ! s'écria Tracy Bacon. (Avec précaution, il tira la porte vers lui pour voir ce qu'était devenu Joe.) Œil sacré de la Pierre de lune, est-ce que ça va ?

– Oui, merci, répondit Joe, se massant le front.

– Mince ! j'avais tellement hâte de sortir d'ici que je n'ai pas regardé où j'allais ! Je craignais que vous deux ayez pu partir avant que j'aie la possibilité de parler à Mr Clay.

– Oui, parlez ! Vous parlez, dit Joe en tapotant l'épaule de Bacon. Malheureusement, je dois m'en aller. Monsieur Bacon, c'était un plaisir de vous rencontrer. Vous êtes un Artiste de l'évasion parfait, je trouve.

– Eh bien ! merci.

Joe se dressa de toute sa taille.

– *So !* dit-il, prononçant ce mot à l'allemande.

Gardant prudemment Bacon interposé entre eux, il adressa à Sammy un petit signe de main maladroit et plongea derrière leur nouvelle connaissance afin de se ruer vers l'extrémité du couloir. Avant d'atteindre l'escalier, il s'arrêta, se retourna. Il regarda Sammy droit dans les yeux, l'air grave et plein de remords, comme s'il était au bord d'une confession complète de toutes les mauvaises actions qu'il avait jamais accomplies. Puis il agita son laissez-passer de visiteur façon Melvin Purvis[1] et disparut. Et, chez lui, ce geste était ce qui se rapprochait le plus des excuses, Sammy le savait.

– *So*, répéta Bacon. Pourquoi est-il si pressé de filer ?

– Sa petite amie, répondit Sammy. Miss Rosa Luxemburg Saks.

– Je vois. (Bacon avait un léger accent du Sud.) Elle est étrangère aussi ?

– Ouais, elle l'est, concéda Sammy. Elle est de Greenwich Village.

– J'en ai entendu parler.

– C'est un coin assez arriéré.

– Ah oui...

– Les gens y sont un peu plus sauvages.

– On raconte qu'ils mangent du chien là-bas.

– Rosa est capable de faire des choses étonnantes avec un chien.

Quand cette rafale de blagues un tantinet laborieuses faiblit, ils se sentirent confus. Sammy se frotta la nuque. Sans savoir pourquoi, il avait un peu peur de Tracy Bacon. Il décida que Bacon le faisait marcher, se montrait condescendant à son égard. Les individus grands, flamboyants et sûrs d'eux avec une voix de basse lui donnaient toujours la conscience aiguë d'être un petit Juif basané, une

1. Agent spécial du F.B.I. de 1927 jusqu'à sa démission en 1935, responsable du bureau de Chicago. Il était présent le 22 juillet 1934 quand le gangster John Dillinger fut abattu. (*N.d.T.*)

loufoque petite arabesque à l'encre apposée sur une feuille de papier rêche.

– Vous aviez quelque chose à me demander ? interrogea froidement Sammy.

– Oui, je voulais... Écoutez. (Tracy Bacon donna un coup de poing à l'épaule de Sammy. Pas brutal, mais pas doux non plus. Grâce à lui, la méconnaissance de sa force devenait finalement un des traits caractéristiques de l'Artiste de l'évasion.) Normalement, je n'aurais pas osé, mais quand je vous ai aperçu et que j'ai vu que vous n'étiez pas plus vieux que moi, peut-être même plus jeune... Quel âge avez-vous ?

– Sans risque d'erreur, plus de vingt ans, répliqua Sammy.

– Moi, j'en ai vingt-quatre, reprit Tracy. Depuis la semaine dernière.

– Joyeux anniversaire !

– Monsieur Clay...

– Sammy.

– Tracy.

La poigne de Tracy était ferme et sèche. Plusieurs fois il leva et abaissa la main de Sammy.

– Sammy, je ne sais pas si vous pourriez me conseiller ou non, lança Tracy, mais j'ai un petit problème, là...

La porte se rouvrit, et les autres comédiens commencèrent à sortir à la queue leu leu. Helen se coula auprès de Bacon, lui prit le bras et leva les yeux vers lui avec l'ardeur évoquée par Walter Winchell. Elle vit que quelque chose le préoccupait et se tourna d'un air interrogateur vers Sammy. Elle souriait, mais Sammy crut distinguer une lueur d'inquiétude dans ses grands yeux verts.

– Tracy ? Nous allons tous Chez Sardi.

– Garde une place pour moi, d'accord, beauté ? répondit Tracy. (Il lui serra l'épaule.) Il se trouve que Mr Clay et moi avons un ami commun. On se remet juste un peu à niveau.

Sammy était épaté par l'aisance et le naturel du mensonge de Tracy. Helen Portola regarda Sammy de la tête aux pieds, très attentivement, très froidement, comme pour tenter d'évaluer quel humain possible pouvait être le lien entre lui et Tracy Bacon. Puis elle embrassa Tracy sur la joue et les laissa, non sans se faire tirer l'oreille. Sammy avait dû laisser paraître sa perplexité.

– Oh ! je suis un incorrigible menteur, s'excusa Bacon avec désinvolture. Bon, allez, permettez-moi de vous offrir un verre, et je vais vous expliquer.

– Bon Dieu ! s'exclama Sammy. J'aimerais bien, mais...

De fait, Bacon saisit Sammy par le coude – avec une certaine douceur – et lui passa un bras autour des épaules, l'entraînant vers le bout du couloir par une porte coupe-feu. Il baissa la voix et prit un ton grinçant de conspirateur.

– Sammy, je vais vous faire un aveu. (Il marqua une pause, comme pour donner à Sammy le temps de se sentir reconnaissant de recevoir ses confidences. Sammy était presque – presque ! – trop interloqué pour obtempérer.) Je me sens légèrement dépassé ici. Je ne suis pas un acteur ! J'ai suivi des études d'ingénieur. Il y a deux mois, je lavais le pont sur un cargo. D'accord, j'ai une voix idéale pour la radio. (Il composa ses traits, ses sourcils blonds et sa bouche un peu féminine, et prit une expression ferme, paternelle.) Ça ne suffit pas, et j'en suis conscient. On ne peut pas s'en sortir dans ce métier grâce à ses seuls dons. (Il paraissait si content de la dureté avec laquelle il se traitait que toute trace de celle-ci disparut instantanément.) C'est mon premier grand rôle. Je veux être très, très bon. Si vous pouviez me donner une... vous savez...

– Idée ?

– Exactement. (Du plat de sa main droite, il frappa Sammy sur la poitrine.) C'est ça ! J'espérais que nous pourrions nous asseoir quelque part, tenez, que je pourrais vous payer un verre et que vous me parleriez un petit peu de votre Artiste. Je n'ai aucun problème avec Tom Mayflower.

– Non, vous semblez très bien le posséder.

– Eh bien, oui ! Je suis Tom Mayflower, monsieur Clay, et ceci explique cela. Mais l'Artiste de l'évasion, mon Dieu ! je ne sais pas. Il... il semble tout prendre rudement au sérieux.

– Eh bien, monsieur Bacon, c'est qu'il doit affronter de sérieux problèmes... commença Sammy, grimaçant à cause de sa propre prétention. (Il eût dû être ravi de l'occasion que Bacon lui donnait d'avoir une petite influence sur la réalisation de l'émission radio, il en était conscient. Au contraire, il s'apercevait que Tracy Bacon l'intimidait encore plus qu'avant. Sammy venait d'un pays de bavards impénitents, intarissables et passionnés, et il avait l'habitude des harangues, mais jamais auparavant il ne s'était senti interpellé ainsi, avec une telle puissance de feu, destinée non seulement à ses oreilles mais à ses yeux. Aussi loin qu'il se souvienne, personne de la stature de Tracy Bacon ne lui avait jamais adressé la parole. L'agile demi d'ouverture doré en knickerbockers au sommet du trophée de football américain, qui prenait à bras-le-corps tous les obstacles rencontrés en chemin, n'était pas un type frappé à profusion par Brownsville, Flatbush ou l'école des Arts appliqués. Sammy avait déjà rencontré un ou deux de ces grands dadais à la peau de bébé et à la coupe de potache, cultivés, adeptes du cardigan, au cours de ses brèves immersions dans le monde de Rosa Saks. Mais, assurément, il n'avait jamais été sollicité par l'un d'eux... ou même pris en considération.) Aujourd'hui, le monde a pas mal de problèmes sérieux. (Mon Dieu ! on dirait un principal de collège ! Il ferait mieux de se taire.) Vraiment, je ne peux pas, murmura-t-il, en consultant sa montre. (Il était presque cinq heures dix.) Je vais être en retard à mon dîner.

– Cinq heures, vendredi soir ? (Bacon afficha son sourire à cinquante ampères.) Ça fait poseur.

– Vous ne sauriez imaginer à quel point, dit Sammy.

2.

– Où est donc le vrai Flat Bush, le fameux « Buisson plat » ? demanda Bacon, comme ils remontaient du métro. (Il s'immobilisa et reporta ses regards de l'autre côté de l'avenue, vers l'entrée de Prospect Park.) On le garde là-dedans ?

– En fait, on le change de place, répondit Sammy. (Ils avaient pris deux verres chacun, mais pour une raison inconnue Sammy ne se sentait absolument pas ivre. Il se demandait si la peur ne prévenait pas les effets de l'alcool. Il se demandait aussi s'il avait plus peur de Tracy Bacon ou d'arriver en retard pour dîner chez Ethel, empestant le gin, avec le plus beau spécimen de *trayf*[1] du monde à la remorque. Dans la station de métro, il avait acheté un paquet de Sen-Sen et en avait mangé quatre.) Il est à roulettes. (Il tira Tracy par la manche de son blazer bleu.) Viens, on est en retard.

– C'est vrai ? (Bacon arqua un sourcil.) Tu ne me l'avais pas dit.

– Tu ne me connais même pas, répliqua Sammy. Comment peux-tu oser te ficher de moi ?

Au moment où il sonnait à l'interphone du 2ᵉ B – il avait égaré sa clef –, il s'aperçut qu'il devait être très, très soûl. C'était la seule explication possible pour ce qu'il s'apprêtait à faire. Sammy ne savait plus exactement quand l'invitation avait été lancée, ni à quel moment il était devenu clair pour lui que Bacon l'avait acceptée. Au bar du St. Regis Hotel, sous le regard jovial du *King Cole* de Parrish[2], leur conversation avait dévié si vite des difficultés de Bacon avec le personnage de l'Artiste que Sammy n'arrivait plus à se rappeler quelle sagesse éventuelle il avait pu montrer sur ce chapitre. Presque tout de suite, semblait-il, Bacon s'était embarqué, sans qu'on lui eût rien demandé, dans un monologue (un de ceux qui, bien que rodés,

1. En yiddish, animal qui n'a pas été abattu selon les lois rituelles, tout ce qui n'est pas *kasher*. (*N.d.T.*)

2. Célèbre peinture murale de Maxfield Parrish (1895), représentant l'industriel Jolin Jacob Astor sous la figure d'Old King Cole, roi héros d'une comptine. (*N.d.T.*)

gardaient visiblement encore beaucoup d'intérêt pour lui) sur son éducation, ses études, ses voyages. Un récit invraisemblable. Il avait vécu au Texas, en Californie, aux Philippines, à Porto Rico, à Hawaii et, plus récemment, à Seattle. Son père était un général de brigade, sa mère une Anglaise titrée. Il avait navigué sur un bateau marchand. Il avait dressé des chevaux à Oahu. Il avait été mis dans une pension où il jouait au hockey et à la crosse, et pratiquait un peu la boxe – que, paradoxalement, il considérait comme manquant de manière affligeante du moindre sens ou de la finalité la plus élémentaire. Pendant ce temps, la propre éducation et les propres études de Sammy, ainsi que ses déplacements de Pitkin Avenue à Surf Avenue, avaient été en conflit avec sa faiblesse innée pour le roman d'amour, en le sensibilisant au fumet, reconnaissable entre tous, du boniment. Tandis que Sammy écoutait Tracy, assis dans ce bar, avec l'arrière-goût médicamenteux du gin dans la bouche, à la fois envieux et incapable de faire taire l'écho du joyeux aveu « Je suis un menteur incorrigible », il lui semblait qu'émergeait, malgré le charme de Bacon, avec ses potes comédiens et sa charmante petite amie, très gin-tonic, et si l'on ne se souciait ni de la véracité ni de la fausseté de ses affirmations, un portrait tout à fait reconnaissable, dont Sammy fut surpris de s'apercevoir qu'il ne lui était pas inconnu : Tracy Bacon était seul. Il habitait à l'hôtel et prenait ses repas au restaurant. Ses potes comédiens prenaient son histoire pour argent comptant, non par crédulité, mais parce que c'était la loi du moindre effort. Et voilà qu'avec un mystérieux instinct, il avait flairé la solitude chez Sammy. La présence actuelle de Bacon aux côtés de Sammy, qui attendait une réponse du 2e B, l'attestait. Il ne vint pas à l'idée de Sammy que Bacon était simplement ivre, qu'il avait vingt et un ans (et non vingt-quatre) et inventait au fur et à mesure.

– C'est l'interphone le plus déplaisant que j'aie jamais entendu, commenta Bacon quand on leur ouvrit enfin.

Sammy lui tint la porte d'entrée.

– En fait, c'était la voix de ma mère, dit-il. Tu dois avoir un petit bouchon de cérumen.

– Tu cherches seulement à m'effrayer, se récria Bacon.

Ils grimpèrent les marches qui coupaient les jambes de Sammy depuis déjà tant d'années. Sammy frappa.

– Écarte-toi, chuchota-t-il.

– Arrête !

– Gare à tes doigts. Maman !

– Regardez-moi qui c'est.

– Ne t'excite pas.

– Où est ton cousin ?

– Ils avaient déjà prévu quelque chose. Maman, je t'amène un ami. Voici Mr Tracy Bacon. C'est lui qui va jouer l'Artiste à la radio.

– Faites attention à ne pas vous cogner la tête. (Ce fut la première chose qu'Ethel dit à Bacon, suivie de :) Seigneur ! (Elle sourit et tendit la main. Sammy vit qu'elle était impressionnée. Tracy Bacon produisait toujours une forte impression. Elle recula d'un pas pour mieux le regarder et resta plantée là, comme une des touristes au milieu desquels Sammy se frayait péniblement un passage pour arriver au bureau et en repartir.) Vous êtes très beau. (Sauf que ses mots ne sonnèrent pas comme un compliment sans réserve. Un commentaire sur le caractère trompeur des emballages attrayants eût tout aussi bien pu leur succéder...)

– Merci madame Clay, répondit Bacon.

Sammy tressaillit.

– Ce n'est pas mon nom, objecta Ethel, mais pas méchamment. (Elle regarda son fils.) D'ailleurs, il ne m'a jamais plu. Eh bien ! Entrez, asseyez-vous, j'en ai trop fait, tant pis ! Le dîner est prêt déjà depuis longtemps, et vous avez manqué les chandelles. Je suis désolée de vous le dire, mais nous ne pouvons pas retarder le coucher du soleil, même pour des gros bonnets de la bande dessinée.

– J'ai entendu dire que la règle avait changé, ironisa Sammy.

– Tu sens les Sen-Sen.

– J'ai pris un petit verre, avoua-t-il.

– Oh ! tu as pris un verre. C'est bien.

– Quoi ? J'ai le droit de prendre un verre si je veux.

– Bien sûr que tu peux prendre un verre. J'ai une bouteille de slivovitz quelque part. Veux-tu que je la sorte ? Tu peux même boire toute la bouteille si tu veux...

Sammy virevolta et adressa une grimace à Bacon : « Qu'est-ce que je t'avais dit ? » Ils suivirent Ethel dans la salle de séjour. Le ventilateur électrique fonctionnait devant la fenêtre, mais, conformément aux théories personnelles d'Ethel sur l'hygiène et la thermodynamique, il était tourné vers l'extérieur, afin d'expulser l'air chaud de la pièce et de laisser derrière lui une zone de fraîcheur complètement théorique. Bubbie était déjà debout, un grand sourire désorienté peint sur le visage, les lunettes étincelantes. Elle portait une robe ample en coton imprimé de coquelicots écarlates.

– Maman, dit Ethel en anglais, voici un ami de Sammy, Mr Bacon. Il est comédien à la radio.

Bobbie inclina la tête et saisit la main de Bacon.

– Ah, oui ? Comment allez-vous ? répondit-elle en yiddish, l'air de reconnaître tout de suite Tracy Bacon, ce qui était curieux, puisqu'elle semblait ne plus reconnaître personne depuis des années.

Par la suite, on ne sut jamais clairement pour qui elle le prenait.

Elle lui secoua vigoureusement la main des deux siennes. Pour une raison inconnue, le spectacle de Bubbie en train de serrer la grande main rose de Bacon fit rire Ethel.

– Maman, lâche-le. (Une nouvelle fois, elle regarda Sammy.) Assieds-toi. (Sammy fit mine de s'asseoir.) Comment ? Je n'ai plus droit à un baiser, monsieur Sam Clay ?

Sammy embrassa sa mère.

– Maman, tu me fais mal ! Ouïe !

Elle le lâcha.

– J'aimerais te tordre le cou, proféra-t-elle. (Ethel avait l'air de très bonne humeur.) Je vais servir le dîner.

– Gare à la pelle !

– Désopilant.

– C'est comme ça que tu parles à ta mère ? s'étonna Bacon.

– Oh ! Ton nouvel ami me plaît, déclara Ethel. (Elle saisit son bras et tapota son énorme biceps droit, l'air suprêmement innocente. L'émotion qui se lisait sur le visage de Bacon paraissait être sincère.) Ce jeune homme aime sa mère...

– Bigre, si je l'aime ! s'exclama Bacon. Puis-je vous aider à la cuisine, madame... euh... ?

– C'est Klayman. K.L.A.Y.M.A.N. Point.

– Madame Klayman. J'ai pas mal d'expérience pour peler les pommes de terre. Ou pour tout ce que vous voudriez que je fasse...

Alors ce fut au tour d'Ethel de paraître émue.

– Oh !... non, c'est déjà prêt. Je n'ai qu'à tout réchauffer.

Sammy eût voulu souligner que tout réchauffer plusieurs fois afin d'enlever le plus de saveur possible faisait partie intégrante de la technique culinaire d'Ethel, mais il tint sa langue. Bacon l'avait mis dans l'embarras.

– Vous n'entreriez pas dans ma cuisine, ajouta Ethel. Asseyez-vous.

Mais Bacon la suivit dans la cuisine. Sammy dut encore voir son « nouvel ami » outrepasser l'interdiction de sa mère. Malgré sa taille et ses épaules de nageur, c'était moins une confiance dans ses capacités personnelles que l'assurance d'être bien accueilli partout où il allait qui semblait pousser Tracy Bacon. Il était beau, éclatant, et savait éplucher une pomme de terre. À la surprise de Sammy, Ethel le laissa faire.

– Je ne peux pas atteindre ce saladier là-haut, l'entendit-il dire. Celui au toucan...

– Alors, Bubbie, lança Sammy, comment vas-tu ?

– Bien, chéri, répondit-elle. Je vais bien. Et toi ?

– Viens t'asseoir.

Il tenta de la guider vers l'autre fauteuil jaune. Elle le repoussa.

– Prends-le. J'ai envie de rester debout. Toute la journée je reste assise.

Dans la cuisine, Sammy entendait – il ne pouvait pas ne pas entendre – les accents joyeux de la voix de Bacon, avec son registre aigu et passionné. Comme chez Sammy, le flot permanent de bavardage entretenu par Bacon semblait destiné à impressionner et à charmer, à cette différence près : Bacon, lui, était impressionnant et charmant. Le rire sucré d'Ethel filtra de la cuisine. Sammy essaya de comprendre ce que Bacon lui disait.

– Alors, qu'est-ce que tu as fait aujourd'hui, Bubbie ? demanda-t-il, s'affalant sur le canapé. Belmont a rouvert. Tu es allée au champ de courses ?

– Oui, oui, répondit aimablement Bubbie. Je suis allée aux courses.

– Tu as gagné de l'argent ?

– Oh, oui !

Avec Bubbie, on n'était jamais sûr de la taquiner vraiment ou pas.

– Josef t'envoie un baiser, dit-il en yiddish.

– J'en suis contente, répliqua Bubbie en anglais. Et comment va Samuel ?

– Samuel ? Oh ! il va bien lui aussi.

– Elle m'a mis à la porte. (Bacon émergea de la cuisine, affublé d'un petit tablier imprimé d'un motif de bulles de savon bleu pâle.) J'étais dans ses jambes, je crois.

– Oh ! tu ne devrais pas faire ça ! s'exclama Sammy. J'ai été dans les jambes d'un petit pain une fois et ça m'a valu neuf points de suture...

– Comme c'est drôle, intervint Ethel en entrant dans le salon. (Elle dénoua son tablier et le lança à la tête de Sammy.) Venez manger.

Le dîner consistait en un manchon à poil, une douzaine d'épingles à linge et quelques vieux torchons bouillis avec des carottes. Le fait que le repas fût servi avec une bouteille de raifort tout prêt permit à Sammy de conclure qu'ils étaient censés manger des côtes de bœuf braisées, des *flanken*. Nombre des spécialités d'Ethel arrivaient ainsi codées par leurs condiments. Tracy Bacon en reprit trois fois. Il nettoya son assiette avec un morceau de *h'alla*. Ses joues étaient roses, si vif était son plaisir de manger. C'était ça ou le raifort.

– Ouaou ! s'écria-t-il, posant enfin sa serviette. Madame K., je ne me suis jamais mieux senti de ma vie.

– Oui, mais mieux en quoi ? ironisa Sammy.

– Avez-vous assez mangé ? s'enquit Ethel.

Elle avait l'air ravie, mais, sembla-t-il à Sammy, un peu décontenancée.

– Vous avez gardé de la place pour mon babka ? demanda Bubbie.

– Je me réserve toujours pour le dessert, madame Kavalier,

répondit Bacon. (Il se tourna vers Sammy :) C'est un dessert, le babka ?

– Une éternelle question chez mon peuple, répliqua Sammy. Il y en a qui soutiennent que c'est en fait une sorte de petit coussin.

Ethel se leva pour préparer du café. Bacon l'imita et commença à débarrasser la table.

– Tu en as déjà fait assez, déclara Sammy, l'obligeant à se rasseoir. J'ai l'air de quoi à côté ?

Il rassembla les assiettes et les ustensiles sales, et emporta le tout dans la minuscule cuisine.

– N'entasse pas la vaisselle, dit sa mère en guise de remerciement. Ça salit le fond de l'évier.

– Je cherche juste à t'aider.

– C'est pire quand tu m'aides que quand tu ne m'aides pas. (Elle posa la cafetière sur le brûleur et alluma le gaz.) Recule, ordonna-t-elle, en grattant une allumette. (Elle devait allumer des fourneaux à gaz depuis trente ans, mais chaque fois c'était comme si elle pénétrait dans un immeuble en feu. Elle fit couler de l'eau dans l'évier et y glissa les assiettes. De la vapeur s'éleva des bulles de Lux ; l'eau de vaisselle devait être brûlante pour la lutte antibactérienne.) On dirait exactement un dessin de Josef, ajouta-t-elle.

– Tiens, tiens !

– Tout va bien avec ton cousin ?

Sammy devina qu'elle était blessée.

– Il voulait vraiment venir, maman, mentit-il. Mais tu nous as invités à la dernière minute, tu sais ?

– Ce n'est pas important.

– Je te le dis, c'est tout.

– Y a-t-il des nouvelles ? Que dit le bonhomme de l'agence ?

– Hoffman dit que les mômes sont toujours au Portugal.

– Chez les sœurs.

Jeune, pendant la Première Guerre mondiale, Ethel avait été hébergée temporairement par des religieuses orthodoxes. Celles-ci l'avaient traitée avec une bonté qu'elle n'avait jamais oubliée, et Sammy savait qu'elle aurait préféré que son petit neveu reste chez ces Carmélites portugaises, dans la sécurité relative d'un orphelinat de Lisbonne, plutôt que de s'aventurer sur un océan infesté de sous-marins dans un paquebot de troisième main au nom boiteux. Mais l'Église catholique du Portugal faisait apparemment pression sur les religieuses pour que l'accueil des enfants juifs d'Europe centrale ne devienne pas un état de fait permanent.

– Le bateau est déjà parti, précisa Sammy. Pour les chercher. Il a été accepté dans un de ces convois maritimes, tu sais, avec cinq contre-torpilleurs de l'U.S. Navy. Thomas devrait être là dans un mois, m'a dit Joe.

– Dans un mois, ici. (Sa mère lui tendit un torchon et une assiette.) Essuie la vaisselle.

– Ouais, Joe est donc heureux de la nouvelle. Il a l'air heureux aussi avec Rosa. Il n'a plus des journées aussi chargées qu'avant. Nous gagnons maintenant assez d'argent pour que j'aie réussi à le convaincre de laisser tomber tous les bouquins auxquels il travaillait sauf trois[1]. J'ai dû embaucher cinq gars pour le remplacer, tu te rends compte ?

– Je suis contente de le voir se ranger. Il devenait comme fou, il se battait. Il se faisait du mal volontairement.

– Ce qu'il y a, c'est qu'il se plaît ici, je crois, déclara Sammy. Je ne serais pas étonné s'il décidait de rester, même après la fin de la guerre.

– *Kayn aynorè*[2], murmura sa mère. Espérons qu'il aura le choix.

– Voilà une pensée réconfortante !

– Je ne connais pas très bien cette jeune fille. Mais elle m'a paru... (Elle hésita, ne voulant pas aller jusqu'à chanter les louanges de Rosa.) Mon petit doigt me dit qu'elle a la tête sur les épaules. (Le mois précédent, Joe et Rosa avaient emmené Ethel voir *Here comes Mr Jordan*. Ethel était injuste à l'égard de Robert Montgomery.) Il aurait pu faire pire...

– Ouais, approuva Sammy. Rosa est très bien.

Puis il se borna un instant à essuyer la vaisselle et les couverts que sa mère lui passait, et à les ranger dans l'égouttoir sous sa surveillance. On n'entendait pas d'autre bruit que le crissement du torchon, le tintement des assiettes et le lent écoulement continu de l'eau chaude dans l'évier. Dans la salle de séjour, Bacon et Bubbie avaient, apparemment, épuisé tous les sujets de conversation. C'était un de ces longs silences qui signifiaient, disait toujours Ethel, qu'un idiot venait de naître quelque part.

– J'aimerais bien rencontrer quelqu'un, reprit enfin Sammy. Je veux dire, j'y ai pensé. Récemment. À rencontrer une fille sympathique...

Sa mère referma le robinet et enleva le bouchon de la bonde. Ses mains étaient rouge vif à cause de l'eau bouillante.

– C'est mon vœu à moi aussi, dit-elle, ouvrant un autre tiroir pour en sortir la boîte de papier huilé.

1. *Radio Comics*, *All Doll* et *Les Libertés*. (*N.d.A.*)

2. Expression yiddish magique prononcée pour chasser le mauvais œil (de l'allemand *kein*, « pas un », et de l'hébreu *ayin harah*, « le mauvais œil »). (*N.d.T.*)

Elle en déchira un morceau, l'étala sur le billot en zinc et prit un plat dans l'égouttoir.

– Alors, comment était-il ?

D'un signe de tête, elle indiqua la salle de séjour.

– Celui-là. (Elle rabattit les bouts de sa feuille de papier sur le plat et les lissa.) À la répétition, aujourd'hui.

– Il a été très bien, répondit Sammy. Impeccable. Ouais, je pense qu'il se débrouillera.

– C'est vrai ? insista-t-elle.

Soulevant le plat ainsi emballé, elle le regarda dans les yeux pour la première fois de la soirée. Même si l'incident devait lui revenir en mémoire assez souvent dans les dernières années, il n'avait jamais su exactement ce qu'elle avait voulu dire par ce regard.

3.

Le lendemain, un jeune et riche New-Yorkais, Leon Douglas Saks, suivit les traces de ses ancêtres et fut appelé devant la Torah pour devenir un bar-mitsva. C'était un petit-cousin de Rosa. Bien que n'ayant jamais rencontré le garçon, elle réussit sans trop de difficulté à resquiller une invitation à la réception donnée au Pierre Hotel, au titre de la petite amie d'un des artistes de music-hall à l'affiche, le magicien connu sous le nom de l'Épatant Cavalieri.

Lorsqu'elle se réveilla de sa sieste d'après l'amour ce samedi après-midi-là, dans sa chambre sous les combles, l'Épatant Cavalieri, drapé d'une écharpe, était planté devant son miroir : il contemplait avec grand intérêt le reflet de sa nudité personnelle. Rosa tira un oreiller sur sa tête et demeura complètement immobile, pour pouvoir le regarder en train de se regarder. Elle sentait la trace de l'haleine de son amant dans son propre souffle, la saveur indéfinie mais caractéristique de ses lèvres, quelque part entre érable et fumée. Au début, en l'observant, elle le crut en proie à une crise aiguë d'autoadmiration, et parce qu'elle considérait son absence de vanité pour tout ce qui touchait à son apparence – ses plastrons de chemise tachés d'encre, ses vestons froissés et ses revers de pantalons effrangés – comme une forme de vanité, un trait pour lequel elle l'aimait, elle était amusée. Elle se demanda s'il voyait le poids que sa longue et maigre carcasse avait pris au fil des quelques derniers mois. Au début, quand ils sortaient ensemble, il était si absorbé par son travail qu'il prenait rarement le temps de manger, subsistant assez mystérieusement grâce à du café et des bananes, mais au fur et à mesure que Rosa, à sa grande satisfaction, avait elle-même commencé à absorber Joe de plus en plus, il était devenu un habitué de la table de son père, où les dîners ne comptaient jamais moins de cinq plats et trois vins d'appellation différente. Ses côtes n'étaient plus saillantes, et son postérieur osseux de petit garçon avait pris un embonpoint plus viril. C'était comme si, songea-t-elle, il s'était engagé petit à petit dans un processus de transfert de lui-même de Tchécoslovaquie en Amérique, de Prague à New York ; chaque jour, il y avait un peu plus de lui de ce côté-ci de l'océan. Elle se demanda si cela pouvait être ce qu'il observait en ce moment : la preuve irréfutable de son existence ici, sur cette rive de l'Atlantique, dans cette chambre, comme son Joe à elle. Toujours étendue, elle fixa un moment les jointures gantées de sa colonne vertébrale, la pierre pâle et pointillée de ses épaules. Au bout d'un certain temps, elle s'aperçut qu'il n'arrêtait pas d'étrécir et d'élargir ses yeux bleus, en plissant les coins pour ensuite les ouvrir en un regard fixe et exorbité. Sans arrêt. En même temps il remuait constamment les lèvres, plongé dans une forme de monologue ou d'incantation. De temps en temps, il gesticulait, agitant les doigts autour d'une poignée d'air vide, montrant fièrement quelque prodige invisible.

À la fin, elle ne put plus y tenir et rabattit son oreiller.

– Qu'est-ce que tu fabriques ?

Il sursauta et fit tomber sa cigarette du cendrier posé sur la coiffeuse de Rosa. Il la ramassa, épousseta la cendre sur le tapis, puis vint s'asseoir sur le lit.

– Il y a longtemps que tu me regardais ?

– Une heure, mentit-elle.

Il hocha la tête. Était-il vraiment resté planté là pendant une heure, à se donner le mauvais œil et à s'étonner d'un rien ?

– On aurait dit que tu essayais de t'hypnotiser toi-même ou un truc dans ce genre.

– Je crois que c'était le cas, répondit-il. Je crois aussi que je suis un peu nerveux. (Comme il passait toutes ses soirées en compagnie de phraseurs invétérés et cultivés, son anglais s'était considérablement amélioré.) Me produire devant ta famille, ton père... (Le père de Rosa n'était pas apparu à une réunion de la famille Saks depuis des années, mais il venait à la réception de ce soir juste pour assister à la prestation de Joe. Il avait été également invité à la partie religieuse de la cérémonie ce matin-là, à B'nai Jeshurun, mais Dieu l'en préserve ! Il n'avait pas mis les pieds à la synagogue, calcula-t-il, depuis 1899.) Actuellement, il me prend pour le meilleur magicien de New York, poursuivit Joe. Parce qu'il ne m'a jamais vu. Après la représentation de ce soir, il pensera peut-être que je suis un palooka, un pauvre type.

– Il va adorer, répliqua-t-elle. (Rosa était touchée de voir que l'opinion de son père comptait tant pour lui. Elle l'interpréta comme une preuve supplémentaire de son attachement pour elle.) Ne t'inquiète pas.

– Mmm, fit-il. Tu penses déjà que je suis un pauvre type.

– Surtout pas moi, susurra-t-elle, lui caressant la cuisse d'une main et lui empoignant le pénis, qui commença aussitôt à lui montrer un intérêt renouvelé. Je sais bien que tu es magique...

Elle avait déjà vu son numéro deux fois. La vérité, c'était que Joe était un artiste talentueux mais négligent, enclin à avoir les yeux plus gros que le ventre. Il avait renoué avec sa carrière, comme promis, grâce à la réception des Hoffman à l'hôtel Trevi, en novembre dernier, et avait pris un départ assez problématique quand – oubliant le dédain dans lequel son maître, Bernard Kornblum, avait tenu ce genre de « mécanismes » et succombant à sa fatale faiblesse, dont il devait souffrir toute sa vie, pour les prestations hardies et le *beau geste*[1] – il s'était désespérément empêtré dans le Dragon aux Œufs d'or, tour complexe avec pièces d'artifice qu'il avait acheté, à crédit, à la Boutique de la magie de Louis Tannen. C'était un vénérable échantillon de chinoiserie, datant de l'âge d'or de Ching Ling Fou, où un « dragon » de soie dans une cage de cuivre devait cracher du feu, puis pondre plusieurs œufs multicolores, dont chacun était soumis à l'inspection d'un témoin, en quête de traces de coutures ou d'orifices, avant d'être cassé à l'aide d'une baguette d'argent, dégorgeant ainsi un objet personnel appartenant à un membre de l'assistance, qui ne s'était pas aperçu jusque-là de la disparition de sa montre ou de son briquet. Le vol à la tire n'avait pourtant jamais été le point fort de Joe, et il manquait de préparation. Dans le hall de l'hôtel Trevi, avant le spectacle, il y avait eu un incident déplaisant avec la tante du futur bar-mitsva et son sac à main orné de perles, que Hermann Hoffman avait dû aplanir à la hâte. En plus, pendant la représentation, Joe s'était roussi le sourcil droit. Là-dessus, il s'était rabattu vite fait sur les cartes et les pièces et, là, la reprise de son entraînement et les dons innés de ses doigts l'avaient bien servi. Avec lui, les demi-dollars et les dames des cartes se comportaient bizarrement, étaient dotés de sensibilité et d'émotions et se métamorphosaient en phénomènes météorologiques ; des tempêtes d'as éclataient et des éclairs de nickel tombaient du ciel. Après que Joe eut terminé son numéro, le jeune Maurice Hoffman lui amena un ami qui célébrait sa propre bar-mitsva quinze jours plus tard et avait décidé de pousser ses parents à engager Joe pour l'occasion. D'autres réservations suivirent : tout d'un coup, Joe découvrit qu'il était devenu l'artiste à la mode parmi les adolescents juifs huppés de l'Upper West Side, dont beaucoup, bien entendu, étaient des lecteurs fidèles des comics Empire. Ils ne semblaient pas lui en vouloir si un as s'échappait de temps à autre de son bracelet de montre ou s'il lisait mal dans leurs pensées. Ils l'adoraient, et lui de son côté acceptait leur adoration. En réalité, il paraissait rechercher activement la

1. En français dans le texte. (*N.d.T.*)

compagnie des garçons de treize ans, pas tant parce que cela gratifiait son ego, pensait Rosa, que parce qu'il lui tardait rudement de revoir son frère. Et parce que leur compagnie – respectueuse, sardonique, avide de reconnaissance, obstinée dans leur désir d'aller au fond de chaque tour – semblait très prometteuse pour l'arrivée de Thomas : des amis à l'intelligence tapageuse, à la fois innocents et dégourdis, ingrats ou beaux, mais uniformément bien habillés, le visage exempt de toute ombre mis à part celle de l'acné ou d'un duvet naissant. C'étaient des garçons qui vivaient sans la peur de l'invasion, de l'occupation, de lois cruelles et arbitraires. Encouragé par Rosa, Joe commença, d'abord timidement puis avec beaucoup d'ardeur, à imaginer la transformation de son frère en un petit Américain.

Parfois, quand il discutait à l'avance des préparatifs avec les parents, le nom de Houdini surgissait dans la conversation, et l'on demandait à Joe s'il pouvait (avec une augmentation substantielle de son cachet, naturellement) présenter une évasion, mais il refusait net.

– Je me suis évadé de Prague, disait-il, baissant les yeux vers ses poignets nus comme pour y chercher la trace rouge d'une menotte. Ça suffit peut-être, je crois.

À ce moment-là, les parents, après avoir échangé des regards avec Rosa, acceptaient invariablement de lui établir un chèque de cent dollars. Il ne vint jamais à l'esprit de Joe, semble-t-il, que la raison de sa soudaine popularité dans le circuit des bar-mitsva n'était ni l'adresse aléatoire de ses doigts prestigieux, ni la ferveur inébranlable de ses jeunes admirateurs, mais plutôt la compassion que ces mêmes parents éprouvaient pour un jeune Juif privé de foyer, qui avait réussi tant bien que mal à sortir de l'ombre du drapeau noir ondoyant qui se déployait à travers l'Europe, et qui était connu pour faire don de tous ses revenus à la Transatlantic Rescue Agency.

– Je ne m'améliore pas, proféra-t-il alors, se regardant distraitement étendre la main. Vraiment, c'est gênant. Chez Tannen, ils se moquent tous de moi.

– Tu es bien meilleur que tu ne l'étais, le rassura-t-elle, avant d'ajouter, avec juste une pointe d'égoïsme : Tout va mieux, non ?

– Beaucoup mieux, répondit-il, bougeant un peu dans son étreinte. Oui, beaucoup mieux.

Lors de leur première rencontre, il était un être mélancolique, solitaire, meurtri et brisé par toutes ses bagarres de rue, avec la petite bouche d'incendie, Sammy Clay, pour seul soutien et associé. À présent, il avait des amis, dans sa fameuse boutique magique comme dans le monde artistique new-yorkais. Il avait changé, elle l'avait changé. Dans les pages de *Radio Comics* – dont Rosa était désormais une lectrice fidèle – lui et l'Artiste de l'évasion continuaient de lutter contre les forces de la Chaîne de fer, dans des batailles de plus en plus grotesques et sophistiquées. Mais la triste futilité de ce combat, que Joe avait ressentie si tôt dans son élan vers l'illustré et qui était apparue immédiatement à Rosa, semblait commencer à peser sur l'ingéniosité de son coup de crayon. Mois après mois, l'Artiste de l'évasion réduisait en bouillie les armées du mal, et pourtant, à ce moment-là, ils étaient au printemps 1941, l'empire d'Adolf Hitler était plus étendu que celui de Bonaparte. Dans les pages de *Triumph*, les Quatre Libertés[1] atteignaient même le but « orgasmiquement » impossible de tuer Hitler juste pour apprendre dans le numéro suivant que leur victime n'avait été qu'un double, un automate. Même si Joe continuait à se battre, Rosa voyait bien qu'il n'avait plus le cœur à toute cette destruction. C'était dans les pages d'*All Doll*, dans des royaumes éloignés de la Zothénie ou de Prague que l'art de Joe s'épanouissait désormais.

Papillon Lune était une créature de la nuit, de l'autre monde, de régions mystiques, où le mal œuvrait au moyen de sortilèges et de malédictions, au lieu de balles, de torpilles ou d'obus. Dans ce monde de prodiges, Lune se battait contre des revenants et des démons et défendait tous les rêveurs sans méfiance que nous sommes contre une attaque des obscurs royaumes du sommeil. Par deux fois déjà, elle avait livré bataille à tire-d'aile aux antiques Créatures baveuses qui levaient d'immenses armadas interdimensionnelles de démons. Bien qu'il fût assez facile de voir dans ce genre d'intrigues des allégories paranoïaques d'invasion et de guerre mondiale, et dans le travail de Joe une continuation du conflit autodestructeur de *Radio Comics* et de *Triumph*, le graphisme déployé par Joe pour Papillon Lune était très différent de son empreinte sur les autres périodiques. Le père de Rosa, avec son œil pour déceler les origines indiennes de l'idée surréaliste, avait initié Joe au travail de Winsor McCay. Les paysages urbains oniriques, les perspectives vertigineuses, le ton enjoué, les bizarres métamorphoses et juxtapositions de *Little Nemo in Slumberland** trouvèrent rapidement leur chemin dans les pages de Papillon Lune. Brusquement, les trois étages standard des planches quadrangulaires devinrent une prison d'où il devait s'échapper. Ils entravaient ses efforts pour exprimer les espaces imaginaires disloqués et non-euclidiens dans lesquels Papillon Lune se débattait. Joe débita ses planches en tranches, les étira et les déforma, les découpa en coins et en bandes. Il expérimenta les points Benday, les

1. *Les Libertés*, dont les ventes, pendant les années de guerre, finirent par concurrencer celles de l'Artiste de l'évasion, étaient constituées de quatre adolescents, Kid Einstein, Knuckleduster (connu sous le surnom affectueux de Knuck), Tommy Gunn et Mumbles, une bande assagie de hooligans jusqu'au-boutistes qui avaient troqué les bagarres de rue et les melons cabossés contre la menace de l'Axe et les longs sous-vêtements tricolores assortis. (*N.d.A.*)

hachures croisées, les effets de gravure sur bois et même le collage brut[1]. Dans ce paysage crépusculaire de bravoure, voletait une puissante et insolente jeune femme aux seins énormes, avec des ailes magiques et des antennes fourrées. La bande dessinée se balançait sur un fil, entre le merveilleux et le graveleux, ce qui était aux yeux de Rosa le point d'équilibre du surréalisme lui-même. Dans chaque nouveau numéro, elle voyait Joe se colleter avec les conventions et les clichés des histoires de Sammy, moins simplistes que d'habitude, se frayer un passage vers une forme de percée dans son art. Et Rosa était bien décidée à être là le moment venu. Elle avait le pressentiment qu'elle serait la seule à la remarquer ou à l'apprécier à sa juste valeur quand celle-ci se produirait. Pour elle, Joe avait cet air authentique du bricoleur solitaire, du touche-à-tout de génie, comme le Facteur Cheval ou cet autre Joe, étrange et manquant d'assurance, le surréaliste Cornell, qui ramait vers le sublime dans un vaisseau construit avec les lieux communs, les délaissés et les méprisés. Être là, le soutenir de toutes les façons possibles, à ce moment de l'embarquement et pendant tout l'extraordinaire voyage qui allait suivre, était devenu un élément clef de sa mission d'amour, comme de l'aider à faire venir son frère et de le lier à elle et à l'Amérique par des liens indestructibles. Quant à l'exercice de son propre art, cela avait toujours été moins une affaire de mission qu'une longue manie maussade, une façon d'appréhender ses émotions et ses pensées à l'instant où celles-ci lui traversaient l'esprit et de les fixer sur la toile avant qu'elles ne puissent échapper à son regard. À la fin, le monde, ou du moins cette petite portion du monde qui lisait les comics et les méditait, devrait mettre bien moins de temps à acclamer le génie de Joe que quiconque à reconnaître celui de Rosa – elle la dernière.

– Il vaudrait mieux que je commence à me préparer, murmura-t-il, bien qu'il ne bougeât pas et qu'elle lui empoignât le pénis de plus belle.

– Qu'as-tu l'intention de faire de celui-ci ? s'enquit-elle. Tu pourrais peut-être l'intégrer dans ton numéro. Je pourrais peindre une petite tête dessus...

– Je ne travaille pas avec des poupées !

On frappa à la porte. Elle le lâcha, et il l'enjamba à quatre pattes pour se cacher lui aussi sous le couvre-lit.

– Oui ? répondit-elle.

– Ouvre-moi ! J'ai un petit cadeau pour l'Épatant.

---

1. Trente ans plus tard, quand cet ouvrage fut réédité pour la première fois, *The Strange Worlds of Luna Moth*, « Les Mondes étranges de Papillon Lune » (*Nostalgia Press*, 1970 ; seconde édition, *Pure Imagination*, 1996), fut un best-seller des boutiques psychédéliques. (*N.d.A.*)

C'était son père. Rosa se leva, enfila un peignoir. Puis elle récupéra la cigarette que Joe avait laissé brûler sur la coiffeuse et se dirigea vers la porte.

Son père était planté sur le palier. Pour la réception, il avait revêtu un immense complet trois pièces en seersucker chocolat et portait une housse à vêtements en toile à un bras. Avec curiosité, il dévisagea Joe, qui s'était assis dans le lit, la couverture remontée juste assez haut pour lui couvrir le corps. La question de savoir si c'était le bon moment pour déranger les jeunes amants ou s'il valait mieux revenir plus tard ne lui effleura même pas l'esprit. Il se rua dans la pièce.

– Josef, dit-il, levant sa housse à vêtements. Nous avons noté que chaque fois que vous vous produisiez il vous fallait louer un smoking. (Le père de Rosa était enclin à employer le nous de majesté quand il se sentait particulièrement magnanime.) Il nous a semblé que vous deviez vraiment avoir le vôtre. (Il ouvrit la fermeture Éclair de la housse.) J'en ai commandé un, acheva-t-il.

Le veston était de la couleur du ciel au-dessus du château de Prague par une claire nuit d'hiver. Le pantalon était également d'un bleu anthracite lustré, passepoilé d'un galon doré brillant. Et une petite épingle d'or en forme de crochet de serrurier était agrafée à un des revers de satin noir.

– J'ai un peu réfléchi, reprit le père de Rosa. En l'honneur de qui vous savez.

Il plongea la main dans la poche du veston et en sortit un loup du même satin noir que les revers du veston, doté de longs rubans également noirs.

Rosa était aussi surprise que Joe. Elle souriait si fort que ses oreilles commençaient à lui tirer.

– Joe, souffla-t-elle. Regarde ce qu'il a fait !

– Merci, balbutia Joe. Je...

Il fit mine de vouloir se lever, coincé dans le lit par sa nudité.

– Pour l'amour du ciel, jette-lui une serviette, suggéra le père de Rosa avec un accent traînant. Afin qu'il puisse nous remercier convenablement.

Joe descendit du lit, en remontant la courtepointe autour de sa personne. Il la noua à la taille et prit le smoking bleu des mains du père de Rosa. Suivit une accolade plutôt gauche, puis Mr Saks sortit une flasque et, après avoir fouillé un moment sans espoir dans le chaos de la chambre de sa fille, réussit à dénicher un verre qui n'était que légèrement maculé de traces de rouge à lèvres.

– À l'Épatant Cavalieri, lança-t-il, levant le verre de whisky teinté de rose. Qui... oserais-je le dire ?

– Ose, l'encouragea Rosa, se sentant rougir violemment.

– Je me bornerai à dire que, dans une famille aussi réduite que celle-ci, il y a très certainement de la place pour quelqu'un de plus.

Il but.

Presque ivre du bonheur de l'instant, Rosa scrutait le visage de Joe. Elle vit donc l'expression douloureuse qui, à ces mots, le traversa.

– Mais j'ai déjà une famille, protesta-t-il doucement.

– Oh, oui !... Joe, pour l'amour du ciel, je le sais. C'est juste que...

– Je suis désolé, se reprit immédiatement Joe. C'était très grossier de ma part. Merci beaucoup pour tout. Pour ça. (Il leva le smoking.) Pour votre gentillesse. Pour Rosa...

Il avait presque sauvé la situation, et le père et la fille le lui laissèrent croire. Mais, l'instant d'après, Mr Saks s'enfuyait de la chambre. Rosa et Joe restèrent seuls sur le lit, nus, les yeux fixés sur le costume bleu vide.

4.

La dernière lettre que Joe devait jamais recevoir de sa mère, postée du bureau de poste de la rue Ostrovni, comme la loi l'exigeait, entre une heure et trois heures de l'après-midi, disait ce qui suit (les traits noirs sont la marque du passage brutal de la plume du censeur dans le texte) :

Mon cher fils,
C'est un casse-tête digne du meilleur psychiatre qu'une existence humaine puisse être si totalement vide, et en même temps pleine à craquer d'espoir. Avec le départ de Thomas, nous n'avons d'autre raison de vivre, semble-t-il, que la certitude qu'il est en passe de te retrouver dans cette heureuse nation qui t'a déjà si gentiment accueilli en son sein.

Nous allons tous aussi bien qu'on peut s'y attendre, étant donné les accès de dépit de tante Lou [« tante Lou » était le nom de code familial pour désigner le gouvernement nazi de Prague]. Ton grand-père a perdu les trois quarts de l'acuité auditive de son oreille gauche à la suite d'une infection, ainsi que l'usage partiel de la droite. Il vit donc désormais dans un royaume de conversations à tue-tête et de sereine surdité à toute discussion. Cette infirmité est un avantage précieux dans l'entourage de nos chers amis [c'est-à-dire la famille Katz, avec laquelle les Kavalier partageaient leur appartement], et j'ai parfois vraiment tendance à croire que papa feint simplement d'être sourd, ou qu'il s'est au moins arrangé pour le devenir exprès ! Mon poignet n'est pas encore complètement guéri – il ne le sera jamais en l'absence de soins ~~xxx~~ – et me rend invalide par mauvais temps. Mais, dernièrement, nous avons eu une série de belles journées, et je me suis remise à travailler à ma *Ré-interprétation des rêves*[1] bien que le papier [? pâté] soit ~~xxx~~ embêtement et que je sois obligée de tremper mes vieux rubans de machine dans de ~~xxx~~.

1. Perdu. (*N.d.A.*)

Je t'en prie, Josef, ne continue pas à te tourmenter, ou à perdre ton temps à tenter d'obtenir pour nous ce que tu as déjà, avec l'aide de tes amis, été capable d'arracher pour ton frère. C'est assez, plus qu'assez. Votre défunt père, comme tu le sais, était atteint d'optimisme chronique, mais il est clair pour moi comme pour quiconque n'est ni fou ni frappé de surdité que nous ~~xxx~~ et que les circonstances actuelles dureront tant que nous le voudrons bien. Tu dois refaire ta vie là-bas, avec ton frère, et détourner tes pensées de nous et de ~~xxx~~.

Je n'ai aucune nouvelle de toi depuis trois mois et, même si je suis sûre que tu continues à m'écrire fidèlement, je vois un signe dans ce silence involontaire. Selon toute probabilité, cette lettre ne t'atteindra pas, mais si tu lis ces mots, alors je t'en prie, écoute-moi. Je te demande de nous oublier, Josef, de nous laisser derrière une bonne fois pour toutes. Ce n'est pas dans ta nature, mais il le faut. On dit que les fantômes trouvent pénible de hanter les vivants, et l'idée que notre existence fastidieuse puisse assombrir vos jeunes vies ou vous empêcher d'en profiter me torture. Que la situation contraire doive prévaloir n'est que justice, et tu ne peux pas savoir quel bonheur c'est pour moi de vous imaginer au coin d'une rue éclairée et animée dans cette ville de la liberté et du swing. Mais que tu gâches un instant de plus en t'inquiétant pour nous dans cette cité de ~~xxx~~, non !

Je ne te réécrirai pas, à moins que je n'aie des nouvelles dont tu ne puisses honnêtement être privé. Jusque-là, sache, mon chéri, que tu occupes mes pensées à tout instant de mon temps de veille comme dans mes rêves (cliniquement, assez inintéressants).

Tendrement,

Ta maman

Au moment où il pénétrait dans la grande salle de bal crème et or du Pierre Hotel, cette lettre se trouvait dans la poche revolver de son smoking neuf. Il la gardait sur lui – sans l'avoir décachetée ni lue – depuis des jours. Chaque fois qu'il prenait le temps de réfléchir à son comportement, il le trouvait assez choquant, mais il ne s'attardait jamais très longtemps. L'explosion de culpabilité qui enflammait les nerfs rayonnants de son plexus solaire, lorsqu'il palpait la lettre non ouverte ou se rappelait brusquement son existence, était pour le moins aussi intense, il en était sûr, que tout ce qu'il allait ressentir en brisant son fragile cachet pour laisser échapper l'habituel amalgame grisâtre de mauvais rêves, de suie et de plumes de pigeon. Tous les soirs, il sortait sa lettre sans un regard et la posait sur la coiffeuse. Le matin, il la transférait dans la poche du pantalon du jour. Il serait inexact de dire qu'elle lui pesait comme une pierre, gênant ses déplacements dans la ville de la liberté et du swing, ou qu'elle lui restait comme une arête dans la gorge. Il avait vingt ans, et il était tombé amoureux de Rosa Saks, à la manière à la fois fantasque et pédante des jeunes gens de vingt ans, qui décèlent jusque dans les plus infimes détails la preuve de la perfection systématique de l'ensemble et le signe d'une créature bienfaisante. Par exemple, Joe aimait le système pileux de sa maîtresse sous toutes les formes qu'il prenait sur son corps : le duvet de sa lèvre, les poils fins et doux qui couvraient ses fesses, les antennes brunes que ses sourcils envoyaient périodiquement à l'assaut l'une de l'autre entre deux épilations, la toison drue de son pubis qu'elle l'avait autorisé à raser en forme d'ailes de papillon, les boucles épaisses de sa tête embaumant la fumée. Quand elle travaillait à une toile dans sa chambre sous les combles, elle avait l'habitude, pour réfléchir, de se tenir sur un pied, le gauche, façon cigogne, et de le masser amoureusement du gros orteil droit, à l'ongle laqué aubergine. Mystérieusement, cette teinte-là de violet, et comme l'écho d'une masturbation contemplative enfantine dans sa manière de se frotter la cheville, le frappaient chaque fois comme non seulement adorables, mais lourds de sens. La dizaine de photographies banales de son enfance – combinaison de ski, poney, raquette de tennis, aile menaçante d'une Dodge... – était une source inépuisable d'émerveillement pour lui, du seul fait qu'elle ait pu exister avant de le rencontrer. Et aussi de tristesse, parce qu'il ne possédait aucune des dix millions de minutes de cette existence noir et blanc dentelée, mis à part ces quelques instantanés. Seules les valeurs aguerries d'un tempérament fondamentalement retenu et raisonnable l'empêchaient de parler sans arrêt, aux amis comme aux inconnus, des câpres qu'elle mettait dans la salade de poulet (c'était ainsi que sa défunte mère la préparait), de la pile de mots oniriques qui s'accumulaient nuit après nuit à côté de son lit, de l'odeur de muguet de sa savonnette, etc. Ses portraits de Judy Dark, avec ses robes de soirée et ses maillots de bain de dernière minute copiés dans *Vogue*, et de son alter ego ailé en petite culotte et soutien-gorge profilé, devenaient toujours plus érotiques et provocants – comme si Papillon Lune avait obtenu des assemblées secrètes du Sexe en Soi un accroissement de ses pouvoirs semblable à celui accordé à l'Artiste au début de la guerre – jusqu'à friser, dans certaines planches qui se chargèrent d'une signification sacrée et totémique pour les garçons d'Amérique, la nudité complète.

Ainsi, exactement comme sa mère l'en priait (même s'il n'en savait rien), Joe avait détourné ses pensées de Prague, de sa famille, de la guerre. Tout âge d'or est autant objet de mépris que de félicité. C'est seulement quand il montait à l'arrière d'un taxi, cherchait son portefeuille ou frôlait une chaise qu'il entendait le froissement du papier. Le froufroutement d'une aile. Le chuchotement fantomatique du papier ministre de la maison. Et il baissait un instant la tête de honte.

– Qu'est-ce qu'il y a ? demanda Rosa.

Il avait retiré sa jaquette, avec la clef agrafée au revers, afin de l'accrocher au dossier d'une chaise, et ce geste avait provoqué le bruissement de la lettre dans son enveloppe.

– Rien, répondit-il. O.K., assieds-toi là. Je dois me mettre au travail.

C'était la troisième fois qu'il se produisait au Pierre, et il connaissait assez bien ses particularités, mais il aimait toujours prendre dix minutes pour tâter le terrain ou se familiariser de nouveau avec la salle. Il monta sur l'estrade peu élevée, au fond de laquelle se dressaient trois grands panneaux couverts de miroirs dorés. Il fallait les détacher et les traîner, un par un, en bas des marches, jusqu'à une partie du local où ils ne trahiraient pas les secrets de sa table de magicien. Il régla les cinq rhéostats sur « moyen », afin que la lumière des cinq énormes lustres ne révèle pas ses fils de soie noire ni n'expose le double fond d'une cruche. Les lustres en cristal avaient été drapés, pour la circonstance, de crêpe de Chine vert, censé représenter les algues : selon les programmes imprimés posés sur les assiettes étincelantes, le thème de la soirée était le royaume de Neptune. D'étranges stalagmites violettes saillaient du tapis tout autour de la salle ; vers la droite de l'estrade penchaient l'avant et la plantureuse figure de proue en papier mâché d'un galion englouti, enfoui dans du vrai sable, et au milieu de tout cela bâillait une coquille de clam opalescente géante, d'où Joe espérait sincèrement que Leon Douglas Saks n'aurait pas l'idée d'émerger. Deux mannequins pendaient du plafond, leurs seins de cire ornés de coquilles Saint-Jacques, des queues pailletées de merlu et de flétan à la place des jambes. De lourds filets de pêche, ornés de chapelets de bois flottés, étaient accrochés aux murs, chacun rempli de son butin d'étoiles de mer et de homards en caoutchouc.

– Tu as vraiment l'air de savoir ce que tu fais, commenta Rosa, qui l'observait en train de démonter les miroirs et de mettre au point l'éclairage.

– C'est là la plus grande illusion de Cavalieri !

– Tu es aussi très beau.

– Merci.

– Nous allons donc donner une de ces fêtes, un jour ?

– Nous sommes trop vieux, répondit-il, sans y prêter attention. (Puis il saisit :) Ah ! fit-il. Bon...

– On pourrait avoir des filles, j'imagine.

– Une fille peut y avoir droit aussi. On me l'a dit. Ça s'appelle alors une bas-mitsva.

– Qu'est-ce que tu préfères ?
– Bat-mitsva. Bat ou bas, je ne suis pas sûr.
– Joe ?
– Je ne sais pas, Rosa ! s'exclama-t-il. (Il sentait bien qu'il aurait dû lâcher ce qu'il faisait pour aller vers elle, mais ce sujet de conversation avait quelque chose qui l'irritait et il était conscient de se renfermer en lui-même.) Je ne suis même pas sûr de vouloir des enfants.
Toute espièglerie avait quitté Rosa.
– C'est O.K., Joe, acquiesça-t-elle. Je ne suis pas sûre non plus.
– Je veux dire, est-ce vraiment le moment ou le genre de monde où nous avons envie de donner naissance à un enfant ? C'est toute la question.
– Ouais, ouais, ouais, fit-elle. N'y pense plus. (Elle rougit et lissa sa jupe.) Ces rochers violets ont l'air si familiers...
– Je trouve aussi.
– Cette salle est incroyable, poursuivit-elle. Je n'ai jamais vraiment feuilleté le Talmud ou ce genre de chose, tu sais, mais c'est difficile d'imaginer qu'ils sautaient de coquilles de clam géantes pour retourner à Tarsis ou ailleurs...
– Tant qu'ils ne mangeaient pas les clams, ajouta Joe.
– Tu as eu droit à un de ces trucs ?
– Non, je n'y ai pas eu droit. Je l'ai envisagé, mais non. Nous n'étions pas pratiquants.
– Oui, oui.
– Sommes, se reprit-il, ne sommes pas. (Joe eut l'air malheureux. Il se redressa et fléchit les doigts plusieurs fois.) Nous ne sommes pas pratiquants.
– Nous ne le sommes pas non plus.
Il revint vers la chaise à laquelle il avait accroché sa veste, plongea une main dans la poche, sortit la lettre dans son enveloppe bleu pâle et la tint en l'air, les yeux fixés dessus.
– Pourquoi la gardes-tu sur toi ? s'enquit Rosa. Tu l'as ouverte ? Qu'est-ce qu'elle dit ?
On entendit des bruits de voix ; les portes de la salle de bal s'ouvrirent à la volée et les musiciens entrèrent, suivis d'un des garçons de l'hôtel en veste blanche, qui poussait un chariot. Les musiciens grimpèrent sur l'estrade et commencèrent à ouvrir leurs étuis. Joe avait déjà travaillé avec certains d'entre eux. Ils échangèrent des signes de tête et Joe accepta de bonne grâce leurs sifflements et leurs taquineries sur son nouveau smoking. Il rangea l'enveloppe, puis remit sa veste. Il tira ses manchettes, lissa ses cheveux en arrière et noua son masque de soie. À cette vue, les musiciens se mirent à applaudir.

– Eh bien ? lança-t-il, en se tournant vers Rosa. Qu’en penses-tu ?

– Très mystérieux, déclara Rosa. Vraiment.

Un drôle de cri étranglé retentit près de la porte. Joe se retourna juste à temps pour voir le garçon en veste blanche se ruer hors de la salle de bal.

5.

Le Gantelet d'acier, Kapitän Mal, le Panzer, Siegfried, l'Homme à la Swastika, les Quatre Cavaliers et Wotan le Méchant limitent généralement tous leurs abominables opérations aux champs de bataille d'Europe et d'Afrique du Nord, mais le Saboteur, le Roi de l'infiltration, le Vandale suprême, habite, lui, au cœur d'Empire City. Dans un réduit secret, camouflé en immeuble délabré, en plein Hell's Kitchen. C'est ce qui le rend si efficace et si redoutable. C'est un citoyen américain, un homme ordinaire, sorti d'une ferme de l'Amérique profonde. Le jour, humble et obscur, il travaille dans un des commerces anonymes de la grande ville. La nuit, il rampe hors de son repaire, avec son gros sac noir plein de sales tours, et fait la guerre aux infrastructures de la cité et de la nation. Il est le contraire ténébreux de l'Artiste jusqu'à la moelle, aussi habile à s'insinuer quelque part que l'Artiste l'est à se frayer un chemin vers la sortie. De même que les pouvoirs de l'Artiste ont augmenté, ceux du Saboteur aussi, jusqu'à ce que ce dernier soit capable de traverser les murs, d'effectuer des bonds de dix mètres de haut et d'obscurcir les esprits des hommes afin de pouvoir passer ni vu ni connu au milieu d'eux.

Un des murs du poste de commandement de son repaire est une carte électrique géante des États-Unis. Dessus, les bases militaires sont indiquées par un voyant bleu, les usines de munitions par un jaune, les chantiers navals par un vert. Après que le Saboteur a frappé, l'ampoule correspondant à cette cible, quelle que soit sa couleur d'origine, prend une vilaine nuance rougeâtre. Le Saboteur aime déclarer qu'il n'aura de cesse que toute la nation ne soit embrasée d'ampoules rouge sang. À un autre mur est accroché le Vidéoscope, grâce auquel le Saboteur demeure en contact permanent avec son réseau d'agents et d'opérateurs d'un bout à l'autre du pays. Il y a un laboratoire, où le Saboteur conçoit de sinistres types d'explosifs, et un atelier d'usinage, où il fabrique les nouveautés en matière de bombes – la Mouette détonante, le Melon détonant, le Pin détonant... – pour lesquelles il est connu et vilipendé. Il y a aussi une salle de gymnastique entièrement équipée, une bibliothèque garnie de tous les ouvrages de pointe sur la science et la domination du monde, ainsi qu'une chambre chic avec des boiseries et un lit à baldaquin que le Saboteur (implicitement) partage avec Renata von Voom, la Reine des espions, sa fiancée et membre fondateur des Cobras-Unis. C'est dans le repaire bien aménagé du Saboteur que les Cobras tiennent leurs réunions régulières. Ah ! les joyeuses et tapageuses sauteries des Cobras-Unis d'Amérique autour de friandises rares et d'une bonne lager ! Ils s'asseyent à la table d'obsidienne miroitante, la Cinquième Colonne, Mr Effroi, Benedict Arnold, Junior, la Reine des espions et lui, se régalent mutuellement des récits des ravages, de la haine et de la destruction qu'ils ont semés au cours de la semaine précédente, en riant comme les fous qu'ils sont, et échafaudent de nouveaux moyens d'action pour l'avenir. Ah ! la terreur qu'ils provoqueront ! Ah ! les retardés, les sang-mêlé et les races inférieures qu'ils pendront haut et court par leurs cous de bâtards !

Un samedi après-midi, après un rassemblement particulièrement exubérant des Cobras, le Saboteur se réveille dans ses luxueux appartements et s'apprête à quitter le Repaire pour le travail subalterne qui sert de couverture à ses activités subversives. Il retire sa combinaison de combat nuit noire et la suspend à une patère de son arsenal, à côté de ses six autres exemplaires. Son emblème, une pince à levier couleur pourpre, est souligné d'argent sur la poitrine. Y a-t-il un relent de bière et de saucisses sur l'épaule du costume ? Voire de cigares mexicains ? Il faudra qu'il l'envoie chez le teinturier. Le Saboteur est méticuleux pour ce genre de chose : il ne supporte ni la saleté, ni la grossièreté, ni le désordre, à moins que ce ne soit la pagaille, la splendide entropie d'un incendie, d'une explosion ou du déraillement d'un train. Après avoir ôté son costume, il enfile un pantalon noir également passepoilé de noir. Il passe un peigne humide dans ses cheveux incolores peu fournis et rase sa bouille rose de bébé. Puis il met une chemise blanche empesée, attache le faux col, fixe un nœud papillon noir et décroche une jaquette blanche. Celle-ci vient de revenir de la teinturerie et pend dans un sac en papier gaufré. Il la jette sur son épaule et puis sort, non sans regret, de l'arsenal impeccable et caverneux. Ensuite, il entre dans son laboratoire et récupère les pièces démontées du Trident détonant, astucieusement cachées à l'intérieur d'une boîte à gâteaux rose d'une boulangerie de la Neuvième Avenue. Avec la boîte sous le bras et la jaquette sur l'épaule, il se retourne pour dire au revoir de la main à Renata, qui le regarde paresseusement à travers ses paupières aux longs cils à demi fermées, allongée dans le grand lit de chêne, sous le portrait du Führer.

– Étends-les sur le carreau, mon grand, susurre-t-elle de sa voix imbibée de vermouth, alors qu'il sort par le sas du Repaire retrouver la poussière, la saleté et l'atmosphère polluée, empestant les immigrés, les Nègres et les bâtards d'Empire City.

Le Saboteur ne répond pas à son adieu languissant ; il est en action, déjà tout à son affaire. Il attrape un autobus pour traverser la ville jusqu'à la Cinquième Avenue, puis un autre pour remonter vingt blocs d'habitations. D'habitude, il a horreur de prendre le bus, mais il est déjà en retard, et si l'on est en retard, on vous le retient sur votre paye. Le loyer du Repaire n'est pas cher, mais ses émoluments sont assez bas pour ne pas se voir encore rognés pour cause de retard. Il sait qu'il ne peut pas se permettre le luxe de perdre une nouvelle place ; sa sœur Ruth l'a déjà averti qu'elle ne le « soutiendrait » pas. Absurde que le Saboteur doive s'inquiéter pour des questions aussi bassement matérielles ! Mais ce sont là les sacrifices nécessaires pour garder une identité secrète. Regardez tous les problèmes et les ennuis que Lois Lane attire à Clark Kent, par exemple !

Il a dix minutes de retard – cela fait cinquante cents, cinq Te Amos de perdus – et, à son arrivée là-bas, découvre qu'ils ont déjà commencé à préparer la salle de bal pour la réception. Le décorateur efféminé est occupé à régenter ses employés, leur ordonnant d'accrocher les filets de pêche, de monter l'épave en carton et de rouler à l'intérieur les grosses formations rocheuses en caoutchouc qui ont été récupérées, d'après ce que lui a dit Mr Dawson, le gérant de la salle, de ce spectacle érotique, *Le Rêve de Vénus*, dans l'allée centrale de la Foire mondiale. Le Saboteur est bien renseigné sur les tenants et les aboutissants de la fête de ce soir, car c'est celle qu'il a choisie pour décor de son plus grand exploit à ce jour.

Le Pierre Hotel est un lieu apprécié pour les réceptions de mariage et de bar-mitsva des Juifs nantis de la ville, comme l'a découvert le Saboteur peu après avoir pris sa place. Presque chaque semaine, ils s'y pressent comme des porcs autour leur auge, dépensent leur argent sans compter (ils s'approchent le plus près possible du gosse boutonneux de la semaine et fourrent des paquets d'espèces dans sa ceinture de smoking !), se soûlent et se livrent à leurs danses mortelles sur la musique plaintive des violons. Même si cela l'exaspère de devoir servir de telles gens et de leur obéir, le Saboteur sait depuis le début que cette identité secrète lui donnera, en temps utile, l'occasion de frapper un grand coup. Des mois durant il avait rongé son frein, améliorant sa technique de fabricant de bombes sous la férule d'un vieil ivrogne d'anarcho-syndicaliste, Fiordaliso, dévorant Feuchtwangler et Spengler* (et *Radio Comics* !), guettant le bon moment. Puis, un soir de l'hiver dernier, l'Épatant Cavalieri était apparu à l'affiche d'une bar-mitsva, sortant des cigarettes allumées de foulards et faisant éclore des fleurs à sa boutonnière, et il se révéla être nul autre que Josef Kavalier. (Le Saboteur avait depuis longtemps rectifié son erreur, selon laquelle c'était la moitié Sam Clay de l'équipe qui était l'auteur de la destruction des bureaux de la L.A.A. et du croquis dédicacé de l'Artiste de l'évasion, lequel pendait maintenant à une cible de fléchettes dans le gymnase du Repaire.) Sur le moment le Saboteur avait été stupéfait, puis il se mit à penser que son heure n'allait peut-être pas tarder à sonner. Pendant des semaines après ce fameux soir, il baratina Mr Dawson et, par son intermédiaire, suivit de près les programmes des réjouissances à venir, guettant une réapparition de l'Épatant Cavalieri au calendrier. Et ce soir, c'était le grand soir. Quand il arriva au bureau, c'était avec l'intention de montrer à Joe Kavalier que, si Carl Henry Ebling était peut-être un fainéant de rabâcheur et de pamphlétaire, le Saboteur, lui, ne devait pas être traité à la légère et n'avait pas la mémoire courte. En même temps, il allait liquider avec une magistrale précision tous les autres bâtards qui se trouveraient dans l'entourage du jeune Juif. Oui, il se serait contenté de cela. Comme c'est surprenant alors, troublant, merveilleux, curieux, d'entrer dans la grande salle de bal, en poussant la table roulante où est cachée le Trident détonant, et de découvrir que le magicien engagé pour la bar-mitsva des Saks n'est pas un barbouilleur au noir mais l'Artiste de l'évasion en personne, l'idole secrète du Saboteur, son opposé, masqué et entièrement costumé, le symbole de sa maudite ligue au revers du veston !

À cet instant, la feuille de papier sur laquelle le profil psychologique de Carl Ebling a été tracé est semblable à un plan trop souvent soigneusement plié et replié. Le verso transparaît, les antipodes se superposent. Au cœur d'une grille grise et ramifiée des rues de la ville se trouve une étendue vierge de mer bleue.

Y a-t-il déjà eu un moment où Superman s'est attardé une seconde de trop dans sa timide enveloppe de Kent, saisi par une hésitation fatale ? L'Artiste de l'évasion a-t-il jamais oublié d'agrafer son talisman pour se lancer dans la bagarre sur ses jambes infirmes ? Le Saboteur s'efforce de rester calme, mais la chiffe molle bègue avec qui il doit partager son existence est un paquet de nerfs et, comme un fou, il ressort en courant de la pièce.

Il se retrouve dans le foyer à l'extérieur de la salle de bal, appuyé à un mur, la joue pressée contre le papier tontisse doux et frais. Il allume une cigarette, inspire à fond, se calme. Il n'y a pas lieu de s'affoler ; il est le roi du noyautage et sait quoi faire. Il écrase sa cigarette dans le sable d'un cendrier proche et reprend sa table roulante. Cette fois-ci, en pénétrant dans la salle de bal, il a la présence d'esprit de garder la tête baissée, afin d'éviter d'être reconnu par l'Artiste.

– Excusez-moi, murmure-t-il, poussant sa table jusqu'à l'autre bout de la scène, à côté de la membrure brisée du navire englouti.

Son engin a une roue qui grince ; il est persuadé qu'il doit attirer l'attention des musiciens sur l'estrade, du magicien et de sa petite amie au grand nez. Mais quand il se retourne, tous sont absorbés dans leurs préparatifs. La fille est assez jolie, pense-t-il, et son manteau noir masculin lui rappelle, avec un pincement au cœur, celle qui règne sur ses propres désirs. Arrivé au bateau, il s'arrête, s'accroupit derrière sa table et ouvre le compartiment où les garçons du service des repas empilent les plats chauds pour les monter dans les chambres.

Jusqu'ici la salle de bal était trop envahie par les allées et venues des décorateurs, des garçons et du personnel de l'hôtel qui apprêtaient la salle pour que le Saboteur ait trouvé l'occasion d'assembler les parties de son Trident détonant. À présent il travaille vite, visse le long tube fin contenant la poudre noire et les clous à tête sciée dans un deuxième tube vide. Ce sera le manche. Sur le bout factice, il fixe des dents de cellophane rigide rouge, fauchées sur la fourche d'un costume de diable d'un magasin de déguisements, au moyen d'un bout de papier cache adhésif. Cela a l'air un peu suspect, il en est conscient, mais, par bonheur, la vraisemblance n'est pas quelque chose que les gens attendent en général d'un trident du dieu de la mer. Il déroule les quinze centimètres du cordeau qui dépasse d'un trou foré dans l'extrémité opérante de l'engin. Ensuite, il se relève et, marquant une pause pour voir s'il n'est pas observé, s'approche furtivement d'un des filets de pêche cloués au mur et remplis de son butin de faux crustacés. Personne ne voit rien ; son grand pouvoir d'invisibilité de toute une vie demeure son plus fidèle allié. Avec précaution, il enfile le trident dans les lourdes mailles du filet jusqu'à ce que le bout au cordeau heurte le tapis. L'heure venue – lorsque l'Artiste de l'évasion aura commencé son numéro légendaire –, le Saboteur s'arrangera pour repasser par là. Il déposera un mégot de Camel incandescent contre un brin du filet, de sorte que le bout non allumé touche le cordeau. Puis il se dépêchera de se mettre en sécurité et attendra. Cinq minutes plus tard, les bâtards d'Empire City commenceront à savoir quelque chose de la terreur que leurs frères et sœurs bâtards subissent dans l'autre moitié du monde.

Le Saboteur repart vers la sortie avec sa table roulante. Au dernier moment, en passant devant le magicien, il ne peut s'empêcher de lever la tête et de regarder son adversaire dans les yeux. S'il y voit une lueur de reconnaissance, celle-ci s'éteint instantanément, tandis que les portes de la salle de bal s'ouvrent en grand et qu'arrivent les premiers invités, qui rient, crient et s'interpellent de leurs voix sonores de basse-cour.

6.

Ce qui suit est le programme prévu pour la représentation donnée par l'Épatant Cavalieri le soir du 12 avril 1941. Un exemplaire, imprimé par l'artiste lui-même au moyen d'une authentique presse typographique junior « Apprenti imprimeur », pêchée dans le stock des nouveautés juste avant qu'Empire ne déménage du Kramler Building, en fut distribué à tous les invités peu avant le spectacle.

Les Tribulations d'un foulard
La Multiplication des bananes
Flash
Le Fil invisible
L'Apparition du bocal à poissons rouges
La Corde
Une Carte pensée
Le Feu dans les mains
La Malle des Indes
L'Envol des colombes

Du fait de son complexe en anglais, et d'une méfiance à l'égard du baratin héritée de son grand professeur, les prestations de Joe étaient rapides et silencieuses. Fréquemment, il s'entendait dire, en général par la mère ou la tante du héros de la bar-mitsva, que le spectacle était très beau. Mais cela l'étoufferait-il de sourire un peu de temps en temps ? Ce soir-là ne fit pas exception à la règle. Les invités disséminés dans la réception des Saks qui connaissaient déjà son numéro eurent peut-être même l'impression qu'il était encore plus réservé que d'habitude, plus professionnel dans son approche. Ses manipulations et ses déplacements n'étaient ni trop pressés, ni trop lents, et il n'y eut pas de cartes semées par terre ni de cruches d'eau renversées, comme c'était parfois déjà arrivé dans le passé. Mais, visiblement, il ne prenait aucun plaisir dans les magnifiques tours qu'il accomplissait. On eût dit que cela ne représentait rien pour lui de pouvoir sortir un aquarium de poissons rouges d'une boîte de sardines, ou de faire passer un régime entier de bananes à travers le crâne d'un garçon de treize ans, une banane après l'autre. Rosa supposait que Joe était troublé par quelque chose qu'il avait lu dans cette dernière lettre de chez lui et elle regrettait, comme elle l'avait déjà regretté maintes fois, qu'il ne soit pas davantage prêt à partager avec elle ses peurs, ses doutes et toutes les mauvaises nouvelles qui pouvaient venir de Prague.

En dépit de ses efforts, Longman Harkoo était une de ces personnes incapables, en raison d'une anomalie de vision ou de compréhension, de suivre l'enchaînement d'un numéro de magie, comme d'autres vont à des matches de base-ball sans jamais réussir à voir la balle – pour eux, un *home run* écrasant se limite à dix mille spectateurs qui tendent le cou. Il renonça vite à tenter de prêter attention aux choses qui étaient censées l'épater et se surprit à chercher les yeux du jeune homme derrière son masque de soie noire. Leur regard parcourait la salle sans arrêt – en soi, c'était déjà assez impressionnant qu'il soit capable de manipuler ses cartes et autres accessoires de son numéro sans regarder ses mains – et semblait, remarqua Harkoo, suivre en particulier les faits et gestes d'un des serveurs.

Joe avait immédiatement reconnu Ebling, même s'il avait mis un moment à le situer, distrait par le devoir de saluer ses hôtes et la famille de Rosa, et de tirer des pièces de dix cents et des allumettes du nez du héros de la fête. L'Aryen semblait avoir perdu du poids depuis leur dernière rencontre. Ensuite, la surprise absolue de revoir Ebling avait interféré avec sa capacité à l'identifier. Il n'avait pas accordé une pensée à cet individu ni à sa guerre personnelle contre les Allemands de New York pendant de nombreuses semaines. Il n'allait plus chercher les ennuis ; après l'échec de l'alerte à la bombe, Joe avait eu l'impression d'avoir battu Ebling en duel. L'homme paraissait tout simplement avoir abandonné le terrain. Joe était retourné une fois à Yorkville pour laisser sa carte de visite ou un « na-na-na-nanère » sur la Ligue aryano-américaine. La pancarte n'était plus dans la vitrine et, quand Joe entra par effraction dans le bureau pour la deuxième fois, il trouva les lieux vides. Le mobilier et les dossiers avaient été déménagés, le portrait de Hitler décroché, sans même laisser de carré plus clair sur le mur. Il ne restait qu'une vieille frite, gisant tel un papillon de nuit au beau milieu du plancher creusé de sillons. Carl Ebling avait disparu sans laisser d'adresse.

Maintenant le revoilà garçon au Pierre Hotel. Et manifestement – Joe le savait avec autant de certitude qu'il savait que les poissons rouges de son bocal n'étaient que des morceaux de carotte qu'il avait coupés à l'aide d'un couteau à dessert – il mijotait un mauvais coup.

Pendant qu'il allait et venait en hâte à travers la salle de bal un plateau sur l'épaule, il n'arrêtait pas de regarder Joe. Non pas les foulards de soie et les cerceaux dorés qu'il avait à la main, mais lui, droit dans les yeux, avec une expression qui s'efforçait de rester vide et anonyme, bien que teintée aux commissures d'une rougeur trahissant une malveillance ouverte.

Au moment où il s'apprêtait à attaquer le numéro de la Corde, au cours duquel le nœud qu'il avait fait à un foulard de soie semblait aux yeux de tous, sous l'effet de son souffle, se déplacer sur la corde des autres foulards de soie ordinaires tenue en l'air par des membres volontaires du public, Joe flaira une odeur de fumée. L'espace d'un instant, il crut qu'il s'agissait des émanations subsistantes de son Flash, mais après analyse il comprit que c'étaient indubitablement des effluves de tabac. Avec autre chose en plus, quelque chose d'âcre, comme des poils brûlés. Puis il remarqua une fine volute qui sortait du côté de l'estrade, d'en bas à sa gauche, près du navire englouti. Aussitôt, il lâcha le foulard au nœud diabolique et se dirigea, rapidement mais sans montrer d'affolement, vers la fumée qui griffait l'air. Sa première pensée fut que quelqu'un avait laissé tomber une cigarette, puis un soupçon le titilla et le visage d'Ebling lui traversa l'esprit. Alors il vit tout : le petit cylindre de cendre consumé presque jusqu'au bout imprimé de la cigarette, le tapis roussi, le cordeau gris, le tube d'acier grossièrement camouflé sous de la cellophane rouge criard. Il s'immobilisa, se retourna et regagna sa table où était posé le bocal, celui de l'Apparition du bocal à poissons rouges, avec ses copeaux de carotte éclatants qui surnageaient.

Comme il prenait le bocal, des murmures s'élevèrent des tables.

– Excusez-moi, dit-il. Nous avons un petit feu, apparemment.

Au moment où il allait verser de l'eau sur la cigarette, il sentit quelque chose de gros, de lourd et d'extrêmement dur le frapper au creux du dos. Cela ressemblait nettement à une tête humaine. Joe voltigea en avant. Le bocal à poissons rouges tomba de ses mains et se fracassa sur l'estrade. Ebling grimpa sur Joe, lui agrippant les joues par-derrière. En tentant de rouler sur le dos, Joe jeta un coup d'œil et vit que le cordeau produisait une minuscule pluie d'étincelles. Renonçant à essayer de se retourner, il poussa vers le haut en s'aidant des mains et des pieds et se mit à ramper, avec Ebling qui le chevauchait, fou furieux tel un singe sur le dos d'un poney, vers la bombe dissimulée dans le tube. Les personnes assises le plus près de la bombe avaient déjà remarqué le petit foyer, et le sentiment général de la salle était que rien de tout cela n'était prévu dans le spectacle. Une femme cria, puis un tas de bonnes femmes se mirent à crier à leur tour. Joe se traînait toujours de l'avant avec son cavalier qui lui labourait le visage et lui tirait les oreilles. Ebling referma les bras autour de la gorge de Joe et chercha à l'étrangler. À ce moment-là, Joe arriva au bout de l'estrade. Il perdit l'équilibre, et lui et Ebling basculèrent par terre. Ebling roula sur lui-même et alla heurter le filet étendu au mur, lequel se décrocha, déversant un monceau d'étoiles de mer et de homards en caoutchouc sur lui.

Ebling eut juste le temps de dire : « Non ! » Puis une lourde feuille métallique sembla tomber sur la tête de Joe, lui envelopper d'acier le visage, la gorge et les oreilles. Il fut projeté en arrière et quelque chose de brûlant, un fil incandescent, lui fouetta le front avec un sifflement. Presque immédiatement suivit un bruit horrible, telle une lourde massue qui s'abattrait sur un sac de tomates, accompagné d'une odeur automnale de poudre à canon.

– Oh, merde ! s'exclama Carl Ebling.

Il s'assit, cligna des yeux, s'humecta les lèvres, du sang sur le front, du sang aussi dans les cheveux, sa veste blanche immaculée constellée désormais de petites empreintes sanglantes.

– Qu'est-ce que tu as fait ? s'entendit ou plutôt se sentit dire Joe, quelque part au fond de sa gorge. Ebling, qu'as-tu fait, nom de Dieu ?

On les transporta au Mt Sinai Hospital. Les blessures de Joe étaient légères comparées à celles d'Ebling et, une fois débarbouillé, une fois ses plaies faciales soignées et la déchirure de son front refermée avec un pansement papillon, il fut en mesure de retourner, à la demande générale, à la grande salle de bal du Pierre, où on l'acclama, but à sa santé et le couvrit d'argent et d'éloges.

Quant à Ebling, il fut d'abord inculpé de possession illégale d'explosifs, mais ce chef d'inculpation devait par la suite être étendu à celui de tentative volontaire d'homicide. Finalement, il fut accusé d'une quantité d'incendies mineurs, d'actes de vandalisme contre des synagogues, d'attentats à la bombe contre des cabines téléphoniques et même d'une tentative de déraillement du métro de l'hiver précédent qui avait suscité la vive attention des journaux mais était restée non résolue jusqu'à ce que le Saboteur l'eût avouée avec tous ses autres exploits.

Tard, ce soir-là, Rosa et son père aidèrent Joe à descendre du taxi sur le trottoir et, de là, à remonter l'étroite ruelle menant au perron de la maison Harkoo. Ses bras étaient pendus à leurs épaules et ses pieds semblaient glisser à cinq centimètres du sol. Il n'avait pas bu une goutte de toute la soirée, sur la recommandation du médecin des urgences de Mt Sinai, mais les analgésiques à la morphine qu'on lui avait administrés avaient fini par produire leur effet. De ce transfert du taxi au trottoir, Joe ne devait plus tard garder que le vague souvenir agréable de l'odeur de *kölnischewasser* de Siggy Saks et de la fraîcheur de l'épaule de Rosa contre sa joue à vif. Ils le hissèrent jusqu'à l'atelier de Rosa et l'étendirent sur le divan. Rosa délaça ses chaussures, déboutonna son pantalon, lui retira sa chemise. Elle lui baisa le front, les joues, la poitrine, le ventre, lui remonta la couverture jusqu'au menton, puis baisa ses lèvres. D'une main douce et maternelle, le père de Rosa dégagea les cheveux du front bandé de Joe. Puis celui-ci se retrouva dans les ténèbres, et la pièce se vida du bruit de leurs voix. Joe sentit le sommeil s'amonceler autour de lui, s'enrouler telle de la fumée, ou du coton, le long de ses membres. Il lutta quelques instants, avec une agréable sensation de résistance, comme un enfant à la piscine peut tenter de se tenir debout sur un ballon de foot. Juste au moment où il succombait à son épuisement opiacé, l'écho de l'explosion de la bombe recommença à carillonner dans ses oreilles et il se dressa sur son séant, le cœur battant. Il alluma une lampe de chevet, gagna le canapé bas sur lequel Rosa avait étalé son habit bleu et leva sa veste. Curieusement affolé, comme si ses mains étaient enveloppées de couches de gaze, il en palpa les poches au ralenti. Il prit la veste par la queue de pie, la pendit à l'envers, la secoua, la secoua encore. Il en sortit des liasses de billets, des collections de cartes professionnelles et de *cartes de visite*[1], des dollars d'argent et des jetons de métro, des cigarettes, son couteau de poche, des coins déchirés de son programme tout griffonnés d'adresses et de numéros de téléphone des personnes qu'il avait sauvées. Il retourna sa veste et retourna chacune de ses dix poches. Il tomba à genoux et brassa mille fois le tas de cartes, de dollars et de bribes de programme déchiquetés. C'était comme le cauchemar classique du magicien où le rêveur bat, avec un effroi grandissant, un jeu à la fois ordinaire et infini, à la recherche d'une reine de cœur ou d'un sept de carreau qui on ne sait pourquoi ne sort jamais.

Tôt le lendemain matin, groggy, courbaturé et rendu à demi fou par un tintement d'oreilles, il retourna au Pierre et passa la salle de bal au peigne fin. Il enquêta plusieurs fois au cours de la semaine suivante au Mt Sinai Hospital et contacta le service des objets trouvés du Hack Bureau.

Plus tard, après que le monde eut été coupé en deux, et que l'Épatant Cavalieri et son habit bleu ne furent plus trouvables que dans les pages dorées sur tranche des albums de photos de luxe exposés sur les tables basses de l'Upper West Side, Joe pensait parfois malgré lui à l'enveloppe bleu pâle en provenance de Prague. Il essayait d'imaginer son contenu, se demandant quelles nouvelles, émotions ou consignes elle avait pu renfermer. C'est à cette époque qu'il commença à comprendre, après toutes ces années d'études et de spectacles, d'exploits, de prodiges et de surprises, l'essence de la

1. En français dans le texte. (*N.d.T.*)

magie. Le magicien semblait promettre qu'une chose mise en lambeaux pouvait être raccommodée sans couture, que ce qui avait disparu pouvait réapparaître, qu'une poignée de colombes ou de poussière dispersée aux quatre vents pouvait être réunie par un mot, qu'une rose en papier consumée par le feu pouvait refleurir d'un tas de cendres. Mais tout le monde savait bien que ce n'était qu'une illusion. La véritable magie de ce monde brisé résidait dans la faculté qu'avaient les choses qu'il contenait de disparaître, d'être si complètement perdues qu'elles eussent pu ne jamais exister.

7.

Un des préceptes les plus solides de l'étude de l'illusion humaine est que tout âge d'or est ou passé ou à venir. Les mois précédant l'attaque de Pearl Harbor par les Japonais constituent une rare exception à cet axiome. En 1941, dans le sillage de la Foire mondiale, cette explosion de confiance tapageuse, une importante partie des citoyens de New York firent la curieuse expérience d'éprouver pour l'époque dans laquelle ils vivaient, au moment même où ils la vivaient, ce drôle de mélange d'optimisme et de nostalgie qui est la marque habituelle de l'illusion de l'âge d'or. Un pays après l'autre, le reste du monde était occupé à alimenter la fournaise, mais alors que les journaux de la ville et les actualités du Trans-Lux étaient remplis de mauvais augures, de défaites, d'atrocités et d'inquiétudes, le moral général du New-Yorkais ne s'apparentait en rien à un état de siège, un affolement ou une triste résignation au destin, mais évoquait plutôt le contentement d'une femme qui lit en buvant du thé au coin du feu, pelotonnée sur un sofa, les doigts de pied en éventail, tandis qu'une pluie froide tambourine au carreau. L'économie connaissait un regain non seulement sensible mais perceptible dans les frémissements de ses différentes branches, Joe DiMaggio frappait au moins un coup sûr dans cinquante-six matches consécutifs et les fameux grands orchestres atteignaient leur suave et extatique apogée dans les salles de bal des hôtels et les pavillons d'été d'Amérique éclairés par les papillons de nuit.

Étant donné la propension habituelle de ceux qui croient avoir vécu un âge d'or à discourir par la suite en long et en large sur le sujet, c'est une ironie que la nuit d'avril où Sammy eut un sentiment aigu du lustre de son existence – le moment où, pour la première fois de sa vie, il prit pleinement conscience de son bonheur – fut une nuit dont il ne devait jamais parler à personne.

Il était une heure, un mercredi matin. Planté seul au sommet de la ville de New York, Sammy regardait dans la direction des nuées orageuses, à la fois au propre et au figuré, qui s'amoncelaient au loin à l'est. Avant de prendre son poste à dix heures, il s'était douché dans la cabine rudimentaire qu'Al Smith avait fait construire pour les guetteurs d'aéronefs, dans leurs quartiers du quatre-vingt-unième étage, et s'était changé pour revêtir le pantalon ample en sergé et la chemise en oxford bleu délavé qu'il gardait ici dans son casier et qu'il mit trois soirs par semaine du début à la fin de la guerre, les rapportant chez lui après sa garde du vendredi de façon à les laver à temps pour celle du lundi. Afin de sauver les apparences, il remettait ses chaussures pour la montée rapide à l'observatoire, mais, une fois là-haut, il se déchaussait de nouveau. C'était son habitude, sa vanité et son bizarre réconfort de patrouiller en chaussettes le ciel de Manhattan, à l'affût des bombardiers ennemis et des saboteurs aériens. Pendant qu'il faisait ses tournées régulières du quatre-vingt-sixième étage, bloc-notes sous le bras, lourdes jumelles militaires pendues à un cordon autour du cou, il sifflait tout seul, sans s'en rendre compte, un air à la fois discordant et compliqué.

Cette garde-ci promettait d'être particulièrement tranquille. Les vols nocturnes de nature réglementaire étaient rares, même par temps clair. Ce soir, avec des prévisions de pluies accompagnées de tonnerre et d'orages électriques intermittents, il y aurait encore moins d'avions que d'habitude dans le ciel. Comme toujours, au bloc-notes de Sammy était fixée une liste dactylographiée fournie par le Commandement d'interception militaire, service dans lequel il était volontaire, des sept aéronefs qui avaient reçu l'autorisation de transiter par l'espace aérien métropolitain de New York cette nuit. Tous étaient militaires sauf deux. À onze heures et demie, Sammy en avait déjà repéré six, à l'heure et à la position dites, et avait reporté les notations requises de leur passage dans son registre. Le septième n'était attendu qu'aux alentours de cinq heures trente, juste avant que sa garde ne se termine et qu'il ne redescende aux quartiers des guetteurs pour prendre quelques heures de sommeil avant le début de sa journée à Empire Comics.

Il accomplit un nouveau circuit à travers la longue étendue chromée du restaurant de l'observatoire, lequel avait été construit, à l'origine, pour servir de comptoir d'enregistrement des billets et des bagages à un service mondial de dirigeables sur plan qui ne s'était jamais concrétisé, et avait ensuite traversé les deux dernières années de la Prohibition comme salon de thé. Le passage du bar était la seule véritable turbulence jamais rencontrée par Sammy dans sa carrière de guetteur d'aéronefs, car la tentation des robinets étincelants, des fontaines à café et des alignements parfaits de verres et de tasses devait être contrebalancée par l'éventualité d'un besoin ultérieur d'uriner, si d'aventure il succombait à la soif. Sammy était sûr que si une funeste escadrille noire de Junkers devait apparaître dans les cieux au-dessus de Brooklyn, ce serait immanquablement pendant qu'il serait aux toilettes en train de pisser. Il s'apprêtait juste à se servir quelques doigts d'eau de Seltz à l'élégant robinet chromé situé sous l'enseigne au néon toujours allumée de Rupert's quand il perçut un mystérieux grondement. Un moment, il crut que le tonnerre approchait, puis il réentendit mentalement le sifflement mécanique qui l'avait sous-tendu. Il posa son verre et courut à la rangée de fenêtres de l'autre côté de la salle. L'obscurité d'une nuit à Manhattan, même à cette heure tardive, était loin d'être complète, et le tapis de ses rues rayonnantes qui s'étendait jusqu'à Westchester, à Long Island et aux régions reculées du New Jersey projetait une lumière si brillante que l'intrus le plus furtif qui volerait sans feux d'atterrissage aurait eu du mal à échapper aux yeux de Sammy, même sans jumelles. Mais on ne voyait que cette grande nuée lumineuse dans le ciel.

Le grondement s'amplifia et devint plus régulier ; le sifflement se modula en un léger vrombissement. Un faible claquement de rouages et de cames résonna au centre de l'immeuble : les ascenseurs. Ce n'était pas un bruit qu'il avait l'habitude d'entendre à cette heure-ci, en ce lieu-ci. Le gars qui prenait en général la relève à six heures, un légionnaire américain, ostréiculteur à la retraite, du nom de Bill McWilliams, empruntait toujours l'escalier pour monter de leurs quartiers au quatre-vingt-unième étage. Sammy se dirigea vers la rangée d'ascenseurs, en se demandant s'il ne devait pas décrocher le téléphone qui le reliait au bureau du Commandement d'interception militaire sis dans l'immeuble de la compagnie téléphonique de Cortlandt Street. Dans les pages de *Radio Comics*, la préparation d'une invasion de New York pouvait être décrite en quelques planches, dont une représenterait sûrement l'amochage au nerf de bœuf d'un malheureux guetteur d'avions par le poing ganté d'un saboteur de l'Axe. Sammy voyait déjà l'étoile déchiquetée du choc, les lettres bondissantes épelant C.R.A.C. !, la bulle dans laquelle le malheureux disait : « Dites, vous ne pouvez pas entrer... Aaaah ! »

C'était un des ascenseurs express du hall d'entrée. Sammy vérifia de nouveau sur son bloc. Si un visiteur était attendu – son supérieur, quelque autre responsable militaire, un colonel du Commandement d'interception en tournée d'inspection... –, sa feuille de route l'aurait sûrement mentionné. Mais comme il le savait, il y avait seulement la fameuse liste de sept avions et leurs plans de vol, avec une note laconique sur la mauvaise météo prévue. C'était peut-être une inspection surprise, alors. Tandis que Sammy contemplait ses pieds en chaussettes, en bougeant ses orteils non réglementaires, ses pensées prirent un nouveau cours : il était possible que cette visite ne soit pas annoncée parce qu'il s'était passé quelque chose d'imprévu. Quelqu'un venait peut-être informer Sammy que le pays était en guerre avec l'Allemagne. Ou même, on ne savait trop comment, que la guerre était finie en Europe et qu'il était l'heure, pour lui, de rentrer à la maison.

Pendant que la cabine montait jusqu'au quatre-vingt-sixième étage, un frémissement métallique était audible, accompagné d'un bruit de câbles. Sammy se passa une main moite dans les cheveux. Dans un tiroir du bas, fermé à clef, du poste de garde, il le savait, se trouvait un pistolet calibre 45 de l'armée, mais Sammy avait perdu la trace de la clef et, de toute façon, il n'aurait même pas su ôter le cran de sûreté. Il leva son bloc-notes, prêt à l'abattre sur le crâne de l'espion. Les jumelles étaient plus lourdes. Il les enleva de son cou et se prépara à les balancer au bout de leur lanière de cuir à la manière d'une masse d'armes. La porte de l'ascenseur s'ouvrit.

– C'est bien le rayon sportswear hommes ? lança Tracy Bacon. (Il arborait une veste de smoking, une cravate de soie blanche empesée et glacée comme une meringue, et une expression à la fois grave et folâtre, sous laquelle perçait un sourire secret, comme s'il préparait une quelconque facétie. Un sac à provisions en papier marron lui pendait à chaque main.) Avez-vous quelque chose en gabardine ?

– Bacon, tu n'as pas le droit de...

– Je passais par là, le coupa le comédien. Je me suis dit que je pourrais, tu sais, m'arrêter...

– Mais nous sommes à trois cents mètres de haut !

– Pas possible !

– Il est une heure du matin...

– Non !

– C'est une installation militaire américaine, poursuivit Sammy, conscient de prendre un air important, s'efforçant de trouver une raison au vertigineux sentiment de culpabilité, si proche de l'ivresse, qui l'avait envahi à l'arrivée de Tracy Bacon au quatre-vingt-sixième étage. (Il était périlleusement heureux de voir son nouvel ami.) Techniquement parlant, après l'heure de fermeture, nul ne peut entrer ou sortir sans l'autorisation du Commandement.

– Sacrebleu ! s'exclama Bacon. (La superbe machinerie Otis qui l'enfermait poussa un soupir, comme impatiente. Bacon fit un pas en arrière.) Alors tu ne veux absolument pas qu'un espion nazi comme moi rôde dans le coin. À quoi pensais-je donc ? (Les portes de l'ascenseur tirèrent leurs languettes de caoutchouc noir. Sammy regarda les moitiés séparées de son reflet tendre l'une vers l'autre dans les panneaux de chrome dépoli des portes.) *Auf wiedersehen.*

Sammy interposa sa main entre les portes.

– Attends.

Bacon attendit donc, les yeux fixés sur Sammy, un sourcil levé avec le même air de défi qu'un commissaire-priseur sur le point d'abattre son marteau. Son veston était une jaquette de soie anthracite, avec des revers passepoilés, et sa large poitrine était cuirassée du plastron le plus grand et le plus immaculé que Sammy eût jamais vu. En tenue de soirée, il semblait sourire de plus haut que d'habitude, certain, comme toujours, d'être bien accueilli, même à trois cents mètres d'altitude, à une heure du matin et en violation du règlement militaire. En dépit de sa paire de sacs à provisions incongrus, ou peut-être à cause de ces derniers, il avait l'air incroyablement à l'aise dans son habit, adossé au mur du fond de l'ascenseur, les jambes fléchies aux genoux, son imposant pied droit chaussé de sa longue Lagonda noire appuyée sur la pointe. L'ascenseur émit un nouveau soupir.

– Eh bien, reprit Sammy, vu que ton père est général...

Sammy s'écarta d'un pas, gardant la main sur la porte qui cherchait à se refermer. Bacon hésita une minute de plus, comme s'il mettait Sammy au défi de changer encore d'avis. Puis il s'arracha à la paroi de l'ascenseur et sortit avec nonchalance. Les portes se refermèrent. Sammy contrevenait gravement au règlement.

– De brigade seulement, ajouta Bacon. Ça va, Clay ?

– Très bien, je vais très bien. Entre.

– C'est le plus bas, tu sais.

– Qu'est-ce qui est le plus bas ?

– Général de brigade. C'est le grade de général le plus bas.

– Cette idée doit miner.

– Elle le ronge. Ouaou ! (Bacon embrassa du regard la froide étendue de marbre du palier de l'étage de l'observatoire, plongé de nuit dans la pénombre pour réduire les reflets et permettre une meilleure visibilité par les grandes baies sombres, et loucha ensuite légèrement, en scrutant le clair-obscur du bar d'un côté, et la longue rangée de fenêtres de l'autre.) Ouaou !

– Ouais, ouaou ! répéta Sammy, se sentant soudain moins euphorique que gauche, et même un peu effrayé. (Qu'avait-il donc fait ? Qu'est-ce que mijotait Bacon ? Quelle était l'odeur vaguement âcre mais pas désagréable qui émanait de l'acteur ?) Alors... euh... bienvenue.

– C'est formidable ! s'écria Bacon. (À grandes enjambées, il s'avança vers les baies qui donnaient sur l'Hudson, vers les falaises sombres et les réclames au néon du New Jersey. Il y avait quelque chose d'un peu titubant, frankensteinien, dans l'allure de Bacon, et Sammy ne le lâchait pas d'une semelle pour s'assurer qu'il n'y eût pas de casse. Bacon pressa son visage contre la vitre, écrasant son nez droit et légèrement pointu avec une violence qui fit bondir le cœur de Sammy. Les fenêtres étaient en verre épais et trempé, mais Tracy Bacon possédait cette sorte de séduisante imbécillité – c'est du moins ce que finirait par croire Sammy – qui agit à la manière d'un charme contre ce genre de garanties technologiques. Il se faufilait sur un balcon de théâtre qui avait été fermé parce qu'il risquait de s'effondrer, s'aventurait dans tous les escaliers où il était marqué « Défense d'entrer ». Comme Sammy devait l'apprendre par la suite, Tracy adorait particulièrement, en l'absence de témoin, descendre des quais du métro sur la voie pour explorer les souterrains à la pâle lueur de son briquet en platine. Ç'avait été une terrible erreur de le laisser monter, ce soir-là.) Je dois dire, je n'arrivais pas à comprendre comment un être sensé ait pu vouloir être embauché pour ce genre de travail... sous-payé... mais maintenant... tu as tout ça pour toi tous les soirs ?

– Trois soirs par semaine. Tu as bu ?

– Quel genre de question est-ce là ? répliqua Bacon, sans chercher à savoir s'il trouvait ladite question blessante ou simplement superfétatoire, ou les deux. Je suis monté ici lors de mon premier jour à New York, continua-t-il, embuant la vitre de sa respiration. C'était très différent en plein jour. Des gosses qui couraient partout, tout ce ciel bleu et cette brume au-dehors, les pigeons, les bateaux, les drapeaux...

– En fait, je ne suis jamais monté ici dans la journée. Je veux dire, j'ai vu le soleil se lever. Mais je suis toujours reparti bien avant l'arrivée des touristes.

Bacon recula de la fenêtre. Une empreinte fantomatique de son crâne subsista un moment sur la vitre avant de s'évaporer. Puis il longea les baies vitrées jusqu'au coin sud-est, où, comme aux trois autres coins de l'étage de l'observatoire, il y avait un télescope à pièces. Il se pencha pour regarder au travers. Les sacs à provisions émirent un froissement. Bacon paraissait avoir oublié leur existence.

– C'est vraiment quelque chose, murmura-t-il, louchant dans l'œilleton. On voit la statue de la Liberté ! (À moins de mettre dix cents dans l'appareil, on ne voyait rien du tout, bien sûr.) Ça alors ! Elle dort dans un filet à cheveux.

Il se retourna brusquement, avec une expression à la fois innocente et hardie, exactement comme un bambin qui fouille la nursery, en quête de quelque chose de neuf à casser.

– Ça te dérange si je jette un coup d'œil ?

– Eh bien...

– C'est là que tu t'assieds ?

Toujours chargé de ses sacs, laissant derrière lui un fumet d'asperges désormais indubitable, Bacon alla se glisser derrière le large podium qui, le jour, servait de poste pour les gardiens qui prenaient les tickets et organisaient des visites informelles du célèbre panorama. C'était là que le Commandement d'interception avait installé le téléphone qui, dans l'éventualité d'une attaque aérienne, connecterait immédiatement Sammy à Cortlandt Street. Sammy y rangeait sa gamelle, sa réserve de crayons, ses cigarettes et des feuilles de route d'avance.

– Je ne m'assieds pas vraiment... Bacon, tu ferais peut-être mieux de ne pas... Non !

Bacon avait posé à terre un de ses sacs et soulevait le récepteur du téléphone de secours.

– Allô, Fay ? C'est King-Kong. Écoute, chérie... Hé ! Ça sonne.

Sammy courut derrière le poste de garde, lui arracha le téléphone de la main et le remit brutalement en place.

– Désolé.

– Puis-je te demander quelque chose, Bacon ? riposta Sammy. En plus de ne toucher à rien, je veux dire. (Il s'arc-bouta contre Bacon comme on s'arc-boute contre une porte bloquée, de toutes ses forces, et le délogea de derrière le poste de garde.) Qu'est-ce qu'il y a dans tes sacs ?

Bacon baissa les yeux vers sa main gauche, un peu surpris, puis vers le sac qu'il avait posé à côté de lui. Il le ramassa, et brandit les deux en direction de Sammy. Ce dernier capta une odeur de légumes verts, de vin et de beurre, d'échalotes peut-être.

– Le dîner ! répondit Bacon.

Ils pénétrèrent dans la cafétéria obscure, hérissée des pieds des chaises retournées sur les tables. Le dallage ciré chuchotait sous leurs pas. Les rampes chromées qui entouraient le long bar étincelaient à un bout sous la lumière de l'entrée. Les réfrigérateurs ronronnaient doucement tout seuls. L'atmosphère feutrée du bar sembla quelque peu refroidir ou, tout au moins, calmer l'ardeur de Bacon. Il reposa deux chaises par terre, puis, sans un mot, se mit à déballer ses sacs à provisions. Un des sacs, s'avéra-t-il, contenait trois plats d'argent à couvercle, du style de ceux qu'au cinéma les garçons d'hôtel présentent toujours sur des tables roulantes drapées d'une nappe. Dans l'autre sac, il y avait deux sacs de plus et une petite soupière constellée de velouté vert tendre. Après que Bacon eut disposé les plats et la soupière sur la table, il pêcha une poignée un tantinet aléatoire de fourchettes, de couteaux et de cuillers au motif lourd et surchargé, ainsi que deux serviettes de table légèrement tachées des sucs et des sauces échappés des différents plats. Il sortit aussi une bouteille de vin, un tire-bouchon et deux verres, dont un s'était cassé en chemin.

– Il faudra partager, dit-il. Ou je peux boire à la bouteille.

– Comment ? Pas d'omelette norvégienne ? lança Sammy.

Bacon eut l'air vexé. Avec brusquerie, il souleva le couvercle d'un des plats, révélant une triste petite flaque de boue sucrée blanche, striée de marron.

– Mais pour qui me prends-tu ?

– Désolé, dit Sammy. (Ils s'assirent pour se restaurer. Il y avait des cailles farcies d'huîtres, des asperges à la sauce hollandaise, une macédoine de légumes et des pommes de terre dauphine. Le velouté tendre était une crème de cresson. Sammy ne parvint pas à se résoudre à découper un des petits corps d'oiseau, mais il se rabattit sur la farce et la trouva délicieuse.) Comment as-tu fait ? reprit Sammy. Tu as demandé au service des étages de te suivre ? (Bacon vivait au Mayflower Hotel, bien au-dessus de ses moyens, selon lui.)

– Pas exactement.

– C'est bon. Dommage que ce soit froid.

– Du sel ? (Bacon plongea une nouvelle fois la main dans le sac à provisions, en tira une salière d'une ligne encore plus surchargée que les couverts et la posa sur la table. Elle était vide.) Hop-là ! (Il se baissa encore pour regarder dans le sac, puis leva celui-ci et le renversa, plongeant un coin dans le col de la salière. Un fin filet de sel en grumeaux coula du sac.) Là. Comme neuf. Alors, continua-t-il, en montrant d'un geste le bloc-notes de Sammy et son insigne de guetteur d'avions. Tu voulais tout simplement jouer ton rôle, c'est ça ? Aider l'Artiste dans son combat infini contre la Chaîne de fer et ses pantins de l'Axe ?

– Beaucoup de gens me posent cette question, répliqua Sammy, saupoudrant de sel ses pommes de terre. C'est ce que je réponds d'habitude.

– Mais à moi, tu me diras la vérité, hein ? reprit Bacon d'une voix railleuse, où perçait quand même une pointe de fervente supplication.

– Eh bien, répondit Sammy, flatté. J'ai eu l'impression que c'était un devoir. J'avais... j'avais fait quelque chose dont je... je n'étais pas fier. Et quand je suis revenu, il y avait un petit groupe de ces guetteurs volontaires dans le hall, on les emmenait en visite et je me suis en quelque sorte mêlé à eux. Avant d'avoir vraiment pris le temps de réfléchir à ce dans quoi je m'embarquais.

– Par mauvaise conscience.

Sammy inclina la tête, même s'il était vrai que sa mission de guetteur d'avions avait coïncidé en gros avec la période où Joe avait commencé à passer de plus en plus de son temps en compagnie de Rosa Saks, laissant Sammy seul, avec des heures à tuer presque tous les soirs.

– Et ne me demande pas ce que j'ai fait, parce que je ne peux pas te le dire.

– O.K., je ne te le demanderai pas, le rassura Bacon avec un haussement d'épaules.

Il enfourna une fourchetée d'asperges dans sa bouche.

– Très bien, dit Sammy. Je vais te le dire alors.

Bacon agita les sourcils.
– C'est quelque chose d'un peu olé olé ?
– Non. (Sammy rit.) Non, je... je me suis parjuré. Dans une déposition légale. J'ai affirmé aux avocats de Superman que Shelly Anapol ne m'avait jamais demandé de copier leur personnage. Alors qu'il ne s'est vraiment pas gêné...
– Mon Dieu ! s'exclama Bacon, l'air parfaitement consterné.
– C'est moche, hein ?
– La pendaison est trop douce pour toi.
Sammy comprit alors que Bacon le taquinait. Mais il s'aperçut que le souvenir humiliant de son déplaisant et pénible après-midi dans une salle de conférences de Philipps & Nizer pouvait encore lui donner le feu aux joues.
– Enfin, c'était mal, murmura-t-il. J'avais une bonne raison, mais quand même... J'avais l'impression de vouloir me racheter, je pense.
– Si c'est la pire chose que tu aies commise, reprit Bacon, en secouant la tête.
– Jusqu'ici, admit Sammy, je crois.
Une obscure réminiscence remonta à la mémoire de Bacon et attrista son regard.
– Tu as de la chance.
– Alors... euh... où étais-tu ? lança Sammy, changeant de sujet. Dans cette tenue. À un raout ?
– À un petit raout. Très petit.
– Où donc ?
– Chez Helen. C'est son anniversaire, aujourd'hui.
– Helen Portola ?
– Tu as oublié de dire « la charmante Helen Portola ».
– La charmante Helen Portola.
Bacon hocha la tête, en étudiant ou en feignant d'étudier l'articulation de la cuisse d'une de ses cailles, comme s'il y avait une goutte de sang qui le gênait.
– Qui était là ?
– Moi, j'étais là. La charmante Helen Portola était là aussi.
– Un tête-à-tête ?
Nouveau hochement de tête. Bacon était si anormalement laconique sur la question que Sammy se demanda si lui et Helen ne s'étaient pas disputés. Sammy avait peu d'expérience directe des actrices, mais partageait l'opinion classique qu'en général elles possédaient les mœurs sexuelles des chinchillas femelles en chaleur. Mais si Helen Portola avait invité son premier rôle masculin à fêter son anniversaire *à deux*[1] dans l'intimité de sa maison, elle ne

1. En français dans le texte. (*N.d.T.*)

s'attendait sûrement pas à voir la soirée se terminer avec son petit ami en train de déambuler dans Manhattan, muni de deux sacs à provisions pleins de plats gastronomiques tièdes.

– Alors, quel âge a-t-elle ? s'enquit Sammy.

– Soixante-douze ans déjà.

– Bacon.

– La vieille est remarquablement bien conservée.

– Bacon !

– Son secret ? Le foie de veau, vieux, et beaucoup.

– Tracy !

Bacon leva les yeux de son assiette, affectant une surprise candide.

– Oui, Clay ?

– Qu'est-ce que tu fais ici ?

– Que veux-tu dire ?

Sammy lui jeta un regard dur.

– Eh bien, lâcha-t-il, je n'ai pas voulu gâcher tous ces délices. Le cuisinier d'Helen s'est donné beaucoup de mal.

– Le cuisinier d'Helen ?

– Oui. Je crois que tu devrais vraiment lui écrire un petit mot.

– Tu veux dire que c'était un dîner ?

– À l'origine.

– Vous avez eu une dispute, Helen et toi ?

Bacon inclina la tête.

– Une grosse ?

Bacon inclina encore la tête, l'air sincèrement malheureux.

– Mais ce n'était pas ma faute, affirma-t-il.

Sammy mourait d'envie de lui demander quel était l'objet de leur dispute, mais estimait qu'ils ne se connaissaient pas assez bien pour cela. Il ne lui vint pas à l'esprit que, dans des circonstances similaires, avec n'importe qui d'autre, il n'eût pas hésité à poser la question, dans le pur style de Brooklyn. Mais Bacon l'éclaira de son propre gré.

– Elle s'était mis dans l'idée que j'avais l'intention de la demander en mariage ce soir. Dieu sait qui lui a monté la tête !

– C'est Ed Sullivan. (Il avait lu par hasard l'article du *News* avec un curieux sentiment de regret ; son amitié avec Bacon avait eu si peu de place où s'épanouir – la minuscule aire qui marquait l'intersection de leurs univers séparés. Et il sentait bien que celle-ci ne survivrait pas au mariage de Bacon avec son actrice et à son départ pour Hollywood afin de devenir une vedette.) Hier matin.

– Ah, ouais ! (Bacon secoua piteusement sa grande et belle tête.)

– Tu l'as vu ?

– Non, mais je me rappelle être tombé sur Ed Sullivan chez Lindy, il y a deux jours.

– Tu lui as dit que tu allais demander à Helen de t'épouser ?
– C'est possible.
– Mais ce n'est pas vrai.
– Je m'en suis bien gardé.
– Et elle s'est fâchée.
– Elle a couru dans sa chambre et a claqué la porte. Elle m'a frappé d'abord, en fait.
– Bravo !
– Cette idiote m'a flanqué un coup de poing.
– Ouille ! (Aux yeux de Sammy, cette histoire, ou plutôt la scène telle qu'il se la reconstituait mentalement, avait quelque chose de troublant. Il sentit monter cette vieille excitation du désir, souvent éprouvée, d'avoir... non pas Tracy Bacon, mais plutôt sa vie, sa carrure, sa jolie petite amie passionnée et le pouvoir de briser son cœur. Alors que tout ce qu'il avait en réalité, c'étaient une paire de jumelles, un bloc-notes et le perchoir le plus solitaire de la ville trois nuits par semaine.) Alors tu as pris son repas.
– Eh bien, il se trouvait juste là.
– Et tu l'as monté jusqu'ici.
– Eh bien, tu te trouvais juste ici.
Le silence que cette dernière observation amena dans leur conversation fut rempli tout à coup par une effervescence violet foncé dans le ciel environnant. Un long grondement estival, à la fois menaçant et familier. En réponse, les verres alignés sur le bar émirent un tintement de clochettes.
– Bon Dieu ! s'écria Bacon, se levant de table. Le tonnerre !
Il s'approcha des baies et regarda dehors. Sammy se leva à son tour pour le suivre.
– De ce côté-ci, proféra-t-il, prenant Bacon par le bras. L'orage vient du sud-est.
Plantés côte à côte, leurs épaules pressées l'une contre l'autre, ils regardèrent le zeppelin noir survoler lentement New York dans un nuage de fumée, traînant à sa suite de longs haubans d'éclairs blanchâtres. Le tonnerre harcelait l'immeuble tel un chien courant, frôlant sa robe crépitante contre les tympans et les meneaux, flairant les baies vitrées.
– Il semble bien nous aimer, commenta Sammy. Nous sommes son chouchou. (Il alluma une cigarette. Bacon sursauta devant la flamme de son briquet.) Reste calme ! Ça n'a pas arrêté de tout le mois. Ça dure tout l'été.
– Oh ! chuchota Bacon. (Il avala une gorgée de bourgogne, puis s'humecta les lèvres.) Je suis calme.
– Désolé.

– Cette horreur ne frappe jamais... tu sais... l'immeuble.
– Cinq fois jusqu'ici cette année, je crois.
– Oh, mon Dieu !
– Reste calme.
– Tais-toi.
– On a enregistré des éclairs qui dépassaient les vingt-deux mille ampères.
– La foudre est déjà tombée sur cet immeuble ?
– Dix millions de volts ou quelque chose dans ce genre.
– Seigneur !
– Ne te bile pas, reprit Sammy. Tout l'immeuble se comporte comme un gigantesque...

L'haleine de Bacon sentait l'aigre, mais une goutte sucrée de liquide restait sur ses lèvres au moment où il plaqua sa bouche sur celle de Sammy. Les barbes naissantes de leurs mentons frottèrent l'une contre l'autre avec un léger bruit de râpe électrique. Sammy fut tellement pris au dépourvu que, le temps que son cerveau, avec tout son stock d'interdits et de manières de voir judéo-chrétiennes, puisse commencer à envoyer ses messages sévères et condamnatoires aux diverses parties concernées de son corps, c'était trop tard. Il répondait déjà au baiser de Tracy Bacon. Ils s'inclinèrent à demi l'un vers l'autre. La bouteille de vin tinta contre la baie vitrée. Sammy sentit un halo miniature, une gemme de chaleur lui brûler les doigts. Il laissa tomber sa cigarette par terre. À ce moment-là, de l'autre côté des baies, le ciel fut veiné de feu. Ils perçurent un grésillement à la tonalité presque mouillée, comme une goutte sur un gril incandescent, puis un battement de tonnerre les piégea dans les creux sombres et profonds de ses paumes.

– ... paratonnerre, acheva Sammy en s'écartant. (Comme s'il avait soudain peur, en dépit de tout ce qu'il s'était entendu dire, un soir de la semaine précédente, par le terne et rassurant docteur Karl B. MacEachron de la General Electric, qui avait étudié les phénomènes électriques de l'atmosphère en relation avec l'Empire State Building, du feu Saint-Elme aux éclairs ascendants qui frappaient le ciel. Sammy s'éloigna d'un pas de Tracy Bacon, se baissa pour récupérer sa cigarette fumante et chercha inconsciemment refuge dans les manières sèches du docteur MacEachron lui-même.) La structure d'acier de la tour attire mais aussi dissipe totalement la décharge électrique...
– Je suis désolé, balbutia Bacon.
– Ce n'est pas grave.
– Je ne voulais pas... Ouaou ! Regarde-moi ça.

Bacon désigna le promenoir désert de l'autre côté des fenêtres. Un liquide bleu vif, visqueux et turbulent, semblait couler le long des rambardes. Sammy ouvrit la porte et plongea le bras dans les ténèbres chargées d'ozone, puis Bacon le rejoignit et sortit aussi la main. Ils restèrent là un bon moment, à regarder des étincelles longues de cinq centimètres jaillir en zigzag des extrémités de leurs doigts tendus.

8.

Les magiciens qui hantaient la Boutique de la magie de Louis Tannen comptaient dans leurs rangs un groupe d'amateurs, Les Mages, des hommes à la carrière plus ou moins littéraire, qui se retrouvaient deux fois par mois au bar de l'Edison Hotel pour s'épater les uns les autres à coups d'alcool, d'histoires mirobolantes et de pseudo-romans. Dans le cas de Joe, la définition du « littéraire » avait été élargie afin de pouvoir englober son apport à la bande dessinée, et c'est en devenant membre des Mages, dont faisait également partie le grand Walter B. Gibson, biographe de Houdini et créateur du Shadow, qu'il en était venu à connaître Orson Welles, un participant semi-régulier aux rencontres de l'Edison Hotel. Welles était aussi, en l'occurrence, un ami de Tracy Bacon, dont le premier engagement new-yorkais avait été avec le Mercury Theater et qui avait joué le rôle d'Algernon dans la réalisation radiophonique de *L'Importance d'être constant*. À eux deux, Joe et Bacon avaient réussi à mettre la main sur quatre tickets pour la première du premier film de Welles.

– Alors, à quoi ressemble-t-il ? voulait savoir Sammy.

– C'est un sacré bonhomme, répondit Rosa. (Elle avait croisé le grand acteur au visage poupin un après-midi où elle était passée retrouver Joe au bar de l'Edison et pensait avoir senti en lui un esprit frère, un romantique, quelqu'un dont les efforts pour choquer autrui étaient, plus que tout autre chose, l'expression d'une forme d'optimisme inné, d'un désir d'échapper aux limites d'un foyer convenable bourgeois. Du temps du lycée, elle était allée à Manhattan, avec une amie, voir son retentissant *Macbeth* et avait adoré son côté vaudou.) Je crois vraiment que c'est un génie.

– Vous croyez tout le monde génial, vous croyez ce type génial, pestait Sammy, plantant un index épais dans le genou de Joe.

– Toi, je ne crois pas que tu le sois, rétorqua-t-elle d'une voix douce.

– Le génie authentique n'est jamais reconnu de son temps.

– Sauf par celui qui en a, observa Bacon. Orson n'a aucun doute là-dessus.

Ils se dirigeaient tous ensemble vers les quartiers chics, entassés à l'arrière d'un taxi. Rosa et Sammy avaient pris les strapontins, et Rosa s'agrippait au bras de ce dernier. Elle sortait des bureaux du T.R.A. et portait un tailleur en tweed brun ceinturé et épaulé, d'une coupe vaguement militaire, dont le manque de chic la chagrinait considérablement. Elle était également habillée comme une institutrice, la dernière fois qu'Orson Welles l'avait vue. Cet homme allait penser que la fiancée de Joe Kavalier était à peu près aussi fascinante qu'un sac de pommes de terre. Sammy, lui, avait une de ses immenses reliques à rayures sorties d'un film de George Raft, Bacon son habituel smoking. Il prenait son rôle de zazou un peu trop au sérieux au goût de Rosa, même si, à sa décharge, cela semblait être plus ou moins la seule chose qu'il prenait vraiment au sérieux. Quant à Joe, bien sûr, il avait l'air d'avoir dégringolé d'une haie. Il avait de la peinture blanche dans les cheveux. On eût dit qu'il s'était servi du bout de sa cravate pour boire une tache d'encre.

– C'est un gars intelligent, déclara Joe. Mais pas si bon magicien.

– Il sort réellement avec Dolores del Río ? s'enquit Bacon. C'est ce que je voudrais savoir.

– Je me le demande, répondit Joe, même si la question paraissait le laisser complètement indifférent. (Il avait le cafard ce soir-là, Rosa le savait. Le bateau d'Hoffman, après avoir finalement atteint Lisbonne quelques semaines auparavant, aurait déjà dû être reparti pour New York. Mais un télégramme de Mrs Kurtzweil, la représentante du T.R.A. au Portugal, était arrivé deux jours plus tôt. Trois des enfants avaient attrapé la rougeole ; l'un d'eux était mort. Aujourd'hui, ils avaient appris que tout le couvent de Nossa Senhora de Monte Carmelo avait été soumis à une « quarantaine complète mais indéterminée » par les autorités portugaises.)

– Mais je croyais que c'était toi qui sortais avec Dolores del Río, Bake, intervint Sammy. C'est ce que disait le papier d'Ed Sullivan.

– Non, moi, c'était Lupe Velez.

– Je les confonds toutes les deux.

– De toute façon, tu ferais mieux de ne pas croire ce que racontent les journaux.

– Comme, par exemple, que Parnassus Pictures projette de porter à l'écran le héros d'illustré, l'Artiste de l'évasion, en la personne de la célèbre vedette de radio, Mr Tracy Bacon.

– C'est vrai ? s'étonna Rosa.

– Ça va être seulement un de ces satanés feuilletons, expliqua Bacon. Parnassus Pictures, ils en crèvent !

– Joe, reprit Rosa. Tu ne m'avais rien dit !

– Ça ne me fait ni chaud ni froid, répondit Joe, contemplant toujours le spectacle « néon et fumée » de Broadway qui défilait par les fenêtres du taxi. (Une femme marchait sur le trottoir avec les queues d'au moins neuf petits visons morts qui pendillaient sur ses épaules.) Car on ne touche pas un sou, Sammy et moi.

Sammy regarda Rosa et leva une épaule. « Qu'est-ce qui le ronge ? » Rosa lui serra le bras. Elle n'avait pas eu l'occasion de parler à Sammy du dernier télégramme en provenance de Lisbonne.

– Peut-être pas sur ce coup, Joe, poursuivit Sammy. Mais écoute. Tracy m'a dit que s'il décrochait le rôle, il allait glisser un mot au studio en notre faveur. Leur conseiller de nous engager pour écrire le scénario...

– C'est tout à fait naturel, intervint Bacon. Bien sûr, c'est sans doute condamner l'idée d'entrée. On pourrait partir pour Hollywood, Joe. Cette histoire pourrait nous mener loin. Ce pourrait être le début de quelque chose de vraiment valable...

– Quelque chose de valable. (Joe inclina pesamment la tête, comme si, après mûre réflexion, Sammy avait réglé la question qui l'avait tourmenté toute la journée. Puis il retourna à sa fenêtre.) Je sais que c'est important pour toi.

– Nous y voilà, annonça Bacon. Le Palace.

– Le Palace, répéta Sammy, un drôle de froissement dans la voix.

Ils s'arrêtèrent devant ce qu'on appelait désormais le R.K.O. Palace, autrefois pinacle et capitale du music-hall américain, tout au bout d'une rangée de taxis et de voitures de location. Une figurine colossale d'Orson Welles, le regard fou et les cheveux hirsutes, se détachait sur le fronton. Tout le devant du théâtre était une débauche de flashes et de cris. Il régnait une ambiance générale de catastrophe imminente et de bâton de rouge à lèvres. Sammy était devenu blanc comme un linge.

– Sam ? s'inquiéta Rosa. On dirait que tu as vu un fantôme !

– Il a juste peur que nous le laissions payer la course, se moqua Bacon, tendant la main pour saisir son portefeuille.

Joe descendit du taxi, enfonça son chapeau sur sa tête et tint la portière à Rosa. En sortant à son tour, elle jeta les bras à son cou. Il la souleva de terre, la serrant très fort, et but goulûment son souffle. Elle sentait le regard des autres, qui devaient se demander qui étaient ces deux-là ou pour qui ils se prenaient. Le chapeau gris de Joe commença à dégringoler de l'arrière de sa tête, mais il le rattrapa d'une main, puis reposa Rosa au sol.

– Il s'en tirera, lui dit-elle. Il a déjà eu la rougeole. C'est juste un petit retard, c'est tout.

Elle savait d'expérience que Joe détestait être consolé, mais, à sa grande surprise, après l'avoir reposée, il souriait. Il promena ses regards sur les photographes, la foule, les projecteurs éblouissants, les longues limousines noires garées au bord du trottoir. Elle voyait bien que ce spectacle l'excitait. Et c'était excitant, pensa-t-elle.

– Je sais, murmura-t-il. Il va s'en tirer.

– Nous pourrions nous-mêmes échouer à Hollywood un de ces jours, déclara-t-elle, poussée à l'insouciance par ce changement d'humeur inopiné. Toi, moi et Thomas. Dans un petit bungalow sur les collines de Hollywood.

– Thomas adorerait ça, acquiesça Joe.

– Le Palace. (Sammy, qui les avait rejoints, avait les yeux levés vers les six lettres géantes en haut du fronton illuminé. Il sortit un billet de cinq dollars de son portefeuille.) Tiens, vieux, reprit-il, le tendant à Bacon. Le taxi est pour moi.

9.

– Sensationnel, votre Artiste de l'évasion, lança Orson Welles à Sammy. (L'acteur lui parut immensément grand et étonnamment jeune, et il avait la même odeur que Dolores del Río. En 1941, il était chic dans certains milieux de confesser plus qu'un intérêt passager pour Batman, Captain Marvel ou le Blue Beetle.) Je n'aime pas en manquer un mot.

– Merci, balbutia Sam.

Même s'il devait ne jamais l'oublier, et l'embellir sur le tard, cela fut toute l'étendue de son interaction avec Orson Welles, ce soir-là ou tout autre soir. Lors de la fête qui suivit au Pennsylvania Roof, Joe dansa avec Dolores del Río, tandis que Rosa, elle, dansait avec le beau Joseph Cotten et avec Edward Everett Horton, ce dernier étant de loin le meilleur danseur des deux. C'était l'orchestre de Tommy Dorsey[1] qui jouait. Sammy se borna à regarder et à écouter, les yeux mi-clos, conscient, comme l'étaient en 1941 tous les passionnés du swing des grands orchestres, d'être privilégié de vivre à l'époque précise où les créateurs de sa musique préférée étaient au faîte de leur art et de leur inventivité, une époque indépassable dans ce siècle pour sa verve, son romantisme, son élégance et une curieuse variété proprette de soul music. Joe et Dolores del Río enchaînèrent naturellement une rumba avec un fox-trot. Ce fut là toute l'étendue de l'interaction de Joe avec Dolores del Río, même si lui et Orson Welles continuèrent de se voir épisodiquement au bar de l'Edison Hotel.

Bien plus significatif que tout ce qui était arrivé aux cousins en ce 1er mai 1941 était le film qu'ils étaient allés voir.

Plus tard, en d'autres mains, l'Artiste de l'évasion devait être traité sur un ton burlesque. Le goût du public évoluait, les rédacteurs

1. Célèbre tromboniste et chef d'orchestre américain (1905-1956). Sa grande formation des années 1930-1940 fut aussi prisée des jeunes Américains que celles de Benny Goodman et de Glen Miller. (*N.d.T.*)

s'ennuyaient et toutes les intrigues sérieuses étaient pratiquement épuisées. Avec la connivence de George Deasey, les scénaristes et les dessinateurs ultérieurs transformèrent la bande dessinée en une forme particulière de parodie à l'envers de tout le genre du héros costumé. Le menton de l'Artiste s'élargit et se creusa de fossettes énergiques, cependant que ses muscles s'hypertrophiaient jusqu'à ce qu'il soit bosselé « comme un sac rempli de chats », selon la formule mémorable de son grand ennemi de l'après-guerre, Dr Magma. L'aiguille toujours prête de Miss Fleur de Prunier fut forcée d'équiper l'Artiste d'une collection de fringues à la Liberace[1], spécialement conçues pour la lutte contre le crime, tandis qu'Omar et Big Al commencèrent à se plaindre ouvertement des factures que leur patron accumulait par ses dépenses déraisonnables en « super-véhicules » et « super-avions », sans parler d'une béquille en ivoire sculptée à la main dont Tom Mayflower se servait les soirs de rendez-vous importants. Notre Artiste était très vaniteux ; les lecteurs le surprenaient parfois arrêté devant une vitrine ou une glace de la taille d'un drugstore, lui qui était parti combattre le mal, en train de contempler son reflet et de se recoiffer. Entre deux actions pour sauver la Terre des méchants Omnivores, dans un des derniers numéros, le 130e (mars 1953), l'Artiste se met dans tous ses états en tentant, avec l'aide d'un décorateur zozotant, de rénover le Keyhole, sanctuaire secret situé sous les planches de l'Empire Palace. Alors qu'il s'acharnait à défendre les faibles et à soutenir les opprimés aussi fidèlement que jamais, l'Artiste ne semblait plus prendre ses aventures au sérieux. Il passait des vacances à Cuba, Hawaii et Las Vegas, où il se partageait la scène du Sands Hotel avec nul autre que Wladziu Liberace en personne. S'il n'était pas particulièrement pressé d'aller quelque part, il laissait parfois Big Al prendre les manettes du Keyjet et jetait son dévolu sur une revue de cinéma qui avait sa photo en couverture. Les scénarios dits à la Rube Goldberg[2] – où l'Artiste, barbé comme tout le monde par la fastidieuse routine du métier de justicier, introduisait délibérément des obstacles et des handicaps dans ses efforts pour déjouer les plans d'une variété importante mais limitée de mégalomanes, de démons et d'ignobles truands qu'il combattit dans les années d'après-guerre, afin de pimenter la situation – devinrent la marque de fabrique du personnage : il décidait à l'avance, mettons, d'éliminer une certaine bande de criminels « à mains nues » et d'utiliser sa force physique, déjà décuplée, seulement si l'un d'eux prononçait une formule aléatoire comme « eau glacée ». Puis, juste après

1. Animateur de télévision célèbre pour son élégance (1919-1987). Il joua Chandell et son jumeau diabolique dans la série télévisée *Batman.* (*N.d.T.*)

2. Dessinateur américain célèbre pour la complexité de ses productions. (*N.d.T.*)

avoir été presque battu à plate couture, et le temps étant trop froid pour que quiconque demande un verre d'eau glacée, l'Artiste trouvait moyen de se débrouiller pour que la bande finisse inexorablement à l'arrière d'un camion plein d'oignons. C'était un clown surpuissant, adepte de la gonflette.

Mais l'Artiste de l'évasion qui sévissait parmi les géants de la terre en 1941 était un type d'homme différent. Il était sérieux, parfois à l'excès. Son visage était maigre, sa bouche déterminée, et ses yeux, visibles par les trous de son masque, évoquaient des rivets d'acier glacés. Bien que fort, il était loin d'être invulnérable. Il pouvait toujours être mis K.O., matraqué, noyé, brûlé vif, battu et abattu. Et ses missions se limitaient à cela : son travail consistait essentiellement à sauver les autres. En raison de leurs empoignades antifascistes et de leurs Stukas hurlants, les premières histoires parlent d'orphelins menacés, de paysans maltraités, de malheureux ouvriers transformés en zombies serviles par leurs patrons fabricants d'armes. Même après que l'Artiste fut parti en guerre, il passait autant de temps à défendre les victimes innocentes d'Europe qu'à pilonner les bateaux de guerre avec ses poings. Il protégeait les réfugiés et empêchait les bombes de tomber sur les bébés. Chaque fois qu'il démantelait un réseau d'espions nazis à l'œuvre ici même, aux États-Unis (celui du Saboteur, par exemple), il prononçait les discours par lesquels Sam Clay essayait de contribuer à la guerre de son cousin, disant, par exemple, au moment où il forçait encore une autre « taupe blindée » à ogive à vis remplie de stupides Boches qui avaient tenté de creuser une galerie sous Fort Knox : « Je me demande ce que diraient cette bande d'autruches de guerre qui se cachent la tête dans le sable si elles voyaient ça ! » Avec son mélange de gravité, de conscience sociale et de volonté de se battre, il était le parfait héros pour 1941, pendant que l'Amérique entamait le processus grondant et laborieux qui consistait à entrer dans une guerre effroyable.

Pourtant, malgré le fait qu'il s'était vendu à des millions d'exemplaires et avait joué un temps au yo-yo dans la conscience collective populaire de l'Amérique, si Sammy n'avait pas conçu – et Joe dessiné – un nouveau numéro après le printemps de 1941, l'Artiste de l'évasion aurait sans doute disparu de la mémoire et de l'imaginaire américains, à l'instar de Cat-Man et de Kitten, de Hangman et de Black Terror[1], dont les illustrés, à leur apogée, se vendaient quasiment aussi bien que ceux de l'Artiste. Ses adeptes – collectionneurs et fanas – n'auraient alors pas lâché des sommes terribles pour les premières collaborations de Kavalier & Clay, ni rédigé les centaines de milliers de phrases savantes qui leur étaient consacrées. Si, par

1. L'Homme-Chat et le Chaton, le Bourreau et la Terreur noire. (*N.d.T.*)

ailleurs, Sammy n'avait plus écrit un mot après le numéro 18 de *Radio Comics* (juin 1941), seuls les amateurs les plus fanatiques de bandes dessinées se seraient souvenus de lui, si tant est qu'ils s'en fussent souvenus, comme du créateur d'une quantité de vedettes mineures du début des années 1940. Si le Trident détonant d'Ebling avait tué Joe Kavalier ce soir-là au Pierre, celui-ci aurait été vénéré, si tant est qu'il l'eût été, comme un éblouissant concepteur de couvertures, le créateur de scènes de bataille toniques et soignées et le doux rêveur de *Papillon Lune*, mais pas, comme il l'est par certains aujourd'hui, comme l'un des plus grands innovateurs dans l'usage de la mise en pages et des stratégies narratives de l'histoire du comic book. Mais en juillet 1941, le numéro 19 de *Radio Comics* arriva dans les kiosques, et les neuf millions de petits Américains de douze ans sans méfiance qui voulaient grandir pour travailler dans les comics faillirent tomber raides de stupéfaction.

La raison, c'était *Citizen Kane*. Rosa et Bacon installés entre eux deux, les cousins avaient pris place au balcon du Palace sans chic, avec son lustre cucul la praline et son frais cataplasme de velours et de dorures appliqué sur sa vénérable vieille carcasse. Les lumières s'éteignirent. Joe alluma une cigarette. Sammy se rencogna dans son siège et remua ses jambes, qui avaient tendance à s'endormir au cinéma. L'écran s'anima. Joe remarqua que le nom d'Orson Welles était le seul à figurer au-dessus du titre. La caméra franchit la grille de fer hérissée de pointes, survola, tel un corbeau, le flanc de coteau lugubre et accidenté, avec ses singes, ses gondoles et son golf miniature, sachant parfaitement ce qu'elle cherchait, fit irruption par la fenêtre et zooma droit sur une paire de lèvres monstrueuses en train de grincer l'ultime mot.

– Ça commence bien, commenta Joe.

Il était impressionné. Terrassé. Quand la salle se ralluma, Sammy se pencha en avant pour regarder Joe, assis de l'autre côté de Rosa, impatient de connaître son avis sur le film. Fixant le vide devant lui, clignant des yeux, Joe méditait. Toutes les insatisfactions qu'il avait ressenties dans la pratique de la forme d'art qu'il avait découverte moins d'une semaine après son arrivée à New York, dans ses conventions de quatre sous, les attentes triviales répandues chez les éditeurs, les lecteurs, les parents et les éducateurs, dans les contraintes spatiales qu'il torpillait au fil des pages de *Papillon Lune*, semblaient susceptibles d'être complètement surmontées, dépassées, dynamitées. L'Épatant Cavalieri allait se libérer pour toujours des neuf petites cases.

– Je veux que nous allions dans le même sens, déclara-t-il.

C'était exactement la pensée qui avait occupé Sammy dès le moment où il avait saisi la structure de *Citizen Kane*, quand les fausses actualités sur Kane s'étaient arrêtées et que la lumière était revenue sur les techniciens qui travaillaient pour *La Marche du temps*, le journal d'actualités dans le film. Mais, pour Joe, ç'avait été la concrétisation de sa source d'inspiration, de son sens du défi, tandis que pour Sammy ç'avait été davantage l'expression de sa jalousie pour Welles et de son désir désespéré de sortir de cette supercherie lucrative avec ses racines « nouveautés de bazar ». Après être rentrés du Pennsylvania, tous les quatre veillèrent tard dans la nuit ; ils buvaient du café, chargeaient le Panamuse de disques, se remémoraient mutuellement des passages, des plans et des extraits de dialogues. Ils n'arrivaient pas à se remettre de la longue remontée de la caméra à travers les cintres et les ombres de l'opéra vers les deux machinistes qui retenaient leur souffle pendant que Susan Alexander faisait ses débuts. Ils devaient ne jamais oublier la façon dont la caméra avait plongé dans la lucarne de la minable boîte de nuit pour fondre sur la malheureuse Susie en pleine déconfiture. Ils discutèrent de l'imbrication des pièces du puzzle du portrait de Kane et ergotèrent sur le fait que tout le monde connaissait sa dernière parole alors que personne ne semblait se trouver dans la pièce pour l'entendre la chuchoter. Joe s'efforça d'exprimer, de formuler la révolution de ses ambitions pour la forme d'art mineure agrafée et à tranche dentelée à laquelle leurs goûts personnels et le hasard de la vie les avaient menés. Ce n'était pas seulement la question d'adapter d'une façon ou d'une autre le sac de tours cinématographiques si hardiment utilisés dans ce film : gros plans outranciers, angles insolites, combinaisons originales de premier plan et d'arrière-plan. Joe et quelques autres donnaient déjà dans ce genre de trucs depuis quelque temps. *Citizen Kane* représentait, plus que tout autre film que Joe avait vu, la fusion totale du récit et de l'image qui était – Sammy ne le voyait-il pas ? – à la fois le principe fondamental de la narration des comics et le noyau irréductible de leur partenariat. Sans les dialogues percutants et spirituels, et la forme troublante du récit, ce film n'eût été qu'une version américaine du genre de toiles expressionnistes dans le style de l'école de Oufa, tristes et pleines de noirs, que Joe avait vues jeune à Prague. Sans les ombres tragiques et les explorations audacieuses de la caméra, sans l'éclairage théâtral et les angles de vue vertigineux, c'eût été simplement un film sur un riche salaud. C'était plus, bien plus que ce qu'un film devait vraiment être. De ce point de vue essentiel – cet entrelacement inextricable de l'image et de l'action –, *Citizen Kane* était proche de la bande dessinée.

– Je n'en sais rien, Joe, répondit Sammy. Mais j'aimerais croire qu'on serait capables de faire la même chose. Mais allez ! C'est seulement... je veux dire... on parle de comic books.

– Pourquoi vois-tu les choses sous cet angle, Sammy ? intervint

Rosa. Aucun support n'est en soi supérieur à un autre. (La foi en cette maxime était presque une condition nécessaire pour s'établir dans la maison de son père.) Tout est dans ce que tu en fais.

– Non, ce n'est pas vrai, objecta Sammy. Les comics sont réellement un support inférieur. Je le crois vraiment. C'est... c'est lié à la nature du matériau. Il s'agit d'une bande de loustics – et d'une fille – qui courent en maillot dans tous les sens en distribuant des coups de poing, d'accord ? Si les gens de Parnassus adaptent notre feuilleton de l'Artiste, croyez-moi, ça ne va pas être *Citizen Kane*. Même Orson Welles n'y arriverait pas...

– Tu te cherches des excuses, Sammy, lança Bacon, les prenant tous par surprise, mais aucun autre plus que Sammy, qui n'avait jamais entendu son ami parler si sérieusement. Ce ne sont pas les comics que tu crois inférieurs, c'est toi.

Joe, qui sirotait son café, détourna poliment le regard.

– Ah ! s'exclama Rosa au bout d'un moment.

– Ah ! acquiesça Sammy.

Sammy et Joe arrivèrent au bureau à sept heures pile, toussotant, les joues roses, en proie aux fourmillements dus au manque de sommeil, dégrisés et peu loquaces. Dans le porte-documents en cuir coincé sous son bras, Joe avait les nouveaux feuillets qu'il avait mis en pages, avec les notes de Sammy pour *Kane Street*, premier des épisodes de l'Artiste de l'évasion prétendument modernistes ou prismatiques, ainsi que des idées pour une douzaine d'autres histoires qui étaient venues à Sammy depuis la veille, pas seulement pour l'Artiste, mais aussi pour Papillon Lune, le Monitor et les Quatre Libertés. Ils suivirent le couloir, à la recherche d'Anapol.

L'éditeur d'Empire Comics avait déserté la vaste pièce tout en chrome qui l'avait tellement déçu pour élire domicile dans une grande loge de gardien, où il avait installé une table, un fauteuil, un portrait du compositeur des *Songs of an Infatuated Muezzin* et deux téléphones. Depuis son emménagement, il affirmait avoir plus de confort et prétendait même dormir beaucoup mieux la nuit. Sammy et Joe se dirigèrent tout droit vers la porte de son bureau-placard. Une fois Anapol à l'intérieur, il n'y avait vraiment plus de place pour personne. Anapol se penchait sur son courrier. Il leva l'index pour indiquer qu'il était au milieu d'une pensée importante.

Sammy vit qu'il écrivait sur le papier à en-tête de la société Szymanowski. La lettre commençait par « Cher confrère ». La main d'Anapol demeura en suspens pendant qu'il relisait sa phrase, en remuant ses lèvres violacées et charnues. Enfin il leva les yeux avec un sourire sardonique.

– Pourquoi ai-je soudain envie de cacher mon chéquier ? ironisa-t-il.

– Patron, il faut qu'on vous parle.
– Je vois ça.
– Premièrement... (Sammy s'éclaircit la voix.) Tout ce que nous avons fait ici jusqu'à présent, quelle qu'en soit la qualité, et je ne sais pas si vous jetez un coup d'œil sur ce que sort la concurrence, mais nous avons été supérieurs aux trois quarts d'entre eux et aussi bons que les meilleurs, tout ça n'est rien, d'accord, rien du tout comparé à ce que Joe et moi avons cogité pour l'Artiste dorénavant, même si je ne suis pas libre de vous divulguer de quoi il retourne. Pour le moment...
– Ça c'est le premièrement, releva Anapol.
– Exact.
Anapol inclina la tête.
– Premièrement, vous devriez me féliciter.
Il se renversa dans son fauteuil, les mains croisées sur le ventre avec suffisance, et attendit qu'ils saisissent.
– Ils l'ont acheté ! s'exclama Sammy. Parnassus.
– Je l'ai appris par leur avocat, hier soir. La production doit démarrer à la fin de l'année, si ce n'est pas plus tôt. L'argent n'est certainement pas énorme – ce n'est pas la M.G.M. – mais ce n'est pas mal. Pas mal du tout.
– Naturellement, vous nous voyez obligés de vous demander de nous en donner la moitié, dit Joe.
– Naturellement, acquiesça Anapol, avec le sourire. Maintenant, dites-moi ce que vous avez trouvé tous les deux.
– Bon, dans l'ensemble c'est une approche entièrement nouvelle de notre projet. Nous nous sommes aperçus...
– Qu'avons-nous besoin d'une approche entièrement nouvelle ? L'ancienne fonctionne à la perfection.
– Celle-ci est meilleure.
– Meilleure dans ce contexte ne peut signifier qu'une chose, répliqua Anapol. Et c'est plus d'argent. Votre prétendue nouvelle approche va-t-elle nous rapporter plus d'argent, à mon associé et moi ?
Sammy consulta Joe du regard. En réalité, il n'en était pas entièrement persuadé. Mais il sentait encore l'aiguillon de l'accusation de Bacon de la veille. Et qui plus est, il connaissait bien Shelly Anapol. L'argent n'était pas pour lui – pas toujours – la chose la plus importante au monde. Jadis, bien des années auparavant, Anapol avait caressé l'espoir de jouer du violon dans le New York Philarmonic, et il y avait une partie de lui, bien que profondément enfouie, qui ne s'était jamais complètement résignée à l'existence d'un marchand de coussins pétomanes. Alors que les chiffres de vente d'Empire Comics avaient grimpé de manière astronomique, et que des déluges d'argent

affluaient du cœur du pays, Anapol, sous le coup de cette ambition rémanente et d'un sentiment de culpabilité pervers pour la facilité stupide avec laquelle ce succès colossal avait été obtenu, était devenu extrêmement susceptible sur la piètre réputation des comics parmi les Phi Beta Kappa et les grands manitous littéraires dont l'opinion comptait tant pour lui. Il avait même imposé à Deasey d'écrire des mises au point au *New York Times* et à *The American Scholar*, auxquelles il avait ensuite apposé sa signature, pour protester contre le traitement injuste qu'il considérait que ces publications avaient réservé dans leurs pages à son humble produit.

– Des tas d'argent, répondit Sammy. Des paquets, patron.

– Montrez-moi.

Ils allèrent chercher leur carton à dessins et essayèrent de lui expliquer quelles étaient leurs intentions.

– Les adultes, murmura Anapol au bout de quelques minutes. Vous voulez amener les adultes à lire des comics.

Les cousins échangèrent un regard. Ils ne l'avaient jamais expliqué ni compris sous ce jour avant.

– Probablement.

– Oui, renchérit Joe. Les adultes avec de l'argent d'adultes.

Anapol hocha la tête, en se caressant le menton. Sammy voyait le soulagement descendre dans ses épaules et les articulations de ses mâchoires, les dénouer ; Anapol se renversa dans son gros fauteuil pivotant en cuir, avec une noblesse et une aisance non entièrement exemptes de la menace d'une fragilisation métallique et de ressorts détendus. Qu'il soit soulagé d'avoir enfin trouvé une base louable à son commerce, ou qu'il soit simplement réconforté par la proximité rassurante d'un échec annoncé, Sammy n'eût su le dire.

– O.K., dit Anapol, tendant la main vers sa lettre inachevée. Nous allons tenter le coup. Au travail !

Joe s'apprêtait à sortir, mais Sammy le prit par le bras et le tira en arrière. Ils attendirent. Anapol ajouta une nouvelle phrase à sa missive, considéra le résultat, puis leva les yeux.

– Oui ?

– Et cet argent « pas énorme » de Parnassus ? lança Sammy. Nous avons un pourcentage sur l'adaptation radio. Vous nous avez même accordé un pourcentage sur la B.D. du journal. Je ne vois pas pourquoi nous ne...

– Oh, pour l'amour du ciel ! s'exclama Anapol. Ne vous donnez pas la peine de finir, monsieur Clay, je connais déjà votre chanson.

Le visage de Sammy s'épanouit.

– Et ?

Le sourire d'Anapol devint méfiant et pincé. Très pincé.

– Je ne suis pas opposé. Je ne peux pas m'engager à la place de

Jack, mais je lui en parlerai pour voir si nous ne pouvons pas trouver une solution.

– Très... très bien, murmura Sammy, surpris et un peu soupçonneux, sentant une condition imminente.

– Tenez, reprit Anapol, voyons si vous êtes capables de deviner ce que je vais vous dire.

– Ils mettent Szymanowski sur une image de chewing-gum ?

– Vous n'êtes peut-être pas au courant, expliqua Anapol, mais Parnassus Pictures conclut des affaires très saines en Europe.

– Je l'ignorais.

– Mais si. À vrai dire, leur marché le plus performant, après le marché intérieur, est...

– L'Allemagne, le coupa Joe.

– Évidemment, ils sont un peu inquiets de la réputation que vous deux avez faite à cette maison avec votre imagination fertile, celle d'être hostile aux citoyens et au gouvernement de cette nation de cinéphiles fanatiques. J'ai eu une longue conversation avec Mr Frank Singe, le directeur du studio. Il m'a fait clairement comprendre...

– Ce n'est pas la peine de continuer, trancha Sammy, dégoûté. Nous connaissons déjà votre chanson.

Il regarda Joe d'un air suppliant, désireux qu'il ne mâche pas ses mots pour parler à Anapol de sa famille et des infamies auxquelles elle était exposée, des mille cruautés, grosses et petites, auxquelles, avec une réglementation quasi médicale, ses membres étaient soumis par le Reichsprotektorat. Il était sûr qu'une fois de plus, Anapol céderait.

– Très bien, chuchota Joe. Je cesserai mon combat.

Les sourcils d'Anapol s'arquèrent de surprise.

– Joe ! s'écria Sammy. (Il était atterré.) Joe, allez ! Qu'est-ce que tu racontes ? Tu ne peux quand même pas abandonner ! C'est... c'est de la censure. Nous sommes censurés ! C'est exactement ce à quoi nous sommes censés résister. L'Artiste de l'évasion résisterait à un truc pareil.

– L'Artiste n'existe pas.

– Ouais, je sais. Bon Dieu !

– Sam, déclara Joe, les joues en feu. (Il posa une main sur le bras de Sammy.) J'apprécie ce que tu crois faire. Mais je souhaite régler la question maintenant. (Il tapota le carton à dessins.) Je suis fatigué de me battre, temporairement peut-être. Je me bats, et je continue à me battre, et ça contribue seulement à ce que j'aie moins d'espoir, pas plus. J'ai besoin de faire quelque chose... quelque chose qui sera grandiose, tu sais, au lieu de toujours chercher à être bon...

– Joe, je..., commença à protester Sam, avant de renoncer tout aussi rapidement. Parfait, reprit-il. Nous ficherons la paix aux nazis. De toute façon, nous n'allons pas tarder à être aussi en guerre.

– Et puis je promets de vous offrir la satisfaction de me rappeler mon ignoble conduite de ce matin, susurra Anapol. Ainsi qu'une participation – quelque chose de très modeste, je vous le garantis – sur la petite prime que Hollywood va nous accorder.

Les cousins étaient sur le départ. Sammy jeta un coup d'œil par-dessus son épaule.

– Et les Japs, alors ? lança-t-il.

10.

La soudaine petite floraison de graphisme, mineur mais authentique, dans la ligne de produits populaire de ce qui était alors la cinquième – ou sixième – société américaine d'édition de comics a généralement été attribuée à l'irrésistible séduction exercée par *Citizen Kane* sur les aspirations renaissantes de Joe Kavalier. Mais sans l'interdit thématique imposé par Shelly Anapol sur l'ordre de Parnassus Pictures – la censure de tout scénario ayant un rapport avec les nazis (et aussi les Japs), la guerre, les saboteurs ou les membres de la cinquième colonne, etc. – qui contraignit Sammy et Joe à une révision drastique des matériaux de leurs histoires, le tirage magique, qui commença avec le numéro 19 de *Radio Comics* pour s'achever quand Pearl Harbour rattrapa les deux mois de délai de fabrication d'Empire pour le vingt et unième numéro de *Triumph Comics* (février 1942), paraît assez incroyable. Dans huit numéros de *Radio*, *Triumph*, *All Doll* et des désormais mensuelles *Aventures de l'Artiste de l'évasion*, l'accent était mis pour la première fois, non seulement sur les personnages dotés de « super-pouvoirs » – en général, tellement ensevelis sous leurs inévitables linceuls de balles, torpilles, gaz toxiques, ouragans, maléfices et ainsi de suite, que les linéaments de leurs personnalités, sinon de leurs deltoïdes et de leurs quadriceps, étaient à peine distincts – mais également, de manière quasi révolutionnaire pour les comics de l'époque, sur leur entourage de gens ordinaires, dont les exploits personnels, après que les hostilités furent officiellement engagées avec l'Allemagne dans les premiers mois de 1942, étaient tellement passés au premier plan de chaque épisode qu'un tel accent sur l'héroïsme quotidien des « anonymes » peut être vu en soi comme constituant, au moins avec le recul, une sorte de propagande secrète, de là probablement inefficace. Il y avait des histoires décrivant les menus détails de ce que Mr Machine Gun, chez lui dans les pages de *Triumph*, aimait appeler « le héros-biz », qui étaient racontées non seulement du point de vue des héros, mais aussi de celui de divers maîtres d'hôtel, petites amies, assistants, cireurs de chaussures, médecins et même criminels. Un épisode suivait, par exemple, le déplacement d'une arme de poing dans les rues misérables d'Empire, où l'Artiste n'apparaissait que sur deux pages. Une autre histoire célèbre faisait le récit de la petite enfance de Papillon Lune et comblait les blancs de sa biographie grâce à une série complexe de flash-backs dévoilés par un groupe d'intimes inemployés des sorcières – des rats, des chats et des bidules reptiliens parlants, dans un « petit repaire sombre à l'extérieur de Fantômeville ». Puis il y avait *Kane Street*, soixante-quatre pages centrées sur une certaine petite rue d'Empire City, dont les habitants, après avoir appris la terrible nouvelle que l'Artiste luttait entre la vie et la mort à l'hôpital, rappelaient à tour de rôle la manière dont il avait influé sur leur existence et celle de toute la population (seulement pour que cette histoire se révèle, à la fin, un cruel canular perpétré par le méchant Filou).

Toutes ces incursions dans la fragmentation des éléments du récit, le mélange et l'isolation de deux ou trois points de vue, l'extension, autant qu'il était possible à cette époque, sous les contraintes d'un rédacteur en chef blasé et d'éditeurs obnubilés par le profit, des limites du scénario du comic book, toutes ces expérimentations furent portées, sans conteste, bien au-delà du niveau de la simple expérimentation par l'inventivité effrénée du crayon de Joe Kavalier. Joe se livra également à une étude des outils disponibles, qu'il trouva plus utiles et plus intéressants que jamais. Mais l'usage audacieux de la perspective et des hachures, la disposition radicale des bulles et des légendes et, par-dessus tout, l'intégration du narratif et du visuel au moyen de planches artistiquement disloquées, décalées, qui s'étiraient, rétrécissaient, s'ouvraient en rond, s'étalaient en double page, dessinaient une diagonale vers un des coins de la page, se dévidaient comme les photogrammes d'un film – tout cela n'était rendu possible que par la pleine et entière collaboration du scénariste et du dessinateur.

Que le fruit savoureux de cette collaboration ait eu son prix ; que les trente-deux numéros supplémentaires, les deux mille pages supplémentaires de pulvérisation des nazis supprimés par l'interdit d'Anapol, auraient pu, progressivement, pousser l'Amérique plus tôt dans la guerre ; que ce gain de temps aurait été susceptible de hâter la victoire ; que cette victoire survenant un jour, une semaine ou un mois avant aurait pu sauver une dizaine, une centaine ou un millier de vies de plus – ce type de questions ne peut avoir aujourd'hui qu'un intérêt académique, dès lors que les fantômes et ceux qu'ils hantaient sont morts.

En tout cas, les chiffres du tirage des titres de Kavalier & Clay augmentèrent régulièrement jusqu'à avoir presque doublé au moment de la brutale interruption de leur partenariat, bien qu'il soit difficile de juger si cette croissance exceptionnelle était due à l'avance sensible de ces livraisons en matière de qualité et de sophistication, ou si celle-ci était simplement un effet de l'explosion générale des ventes des comic books qui se manifesta dans les mois précédant l'entrée en guerre de l'Amérique. De puissants blizzards – qui soufflaient de Hollywood, de la radio, de Milton Bradley et des Marx Toys, des Hostess Cakes et (inévitablement) de la Yale Lock Company[1], mais surtout du fond des porte-monnaie, des poches de salopettes et des Banques Nationales de Pièces en Caoutchouc garanties d'origine de l'Artiste de l'évasion – recouvrirent d'un manteau sonnant et trébuchant les bureaux du vingt-cinquième étage de l'Empire State Building. Il fallut des pelles, des chasse-neige, des équipes d'hommes travaillant vingt-quatre heures sur vingt-quatre pour faire front à cette vertigineuse avalanche d'argent. Une partie de cette chute de fraîche se retrouva en temps utile sur le compte bancaire de Josef Kavalier, où elle forma d'imposantes et fantastiques congères et fut laissée ainsi, à l'écart et scintillante, pour rafraîchir la fièvre de l'exil à dater du jour où sa famille devait arriver.

1. Marque de fabrique, d'après Linus Yale (1821-1868), serrurier américain. (*N.d.T.*)

11.

Quand Frank Singe, le directeur de production de Parnassus Pictures, passa à New York en ce mois de septembre, Bacon s'arrangea pour que Sammy le rencontre au Gotham Hotel[1]. Bacon avait gardé Sammy éveillé toute la nuit, à écrire des scénarios, et Sammy, mal rasé et les yeux troubles, en avait trois de prêts à montrer à Singe dans l'après-midi. Singe, un gros bonhomme à la carrure imposante, qui fumait un Davidoff *gigante* de vingt-cinq centimètres, expliqua qu'il avait déjà deux scénaristes en tête, mais qu'il aimait bien ce que Sammy avait apporté aux comics et qu'il jetterait un coup d'œil à ses pages. Il n'était pas du tout décourageant. Il avait une affection personnelle pour Bacon, c'était évident ; par ailleurs, comme il le dit lui-même, ce n'était pas comme si les deux autres gars pressentis pour le travail étaient George Kaufman et Moss Hart[2]. Après les avoir écoutés avec une certaine distraction pendant vingt-cinq minutes, il annonça à Sammy et à Bacon qu'il avait un rendez-vous très important pour étudier une paire de longues jambes, et la réunion prit fin. Les deux compères regagnèrent la rue en compagnie du nabab de Poverty Row[3] et sortirent du Gotham dans l'après-midi finissant. Il avait fait beau toute la journée et, même si le soleil était déjà couché, le ciel au-dessus de leurs têtes était encore aussi bleu qu'une flamme de gaz, avec, à l'est, une ombre tremblotante de charbon noir.

– Eh bien, merci, monsieur Singe, dit Sammy, en lui serrant la main. J'apprécie l'occasion.

– Ce gamin est très capable, monsieur, insista Bacon, qui tendit

1. Allusion transparente à la Gotham City de *Batman*. Historiquement, Gotham est un autre nom de New York (d'après un village anglais, près de Nottingham, dont les habitants, les « sages de Gotham », étaient très fous, selon la légende). (*N.d.T.*)

2. Duo de fameux auteurs de boulevard de l'époque. (*N.d.T.*)

3. Surnom du quartier des petits studios et des indépendants à Hollywood. (*N.d.T.*)

le bras pour le passer autour de Sammy et le secouer légèrement. L'Artiste de l'évasion est son bébé !

La soirée était fraîche. Sous son pardessus en poil de chameau doux et épais, avec le bras de Bacon sur ses épaules, Sammy se sentait au chaud, heureux et prêt à croire à sa bonne étoile. Le désir ardent de Bacon de l'emmener avec lui en Californie le touchait, même s'il s'en méfiait ; il craignait qu'en réalité Bacon ait seulement peur d'être tout seul là-bas. C'était entre eux deux désormais, tout comme cela l'avait été avec Joe, avant Rosa. Sammy était toujours disponible, toujours prêt à participer, à suivre, à s'accrocher, à bouger et à recoller les morceaux après une bagarre. Parfois, Sammy redoutait d'être en train de devenir un copain professionnel. Dès que Bacon se serait fait de nouveaux amis ou un nouvel ami en Californie, Sammy resterait en plan avec les pauvres diables, les poissons rouges décolorés à la bouche ouverte, dont parlait *L'Incendie de Los Angeles**.

– Votre décision sera la bonne, monsieur Singe, dit Sammy. Pour vous dire la vérité, je ne sais même pas si j'ai envie d'émigrer à Los Angeles.

– Oh, tu ne vas pas recommencer ! s'exclama Bacon avec un grand rire factice radiophonique.

Ils serrèrent la main de Singe, qui monta dans un taxi.

– À bientôt, les gars, lança Singe, avec une drôle d'intonation dans la voix, oscillant quelque part entre la moquerie et le doute.

Le taxi décolla du trottoir et son occupant eut un petit geste de la main, laissant Sammy planté là, sous le bras de son petit ami.

Bacon s'en prit à Sammy.

– Pourquoi es-tu allé dire ça, Clay ?

– C'est peut-être vrai. Je préfère peut-être rester ici.

« Petit ami ». L'expression s'était imposée à l'esprit de Sammy et y tournoyait aveuglément tel un papillon de nuit, pendant qu'il la pourchassait, une tapette dans une main et un livre sur les lépidoptères dans l'autre. Elle sonnait comme une raillerie acide, cruelle, écrite en italique : « Mais qui est ton *petit ami*, Percy ? » Même si Sammy passait désormais tout son temps libre en compagnie de Bacon, et qu'il eût accepté en principe de prendre une maison avec lui au cas où ils partiraient pour l'Ouest, Sammy refusait toujours de s'avouer – à ce niveau de conscience non pertinent, sénatorial, où les questions auxquelles le désir a déjà répondu sont posées, débattues et remises à plus tard – qu'il était amoureux ou tombait amoureux de Tracy Bacon. Ce n'était pas qu'il niât ce qu'il ressentait, ou que les conséquences de ce sentiment l'eussent effrayé. Enfin, il le niait, et les conséquences l'effrayaient, mais Sammy avait été amoureux des garçons presque toute sa vie, de son père à Nikola Tesla en passant par John Garfield, dont le sarcasme résonnait si clairement dans son imagination, ridiculisant Sammy : « Hé, mon coco, qui est ton petit ami ? »

Si clandestine et impossible que cette initiative ait pu toujours être ou paraître, les hommes tendres venaient naturellement à Sammy, comme le don des langues ou un œil pour les trèfles à quatre feuilles ; les notions de déni et de peur étaient de fait superfétatoires. Oui, d'accord, il était peut-être amoureux de Tracy Bacon. Et alors ? Qu'est-ce que cela prouvait ? Il y avait peut-être bien eu d'autres baisers, et un prudent attrait pour l'obscurité, les cages d'escalier et les couloirs déserts. Même John Garfield eût dû reconnaître que leur attitude depuis la nuit de l'orage au quatre-vingt-sixième étage avait été espiègle, virile et fondamentalement chaste. Au fond d'un taxi, leurs mains volaient parfois furtivement l'une vers l'autre sur la banquette de cuir, et Sammy sentait sa petite paume moite et ses ongles rongés absorbés dans la poigne profondément solide, posée et presbytérienne de Tracy Bacon.

La semaine précédente, alors qu'ils étaient chez Brooks pour essayer de nouveaux costumes, plantés côte à côte en sous-vêtements, telle une publicité « avant-après » pour un tonique vitaminé, ils avaient regardé le vendeur quitter le salon d'essayage et le tailleur leur tourner le dos, puis Bacon avait tendu la main pour agripper une poignée de la toison du torse de Sammy. Il avait posé l'articulation de ses doigts dans le creux du sternum de son ami et flatté de sa paume la déclivité de son ventre, puis, durcissant ses yeux bleus d'une lueur innocente à la Tom Mayflower, aventuré sa main dans la ceinture du caleçon de Sammy, comme un cuisinier qui teste une marmite d'eau chaude du petit doigt. La verge de Sammy garda jusqu'à cet instant un souvenir fugace de l'empreinte de la main fraîche de Joe. Quant aux baisers, il y en avait eu trois autres : un juste devant la porte de la chambre d'hôtel de Bacon une fois où Sammy l'avait raccompagné, un deuxième dans la claire-voie obscure du métro aérien de la Troisième Avenue, à hauteur de la Cinquante et unième Rue, et enfin le troisième, le plus hardi, dans une rangée du fond d'un cinéma de Broadway, à une projection de *Dumbo*, pendant la bacchanale de l'éléphant rose. Car voilà la nouveauté, la différence entre l'amour que Sammy avait eu pour Tesla et Garfield et même pour Joe Kavalier, et celui qu'il éprouvait pour Tracy Bacon : il avait vraiment l'air d'être réciproque. Et ce bourgeonnement des désirs, ces étreintes de leurs doigts, ces quatre baisers vitaux volés au réservoir débordant de l'indifférence new-yorkaise étaient le produit inéluctable de cette réciprocité. Mais signifiaient-ils que lui ou Bacon étaient homosexuels ? Faisaient-ils de Bacon le « petit ami » de Sammy ?

– Ça m'est égal, répondit à haute voix Sammy, à la face de Mr Frank Singe, de New York, du monde entier. (Puis, se retournant vers Bacon :) Ça m'est égal ! Ça m'est égal de décrocher ce job ou non. Je n'ai pas envie d'y penser. Ni à Los Angeles, ni à ton départ, à rien. Je veux juste vivre ma vie, être un bon garçon et m'amuser. Ça te va ?

– Ça me va, m'sieur, répondit Bacon, nouant son écharpe pour se protéger du froid. Et si on bougeait ?

– Qu'est-ce que tu veux faire ?

– Je ne sais pas. Quel est ton lieu préféré ? Dans toute la ville, je veux dire.

– Mon endroit préféré dans toute la ville ?

– Exact.

– Les autres districts que Manhattan compris ?

– Ne me dis pas que c'est dans Brooklyn. C'est affreusement décevant.

– Pas Brooklyn, précisa Sammy. Le Queens.

– C'est encore pire !

– Sauf qu'il n'existe plus, mon lieu préféré. Il a été fermé. Remballé et évacué de la ville...

– La Foire, murmura Bacon, qui secoua la tête. Toi et ta foire...

– Tu n'y es jamais allé, si ?

– C'est ça ton lieu préféré, hein ?

– Ouais, mais...

– D'accord, alors.

Bacon héla un taxi et ouvrit la portière à Sammy. Celui-ci resta un moment immobile, sachant que Bacon allait l'entraîner dans une aventure dont il ne pourrait pas se tirer très facilement. Mais il ne savait pas laquelle.

– Direction le Queens, lança Bacon au chauffeur. La Foire mondiale.

Ce n'est qu'après avoir atteint le Triborough Bridge que le chauffeur les informa d'une voix sèche et monocorde :

– Je ne sais pas comment vous le dire, les gars.

– Il n'en reste rien ? s'inquiéta Sammy.

– Eh bien, j'ai lu dans les journaux qu'ils avaient discuté de ce qu'ils allaient faire du terrain, la municipalité, Mr Moses et les responsables de la Foire. Une partie doit quand même encore être là, je pense.

– Nous garderons très peu d'espoir, conclut Bacon. Qu'est-ce que tu en dis ?

– Je me sens rassuré, répondit Sammy.

Sammy avait adoré la Foire mondiale, qu'il avait visitée trois fois, à ses débuts en 1939. Jusqu'à la fin de ses jours, il devait conserver un des petits jetons qu'on lui avait donnés à la sortie du pavillon de la General Motors et sur lequel il écrit : J'AI VU L'AVENIR. Il avait grandi pendant une ère de désespoir, et pour lui et des millions de ses petits concitoyens la Foire et l'univers qu'elle prédisait avaient possédé la force d'un engagement, la promesse d'un monde meilleur à venir, promesse qu'il tenterait plus tard d'accomplir dans les champs de pommes de terre de Long Island.

Le taxi les déposa devant la gare du L.I.R.R.[1] Ils rôdèrent un moment sur le pourtour de la Foire, à la recherche d'un moyen d'entrer. Mais il y avait une haute palissade et Sammy ne pensait pas être capable de la franchir.

– Ici, cria Bacon, s'accroupissant derrière des buissons et bombant le dos. Monte.

– Mais je ne peux pas... je vais te faire mal...

– Vas-y, tout se passera bien.

Sammy grimpa donc sur le dos de Bacon, déposant des empreintes de pied boueuses sur son pardessus.

– J'ai pris des forces comme par magie, tu sais, le rassura Bacon. Ouf !

Sammy bascula, pendit dans le vide et tomba à terre, atterrissant sur son postérieur. Bacon prit de l'élan, se hissa au sommet, passa à son tour par-dessus et retomba de l'autre côté de la palissade. Ils étaient entrés.

La première chose que Sammy chercha du regard, c'étaient les structures monumentales à la Mutt-and-Jeff*, le Trylon élancé et sa contrepartie arrondie, la Périsphère, symboles de la Foire qui avaient été omniprésents dans tout le pays durant deux ans, jusqu'à s'insinuer sur les menus des restaurants, les cadrans de réveils, les boîtes d'allumettes, cravates, mouchoirs, cartes à jouer, pull-overs des filles, shakers, foulards, meubles radio, etc., avant de disparaître aussi soudainement qu'ils avaient fleuri, tels les totems de quelque culte « millérite[2] » tombé en déconsidération, qui crée un bref frisson, puis déçoit amèrement ses adeptes par ses grandioses et terribles prophéties. Il vit tout de suite que les trente mètres du bas du Trylon étaient emmaillotés d'échafaudages.

– Ils démontent le Trylon, déclara Sammy. Seigneur !

– Lequel des deux est le Trylon ? Le pointu ?

– Ouais.

– Je ne savais pas qu'il était si haut.

---

1. Long Island Rail Road, chemin de fer qui dessert Long Island, dans l'État de New York. (*N.d.T.*)

2. Mot formé d'après William Miller (1782-1849), prédicateur américain qui annonça la fin du monde et le nouvel avènement du Christ pour 1843. (*N.d.T.*)

– Plus haut que le monument de Washington.
– En quoi est-il ? En granite, en calcaire ou un truc dans ce genre ?
– En plâtre de Paris, je crois.
– Nous nous sommes bien débrouillés, non ? Sans parler de mon départ pour L.A.
– Tu y penses ?
– Moi, non. Alors la boule, c'est la Périsphère ?
– Exact.
– Y avait-il quelque chose à l'intérieur ?
– Pas dans le Trylon. Mais ouais, la Périsphère abritait toute une exposition. « Démocracité ». C'était comme un modèle réduit de la ville du futur. On s'installait dans des petites voitures qui faisaient le tour par l'extérieur pour la regarder d'en haut. Elle était tout en autoroutes et banlieues dortoirs. Tu avais l'impression de la survoler en zeppelin. On y créait l'obscurité, et tous les petits immeubles et les réverbères s'allumaient et scintillaient. C'était formidable ! J'ai adoré...
– Ne me dis pas. J'aimerais bien voir ça. Je me demande si c'est toujours là. Sammy, qu'en penses-tu ?
– Je n'en sais rien, répondit Sammy avec une sorte de frisson de méfiance. (Il connaissait déjà Bacon assez bien pour reconnaître l'impulsion, et le ton correspondant, qui avait poussé son ami jusqu'à une installation militaire au sommet de l'Empire State Building à minuit, avec un repas gastronomique dans deux sacs à provisions.) Probablement pas, Bake. Je pense... Hé, attends-moi !

Bacon suivait déjà le mur circulaire entourant l'immense piscine, à présent vidée et recouverte d'une bâche de toile d'aspect détrempé, où la Périsphère avait jadis baigné. Sammy jeta un coup d'œil pour voir s'il y avait des ouvriers ou des gardiens de nuit, mais, apparemment, ils avaient le lieu pour eux seuls. Cela lui serrait le cœur d'embrasser la vaste étendue du champ de foire, qui, il n'y avait pas si longtemps, grouillait de drapeaux, de chapeaux de femmes et de visiteurs transportés à toute vitesse dans des véhicules automatiques, et de n'avoir sous les yeux qu'un panorama de boue, de bâches et de journaux volants, hérissé ici et là du moignon fuselé d'un étai encapuchonné, d'une bouche d'incendie ou des arbres dénudés qui flanquaient les allées et les promenades désertes. Les pavillons et les halls d'exposition aux couleurs acidulées, décorés d'anneaux de Saturne, d'éclairs, de dents de requins, de grilles dorées et de nids d'abeilles, le pavillon italien dont la façade entière se dissolvait en une cascade perpétuelle, la caisse enregistreuse géante, les temples austères et sinueux des dieux de Detroit, les fontaines, les pylônes et les cadrans solaires, les statues de George Washington, de la Liberté de Parole et de la Vérité montrant le chemin de la Liberté avaient été dépouillés, désossés, démontés, rasés, réduits à des tas de gravats à coups de bulldozer, chargés sur des plates-formes de camion, déversés dans des péniches, remorqués au-delà de l'entrée du port et envoyés par le fond. Ces pensées le rendaient triste, non parce qu'il voyait une allégorie instructive ou un cruel sermon sur la vanité de toutes les espérances humaines et les chimères utopiques dans cette métamorphose d'un beau rêve d'été en une énorme flaque de boue en train de geler à la fin d'un après-midi de septembre – il était trop jeune pour avoir ce genre d'idées –, mais parce qu'il avait adoré la Foire. Devant ce spectacle, il sentit au fond de son cœur ce qu'il savait depuis le début que, comme son enfance, la Foire était finie et qu'il ne la reverrait plus.

– Hé, Clayboy ! appela Bacon. Par ici.

Sammy se retourna. Il ne vit pas trace de Bacon. Aussi vite que possible, Sammy fit le tour du mur blanchi à la chaux, avec ses taches de pluie et sa pellicule inégale de feuilles mouillées, et arriva aux portes du Trylon, qui avaient jadis conduit, via deux impériaux escaliers mécaniques, au cœur de l'œuf musical. Quand la Foire était encore ouverte, il y avait toujours une immense queue qui serpentait jusqu'à ces grandes portes bleues. Un ouvrier avait oublié le couvercle-gobelet en fer-blanc de son thermos. Sammy s'approcha des battants métalliques. Ils étaient munis de lourdes barres de fer et cadenassés avec une grosse chaîne. Sammy tira dessus ; ils ne bougèrent absolument pas.

– J'ai déjà essayé, reprit Bacon. Par-dessous.

La Périsphère reposait sur une sorte de tee, un ensemble de colonnes régulièrement espacées qui étaient toutes reliées à lui par son cercle antarctique, si l'on peut dire. L'idée, c'était que la grosse boule blanche comme un os, dont la surface était striée de fines veines telle la cape d'un cigare, semblât flotter là, au milieu de la pièce d'eau. Maintenant qu'il n'y avait plus d'eau, on voyait les colonnes. On voyait aussi Tracy Bacon, planté au milieu, juste sous le pôle sud de la Périsphère.

– Hé ! cria Sammy, se précipitant vers le mur et se penchant par-dessus. Qu'est-ce que tu fabriques ? Ce machin pourrait tomber et t'écraser...

Bacon le regarda, les yeux écarquillés, incrédule, et Sammy rougit. C'était exactement ce qu'aurait dit sa mère.

– Il y a une ouverture, reprit Bacon, tendant un doigt vers le haut. Puis il leva le bras au-dessus de sa tête et ses mains pénétrèrent dans le fond de la coque de la Périsphère. Ensuite, la tête de Bacon disparut, ses pieds quittèrent le sol. Il n'était plus là.

Sammy passa une jambe de l'autre côté du mur, puis la deuxième, et se laissa glisser dans la piscine. La toile mouillée produisit des gargouillis sous ses chaussures, tandis qu'il traversait en courant le fond doucement incurvé du bassin en direction de la Périsphère. Une fois dessous, il leva les yeux et distingua une trappe rectangulaire qui semblait faite sur mesure pour laisser passer Tracy Bacon.

– Viens.

– Il fait noir comme dans un four là-dedans, Bake.

Une grande main gesticulante émergea de la trappe, les doigts repliés. Sammy leva le bras pour l'attraper, leurs paumes se joignirent. Puis Bacon le hissa à bras-le-corps dans les ténèbres. Avant même qu'il ait eu le temps de sentir, de flairer ou d'écouter les ténèbres, Bacon ou les battements de son propre cœur, les lumières s'allumèrent.

– Seigneur ! s'exclama Bacon. Regarde ça...

Les systèmes commandant le mouvement, les sons et lumières de Démocracité, ainsi que de l'exposition qui lui faisait pendant, le Futurama de General Motors, étaient littéralement le *dernier cri*[1] de l'art et des anciens principes de l'horlogerie dans les ultimes moments d'un monde sans ordinateurs. La synchronisation de la complexe piste sonore des voix et de la musique, de la circulation des voitures et de la variation des ambiances lumineuses à l'intérieur de la Périsphère avait nécessité toute une batterie de dispositifs, poulies, leviers, cames, ressorts, roues, commutateurs, relais et courroies qui étaient sophistiqués, complexes et sensibles à toute perturbation. Une crotte de souris, un brutal coup de froid ou les grondements accumulés du départ ou de l'arrivée de dix mille trains souterrains pouvaient détraquer le système et interrompre brusquement les transports, bloquant parfois cinquante personnes à l'intérieur. C'était la nécessité de réparations et réglages fréquents qui expliquait l'existence d'une trappe dans le ventre de la Périsphère. Celle-ci donnait dans une drôle de salle en forme de cuvette. Par là où Joe et Sammy étaient entrés, au fond du bol, il y avait une sorte de plate-forme en acier ondulé. D'un côté de la plate-forme, une série de taquets avaient été soudés à la structure intérieure de la sphère et montaient graduellement le long de la paroi du bol jusqu'à la surface inférieure de Démocracité au mécanisme d'horlogerie complexe.

Bacon s'agrippa à un des taquets les plus bas de l'échelle.

– Tu crois que tu peux y arriver ? demanda-t-il.

– Je n'en suis pas sûr, répondit Sammy. Je pense vraiment...

– À toi l'honneur, enchaîna Bacon. Je te donnerai un coup de main s'il le faut.

Malgré ses mauvaises jambes, Sammy grimpa de trente mètres

1. En français dans le texte. (*N.d.T.*)

dans les airs. En haut, il y avait une deuxième trappe. Sammy y passa la tête.

– C'est tout noir, dit Sammy. Dommage ! O.K., on peut repartir.

– Attends une minute ! objecta Bacon. (Sammy sentit une brusque poussée par-derrière ; Bacon lui avait empoigné les jambes et l'avait plus ou moins plié en deux pour le propulser dans les vastes ténèbres glacées. Sammy s'érafla la joue sur quelque chose de râpeux, puis il y eut un bruit strident et une suite de grincements tandis que Bacon se hissait derrière lui.) Oh ! Tu as raison.

– Tu crois ? (Sammy tendit la main pour tâter le sol, à la recherche de la trappe.) Bon, tu es fou, Bake, tu le sais ? Tu n'acceptes pas qu'on te dise non. Je...

Sammy entendit le crissement métallique de la charnière d'un briquet, le grattement de sa pierre. Une étincelle jaillit comme par magie pour former le visage vacillant de Tracy Bacon.

– Le tien maintenant, dit-il.

Sammy alluma son briquet. À eux deux, ils réussirent à produire assez de lumière pour voir qu'ils campaient assez loin dans une aile de l'exposition, au milieu d'une large zone boisée de un centimètre de haut. Tracy se leva et se dirigea vers le centre. Sammy le suivit, en protégeant sa flamme. Sous ses pieds, la surface du sol était revêtue d'une espèce de mousse artificielle sèche et rugueuse, censée évoquer de grandes collines ondulées couvertes d'arbres. Cette mousse émettait un craquement qui se répercutait dans le grand dôme vide. De temps en temps, même s'ils s'efforçaient de faire attention, un des deux marchait sur une ferme modèle, écrasait le parc d'attractions ou l'orphelinat central d'une ville du futur. Finalement, ils atteignirent la mégalopole, au centre même du diorama, qui portait le nom de Villecentre ou Agglocentre, ou autre chose de tout aussi original. Un unique gratte-ciel s'élevait au-dessus d'un groupe d'immeubles plus petits. Toutes les constructions avaient l'air aérodynamiques et modernes, semblables à une ville sur la planète Mongo* ou à la cité d'Émeraude du *Magicien d'Oz*. Bacon posa un genou au sol et mit ses yeux à hauteur de la tour isolée.

– Oh ! murmura-t-il. (Il fronça les sourcils, puis se baissa encore, se pencha en avant, accoudé sur un bras, lentement, en prenant soin de ne pas éteindre sa flamme, jusqu'à être allongé par terre à plat ventre.) Oh ! répéta-t-il, dans un grognement cette fois-ci. (Il abaissa le menton au ras du sol.) Ouais. Voilà la solution. Je ne crois pas que j'aurais aimé planer au-dessus d'aussi près.

Sammy rejoignit Bacon et demeura un moment planté devant lui. Puis il se laissa glisser à terre à ses côtés. Il replia un bras sous sa poitrine et, inclinant légèrement la tête, loucha pour essayer de se perdre dans l'illusion de la maquette, comme il avait l'habitude de se perdre dans Futuria, à sa table à dessin de Flatbush, à des millions d'années de là. Il mesurait un millimètre de haut, filait sur une route océanique à bord de son petit Skyflivver[1] antigravitationnel, longeait avec la rapidité de l'éclair les façades silencieuses des immeubles argentés montant jusqu'aux nues. C'était une journée parfaite dans une ville parfaite. Un double coucher de soleil flamboyait dans les vitres et jetait des ombres sur les squares ombragés. Sammy avait les extrémités des doigts en feu.

– Aïe ! s'écria-t-il, laissant tomber son briquet. Ouille ouille ouille !

Bacon laissa sa propre flamme s'éteindre.

– Tu devrais confectionner une compresse avec ta cravate, abruti, déclara-t-il. (Il empoigna la main de Sammy.) C'est celle-là ?

– Ouais, gémit Sammy. Les deux premiers doigts. Oh ! O.K.

Ils restèrent couchés là quelques instants, dans les ténèbres, dans le futur, avec les bouts de doigts douloureux de Sammy dans la bouche de Bacon, à écouter le fabuleux mécanisme de leurs cœurs et de leurs poumons, et à communier dans leur amour.

1. « Guimbarde céleste ». (*N.d.T.*)

12.

Le dernier jour de novembre, Joe reçut une lettre de Thomas. D'une écriture exécrable, penchée vers la gauche, il lui annonçait, en recourant à un ton sardonique qui était absent de ses premières lettres de Lisbonne, que le vieux rafiot – après qu'une succession de retards, de revirements, de déboires mécaniques et de tergiversations gouvernementales eut été enfin aplanie – devait reprendre la mer le 2 décembre. Plus de huit mois s'étaient déjà écoulés depuis la fuite de Thomas de la Moldau jusqu'au Tage. Le garçon avait eu ses treize ans sur un lit pliant du réfectoire du couvent de Nossa Senhora de Monte Carmelo, et dans sa lettre il prévenait Joe qu'il avait une tendance mystérieuse à se mettre à débiter pour un oui pour un non des *Notre Père* et des *Je vous salue Marie*, et qu'il était devenu sensible aux guimpes. Il prétendait avoir peur que Joe ne le reconnaisse pas, à cause de sa tête de boutonneux et de « l'ombre pubertaire apparemment permanente sur (sa) lèvre supérieure que d'aucuns ont la témérité d'appeler une moustache ». Quand Joe eut achevé sa lecture, il embrassa la lettre et la pressa contre sa poitrine. Il se rappelait trop bien la crainte que les immigrés avaient de ne pas être reconnus dans un pays d'étrangers, de se perdre dans leur transfert de là-bas à ici.

Le jour suivant, Rosa se rendait directement de la Transatlantic Rescue Agency aux bureaux d'Empire et éclatait en larmes dans les bras de Joe. Elle lui raconta que Mr Hoffman, après coup, avait téléphoné cet après-midi-là à Washington, aux bureaux du Comité consultatif de la Présidence sur les réfugiés politiques juste pour s'assurer que tout était en ordre. À son grand étonnement, il s'était entendu dire par le président du comité que les visas de tous les enfants risquaient d'être annulés pour raisons de « sécurité d'État ». Le responsable de la section des visas du département d'État, Breckinridge Long, un homme ayant « certaines antipathies », selon la formule prudente du président, avait instauré depuis longtemps une politique claire de refus de visas aux réfugiés juifs. Hoffman le savait fort bien. Mais dans le cas présent, objecta-t-il, les visas avaient déjà été accordés, le bateau était sur le départ et les « risques pour la sécurité » consistaient en trois cent dix-neuf enfants ! Le président compatit. Il présenta des excuses. Il exprima ses profonds regrets et sa confusion devant ce malheureux tour des événements, puis il raccrocha.

– Je vois.

Ce fut la seule réponse de Joe après que Rosa, perchée sur son tabouret de bar, eut terminé son récit. D'une main, il caressait machinalement la nuque de la jeune fille. De l'autre, il faisait tourner la molette de son briquet, sans cesser de l'allumer. Rosa était honteuse et désorientée. Elle avait l'impression qu'elle devait consoler Joe, mais voilà qu'elle était au milieu de l'atelier d'Empire, avec une bande de gars qui, par-dessus leurs planches à dessin, la regardaient pleurer dans le gilet de Joe pendant qu'il lui tapotait les cheveux en répétant : « Là, là... » Les épaules du garçon étaient tendues, sa respiration courte. Elle sentait la colère bouillonner en lui. Chaque fois que le briquet s'allumait, elle tressaillait.

– Oh, chéri ! hoqueta-t-elle. J'aimerais qu'il y ait quelque chose qu'on puisse faire, quelqu'un vers qui on puisse se tourner...

– Hein ? murmura Joe. (Puis :) Regarde ici.

Il l'empoigna par les épaules et la fit pivoter sur son tabouret. Sur une table basse, près de sa planche à dessin, reposait une pile de pages d'illustré avec le lettrage, mais pas encore encrées, sur de grandes feuilles de papier bristol. Joe feuilleta la pile de pages, les passant une par une à Rosa. Celles-ci représentaient une histoire racontée par le gardien de la statue de la Liberté, un bonhomme grand et voûté avec une tignasse et une casquette, ayant un air de ressemblance avec George Deasey. Apparemment, le malheureux avait un compte à régler avec « cette bande de vieilles badernes ». Il expliquait ensuite comment, le matin même, il avait vu avec horreur le professeur Percival Pantz, alias « Smarty », Mr Je-sais-tout rival malchanceux du docteur E. Pluribus Hewnham, le Savant américain, réaliser une « procédure d'implantation d'électro-encéphale » sur la Grande Dame. L'idée, c'était d'enrôler la statue dans l'effort visant à garder le ciel d'Empire City vide d'avions et d'aéronefs ennemis. « Elle sera capable d'écraser les Messerschmitt comme des moustiques ! » croassait Panz. Finalement, grâce à l'habituelle faute de calcul du docteur Panz, en s'éveillant, la statue était partie traverser la baie à grandes enjambées, en direction d'Empire City, sa tête électrique couronnée de pointes remplie de pulsions homicides. Bien sûr, à l'aide d'un robot géant et bien pratique de sa fabrication, qu'il équipa promptement d'un énorme masque de Clark Gable, le Savant américain put la ramener par la ruse à son piédestal, puis neutraliser son usage d'« aimants supradynamiques ». Mais tout cela avait produit un terrible gâchis, à la vive exaspération du gardien narrateur. Non seulement l'île mais tout le port maritime étaient sens dessus dessous. Ses collègues gardiens et éboueurs municipaux avaient déjà trop de travail pour nettoyer les rues après les bagarres auxquelles les surhommes se livraient régulièrement. Comment parviendraient-ils à réparer les derniers dégâts ?

À ce moment-là, un avion atterrit sur l'île de la Liberté. Une silhouette familière, avec un chapeau à large bord et un pardessus ceinturé en descendit, l'air de ne pas plaisanter.

– On dirait Eleanor Roosevelt, chuchota Rosa, montrant du doigt la planche où Joe avait dessiné une version assez flatteuse de la Première dame, en train d'agiter la main du haut des marches de la passerelle de l'avion.

– Elle prend un balai, expliqua Joe. Et commence à balayer. Bientôt toutes les femmes de la ville sortent avec leurs balais. Pour aider...

– Eleanor Roosevelt, murmura Rosa.

– Je vais l'appeler, déclara Joe, se dirigeant vers un téléphone posé sur un bureau voisin.

– D'accord.

– Je me demande si elle acceptera de me parler... (Il décrocha.) Je pense que oui. J'ai cette idée à cause des choses que j'ai lues sur elle.

– Non, Joe, je ne crois vraiment pas qu'elle le fera, dit Rosa. Je suis désolée. J'ignore comment c'était en Tchécoslovaquie, mais ici on ne peut pas téléphoner à la femme du Président pour lui demander une faveur.

– Oh ! s'exclama Joe, qui raccrocha le récepteur et regarda sa main fixement, la tête baissée.

– Mais... Oh, mon Dieu ! (Elle descendit du tabouret.) Joe !

– Quoi ?

– Mon père. Il la connaît un peu. Ils se sont croisés dans le cadre de la W.P.A.[1]

– Lui a le droit d'appeler la femme du Président ?

– Oui, je crois que oui. Prends ton chapeau, nous rentrons à la maison.

Longman Harkoo appela la Maison Blanche l'après-midi même et apprit que la Première dame se trouvait à New York. Avec un coup de pouce de Joe Lash*, qu'il connaissait par ses relations « rouges », le père de Rosa réussit à localiser Mrs Roosevelt et obtint un rendez-vous pour lui rendre une brève visite dans son appartement de la Onzième Rue Est, non loin de la maison des Harkoo. Pendant un

1. *Work Progress Administration.* (*N.d.T.*)

quart d'heure, en prenant le thé, Harkoo lui exposa la situation de l'*Arche de Miriam* et de ses passagers. Mrs Roosevelt, rapporta plus tard le père de Rosa, avait paru se mettre dans une colère noire, même si elle lui avait seulement dit qu'elle allait voir ce qu'elle pouvait faire.

L'*Arche de Miriam* quitta Lisbonne le 3 décembre, son cap redressé par la main invisible d'Eleanor Roosevelt.

Le lendemain, Joe appela Rosa pour lui demander si elle pouvait le retrouver pour sa pause-déjeuner à une adresse dans les Soixante-dixièmes Ouest. Il ne voulut pas lui dire pourquoi, seulement qu'il avait quelque chose à lui donner.

– Moi aussi j'ai quelque chose pour toi, répondit-elle.

C'était une petite toile qu'elle avait terminée la nuit précédente. Elle l'emballa dans du papier, la ficela et la transporta en métro. Peu après, elle se retrouvait devant le Joséphine, un édifice de quinze étages en marbre du Vermont teinté de bleu frais. Décoré de balcons en pointe, il occupait plus d'un demi-pâté de maisons entre West End Avenue et Broadway. Le portier portait l'uniforme d'un hussard perdu lors de la retraite de Smolensk, jusqu'à la moustache bien taillée et cirée. Son manteau sur le bras, Joe l'attendait quand elle arriva à pied. C'était une belle journée, froide et éclatante, avec un ciel bleu comme un Nash et sans nuages, hormis un seul petit mouton égaré au-dessus de leurs têtes. Il y avait longtemps que Rosa n'était pas venue dans ce quartier. Les façades des grands immeubles s'étendant au loin vers le nord, qui lui avaient semblé par le passé arrogants, vieillots et bourgeois, avaient à présent un aspect tranquille et solide. Sous l'impitoyable lumière automnale, ils donnaient l'impression de bâtiments remplis de gens sérieux et réfléchis qui travaillaient dur pour réaliser de grandes choses. Rosa se demanda si elle n'en avait pas assez de Greenwich Village.

– De quoi s'agit-il ? lança-t-elle, prenant le bras de Joe.

– Je viens de signer le bail, répondit-il. On monte voir ?

– Un bail ? Tu déménages ? Tu t'installes ici ? Tu t'es bagarré avec Sammy ?

– Non, bien sûr que non. Je ne me bagarre jamais avec Sammy. J'adore Sammy !

– Je le sais bien, dit-elle. Vous formez une fine équipe tous les deux.

– C'est que d'abord... eh bien... il part pour Los Angeles. O.K., il dit pour trois mois, juste pour écrire le scénario, mais je te parie tout ce que tu veux qu'une fois là-bas, il y restera. Qu'y a-t-il dans ce paquet ?

– Un cadeau, répondit-elle. Tu pourras l'accrocher dans ton nouvel appartement, je pense. (Elle était un peu déconcertée qu'il ne lui ait pas parlé de déménager, mais c'était sa manière d'être en tout. Quand ils avaient rendez-vous, il ne lui disait jamais où ils allaient, ni quel était le programme des réjouissances. Ce n'était pas tant qu'il refusait de lui parler ; il se débrouillait plutôt pour lui faire comprendre qu'il préférait qu'elle ne lui posât pas de questions.) Mais c'est vraiment joli !

Il y avait une fontaine en marbre dans le hall d'entrée, toute ornée de carpes japonaises miroitantes, et un patio rempli d'échos d'inspiration vaguement mauresque. Lorsque la porte de l'ascenseur s'ouvrit avec une sonnerie grave et mélodieuse, une femme en sortit, suivie de deux adorables bambins en costumes de laine bleue assortis. Joe porta la main à son chapeau.

– C'est pour Thomas que tu fais ça, dit Rosa, montant dans l'ascenseur. N'est-ce pas ?

– Dixième, annonça-t-il au liftier. Je me suis dit que c'était peut-être, enfin, un meilleur quartier. Tu sais, pour... pour...

– Pour l'éduquer.

Il secoua la tête en souriant.

– C'est bizarre à entendre.

– Tu vas être comme un père pour lui, tu sais ? reprit-elle. (Et moi, je pourrais être comme une mère. Tu n'as qu'à me le demander, Joe, et je serai là. Elle avait ces mots sur le bout de la langue, mais se retint. Que dirait-elle sinon ? Depuis dix ans au moins, depuis qu'elle en avait douze ou treize, Rosa avait déclaré tout net à ceux qui lui posaient la question qu'elle n'avait aucune intention de se marier, jamais, et que si elle le faisait, ce serait quand elle serait vieille et lasse de vivre. Lorsque cette profession de foi sous ses diverses formes avait cessé de choquer suffisamment, elle avait pris l'habitude d'ajouter que l'homme qu'elle finirait par épouser n'aurait pas plus de vingt-cinq ans. Mais, ces derniers temps, elle s'était mise à éprouver des sentiments forts et inexprimés, une envie, un désir d'être tout le temps avec Joe, d'occuper sa vie et de lui permettre d'occuper la sienne, de s'engager avec lui dans une sorte d'association, un partenariat qui constituerait leur existence à tous les deux. Elle ne pensait pas qu'ils avaient besoin de se marier pour y arriver et savait qu'elle ne devrait probablement pas y songer. Mais y songeait-elle ? Quand son père était allé voir Mrs Roosevelt, il avait dit à la Première dame, pour expliquer son rapport avec l'affaire en question, qu'un des enfants du bateau était le frère du jeune homme que sa fille allait épouser. Rosa avait soigneusement omis de rapporter ce détail à Joe.) Je pense que c'est très gentil de ta part. Raisonnable et gentil.

– Il y a de bonnes écoles à proximité. J'ai pris rendez-vous pour lui à la Trinity School, qui est excellente, m'a-t-on dit, et accepte les

Juifs. Deasey m'a promis de m'aider à l'inscrire au collège où lui-même est allé.

– Mon Dieu ! mais tu as des tas de projets.

Elle ne devrait vraiment pas être assez sotte pour se vexer de ses cachotteries. Garder les choses pour lui était simplement dans sa nature ; c'était ce qui l'avait d'abord attiré dans la pratique de la magie, pensa-t-elle, avec ses tours et ses secrets qui ne devaient jamais être divulgués.

– Eh bien, j'ai du temps à moi. Ça fait huit mois que j'attendais ce moment. J'ai beaucoup réfléchi.

Le liftier ralentit la cabine et replia la porte accordéon. Il attendit qu'ils descendent. Joe contemplait Rosa avec un drôle de regard fixe, et elle crut ou peut-être seulement souhaita y voir une lueur de malice.

– Dixième, annonça le liftier.

– Beaucoup réfléchi, répéta Joe.

– Dixième, monsieur, redit le liftier.

Les fenêtres de tout un côté de l'appartement avaient vue sur le New Jersey, la plus grande des deux salles de bains était équipée de robinets dorés et le parquet géométrique donnait le vertige. Il y avait trois chambres et une bibliothèque, dont trois murs étaient garnis d'étagères du sol au plafond ; chaque chambre avait aussi au moins un rayonnage encastré. Rosa visita toutes les pièces deux fois, incapable, ce faisant, de s'empêcher de s'imaginer vivre dans un lieu aussi élégant, loin au-dessus de cette bande cultivée de Manhattan, avec ses psychanalystes freudiens, ses premiers violons et ses juges de cour d'appel. Ils pouvaient tous habiter ici, Joe, elle et Thomas. Et peut-être en temps voulu y aurait-il un autre enfant, imperturbable et potelé comme un amour.

– D'accord. Maintenant, qu'est-ce que tu as pour moi ?

Rosa ne pouvait plus retenir ses questions. Elle ne voyait pas de bosses suspectes dans ses poches, mais quoi que ce soit, il pouvait l'avoir dissimulé dans les plis de son manteau. Ou alors c'était peut-être quelque chose de très, très petit. Qu'allait-il lui offrir ? Qu'allait-elle dire en retour ?

– Non, protesta-t-il. Toi d'abord.

– C'est un portrait, avoua-t-elle. Un portrait de toi.

– Un nouveau ? Mais je n'ai pas posé pour toi.

– Comme c'est bizarre ! lança-t-elle par plaisanterie.

Elle défit son paquet et alla poser le tableau sur la cheminée.

Elle avait réalisé deux autres portraits de Joe. Pour le premier, il était en manches de chemise et en maillot de corps, affalé dans un fauteuil club du salon lambrissé de sombre où ils avaient fait connaissance. Sur cette toile, son veston abandonné, un journal roulé dans une poche, pend au dossier du fauteuil ; lui est appuyé contre l'accoudoir, la tête avec son visage de chien-loup penchée un brin de côté, les doigts de sa main droite légèrement pressés contre sa tempe. Il a les jambes croisées aux genoux et ignore la cigarette qu'il tient entre les doigts de sa main gauche. Le pinceau de Rosa a saisi le givre de cendre sur le revers de son veston, le bouton manquant de son gilet, l'expression tendre, impatiente et provocatrice de son regard, au moyen de laquelle il tente visiblement de faire comprendre à l'artiste, par voie de télépathie, qu'il a l'intention de la sauter dans une heure ou deux. Le deuxième portrait représente Joe en train de travailler à sa table à dessin dans l'appartement qu'il partageait avec Sammy. Une feuille de bristol est posée devant lui, partiellement remplie de planches ; un examen attentif révèle, sur une des planches, la forme reconnaissable de Papillon Lune en vol. Joe tend un long et fin pinceau vers l'encrier posé sur le tabouret à côté de lui. La table, que Joe a achetée de sixième ou septième main peu après son arrivée à New York, est incrustée et constellée d'années d'éclaboussures de peinture. Les manches de Joe sont roulées jusqu'aux coudes, des boucles de cheveux noirs pendent sur son front haut. On voit que l'extrémité de sa cravate est précairement proche d'une tache d'encre fraîche sur le papier, et il porte à la joue un pansement adhésif qui cache mal de légères égratignures roses. Sur ce tableau, son expression est sereine et presque absente, son attention entièrement concentrée sur les poils du pinceau qu'il s'apprête à tremper dans le liquide noir et brillant.

Le troisième portrait de Joe était la toute dernière toile réalisée par Rosa. Il différait des deux premiers en ce qu'il n'était pas peint d'après nature. Exécuté avec la même aisance, la même précision dans le trait que tous ses autres travaux, c'était une fantaisie. Le style en était plus sobre que celui des deux autres portraits, proche de la naïveté burlesque, légèrement gauche, des peintures de victuailles de Rosa. Joe pose contre un arrière-plan indéterminé rose pâle, debout sur un tapis chamarré. Il est nu. Plus surprenant, il est entièrement empêtré, de la tête aux pieds, dans de lourdes chaînes de métal, d'où pendent, telles les breloques d'une gourmette, des cadenas, des menottes, des liens de fer et autres abots. Ses pieds sont entravés par des attelles de fer. Sous le poids de tout ce métal il courbe l'échine, mais garde la tête haute et fixe le spectateur avec une expression de défi. Ses jambes longues et musclées sont tendues, ses pieds écartés, comme s'il était prêt à se jeter dans l'action. La pose était empruntée à une photo d'un livre sur Harry Houdini, avec les différences cruciales suivantes : au contraire de Houdini, qui sur la photo protégeait sa pudeur de ses mains menottées, les parties génitales de Joe, avec leur petit air triste, bien que lourdement ombrées de fourrure, sont nettement visibles. Le gros cadenas au milieu de sa poitrine a la forme d'un cœur humain et, sur son épaule, en redingote noire et caoutchoucs d'homme, est perchée la figure de l'artiste elle-même, une clef d'or à la main.

– C'est drôle, murmura-t-il, en fouillant dans une poche de son pantalon. Voilà ce que j'ai pour toi. (Il tendit un poing vers elle, les articulations dirigées vers le haut. Elle le retourna et déplia ses doigts. Sur la paume de sa main reposait une clef en cuivre.) Je vais avoir besoin d'aide, continua-t-il. Rosa, j'espère de tout mon cœur que tu voudras bien m'aider.

– Et c'est la clef de quoi ? s'enquit-elle, d'une voix plus aiguë qu'elle ne l'eût souhaité, sachant fort bien que c'était la clef de l'appartement et que Joe était en train de lui demander ce qu'elle-même avait été sur le point de lui demander : qu'il lui soit permis de servir de mère, ou du moins de grande sœur, à Thomas Kavalier.

Elle était déçue dans la mesure où elle avait espéré une bague, et à la fois surexcitée au point d'être horrifiée par son désir d'en avoir une.

– Comme sur ton portrait, répondit-il pour la taquiner, comme s'il voyait qu'elle était bouleversée et essayait de savoir quel ton adopter avec elle. La clef de mon cœur.

Rosa prit la clef et la tint dans sa main. L'objet gardait encore la chaleur de la poche de Joe.

– Merci, balbutia-t-elle.

Elle pleurait amèrement, mais aussi de bonheur, honteuse d'elle-même, émue de pouvoir faire quelque chose pour lui.

– Je suis désolé, tenta Joe, tirant son mouchoir de la poche de son veston. Je voulais que tu aies une clef parce que... mais j'ai oublié l'essentiel. (D'un geste, il indiqua la toile.) J'oublie de te dire qu'elle me plaît. Rosa, elle me plaît ! Incroyable ! C'est une chose toute nouvelle pour toi.

Elle rit en lui prenant le mouchoir des doigts et s'en tamponna les yeux.

– Non, Joe, ce n'est pas ça, protesta Rosa, même si la toile représentait effectivement une nouvelle direction dans son œuvre. (Cela faisait des années qu'elle essayait de créer à partir de son imagination. Son talent pour saisir un air de ressemblance, un contour, son sens inné de l'ombre et du poids, l'avaient prédisposée de bonne heure au dessin d'après nature. Bien qu'elle eût travaillé partiellement sur photo cette fois-ci, les détails du corps et du visage de Joe étaient comblés de mémoire, procédé qu'elle trouvait prometteur et satisfaisant. Il fallait très bien connaître son amant – avoir passé beaucoup de temps à le regarder et à le toucher – pour pouvoir peindre son portrait en son absence. Les erreurs et exagérations inévitables qu'elle avait laissé passer lui paraissaient maintenant des preuves, des produits de la mystérieuse relation de la mémoire et de l'amour.) Non, Joe. Merci pour la clef. J'en ai très envie.

– Je suis content.

– Et moi je suis heureuse de pouvoir t'aider de toutes les manières possibles. Rien ne me rendrait plus heureuse. Mais si tu dis que tu veux emménager ici... (Elle le regarda. Oui. Il le voulait.) Enfin, je ne crois pas que je devrais te suivre. Pour Thomas. Ce ne serait pas bien, je crois. Il ne comprendrait peut-être pas...

– Non, souffla-t-il. Je pensais... mais non. Tu as raison, bien sûr.

– Mais je serai toujours là chaque fois que tu auras besoin de moi. Tant que tu auras besoin de moi. (Elle se moucha dans le mouchoir de Joe.) Aussi longtemps que tu auras besoin de moi...

– C'est gentil, dit-il. Nous pouvons en discuter très longtemps, je pense.

D'un geste hésitant, elle tendit le mouchoir mouillé, avec un petit sourire crispé pour s'excuser des dégâts.

– Ça va. Garde-le, chérie.

– Merci, balbutia-t-elle, avant d'éclater cette fois en sanglots irrépressibles, irrésistibles.

Une réaction ridicule, et même bizarre. Rosa savait fort bien que ce mouchoir était expressément destiné au réconfort de la gent féminine et que Joe en avait toujours un autre, réservé à son usage personnel, fourré dans la poche arrière de son pantalon.

13.

Bien des années plus tard, la plupart des garçons, alors adultes, aux anciennes fêtes de bar-mitsva desquels, dans un New York depuis disparu, un jeune magicien du nom de Josef Kavalier avait donné son numéro trépidant, rondement mené et presque muet, n'avaient que des souvenirs fragmentaires de l'artiste. Quelques-uns se rappelaient un jeune homme mince et discret, en jaquette fantaisie bleue, qui parlait anglais avec un accent et paraissait à peine plus vieux qu'eux. Un autre, avide lecteur de comics, se souvenait que Joe Kavalier l'avait invité à passer un jour aux bureaux d'Empire avec ses parents. Joe lui avait fait visiter la maison et l'avait renvoyé chez lui avec une brassée de bandes dessinées gratuites et un dessin le représentant aux côtés de l'Artiste de l'évasion, qu'il avait toujours en sa possession. Un troisième se remémorait encore que Joe se produisait avec toute une ménagerie d'animaux artificiels : un lapin pliant en peluche, un poisson rouge taillé dans une carotte, un perroquet empaillé plutôt pelé qui, à la surprise des spectateurs, restait perché sur la main du magicien pendant que sa cage se volatilisait dans les airs. « Je l'ai vu découper les carottes dans les toilettes pour hommes, racontait ce monsieur. On aurait vraiment dit de petits poissons dans le bocal. » Mais Stanley Konigsberg, dont la bar-mitsva marqua la dernière apparition connue de l'Épatant Cavalieri, garda jusqu'à la fin de ses jours – à l'instar de Leon Douglas Saks, alias Pipe Bomb[1] – un souvenir impérissable de notre héros. Lui-même magicien amateur, il avait vu pour la première fois Joe se produire au St. Regis en l'honneur de son condisciple de Horace Mann, Roy Cohn, et avait été assez impressionné par le naturel des mouvements de Joe, sa gravité, et ses impeccables présentations de la Chasse aux pièces, de la Grande Illusion de Rosini et de la Table Zigzag pour vouloir absolument que Joe soit engagé deux mois plus tard pour ses propres parents et camarades de classe à l'hôtel Trevi.

1. « Bombe artisanale ». (*N.d.T.*)

Et si l'admiration juvénile de Mr Konigsberg et l'inépuisable gentillesse que lui témoignait son objet n'avaient pas suffi à graver l'Épatant Cavalieri dans sa mémoire pour les soixante années à venir, l'unique représentation que Joe donna à l'hôtel Trevi le soir du 6 décembre 1941 eût sans aucun doute été suffisante.

Joe arriva une heure avant le début de la soirée, comme c'était son habitude, afin de vérifier la disposition de la salle de bal, truquer quelques as et demi-dollars et revoir le déroulement de la soirée avec Manny Zehn, le chef d'orchestre, dont les quatorze Zehnsations, tapageurs dans leurs chemises mexicaines, prenaient possession de l'estrade derrière eux.

– Tu les as bien accrochées ? lança Joe, testant une expression qu'il venait d'entendre dans le métro en venant.

Il s'imagina une rangée de pages de calendrier, pendues à un fil brillant. Il était jeune, il faisait des affaires en or et son petit frère, après six mois de quarantaine, de tracasseries bureaucratiques, et ces terribles jours de la semaine précédente, où le département d'État donnait l'impression de pouvoir annuler au dernier moment tous les visas d'entrée, était en route. Thomas serait là dans trois jours. Là, à New York.

– Hello, p'tit, répondit Zehn, jetant un petit coup d'œil méfiant à Joe, avant de finir par serrer la main que ce dernier lui tendait. (Ils avaient déjà travaillé deux fois ensemble.) Où est ton sombrero ?

– Pardon ? Je n'ai pas...

– Notre thème, c'est « Au sud de la frontière ». (Zehn passa une main derrière sa tête et souleva un sombrero noir rebrodé de fil d'argent de son crâne dégarni. C'était un bel homme, corpulent, avec une moustache fine comme un trait.) Sid ? (Le tromboniste baratinait une des serveuses avec une robe rose enrubannée et pleine de volants. Sid se retourna, un sourcil levé. Manny Zehn leva les bras au ciel et rejeta la tête en arrière.) Troisième morceau.

Le tromboniste inclina la tête.

– On y va, dit-il à ses musiciens.

Les Zehnsations attaquèrent une version entraînante et pleine de brio de *La Danse du chapeau mexicain*. Ils jouèrent quatre mesures, puis Manny Zehn se trancha la gorge d'un doigt.

– Alors, où est ton chapeau mexicain ?

– Personne ne m'a rien dit, se défendit Joe avec un sourire. Sans compter que je n'ai le droit de porter que le haut-de-forme, ajouta-t-il, montrant du doigt le chapeau de soie truqué sur sa tête, qu'il avait acheté d'occasion chez Louis Tannen. Ou alors le syndicat des magiciens mexicains portera peut-être plainte...

Zehn étrécit de nouveau les yeux.

– Tu as bu, répliqua-t-il.

– Pas du tout.
– Tu fais le zigoto.
– Mon petit frère arrive, annonça Joe, qui ajouta, juste pour voir comment les mots sonnaient : Et je me marie. C'est-à-dire, j'espère me marier. J'ai décidé de la demander en mariage ce soir.
Zehn se moucha.
– *Mazèl tov !* dit-il, en jetant un œil de chiromancien à la tache sur son mouchoir. Sauf que je croyais que vous les magiciens étiez experts pour secouer vos chaînes...
– Excusez-moi, monsieur Cavalieri ? intervint Stanley Konigsberg, apparaissant comme par magie à côté de Joe. Mais c'est ce que je voulais vous demander.
– Tu peux m'appeler Joe.
– Joe. Excusez-moi. D'accord, je me posais la question. Est-ce que vous pratiquez des libérations ?
– À une époque, admit Joe. Mais j'ai dû abandonner. (Il plissa le front.) Depuis combien de temps es-tu planté là ?
– Ne vous bilez pas, je ne dirai à personne que vous avez caché une dame de cœur dans le milieu de table de la sept, répondit Stanley. Si c'est ce qui vous inquiète...
– Mais je n'ai rien fait de tel, protesta Joe, adressant un coup d'œil à Manny Zehn.
Posant une main ferme sur l'épaule de Stanley, il fit sortir le gamin de la salle de bal et le poussa dans le couloir couvert de dorures. Des invités retiraient leurs manteaux, secouaient l'eau de leurs parapluies.
– De quel genre de trucs vous pouvez vous échapper ? voulait savoir Stanley. De chaînes, de cordes, de caisses, de malles, de sacs ? Vous pourriez le faire en sautant du haut d'un pont ? Ou d'un immeuble ? Qu'y a-t-il de si drôle ?
– Toi tu me rappelles quelqu'un, lança Joe.

14.

Le même soir, Rosa entassait sa boîte de peintures, une bâche pliée, un mètre à ruban et un petit escabeau à l'arrière d'un taxi et prenait la direction de l'appartement du Josephine Building. Le vide résonnant d'échos du lieu, un tintement métallique dans les oreilles, la déconcertèrent, et bien qu'avec la permission de Joe elle eût téléphoné en hâte au magasin Macy's pour commander une table et des chaises, quelques ustensiles de cuisine de première nécessité et le mobilier d'une chambre à coucher, ils n'auraient pas le temps de meubler convenablement les pièces avant l'arrivée de Thomas. Il lui effleura l'esprit qu'ayant quitté le fouillis d'un logement exigu de la rue Dlouha, partagé par deux familles, pour le capharnaüm provisoire d'un réfectoire de couvent, puis la boîte à sardines d'une cabine de première de l'*Arche de Miriam*, l'adolescent serait peut-être vraiment content d'avoir un peu d'espace vide à lui. Mais elle voulait quand même qu'il eût l'impression que l'endroit où il avait enfin fini par débarquer était sa maison, ou tout comme. Elle avait essayé de trouver des solutions pour y parvenir. Elle connaissait assez les gamins de treize ans pour être quasi certaine qu'une luxueuse robe de chambre, un bouquet de fleurs ou un baldaquin chiffonné au-dessus d'un lit ne feraient pas l'affaire. Elle songea qu'un chien ou un chaton aurait pu être l'idéal, mais les animaux de compagnie étaient interdits dans l'immeuble. Elle questionna bien Joe sur le plat, la couleur, le livre, la chanson préférés de son frère, mais Joe se révéla tout à fait étranger à ce type de détails. Rosa avait été fâchée contre lui – elle lui avait dit qu'il était impossible – jusqu'à ce qu'elle voie que, pour une fois, il était vexé de son ignorance. C'était l'expression, non de son habituelle négligence *luftmensch*[1], mais de l'abîme effarant que la séparation avait creusé entre les frères au cours des deux dernières années. Elle se confondit immédiatement en excuses, puis essaya de réfléchir à ce qu'elle pourrait faire pour Thomas. Finalement, elle eut

1. En allemand, « hautaine ». (*N.d.T.*)

l'idée, qui leur parut bonne à tous deux, de décorer les surfaces vierges de sa chambre d'une fresque. Ce n'était pas seulement qu'elle désirait que Thomas se sentît chez lui ; elle voulait aussi lui plaire – immédiatement, tout de suite... – et espérait que la fresque, que celle-ci adoucisse ou non les rudesses de son arrivée, serait perçue au minimum comme un geste d'amitié, une main tendue par sa grande sœur américaine en signe de bienvenue. Mais, mélangé avec ces autres raisons de son geste et bouillonnant secrètement dessous, se cachait un désir qui n'avait rien à voir avec Thomas Kavalier. Rosa se familiarisait – commençait à jouer, sur les murs de la chambre du jeune garçon – avec l'idée d'être mère. Ce matin-là, son médecin lui avait téléphoné pour confirmer son histoire de règles sautées, d'une semaine d'orages soudains et d'accès de colère imprévisibles, comme la fois où le prêt d'un vieux carré de soie de poche l'avait rendue hystérique. Thomas allait être oncle. Voilà comment elle avait décidé de l'annoncer à Joe.

Après être entrée dans l'appartement, elle se changea pour passer une salopette et une vieille chemise de Joe, et cacha ses cheveux sous un mouchoir. Puis elle pénétra dans la chambre qui allait être celle de Thomas et étendit la bâche par terre. Elle n'avait jamais peint de fresque jusqu'ici, mais en avait discuté avec son père, qui avait été mêlé au tapage soulevé par les fresques de Diego Rivera exposées au Rockefeller Center et connaissait beaucoup d'artistes y ayant tâté dans le cadre du W.P.A.

Rosa s'était longtemps colletée avec le sujet proprement dit. Les personnages des comptines – soldats de bois, fées, princes grenouilles et maisons en pain d'épice –, ce genre de motifs seraient considérés comme affreusement puérils par un garçon de treize ans. Elle envisagea de reproduire un décor new-yorkais : gratte-ciel, taxis, agents de police, l'enseigne Camel émettant des ronds de fumée en direction du plafond. Ou alors peut-être un montage banal, avec des séquoias, des plantations de coton et des homards. Elle voulait que ce soit plutôt américain, mais aussi qu'il y ait un rapport avec l'existence particulière que Thomas allait mener ici. À ce moment-là, elle s'était mise à penser à Joe et au genre de travail qui était le sien. Elle avait dans l'idée que Thomas Kavalier allait apprendre une bonne partie de son anglais dans les pages d'*Empire Comics*. Alors qu'elle aurait eu du mal à réaliser une fresque représentant le Moniteur, les Quatre Libertés ou – Dieu le sait ! – Papillon Lune, l'idée de héros, de héros américains, l'intéressait. Elle se rendit à la bibliothèque municipale afin de consulter un énorme ouvrage, illustré de magnifiques gravures sur bois dans le style de Rockwell Kent et intitulé *Héros et Légendes du peuple américain*. Les figures plus grandes que nature de Paul

Bunyan, John Henry, Pecos Bill, Mike Finch[1] et les autres – son préféré était le premier homme d'acier, Joe Magarac[2] –, lui semblaient parfaitement adaptées à la forme murale, et tout ce qu'il y avait de plus digne de l'attention d'un gamin pour qui, probablement, ils seraient dans une large mesure inconnus. De plus, Rosa s'était mise à voir Joe lui-même comme un héros. Il avait payé de sa poche pour quinze des enfants qui traversaient en ce moment l'Atlantique. Même si elle n'intégrait pas Joe dans sa fresque, elle décida d'y inclure une image de Harry Houdini, ce jeune immigré d'Europe centrale, juste pour relier le thème de la fresque d'autant plus étroitement à l'existence de Thomas Kavalier.

Elle avait réalisé des dizaines de croquis préliminaires et une maquette aux deux tiers, qu'elle commençait maintenant à reporter, à l'aide d'une simple grille, sur le plus grand des murs de la chambre. C'était un travail délicat de tracer les lignes directrices sur les surfaces au moyen du mètre. D'abord les horizontales, en déplaçant l'escabeau de gauche à droite de un mètre à chaque fois, puis les verticales, assez faciles au bas du mur mais flirtant de plus en plus dangereusement avec l'instabilité, à mesure que Rosa se rapprochait du haut et était obligée de se dresser sur la pointe des pieds. Cela exigeait bien plus de patience qu'elle n'en avait. Plusieurs fois, elle faillit abandonner sa grille pour tenter de dessiner à main levée sur le mur. Mais elle se rappela que la patience était une vertu cardinale chez une mère – Dieu seul savait que sa mère en avait eu assez peu ! – et ne s'écarta pas de son plan minutieux.

À dix heures, Rosa avait fini le tracé des lignes directrices. Les épaules, le cou et les genoux lui élançaient et, avant de commencer à reporter sa maquette quadrillée sur le mur, elle avait envie d'aller faire le tour du pâté de maisons, en quête d'un sandwich ou d'une cigarette. Elle tomberait peut-être sur Joe ; il devait déjà avoir terminé son spectacle et être parti au-devant d'elle. Elle enfila donc son manteau et prit l'ascenseur pour sortir, puis elle remonta jusqu'au carrefour de la Soixante-dix-neuvième, où il y avait une épicerie ouverte tard le soir.

Par la suite, Rosa devait s'imaginer que, tel un chat ou un appareil photo fantôme dirigé sur un agonisant, elle avait contemplé son

1. Paul Bunyan, géant bûcheron qui, avec l'aide de son bœuf bleu, Babe, accomplit des exploits surhumains ; John Henry, héros noir d'une ballade américaine qui mourut après un concours opposant sa force au marteau contre celle d'une perceuse ; Pecos Bill, cow-boy pionnier qui creusa le Rio Grande ; Mike Fink, marin aventurier, personnage imaginaire du folklore américain, ayant de nombreux exploits à son actif. (*N.d.T.*)

2. Personnage légendaire sorti de l'imagination des sidérurgistes immigrés hongrois de Pittsburgh. (*Magarac* signifierait « idiot » en hongrois.) (*N.d.T.*)

bonheur perdu à l'instant précis de son anéantissement. Alors qu'elle payait ses Philip Morris, elle jeta par hasard un coup d'œil aux journaux du dimanche empilés devant le comptoir. Les éditions du soir sortaient tout droit des presses. Dans le coin supérieur droit du *Herald Tribune*, il y avait un bandeau, encadré de rouge. Elle le relut cinq fois, de tout son cœur et avec toute son attention, mais la maigre information qu'il contenait ne fut jamais reprise, ni – alors ou plus tard – ne tint davantage debout. Dix lignes d'une prose timide, neutre, disaient seulement qu'un bateau rempli de réfugiés, en majorité originaires d'Europe centrale, et dont la plupart sinon la totalité étaient, croyait-on, des enfants juifs, avait disparu dans l'Atlantique au large des Açores et était considéré comme perdu. Il n'était pas encore question, et cela devait rester le cas pendant plusieurs heures, d'un sous-marin allemand, d'une évacuation forcée, d'un grain brutal arrivant à toute allure par le nord-est. Rosa resta un moment clouée sur place, les poumons remplis de la fumée de sa cigarette, incapable d'exhaler. Puis elle leva les yeux vers le marchand de journaux, qui la regardait avec intérêt. À l'évidence, son visage le captivait complètement. Que devait-elle faire ? Était-il encore au Trevi ? Était-il sur le chemin du Josephine, comme c'était prévu ? Avait-il appris la nouvelle ?

Rosa se laissa entraîner sur le trottoir et se tourmenta encore un moment. Elle décida ensuite qu'elle ferait mieux de retourner simplement à l'appartement pour l'attendre. Elle était certaine qu'il finirait bien par revenir la chercher là-bas, par ignorance ou de chagrin. Mais au moment même où elle parvenait à cette décision, un taxi s'arrêta pour déposer un couple âgé en tenue de soirée. Rosa les frôla en passant pour monter à l'arrière du taxi.

– Au Trevi, lança-t-elle.

Elle se blottit dans un coin sombre du véhicule. La lumière clignotait ; dans le miroir de son poudrier, par intermittence son reflet était courageux. Elle ferma les yeux et tenta de se remémorer des bribes d'une prière bouddhiste que son père lui avait enseignée en prétendant que celle-ci avait un pouvoir apaisant. Elle avait peu d'effet visible sur son père, et Rosa n'était même pas sûre d'en connaître les mots exacts. *Om meni padme om*. Pour une raison ou une autre, elle se sentit plus calme. Elle se la récita tout le trajet, depuis la Soixante-dix-neuvième Rue jusqu'au trottoir devant le Trevi. Le temps de descendre du taxi, elle s'était complètement ressaisie. Elle pénétra dans le hall de l'hôtel, austère, tout en marbre, avec ses lustres en cristal, et alla se renseigner au bureau de la réception. Du hall s'échappait le gargouillis mystérieusement maléfique de la fameuse fontaine.

– Le magicien était un ami à vous ? ironisa le réceptionniste, l'air inexplicablement hostile. Il y a des heures qu'il a filé.

– Oh ! (Cela lui donna un coup. Il était censé rentrer à l'appartement après sa prestation. Le fait qu'il eût changé ses projets prouvait qu'il lui était arrivé quelque chose de terrible. Et dans le sillage des événements, connaissant la nouvelle, il n'avait pas voulu la voir.) Sont-ils... y a-t-il... ?

– Il reste le héros de la bar-mitsva, répondit l'employé, montrant du doigt un petit adolescent maigrichon en costume trois pièces rose, vautré sur la soie moirée d'un des canapés du hall. Pourquoi ne le questionnez-vous pas ?

Rosa alla le voir. Le gamin se présenta : Stanley Konigsberg. Rosa lui dit qu'elle cherchait Joe, qu'elle avait de très mauvaises nouvelles à lui apporter. Oh ! elle en avait aussi une autre de magnifique, mais comment pourrait-elle la lui annoncer ? Il croirait qu'elle essayait d'établir quelque horrible équivalence, alors qu'il ne s'agissait que d'une monstrueuse coïncidence de la vie.

– Je crois qu'il est déjà au courant, répliqua Stanley Konigsberg, un gamin trapu, de petite taille pour son âge, avec des lunettes de travers et des cheveux bruns drus. (Son costume était incroyable, le pantalon passepoilé d'un galon blanc, les poches et les boutonnières ornées de grenouilles blanches, de la couleur exacte de l'humiliation.) C'est à propos de ce bateau qui a sombré ?

– Oui, balbutia Rosa. Son petit frère était à bord. Un garçon à peu près de ton âge.

– Mince ! (Il tripota le bout de sa cravate marron, incapable de soutenir le regard de Rosa.) Ceci explique cela, je pense.

Ceci explique quoi ? eut envie de lui demander Rosa. Mais elle s'en tint à la question la plus pressante.

– Tu sais où il est allé ? articula-t-elle.

– Non, madame. Je suis désolé. Il a juste...

– Il y a combien de temps qu'il est parti ?

– Oh, deux heures au moins ! Peut-être même plus...

– Attends ici, dit Rosa. Tu veux bien attendre ici, s'il te plaît ?

– Je ne peux pas faire autrement, je crois. (Du doigt, il montra les portes de la salle de bal du Trevi.) Mes parents n'ont pas fini de se disputer.

Rosa se dirigea vers une cabine téléphonique et appela Sammy, puis l'appartement de Joe. Personne ne répondit. Elle se souvint alors que Sammy avait quitté la ville pour le week-end en compagnie de Tracy Bacon. En direction de la côte du Jersey, rien de moins. Elle allait devoir tenter de le localiser. Ensuite, elle demanda à l'opérateur de joindre le directeur du Josephine, Mr Dorsey. Mr Dorsey pesta et lui conseilla de ne pas prendre cette habitude, mais quand elle lui dit que c'était urgent, il monta jeter un coup d'œil à l'appartement. Non, dit-il après être revenu en ligne, il n'y avait personne, aucun mot. Rosa raccrocha et alla retrouver Stanley Konigsberg.

– Raconte-moi ce qui s'est passé, lui demanda-t-elle.

– Bon, je veux dire, je crois qu'il était touché, mais personne ne l'a remarqué. Je veux dire, tout le monde était assez touché en apprenant la nouvelle. Mon oncle Mort travaille pour le J.T.A., la Jewish Telegraphic Agency. C'est une agence de presse.

– Oui.

– Alors il est arrivé et nous a annoncé la nouvelle, il venait de l'apprendre.

– Tu as vu Joe partir, Stanley ?

– Bon, ouais... je veux dire, oui. Tout le monde l'a vu.

– Et il avait l'air choqué ?

Stanley hocha la tête.

– Ç'a été vraiment assez bizarre, murmura-t-il.

– Que s'est-il passé ? demanda Rosa. Qu'y avait-il de bizarre ?

– Tout est de ma faute, commença Stanley. Je le *nèdje* un peu et il n'arrêtait pas de dire non, non, non, alors je suis allé voir mon père et il m'a promis de donner cinquante dollars à votre ami, et il a dit encore non, alors je suis allé voir ma mère. (Il tressaillit.) Après ça, il n'avait plus vraiment le choix, je pense...

– Le choix de quoi ? insista Rosa. (Elle posa la main sur l'épaule de Stanley.) Qu'est-ce que tu attendais de lui ?

– Je voulais qu'il nous montre une libération, chuchota Stanley, se contractant à son contact. Il disait s'y connaître. Peut-être qu'il blaguait, je ne sais pas. Mais il a dit à ma mère, O.K., il le ferait. Il a dit que j'étais un gentil garçon et qu'il ne demanderait pas d'argent. Mais il ne lui restait qu'une demi-heure environ avant de devoir partir, vous savez, alors il lui fallait se dépêcher. Il est descendu au sous-sol et a trouvé une grosse caisse en bois où quelque chose, je crois que c'était un meuble classeur, pouvait rentrer. Et aussi un sac à linge. Et un marteau et des clous. Alors il est allé discuter quelque temps avec le détective privé de l'hôtel qui a dit non. Mon père a dû lui donner aussi cinquante dollars. Alors le moment était venu pour lui, votre ami, Joe, d'entrer en scène. Il a donné sa représentation. Il a été vraiment bon. Il a fait des tours de cartes, des tours avec des pièces, et d'autres tours avec des accessoires. Un peu de tout, ce qui est dur, je le sais, vous voyez, parce que je suis aussi un magicien, en quelque sorte. La majorité d'entre eux, quand on les voit... ils ont une spécialité. Moi, par exemple, je fais surtout des trucs avec les cartes. Alors, au bout d'une demi-heure peut-être, il... votre ami... nous a demandé de tous nous lever. Nous avons dû sortir de la salle de bal et il nous a amenés ici. Devant ce machin. (Stanley montra du doigt la fontaine du hall de l'hôtel, une copie exacte de la célèbre fontaine romaine, toute en tritons, en coquillages et en cascades illuminées de bleu.) Tout le monde. C'est en descendant, je crois, qu'oncle Lou a dû lui parler du bateau, vous savez, qu'il avait coulé et tout, parce qu'en arrivant ici, il avait l'air... euh... je ne sais pas. Comme si sa bouche pendait de travers. Et il a laissé sa main sur mon épaule, comme s'il s'appuyait sur moi. Après des garçons d'hôtel ont apporté le sac et la caisse. Le détective privé est venu lui passer des menottes. Il est entré dans le sac et j'ai dû l'attacher moi-même. Nous l'avons enfermé dans la caisse et c'est moi qui ai cloué le couvercle. Nous l'avons mis dans la fontaine. Il nous avait dit de venir le chercher s'il n'était pas ressorti au bout de trois minutes.

– Oh, mon Dieu ! s'écria Rosa.

Deux minutes et cinquante-huit secondes après son immersion dans l'eau fraîche et bleutée de la fontaine de Trevi, les deux garçons d'hôtel, le détective et Mr Konigsberg sur son trente et un étaient allés chercher Joe dans des gerbes d'éclaboussures. Ils avaient observé la caisse, en quête de signes de vie, d'un frémissement révélateur, d'une torsion visible des planches qui la constituaient. Mais il n'y avait eu aucun signe du tout. La caisse reposait immobile, son couvercle à trois centimètres de l'eau. Lorsque Mrs Konigsberg se mit à hurler, alors qu'il restait encore quelques secondes avant l'expiration du délai, les hommes passèrent à l'action. Ils retournèrent la caisse et la sortirent du bassin, mais dans leur précipitation ils la lâchèrent et elle se fracassa sur le sol. Le sac à linge sortit en roulant et s'agita par terre tel un poisson à moitié asphyxié. Joe se débattait si fort sur le tapis que le détective ne parvint pas à ouvrir le sac tout seul et dut appeler les autres à l'aide. Il leur fallut se mettre à trois pour maîtriser Joe. Quand ils arrachèrent le sac, son visage était rouge comme une marque de coup récente, mais ses lèvres étaient bleues et ses yeux roulaient dans leurs orbites. Il hoquetait et toussait comme si l'air frais allait l'intoxiquer. Ils le mirent debout et le détective de l'hôtel lui retira ses menottes ; après avoir circulé de main en main, il fut évident pour tous qu'elles n'avaient pas été crochetées. Joe oscilla un moment sur place, trempé jusqu'aux os. Il parcourut lentement les deux cents visages qui formaient un cercle anxieux et interloqué autour de lui. Ses traits étaient crispés dans une expression que la plupart des invités devaient plus tard décrire comme de la honte, mais où d'autres, dont Stanley Konigsberg, virent une colère terrible, inexplicable. Puis, dans une parodie de la tranquille courtoisie qu'il leur avait montrée dans la salle de bal à peine vingt minutes plus tôt, il s'inclina profondément. Ses cheveux lui tombèrent sur le visage, et, alors qu'il se redressait brusquement, projetèrent des gouttelettes d'eau sur le corsage de la robe de soie de Mrs Konigsberg, y laissant des traces qui se révélèrent indélébiles.

– Merci beaucoup, avait-il murmuré.

Après quoi Joe avait traversé le hall en trombe et s'était faufilé à travers le tambour cylindrique pour s'élancer dans la rue, ses chaussures chuintant à chaque pas.

Après que Stanley eut achevé son récit, Rosa retourna au téléphone. Si elle devait tenter de joindre Joe, elle aurait besoin d'aide, et la personne dont elle souhaitait le plus l'aide, c'était Sammy. Elle essaya de réfléchir à qui pourrait peut-être retrouver sa trace. Puis elle décrocha le récepteur et demanda à l'opératrice si le nom de Klayman figurait dans le bottin de Flatbush.

– Oui ? Qui est-ce ?

C'était une voix de femme, grave, avec un léger accent. Un peu suspicieuse, peut-être, mais pas inquiète.

– Je suis Rosa Saks, madame Klayman. J'espère que vous vous souvenez de moi.

– Bien sûr que oui, ma chère. Comment allez-vous ?

La mère de Sammy n'était au courant de rien.

– Madame Klayman, je ne sais comment vous le dire.

Toute la semaine, elle avait été la proie de flots imprévisibles de tristesse et de rage, mais depuis le moment où elle avait vu le gros titre du journal jusqu'à maintenant elle était demeurée remarquablement calme, presque dénuée de sentiments mis à part le désir de retrouver Joe. Pour une raison inconnue, la pensée de cette pauvre et courageuse Mrs Klayman avec ses yeux tristes dans son minuscule logement de Flatbush rompit la glace. Rosa se mit à pleurer si fort qu'elle avait du mal à parler. Au début, Mrs Klayman essaya de la calmer, mais, comme Rosa devenait de plus en plus incohérente, elle perdit un peu patience.

– Il faut vous calmer, ma chère ! dit-elle sèchement. Respirez à fond, pour l'amour du ciel !

– Excusez-moi, balbutia Rosa, avant de respirer à fond. D'accord.

Elle lui relata le peu qu'elle savait. Un long silence s'écoula à l'autre bout du fil, à Flatbush.

– Où est passé Josef ? s'enquit à la fin Mrs Klayman d'un ton calme et mesuré.

– Je n'arrive pas à le trouver. J'espérais que Sammy pourrait... pourrait m'aider...

– Moi je me charge de trouver Sammy, la coupa Mrs Klayman. Vous n'avez qu'à rentrer chez vous. Dans votre maison de famille. Il peut très bien aller là-bas.

– Il ne veut plus me voir, je crois, murmura Rosa. J'ignore

pourquoi. Madame Klayman, j'ai peur qu'il ne tente de mettre fin à ses jours ! Je crois qu'il a déjà fait une tentative ce soir...

– Ne dites pas de sottises. Nous devons attendre, poursuivit Mrs Klayman. C'est tout ce que nous pouvons faire.

Quand Rosa s'aventura dehors pour prendre un autre taxi, il y avait un gamin qui vendait des journaux, le *Journal-American* du lendemain. Celui-ci contenait une version plus détaillée, sinon tout à fait exhaustive, du naufrage de l'*Arche de Miriam*. Un sous-marin allemand, rattaché à l'une des redoutables « bandes de loups » qui harcelaient les navires alliés dans l'Atlantique, avait attaqué le navire innocent et l'avait envoyé corps et biens par le fond.

Cette dépêche n'était pas tout à fait véridique, comme on le sut plus tard. Quand, après la guerre, il fut poursuivi pour ce crime et d'autres, le commandant de l'*U-328*, un officier de carrière intelligent et cultivé du nom de Gottfried Halse, fut en mesure de produire des pièces et des témoignages solides pour prouver qu'en accord avec le « règlement des prises de navires », il avait attaqué le bâtiment à moins de dix milles de la terre – l'île de Corvo, dans l'archipel des Açores – et lancé plusieurs semonces au capitaine de l'*Arche de Miriam*. Il avait procédé à l'évacuation avec discipline, et le transbordement de tous les passagers dans les canots de sauvetage eût pu être effectué sans dommage et sans encombre si, juste après la mise à feu des torpilles, un gros temps n'était apparu au nord-est, engloutissant les embarcations si rapidement que l'équipage de l'*U-328* n'avait pas eu le temps de leur porter secours. C'était seulement la chance qui avait voulu que Halse et son équipage de quarante hommes eussent gardé la vie sauve. S'il avait su que ce navire transportait des enfants, dont un grand nombre ne savaient pas nager, eût-il quand même donné suite à son attaque ? La réponse de Halse est conservée dans le dossier de son procès sans commentaire ni remarque sur la question de savoir si son ton était ironique, résigné ou affligé. « Il y avait des enfants, a-t-il déclaré. Nous étions des loups. »

15.

Quand la file de voitures s'immobilisa dans l'allée de devant, Ruth Ebling, la gouvernante qui, depuis la grande galerie du manoir, regardait le chauffeur et Stubbs décharger les invités et leurs bagages, remarqua immédiatement le petit Juif. Il était tellement plus menu et plus chétif que les autres participants de la fête. Vraiment plus menu que n'importe lequel de ces individus aux cheveux blond-roux, grands et élancés, nonchalants, avec leurs costumes Brooks et leurs manières policées, qui formaient l'effectif habituel des distractions de Mr Love. Là où les autres émergeaient des voitures avec l'allure souple des aventuriers venus planter un drapeau conquérant, le petit Juif s'extirpa tant bien que mal du deuxième véhicule – une monstrueuse Cadillac 61 vert bouteille toute neuve – comme un homme qui viendrait de tomber dans un fossé. Il semblait avoir passé ces quelques dernières heures, non pas tant assis au côté des autres garçons à l'arrière d'une automobile, que éparpillé sans soin dans leurs intervalles. Tenant gauchement une cigarette, pâle et battant des paupières, les yeux larmoyants dans le vent cinglant, échevelé, vaguement difforme, il contemplait les pignons menaçants et les cheminaisons insensées de Pawtaw avec une méfiance non dissimulée. Quand il vit que Ruth l'observait, il inclina la tête et leva vaguement la main pour la saluer.

Ruth éprouva le besoin de détourner les yeux, ce qui ne lui ressemblait pas. Finalement, elle le fixa du regard calme et froid, joues immobiles, mâchoires serrées, qu'elle avait entendu appeler son « air Otto von Bismarck » dans la bouche de Mr Love, alors qu'il se croyait hors de portée de voix. Un sourire d'excuse plissa fugitivement le faciès du petit Juif.

Même s'il ne pouvait pas le deviner (et ne sut jamais exactement ce qui avait mal tourné ce jour-là), il avait fallu que la malchance de Sammy survienne juste l'après-midi où le moteur bouillonnant de l'aversion de Ruth Ebling pour les Juifs n'était pas alimenté simplement par le sombre mélange habituel des harangues logiques et insatiables de son frère et les préceptes tacites de la classe sociale de son employeur. Elle brûlait aussi d'un quart de honte claire, volatile, teintée d'une rage brute. Le matin précédent, plantée sur le trottoir devant les Tombs, à New York, avec sa mère, sa belle-sœur et son oncle George, elle avait vu disparaître dans un épais nuage de gaz d'échappement l'autocar qui emmenait à Sing Sing le frère qui lui restait, Carl Henry.

Carl Henry avait plaidé coupable et été condamné, par un juge du nom de Cohn, à douze ans de prison pour avoir posé une bombe à la réception de la bar-mitsva de Leon Douglas Saks au Pierre Hotel. Carl Henry, enfant rêveur et passionné, mais pas spécialement adroit ni doué, avait gardé ces traits de caractère à l'âge d'homme, ce qui donnait un emportement mêlé de paresse. Mais l'idéalisme vague et écorné qu'il avait rapporté des champs de bataille de Belgique, et qui s'était cristallisé dans la longue indignité de la Dépression, avait trouvé une nouvelle forme et un nouvel objectif après 1936, quand un ami lui avait proposé de rejoindre une organisation sociale de Yorkville, le Club de la Patrie, qui, au début de la guerre en Europe, s'était transformée ou fragmentée – Ruth avait eu du mal à suivre – en Ligue aryano-américaine. Alors que Ruth n'avait jamais entièrement approuvé les idées de Carl Ebling – Hitler la rendait nerveuse – et que le fait que son frère tienne un rôle de premier plan dans les activités de son parti l'inquiétait, elle voyait une incontestable noblesse dans son dévouement à la cause : libérer les États-Unis de l'influence maléfique de Morgenthau[1] et du reste de sa cabale. D'ailleurs, il aurait dû être aussi évident pour le juge, pour le procureur (Silverblatt) et pour tout le monde que cela l'avait été pour Ruth elle-même que son frère, qui avait insisté, contre l'avis de son avocat, pour plaider coupable, et qui semblait la plupart du temps se prendre pour un méchant costumé de bande dessinée, avait manifestement perdu la tête. Il aurait dû être à Islip, non à Sing Sing. Que la bombe confectionnée par son frère – en forme de trident, comment ne pas voir la folie de tout cela ? – avait on ne savait comment réussi à exploser en ne blessant que son auteur, Ruth l'attribuait au manque de chance et à la maladresse qui avait toujours caractérisé Carl. Quant à la sévérité de la peine à laquelle il avait été condamné, elle l'imputait, comme Carl Henry, pas seulement aux rouages du « complot juif », mais, avec une réticence qui lui fendait le cœur, à son employeur, Mr James Haworth Love en personne. Dès le début des années 1930, James Love avait exprimé haut et fort son opposition à

1. Henry Junior Morgenthau (1891-1967), fonctionnaire américain qui fut secrétaire du Trésor de 1934 à 1945. (*N.d.T.*)

Charles Lindbergh, aux America Firsters[1] et surtout à la German-American Bund et à d'autres organisations proallemandes de ce pays, que, dans ses discours et dans les éditoriaux de la presse, il dénonçait habituellement comme étant « des membres de la cinquième colonne, des espions et des saboteurs », diatribes qui avaient culminé, du moins aux yeux de Ruth, avec les poursuites judiciaires à l'encontre de son frère et son incarcération. C'est ainsi que la sourde aversion que Ruth eût conçue normalement pour Sammy était avivée par la détestation purulente que lui inspiraient son hôte pour le week-end et la manière dont Mr James Haworth Love menait ses affaires à la fois politiques et sociales. En étant témoin de cet assouplissement de l'interdit, inexprimé bien qu'absolu, de la présence de Juifs à Pawtaw, jusqu'ici une des rares traditions de ses parents et de ses grands-parents bâtisseurs d'empires que Mr Love avait continué de respecter, et y voyant la preuve finale de l'impudence et de la faiblesse de l'homme, le cœur de Ruth se révolta. Il ne manquait plus qu'un dernier scandale pour pousser Ruth à prendre des dispositions afin d'alléger la pression qui s'accumulait depuis si longtemps dans sa poitrine.

– J'ai vu la fumée, aboya Mr Love. Feux allumés. Très bien, Ruth. Comment allez-vous ?

– Je crois que je survivrai.

Les hommes gravirent tous les marches en bande, lançant leurs bonjours aussi joyeux que vides dans sa direction, la complimentant sur sa coiffure, dont l'aspect n'avait pas changé depuis 1923, son teint, les odeurs qui émanaient de la cuisine. Elle les saluait poliment, avec quelque chose de son habituelle méfiance acide, telle une institutrice qui accueillerait le retour de vacances d'un groupe de Je-sais-tout et de noceurs, et indiquait à chacun quelle chambre serait la sienne et comment y parvenir s'ils ne le savaient déjà. Lesdites chambres avaient été baptisées par un aïeul passionné d'Indiens d'après des tribus locales disparues. L'un des arrivants, extraordinairement beau, avec des yeux de la même couleur que la Cadillac neuve et une fossette au menton, beaucoup plus grand et plus carré que les autres, lui serra la main en disant qu'il avait entendu les choses les plus étonnantes sur sa cassolette d'huîtres. Le Juif aux jambes grêles se tenait en retrait, s'abritant derrière le géant aux prunelles vertes ; il se contenta de la saluer d'un nouveau petit sourire suivi d'un toussotement nerveux.

1. Membres de l'organisation isolationniste dite *America First Committee.* (*N.d.T.*)

– Vous avez la Raritan[1], lui apprit-elle, ayant réservé spécialement pour le nouveau la chambre d'amis la plus petite et la plus exiguë du deuxième étage, une qui était dépourvue de véranda, avec une vue fragmentaire de la mer.

Cette information parut l'effrayer, comme si elle l'avait chargé d'une lourde responsabilité.

– Merci, madame, murmura-t-il.

Ruth devait se souvenir plus tard qu'elle avait été touchée par une émotion fugace, qui se situait quelque part entre la tendresse et la pitié, pour le petit Juif au nez retroussé. Il avait l'air si peu à sa place au milieu de toutes ces grandes chochottes à l'allure sportive. Elle avait du mal à croire qu'il puisse vraiment être des leurs. Elle se demandait s'il n'était pas arrivé ici par erreur.

Ruth Ebling ne pouvait pas savoir à quel point ses spéculations sur le statut et la condition sociale de Sammy coïncidaient avec les siennes.

– Bon Dieu ! lança-t-il à Tracy Bacon. Qu'est-ce que je fiche ici ? (Il laissa choir sa valise, qui atterrit avec un bruit sourd sur le tapis de haute laine, un des nombreux tapis d'Orient usés qui recouvraient en patchwork les lattes grinçantes de la Raritan. Tracy avait déjà déposé ses bagages dans sa chambre du premier étage, laquelle avait reçu pour nom Ramcock[2], dans un étrange accès de prémonition de cet aïeul amoureux des Indiens. Actuellement, il était allongé sur le dos sur le lit en fer de Sammy, les jambes levées et croisées aux genoux, les bras derrière la tête, en train de gratter avec un ongle l'émail blanc écaillé du montant. Comme beaucoup d'hommes élancés et bien bâtis, c'était un fainéant invétéré qui dédaignait l'effort physique, excepté par courtes explosions de grâce frénétique dignes de Red Grange[3]. Du reste, il détestait rester debout, ce qui rendait son travail à la radio particulièrement insupportable. Il avait également horreur d'être obligé de se tenir droit sur une chaise. Sa faculté innée de se sentir à l'aise partout où il allait s'associait à une paresse insondable. Chaque fois qu'il entrait dans une pièce, si officielles que soient les circonstances, il cherchait généralement un endroit où pouvoir au moins percher ses pieds.) Je parie que je suis le premier youpin à avoir mis les pieds dans cette taule, déclara-t-il.

– Je ne crois pas que je tiendrai ce pari.

Sammy s'approcha de la petite fenêtre, dont tous les carreaux

---

1. Mot algonquin signifiant « rivière qui déborde », qui a donné son nom à un fleuve du New Jersey et à la baie où il se jette. (*N.d.T.*)

2. En anglais, « pénis de bélier ». (*N.d.T.*)

3. Célèbre footballeur professionnel américain (1903-1991) qui joua avec les Chicago Bears. (*N.d.T.*)

étaient maculés d'une empreinte de givre, dans l'étroite mansarde qui dominait la pelouse de derrière. Il l'ouvrit avec difficulté, laissant entrer un frais courant d'air salé et de fumée de bois accompagné des grondements et des sifflements de la mer. Dans le dernier quart d'heure de jour, très loin sur la plage, Dave Fellowes et John Pye se renvoyaient un ballon avec un acharnement certain, en pantalon de treillis et haut de survêtement mais les pieds nus. John Pye était lui aussi un comédien de radio, la vedette de *On demande Mr Maxwell* et un ami de Bacon, qui l'avait présenté au financier des *Aventures de l'Artiste de l'évasion*. Fellowes, lui, chapeautait le bureau new-yorkais d'un membre de la délégation de New York au Congrès. Sammy observa Fellowes tourner le dos à Pye et descendre la grève en éparpillant des mottes de sable blanc. Fellowes leva le bras, jetant un coup d'œil par-dessus son épaule, et une passe avant courte et précise de Pye trouva le chemin de ses mains.

– C'est si bizarre, murmura Sammy.

– Tu trouves ?

– Oui.

– Tu as raison, reprit Bacon. Je pense que tu dois avoir raison.

– Tu ne peux pas savoir...

– Eh bien, je... peut-être que la raison pour laquelle je n'ai pas cette impression, c'est que je me suis toujours senti bizarre, tu sais, avant de m'apercevoir que je n'étais pas le seul au monde...

– Ce n'est pas ce que je veux dire, protesta doucement Sammy. (Il n'avait pas voulu jouer au raisonneur.) Ce n'est pas ça qui me paraît bizarre, vieux. Ce n'est pas parce que c'est une bande de tapettes, ou parce que Mr James Love, le magnat du bas, est une tapette, ou parce que tu es une tapette ou que je suis une tapette...

– Si tu en es une, le reprit Bacon avec une correction feinte.

– Si j'en suis une.

Bacon fixa le plafond avec contentement, les bras croisés derrière la nuque.

– Ce que tu es.

– Ce que je suis peut-être.

En réalité, la question de savoir comment la génération suivante qualifierait l'orientation sexuelle de Sammy, à la satisfaction au moins de tous ceux qui participaient à la réunion de Pawtaw lors de ce premier week-end de décembre 1941, semblait amplement résolue. Dans les semaines qui suivirent leur petite visite à la Foire mondiale et leur étreinte à l'intérieur du globe obscur de la Périsphère, Sammy, avec son jeune amant athlétique, était devenu partie intégrante du cercle de John Pye, considéré à l'époque, et longtemps après dans la mythologie du New York gay, comme étant le plus bel éphèbe de la ville. Dans une boîte des Cinquantièmes Rues Est appelée Le

Perroquet Bleu, Sammy avait eu la nouveauté de voir des hommes danser le Texas Tommy et le Cendrillon, tout près, dans le noir, même si la faiblesse de ses propres gambettes l'empêchait de s'amuser avec les autres. Le lendemain, ainsi que tout le monde le savait, lui et Tracy partaient pour la côte ouest, afin de se lancer dans leur nouvelle vie conjointe de scénariste et de vedette de feuilleton.

– Alors, qu'y a-t-il de bizarre ? insista Tracy.

Sammy secoua la tête.

– C'est simplement... Regarde-toi. Regarde-les. (Il agita le pouce en direction de la fenêtre ouverte.) Ils pourraient tous jouer un gars en caleçon à l'identité secrète. Votre play-boy désabusé, votre héros des terrains de football américain, vos jeunes procureurs partis en croisade. Bruce Wayne, Jay Garrick, Lamont Cranston...

– Jay Garrick ?

– Oui, The Flash[1]. Blond, un paquet de muscles, une belle dentition, une pipe...

– Je ne fumerai jamais la pipe.

– Celui-ci est allé à Princeton, celui-là à Harvard, le troisième à Oxford...

– Sale habitude !

Sammy plissa la figure pour montrer qu'il reconnaissait que ses efforts de méditation étaient contrés, puis regarda ailleurs. En bas, sur la plage, Fellowes avait plaqué John Pye. Ils roulèrent dans le sable.

– Il y a un an, quand je voulais fréquenter quelqu'un comme toi, je devais, tu sais, t'inventer. Et maintenant...

Ses yeux balayèrent la large étendue desséchée de la pelouse, dépassèrent Pye et Fellowes. Une signature d'écume était griffonnée à la surface des vagues. Comment pourrait-il dire à Bacon à quel point il avait été heureux, ces deux derniers mois, d'être le point de mire rayonnant de son regard, combien Bacon avait tort de gâcher ce regard pour lui ? Personne d'aussi beau, d'aussi charmant, équilibré, imposant physiquement que Bacon ne pouvait s'intéresser à lui.

– Si tu es en train de me demander si tu peux être mon assistant, répliqua Bacon, la réponse est oui. Nous te trouverons un masque...

– Dis donc ! Merci...

– On t'appellera... oh ! Qu'est-ce que tu penses de Rusty[2] ? Rusty ou Dusty.

– La ferme.

– En fait, Musty[3] serait plus juste.

---

1. Bruce Wayne est Batman, et Lamont Cranston le Shadow. (*N.d.T.*)

2. Allusion à la B.D. *Rusty et les Peaux-Rouges*, histoire de chasseurs de fourrures. (*N.d.T.*)

3. « Rouquin », « Nullard », « Vieux jeu ». (*N.d.T.*)

Quand ils étaient au lit tous les deux, Bacon prenait toujours de profondes et nostalgiques goulées au pénis de Sammy, affirmant qu'il dégageait exactement la même odeur qu'un tas de vieilles bâches dans le bûcher de son grand-père, à Muncie dans l'Indiana. Une fois, il avait situé le bûcher en question à Chillicothe, dans l'Illinois.

– Je te préviens... gronda Sammy, la tête penchée d'un air menaçant, les bras tendus pour enchaîner deux prises de judo, les jambes repliées pour bondir.

– Ou encore, étant donné l'état de ton linge de corps, jeune homme, poursuivit Bacon, qui protégea son visage de ses bras, déjà sur le recul, peut-être devrait-on penser sérieusement à Crusty[1]...

– Ça suffit ! cria Sammy, s'élançant sur le lit.

Bacon fit semblant de crier. Sammy se jeta tant bien que mal sur son ami et lui cloua les poignets sur le lit. Son visage planait à cinquante centimètres de celui de Bacon.

– Maintenant je te tiens, dit-il.

– S'il te plaît, gémit Bacon. Je suis orphelin.

– C'était le sort réservé aux petits mariolles dans mon quartier...

Sammy pinça les lèvres et laissa couler un long filet de salive, terminé par une grosse bulle irisée. La bulle descendit telle une araignée au bout de son fil pour finir par pendre juste au ras du visage de Bacon. Puis Sammy aspira pour la faire remonter. Il y avait des années qu'il n'avait pas tenté ce tour de force. Il était content de voir que sa bave avait gardé sa viscosité et lui sa maîtrise de précision.

– Berk ! fit Bacon.

Il tournait la tête de droite et de gauche et se débattait sous Sammy, qui pesait de tout son poids sur ses poignets pendant qu'il laissait redescendre le filet argenté au-dessus de lui. Brusquement, Bacon cessa toute résistance. Il fixa Sammy, sûr de lui, calme, une lueur dangereuse dans le regard. Bien sûr, il aurait pu se libérer facilement, s'il le désirait, de la prise chétive de son amant. C'est ce qui se lisait dans son expression. Il ouvrit la bouche. La perle de salive pendillait toujours. Sammy coupa le fil. Un instant plus tard, nus sous les quatre couvertures empilées sur le petit lit étroit, ils s'ébattaient de la manière exacte dont le docteur Fredric Wertham, dans son livre sulfureux, prétendrait un jour qu'elle était répandue chez les héros costumés et leurs « pupilles ». Ils s'endormirent dans les bras l'un de l'autre. C'est l'odeur rassurante et maternelle du lait bouilli et de l'eau salée qui les réveilla.

Plusieurs récits fragmentaires survécurent aux événements qui se déroulèrent à Pawtaw le 6 décembre 1941. Le chapitre que le journal intime de Mr Love consacre au 6 décembre est laconique. Il note

1. « Encrassé ». (*N.d.T.*)

que, cet après-midi-là, Bob Perina[1] avait pris quatre-vingt-deux yards pour Princeton et donne des détails sur le menu et les points forts de la conversation du dîner, avec cette pitoyable notation : « avlerecul, plustrivqued'hab ». Les convives, comme toujours, sont désignés par leurs initiales : JP, DF, TB, SC, RP, DD, QT. Le passage se termine sur ce simple mot : DÉSASTRE. Seule l'absence de toute note pour le jour suivant et l'objet de celle du lundi, alors qu'il se passait tant d'autres choses dans le monde, ainsi qu'une visite à son avocat, laissent entrevoir ce qui était arrivé. Roddy Parks, le compositeur, dans son célèbre journal intime, ajoute le nom d'un autre invité (son amant du moment, le photographe Donald Davis) et est d'accord avec Love pour dire que les principaux sujets de conversation à table étaient une grande exposition des peintures fauves à la Mary Harriman Gallery et le mariage-surprise du roi de Belgique. Il rapporte également que la cassolette d'huîtres était ratée et que Donald avait remarqué, un peu plus tôt dans l'après-midi, que quelque chose semblait tourmenter la gouvernante, que Parks appelle Ruth Appling. Son résumé de la rafle est presque aussi bref que celui de Love : « Quelqu'un a appelé la police ».

Un examen du rapport du shérif du comté de Monmouth fournit le nom du dernier invité du week-end, un certain Mr Quentin Towle, ainsi qu'un compte-rendu un peu plus détaillé des événements de la soirée, y compris un petit aperçu sur l'impulsion qui, à la fin, avait poussé Ruth vers le téléphone. « Miss Ebling, dit le rapport, était exaspirée [*sic*] par la récente incarcération de son frère Carl et trébucha par hasard dans une chambre sur un comic book du genre de ceux qu'elle tenait pour responsables des problèmes mentaux de son frère. À cet instant, après avoir identifié l'auteur dudit comic book comme étant l'un des suspects, elle décida de signaler aux autorités la nature des activités des occupants de la maison. »

Il est intéressant d'observer que, malgré l'accent porté, cette nuit-là et au cours des poursuites judiciaires qui s'ensuivirent, dans une large mesure peu concluantes, sur le rôle de déclencheur du comic book dans l'acte de vindicte de Ruth Ebling, le seul hôte de Pawtaw de ce soir-là pour lequel il n'existe pas de procès-verbal d'arrestation est précisément son auteur.

À ce dîner, Sammy s'enivra pour la première fois de sa vie. L'ivrognerie le gagna si lentement qu'au début il prit ses effets pour la béatitude de la fatigue sexuelle. La journée avait été longue et avait laissé des traces physiques dans sa mémoire : le froid devant le *Mayflower*, ce matin-là, en attendant que Mr Love et ses amis passent les prendre ; le coude planté dans ses côtes, le rugissement et l'odeur

1. Footballeur qui devint joueur professionnel de Princeton en 1943. (*N.d.T.*)

de cendres du radiateur de la Cadillac, la flèche aiguisée de l'air de décembre qui sifflait par la vitre pendant le trajet ; la brûlure d'un coup de whisky qu'il accepta de prendre à la flasque de John Pye ; la marque persistante des dents de Bacon et l'empreinte de ses pouces sur ses propres hanches. Pendant qu'il dégustait ses huîtres, assis à la table du dîner, en regardant autour de lui avec une expression que, sans que cela l'angoisse, il savait stupide, un agréable mélange de courbatures et d'images l'enveloppait, semblable à celui qui submerge quelqu'un à deux doigts de s'endormir après avoir passé toute la journée au grand air. Il s'y enfonça et regarda les autres invités dérouler les étendards sanglants de la conversation. Le vin, un puligny-montrachet 1937, sortait d'une caisse qui avait été offerte, dixit Jimmy Love, par Paul Reynaud.

– Alors, quand partez-vous tous les deux ?

– Demain, répondit Bacon. On arrive mercredi. J'ai déjà un cachet en poche. Un citoyen de Republic est censé monter dans le train avec mon costume à Salt Lake City, pour que ce soit l'Artiste de l'évasion qui descende à L.A.

Suivirent d'interminables mises en boîte de Tracy Bacon sur le sujet des caleçons, qui s'orientèrent au milieu de l'hilarité générale vers la question des grègues. Love exprima sa satisfaction que Bacon puisse continuer à jouer l'Artiste de l'évasion à la radio, grâce à sa diffusion depuis Los Angeles. Sammy se rencogna de plus belle dans sa rêverie alimentée au bourgogne. Il y eut une légère turbulence de l'air dans son dos, des chuchotements, un cri étouffé.

– Mais vous n'allez pas leur manquer, à votre usine de bandes dessinées ?

– Qu'est-ce qui se passe ? (Sammy se redressa sur sa chaise.) Je crois qu'on vous demande, monsieur Love. J'ai entendu prononcer votre nom...

– Je suis vraiment désolé, monsieur Love, dit une voix claire et monocorde derrière Sammy. Mais je crains que vous-même et vos bonnes amies ne soyez en état d'arrestation.

Une courte débandade suivit cette déclaration. La pièce se remplit d'une époustouflante variété de shérifs adjoints, de policiers d'Asbury Park, d'agents de la sécurité routière des autoroutes d'État et de journalistes, plus deux agents du F.B.I. originaires de Philadelphie, qui, en vacances, s'imbibaient au Fly Trap, un relais routier de Sea Bright fréquenté par des représentants de la police du littoral du New Jersey, quand le bruit avait couru qu'on allait nettoyer un repaire de pédés, la maison balnéaire d'un des hommes les plus riches d'Amérique. Lorsqu'ils virent à quel point beaucoup de ces pédés étaient grands et bien bâtis, pour ne rien dire de leur aspect étonnamment normal, tous ces messieurs eurent un moment d'hésitation que Quentin Towle mit à profit pour s'éclipser. Il fut appréhendé plus tard, sur la route du comté. Seuls les deux costauds opposèrent une résistance. John Pye s'était déjà fait ramasser, deux fois, et il en avait assez. Il savait que cela lui coûterait cher au final, mais avant de pouvoir être maîtrisé il réussit à ensanglanter le nez d'un shérif et fracassa une bouteille de montrachet sur le crâne d'un second. Il brisa aussi l'appareil d'un photographe qui travaillait pour les journaux de W.R. Hearst, exploit dont tous ses amis lui furent par la suite reconnaissants. Love, en particulier, n'oublia jamais ce service et, après que Pye fut tué en Afrique du Nord, où il était parti comme ambulancier parce que l'armée n'acceptait pas les homosexuels, il se chargea de subvenir aux besoins de sa mère et de sa sœur. Quant à Tracy Bacon, il n'accorda pas une seconde à la question de savoir s'il fallait ou non employer la violence avec la police. Sans faire trop de révélations sur sa véritable histoire qu'il s'était donné tant de mal à effacer et à réécrire, on peut dire que Bacon s'était mis la police à dos depuis l'âge de neuf ans et qu'il se défendait avec ses poings bien avant cette date. Il se rua donc dans le nœud grouillant de matraques, de chapeaux à large bord et d'hommes recroquevillés, et se mit à cogner. Quatre hommes furent nécessaires pour le maîtriser, ce qu'ils firent avec une brutalité considérable.

Pendant qu'il regardait son petit ami et John Pye sombrer dans un océan de chemises marron, trop soûl et trop honteux pour bouger, Sammy se débattait lui-même comme un diable. Quelqu'un lui avait agrippé les jambes et Sammy avait beau donner des coups de pied et battre les airs avec ses bras, l'autre ne voulait pas lâcher prise. À la fin, son assaillant eut quand même le dessus et Sammy se retrouva entraîné sous la table.

– Idiot ! murmura Dave Fellowes, les yeux clos, le nez en sang à l'endroit où le pied de Sammy l'avait frappé. Descends !

Il força Sammy à s'accroupir à côté de lui sous la table, et tous deux regardèrent les bottes et les corps s'abattre sur le tapis, de dessous la bordure ornée de dentelle de la nappe. C'est dans cette position humiliante qu'ils furent découverts cinq minutes plus tard, quand les deux agents du F.B.I. en vacances, formés à l'exhaustivité, ratissèrent une dernière fois le manoir.

– Tous vos amis vous attendent, ironisa un des deux.

Il sourit à son collègue, qui empoigna Fellowes par le col de sa chemise et l'extirpa de dessous la table.

– Je reviens, dit l'autre agent.

– Je sais que tu reviendras, répliqua avec un rire strident celui qui emmenait Dave Fellowes.

Appuyé sur un genou, l'agent du F.B.I. dévisageait Sammy avec une tendresse feinte, comme s'il essayait d'attirer un enfant récalcitrant hors de sa cachette.

– Viens, mon cœur, susurra-t-il. Je ne te toucherai pas.

La réalité de la situation avait commencé à pénétrer les brumes de l'ivrognerie de Sammy. Qu'avait-il fait ? Comment pourrait-il avouer à sa mère qu'il avait été arrêté et pourquoi ? Il ferma les yeux mais, à ce moment-là, fut torturé par une vision de Bacon succombant à une marée de poings et de talons de botte.

– Où est Bacon ? demanda-t-il. Qu'avez-vous fait de lui ?

– Le grand gaillard ? Il s'en remettra. Il est plus viril que le reste de votre bande. Tu es sa petite amie ?

Sammy rougit.

– Tu as de la veine. C'est un beau morceau.

Sammy sentit une étrange vibration de l'air entre le policier et lui. La pièce, toute la maison paraissaient être devenues très silencieuses. Si le flic avait l'intention de l'arrêter, il semblait à Sammy qu'il aurait déjà dû le faire.

– Moi, j'ai un faible pour les basanés. Les petits gars...

– Comment ?

– Je suis un agent fédéral, tu le savais ?

Sammy secoua la tête.

– C'est vrai. Si je dis à ces schmitts là-bas qu'ils doivent te relâcher, ils le feront.

– Pourquoi feriez-vous ça ?

L'agent regarda lentement par-dessus son épaule, une quasi-parodie de celui qui regarde si la voie est libre, puis retourna à quatre pattes sous la table avec Sammy. Il posa la main de celui-ci sur la braguette du pantalon de son costume.

– Oui, pourquoi ? insista l'agent du F.B.I.

Dix minutes plus tard, les deux agents fédéraux en villégiature étaient réunis dans le vestibule de la demeure. Poussés par leurs champions respectifs, Dave Fellowes et Sammy pouvaient à peine se regarder, encore moins regarder Ruth Ebling, qui supervisait les efforts de ménage de son personnel. Sammy avait encore dans la bouche le goût âcre du sperme de l'agent Wyche, ainsi que la dégoûtante saveur douceâtre de son propre rectum. Jamais il ne devait oublier le sentiment de malédiction au fond de son cœur, la sensation d'avoir pris un tournant irrévocable et de devoir affronter sous peu un destin sombre et assuré.

– Ils sont tous partis, proféra Ruth, l'air surpris de les voir. Vous les avez manqués.

– Ces deux hommes ne sont pas suspects, précisa l'agent de Fellowes. Ce sont de simples témoins.

– Nous avons encore besoin de les sonder, ajouta l'agent Wyche, sans se donner la peine de cacher son amusement devant ses propres sous-entendus. Merci, madame. Nous sommes motorisés.

Sammy parvint à relever la tête et vit que Ruth le dévisageait avec curiosité, le même vague air de pitié qu'il avait cru déceler plus tôt dans l'après-midi.

– J'aimerais juste vous poser une question, reprit-elle. Quel effet cela fait-il, monsieur Clay, de gagner votre vie sur le dos des simples d'esprit ? C'est la seule chose que je voudrais savoir.

Sammy sentait qu'il aurait dû comprendre de quoi elle parlait et était sûr que ç'aurait été le cas en temps normal.

– Je suis désolé, madame. Je n'ai aucune idée de ce que...

– Un jeune homme s'est jeté du haut d'un immeuble, ai-je entendu, poursuivit-elle. Il s'est attaché une nappe autour du cou et...

Un téléphone sonna dans une pièce voisine. Elle s'interrompit, se tourna pour aller répondre. L'agent Wyche prit Sammy au collet et le tira vers la porte. Ils sortirent dans la nuit glacée.

– Attendez, cria la voix de la gouvernante depuis l'intérieur de la maison. On demande un Mr Klayman au téléphone. C'est lui ?

Après coup Sammy devait souvent se demander ce qu'il eût pu lui arriver, dans quelle ruelle ou fossé son corps brisé et abusé eût pu échouer, si sa mère n'avait pas téléphoné au manoir de Pawtaw pour lui annoncer la mort de Thomas Kavalier. L'agent fédéral Wyche et son collègue échangèrent un regard, avec une expression qui n'était plus tout à fait professionnellement neutre.

– Aïe ! Mince, Frank ! commenta l'agent de Fellowes. Ça alors ! Sa mère...

Quand Sammy ressortit de la cuisine, Dave Fellowes était debout, affalé contre la porte d'entrée, un bras sur son visage rouge et moite. Les deux agents fédéraux avaient disparu. Eux aussi avaient une mère.

– Il faut que je rentre en ville immédiatement, dit Sammy.

Fellowes s'essuya le visage avec sa manche, puis plongea la main dans sa poche et en tira la clef de sa Buick.

Bien que la circulation fût fluide, ils mirent près de trois heures pour regagner New York. Depuis le moment où Fellowes avait démarré jusqu'à ce qu'il eût déposé Sammy devant chez lui, ils n'avaient pas échangé un mot.

16.

Après avoir fui l'hôtel Trevi, Joe devint simplement l'un des sept mille quatorze noyés qui pataugeaient dans les rues new-yorkaises ce soir-là. Il avait sur lui un demi-litre de whisky acheté dans un bar de la Cinquante-huitième Rue. Ses cheveux avaient formé des glaçons sur sa tête et son smoking bleu avait tourné au granite froid, mais il ne ressentait rien. Il continuait à marcher, en buvant sa bouteille à petites gorgées. Les rues étincelaient de taxis, les théâtres se vidaient, les devantures des restaurants étaient auréolées par la lueur des bougies et la buée de la respiration de leurs clients. Avec honte, il se remémorait l'exaltation qui l'avait saisi quand il était descendu au métro un peu plus tôt dans la soirée, le trajet bringuebalant sous terre, avec tous les voyageurs qui fixaient le magicien assis dans leur voiture. L'amour général des caniches, des avertisseurs d'automobiles et des marques de dents de l'Essex House sur la face de la lune qui l'avait submergé, pendant qu'il remontait en chapeau haut de forme de la bouche de métro au Trevi. S'il n'avait pas noyé son chagrin dans l'alcool une heure plus tôt, songea-t-il, le souvenir de ce bonheur enfui eût peut-être suffi à l'amener à se haïr. Bonne chose que je sois mort, songea-t-il encore.

Sans savoir comment, il se retrouva à Brooklyn. Il prit le train jusqu'à Coney Island, puis s'endormit pour se réveiller dans un endroit qui s'appelait Gravesend, avec une main brutale de policier posée sur son épaule. Vers deux heures du matin, plus ivre qu'il ne l'avait été depuis la nuit où il était apparu dans l'escalier de la maison de Bernard Kornblum de la rue Maisel, il se présenta au 115, Ocean Avenue, à la porte du logement 2B.

Ethel ouvrit presque immédiatement. Elle était habillée et maquillée, ses cheveux soigneusement attachés en chignon. Si elle fut surprise de voir son neveu sur le seuil, en tenue de soirée, gelé jusqu'aux os, les yeux larmoyants, elle n'en montra rien. Sans un mot, elle le prit par la taille et le conduisit à sa table de cuisine. Elle lui servit une tasse de café d'une cafetière en émail bleu moucheté de blanc. Le café était dégueulasse, clair comme l'eau dans laquelle il nettoyait ses pinceaux et aigre comme de la piquette, mais il était frais et bouillant. Son effet sur Joe fut dévastateur. Dès qu'il l'eut avalé, tous les faits et les événements imprévus qu'il avait maintenus sous l'eau, jusqu'à ce qu'ils lui semblent finalement avoir cessé de bouger, remontèrent subitement à la surface. Il comprit qu'il était vivant et que son petit frère, Thomas, reposait mort au fond de l'océan Atlantique.

– On devrait allumer la radio.

Ce fut tout ce qu'il put trouver à dire.

Ethel s'assit en face de lui avec sa tasse de café. Elle sortit un mouchoir de la poche de son cardigan noir et le lui tendit.

– D'abord pleure, ordonna-t-elle.

Elle lui donna un morceau de pain d'épice puis, comme elle l'avait fait le soir de son arrivée, lui tendit une serviette.

Pendant qu'il se douchait, sa grand-mère entra dans le cabinet de toilette, souleva le bas de sa chemise de nuit et, ignorant apparemment la présence de Joe, abaissa son derrière bleu pâle sur le seau hygiénique.

– Tu ne m'écoutes pas, Yecheved, dit-elle en yiddish, l'appelant par le nom patronymique de sa tante. Dès le premier jour, je t'ai dit que ce bateau ne me plaisait pas. Je ne l'ai pas dit ?

Joe lui répondit en anglais.

– Excuse-moi, bredouilla-t-il.

Sa grand-mère opina du chef et se leva du seau. Sans un mot, elle éteignit la lumière et sortit du cabinet de toilette en traînant les pieds. Joe finit sa douche dans le noir.

Après qu'il se fut réchauffé en cédant à une crise de larmes irrépressible, sa tante l'enveloppa dans un peignoir de bain qui avait jadis appartenu au père de Sammy et le conduisit vers l'ancien lit de Sammy.

– Très bien, dit-elle, très bien.

Ethel posa une main sèche sur la joue du jeune garçon et l'y laissa jusqu'à ce qu'il eût arrêté de pleurer, puis jusqu'à ce qu'il s'arrêtât de trembler et enfin jusqu'à ce qu'il reprît sa respiration bégayante. Étendu immobile, il reniflait. La main sur sa joue demeura aussi fraîche qu'une brique.

Il se réveilla quelques heures plus tard. Il faisait encore nuit dehors. Pas une lueur matinale. Joe avait mal dans les articulations et dans la poitrine, ses poumons lui brûlaient comme s'il avait inhalé de la fumée ou du poison. Il se sentait creux, écrasé, tout à fait incapable de pleurer.

– Elle arrive, l'informa sa tante. (Plantée dans l'embrasure de la porte, elle se découpait dans la faible clarté bleuâtre jetée par l'appareil d'éclairage au-dessus de l'évier de la cuisine.) Je l'ai appelée. Elle était folle d'inquiétude.

Joe s'assit dans son lit, se frotta le visage et hocha la tête. Il voulait n'avoir aucun rapport avec Rosa, ni avec Sammy, ni avec sa tante ou ses parents, ou quiconque pouvait le rattacher à Thomas par n'importe quel lien de la mémoire, de l'affection ou du sang. Mais il était trop fatigué pour changer quoi que ce soit et n'avait, en tout cas, aucune idée de ce qu'il fallait faire. Sa tante lui trouva de vieux vêtements et il s'habilla en vitesse à la lumière polaire de l'évier. Les vêtements étaient beaucoup trop petits, mais ils étaient secs et feraient l'affaire jusqu'à ce qu'il puisse se changer. Pendant qu'ils attendaient Rosa, elle refit du café et ils burent leurs tasses à petites gorgées, assis en silence. Trois quarts d'heure plus tard il y eut en bas, dans la rue, le bruit d'un avertisseur de voiture, en même temps qu'une tache de lumière bleutée tremblotante, presque invisible, dans le ciel. Joe rinça sa tasse, la posa dans l'égouttoir, s'essuya les mains au torchon et embrassa sa tante pour lui dire au revoir.

Ethel se précipita à la fenêtre, à temps pour voir la jeune fille descendre d'un taxi. Cette dernière se jeta au cou de Joe, qui s'accrocha à elle si longtemps qu'Ethel se prit à regretter, avec une intensité qui la surprit, d'avoir oublié de prendre son neveu dans ses bras. Sur le moment, cela lui parut la pire erreur qu'elle eût jamais commise de sa vie. Elle regarda Joe et Rosa monter dans le taxi, puis disparaître. Puis elle s'assit dans un fauteuil gaiement imprimé d'ananas et de bananes et enfouit son visage dans ses mains.

17.

Joe et Rosa rampèrent dans le lit de Rosa à six heures trente du matin et elle se cramponna à lui jusqu'à ce qu'il se soit assoupi, étendu là, avec le fruit mystérieux et inconnu de leur amour qui croissait entre eux. Puis elle s'endormit à son tour. À son réveil, il était deux heures passées de l'après-midi et Joe n'était plus là. Elle regarda dans le cabinet de toilette, puis descendit dans la cuisine noire, où son père se trouvait avec une expression des plus bizarres sur le visage.

– Où est Joe ? demanda-t-elle.

– Il nous a quittés.

– Quittés ? Où est-il parti ?

– Eh bien, il a parlé de s'engager dans la marine, répondit son père. Mais je ne crois pas que ce soit possible avant demain.

– La marine ? Qu'est-ce que tu veux dire ?

Voilà comment elle apprit l'attaque de la base navale de Pearl Harbor. Selon son père, il était très vraisemblable que les États-Unis se retrouvent bientôt aussi en guerre avec l'Allemagne. C'était ce sur quoi Joe comptait.

La sonnette fit entendre son drôle d'air : la plus courte composition de Raymond Scott, *Fanfare for the Fuller Brush Man*. Elle courut à la porte, certaine que ce serait Joe. Mais c'était Sammy ; on aurait dit qu'il s'était battu. Il avait la joue écorchée et une entaille près de l'œil. S'était-il donc bagarré avec Bacon ? Elle savait que Sammy était censé être parti aujourd'hui pour Los Angeles avec son ami. À l'origine, Joe et elle avaient prévu d'aller à la gare pour les accompagner. Les deux garçons s'étaient-ils querellés ? Un gars du gabarit de Bacon pouvait être dangereux, même si on avait peine à l'imaginer en train de faire quoi que ce soit pour blesser Sammy. Elle remarqua une couture effilochée à l'emmanchure droite de la chemise de Sammy.

– Ta chemise est déchirée, lança-t-elle.

– Ouais, acquiesça-t-il. Je l'ai déchirée. C'est ce qu'on fait quand on est, tu sais, en deuil.

Rosa gardait un vague souvenir de cette coutume depuis les lointaines obsèques d'un grand-oncle. Sa veuve avait également recouvert tous les miroirs de torchons, ce qui donnait à la maison un air inquiétant, comme si elle avait été aveuglée.

– Tu veux entrer ? proposa-t-elle. Joe n'est pas là.

– Pas vraiment, répondit Sammy. Ouais, je sais, je l'ai vu.

– Tu l'as vu ?

– Il est passé à l'appartement prendre ses affaires. C'est lui qui m'a réveillé, je pense. J'ai eu en quelque sorte une nuit agitée, je pense...

– Tiens ! murmura-t-elle, percevant une drôle d'intonation dans sa voix. (Elle attrapa un vieux pull-over de son père sur le porte-chapeaux, s'enroula dedans et sortit dans la cour. Cela faisait du bien de prendre l'air. Elle sentit un peu d'ordre revenir dans ses pensées.) Tu vas bien ? reprit-elle, remarquant qu'il tressaillait quand elle le touchait, comme s'il avait mal au bras ou à l'épaule. Qu'est-ce que tu as au bras ?

– Rien. Je me suis fait mal.

– Comment ça ?

– En jouant au football américain sur la plage. Comment sinon ?

Ils s'assirent côte à côte sur le perron en pierre.

– Où est-il en ce moment ?

– Je ne sais pas. Il est parti, il nous a quittés...

– Qu'est-ce que tu fabriques ici, à propos ? s'enquit-elle. Tu n'es pas censé être dans un train à destination de Hollywood ? Où est Bacon ?

– Je lui ai dit d'y aller sans moi, répondit Sammy.

– Oh !

Il leva les épaules.

– Je n'ai jamais voulu vraiment... Je ne sais pas. Je me suis laissé un peu emporter par la situation, je crois.

Ce matin-là, à Penn Station, Sammy avait dit au revoir à Tracy Bacon, dans le compartiment qui avait été réservé pour eux deux par la Broadway Limited.

– Je ne comprends pas, disait Bacon. (Dans l'intimité de ce compartiment de première classe, ils étaient gauches et empruntés l'un avec l'autre. Deux hommes, l'un si attentif à ne pas toucher l'autre, tandis que le deuxième veillait dans tous ses gestes et ses mouvements à ne pas être touché, que le maintien d'une distance à la fois chargée et mouvante entre eux était en soi une forme de contact triste.) Tu n'as même pas été arrêté. Les avocats de Jimmy vont effacer toute l'affaire.

Sammy secoua la tête. Ils étaient assis l'un en face de l'autre sur les banquettes rembourrées jumelles, qu'ils auraient dû ce soir-là, quelque part à hauteur de Fostoria, déplier en deux couchettes.

– Je ne peux pas continuer, Bake, déclara Sammy. C'est juste que je... je ne veux pas être comme ça...

– Tu n'as pas le choix.

– Je crois que si.

Bacon, qui s'était levé, franchit le mètre d'espace libre les séparant pour s'asseoir sur l'autre banquette, à côté de Sammy.

– Je ne le crois pas, murmura-t-il, tendant le bras pour saisir la main de Sammy. Une relation comme toi et moi, ce n'est pas une question de choisir ou de ne pas choisir. Tu n'y peux rien changer.

D'une secousse, Sammy dégagea sa main. Mis à part ce qu'il éprouvait pour Bacon, le danger, la honte, le risque d'arrestation et d'opprobre n'en valaient pas la peine. Ce matin-là, avec ses côtes endolories et un vague goût de chlore dans l'arrière-gorge, Sammy avait l'impression qu'il préférait ne pas aimer du tout plutôt que d'être puni pour aimer. Il n'avait pas idée combien un jour sa vie lui semblerait longue, combien l'absence d'amour finirait par lui paraître quotidiennement présente ...

– Tu n'as qu'à me regarder, lança-t-il.

Dans sa hâte de sortir du compartiment avant que Bacon puisse le voir craquer, il avait heurté une dame âgée qui passait dans le couloir et la méchante coupure au-dessus de son œil s'était rouverte.

– Je suis contente que tu sois encore là, disait alors Rosa. Sammy, écoute-moi, j'ai besoin d'aide.

– Je t'aiderai. Qu'y a-t-il ?

– J'ai besoin de me faire avorter, je crois.

Sammy alluma une cigarette et en fuma la moitié avant de répondre.

– C'est Joe le père, déclara-t-il.

– Oui, bien sûr.

– Tu le lui as annoncé et il a dit quoi ?

– Je ne lui ai rien annoncé. Comment le lui aurais-je annoncé ? Hier soir, il a tenté de mettre fin à ses jours.

– C'est vrai ?

– Je crois que oui.

– Mais Rosa, tu sais, il veut s'engager dans la marine, c'est ce qu'il a dit.

– Exact.

– Il va partir pour s'enrôler dans la marine sans savoir que tu attends un bébé ?

– C'est aussi exact.

– Même si tu connais la nouvelle depuis... ?

– Une semaine, disons.

– Pourquoi ne lui en as-tu pas parlé ? Vraiment, je veux dire ?

– J'avais peur, répondit Rosa. Vraiment.

– Peur de quoi ? Non, je sais, reprit-il, rendu presque amer par le sujet. Qu'il te dise simplement de le garder sans vouloir t'épouser...

– Tu y es.

– Et maintenant tu...

– Je ne pourrais jamais le lui annoncer, même en un million d'années !

– Parce qu'il te dirait certainement de...

– Exact. Il veut les massacrer, Sam. Je ne pense pas que ce que je lui raconterais puisse l'arrêter maintenant.

– Donc maintenant il te faut...

– Comme j'essayais de te l'expliquer.

Sammy se tourna pour la dévisager, les yeux brillants, affolés par une idée que Rosa saisit immédiatement dans tous ses tenants et aboutissants, dans tout l'effroi et le désespoir dont elle se nourrissait.

– Je te suis.

Cinquième partie

Opérateur radio

1.

Celui qui perdait à Lupe Velez était dans l'obligation de faire son lit dans les galeries, au milieu du pandémonium de Cabotville. Il y avait dix-huit chiens, en majorité des malamouds d'Alaska, avec quelques huskies du Labrador et du Groenland, et une bête sournoise, peu fiable, presque un loup. On prenait un sac de couchage, une couverture et, le plus souvent, une bouteille d'Old Grand-Dad, et on allait se coucher dans la galerie gelée où, malgré le sol de neige, les parois de neige et le plafond de neige, la puanteur de l'urine, du cuir des courroies et des babines noires, fétides et enduites de graisse de phoque, était étonnamment forte. Ils avaient commencé avec vingt-sept animaux, assez pour deux attelages et un de réserve, mais quatre d'entre eux avaient été mis en pièces par leurs congénères sous le coup de quelque émotion canine complexe, un mélange d'ennui, de rivalité et d'effroyable vitalité ; un était tombé dans un trou insondable de la banquise ; deux autres avaient attrapé un mal aussi mystérieux que foudroyant ; un troisième avait été abattu par le signaleur, Gedman, pour des raisons qui restèrent peu claires ; enfin Stengel, le véritable génie chez les chiens, s'était égaré un jour dans le brouillard à l'insu de tout le monde et n'était jamais revenu. Les hommes étaient au nombre de vingt-deux. Ils jouaient au poker, au parchis, aux échecs, au cribbage, à la dame de pique, au *go fish*, à la géographie, aux fantômes, au ping-pong, aux demandes et réponses, au hockey sur glace avec une pièce de dix cents, au hockey avec une chaussette, au hockey avec une capsule, au bridge, aux dames, au poker menteur, au Monopoly et à l'Oncle Wiggily[1] pour des cigarettes (l'argent les tentait aussi peu que les pelles et la neige). Ils jouaient aussi pour être exemptés de la désagréable corvée de tailler au ciseau à glace la ziggourat glacée qui montait sans fin dans les latrines, une colonne

1. Sorte de jeu de l'oie dont le personnage, un lapin, fut créé par l'écrivain Howard R. Garis (1872-1961). Le *go fish* est une sorte de jeu des familles, qui se joue avec 52 cartes. (*N.d.T.*)

d'étrons gelés et de traînées diarrhéiques, figés par le froid dans des formes fantastiques sorties de Gaudi. Ou encore ils jouaient (aux échecs, en particulier) la récompense disputée de se réduire mutuellement à de petits tas de cendres et de braises. Mais les gagnants de Lupe Velez gagnaient seulement le droit de dormir une nuit de plus sur leurs couchettes, au chaud et au sec à l'intérieur de l'Antarctic Waldorf. C'était un jeu stupide, cruel, mais en même temps pacifique et facile à jouer. À Lupe Velez, il y avait toujours vingt et un gagnants et un seul perdant, qui devait aller gîter avec les chiens. Même si, en théorie, vu la nature simpliste et essentiellement aléatoire du jeu, ils partaient tous avec le même handicap, celui qui dormait dans le chaos et l'infection des galeries à la fin de la soirée, après une partie animée de Lupe Velez, était d'habitude Joe Kavalier. La nuit où le poêle du Waldorf se détraqua, il y était, fourré au fond d'une caisse, côte à côte avec le chien Huître.

Mis à part le pilote Shannenhouse, aucun de ces hommes n'avait plus de trente-cinq ans. (Le premier jour où le thermomètre descendit au-dessous de – 2° C était celui du trente-cinquième anniversaire de leur capitaine, Walter Fleer, dit Ouaou, qui marqua l'occasion en courant cinquante mètres en sprint de Blanc-de-baleine au mess, chaussé seulement de ses mouklouks.) Trois des Seabees[1], Po, Mitchell et Madden, n'en avaient pas vingt, ce qui contribuait sans doute à expliquer la sottise fondamentalement potache du jeu Lupe Velez. Entassés tous à l'intérieur du mess, des heures et des semaines d'affilée dans la nuit polaire, ils tuaient le temps ou faisaient quelque chose qui leur donnait l'impression de ne pas tuer le temps, ou encore, dans de subits accès de tempérance, ils s'absorbaient dans quelque activité urgente et inévitable de réparation, analyse, organisation ou discipline navale, quand quelqu'un – assez souvent Gedman, même si n'importe qui pouvait ouvrir le feu – criait le nom de la vedette féminine de *Mexican Spitfire* et de *Honolu Lu*[2]. Aussitôt, toutes les personnes présentes dans la pièce étaient obligées, selon le règlement, de fournir à la couleur demandée. Celui qui était considéré (par décision générale des joueurs) comme ayant prononcé le dernier les mots critiques (à moins que ce ne fût son tour de garde) passait la nuit (ce qu'ils appelaient la nuit, car il faisait toujours nuit) dans Cabotville. Si, par devoir ou par chance, on ne se trouvait pas dans la pièce à ce moment-là, on était exempté. Sauf en cas d'ennui

1. « Abeilles de mer ». [si :bi :z], prononciation anglaise des initiales C.B., pour *Construction Battalions of the US Navy*, formations spéciales du génie chargées de construire des camps, casernes, aérodromes, etc., pendant la guerre. (*N.d.T.*)

2. *Mexican Spitfire* est la première (1939) d'une série de comédies américaines de second ordre, avec Lupe Velez, Donald Woods et Leon Errol. *Honolu Lu* est une comédie musicale de la même année. (*N.d.T.*)

extrême, le jeu se limitait à une partie par jour. C'étaient les règles. Les origines en étaient obscures, la pratique fervente. Mais, quelle qu'en soit la raison, Joe semblait hermétique à ce jeu.

Il courait chez les hommes quantité de théories pour justifier cet état de fait. Ou peut-être serait-il plus exact de dire : pour justifier Joe. Chouchou de tous, Joe était même aimé de ceux qui n'aimaient personne et dont le nombre augmentait à mesure que la nuit hivernale s'éternisait. Sa dextérité et ses tours de magie étaient des sources de distraction sans cesse renouvelables, particulièrement pour les simples d'esprit de la base de Kelvinator. Il était fiable, expert, plein de ressource et travailleur, mais son accent et ses tournures de phrase atténuaient le tranchant de sa compétence manifeste, qualité qui, chez les autres pensionnaires talentueux de Kelvinator, pouvait prendre une acuité antagoniste, agressive. D'ailleurs, il était de notoriété publique, bien que Joe se fût montré peu loquace sur le sujet, qu'il avait, par certains côtés, un intérêt beaucoup plus personnel que n'importe lequel d'entre eux dans l'issue de la guerre. À de nombreux égards, il était un mystère pour eux. Ceux qui le connaissaient depuis sa période d'instruction à la base du Groenland répandirent le bruit qu'il n'ouvrait jamais son courrier, qu'il y avait une pile de lettres non décachetées haute de sept centimètres dans sa cantine militaire. Aux yeux d'hommes pour qui correspondre était une forme de drogue, cela faisait de lui l'objet d'un profond respect.

D'aucuns disaient que la faiblesse de Joe à Lupe Velez était due à sa maîtrise incomplète de l'anglais, même si cet argument trouvait sa réfutation dans le fait que plusieurs locuteurs indigènes étaient considérablement plus mal lotis que lui à cet égard. D'autres mettaient en avant la facette rêveuse, distante, de sa personnalité, aussi évidente pour eux qu'elle l'avait été pour tous ses amis new-yorkais, même ici, en un lieu sur le fond duquel, on peut l'imaginer, toute attitude moins lointaine eût pu manquer de relief. Enfin il y avait ceux qui affirmaient qu'il préférait simplement la compagnie des chiens. Toutes ces explications contenaient du vrai, même si la dernière était la seule que Joe eût admise.

Il aimait les chiens en général, mais celui auquel il était réellement attaché, c'était Huître. Huître était un bâtard brun-gris, avec le poil dru d'un chien esquimau, de grandes oreilles qui avaient tendance à s'agiter avec inélégance et une expression étonnée, brave, qui laissait supposer, d'après les valets de chiens, un apport récent du saint-bernard dans son pedigree. Les mauvais traitements au fouet qu'il avait subis durant sa première carrière en Alaska lui avaient fait perdre l'œil gauche, laissant à sa place la perle d'un blanc bleuté, laiteuse, à laquelle il devait son nom. La toute première fois que Joe avait été condamné à une nuit à Cabotville pour avoir perdu à Lupe

Velez, il avait remarqué Huître. Très loin dans sa niche, tout au bout de la galerie scintillante, la bête paraissait vouloir attirer son attention ; elle s'assit et rabattit les oreilles d'un air pitoyable. Les chiens recherchaient tous désespérément la compagnie humaine (ils semblaient se mépriser les uns les autres). Mais Joe avait décidé de dormir seul cette nuit-là, dans un petit carré nu devant la porte d'un magasin, loin des grognements et des plaintes des animaux.

Puis, vers la mi-mars, une cache de vivres qu'ils avaient omis de rentrer dans l'entrepôt avait été perdue pendant le premier grand blizzard de l'hiver. Joe se mit de la partie pour aider à les récupérer. Il chaussa les skis, pour la troisième fois de sa vie, et ne tarda pas à être distancé par les autres membres du groupe parti à la recherche de la tonne perdue de provisions. Le vent se leva brusquement, le laissant en suspens dans une gaze impénétrable de poudre neigeuse. Aveuglé, affolé, il avait percuté une congère et était tombé dans une crevasse, avec un bruit de carillon et de madriers qui volaient en éclats. C'était Huître, guidé par son instinct ancestral de saint-bernard, qui l'avait retrouvé. Après cette aventure, Joe et Huître étaient devenus des compagnons de lit semi-réguliers, selon les caprices de Lupe Velez. Même quand il dormait dans sa couchette, Joe rendait quotidiennement visite à Huître pour lui apporter des talons de bacon et de jambon, ainsi que des abricots secs, dont le chien était friand. Mis à part les deux valets de chiens, Casper et Houk, qui considéraient leurs animaux comme un entraîneur considérait ses joueurs, Diaghilev son corps de ballet, Satan ses démons, Joe était l'unique citoyen de la base de Kelvinator à ne pas voir dans les bêtes une simple source de désagrément permanente, bruyante et nauséabonde.

C'est seulement parce qu'il avait perdu si souvent à Lupe Velez et, par conséquent, avait dormi tant de fois avec le chien que Joe perçut, même du fond de son sommeil toxique, une altération du rythme habituel de la respiration d'Huître.

Ce changement, l'absence du souffle grave, grondant et régulier, familier, de l'animal, le mit en alerte. Il bougea et se réveilla juste assez pour entendre un bourdonnement inconnu, faible et soutenu, dans la galerie des chiens. Cela ronronna agréablement quelque temps à ses oreilles et, dans son état vaseux, Joe faillit retomber dans une torpeur qui lui eût été incontestablement fatale. Il s'assit, lentement, appuyé sur un bras. Il semblait incapable de se concentrer, comme si un voile vaporeux de neige poudreuse pendait et ondoyait à l'intérieur de son crâne. Joe ne voyait pas non plus très bien ; il battit des paupières et se frotta les yeux. Au bout d'un moment, il lui vint à l'esprit que ses mouvements brusques auraient dû au moins réveiller son compagnon de lit, qui se réglait toujours sur ses moindres faits et gestes. Pourtant Huître continuait à dormir en silence ; son flanc grisonnant s'élevait et s'abaissait superficiellement, au ralenti. À ce moment-là, Joe comprit que le bourdonnement qui le berçait dans la chaleur de son sac de couchage depuis Dieu savait combien de temps était le grésillement frileux des guirlandes de lumières électriques accrochées à intervalles le long des galeries. C'était un bruit qu'il n'avait jamais entendu, pas une seule fois, pendant toutes ses nuits à Cabotville, parce qu'il était noyé sous les gémissements et les algarades des chiens. Mais Cabotville était désormais complètement silencieux.

Il tendit le bras et donna une petite tape à Huître, sur l'arrière de la tête, puis planta un doigt dans la chair moelleuse, à la jonction de l'antérieur gauche et du corps. L'animal bougea – Joe crut même entendre une légère plainte –, mais ne leva pas le nez. Ses membres étaient mous. Se sentant très flageolant, Joe rampa hors de sa caisse et traversa la galerie à quatre pattes pour jeter un coup d'œil à Forrestal, le malamoud de race de Casper, qui avait succédé à Stengel, celui qui s'était perdu, au titre de roi des chiens. Maintenant il voyait pourquoi se frotter les yeux n'avait servi à rien : le tunnel était plein d'une fumée qui s'enroulait en volutes et tourbillonnait depuis le Tronc principal. Forrestal ne réagit pas plus quand Joe le flatta, le chatouilla ou le secoua violemment, une fois. Joe pressa son oreille contre la poitrine de l'animal. Il n'entendit pas de battements de cœur.

À la hâte, Joe décrocha alors le collier d'Huître de la chaîne dont l'autre bout était boulonné à la caisse de bois, prit le chien dans ses bras et l'emporta dans la galerie menant au Tronc principal. Il avait envie de vomir, sans savoir si c'était parce qu'il y avait quelque chose qui clochait chez lui, quelque chose qui allait le tuer aussi, ou simplement parce que pour atteindre le bout du couloir il devait passer devant dix-sept chiens qui gisaient morts dans leurs niches taillées dans la glace. Ses pensées n'étaient pas du tout claires.

La galerie de Cabotville coupait à angle droit la galerie centrale de la base, et juste en face de son ouverture se trouvait la porte du Waldorf. D'après les plans d'origine, Cabotville devait être à une certaine distance du cantonnement des hommes, mais le temps leur avait manqué ici aussi, et ils avaient été contraints de loger les chiens à leur porte pour ainsi dire, dans une galerie creusée au départ pour entreposer des vivres. Cette porte était censée être maintenue fermée, afin d'empêcher la précieuse chaleur du poêle de s'échapper des dortoirs, mais en s'approchant péniblement avec ses quarante-deux kilos de chien moribond dans les bras, Joe constata qu'elle était entrouverte d'une dizaine de centimètres, bloquée par une de ses propres chaussettes qu'il avait dû laisser choir en chemin pour aller se coucher. Ce soir-là, il avait plié ses vêtements sur sa couchette, ainsi qu'il reconstitua les faits plus tard, et la chaussette avait dû rester accrochée à son tapis de sol. Des relents tièdes et flatulents de bière et de sous-vêtements de laine sales sortaient avec un soupir du Waldorf, faisant fondre la glace, remplissant la galerie de nuages de condensation fantomatiques. Joe ouvrit la porte du pied et pénétra dans la salle. L'atmosphère lui parut anormalement viciée et beaucoup trop étouffante, et alors qu'il restait planté là, à guetter l'habituel ronflement congestionné des pensionnaires, ses vertiges s'intensifièrent. Le poids du chien dans ses bras devint intolérable. Huître lui glissa des mains et heurta le plancher avec un bruit sourd. Sous le choc, Joe eut un haut-le-cœur. Il tituba vers la gauche, en direction du commutateur électrique, virant sauvagement pour éviter de toucher les couchettes entre lesquelles il se déplaçait ou les hommes allongés dessus. Personne ne protesta ni ne se retourna pour se protéger de l'éclat de la lumière.

Houk était mort. Mitchell était mort. Gedman aussi était mort. Un éclair de lucidité désespérée poussa Joe vers l'échelle qui menait par une écoutille au toit du Waldorf et dehors, sur la glace. Il ne poussa donc pas plus loin son enquête. Sans manteau, tête nue, n'ayant que ses chaussettes aux pieds, il se hissa sur la plate-forme supérieure, à travers la croûte de neige dentelée. Le froid lui mordit la poitrine tel un piège de fer. Il lui tomba dessus à la façon d'un grillage. Il lapait ses pieds exposés et léchait ses rotules. Joe prit de bonnes goulées de cette froidure pure et terrible, en la remerciant de toutes les cellules de son organisme. Il entendit ses expirations bruire comme du taffetas en gelant dans l'air environnant. Son sang se remplit d'oxygène, agitant ses nerfs optiques, et le ciel sombre et terne au-dessus de sa tête sembla se charger soudain d'étoiles. Il atteignit un instant d'équilibre corporel, où l'extase d'avoir survécu et de respirer encore, brûlé par le vent, contrebalançait à la perfection le supplice d'être exposé à ses rafales. Puis les tremblements l'emportèrent en un grand frisson paralysant qui lui secoua tout le corps. Il poussa un cri et tomba à genoux sur la glace.

Juste avant de piquer du nez, il expérimenta une étonnante vision. Il vit son vieux maître de magie, Bernard Kornblum, la barbe relevée dans un filet à cheveux, s'avancer vers lui dans les ténèbres bleuâtres, portant allumé le brasero de campement que lui et Thomas avaient autrefois emprunté à un ami adepte de l'alpinisme. Kornblum s'agenouilla, roula Joe sur le dos et baissa les yeux vers lui, avec une expression critique et amusée.

– L'escapologie, proféra-t-il avec son dédain coutumier.

2.

Joe se réveilla dans le hangar, à l'odeur d'un cigarillo incandescent, et se retrouva en contemplation devant l'aile maintes fois réparée du Condor.

– Veinard, dit Shannenhouse, avant de refermer son briquet avec un claquement sec et d'exhaler la fumée.

Il était assis au chevet de Joe, sur un tabouret pliant en toile, les jambes largement écartées dans le plus pur style cow-boy. Originaire d'un bled appelé Tustin, en Californie, Shannenhouse cultivait des manières de cow-boy qui paraissaient improbables, avec sa frêle stature et son air professoral. Il avait des cheveux blonds clairsemés, des lunettes à monture invisible et des mains qui demeuraient délicates, bien que calleuses et balafrées. Il s'efforçait d'être taciturne, mais avait une propension aux sermons. Il essayait également d'être sévère et solitaire, mais restait une mouche du coche invétérée. Il était l'ancien de la base Kelvinator, un as de la Première Guerre mondiale avec huit avions à son tableau de chasse, qui avait passé les années 1920 à survoler les Sierras et le Grand Nord. Il s'était engagé après Pearl Harbor et était déçu autant que les autres de son affectation à Kelvinator. Il n'avait pas sérieusement espéré repartir au combat, mais, ayant fait des boulots intéressants toute sa vie, il s'attendait à mieux. Depuis leur arrivée à Kelvinator, dont le nom officiel, classé secret, était Base navale SD-A2(R), les conditions météo avaient été si mauvaises qu'il n'avait décollé que deux fois : la première pour une mission de reconnaissance qui avait avorté au bout de vingt minutes face au blizzard, et la deuxième pour une balade sans autorisation et ratée, dans le but de tenter de repérer le camp de base de la première expédition de Byrd ou de la dernière expédition de Scott ou de la première expédition d'Amundsen, ou encore le site de « quelque chose » qui s'était passé dans ces grandes étendues et pour lequel le mot « perdu » semblait avoir été inventé. Officiellement, il était enseigne de vaisseau de première classe, mais personne ne se raccrochait aux formes ou aux grades à la base de

Kelvinator. Tous obéissaient aux contraintes de la survie, et aucune autre discipline n'était vraiment nécessaire. Joe était lui-même deuxième classe et opérateur radio, mais personne ne l'appelait autrement que Sparks, Ditto ou, plus souvent, Dopey.

La fumée de cigare embaumait pour Joe. Elle avait une odeur peu antarctique d'automne, de feu de bois et de terre. Il y avait quelque chose de tapi en lui que le parfum du cigarillo allumé paraissait tenir en respect. Levant un sourcil, il chercha à attraper la main de Shannenhouse. Celui-ci passa le cigare à Joe, qui s'assit pour le saisir entre ses dents. Il s'aperçut qu'il était enveloppé dans un sac de couchage à même le sol du hangar, la partie supérieure du corps adossée à un tas de couvertures. Il se renversa en arrière sur un coude et prit une longue inspiration, inhalant la puissante substance noire dans ses poumons. C'était une erreur. Sa quinte de toux fut longue et éprouvante. Les élancements dans sa poitrine et dans sa tête lui rappelèrent brusquement les hommes morts et les chiens de la galerie, avec leurs poumons pleins d'une forme d'agent ou de germe. Il se rallongea, le front emperlé de sueur.

– Oh, merde ! s'exclama-t-il.

– C'est bien vrai, renchérit Shannenhouse.

– Johnny, tu ne peux pas descendre là-dedans, d'accord, tu promets ? Ils sont tous...

– Bon, raconte-moi tout.

Joe tenta de se rasseoir, éparpillant de la cendre sur les couvertures.

– Tu n'es pas descendu ?

– Tu n'étais pas en état de me prévenir, tu te rappelles ? (Shannenhouse récupéra son cigare comme en guise de reproche et força Joe à se rallonger. Il secoua la tête, tâchant de chasser un souvenir tenace.) Bon Dieu ! Ça... (En temps normal, sa voix était flûtée et empreinte de verve savante, mais elle semblait désormais aussi plate que celle des cow-boys, plate et terne comme Joe imaginait que l'était Tustin, en Californie.) Je n'ai jamais rien vu de pareil.

Au fil des mois, une bonne part de la conversation de Shannenhouse avait tourné autour des atrocités qu'il avait vues. C'étaient des histoires regorgeant d'hommes brûlés vifs, de flots de sang artériel qui jaillissaient des épaules sans bras de gars pris dans la rotation des hélices, de chasseurs à moitié dévorés par les ours qui ramenaient leurs moignons au campement le lendemain matin.

– Oh, merde ! redit Joe.

Shannenhouse inclina la tête.

– Non, je n'ai jamais rien vu de pareil.

– Johnny, je te prie de ne pas répéter ces mots.

– Désolé, Joe.

– Où étais-tu passé, à propos ? Pourquoi n'as-tu pas... ?

– J'étais ici. (Le hangar, bien que enseveli sous la neige de la Terre Marie-Byrd comme toutes les autres constructions de la base de Kelvinator, n'était pas relié au reste par une galerie, toujours à cause du mauvais temps qui était arrivé si brutalement et de si bonne heure cette année-là.) J'étais de garde, je suis venu ici juste pour lui jeter un coup d'œil. (Il agita le pouce en direction du Condor vieillissant.) Je ne sais pas ce que Kelly a cru faire, mais les écoutes...

– Nous devons contacter Gitmo[1], nous devons leur dire...

– J'ai déjà essayé de les contacter, dit Shannenhouse. La radio est morte. On peut contacter que dalle...

Joe sentit alors la panique monter brusquement en lui, comme le jour où il avait heurté une congère, dans un entrechoquement de skis et de fixations, les poumons vidés de leur air, la bouche remplie de neige, une lame de glace plantée dans le cœur.

– La radio est morte ? Johnny, pourquoi la radio est-elle morte ? (Dans son affolement, l'idée mélodramatique, digne d'une des histoires de Sammy, que Shannenhouse était un espion allemand et les avait tous tués lui traversa l'esprit comme un éclair.) Mais que se passe-t-il ?

– Détends-toi, Dopey, d'accord ? Je t'en prie, n'aie pas les chocottes.

Il rendit le cigarillo à Joe.

– Johnny, répliqua Joe, aussi calmement que possible, en recrachant la fumée ; je sens que je vais avoir les chocottes.

– Écoute, les autres sont morts, la radio aussi est morte, mais il n'y a aucun rapport entre les deux. L'un n'a rien à voir avec l'autre, comme tout le reste dans la vie. Ce n'était pas une super-arme nazie. Bon Dieu, c'était ce putain de poêle !

– Le poêle ?

– Le monoxyde de carbone du Wayne. (Le Waldorf antarctique était chauffé par un poêle à essence, affectueusement rebaptisé Wayne, à cause de l'inscription FT. WAYNE IRON WORKS INDIANA U.S.A. gravée sur le côté. La manie de donner des noms qui avait gagné les hommes à leur arrivée dans ce désert dont on n'avait pas dressé la carte s'insinua rapidement dans le moindre recoin de leur vie. Ils rebaptisèrent les radios, les latrines, ils rebaptisaient même leurs gueules de bois et les coupures de leurs doigts.) Je suis monté sur le toit pour vérifier les aérateurs. Ils étaient bourrés de neige. Même chose pour Cabotville. J'avais dit au commandant qu'ils étaient de mauvaise qualité. Peut-être ne l'avais-je pas dit... La pensée m'a traversé l'esprit au moment où on les posait.

– Ils ont tous péri, murmura Joe.

---

1. Surnom américain de la base de Guantánamo, à Cuba. (*N.d.T.*)

Sa voix monta sur la fin, empreinte du plus léger espoir de doute.

Shannenhouse inclina la tête.

– Tout le monde sauf toi et ton copain. À mon avis, peut-être parce que vous dormiez tout au bout de la galerie, loin de la porte. Bon, quant à la radio, qui peut savoir ? Magnétisme, taches solaires... Elle repartira un jour.

– Qu'est-ce que tu entends par mon copain ?

– Le clebs. Moule.

– Huître ?

Shannenhouse inclina une nouvelle fois la tête.

– Il va bien. Je l'ai attaché dans le mess pour la nuit.

– Comment ?

Joe sauta sur ses pieds, mais Shannenhouse tendit le bras et l'obligea à se recoucher, pas tendrement.

– Reste couché, Joe. J'ai éteint ce maudit poêle, j'ai dégagé les aérateurs. Ton chien reprend du poil de la bête.

Alors Joe se recoucha et Shannenhouse s'adossa au mur du hangar pour contempler son avion. Ils se passaient et se repassaient le cigare. Bientôt il serait temps pour eux de discuter de leurs chances et d'organiser leur survie jusqu'à l'arrivée des secours. Ils avaient de quoi manger pour deux douzaines d'hommes pendant deux ans, d'importantes réserves de carburant pour les groupes électrogènes. Le mess leur fournirait un dortoir à l'abri, comme il se devait, du spectacle des cadavres gelés. Comparés aux premiers héros du continent, affamés et mourant sous leurs tentes en peau de caribou, avec un morceau cru de phoque congelé à ronger, ils étaient comme des coqs en pâte. Même si la marine ne pouvait leur envoyer un navire ou un avion qu'au printemps, ils auraient largement ce qu'il leur fallait pour s'en sortir. Mais l'idée que la mort avait frappé à travers toute cette neige et cette glace jusque dans leurs galeries et leurs chambrées douillettes et en une nuit – en une heure ! – avait tué tous leurs camarades et tous les chiens sauf un, rendait pourtant leur survie moins que sûre, en dépit de toutes leurs amples provisions et de tout leur matériel.

Depuis le début, certains soirs où ils se dépêchaient de revenir de la tour émettrice ou du hangar vers l'écoutille menant au chaud et à la sécurité, les deux hommes avaient senti un frémissement en bordure de la base, une présence, quelque chose qui luttait pour naître des vents, des ténèbres, des tours indistinctes et des dents irrégulières de la banquise. Les poils de la nuque se hérissaient et on courait malgré soi, les côtes vibrantes de panique, certain, tel l'enfant qui monte quatre à quatre l'escalier de la cave, d'avoir quelque chose de très méchant à ses trousses. L'Antarctique était beau. Même Joe, qui l'exécrait de toutes les fibres de son être comme étant le symbole, l'incarnation, le cœur vide et sans signification de son impuissance dans cette guerre, était sensible au sublime et à la splendeur de la banquise. Mais, à chaque instant que l'on passait dessus, elle essayait de vous tuer. Ils ne pouvaient pas un seul instant baisser leur garde ; tous deux savaient cela depuis le commencement. Joe et le pilote avaient désormais l'impression que la malveillance du lieu, les ondulations de poudre scintillante qui s'amoncelaient dans l'obscurité, allaient trouver le moyen de les piéger, si chaudes leurs couchettes fussent-elles ou si pleins leurs ventres fussent-ils, quel que fût le nombre de couches de laine, de peau, de fourrure qu'ils mettaient entre eux et elle. Survivre, à cet instant-là, semblait hors de la portée ou de la sphère de leurs plans.

– Je n'aime pas avoir les chiens ici, ils abîment mon appareil, dit Shannenhouse, en étudiant les longerons de l'aile gauche du Condor avec un froncement de sourcils approbateur. Tu le sais.

3.

L'hiver les rendit fous. Il rendait fou celui qui y survivait ; ce n'était qu'une question de degrés. Le soleil disparaissait. On ne pouvait pas sortir des galeries, et tous les êtres chers se trouvaient à dix mille kilomètres de là. Au mieux, un homme souffrait d'étranges défaillances du jugement et de la perception : il se retrouvait devant le miroir, prêt à peigner ses cheveux avec un porte-mine, déambulait en sous-vêtements, mettait à bouillir une casserole de jus d'orange concentré pour le thé. La plupart sentaient une subite bouffée de guérison dans leur cœur à la première vision d'un pâle ourlet de soleil à l'horizon, vers la mi-septembre. Mais on se racontait des histoires, peut-être apocryphes, bien que loin d'être contestables, de membres d'anciennes expéditions qui avaient sombré si profondément dans les méandres de leur propre mélancolie qu'ils en étaient restés à jamais égarés. Et parmi les femmes et les familles des militaires qui rentraient d'un hiver passé sur la banquise, peu eussent juré que celui qu'elles retrouvaient était identique à celui qu'elles avaient envoyé là-bas.

Dans le cas de John Wesley Shannenhouse, la folie de l'hiver n'était qu'une espèce de modulation, un approfondissement de son attachement de longue date pour son Curtiss-Wright AT-32. L'hydravion Condor avait dix ans et avait été maltraité par la marine avant de trouver son actuel cantonnement. Il avait combattu et pris feu en pourchassant les pirates de paquebots sur le Yangzi Jiang au milieu des années 1930. Il avait effectué des milliers d'allers et retours entre le Honduras, Cuba, le Mexique et Hawaii pour transporter du fret, et une proportion suffisante de l'appareil et de sa mécanique avait été remplacée, au fil des ans et selon les exigences des commodités locales, des pénuries de pièces détachées, de l'ingéniosité et des négligences des mécaniciens, depuis les boulons et les attaches métalliques les plus petits à l'un des gros moteurs Wright Cyclone et à des sections entières du fuselage et des ailes, pour que, cet hiver-là, Shannenhouse eût longtemps médité la question métaphysique de savoir si l'on pouvait honnêtement affirmer que c'était le même avion qui était sorti en 1934 des usines Glenn Curtiss de San Diego.

À mesure que l'hiver avançait, cette question le contrariait à tel point – Joe en avait vraiment par-dessus la tête, et de Shannenhouse et de ses cigares nauséabonds – qu'il décida que le seul moyen d'avoir un répit, ce serait de remplacer toutes les pièces remplaçables, en se portant lui-même garant de l'identité du Condor. La marine avait fourni à Kelly et à Bloch, les défunts mécaniciens, une cargaison de tracteur entière de pièces détachées, un atelier d'usinage équipé d'un tour, d'une fraiseuse, d'une perceuse, d'un chalumeau oxyacétylénique, d'une forge miniature et de huit différentes sortes de scies électriques, de l'aléseuse à celle du menuisier. Shannenhouse s'aperçut qu'à force simplement de boire soixante-cinq à quatre-vingts cafés par jour (tout le monde étant mort, il n'était vraiment pas nécessaire de lésiner !), il pouvait réduire au minimum de moitié son ancien besoin de sommeil de sept heures. Mais quand il dormait, c'était dans le Condor, enveloppé de plusieurs sacs de couchage (on gelait dans le hangar). Il y entassa une douzaine de caisses de boîtes de conserve et se mit à y préparer aussi ses repas, accroupi au-dessus d'un réchaud Primus comme s'il bivouaquait sur la banquise.

D'abord, il révisa les moteurs, usina de nouvelles pièces là où il trouvait celles d'origine usées, ou celles de rechange de médiocre qualité ou empruntées à un type inconnu d'avion. Puis il alla travailler sur la carcasse de l'appareil, fraisant de nouveaux longerons et nervures, remplaçant la moindre vis ou le moindre joint. Quand Joe perdit finalement le compte des travaux de Shannenhouse, le pilote s'était embarqué dans la longue et difficile tâche d'enduire, et de réparer, le revêtement de toile de l'aéronef au moyen d'un mastic bouillonnant et douceâtre qu'il chauffa sur le même réchaud qu'il utilisait pour préparer ses repas. C'était une rude besogne pour un seul homme, mais il déclina la tiède offre d'aide de Joe comme si ce dernier lui avait proposé de partager leurs femmes.

– Trouve-toi un appareil, lança-t-il.

En bataille, blond orangé et longue de vingt centimètres, sa barbe avançait tout droit sur son menton. Les yeux rouges et brillants à cause de l'enduit, il était enroulé dans l'épaisse peau de renne roussâtre de son sac de couchage et empestait plus que tous les humains que Joe eût jamais flairés (même si cela devait empirer). Comme si on l'avait trempé dans quelque mixture impie de camembert et d'essence rance concoctée dans un crachoir plein. Il ponctua sa remarque en lançant une clef à molette, qui manqua la tête de Joe de cinq centimètres et creusa un trou profond dans le mur derrière lui. Joe remonta en vitesse et franchit l'écoutille pour se réfugier à l'étage supérieur. Il ne revit pas Shannenhouse pendant près de trois semaines.

Lui-même avait sa propre folie à affronter.

Le service radiophonique de la base navale SD-A2(R) avait été rétabli dix-sept heures après la catastrophe du Waldorf. Joe ne ferma pas l'œil de tout ce temps, faisant une nouvelle tentative toutes les dix minutes, et réussit enfin à entrer en contact avec le commandement de la mission basé dans la baie de Guantánamo à 0700 G.M.T. et à les informer, en émettant en code, lentement et avec difficulté, sans Gedman pour l'assister, que, le 10 avril, tous les pensionnaires de Kelvinator, excepté Kavalier et Shannenhouse, ainsi que tous les chiens sauf un, étaient morts intoxiqués au monoxyde de carbone, conséquence d'une mauvaise aération de leurs quartiers. Quoique laconiques, les réponses du commandement reflétèrent un certain choc et une certaine confusion. Bon nombre d'ordres contradictoires et irréalisables furent donnés, puis reportés. Le commandement mit davantage de temps que Joe et Shannenhouse pour comprendre qu'on ne pouvait rien faire avant septembre au plus tôt. Les morts, hommes et chiens, se conserveraient très bien jusque-là ; la putréfaction était un phénomène inconnu dans ces contrées. La baie des Baleines était gelée et impraticable, et le resterait pendant encore trois mois au moins. En tout état de cause, le détroit de Drake grouillait de sous-marins allemands, comme les écoutes personnelles des salves d'émissions à destination du BdU[1] de Joe l'avaient confirmé. Ils n'avaient plus espoir d'être sauvés par un baleinier de passage sans l'aide d'une escorte militaire ; les baleiniers et les chasseurs de sous-marins avaient déjà généralement abandonné le terrain. Et même alors, pas avant que la banquise n'ait commencé à se réchauffer et à se fragmenter. Enfin, cinq jours après le premier message de Joe, le commandement leur ordonna, de manière un peu superfétatoire, de tenir bon et d'attendre le printemps. Dans l'intervalle, Joe devait rester en contact radio régulier et poursuivre, dans la mesure de ses possibilités, la mission première de la base de Kelvinator (mis à part celle, encore plus essentielle, de maintenir une présence américaine au pôle) : écouter les ondes en quête des émissions des sous-marins, transmettre toutes les interceptions au commandement, qui les relaierait aux spécialistes du chiffre de Washington, avec leurs bombes électroniques jacassières et, finalement, signaler au commandement tous les mouvements allemands en direction du continent.

C'est dans l'accomplissement de cette mission que la santé

1. *Befelshaber der Unterseeboote*. En allemand, « commandement des submersibles ». (*N.d.T.*)

mentale de Joe entra en hibernation. Il devint aussi inséparable de sa radio que Shannenhouse de son Condor. Et, toujours comme Shannenhouse, il ne pouvait se résoudre à occuper les lieux qu'ils avaient jadis partagés avec vingt autres hommes vivants. Finalement, Joe fit de la cabine radio son logis principal et, même s'il continua à préparer ses repas au mess, il empruntait les galeries pour les prendre dans la cabine. Ses observations radiogoniométriques et ses interceptions des paquets de transmissions des deux sous-marins allemands alors actifs dans la région étaient approfondies et exactes. En temps voulu et avec quelques leçons du commandement, il apprit à manipuler la machine à chiffrer capricieuse et délicate presque aussi bien que Gedman.

Mais Joe ne se réglait pas seulement sur les canaux de navigation militaires et commerciaux. Grâce à son puissant poste multibande Marconi CSR 9A, il écoutait tout ce que les trois pylônes d'antennes hauts de vingt-deux mètres pouvaient ratisser dans le ciel, à n'importe quelle heure du jour : modulation d'amplitude, F.M., ondes courtes, les bandes publiques. C'était une espèce de pêche éthérée : il jetait sa ligne et voyait ce qu'il pouvait rapporter, combien de temps il pouvait rester accroché. Un orchestre de tango en direct des rives du Rio de La Plata, une solide exégèse biblique en afrikaans, un tour de batte et demi d'un match opposant les Red Sox aux White Sox, un feuilleton brésilien, deux amateurs isolés au Nebraska et au Surinam qui parlaient de leurs chiens d'une voix monotone. Des heures durant il écoutait les alertes en morse de marins pêcheurs pris dans des grains ou d'équipages de la marine marchande assaillis par des frégates, et capta même une fois la fin d'une diffusion des *Étonnantes Aventures de l'Artiste de l'évasion*, apprenant ainsi que Tracy Bacon n'interprétait plus le rôle-titre. Surtout, il suivait la guerre. Selon l'heure, l'inclinaison de la planète, l'angle du soleil, les rayons cosmiques, l'aurore australe et la couche d'ionosphère, il était capable de survoler de dix-huit à trente-six différents bulletins d'informations quotidiens dans le monde entier, même si, naturellement, comme les trois quarts du monde entier, il préférait ceux de la B.B.C.. Le débarquement en Europe battait son plein et, à l'instar de tant d'autres, il suivait son progrès intermittent mais régulier à l'aide d'une carte qu'il cloua au mur capitonné de la cabine et constella avec les épingles multicolores des victoires et des revers. Il écoutait H.V. Kaltenborn, Walter Winchell, Edward R. Murrow[1] et, avec tout

1. Célèbres journalistes radio qui incarnèrent la Voix de l'Amérique pendant la Deuxième Guerre mondiale. Le premier avait d'abord été journaliste au *Brooklyn Daily Eagle*, le second était réputé pour débiter 238 mots à la minute. Le troisième décrivit l'Holocauste à l'ouverture des camps. (*N.d.T.*)

autant de dévotion, leurs « ombres » goguenardes, les sous-entendus sarcastiques de Lord Haw-Haw, Patrick Kelly depuis le Shanghai japonais, Mr O.K., Mr Guess Who, ainsi que les insinuations de gorge de Midge-at-the-Mike[1], qu'il rêvait souvent de sauter. Baignant dans le murmure aquatique de ses écouteurs, il restait assis douze à quinze heures d'affilée et ne se levait de sa console que pour aller aux latrines ou s'alimenter avec Huître.

On pourrait s'imaginer que cette faculté d'émettre si loin des limites de sa tombe polaire profondément enfouie sous la glace, où pour toute compagnie il avait un chien à moitié aveugle, trente-sept cadavres humains et animaux, et un homme en proie à une *idée fixe*[2], aurait pu servir de planche de salut à Joe, ainsi relié dans son isolement et sa solitude au monde extérieur. Mais, en réalité, l'effet cumulatif, alors que, jour après jour, il ôtait enfin ses écouteurs et se laissait glisser, ankylosé, la tête bourdonnante, sur le sol de la cabine, à côté d'Huître, ne faisait que souligner – et le narguer avec – la seule liaison qu'il ne pouvait pas établir. Tout comme, lors de ses premiers mois à New York, il n'avait jamais été question, dans aucun des onze journaux en trois langues qu'il achetait quotidiennement, du bien-être et de l'état d'esprit de la famille Kavalier de Prague, il n'y avait alors jamais rien non plus à la radio pour lui fournir le moindre indice sur la situation de celle-ci. Non seulement on ne parlait pas d'eux personnellement – même au comble du désespoir, il n'envisagea jamais sérieusement cette possibilité –, mais Joe ne parvenait pas non plus à obtenir la moindre information sur le sort des Juifs de Tchécoslovaquie.

De temps en temps, il entendait bien des cris d'alarme et des témoignages d'évadés des camps allemands, de massacres en Pologne, de rafles, de déportations et de procès. Mais, de son point de vue éloigné et limité, il faut bien le reconnaître, on eût dit que les Juifs de son pays, ses Juifs à lui, les siens, avaient glissé sans être vus dans quelque pli de sa carte d'Europe hérissée d'épingles. À mesure que l'hiver avançait et que les ténèbres environnantes s'épaississaient, Joe se mit de plus en plus à broyer du noir, et la corrosion qui rongeait depuis si longtemps son câblage intérieur, en raison de son impuissance à tenter quoi que ce soit pour aider ou atteindre sa mère et son grand-père, la déception et la colère qu'il nourrissait depuis tout aussi longtemps parce que la marine l'avait expédié dans ce putain de pôle Sud, alors qu'il ne rêvait que d'une chose, larguer

---

1. Ces cinq-là étaient des propagandistes pronazis. Britannique basé à Berlin, le premier fut pendu à la fin de la guerre. La dernière, Mildred Gillars, une Américaine, était aussi connue des G.I.'s sous le nom d'Axis Sally. (*N.d.T.*)

2. En français dans le texte. (*N.d.T.*)

des bombes sur les Allemands et des vivres sur les partisans tchèques, commencèrent à se fondre en un authentique désespoir.

Puis, un « soir » vers la fin juillet, Joe capta une émission sur ondes courtes du Reichsrundsfunk à destination de la Rhodésie, de l'Ouganda et du reste de l'Afrique britannique. C'était un documentaire en langue anglaise qui décrivait allégrement en détail la création et la prospérité d'un lieu merveilleux du Protectorat tchèque, une « réserve », selon le terme exact du narrateur, spécialement conçue pour les Juifs de cette partie du Reich. Cela s'appelait le Ghetto modèle de Theresienstadt. Autrefois, Joe avait traversé la ville de Terezin, lors d'une sortie avec son équipe sportive de Makabbi. Apparemment, de trou mortel de Bohême cette ville avait été transformée en un endroit gai, animé, voire culturel, avec roseraies, instituts professionnels et orchestre symphonique au complet composé de ce que le narrateur, qui avait la voix d'Emil Jannings essayant d'avoir celle de Will Rogers[1], appelait des « internés ». Suivait une description d'une soirée musicale typique de la réserve, au milieu de laquelle, à la grande horreur de Joe et à sa délectation, flottait la puissante voix de ténor désincarnée de son grand-père paternel, Franz Schonfeld. Son nom n'était pas cité, mais il était impossible de ne pas reconnaître les légères inflexions dues au whisky, ni, d'ailleurs, l'œuvre choisie : *Der Elkönig*.

Joe luttait pour donner un sens à ce qu'il avait entendu. Le ton artificiel de l'émission, le mauvais accent du narrateur, les euphémismes évidents, la vérité inavouable cachée sous le blabla sur les roses et les violons – à savoir que tous ces gens avaient été arrachés à leurs foyers et mis de force dans cet endroit parce qu'ils étaient juifs –, tous ces indices le disposaient à un sentiment d'effroi. La joie, spontanée et irraisonnée, qui l'avait envahi lorsqu'il avait reconnu la voix suave de son petit grand-père pour la première fois en cinq ans, s'éteignit rapidement sous le malaise grandissant que lui inspirait l'idée du vieil homme chantant du Schubert dans une ville-prison pour un public de captifs. Aucune date n'avait été donnée pour l'émission et, à mesure que la soirée avançait et qu'il ruminait, Joe devint de plus en plus convaincu que la gaieté et la formation professionnelle masquaient une terrible réalité, un sabbat de sorcières fait de sucre candi et de pain d'épice destinés à attirer les enfants et à les engraisser pour la table.

La nuit suivante, en faisant défiler les fréquences voisines de quinze mégacycles, au cas extrêmement improbable où il y aurait

1. Emil Jannings (1884-1950), célèbre acteur allemand ayant joué dans *Faust* (1926) et dans *L'Ange Bleu* (1930). Will Rogers (1879-1935), comédien américain (*La vie commence à quarante ans*...). (*N.d.T.*)

peut-être une suite à l'émission de la veille, il tomba sur une transmission en allemand, si sonore et si claire qu'il se douta tout de suite que son origine était locale. Elle était soigneusement prise en sandwich dans un interstice extrafin de la bande passante, entre le puissant service Asie de la B.B.C. et le tout aussi puissant A.F.R.N. Sud[1], et si l'on ne recherchait pas désespérément des nouvelles de sa famille, on pouvait la passer sans même soupçonner sa présence. C'était une voix d'homme, douce, aiguë, éduquée, avec un soupçon d'accent souabe et une pointe marquée d'indignation à peine contenue. Les conditions étaient effroyables, les instruments tous inutilisables ou peu fiables, les quartiers intolérablement exigus, le moral bas. Joe tendit la main pour attraper un crayon et se mit à transcrire la philippique de l'orateur, sans parvenir à comprendre ce qui avait pu amener l'ennemi à trahir sa présence de manière aussi flagrante. Puis, sans prévenir, sur un soupir et un *Heil Hitler* las, l'homme acheva l'émission, laissant après lui un bruissement d'ondes vides et une seule et inéluctable conclusion : il y avait des Allemands sur la banquise.

Ç'avait été la crainte des Alliés depuis l'expédition Ritscher de 1938-1939, quand ce chercheur allemand extrêmement consciencieux, généreusement outillé sur l'ordre personnel de Hermann Göring, était arrivé sur la côte de la Terre de la Reine-Maud à bord d'un porte-avion catapulte et avait envoyé à plusieurs reprises deux excellents hydravions Dornier Wal dans l'arrière-pays vierge de la concession norvégienne où, à l'aide de prises de vues aériennes, son équipe avait dressé la carte de plus de six cent mille kilomètres carrés de territoire (initiant ainsi l'Antarctique à l'art de la photogrammétrie) puis avait bombardé toute la région de cinq mille flèches d'acier géantes, spécialement fabriquées pour l'expédition, chacune surmontée d'une élégante swastika. Ainsi jalonnée et revendiquée au nom de l'Allemagne, cette terre fut rebaptisée Nouvelle-Souabe. Des difficultés initiales avec les Norvégiens au sujet de cette présomption avaient été adroitement résolues par la conquête de ce pays en 1940.

Joe enfila ses bottes et son parka, puis sortit pour annoncer sa découverte à Shannenhouse. La nuit était douce et sans un souffle de vent ; le thermomètre marquait – 15 °C. Les étoiles grouillaient dans leurs étranges compositions, et il y avait un anneau vert émeraude autour de la lune, basse sur l'horizon. D'ailleurs, un léger clair de lune aqueux formait des plaques sur la banquise sans paraître en éclairer aucune partie. À part les pylônes radio et les cheminées qui dépassaient de la neige comme des ailerons d'épaulards, il n'y avait rien à voir dans aucune direction. Des montagnes sauvages, des

1. Sigle d'*American Forces Radio Network.* (*N.d.T.*)

dorsales barométriques qui saillaient comme autant d'os géants, de la vaste cité de tentes des congères pointues qui s'étendaient vers l'est, il n'apercevait rien. La base allemande eût pu se trouver à moins de quinze kilomètres sur la banquise horizontale, brillant de tous ses feux, et demeurer pourtant invisible. À mi-chemin du hangar, il s'immobilisa. L'arrêt du crissement de ses pas sembla éliminer le tout dernier bruit du monde. Le silence était si total que les opérations internes de son crâne devinrent d'abord audibles, puis assourdissantes. Un tireur isolé allemand pouvait sûrement le repérer, même dans cette obscurité impénétrable, rien qu'en entendant le rugissement de ses veines façon collecteur d'eaux pluviales dans ses oreilles, le mouvement de piston hydraulique de ses glandes salivaires. Il se hâta vers l'écoutille du hangar, en trébuchant dans la neige qui crissait. Alors qu'il approchait, une petite brise se leva, chargée d'une odeur âcre de sang et de poils brûlés assez forte pour donner des haut-le-cœur à Joe. Shannenhouse avait allumé du feu dans le Blanc-de-baleine.

– N'entre pas, vociféra Shannenhouse. Disparais ! Reste dehors. Va te faire foutre avec ton chien, espèce de sale Juif !

Coincé à mi-hauteur de l'escalier, Joe n'était pas encore descendu assez bas pour avoir vue à l'intérieur du hangar. Chaque fois qu'il tentait d'arriver au bout, Shannenhouse lui jetait quelque chose dans les jambes : un vilebrequin, une pile sèche...

– Qu'est-ce que tu fais ? lui cria Joe. Qu'est-ce que c'est que cette infection ?

Depuis sa dernière rencontre avec lui, l'odeur personnelle de Shannenhouse avait empiré au fil des semaines. Elle s'était libérée des limites de son corps pour intégrer de nouveaux relents de haricots brûlés, de fil électrique grillé, d'enduit de fuselage et de phoque tanné de frais, composant qui noyait presque tous les autres.

– Toute la toile que j'avais était abîmée, répondit Shannenhouse, sur la défensive et un tantinet tristement. Elle a dû prendre l'eau pendant le voyage.

– Tu recouvres ton avion de peau de phoque ?

– Mais un avion est un phoque, tête de nœud ! Un phoque qui flotte dans les airs...

– Oui, d'accord, concéda Joe. (Tout le monde sait bien que les Austerlitz et les Waterloo des autres impatientent les Napoléon des asiles du monde entier.) Je suis juste venu te dire une chose. Fritz est là. Sur la banquise. Je l'ai capté sur ma radio.

Il s'écoula un long silence significatif, bien que Joe ne fût pas très sûr de sa signification.

– Où ? articula enfin Shannenhouse.

– Je ne sais pas. Il a parlé du trentième méridien, mais... je ne suis pas sûr.

– Tiens, tiens, là-bas ! Là où ils étaient avant.

Joe inclina la tête, même si Shannenhouse ne pouvait pas le voir.

– C'est quoi ? À quinze cents kilomètres ?

– Au moins.

– On les emmerde, alors. Tu as contacté le commandement ?

– Non, Johnny, je ne les ai pas contactés. Pas encore.

– Voyons, contacte-les alors. Bon Dieu ! Mais qu'est-ce qui ne tourne pas rond chez toi ?

Il avait raison. Joe aurait dû alerter le commandement dès l'instant où il avait eu fini de transcrire l'émission interceptée. Et une fois qu'il avait eu une notion de la nature et de l'origine de cette transmission, son incapacité à agir n'était pas uniquement une infraction au règlement et la trahison d'un ordre – protéger le continent des initiatives nazies – qui venait en droite ligne du Président lui-même, mais elle les mettait, Shannenhouse et lui, potentiellement en danger. Si Joe connaissait la présence des intrus, il était presque certain qu'eux aussi connaissaient la sienne. Pourtant, de même qu'il n'avait pas dénoncé Carl Ebling après la première alerte à la bombe à Empire Comics, un secret instinct l'empêchait maintenant d'ouvrir le canal de Cuba et de faire le rapport que lui imposait le devoir.

– Je ne sais pas, balbutia Joe. Je ne sais pas ce qui ne tourne pas rond chez moi. Je suis désolé.

– Bon. Va-t'en maintenant.

Joe remonta l'escalier et sortit dans la nuit bleu mercure. Au moment où il se dirigeait vers le nord pour regagner l'entrée de la cabine radio, quelque chose scintilla au milieu de tout ce néant, si timidement qu'au début il crut que c'était un phénomène optique analogue à l'effet du silence sur ses oreilles, une réaction bioélectrique qui se produisait dans ses globes oculaires. Non, revoilà l'horizon ! Une couture sombre, bordée d'un liseré d'or pâle presque imaginaire. Il était aussi indistinct que la lueur d'une idée qui commençait à germer, à cet instant, dans l'esprit de Joe.

– Le printemps, murmura Joe.

L'air glacé froissa le mot comme un emballage de poisson.

Une fois réinstallé dans sa cabine radio, il dénicha un récepteur portatif à ondes courtes que l'opérateur première classe Burnside avait projeté de réparer, branché sur le fer à souder. Au bout de quelques heures de travail, il réussit à bricoler un poste qu'il pouvait consacrer exclusivement à la surveillance des transmissions de la station allemande, laquelle, apprit-on par la suite, était sous le commandement direct du bureau de Göring et se présentait sous le nom de Jotunheim. L'individu chargé des transmissions faisait bien attention à dissimuler celles-ci et, après le déchaînement initial sur lequel Joe était tombé par hasard, il se limita à des bulletins plus rares et plus factuels, bien que non moins inquiétants, sur la météo et les conditions atmosphériques. Mais, patiemment, Joe fut capable de repérer et de transcrire ce qu'il estimait tourner autour de soixante-cinq pour cent des échanges entre Jotunheim et Berlin. Il accumula suffisamment de renseignements pour confirmer ses repérages du trentième méridien, sur la côte de la Terre de la Reine-Maud, et conclure que le gros de leur entreprise, du moins jusque-là, était de caractère purement scientifique et expérimental. Au cours de quinze jours de surveillance attentive, il put tirer un certain nombre de conclusions positives et rester à l'écoute pendant qu'un drame se jouait.

L'auteur de ces désespérantes transmissions était un géologue. Il s'intéressait aux questions des formations nuageuses et des régimes des vents, et avait peut-être été aussi météorologue, mais il était avant tout géologue. Le savant harcelait continuellement Berlin avec des détails de ses projets pour le printemps, les schistes et les filons de houille qu'il avait l'intention de mettre au jour. Il n'avait que deux compagnons à Jotunheim. L'un avait pour nom de code Bouvard et l'autre Pécuchet. Ils avaient entamé leur saison sur la banquise presque exactement au même moment que leurs homologues américains, dont ils connaissaient parfaitement l'existence, même s'ils semblaient ne pas se douter de la catastrophe survenue à la base de Kelvinator. Leur nombre aussi avait été réduit, mais d'un seul élément, un opérateur radio et spécialiste de l'Énigme[1], qui avait eu une dépression nerveuse et avait été rapatrié avec le détachement militaire quand ce dernier était reparti pour l'hiver. Malgré les risques auxquels il s'exposait en l'absence de transmissions codées, le ministère n'avait pas vu de raison de forcer les hommes à passer l'hiver sur place alors qu'il ne devait y avoir aucune chance ni aucun motif de manier les armes. Le détachement devait être de retour le 18 septembre ou dès que les glaces le permettraient.

Le onzième jour suivant la découverte de Jotunheim par Joe, pour des raisons que le géologue, confronté à une forte pression et à des menaces de son ministère de tutelle, refusa de qualifier autrement que d'« inconvenantes », « inadéquates » et « de nature intime », Pécuchet abattit Bouvard et retourna son arme mortellement contre

1. L'Énigme, mise au point en Allemagne pour permettre des communications sécurisées entre les banques et ainsi devenir l'élément vital de transmission de l'armée allemande entre 1930 et 1945, avant d'être « cassée » par l'équipe d'Alan Turing (l'inventeur de l'ordinateur). (*N.d.T.*)

lui. Le message annonçant la mort de Bouvard trois jours plus tard était chargé de prémonitions d'une fatalité imminente que Joe reconnut avec un frisson. Le géologue aussi avait senti cette présence qui rôdait dans un voile de poudre scintillante en lisière de son campement, attendant son heure.

Quinze jours durant, Joe rassembla en secret tous ces renseignements et les garda pour lui. Chaque fois qu'il se calait sur ce qu'il en était venu à appeler Radio Jutunheim, il se disait qu'il allait écouter juste un peu plus longtemps, accumuler d'autres bribes d'informations et puis communiquer tout ce qu'il avait en sa possession au commandement. C'était là en général le travail des espions, non ? Mieux valait tout réunir et risquer d'être découvert en le transmettant que d'alerter le géologue et ses amis avant d'avoir une vue globale de la situation. Mais cet atroce meurtre-suicide, qui ouvrit la voie à la mort sur le continent, sembla donner du piquant à la situation, et Joe dactylographia un rapport approfondi que, conscient de son mauvais anglais comme toujours, il relut et corrigea plusieurs fois. Puis il s'installa à la console. Alors que rien ne l'eût plus réjoui que de tirer une balle dans la tête de ce géologue languissant à la voix hautaine, Joe en était arrivé à s'identifier tellement avec son ennemi qu'en s'apprêtant à révéler son existence au commandement il sentait en lui une étrange réticence. Comme s'il allait se trahir par cet acte.

Pendant que Joe tentait de décider ce qu'il allait faire de son rapport, sa soif de vengeance, dans un désir d'expiation de sa culpabilité et de sa responsabilité, qui avait été le seul moteur de son existence depuis le soir du 6 décembre 1941, reçut l'impulsion finale nécessaire pour signer la perte du géologue allemand.

L'avènement du printemps avait ouvert une nouvelle saison de chasse à la baleine et, avec elle, une nouvelle campagne des sous-marins. L'*U-1421*, en particulier, avait harcelé le trafic allié et neutre dans le détroit de Drake, à un moment où les pénuries de l'huile tirée des cétacés pouvaient faire la différence entre la victoire et la défaite en Europe pour l'un et l'autre bord. Depuis des mois, Joe transmettait au commandement des messages interceptés de l'*U-1421* et fournissait également des renseignements directionnels sur les signaux du submersible. Mais le tableau radiogoniométrique de l'Atlantique Sud avait été incomplet et temporaire jusqu'à une date récente, et rien n'était jamais sorti des efforts du jeune homme. Ce soir-là, toutefois, alors qu'il captait sur son poste déglingué D.A.Q. une explosion de jacassements dont, même codés, Joe fut capable de reconnaître qu'ils émanaient de l'*U-1421*, il y avait deux autres récepteurs calés dessus et à l'écoute tandis que le bâtiment faisait son rapport. Après que Joe eut transmis ses indications sur le signal du tableau de haute fréquence et de radiogoniométrie de Kelvinator dans sa cage au sommet de l'antenne nord, le Centre de la guerre sous-marine effectua une triangulation à Washington. La position résultante, longitude et latitude, fut communiquée à la marine britannique. Dans l'instant, une formation de combat fut dépêchée depuis les îles Malouines. Les corvettes et les chasseurs de sous-marins localisèrent l'*U-1421*, lui donnèrent la chasse et le bombardèrent de charges de fond et de grenades sous-marines jusqu'à ce qu'il ne restât plus qu'un gribouillis noir huileux à la surface de la mer.

Le naufrage de l'*U-1421* et son rôle personnel dans cette opération remplirent Joe d'allégresse. Il s'en gargarisa, allant même jusqu'à oser imaginer que ç'aurait pu être le bâtiment qui avait envoyé l'*Arche de Miriam* au fond de l'Atlantique en 1941.

Il parcourut au trot la galerie menant au mess et, pour la première fois en plus de quinze jours, remplit et brancha la machine à fondre la neige pour prendre une douche. Il se prépara une assiette de jambon et d'œufs en poudre et sortit un parka et une paire de mouklouks neuves. Pour aller au hangar, il était obligé de passer devant la porte du Waldorf et l'entrée de Cabotville. Il ferma alors les yeux et prit ses jambes à son cou. Il ne remarqua donc pas que les caisses des chiens étaient vides.

Le soleil, entier, un disque complet rouge mat, était à peine à un pouce au-dessus de l'horizon. Joe le contempla jusqu'à en avoir les joues gelées. Pendant que l'astre s'enfonçait lentement sous la banquise, un ravissant coucher de soleil saumon et violet commença à se mettre en place. Puis, comme pour s'assurer que Joe avait bien compris, le soleil se leva une deuxième fois et se recoucha dans un flamboiement de rose et de lavande fané toujours aussi ravissant. Joe savait que ce n'était qu'une illusion d'optique, due à des distorsions de la forme de l'atmosphère, mais il prit ce spectacle comme un présage et une exhortation.

– Shannenhouse, appela-t-il. (Joe avait dévalé les marches sans prévenir le pilote et, en l'occurrence, l'avait surpris lors d'une de ses rares périodes de sommeil.) Réveille-toi, c'est le jour ! C'est le printemps ! Allez !

Shannenhouse émergea en trébuchant de son avion, qui miroitait mystérieusement dans son fourreau lustré et moulant de peaux de phoque.

– Le soleil ? lança-t-il. Tu en es sûr ?

– Tu l'as manqué, mais il reviendra dans vingt heures.

Dans les yeux de Shannenhouse apparut une douceur qui rappela à Joe leurs premiers jours ensemble sur la banquise il y avait bien longtemps.

– Le soleil, répéta-t-il. (Puis :) Qu'est-ce que tu veux ?

– Je veux aller tuer Fritz.

Shannenhouse fit la moue. Sa barbe était désormais longue de trente centimètres, son odeur agressive, pénétrante, presque douée de vie.

– D'accord, acquiesça-t-il.

– Ton avion peut-il voler ou non ?

Joe commença à contourner la queue pour aller sur le flanc tribord de l'appareil quand il remarqua que les peaux recouvrant le devant du fuselage étaient d'un coloris beaucoup plus clair et d'une autre texture que celles à bâbord.

Telle une cargaison attendant d'être chargée à bord, dix-sept crânes de chien étaient proprement empilés en pyramide au pied de l'avion.

4.

Wahoo Fleer, leur défunt officier commandant, se trouvait sur Little America[1] avec l'amiral Richard Byrd en 1933, et encore en 1940. En fouillant dans ses dossiers, ils trouvèrent des plans et des consignes de vols transantarctiques détaillés. En 1940, le commandant Fleer en personne avait survolé une partie du territoire qu'ils auraient à traverser pour tuer le géologue, le plateau Rockefeller, les monts Edsel Ford, en direction du superbe vide disloqué de la Terre de la Reine-Maud. Avec soin, il avait établi des listes d'objets qu'un homme se devait d'emporter.

1 ciseau à glace
1 paire de raquettes
1 rouleau de papier hygiénique
2 mouchoirs

La grande incertitude d'un tel vol était la possibilité d'un atterrissage forcé. S'ils s'écrasaient au sol, ils seraient, seuls et sans espoir de sauvetage, au centre magnétique du néant. Il leur faudrait se frayer un chemin pour rentrer à pied à la base de Kelvinator ou alors continuer tout droit vers Jotunheim. Le capitaine Fleer avait tapé à la machine des listes du matériel d'urgence dont ils auraient besoin en pareille occasion : tentes, réchaud de camping, couteaux, scies, hache, corde, crampons. Traîneaux qu'ils devraient tirer eux-mêmes. Toute chose devait être considérée en fonction du poids qu'elle ajouterait à la charge utile.

Manchon d'accouplement de moteur et chalumeau 2 kg
2 sacs de couchage en peau de renne 9 kg
Pistolet lance-fusée et huit cartouches 2,5 kg

1. « La petite Amérique », nom de cinq bases opérationnelles établies par les expéditions de l'amiral Byrd sur la banquise de Ross. (*N.d.T.*)

Comme le retour du soleil et le projet de tuer un ennemi, la précision et l'ordre des consignes du capitaine Fleer eurent un effet bénéfique sur l'état d'esprit des deux hommes. Ils reprirent une vie commune. Shannenhouse quitta son cher hangar et Joe apporta son tapis de couchage dans le mess. Ils ne dirent rien de leur descente des trois derniers mois dans quelque antique désespoir mammalien. À eux deux ils dévastèrent le bureau de Wahoo Fleer. Ils dénichèrent un morceau de choix du commandement, décodé et reçu l'automne précédent, qui transmettait un rapport non confirmé selon lequel il y aurait peut-être une installation allemande sur la banquise, dont Jotunheim serait le nom de code. Ils trouvèrent aussi un exemplaire du *Livre de Mormon*, ainsi qu'une lettre portant l'inscription « En cas de décès » qu'ils se sentirent habilités à ouvrir, sans parvenir à s'y résoudre.

Shannenhouse prit une douche. Cette opération exigea de fondre quarante-cinq blocs de neige de un kilo chacun, que Joe, bougonnant et jurant en trois langues, découpa et enfourna un à un dans la machine à fondre installée sur le toit du mess et dont la gueule en zinc, tel le pavillon d'un gramophone, retransmettait la petite voix flûtée du pilote en train de chanter *Plus près de toi, mon Dieu*. Ils se parlaient peu, mais leurs échanges étaient affables ; en une semaine, ils retrouvèrent l'air de camaraderie désinvolte qui avait été universelle parmi les hommes avant la catastrophe de Wayne. On eût dit qu'ils avaient oublié que survoler seuls et à découvert mille cinq cents kilomètres d'amas de glace et de glaciers pour abattre un scientifique allemand isolé avait été leur idée.

« Ça te dirait une jolie petite plage de dix ou douze heures, mettons, oh !... à pelleter de la neige ? » se criaient-ils le matin depuis leurs couchettes, après n'avoir consacré les cinq jours précédents qu'à cela, comme si un supérieur impitoyable les avait nommés de corvée de pelle, et qu'eux ne fussent que les nigauds malchanceux qui devaient exécuter l'ordre de déblayer le hangar et le garage de la chenillette. Le soir, quand ils regagnaient les galeries, courbatus, le visage et les doigts brûlés par le froid, ils remplissaient le mess de hurlements : « Rations de whisky ! » et « Steaks pour tous ! »

Une fois la chenillette dégagée, ils mirent toute une journée à bricoler et à chauffer diverses parties de son moteur Kaiser récalcitrant pour la faire redémarrer. Ils perdirent encore un jour à lui faire parcourir les trente mètres de neige plane qui séparaient le mess du garage. Ils perdirent une troisième journée quand le treuil de la chenillette lâcha et que le Condor, qu'ils avaient réussi à remorquer à mi-hauteur de la rampe de neige aménagée par leurs soins, se détacha avec un bruit sec et redescendit en marche arrière dans le hangar, arrachant au passage l'extrémité de son aile inférieure gauche. Cet épisode leur valut trois jours supplémentaires de réparations. Puis Shannenhouse entra dans le mess, où Joe tenait un manuel de la police montée royale canadienne de 1912 ouvert au chapitre intitulé « Caractéristiques de la maintenance des traîneaux » et se décarcassait pour s'assurer que les traîneaux pour hommes étaient correctement attachés. VEILLER À CE QUE LES TRAÎNEAUX SOIENT CORRECTEMENT ATTACHÉS était le numéro 14 de la check-list prédécollage du capitaine Fleer. Trois langues ne suffisaient pas à son besoin de jurons.

– Je suis à court de chiens, déclara Shannenhouse.

La nouvelle pointe qu'il avait greffée sur l'aile du Condor avait besoin d'être recouverte et enduite jusqu'au reste du fourreau, sinon l'appareil ne décollerait pas.

Joe le regarda en clignant des yeux pour essayer de comprendre la signification de ses paroles. C'était le 12 septembre. Dans quelques jours peut-être, s'il parvenait à briser les glaces en train de fondre, un navire chargé de soldats et d'avions regagnerait Jotunheim, et si eux n'avaient pas réussi alors à être dans les airs, leur mission pouvait être annulée. C'était une partie de ce que Shannenhouse voulait dire.

– Tu ne peux quand même pas prendre les hommes, dit Joe.

– Ce n'est pas ce que je suggérais, se récria Shannenhouse. Bien que je mentirais, Dopey, si je disais que la pensée ne m'en a pas effleuré l'esprit...

Il caressa ses favoris, sans quitter Joe des yeux ; il n'avait toujours pas rasé sa barbe rousse d'ours. Ses yeux roulèrent vers la couchette de Joe, où Huître dormait, couché paisiblement.

– Il y a bien Moule... reprit-il.

Ils abattirent Huître. Shannenhouse attira le chien, qui se doutait de quelque chose, avec une tranche de filet de bœuf congelé, puis lui tira une balle à bout portant entre son œil valide et la perle. Joe ne put supporter ce spectacle ; il pleura, étendu tout habillé sur sa couchette, la fermeture Éclair de son parka remontée jusqu'en haut. Toute l'ancienne grossièreté de Shannenhouse avait disparu ; il respecta le chagrin causé à Joe par le sacrifice de son chien et se chargea lui-même de la macabre besogne d'écorcher l'animal, de le dépecer et de tanner la peau. Le lendemain, Joe tâcha d'oublier Huître et de se perdre dans des pensées vengeresses et le fantastique manque d'intérêt de l'aventure. Il compara encore et encore leur matériel aux listes du capitaine Fleer. Il retrouva le marteau d'escalade, tombé mystérieusement dans le carter du treuil de la chenillette, et le récupéra. Il farta les skis et vérifia les fixations. Il tira les traîneaux des galeries pour les rentrer, les défit et les remonta à la façon de la police montée canadienne. Il prépara du steak et des œufs pour

Shannenhouse et lui. Il sortit les steaks de la poêle salée, les disposa fumants dans deux grandes assiettes métalliques et déglaça la poêle avec du whisky. Il flamba le whisky, puis souffla sur les flammes pour les éteindre. Shannenhouse entra, empestant la viande industrielle. L'air grave, il prit l'assiette des mains de Joe avec reconnaissance.

– C'était juste assez grand, commenta-t-il.

Joe prit à son tour son assiette, s'installa au bureau du capitaine et, espérant tirer de la machine à écrire un peu de la minutie du capitaine, tapa le message suivant :

À ceux qui viendront chercher l'enseigne de vaisseau première classe John Wesley Shannenhouse et l'opérateur radio seconde classe Josef Kavalier

Veuillez nous excuser d'être absents et sans doute, en vérité, morts.

Nous confirmons l'établissement d'une base militaire et scientifique allemande située sur la Terre de la Reine-Maud, connue également sous le nom de Neuschwabenland. Présentement, un seul homme assure la permanence de cette base. (Se reporter, s'il vous plaît, aux transcriptions et aux transmissions radio interceptées A-RRR, 1.viii.44-2ix.44, ci-jointes.) Comme nous sommes deux, la situation semble claire.

Arrivé à ce point, Joe cessa un instant de taper pour mâcher un morceau de steak. La situation était loin d'être claire. L'homme qu'ils allaient tuer ne leur avait rien fait de mal, ni à l'un ni à l'autre. Ce n'était pas un militaire. Il y avait peu de chances pour qu'il ait été impliqué autrement que de la manière la plus tangentielle, métaphysique, dans la construction de cet antre de sorcières qu'était Terezin. Il n'avait rien à voir avec la tempête qui avait soufflé des Açores, ni avec la torpille qui avait ouvert une brèche dans la coque de l'*Arche de Miriam*. Mais ces événements n'en avaient pas moins donné envie à Joe de tuer quelqu'un. Et il ne voyait pas qui d'autre tuer.

À ceux qui avec raison enquêtent sur nos motifs ou notre qualité pour accomplir cette mission...

Une nouvelle fois, il s'arrêta de taper à la machine.

– Johnny, lança-t-il. Pourquoi fais-tu ça ?

Shannenhouse leva les yeux d'un exemplaire d'*All Doll* vieux de neuf mois. Lavé, avec sa barbe, il ressemblait à un de ces visages qui avaient tapissé la grande salle de l'ancien gymnase de Joe, les portraits des anciens directeurs d'école. Des hommes graves et vertueux, inaccessibles au doute.

– Je suis venu ici pour piloter des avions, répondit-il.

Sachez que nous n'avons pensé qu'à servir notre pays (adoptif, dans mon cas).

Je vous prie de bien vouloir vous occuper des hommes morts et gelés au quartier

Respectueusement,

JOSEPH KAVALIER,
opérateur radio seconde classe
12 septembre 1944.

Il sortit la feuille de papier de la machine à écrire, puis l'y réintroduisit et la laissa telle quelle. Shannenhouse s'approcha pour la lire, eut un hochement de tête et ressortit pour regagner le hangar et bricoler son zinc.

Joe s'étendit sur sa couchette et ferma les yeux, mais le sentiment d'irrémédiable, l'impression de devoir mettre ses affaires en ordre, qu'il avait recherchés en tapant à la machine un dernier message, lui échappaient. Il alluma une cigarette, aspira une profonde bouffée et tenta de s'éclaircir l'esprit, de libérer sa conscience, de façon à pouvoir affronter le lendemain et ses devoirs sans être troublé par aucun scrupule ni distraction. Après avoir fini sa cigarette, il se retourna et essaya de dormir, mais le souvenir de l'unique œil bleu et confiant d'Huître le poursuivait. Il se tourna et s'agita sur son lit, s'efforça de se bercer, comme Rosa le lui avait appris une fois, en s'imaginant couché sur un radeau noir, au milieu d'un lagon chaud et noir aussi, dans les ténèbres d'une nuit tropicale sans lune. Seules ces ténèbres douces et tièdes existaient en lui ou en dehors de lui. À présent il se sentait glisser dans le sommeil, couler comme du sable qui file vers le goulot d'un sablier. Dans cet état hypnotique et crépusculaire, il se figura – mais c'était plus fort qu'une simple imagination, on eût dit qu'il se souvenait des faits, qu'il y croyait – qu'Huître avait été doué de la parole, en possession d'une voix plaintive, douce et calme, capable d'exprimer la raison, la passion et l'inquiétude, et qu'il ne pouvait plus chasser de ses oreilles la voix de son chien mort. Nous avions tant de choses à nous dire, songea-t-il. Quel dommage que je ne m'en aperçoive que maintenant ! Puis, juste avant de sombrer, un aboiement aigu résonna dans son oreille interne : il s'assit tout droit, le cœur battant. Il prit conscience que ce n'était pas l'amour trahi d'Huître, mais d'un être bien plus cher et perdu à jamais qui le hantait maintenant et l'empêchait de se réconcilier avec l'idée de sa propre mort.

Il rampa au pied de sa couchette, ouvrit sa cantine et exhuma l'épaisse liasse de lettres qu'il avait reçues de Rosa après son engagement dans l'armée fin 1941. Les lettres l'avaient suivi, de façon irrégulière mais continue, depuis la période de son instruction militaire à Newport, dans l'État de Rhode Island, jusqu'à la baie de Guantánamo, à Cuba, en passant par la base d'instruction navale polaire de Thulé, au Groenland, où il avait passé l'automne de 1943 pendant que la mission de Kelvinator était mise sur pied. Après quoi, en l'absence totale de réponse du destinataire, les lettres s'étaient arrêtées. La correspondance de Rosa avait été comme le mouvement de pompe d'un cœur dans une artère coupée : impétueux et continu au début, il s'était ralenti sous l'effet d'une sorte de contraction musculaire pour se transformer en ruisseau, qui était devenu un filet avant de finalement s'arrêter. Le cœur avait cessé de battre.

Alors il sortit le canif, un cadeau de Thomas qui avait jadis sauvé la vie de Salvador Dalí, et décacheta la première des lettres.

Cher Joe,

Je regrette que nous n'ayons même pas pu nous dire au revoir avant ton départ de New York. Je crois comprendre pour quelle raison tu t'es enfui. Je suis sûre que tu dois me reprocher ce qui s'est passé. Si je ne t'avais pas envoyé à Hermann Hoffman, ton frère n'aurait alors pas été sur ce bateau. J'ignore ce qui serait advenu de lui dans ce cas. Et toi aussi. Mais j'accepte et je comprends que tu puisses me tenir pour responsable. Je me serais peut-être enfuie aussi, j'imagine.

Je sais que tu m'aimes encore. Que tu m'aimes et que tu m'aimeras toujours est un article de foi pour moi. Penser que nous ne nous reverrons ni ne nous toucherons jamais plus me brise le cœur. Mais ce qui m'est encore plus pénible, c'est la pensée – la certitude que j'ai – que tu regrettes en ce moment que nous nous soyons rencontrés. Si c'est vrai, et je sais que ça l'est, alors j'ai les mêmes regrets. Parce que savoir que tu puisses me voir ainsi renvoie tout ce que nous avons partagé au néant. Nous aurions gâché notre temps. C'est quelque chose que je n'accepterai jamais, même si c'est vrai.

J'ignore ce que je vais, ce que tu vas devenir, ce que va devenir notre pays ou le monde. Et je n'ai pas l'espoir que tu répondes à cette lettre, parce que je sens la porte de ton cœur me claquer au nez et je sais que c'est toi qui me rejettes. Mais je t'aime, Joe, avec ou sans ton consentement. Voilà donc comment j'ai l'intention de t'écrire. Avec ou sans ton consentement. Si tu ne veux plus entendre parler de moi, jette ces feuillets et tous ceux qui suivent. Pour ce que j'en sais, ces mots mêmes reposent déjà au fond de la mer.

Il faut que je te laisse maintenant. Je t'aime.

ROSA

Après cette lettre, Joe parcourut les autres en suivant l'ordre chronologique. Dans la deuxième, Rosa signalait que Sammy avait quitté sa place à Empire pour aller travailler chez Burns, Baggot & DeWinter, l'agence de publicité qui gérait le budget d'Oneonta Mills. Le soir, disait-elle, il rentrait à la maison pour travailler à son roman. Dans la cinquième lettre, Joe fut stupéfait de lire que, le jour du Nouvel An 1942, Rosa s'était mariée civilement avec Sammy. Là-dessus, il y eut un trou de trois mois, puis elle écrivit pour dire que Sammy et elle avaient acheté une maison à Midwood. Il s'écoula ensuite une nouvelle interruption de quelques mois, après quoi elle réécrivit pour annoncer qu'elle avait mis au monde un fils de trois kilos trois cents grammes et qu'ils avaient donné au bébé le nom de Thomas, en mémoire du frère disparu de Joe. Elle le surnommait Tommy. Les lettres ultérieures fourmillaient de nouvelles et de détails sur les premiers mots de Tommy, ses premiers pas, ses maladies et ses exploits. À l'âge de quatorze mois, il avait tracé au crayon un cercle reconnaissable. Le bout de set de table en papier du restaurant Jack Dempsey's sur lequel il l'avait dessiné était inclus dans l'enveloppe. Le cercle en question était tremblant et mal fermé, mais, ainsi que Rosa le disait dans sa lettre, aussi rond qu'un ballon de base-ball. Sur l'unique photographie jointe, le bambin, en couche et sous-vêtements, se tenait debout à une table sur laquelle des comics étaient éparpillés. Sa frimousse était pleine, lumineuse et pâle comme la lune, son expression à la fois interrogatrice et hostile, comme si l'appareil l'effrayait.

Si Joe avait lu les missives de Rosa à mesure qu'elles arrivaient, séparées par des intervalles de plusieurs semaines ou de plusieurs mois, il eût pu se laisser abuser par la falsification de la date de naissance du petit Thomas, mais, lues toutes à la file – comme une sorte de récit linéaire – les lettres trahissaient juste ce qu'il fallait d'inconséquence dans leur décompte des mois et des jalons pour que Joe conçût des soupçons et que sa première réaction de jalousie et sa profonde perplexité devant le mariage hâtif de Rosa et de Sammy cédassent le pas à une triste compréhension. Cette correspondance évoquait des fragments d'un roman à l'ancienne : elles contenaient, non seulement une mystérieuse naissance et un mariage discutable, mais aussi deux disparitions. Au printemps de 1942, la vieille Mme Kavalier était morte dans son sommeil, à l'âge de quatre-vingt-seize ans. Et une lettre de la fin de l'été 1943, juste après l'arrivée de Joe à Cuba, rapportait enfin le destin de Tracy Bacon. L'acteur s'était engagé dans l'armée de l'air peu après avoir terminé le second feuilleton radiophonique de l'Artiste de l'évasion, *L'Artiste de l'évasion et l'Axe de la mort*, et avait été expédié aux îles Solomon. Au début juin, le bombardier Liberator dont Bacon était le copilote avait été abattu lors d'un raid aérien sur Rabaul. Au bas de cette lettre, la dernière du paquet, Sammy avait ajouté un bref post-scriptum. « Salut vieux », c'était tout ce qu'il disait.

Jusque-là Joe s'était raconté qu'il avait enfoui son amour pour Rosa dans le même trou profond où il avait déjà enseveli son chagrin pour son frère. Elle avait raison : dans le contrecoup immédiat de la mort de Thomas, il lui en avait voulu, pas seulement de l'avoir mis en relation avec Hermann Hoffman et son maudit bateau, mais aussi, plus vaguement et plus fondamentalement, de l'avoir poussé à trahir l'unité d'intention – cultiver obstinément une colère pure et inextinguible – qui avait marqué sa première année de Praguois exilé. Il avait presque abandonné le combat, permis à ses pensées de s'écarter fatalement de la bataille, s'était livré aux charmes de New York, de Hollywood et de Rosa Saks... et en avait été puni. Bien que son empressement – en réalité, sa facilité – à reprocher tout cela à Rosa soit passé avec le temps, sa résolution renouvelée et sa soif de vengeance, laquelle s'intensifiait à mesure qu'elle était sans cesse désappointée par les plans impénétrables de l'U.S. Navy, emplissaient tant son cœur qu'il croyait son amour complètement éteint, de même qu'un grand feu peut en asphyxier un plus petit en le privant d'oxygène et de combustible. En remettant la dernière lettre dans le paquet, Joe était désormais presque malade de désir pour Mrs Rosa Clay de Van Pelt Street, Midwood, à Brooklyn.

Sammy lui avait un jour parlé de la capsule enterrée à la Foire mondiale, dans laquelle des objets typiques du lieu et de l'époque – des bas en nylon, un exemplaire d'*Autant en emporte le vent*, une tasse Mickey Mouse... – avaient été enfouis dans le sol afin de pouvoir être retrouvés et admirés par les habitants d'un New York étincelant du futur. Ce jour-là, pendant qu'il lisait, du premier au dernier, ces milliers de mots que Rosa lui avait écrits, et que la voix plaintive et râpeuse de celle-ci résonnait à ses oreilles, ses souvenirs d'elle lui remontaient à la mémoire comme exhumés d'une profonde tombe intérieure. La serrure de la capsule était percée, les agrafes arrachées, la trappe ouverte, et avec une bouffée fantomatique de muguet et une envolée de papillons de nuit, il se remémora – il s'autorisa à en jouir une dernière fois – la moiteur et le poids de la cuisse de Rosa jetée en travers de son ventre par une torride nuit d'automne, son souffle sur le haut de son crâne et la pression de son sein contre son épaule alors qu'elle lui coupait les cheveux dans la cuisine de son appartement de la Cinquième Avenue, le murmure et les étincelles du quintette dit *La Truite* qui jouait en arrière-plan pendant que le riche parfum de son con, légèrement fumé comme du liège, embaumait une heure oisive dans la maison de son père. Il se rappelait le doux espoir illusoire que son amour pour elle lui avait apporté.

Après avoir fini la dernière lettre, il la remit dans son enveloppe. Il retourna à la machine à écrire de Wahoo Fleer, en tira le message qu'il y avait laissé et l'étala soigneusement sur le bureau. Puis il introduisit une feuille vierge et tapa :

À remettre à Mrs Rosa Clay de Brooklyn, États-Unis

Chère Rosa,
Ce n'était pas ta faute ; je ne t'en veux pas. Je t'en prie, pardonne-moi d'avoir fui et souviens-toi de moi avec amour comme je me souviens de toi et de notre âge d'or. Quant à l'enfant, qui ne peut être que le nôtre, j'aimerais...

Cette fois-ci, il ne savait pas comment continuer. Il était pantois devant le cours pris par son existence, par la façon dont des choses qui avaient semblé le concerner de si près – en fait, tourner autour de lui – pouvaient se révéler n'avoir absolument aucun rapport avec lui. Le nom du petit garçon, et le regard sérieux de ses grands yeux sur la photographie, touchaient à l'intérieur de Joe un point si vulnérable et si à vif qu'il voyait une sorte de danger mortel à réfléchir trop longtemps à l'enfant. Étant donné qu'il ne prévoyait pas de revenir vivant de l'expédition à Jotunheim, il se dit que le garçonnet serait bien mieux sans lui. Séance tenante, installé au bureau du défunt capitaine, il se jura au cas, improbable, où son plan tournerait mal et où il devrait se retrouver toujours en vie à la fin de la guerre, de ne jamais avoir de rapport avec personne d'autre que ce petit Américain heureux et sérieux en particulier. Il sortit la feuille de la machine à écrire, la plia et la glissa dans une enveloppe sur laquelle il tapa les mots : « À n'ouvrir également qu'après ma mort ». Il plaça son enveloppe sous celle où le capitaine Fleer avait consigné ses dernières volontés. Il rattacha le paquet de lettres et de photos de Rosa, puis les enfourna d'un coup dans la gueule de Wayne. Ensuite, il empoigna son sac de couchage et sortit regagner sa cabine radio pour voir s'il ne pouvait pas capter radio Jotunheim.

5.

Shannenhouse passa une minute à considérer le ciel sans nuages, le faible vent qui soufflait du sud-est. Ils avaient bien eu un météorologue, Brodie, mais, même de son vivant, Shannenhouse avait dédaigné ses avis, d'accord avec son vieil ami Lincoln Ellsworth[1] pour dire que nul ne pouvait prévoir le temps dans ces parages. Tant qu'on pouvait s'arracher du sol, on pouvait aussi bien voler. Il se plaignait de troubles intestinaux, et Joe devait par la suite signaler dans son rapport qu'il avait bien remarqué que Shannenhouse était un peu pâle, mais avait attribué cet état de fait à la boisson. Une fois de plus, ils remontèrent le tracteur en marche arrière jusqu'à la rampe et y accrochèrent l'avion. Cette fois-ci, le treuil fonctionna correctement ; ils remorquèrent l'appareil en surface. Pendant que Shannenhouse s'employait à chauffer les moteurs et à préparer le vol, Joe chargeait leur matériel à bord. Ils obturèrent toutes les trappes des bâtiments et firent le tour du lieu qui était leur refuge depuis ces neuf derniers mois.

– Je serai content de ficher le camp d'ici, déclara Shannenhouse. Je regrette seulement que nous n'allions pas ailleurs...

Joe s'approcha du bout de l'aile où se trouvait Huître. Dans sa hâte, Shannenhouse n'avait pas fait spécialement du bon boulot. Tanné à moitié, le cuir pendouillait un peu et plissait sur la membrure. L'aéronef tout entier avait un aspect pie, avec ses taches brun-rouge de phoque cousues sur un fond gris argent, comme s'il avait été éclaboussé de sang. À l'endroit des peaux de chien, l'avion semblait décoloré et maladif.

– C'est maintenant ou jamais, Dopey, reprit Shannenhouse, pressant une main contre son flanc.

Trente secondes plus tard, ils cahotaient et raclaient le sol aussi dentelé et brillant que du sucre d'orge. Puis quelque chose sembla

1. Explorateur polaire américain (1880-1951). (*N.d.T.*)

mettre sa main en coupe sous eux pour les emporter dans les airs. Shannenhouse poussa un hourra de cow-boy un tantinet timide.

– On ne saura jamais ce qui lui est tombé dessus, cria-t-il pour dominer le concert de basses profondes des gros cyclones jumeaux.

Joe ne fit pas de commentaire. Il n'avoua jamais à Shannenhouse que, la veille au soir, juste avant de s'étendre dans son sac de couchage, il avait brisé la barrière invisible fictive qui avait été jusque-là maintenue entre la base de Kelvinator et Jotunheim, en émettant en clair les six mots suivants à l'intention du géologue, sur une des fréquences régulièrement utilisées par Berlin pour le contacter : NOUS VENONS VOUS CHERCHER.

Il n'aurait jamais su dénouer, pour l'expliquer à Shannenhouse, le nœud gordien de pitié, de remords et de désir de torturer et de terrifier qui était à l'origine de cet avertissement. De toute façon, il eût été superflu de se donner ce mal puisque, le troisième jour de leur voyage, sous une tente dressée sur un plateau à l'abri des monts Éternité, l'appendice de Shannenhouse avait éclaté.

6.

Crachotant et traînant un long fil noir sorti de son moteur de bâbord, l'avion pie déglingué plana un moment dans le ciel à une centaine de pieds à l'ouest de Jotunheim, comme si le pilote n'en croyait pas ses yeux, comme si le glyphe de monticules allongés blottis sous la neige, la barre à disques noire du pylône radio et le drapeau cramoisi raidi par le gel avec son œil-araignée n'étaient que d'autres exemples parmi la longue kyrielle de mirages, d'avions fantômes et de châteaux de fées chimériques qui l'avaient ensorcelé au cours de son vol haché et en chicane. Ce moment d'hésitation lui coûta cher : le moteur restant cala. L'appareil piqua, remonta dans une embardée, trembla dangereusement, puis tomba, en silence et avec une surprenante lenteur, comme une pièce jetée dans un bocal d'eau. L'avion heurta le sol. Avec un chuchotement, la neige explosa. Soulevé par le nez de l'appareil alors qu'il labourait le sol, un grand voile de poudre scintillante tournoya et balaya la clairière. Les vagues de neige tourbillonnante absorbèrent et assourdirent les bruits du bois qui volait en éclats et des boulons d'acier qui se détachaient. Le silence s'approfondit, rompu seulement par un léger tic-tac de bouilloire à thé et le claquement de la toile, tandis qu'une section déchirée du revêtement du fuselage battait au vent.

Quelques instants plus tard, une tête apparut au sommet du sillon de glace et de neige raboteux que l'atterrissage en catastrophe avait accumulé le long de l'appareil. Elle était encapuchonnée, le visage caché par une étroite collerette circulaire de fourrure de carcajou.

Le géologue allemand, un certain Klaus Mecklenburg, qui avait émergé de ses quartiers solitaires pour consulter le ciel au-dessus de Jotunheim à intervalles réguliers de vingt minutes, leva la main gauche, en tendant ses doigts gantés de peau de renne. Ce geste de salut avait l'air quelque peu incongru, étant donné que, dans l'autre main, pointée sans conviction bien que plus ou moins en direction de la tête bordée de fourrure du pilote, il tenait un pistolet de service

Walther de calibre 45. Il n'avait pas fermé l'œil de cinq jours, depuis la réception du message qu'il avait identifié comme provenant de la base américaine de la Terre de Marie-Byrd, et il y avait déjà près de deux mois qu'il dormait mal. Il était ivre, camé aux amphétamines, et souffrait du syndrome du colon irritable. Gardant son arme braquée sur l'homme qui venait vers lui sur la glace, il guettait l'apparition d'autres têtes, conscient du tremblement de sa main, sachant qu'il aurait peut-être le temps de ne tirer qu'un ou deux coups avant que l'autre ne le descende.

L'Américain avait déjà réduit de moitié la centaine de mètres les séparant, avant que le géologue ne commence à se demander si l'inconnu n'était pas le seul survivant de la catastrophe. Ce dernier avançait d'un pas chancelant, en traînant la jambe droite, l'ouverture du capuchon pointée droit devant, comme s'il n'avait plus espoir d'être suivi ni rejoint. Il avait enfoui les bras dans son manteau pour avoir plus chaud et, avec son visage invisible dans le trou de fourrure de sa capuche et sa démarche saccadée d'épouvantail, la vue de ses manches qui battaient les airs effraya le géologue. C'était comme d'être traqué par un parka rempli d'os, le fantôme d'une expédition ratée. Le géologue releva son pistolet, tendit le bras et visa directement la vapeur sortant du centre de la capuche. L'Américain s'immobilisa. Son parka se mit à se plisser et à se tortiller pendant qu'il se débattait pour sortir les bras. Il venait d'enfiler ses mains dans ses poignets de manches, étendant les bras en un geste de protestation ou de supplication, quand la première balle l'atteignit à l'épaule et le fit tournoyer.

Petit, Mecklenburg avait déjà tiré des oiseaux et des écureuils, mais c'était la première fois qu'il se servait d'un pistolet, et son bras vibrait de douleur, comme s'il avait été gelé par le froid, puis fracassé par le recul de l'arme. En vitesse, avant que la souffrance, la peur et le doute sur ses actes aient pu l'arrêter, il vida le reste du chargeur. Ce n'est qu'après l'avoir vidé qu'il s'aperçut qu'il avait fait feu les yeux fermés. Quand il les rouvrit, l'Américain était planté juste devant lui. Il repoussait son cercle de fourrure ; ses cheveux et ses sourcils, humidifiés par la condensation de sa respiration à l'intérieur de la capuche, commencèrent presque aussitôt à se couvrir de givre. Étonnamment jeune malgré sa barbe, il avait un élégant visage aquilin.

– Je suis très content d'être là, proféra l'Américain en bon allemand. (Il sourit. Ce sourire dura un instant, comme tiré par un fil. L'épaule du parka présentait un trou noir bien net.) Le vol n'a pas été facile...

Il renfila son bras droit dans le parka et tâtonna un moment. Quand la main réapparut, elle tenait un pistolet automatique. L'Américain leva alors son arme à hauteur de la poitrine, comme pour tirer vers le ciel, puis son bras se contracta. Le géologue recula d'un pas, se cuirassa et se jeta sur l'Américain pour essayer de le désarmer. Au même moment, il se rendait compte qu'il avait dû mal interpréter la situation, que l'Américain était en train de jeter son pistolet, que ses airs débonnaires, voire mélancoliques, n'étaient pas une ruse machiavélique, mais juste le soulagement, hébété et vacillant, de quelqu'un qui avait survécu à une épreuve et était simplement, ainsi qu'il l'avait donné à entendre, content d'être en vie. Tout à coup, Mecklenburg eut un vif regret de sa conduite, car c'était un homme paisible et érudit qui avait toujours déploré la violence. Qui plus est, il aimait et admirait les Américains, en ayant connu un assez grand nombre au cours de sa carrière scientifique. Individu sociable, il avait failli mourir de solitude le mois précédent. Et voilà qu'un garçon lui était tombé du ciel, un jeune homme intelligent et capable, avec qui il eût pu discuter, en allemand s'il vous plaît, de Louis Armstrong et de Benny Goodman, et voilà que lui, Mecklenburg, lui avait tiré dessus – il avait même vidé son chargeur – en ce lieu où le seul espoir de survie, comme il l'avait si longtemps défendu, était une coopération amicale entre les nations.

Un carillon en do dièse tinta dans ses oreilles ; avec une étrange sensation de soulagement, il sentit ses boyaux se vider dans son pantalon. L'Américain le rattrapa dans ses bras, l'air très surpris, triste et seul. Le géologue ouvrit la bouche. Une boule de salive gela sur ses lèvres. Quel hypocrite j'ai été ! songea-t-il.

Joe mit près d'une demi-heure pour traîner l'Allemand sur dix des vingt mètres qui les séparaient de l'écoutille de Jotunheim. C'était une terrible dépense d'énergie et de volonté, mais il avait la certitude de trouver des fournitures médicales à l'intérieur de la base et était déterminé à sauver la vie de celui pour qui, à peine cinq jours plus tôt, il était parti traverser mille trois cents kilomètres de glace inutilisable afin de le tuer. Il avait besoin de benjoin, de coton hydrophile, de pinces hémostatiques, d'une aiguille et de fil. Il avait également besoin de morphine, de couvertures et des flammes rougeoyantes d'un gros poêle allemand. L'horreur et la fragrance de la vie, de la vie rouge et fumante, dégagées par la traînée de sang de l'Allemand sur la neige, était un reproche pour Joe. Le reproche de quelque chose de beau et d'estimable, comme l'innocence, que la banquise l'avait poussé à trahir. En cherchant à se venger, il s'était allié avec la banquise, avec cette topographie blanche sans fin, avec les dents de scie et les crevasses de la mort. Rien de ce qui lui était déjà arrivé, pas plus la mise à mort d'Huître que le pitoyable dernier soupir de

John Wesley Shannenhouse, ni la mort de son père, ni l'internement de sa mère et de son grand-père, pas même la noyade de son cher petit frère, ne lui avaient brisé le cœur aussi effroyablement que la prise de conscience, à mi-chemin de l'écoutille en zinc givrée de la base allemande, qu'il tirait un cadavre derrière lui.

7.

Les revendications territoriales allemandes sur les régions situées en bordure de la mer de Weddell ont été émises pour la première fois, à titre officieux, dans le sillage de l'expédition de Filchner de 1911-1913. Battant l'aigle des Hohenzollern, le *Deutschland*, sous le commandement du savant et explorateur arctique Wilhelm Filchner, s'était enfoncé dans cette mer cruelle plus au sud qu'aucun navire antérieur, en se frayant un chemin dans l'embâcle semi-permanente jusqu'à ce qu'il eût atteint l'immense, infranchissable barrière de la banquise. Le *Deutschland* avait alors viré à l'ouest et parcouru plus de cent milles, sans trouver la moindre brèche ou point d'accès dans les falaises à pic de la banquise qui porte aujourd'hui le nom de Filchner. Invariablement, les explorateurs donnent leur nom aux lieux qui les obsèdent ou les tuent.

À quelques semaines seulement de la fin de la saison, l'équipage finit par trouver un endroit, une fissure dans la banquise, où le niveau du plateau tombait à pic à guère plus de un ou deux mètres au-dessus de celui de la mer. L'on planta rapidement une demi-douzaine d'ancres des glaces dans le rivage de cette crique, que les explorateurs baptisèrent baie du Kaiser Wilhelm II, et l'on déchargea des caisses pour la construction d'une base hivernale. Les Allemands choisirent un site à quelque cinq kilomètres à l'intérieur des terres pour la construction du baraquement, auquel ils donnèrent le nom plutôt prétentieux d'Augustaburg, et se préparèrent à rester tapis dans la plus méridionale des colonies allemandes jusqu'au printemps. Une suite de violentes secousses de la banquise, dont certaines durèrent près d'une minute, et la séparation consécutive, à laquelle assista l'équipage terrifié et assourdi du *Deutschland*, d'un iceberg colossal à quelques milles à l'est du bateau, mit brutalement un terme à leurs projets. Après une semaine d'inquiétude, vouée à se demander s'ils allaient partir à la dérive et à discuter de cette éventualité, ils abandonnèrent le campement, retournèrent au bateau et mirent le cap au nord pour rentrer. Ils furent cernés presque immédiatement et passèrent l'hiver broyés par les molaires de la mer de Weddell, avant qu'un réchauffement du temps et le dégel ne les libèrent et ne les renvoient cahin-caha chez eux.

C'est dans le camp de base déserté par cette expédition que Josef Kavalier, opérateur radio seconde classe, fut retrouvé par le brise-glace de la marine américaine, le *William Dyer*. En contact intermittent avec le navire grâce à un poste émetteur portable, il avait pu donner des relevés plus ou moins exacts de sa position. Le capitaine de corvette Frank J. Kemp, qui commandait le *Dyer*, nota dans son journal de bord que le jeune homme avait traversé des épreuves considérables dans les trois dernières semaines, puisqu'il avait survécu à deux longs vols en solitaire entrepris avec des compétences de pilotage assez limitées et un moribond pour navigateur, à un atterrissage en catastrophe, une blessure par balle à l'épaule et une marche de quinze kilomètres, malgré une fracture à la cheville, pour rallier cette ville fantôme d'Augustaburg.

Dans ce baraquement, notait encore le capitaine Kemp, le pauvre garçon avait vécu de conserves de viande et de biscuits vieux de trente ans, avec pour seule compagnie la radio et un pingouin mort parfaitement conservé. Il souffrait des effets du scorbut, d'engelures, d'anémie et d'une blessure superficielle mal guérie, que seul le climat de l'Antarctique, peu favorable aux microbes, avait empêché de s'infecter, peut-être mortellement. Selon le médecin du bord qui l'examina, il avait également utilisé deux boîtes et demie de morphine vieilles de trente ans. Il affirma être parti seul de la base allemande, avoir rampé la dernière partie du chemin, sans aucune intention d'aller nulle part, parce qu'il ne pouvait plus supporter d'être à côté du corps de celui qu'il avait abattu et tué, et être tombé par hasard sur Augustaburg juste au moment où ses dernières forces le trahissaient. Transporté à la base de la baie Guantánamo, il resta sous observation psychiatrique, sur décision de la cour martiale, jusque peu avant le jour de la Victoire.

Ses déclarations, selon lesquelles il aurait tué l'unique occupant ennemi d'une base antarctique allemande à quelque cent vingt kilomètres à l'est du baraquement où il avait été retrouvé, furent confirmées après enquête. Malgré certaines questions soulevées par son comportement et sa façon de traiter l'affaire, l'enseigne Kavalier se vit décerner la Distinguished Service Cross de la Marine.

En août 1977, un énorme bloc de la banquise de Filchner, large de soixante-quatre kilomètres sur quarante de profondeur, se détacha du reste et un gigantesque iceberg dériva vers le nord dans la mer de Weddell, emportant avec lui à la fois le baraquement et les vestiges du rêve polaire allemand, enfouis à quelque quinze kilomètres de distance. Cet événement mit brutalement un terme au tourisme d'Augustaburg. Le Baraquement de Filchner était devenu une étape obligée pour les touristes intrépides qui commençaient juste alors à braver les eaux de la mer de Weddell, obstruées par les glaces flottantes. Les gens entraient à pas pesants avec leurs guides pour se mettre à l'abri du vent et examinaient respectueusement les piles de boîtes vides aux étiquettes vieillottes de la Belle Époque, les cartes, les skis et les fusils abandonnés, les supports de vases à bec et d'éprouvettes inutilisées, le pingouin congelé, tué à seules fins d'examen mais jamais disséqué, qui veillait éternellement sous un portrait du Kaiser. Peut-être méditaient-ils la résistance de ce monument à un fiasco, ou la dignité poignante que le temps pouvait conférer aux détritus humains. Ou encore peut-être se demandaient-ils si les pois et les groseilles des boîtes bien alignées sur les étagères étaient toujours comestibles et quel goût pouvait bien être le leur. Certains s'attardaient un moment afin de tenter de comprendre un dessin énigmatique qui reposait sur l'établi ; réalisé aux crayons de couleur, complètement gelé, celui-ci avait un peu souffert d'avoir été jadis plié et replié. Visiblement l'œuvre d'un enfant, il semblait représenter un bonhomme en smoking qui tombait de la soute d'un avion. Bien que son parachute fût tout à fait hors d'atteinte, le bonhomme souriait et se servait une tasse de thé dans un élégant service à thé lui aussi en chute libre, comme s'il oubliait sa situation, ou comme s'il croyait avoir tout le temps du monde avant de s'écraser au sol.

Sixième partie

La Ligue de la clef d’or

1.

Quand Sammy entra afin de réveiller Tommy pour le collège, il trouva l'adolescent déjà debout, en train de poser avec son bandeau sur les yeux devant le miroir de la chambre. Le mobilier, un ensemble acheté chez Levitz – lit, coiffeuse, le miroir en question et une étagère munie de tiroirs –, avait un thème nautique : la cloison du fond du rayonnage était tendue d'une carte de navigation des Outer Banks, les poignées en cuivre des tiroirs avaient la forme des roues d'un gouvernail, le miroir était orné d'une grosse haussière. Le bandeau ne paraissait donc pas du tout déplacé. Tommy testait sur lui diverses formes de rictus de pirate.

– Tu es levé ? s'écria Sammy.

Tommy sursauta. Enfant, il avait toujours été facile à effrayer. Il remonta le bandeau sur ses cheveux noirs ébouriffés et se retourna en piquant un fard. Il était en pleine possession de ses deux yeux, qui étaient d'un bleu lumineux, avec les paupières inférieures légèrement bouffies. En réalité, il n'y avait absolument rien qui clochait dans sa vision. Son cerveau était une énigme pour Sammy, mais ses yeux ne posaient aucun problème.

– J'ignore ce qui s'est passé, répondit Tommy. Je ne sais pas pourquoi mais je me suis réveillé...

Il fourra le bandeau dans la poche de son haut de pyjama, lequel était imprimé de fines rayures rouges et de petits écussons bleus. Sammy, lui, portait un modèle à écussons rouges et fines rayures bleues. C'était l'idée de Rosa d'encourager un lien de famille entre le père et le fils. Comme en conviendront tous ceux qui ont porté des pyjamas assortis, c'était étonnamment efficace.

– C'est inhabituel, remarqua Sammy.

– Je sais.

– D'habitude, je dois mettre à feu une charge de dynamite pour te faire lever.

– C'est vrai.

– Tu ressembles à ta mère à cet égard. (Rosa était toujours couchée, ensevelie sous une avalanche d'oreillers. Elle souffrait d'insomnie et réussissait rarement à s'endormir avant trois ou quatre heures du matin, mais une fois qu'elle avait sombré, il était pratiquement impossible de la réveiller. C'était à Sammy de chasser Tommy de la maison les matins de classe.) En fait, la seule fois où tu te lèves tout seul de bonne heure, poursuivit Sammy, laissant une note accusatrice percer insidieusement dans sa voix, c'est pour un truc comme ton anniversaire. Ou quand nous partons en voyage...

– Ou si je dois avoir une piqûre, ajouta gentiment Tommy. Chez le médecin.

– Ou... (Sammy était pendu au montant de la porte, à moitié dans la pièce, à moitié hors de celle-ci, mais il fit alors quelques pas pour venir se planter derrière Tommy. Il éprouva une impulsion, celle de poser sa main sur l'épaule du jeune garçon, de l'y laisser peser du poids de celle d'un père, mais il se contenta finalement de croiser les bras et de contempler le reflet du visage grave de Tommy dans le miroir. Cela peinait Sammy de le reconnaître, mais il n'était plus à l'aise en présence du gamin, qu'il était obligé et ravi d'appeler son fils depuis douze ans. Tommy avait toujours été un petit garçon docile et éveillé, au visage lunaire, mais ces derniers temps, tandis que ses cheveux châtains et soyeux se transformaient en boucles noires en fil de fer et que son nez volait audacieusement de ses propres ailes, il commençait à se former autour des traits de son visage certaines imperfections qui promettaient d'évoluer en pure beauté. Il dépassait déjà sa mère et était presque aussi grand que Sammy. Il prenait plus de poids et de volume dans la maison, avait des gestes inattendus et dégageait des odeurs inconnues. Malgré lui, Sammy restait en retrait, cédait du terrain, évitait Tommy.) Tu n'as rien de... prévu pour aujourd'hui ?

– Non, papa.

Il était facétieux.

– Pas de virée chez l'« oculiste » ?

– Hi ! hi ! hi ! répondit le jeune garçon, plissant son nez constellé de taches de rousseur en une servile simulation du rire. D'accord, papa.

– D'accord pour quoi ?

– Enfin, je ferais mieux de m'habiller. Je vais être en retard au collège.

– Parce que si tu l'étais...

– Je ne le suis pas.

– Si tu l'étais, je serais forcé de t'enchaîner à ton lit. Tu en es conscient ?

– Mon Dieu, je jouais seulement avec un bandeau...

– Très bien.

– Je ne faisais rien de mal...

Sa voix entoura ce dernier mot de points d'interrogation.

– Je suis content de l'entendre, acquiesça Sammy. (Il ne croyait pas Tommy, mais tentait de cacher ses doutes. Il n'aimait pas heurter le gamin de front. Sammy travaillait cinq longues journées par semaine au bureau et rapportait encore du travail à la maison pour le week-end. Il ne supportait pas de gaspiller en disputes les brèves heures qu'il passait avec Tommy. Il regrettait que Rosa ne soit pas réveillée pour pouvoir lui demander quoi faire du bandeau. Il empoigna la tignasse de Tommy et, en un hommage inconscient à l'un des tics parentaux préférés de sa mère, secoua vigoureusement la tête de Tommy d'un côté à l'autre.) Ta chambre est pleine de jouets et, toi, tu joues avec un masque à dix cents de chez Spiegelman !

Capitaine aux jambes arquées de son étrange frégate personnelle, Sammy suivit le couloir à pas de loup en se grattant les fesses pour aller préparer le petit déjeuner de Tommy. C'était un petit sabot assez pimpant, leur maison de Bloomtown. Son acquisition avait succédé à une série d'investissements peu judicieux dans les années 1940 : entre autres, l'agence de publicité Clay Associates, l'école de rédaction de périodiques Sam Clay et un appartement à Miami Beach pour la mère de Sam, où elle était décédée d'un anévrisme cérébral après onze jours de retraite boudeuse et qui fut alors revendu – six mois après son achat – considérablement à perte. Le dernier noyau irréductible qui restait des jours glorieux à Empire Comics avait tout juste suffi à payer un acompte ici, à Bloomtown. Et Sammy avait longtemps aimé la maison comme un homme était censé aimer son bateau. C'était le seul souvenir tangible de son court succès et de loin la meilleure chose qui soit jamais sortie de son argent.

La banlieue résidentielle de Bloomtown avait été annoncée en 1948, à coups de réclames dans *Life*, le *Saturday Evening Post* et tous les grands journaux new-yorkais. Un cottage Cape Cod[1] quatre pièces entièrement fonctionnel, jusqu'aux bouteilles de lait tintant dans le réfrigérateur, avait été construit sur le sol du hall d'exposition d'un ancien concessionnaire Cadillac, non loin de Columbus Circle. Les jeunes ménages du Nord-Est qui tiraient le diable par la queue – les blancs, du moins – furent conviés à visiter le Pavillon idéal de Bloomtown, à faire le tour du pays de Bloomtown et à découvrir

1. Maison rectangulaire de plain-pied ou d'un étage et demi, avec un toit à pignons. (*N.d.T.*)

comment toute une ville de soixante mille habitants devait être implantée au milieu des champs de pommes de terre situés à l'ouest d'Islip. Une ville de pavillons modestes, abordables, chacun avec son garage et sa cour privative. Toute une génération de jeunes pères et de jeunes mères élevés dans les escaliers étroits et les logements exigus des quartiers rouille et brique de New York, entre autres Sammy Clay, se précipita pour actionner les commutateurs électriques modèles, rebondir sur les matelas également modèles et s'étendre un moment dans la chaise longue en métal moulé installée sur la pelouse en Cellophane, le menton levé vers le ciel pour profiter des rayons imaginaires du soleil de banlieue de Long Island. Ils poussèrent un soupir et sentirent que l'un des plus profonds désirs de leur cœur n'allait pas tarder à être satisfait. Leurs familles étaient des phénomènes chaotiques, bruyants et dérangés, alimentés par la fureur et les exigences de leur attitude de crâneurs et, étant donné que c'était vrai aussi de New York même, il était difficile de ne pas croire qu'un carré d'herbe verte et un plan de niveau rationnel contribueraient éventuellement à apaiser les paquets discordants de nerfs à vif qu'ils sentaient qu'étaient devenus leurs proches. Beaucoup, entre autres encore Sammy Clay, tendirent la main vers leur chéquier et réservèrent un des cinq cents lots qui devaient être bâtis dans la phase initiale de construction.

Des mois plus tard, Sammy avait toujours dans son portefeuille la carte qui avait été jointe à la liasse des documents de vente et sur laquelle il était simplement écrit :

FAMILLE CLAY
127 LAVOISIER DRIVE
BLOOMSTOWN, ÉTAT DE NEW YORK, U.S.A.

(Toutes les rues du voisinage portaient le nom d'éminents scientifiques et inventeurs.)

Ce sentiment de fierté s'était dissipé depuis longtemps. Sammy ne prêtait plus beaucoup attention à son Cape Cod personnel, le numéro 2 ou modèle Penobscott, avec fenêtre en saillie et belvédère de la taille d'un minigolf. Il adopta envers celui-ci la même politique qu'envers sa femme, son travail et sa vie amoureuse. Tout n'était qu'habitude. Les routines du train de banlieue, de l'année scolaire, des programmes de publication, des vacances d'été et du calendrier régulier des humeurs de sa femme l'avaient immunisé contre les charmes et les tourments de son existence. Seule sa relation avec Tommy, malgré le récent et léger refroidissement de l'ironie et de la distance, demeurait imprévisible, vivante. Empreinte de regret et de plaisir. Quand ils passaient une heure ensemble à imaginer un univers sur un bout de feuille volante ou à jouer au All-Star Baseball d'Ethan Allen[1], c'était invariablement l'heure la plus heureuse de la semaine de Sammy.

En entrant dans la cuisine, il fut surpris de trouver Rosa attablée devant une tasse d'eau bouillante. À la surface de l'eau flottait le canoë d'une rondelle de citron.

– Que se passe-t-il ? s'exclama Sammy, faisant couler de l'eau dans la cafetière émaillée. Tout le monde est levé.

– Oh ! je ne me suis pas couchée de la nuit, répondit gaiement Rosa.

– Tu n'as pas fermé l'œil ?

– Pas que je me souvienne. Mon cerveau s'est emballé.

– Tu es arrivée à quelque chose ?

Dans deux jours, Rosa devait livrer une histoire pour *Kiss Comics*. Elle avait beau être la deuxième illustratrice du métier (Sammy devait tirer son chapeau à Bob Powell), elle remettait toujours tout au lendemain. Il avait renoncé depuis longtemps à essayer de la sermonner sur ses habitudes de travail. Il n'était son patron que de nom ; ils avaient réglé cette question bien des années auparavant, la première fois que Rosa était venue travailler pour lui, au bout d'une série d'escarmouches longue d'un an. Maintenant ils formaient, plus ou moins, un tout. Quiconque recourait à Sammy pour publier sa ligne de comics savait qu'il aurait droit également aux précieux services de Rosa Saxon, le nom d'artiste de sa femme.

– J'ai deux ou trois idées, répliqua-t-elle d'un ton prudent.

Toutes les idées de Rosa paraissaient mauvaises, au début ; elles constituaient toujours une adaptation d'un mélange complexe de rêves, d'articles de journaux à sensation et de choses qu'elle glanait dans les revues féminines, et elle était nulle pour les expliquer. Il était fascinant de voir comment elles émergeaient sous les formes aguichantes et topiaires de son crayon et de son pinceau.

– Un truc sur la bombe A ?

– Comment l'as-tu deviné ?

– Je me trouvais par hasard dans la chambre avec toi quand tu as parlé à haute voix dans ton sommeil, répondit-il. J'essayais bêtement de dormir.

– Désolée.

Sammy cassa une demi-douzaine d'œufs dans un saladier, les arrosa de lait, saupoudra le tout de sel et de poivre. Il rinça une des

1. Ethan Allen (1738-1789), soldat sécessionniste, prit Fort Ticonderoga avec les Green Mountain Boys. Revendiquant le droit à la liberté (*a Right to Liberty*), il se battit pour le Vermont et contre les New-Yorkais. (*N.d.T.*)

coquilles d'œuf et la lança dans la cafetière posée sur le fourneau. Puis il versa les œufs dans une poêle pleine de beurre fumant. Les œufs brouillés étaient sa seule spécialité, mais il s'en tirait très bien. Il ne fallait pas y toucher, c'était là le secret. La plupart des gens restaient plantés à les remuer, mais la marche à suivre, c'était de les laisser reposer une minute ou deux à petit feu et de ne pas les agiter plus d'une demi-douzaine de fois. Parfois, pour changer, il ajoutait des tranches de salami frit. C'était ainsi que Tommy les aimait.

– Il portait encore son bandeau, l'informa Sammy, tâchant de ne pas trop insister. Je l'ai vu en train de l'essayer.

– Oh, mon Dieu !

– Il m'a juré qu'il ne mijotait rien.

– Tu l'as cru ?

– J'imagine. J'imagine que j'ai préféré. Mais où est le salami ?

– Je l'ai mis sur ma liste. Je vais à l'épicerie aujourd'hui.

– Il faut que tu finisses ton histoire.

– C'est bien ce que je compte faire. (Elle avala bruyamment une gorgée de son citron chaud.) Il prépare un coup, c'est sûr.

– Tu penses ?

Sammy attrapa le beurre de cacahuètes et sortit la gelée de raisin du Frigidaire.

– Je ne sais pas, mais je le trouve un peu nerveux.

– Il est toujours nerveux.

– Autant que je l'accompagne au collège, puisque je suis levée de toute façon. (Il était beaucoup plus facile à Rosa de commander son fils qu'à Sammy. Elle semblait loin d'accorder autant de réflexion à cette question. Elle croyait important d'avoir confiance en ses enfants, de leur lâcher la bride de temps en temps, de leur laisser leur libre arbitre. Mais quand, comme c'était souvent le cas, Tommy trahissait cette confiance, elle n'hésitait pas à lui serrer la vis. Et Tommy ne paraissait jamais s'offusquer de ses mesures de discipline alors qu'il se braquait au moindre reproche de Sammy.) Tu sais, pour m'assurer qu'il va en cours...

– Tu ne vas quand même pas m'accompagner au collège, protesta Tommy. (Il entra dans la cuisine, s'assit devant son assiette et la contempla, attendant que Sammy la remplisse d'œufs brouillés.) Maman, tu ne peux pas faire ça ! J'en mourrais de honte. J'en mourrais vraiment...

– Il en mourrait, répéta Sammy à Rosa.

– Ce qui serait très gênant pour moi, ironisa Rosa. Me retrouver avec un cadavre devant le lycée William Floyd.

– Et si c'était moi qui l'accompagnais plutôt ? Ça ne représente qu'un détour de dix minutes.

En général, Sammy et Tommy se disaient au revoir au portail de devant, avant de partir dans des directions opposées, l'un pour la gare, l'autre pour le lycée. Du cours préparatoire au cours moyen deuxième année, ils s'étaient séparés sur une poignée de main, mais cette habitude, un cher petit jalon de la journée de Sammy depuis cinq ans, avait été apparemment abandonnée pour de bon. Sammy ne savait pas pour quelle raison, ni qui avait pris la décision de l'abandonner.

– De cette façon tu peux rester ici et, tu sais, illustrer mon histoire...

– C'est peut-être une bonne idée.

Sammy versa délicatement la pâtée fumante de beurre et d'œufs dans l'assiette de Tommy.

– Désolé, dit-il. Il n'y a plus de salami.

– Tout s'explique, commenta Tommy.

– Je vais l'ajouter à ma liste, s'excusa Rosa.

Ils demeurèrent un moment silencieux, Rosa sur sa chaise derrière sa tasse et Sammy planté devant le plan de travail avec une tranche de pain à la main, à regarder Tommy s'empiffrer. Il avait un bon coup de fourchette, Tom. Le petit garçon maigre comme une allumette avait disparu sous un manteau de muscle et de graisse ; il avait l'air un peu imposant, en fait. En trente-sept secondes, les œufs s'étaient volatilisés. Tommy leva les yeux de son assiette.

– Pourquoi tout le monde me regarde ? s'écria-t-il. Je n'ai rien fait !

Rosa et Sammy éclatèrent de rire. Puis Rosa cessa de rire et se concentra sur son fils. Elle louchait toujours un petit peu quand elle disait ce qu'elle avait à dire.

– Tom, commença-t-elle. Tu n'avais pas l'intention de retourner en ville ?

Tommy secoua la tête.

– Je vais t'accompagner, déclara Sammy.

– En voiture alors, lança Tommy. Si tu ne me crois pas.

– Pourquoi pas ? répliqua Sammy. (S'il prenait la voiture pour aller à la gare, Rosa ne risquait pas de rouler jusqu'à l'épicerie ou la plage ou encore la bibliothèque, « en quête d'inspiration ». Il y avait plus de chances qu'elle reste à la maison pour dessiner.) Je pourrais aussi bien descendre en ville avec. Ils ont ouvert un nouveau parking au coin de la rue.

Rosa leva les yeux, effrayée.

– Descendre en ville en voiture ?

Laisser leur automobile, une Studebaker Champion de 1951, à la gare n'était pas une précaution suffisante. Tout le monde savait que

Rosa était allée la chercher à pied à la gare afin de pouvoir circuler dans Long Island pour faire autre chose que dessiner des illustrés à l'eau de rose.

– Laisse-moi le temps de m'habiller. (Sammy tendit sa tranche de pain à Rosa.) Tiens, ajouta-t-il, prépare son déjeuner.

2.

Palabres du petit déjeuner à l'Excelsior Cafeteria de la Deuxième Avenue, un des repaires matinaux préférés des auteurs de bandes dessinées, vers avril 1954 :

– C'est un canular.

– C'est ce que je viens de dire.

– Quelqu'un fait marcher Anapol.

– C'est peut-être Anapol...

– Je ne le blâmerais pas s'il voulait vraiment se jeter du haut de l'Empire State Building. J'entends dire qu'il rencontre toutes sortes de problèmes là-bas.

– Moi aussi je rencontre toutes sortes de problèmes. Tout le monde rencontre toutes sortes de problèmes. Je vous défie de me citer une maison qui n'a pas ses problèmes. Et ça n'ira qu'en empirant...

– C'est ce que tu dis toujours. Écoute-toi. Écoutez-moi ce gars, il me tue. On dirait une station-service qui servirait de la tristesse. Je passe dix minutes à l'écouter et je repars avec un plein de tristesse qui me dure toute la journée...

– Moi, je vais te dire qui est une pompe à tristesse. Le docteur Fredric Wertham. Tu as lu son bouquin ? Quel est son titre, déjà ? « Comment séduire un innocent » ?

Des rires sonores saluèrent cette boutade. Les clients des tables voisines se retournèrent pour les regarder. Il n'y avait pas de doute. Les rires avaient été un peu trop sonores pour cette heure matinale et l'état de leurs gueules de bois.

Depuis plusieurs années, le docteur Fredric Wertham, pédopsychiatre doté de références irréprochables et d'un sens du scandale bien mérité, essayait de convaincre les parents et les législateurs d'Amérique que les esprits des petits Américains étaient gravement lésés par la lecture des comic books. Avec la récente publication de l'admirable, encyclopédique mais spécieux *Séduction de l'innocence*, les efforts du docteur Wertham avaient commencé à porter leurs fruits : les demandes de réglementation ou les franches interdictions s'étaient multipliées. Dans plusieurs villes du Sud et du Midwest, les autorités locales avaient même patronné des autodafés de comics, dans lesquels des foules souriantes de petits Américains à l'esprit lésé avaient allégrement jeté leurs collections.

– Non, je ne l'ai pas lu. Tu l'as lu, toi ?

– J'ai essayé. Il me tape sur le système.

– Est-ce que quelqu'un l'a lu ?

– Estes Kefauver, lui, l'a lu. Quelqu'un a déjà reçu une citation à comparaître ?

À l'heure qu'il était, le bruit courait que le sénat des États-Unis mettait le paquet. Le sénateur du Tennessee, Kefauver, et sa sous-commission de la délinquance juvénile avaient décidé d'ouvrir une enquête officielle sur les scandaleuses accusations lancées par Wertham dans son livre : à savoir que la lecture des comics menait directement aux comportements asociaux, à la toxicomanie, à la perversion sexuelle et même au viol et au meurtre.

– Voilà ! Ce gars a peut-être reçu une citation. Le gars de l'Empire State Building. Et c'est pour cette raison qu'il va sauter dans le vide.

– Tu sais qui ce pourrait être ? Ça vient de me traverser l'esprit. Si ce n'est pas un canular, je veux dire. Mince ! même si c'en est un. En fait, si c'est lui, c'est certainement un canular.

– Qu'est-ce que c'est ? un jeu radiophonique ? Dis-nous qui c'est.

– Joe Kavalier.

– Joe Kavalier. Mais oui ! C'est exactement à lui que je pensais...

– Joe Kavalier ! Qu'est-ce que ce gars est devenu ?

– On m'a dit qu'il était au Canada. Quelqu'un l'a vu là-bas.

– Mort Meskin l'a aperçu aux chutes du Niagara.

– Moi, j'ai entendu dire que c'était au Québec.

– C'était Mort Segal, pas Meskin. Il y a passé sa lune de miel.

– Je l'ai toujours bien aimé.

– C'était un dessinateur du tonnerre !

La demi-douzaine d'auteurs attablés au fond de l'Excelsior ce matin-là, avec leurs bagels, leurs œufs mollets et leur café noir fumant dans des tasses au bord souligné d'une rayure rouge – Stan Lee, Frank Pantaleone, Gil Kane, Bob Powell, Marty Gold et Julius Grovsky – tombèrent d'accord pour dire qu'avant-guerre Joe Kavalier était un des meilleurs du métier. Ils trouvaient tous que la manière dont lui et son associé avaient été traités par les propriétaires d'Empire était lamentable, bien que courante. La majorité des garçons pouvaient raconter une anecdote, un exemple de comportement bizarre ou excentrique de la part de Kavalier, mais même ajoutées les unes aux autres ses frasques ne semblaient à aucun d'entre eux prédire un acte aussi inconsidéré et désespéré qu'un saut de la mort.

– Et son vieil associé ? lança Lee. Je l'ai croisé ici, il y a deux jours. Il avait l'air sacrément déprimé.

– Sammy Clay ?

– Je ne le connais pas très bien. Nous avons toujours eu des rapports amicaux. Il n'a jamais travaillé pour nous, mais...

– Il a travaillé pour toutes les autres boîtes.

– Quoi qu'il en soit, notre lascar n'avait pas l'air bien. Et il ne s'est même pas arrêté pour me dire bonjour...

– Il n'est pas heureux, intervint Glovsky. Ce vieux Sam ! C'est juste qu'il n'est pas très heureux chez Pharaoh.

Glovsky dessinait la B.D. violente *Mack Granite* qui paraissait dans *Brass Knuckle*[1] de Pharaoh.

– Franchement, il n'est jamais heureux nulle part, déclara Pantaleone.

Tout le monde en convint. Tous connaissaient plus ou moins l'histoire de Sammy. Il était revenu dans le milieu de la bande dessinée en 1947, après avoir échoué dans toutes ses autres entreprises. Sa première défaite avait eu lieu dans la publicité, chez Burns, Baggot & DeWinter. Il s'était débrouillé pour partir juste avant qu'on ne lui demande de donner sa démission. Là-dessus, il avait tenté de se mettre à son compte. Lorsque sa boutique de réclame avait dûment rendu l'âme dans l'indifférence générale, Sammy avait retrouvé du travail dans la presse, en vendant des mensonges bien documentés à *True* et à *Yankee*, ainsi qu'une nouvelle miraculeuse à *Collier's* – elle racontait la visite d'un jeune infirme à un établissement de bains de vapeur en compagnie de son hercule de père, avant la guerre –, avant de s'encroûter dans des maisons de périodiques de troisième catégorie et ce qui restait des pulps jadis puissants.

Dès le début, Sammy avait eu régulièrement des propositions de ses vieux complices de la bande dessinée, dont certains étaient assis à cette table au fond de l'Excelsior, et les avait toujours déclinées. Il était un romancier épique – une noble vocation, après la guerre – et même si sa carrière littéraire n'avançait pas aussi vite qu'il l'eût souhaité, il avait au moins la garantie de ne pas reculer. Il jurait à qui voulait l'entendre, et même sur la tombe alors fraîche de sa mère, qu'il ne reviendrait jamais aux comic books. Tous ceux qui avaient rendu visite aux Clay s'étaient vu montrer un brouillon ou un autre de son livre informe et incohérent. De jour, il écrivait des articles sur la psittacose et la proustite pour *Bird Lover* et *Gem and Tumbler*[2]. Il tâta de l'écriture industrielle et avait même rédigé une maquette de catalogue pour le compte d'une société de graineterie. Le paiement

1. « Coup-de-poing américain ». (*N.d.T.*)
2. « Amoureux des oiseaux » et « Gemme et Gorge de serrure ». (*N.d.T.*)

était le plus souvent au lance-pierres, les heures longues. Sammy était à la merci d'éditeurs dont l'aigreur, comme il disait, donnait à George Deasey des airs de Deanna Durbin[1]. Puis, un jour, il apprit que Gold Star, éditeur aujourd'hui oublié de comics de Lafayette Street, créait un poste de rédacteur. La ligne de produits était en déliquescence et peu originale, le tirage faible et la paie loin d'être mirifique, mais le poste, s'il le prenait, lui donnerait au moins de l'autorité et une marge de manœuvre. L'école d'écriture par correspondance de Sammy n'avait recruté que trois élèves, dont un habitait à Guadalajara, au Mexique, et ne parlait presque pas anglais. Sammy avait des factures, des dettes et une famille. Quand le boulot de Gold Star se présenta, il avait enfin jeté l'éponge sur ses vieux rêves encore dans l'œuf.

– Non, tu as raison, abonda Kane. Il n'a jamais été heureux nulle part.

Bob Powell se pencha en avant et baissa la voix.

– J'ai toujours pensé qu'il avait l'air un peu... vous savez...

– Je suis d'accord avec toi, le coupa Gold. Il a un truc avec les assistants. C'est comme une obsession chez lui. Vous l'avez remarqué ? Il reprend un personnage. La première chose qu'il fait, il donne au gars un petit copain. Après être revenu dans la profession, il était à Gold Star, en train de travailler à l'Étalon fantôme. Tout d'un coup, l'Étalon se balade avec ce gosse. Comment s'appelait-il ? Buck quelque chose...

– Buck Naked.

– Non, Buckskin[2]. Le jeune bandit armé. Ensuite, il va chez Olympic et devinez quoi ? Voilà que le Lumberjack a son Timber Lad. Le Rectifier, lui, trouve Little Mack, le Boy Enforcer[3].

– Le Rect... ifier, ça sonne déjà un petit peu...

– Après il entre chez Pharoah. Tout à coup, c'est l'Argonaute et Jason. Le Loup solitaire et Louveteau. Seigneur ! il a même donné un partenaire au Loup solitaire !

– Ouais, les gars, mais il a embauché chacun de vous à un moment ou un autre, pas vrai ? fit remarquer Lee, qui regarda Marty Gold. Il t'a été très fidèle au fil des ans, Gold, Dieu seul sait pourquoi.

– Hé ! fermez-la, lança Kane. Le voilà qui franchit la porte.

Sam Clay pénétra dans la moiteur étouffante des chauffe-plats à vapeur de l'Excelsior. On le héla de la table du fond. Avec une certaine hésitation, il répondit par un signe de tête et un geste de la

1. Deanna Durbin, célèbre chanteuse canadienne née en 1921, qui fut vedette adolescente. (*N.d.T.*)

2. « Mâle-à-poil » et « Peau-de-daim », sobriquet d'un broussard du Sud. (*N.d.T.*)

3. « Bûcheron », l'« Apprenti », le « Redresseur », « P'tit Imper », le « P'tit Applicateur ». (*N.d.T.*)

main, comme si, ce matin-là, cela ne lui disait pas grand-chose de les rejoindre. Mais après avoir payé son ticket pour un café et un beignet, il se dirigea vers eux, la tête légèrement baissée comme le bouledogue qu'il était.

– Bonjour, Sam, dit Glovsky.

– Je suis venu en voiture, répondit-il, l'air un peu hébété. J'ai mis deux heures !

– Tu as vu le *Herald* ?

Clay secoua la tête.

– On dirait qu'un vieil ami à toi est de retour en ville.

– Ouais ? Qui ?

– Tom Mayflower, répondit Kane, provoquant l'hilarité générale, avant d'expliquer qu'un inconnu qui signait « l'Artiste de l'évasion » avait, dans le *Herald Tribune* de ce matin, annoncé publiquement son intention de sauter du haut de l'Empire State Building à cinq heures, cet après-midi même.

Pantaleone fouilla dans la pile de journaux au centre de la grande table et dénicha un *Herald Tribune*.

– « Nombreuses fautes grammaticales et d'orthographe », lut-il à haute voix, en parcourant rapidement l'article auquel huit centimètres de colonne étaient consacrés en page deux : Menacé de voir révéler les « vols injustes et les mauvais traitements infligés à ses meilleurs artistes par Mr Sheldon Anapol »... Oh !... « Une fois joint, Mr Anapol a refusé de spéculer publiquement sur l'identité de l'auteur. "Ce pourrait être n'importe qui, a déclaré Mr Anapol. Nous ne manquons pas de dingues." » Bon, termina Pantaleone, en hochant la tête. Joe Kavalier ne m'a jamais fait l'effet d'un dingue. Un peu excentrique, peut-être...

– Joe, murmura songeusement Clay. Vous, les gars, pensez que c'est Joe.

– Il est en ville, Sam ? Tu as de ses nouvelles ?

– Je n'ai plus de nouvelles de Joe Kavalier depuis la guerre, répondit Clay. Ça ne peut pas être lui.

– Je prétends que c'est un canular, dit Lee.

– Le costume. (Clay avait commencé à allumer une cigarette. Il ne s'était pas encore assis, mais voilà qu'il s'immobilisait, la flamme à mi-chemin de l'extrémité de celle-ci.) Il voudra un costume.

– Qui voudra quoi ?

– Votre gars. S'il existe vraiment. Il voudra un costume.

– Il pourrait s'en confectionner un.

– Ouais, admit Clay. Excusez-moi.

Il se retourna, la cigarette toujours non allumée entre les doigts, et reprit la direction des portes en verre de l'Excelsior.

– Il vient de sortir d'ici avec son ticket repas.

– Il avait l'air vraiment bouleversé, ajouta Glovsky. Vous n'auriez pas dû le vanner, les gars.

Déjà debout, il vida la dernière goutte de café de sa tasse, puis se lança à la poursuite de Sammy.

Aussi vite que ses jambes en tuyau de pipe pouvaient le porter, Sammy se dirigeait vers les bureaux de Pharaoh Comics, sis dans une soupente de West Broadway, où il était rédacteur en chef.

– Qu'est-ce que tu vas faire ? lui demanda Julius.

Le brouillard qui avait enseveli la ville toute la matinée ne s'était pas levé. La fumée qui sortait de leurs bouches semblait absorbée dans la grisaille vaporeuse générale de la matinée.

– Qu'est-ce que tu veux dire ? Que puis-je faire ? Un cinglé veut se faire passer pour l'Artiste de l'évasion, il a le droit...

– Tu ne crois pas que c'est lui ?

– Non.

Ils montèrent dans la cage de fer grinçante de l'ascenseur. Quand ils entrèrent dans les bureaux, Sammy les inspecta avec un frisson non dissimulé : le sol en ciment grêlé, les murs blancs nus, les poutres du plafond apparentes, noires de graisse.

Ce n'était pas le premier siège social de la société, autrefois une enfilade de sept vastes pièces dans le McGraw-Hill Building, tout de laque verte et de bakélite ivoire, avec du chrome partout, de la robinetterie des toilettes à l'équipe de réceptionnistes bien en chair, le tout payé avec l'argent que Jack Ashkenazy avait empoché en 1943 quand Sheldon Anapol avait racheté sa part. Ashkenazy avait ensuite investi des millions de dollars dans une opération immobilière canadienne fondée sur sa curieuse conviction qu'après la guerre le Canada et les États-Unis fusionneraient en un seul pays. Quand, à son grand étonnement, les choses avaient tourné autrement, il était retourné à la source de toute sa fortune encore considérable : le héros costumé. Il avait loué les bureaux étincelants de la Quarante-deuxième Rue Ouest et débauché quelques-uns des meilleurs scénaristes et dessinateurs d'Empire pour les charger de mettre en vedette un personnage de son cru, le pharaon éponyme, Pharaoh. Un souverain égyptien réincarné, cela va sans dire, qui portait une élégante coiffure à la Toutankhamon, des brassards en métal, un cache-sexe apparemment en béton armé, et se baladait ainsi discrètement à moitié nu, en vainquant le mal grâce au pouvoir magique de son sceptre de Râ. Les scénaristes et les dessinateurs avaient imaginé un tas de héros et d'héroïnes encore plus invraisemblables – Terrien (avec son contrôle surhumain des rochers et de la terre), le Hibou des neiges (« au hululement supersonique ») et la Rose à roulettes (avec ses patins rouges étincelants) – pour remplir les pages des neuf titres inauguraux de Pharaoh Comics. Malheureusement, Jack Ashkenazy avait parié à fond sur le super-héros costumé au moment précis où l'intérêt des lecteurs pour ce genre commençait à faiblir. La défaite de ces vrais super-méchants dévoreurs du monde, Hitler et Tojo, ainsi que de leurs comparses, s'était révélée aussi débilitante pour le métier de héros en caleçon long que la guerre elle-même avait été une abondante source d'énergie et d'intrigues ; il se révéla difficile pour les capitaines et les super-soldats réformés, qui revenaient de faire des demi-clefs avec l'artillerie Krupp et d'écraser des Zéros nippons comme des moucherons au-dessus de la mer de Corail*, de montrer l'ancienne ferveur d'avant 1941 pour démanteler des réseaux de voleurs de voitures, sauver les orphelins et démasquer les fauteurs de guerre malhonnêtes. Au même moment, un nouveau méchant, le fils bâtard sans foi ni loi de la relativité et de Satan, était apparu pour jeter son drap mortuaire ardent et tournoyant même sur les plus forts des héros, qui ne pouvaient donc plus être assurés d'avoir toujours un monde à sauver. Les goûts des G.I.'s de retour, qui étaient devenus dépendants des envois de comics fournis avec les barres de friandises et les cigarettes, se portèrent vers un genre plus sombre, plus adapté aux adultes : les illustrés policiers, suivis par les romances à l'eau de rose, les histoires d'horreur, les westerns, la science-fiction. Bref, tout sauf les hommes masqués. Des millions d'invendus du premier numéro de *Pharaoh Comics* et des huit autres titres qui lui étaient associés étaient revenus des sociétés de distribution. Au bout d'un an, aucun des six titres restants ne faisait de bénéfices. Ashkenazy, flairant la catastrophe, avait émigré dans le bas de Manhattan, remercié les talents dispendieux et réalisé des économies en refondant sa ligne de produits grâce à un programme de réduction des coûts et de plagiat servile, la transformant ainsi en un succès modeste tout à fait analogue à Racy Publications, la maison de pulps de quatrième zone, patrie des réservistes, des copieurs et des imitations bon marché avec lesquels il avait commencé sa carrière d'éditeur dans les années de vaches maigres de la crise de 1929, avant que deux jeunes nigauds ne déposent l'Artiste de l'évasion dans son giron. Mais sa fierté ne s'était jamais tout à fait remise du coup. De l'avis général, c'était le fiasco de Pharaoh Comics, avec la débâcle canadienne, qui l'avait poussé sur la voie du déclin et, finalement, de la mort deux ans plus tôt.

Sammy traversa la vaste étendue crasseuse de l'atelier pour gagner son bureau. Julius hésita à la porte, avant de le suivre à l'intérieur. L'interdiction d'entrer dans le bureau de Sam Clay, sauf en cas d'urgence familiale, était absolue et scrupuleusement respectée. Sammy ne recevait personne s'il travaillait. Or il était toujours en train de travailler. Ses accès de création enfiévrée, pendant lesquels il pouvait pondre l'équivalent de toute une année de *Brass Knuckle* ou de *Weird*

Date en une seule nuit, étaient célèbres non seulement dans les bureaux de Pharaoh mais d'un bout à l'autre du petit monde collégial de la bande dessinée new-yorkaise. Il débranchait son interphone, décrochait le téléphone, se bourrait parfois les oreilles de coton, de paraffine ou de fragments de caoutchouc mousse.

Depuis les sept dernières années il tapait à la machine des scénarios pour comic books : histoires de héros costumés, d'amour, d'horreur, d'aventures et de science-fiction, histoires fantastiques et policières, westerns, sagas marines et bibliques, deux numéros de *Classics Illustrated*[1], imitations de Sax Rohmer, imitations de Walter Gibson, imitations de H. Rider Haggard, imitations de Rex Stout*, récits des deux guerres mondiales, de la guerre de Sécession, de la guerre du Péloponnèse et des guerres napoléoniennes. Tous les genres sauf les animaux rigolos. Sammy tirait un trait sur les animaux rigolos. Le succès, dans le métier, de ces importations à trois doigts et aux yeux en pointillé venues du monde des dessins animés, avec leurs gags burlesques et leurs bouffonneries puériles, était une de ces milliers de petites choses qui avaient brisé le cœur de Sammy Clay. C'était un dactylographe forcené, et même romantique, sujet aux crescendos, aux diminuendos et aux arpèges riches et acérés, capable de produire quatre-vingt-dix mots à la minute quand il devait faire face à une date limite ou était ravi de la direction prise par son histoire. Au fil des ans, son cerveau était devenu un instrument si parfaitement accordé à la production de mini-épopées de huit à douze pages, extrêmement conventionnelles et strictement formalistes, qu'il pouvait, sans grand effort, écrire, parler, fumer, écouter un match de base-ball et garder un œil sur la pendule. Tout cela en même temps. Depuis son retour dans la bande dessinée, il avait déjà réduit deux machines à écrire à des tas de scories et de ressorts fondus. Quand il allait se coucher le soir, son esprit, tel un petit robot, continuait à travailler en dormant, si bien que ses rêves étaient souvent disposés en planches et entrecoupés de publicités surréalistes, et, à son réveil le lendemain matin, il s'apercevait qu'il avait produit la matière d'un numéro entier d'un de ses illustrés.

En ce moment, il poussait sa dernière Remington de côté. Julius Glovsky découvrit une petite clef en cuivre posée au centre d'une feuille carrée de buvard, exempte de cendre et de poussière. Sammy saisit la clef et se dirigea vers un grand meuble de rangement en bois, qu'il avait récupéré d'un défunt laboratoire de développement photographique situé à un étage inférieur de l'immeuble.

– Tu as un costume de l'Artiste de l'évasion ? demanda Julius.

– Ouais.

1. *Gargantua et Pantagruel*, et peut-être *Vathek*. (*N.d.A.*)

– Où l'as-tu trouvé ?

– C'est Tom Mayflower qui me l'a donné, répondit Sammy.

Il farfouilla dans le meuble jusqu'à ce qu'il mette la main sur une boîte bleue rectangulaire, marquée BLANCHISSERIE DU ROI DU BATTOIR en lettres noires penchées. Sur un des côtés, pour une raison inconnue, on avait écrit au crayon gras le mot BACON. Sammy secoua la boîte. Un bruit sec résonna à l'intérieur ; Sammy eut l'air perplexe. Il ouvrit la boîte en tirant. Une petite carte jaune, de la taille d'une boîte d'allumettes, voleta dans les airs et tomba en vrille par terre. Sammy se baissa, la ramassa et lut l'inscription imprimée au recto avec une encre de couleur vive. Quand il leva les yeux, il avait le visage tiré, la mâchoire crispée, mais Julius perçut une indubitable lueur amusée dans ses yeux. Sammy tendit la carte à Julius. Celle-ci représentait deux passe-partout ornés à l'ancienne mode, un de part et d'autre du bref texte suivant :

Bienvenue, ô fidèle ennemi de la tyrannie,
à la LIGUE DE LA CLEF D'OR !!!
Cette carte confère à

- -
(inscrire votre nom ci-dessus)

tous les droits et devoirs
d'un loyal ami de la Liberté et de l'Humanité

– C'est lui ! s'écria Julius. Pas vrai ? Il était ici. C'est lui qui l'a pris.

– Comment trouves-tu ça ? murmura Sammy. Il y a des années que je n'avais pas vu une de ces cartes...

3.

La police déboula à l'heure du déjeuner. Elle prenait au sérieux la lettre au *Herald*, et l'inspecteur en charge de l'enquête avait quelques questions sur Joe à poser à Sammy.

Sammy déclara au policier, un certain Lieber, qu'il n'avait pas revu Joe Kavalier depuis le soir du 14 décembre 1941, sur le quai 11, quand Joe était parti pour son instruction militaire de deuxième classe à Newport, Rhode Island, à bord d'un paquebot providentiel, le *Comet*. Joe n'avait jamais répondu à ses lettres. Puis, vers la fin de la guerre, la mère de Sammy, en sa qualité de plus proche parente, avait reçu un courrier du bureau de John Forrestal, le secrétaire de la Marine. Celui-ci l'informait que Joe avait été blessé ou était tombé malade en service commandé, mais restait dans le vague sur la nature de sa blessure et le théâtre des opérations. Il ajoutait que Joe s'était rétabli quelque temps à la base de Guantánamo, à Cuba, et qu'il se voyait maintenant décerner une décharge médicale et une citation. Deux jours plus tard, il devait arriver à Newport News, à bord du *Miskatonic*. Sammy était descendu en Virginie avec un car Greyhound pour l'accueillir et le ramener à la maison. Mais Joe avait mystérieusement réussi à s'évader.

– S'évader ? s'étonna l'inspecteur Lieber.

C'était un jeune homme, incroyablement jeune, un Juif aux cheveux blonds, avec des mains potelées. Il avait un costume gris qui avait l'air hors de prix sans être voyant.

– C'était un talent qu'il avait, expliqua Sammy.

À l'époque, la disparition de Joe avait été une perte à certains égards plus authentique que celle représentée par la mort. Joe n'était pas seulement mort – et ainsi, en un sens, toujours localisable. Non, ils avaient vraiment réussi à le perdre. Il avait embarqué à Cuba ; de ce fait, il existait une preuve écrite sous forme de signature et de numéro de série sur un certificat médical de transport. Mais quand le *Miskatonic* avait accosté à Newport News, Joe n'était plus à son bord. Il avait laissé un court billet ; même si son contenu était classé secret, un des enquêteurs de la Marine avait affirmé à Sammy qu'il n'était pas question de suicide. À son retour de Virginie, après un voyage triste et interminable sur l'*U.S. 1*, Sammy trouva leur maison de Midwood toute pavoisée. Rosa avait préparé un gâteau et une banderole en l'honneur de Joe. Ethel avait acheté une robe neuve et était allée chez le coiffeur, à qui elle avait permis de lui faire un rinçage. Tous les trois – Rosa, Ethel et Sammy – avaient pleuré, assis dans le living-room, sous les guirlandes en papier crépon. Au cours des mois qui suivirent, ils avaient échafaudé toutes sortes de théories follement violentes pour expliquer ce qui était arrivé à Joe, exploré la moindre piste ou rumeur. Comme il ne leur avait pas été enlevé, ils semblaient ne pas pouvoir le lâcher. Cependant, l'intensité de la colère de Sammy et du choc que lui avait causé la conduite de Joe avait fatalement diminué avec les années. La pensée de son cousin disparu dans la nature était encore douloureuse, mais, après tout, cela faisait près de neuf ans.

– En Europe, il a reçu une formation d'expert en évasion, apprit-il à l'inspecteur Lieber. C'est là d'où vient toute l'idée de l'Artiste de l'évasion.

– Je le lisais autrefois, confia l'inspecteur Lieber.

Il toussota poliment et regarda autour de lui les pages d'illustration et les couvertures sous verre de divers titres de *Pharaoh* qui décoraient le bureau de Sammy. Au mur derrière Sammy était accroché une épreuve immensément agrandie d'une unique image tirée d'un épisode que Rosa avait réalisée pour *Frontier Comics*, du reste la seule histoire de super-héros jamais dessinée par Rosa. Elle représentait Lone Wolf et Cubby se tenant par les épaules, en combinaison moulante de daim effrangé et tête de loup. Les traits ardents d'un lever de soleil en Arizona rayonnaient derrière eux. Lone Wolf disait : « EH BIEN, COCO, ON DIRAIT QUE ÇA VA ÊTRE UNE BELLE JOURNÉE ! » Rosa avait effectué elle-même l'agrandissement et l'avait donné à encadrer pour le dernier anniversaire de Sammy. On distinguait les points de la lithographie – aussi gros que des boutons de chemise – et sans qu'on sache pourquoi l'échelle de l'image leur donnait une importance surréaliste[1].

– Je crains que vos dernières productions ne me soient pas aussi familières, poursuivit l'inspecteur Lieber, contemplant le grand Lone Wolf d'un air légèrement perplexe.

– Elles le sont pour peu de gens, concéda Sammy.

– Mais ce doit être intéressant, j'en suis sûr.

1. Sammy racontait souvent une anecdote sur un jeune artiste crève-la-faim, Roy Lichtenstein, qui était une fois entré dans son bureau de Pharaoh pour demander du travail. Mais nous n'avons aucune preuve de son authenticité. (*N.d.A.*)

– N'en soyez pas si sûr.

Lieber leva les épaules.

– O.K. Alors voilà ce que je ne comprends pas. Pourquoi voudrait-il « s'évader », comme vous dites ? Il vient de quitter la Marine. Il a été dans je ne sais quel coin perdu. À ce qu'il paraît, il en a vu de dures. Pour quelle raison ne voudrait-il pas rentrer dans ses foyers ?

Sammy ne réagit pas tout de suite. Une possible réponse lui était immédiatement venue à l'esprit, mais comme il la trouvait désinvolte, il tint sa langue. Puis il la médita un moment et comprit que ce pouvait très bien être la bonne réponse à la question de l'inspecteur Lieber.

– Il n'avait pas vraiment de foyer où rentrer, dit Sammy. C'est l'impression qu'il a dû avoir, je pense.

– Et sa famille d'Europe ?

– Tous morts. Jusqu'au dernier. Sa mère, son père, son grand-père. Le bateau de son petit frère a été torpillé. Ce n'était qu'un petit garçon, un réfugié...

– Bon Dieu !

– Ce n'était pas beau.

– Et vous n'avez plus eu de nouvelles de votre cousin depuis ? Même pas ...

– Pas une carte postale. Et j'ai mené mon enquête, monsieur l'inspecteur. J'ai engagé des détectives privés. La Marine aussi a fait des recherches. Rien.

– Pensez-vous... Vous avez dû envisager la possibilité qu'il soit mort ?

– Il l'est peut-être. Ma femme et moi en avons parlé au fil des années. Mais bizarrement je ne pense pas... je ne pense pas qu'il soit mort.

Lieber hocha la tête et rangea son petit carnet dans la poche revolver de son élégant pantalon gris.

– Merci, dit-il.

Il se leva et serra la main de Sammy, qui le raccompagna à l'ascenseur.

– Vous avez l'air sacrément jeune pour être inspecteur, remarqua Sammy. Si je puis me permettre...

– Oui, mais j'ai l'esprit d'un homme de soixante-dix ans, répliqua Lieber.

– Vous êtes juif, puis-je vous demander sans indiscrétion ?

– Vous pouvez.

– Je ne savais pas que des Juifs pouvaient être inspecteurs.

– C'est une première, expliqua Lieber. Je suis un prototype en quelque sorte.

L'ascenseur arriva à l'étage avec un bruit sourd. Sammy fit coulisser la grille cliquetante.

Le beau-père de Sammy était à l'intérieur, en costume de tweed. Le veston était garni d'épaulettes et il y avait assez de tweed pour habiller au moins deux chasseurs de grouses écossais. Quatre ou cinq ans plus tôt, Longman Harkoo avait donné une série de conférences à la New School sur les rapports étroits entre le catholicisme et le surréalisme intitulée « Le surmoi, le moi et l'Esprit saint ». Celles-ci avaient été décousues, marmonnées et peu suivies, mais depuis cette époque Siggy avait troqué ses anciens cafetans et toges de magistrat pour une tenue plus professionnelle. Tous ses imposants complets étaient coupés – mal – par le même tailleur d'Oxford qui déguisait la fine fleur laineuse du milieu universitaire anglais.

– Il a peur que tu sois fâché contre lui, lança Saks. Nous lui avons certifié que non.

– Vous l'avez vu ?

– Oh ! Nous avons fait plus que le voir. (Il eut un sourire narquois.) Il...

– Vous avez vu Joe et vous ne nous avez rien dit, ni à Rosa ni à moi ?

– Joe ? Vous parlez de Joe Kavalier ? (Saks sembla ahuri. Il ouvrit la bouche, puis la referma.) Hum ! fit-il.

Son esprit semblait buter sur quelque chose.

– Je vous présente mon beau-père, Mr Harkoo, dit Sammy à Lieber. Monsieur Harkoo, Mr l'inspecteur Lieber. Je ne sais pas si vous avez lu le *Herald*, mais il y a ...

– Qui se cache derrière vous ? demanda Lieber, risquant un coup d'œil dans l'ascenseur, au-delà de l'énorme masse gris louvet de Siggy Saks.

Le gros homme s'écarta prestement, non sans un air de joyeuse anticipation, comme s'il levait le rideau sur une illusion achevée. Ce tour de passe-passe révéla un jeune garçon de onze ans, Thomas Edison Clay.

– Je l'ai trouvé à ma porte. Au sens propre.

– Sacré nom de nom ! Tommy ! s'écria Sammy. Je t'ai accompagné dans l'immeuble. Je t'ai vu entrer dans ta classe. Comment es-tu sorti ?

Tommy ne souffla mot. Les yeux baissés, il regardait le bandeau pour les yeux qu'il tenait.

– Un autre artiste de l'évasion, ironisa l'inspecteur Lieber. Ce doit être de famille.

4.

Une grande prouesse de l'ingénierie est toujours un perpétuel objet d'intérêt pour les personnes enclines à l'autodestruction. Depuis son achèvement, l'Empire State Building, gigantesque tesson de l'État d'Indiana arraché aux tendres entrailles calcaires du Midwest pour être érigé, sur le site de l'ancien Waldorf-Astoria, au milieu de la circulation la plus dense du monde, avait toujours été un aimant pour les âmes dérangées, mues par l'espoir d'assurer l'irrévocabilité de leur impact ou de narguer les audacieuses productions de la vanité humaine. Depuis son inauguration près de vingt-trois ans plus tôt, une dizaine de personnes avaient déjà tenté de sauter dans la rue du haut de ses corniches ou de son faîte ; la moitié environ avaient réussi leur coup. Jamais auparavant, cependant, aucune n'avait eu la prévenance de révéler aussi clairement ses intentions. La police et les escadrons de pompiers privés de l'immeuble, qui travaillaient de concert avec leurs camarades municipaux, avaient eu amplement le temps de poster des agents à toutes les entrées et points d'accès de la rue, devant les portes de l'escalier et les rangées d'ascenseurs. Le vingt-cinquième étage, où l'on pouvait encore trouver les bureaux d'Empire Comics, grouillaient de flics de l'immeuble en uniforme épaulé de cuivre et drap de laine, avec ces casquettes à visière démodées conçues, selon la légende, par feu Al Smith en personne. Des avis avaient été distribués aux quinze mille habitants de la tour pour leur demander de guetter un forcené maigre au visage aquilin, habillé peut-être d'une combinaison bleu foncé, ou peut-être encore d'un smoking bleu mangé aux mites avec des basques excentriques. Les pompiers en combinaison de grosse toile entouraient l'immeuble sur trois côtés, de la Trente-troisième Rue à la Trente-quatrième en passant par la Cinquième Avenue. Ils scrutaient les hauteurs grâce à de belles jumelles allemandes, balayant les surfaces infinies de roche d'Indiana, en quête de l'apparition d'une main ou d'un pied. Ils étaient prêts, dans la mesure où il était possible de l'être. Si le forcené réussissait vraiment à passer par une fenêtre et à sortir dans le soir qui s'obscurcissait, leur ligne de conduite était moins claire. Mais ils étaient pleins d'espoir.

– Nous l'attraperons avant qu'il sorte, prédit le capitaine Harley, qui commandait toujours la police de l'immeuble après toutes ces années et dont l'œil de verre étincelait, plus brillant et plus furieux que jamais. Nous allons coincer cette pauvre cloche de Levantin.

En 1954, le tirage quotidien du *Herald Tribune* de New York atteignait les quatre cent cinquante mille exemplaires. De tous ces lecteurs, quelque deux mille avaient été incités par la lettre publiée dans leur journal ce matin-là à venir se planter en groupes pensifs derrière des rangées de policiers, les yeux levés. Les trois quarts étaient des hommes en veston et cravate d'une vingtaine ou d'une trentaine d'années : employés des compagnies maritimes, dessinateurs industriels, grossistes du textile et de la confection en train de faire leur ascension dans les affaires paternelles. Beaucoup d'entre eux travaillaient dans le quartier. Ils consultaient leurs montres-bracelets et lançaient les remarques rogues des New-Yorkais à la perspective d'un suicide – « J'aimerais qu'il se dépêche, j'ai rendez-vous » – mais ne quittaient pas des yeux les parois de l'immeuble. Ils avaient grandi avec l'Artiste de l'évasion, ou bien avaient découvert ses aventures dans un trou de tirailleur belge ou dans un bâtiment de transport au large de Bougainville. Chez certains de ces hommes, le nom de Joe Kavalier ranimait des souvenirs enfouis depuis longtemps. Des souvenirs de libération téméraire, violente et magnifique.

Ensuite, il y avait les passants, les chalands et les employés de bureau sur le chemin du retour, attirés par les lumières clignotantes et les uniformes. Le bruit d'une distraction prometteuse s'était répandu comme une traînée de poudre parmi eux. Là où le flot d'informations faiblissait ou était retardé par des policiers qui ne desserraient pas les dents, le petit mais volubile contingent d'auteurs de B.D. était prêt à combler les lacunes et à enjoliver les détails de la malheureuse carrière de Joe Kavalier.

– Il paraît que ce n'est qu'un canular, disait Joe Simon, qui, avec son associé, Jack Kirby, avait créé Captain America. (Les droits de Captain America avaient déjà rapporté, et devaient continuer à l'avenir à rapporter des sommes faramineuses à leur propriétaire, Timely Productions, qui devait être un jour plus connu sous le nom de Marvel Comics.) C'est Stan qui me l'a dit.

À cinq heures trente, alors que personne ne s'était fait pincer en train de rôder dans l'immeuble ou ne s'était aventuré sur un rebord de fenêtre battu par les vents, le capitaine Harley commença à tirer la même conclusion. Posté juste devant l'entrée de la Trente-troisième Rue en compagnie de quelques-uns de ses hommes, il mâchonnait le tuyau de sa pipe en racine de bruyère. Pour la huitième fois, il sortit une montre de gousset en or pour savoir l'heure. Il la referma avec un claquement sec et émit un gloussement.

– C'est un canular, déclara-t-il. Je le savais depuis le début.

– Je suis de plus en plus enclin à vous croire, acquiesça l'inspecteur Lieber.

– Sa montre s'est peut-être arrêtée, suggéra Sammy Clay presque avec optimisme.

Lieber eut l'intuition que, si la menace se révélait réellement un canular, Clay allait être déçu.

– Dites-moi, lança Lieber à Sammy. (En tant que membre de la famille, le petit auteur – c'était en ces termes que Lieber pensait à lui – avait été admis à l'intérieur du cordon de police. Au cas où Joe Kavalier apparaîtrait, son cousin serait là pour les supplications et les conseils de dernière minute. Il y avait aussi le petit garçon. La procédure normale aurait exclu les enfants d'un tel événement, mais l'expérience avait appris à Lieber, lequel avait passé neuf ans comme agent en tenue à Brownsville, que la frimousse d'un enfant ou même sa voix au téléphone pouvait parfois ramener une personne à la raison.) Jusqu'à aujourd'hui, combien de gens connaissaient toute cette histoire sur la manière dont votre cousin et vous avez été volés, escroqués et exploités ?

– Je proteste, inspecteur ! s'exclama Sheldon Anapol. (Le gros homme était descendu des bureaux d'Empire Comics à cinq heures précises. Enveloppé dans un long pardessus noir, il portait un petit chapeau tyrolien gris perché sur le crâne comme un pigeon, et dont la plume frissonnait au vent. La journée fraîchissait et devenait maintenant glaciale. La lumière déclinait.) Vous n'en savez pas assez sur cette affaire pour porter ce genre de jugement. Il y avait des contrats en jeu, des copyrights. Sans compter que, du temps où ils travaillaient pour nous, Mr Kavalier et Mr Clay gagnaient tous les deux plus d'argent que presque tous leurs camarades...

– Je suis désolé, répliqua Lieber, sans s'excuser. (Il se retourna vers Sammy.) Mais vous voyez ce que je veux dire.

Les lèvres pincées, Sammy haussa les épaules, en inclinant la tête. Il voyait ce que l'inspecteur voulait dire.

– Pas énormément jusqu'à aujourd'hui. Une douzaine de gars de la profession. Pas mal de fumistes dans le tas, je dois l'admettre. Quelques avocats, sans doute. Ma femme.

– Enfin, regardez-moi ça !

D'un grand geste, Lieber montra la foule croissante, repoussée sur le trottoir d'en face, les rues barrées et remplies de taxis qui jouaient de l'avertisseur, les reporters et les photographes. Tout le monde avait les yeux levés vers l'édifice autour duquel les innombrables millions d'Artistes de l'évasion communiaient depuis tant d'années. On leur avait appris les noms des principaux acteurs : Sam Clay, Sheldon Anapol. Ils gesticulaient, murmuraient entre eux et jetaient des regards mauvais à l'éditeur dans son manteau funèbre. Bien que nul n'eût jamais pris la peine de le calculer, le montant de la somme d'argent dont l'équipe Kavalier & Clay avait été estampée par Empire Comics circulait dans la foule et augmentait de minute en minute.

– On ne peut pas payer ce genre de publicité. (L'expérience que Lieber avait des suicides était assez étendue. Il y avait un ensemble très réduit d'individus qui choisissait de se supprimer publiquement et, à l'intérieur de ce groupe, un sous-ensemble encore plus réduit qui fournissait à l'avance l'heure et le lieu exacts. Parmi ceux-ci – et il songeait peut-être à deux cas dans toute sa carrière depuis qu'il avait reçu son insigne en 1940 – aucun n'était jamais en retard au rendez-vous.) Mr Anapol ici présent (il inclina la tête en direction de l'éditeur), bien qu'il ne soit pas responsable, naturellement, finit par avoir l'air du méchant.

– Assassinat de personnage, acquiesça Anapol. Voilà à quoi notre affaire se résume.

Une fois de plus, le capitaine Harley de la police de l'immeuble referma sa montre avec un bruit sec, cette fois-ci avec une plus grande fermeté.

– Je vais renvoyer mes gars à la maison, dit-il. Je ne pense pas qu'aucun de vous ait de quoi s'inquiéter.

Lieber adressa un clin d'œil au jeune garçon, un gamin maussade au regard fixe qui, depuis trois quarts d'heure, s'était mis à l'abri de son imposant grand-père avec un doigt dans la bouche, comme s'il allait vomir. Au clin d'œil de Lieber, le gamin pâlit. L'inspecteur fronça le sourcil. Pendant ses années de ronde dans Pitkin Avenue et aux alentours, il avait déjà plusieurs fois effrayé des enfants par un clin d'œil ou un bonjour amical, mais rarement un de cet âge qui n'ait pas quelque chose sur la conscience.

– Je ne saisis pas ! s'écria Sammy. Je m'entends, je vois ce que vous voulez dire. J'ai pensé la même chose. Ce n'est peut-être qu'un coup d'épate pour attirer l'attention et il n'a jamais eu l'intention de sauter. Mais alors pourquoi a-t-il volé le costume dans mon bureau ?

– Pouvez-vous prouver que c'est bien lui qui a pris le costume ? répliqua Lieber. Écoutez, je ne sais pas. Peut-être a-t-il simplement la frousse. Peut-être a-t-il été renversé par un diable ou un taxi. Je vais vérifier les hôpitaux, juste en cas.

Il fit un signe de tête au capitaine Harley, acquiesçant ainsi au fait qu'il était temps de plier bagage. Puis il se retourna vers le jeune garçon, sans savoir exactement ce qu'il allait dire ; dans son esprit la chaîne de cause à effet n'était pas rivetée. À l'origine de son interrogation, il n'y avait qu'une intuition fugitive de policier, un flair pour les ennuis. Il était de ces hommes qui ne pouvaient s'empêcher d'en faire voir de toutes les couleurs à un préadolescent agile comme un écureuil.

– Je crois savoir, jeune homme, que vous séchez les cours pour venir vadrouiller dans notre belle cité.

Les yeux du gamin s'écarquillèrent. C'était un beau petit garçon, un peu suralimenté, avec d'épaisses boucles noires et de grands yeux bleus, qui s'élargissaient maintenant encore plus. L'inspecteur ne savait toujours pas si le garçon redoutait la punition ou l'attendait. En général, avec ce genre de petits chenapans sérieux, la deuxième possibilité prévalait.

– Que je ne te reprenne pas en train de courir dans ma ville, tu m'entends ? Tu restes à Long Island. C'est là que tu habites !

Il adressa alors un clin d'œil au père. Sam Clay rit.

– Merci, inspecteur, dit-il, attrapant une poignée de cheveux de son fils pour lui secouer la tête d'avant en arrière d'une façon qui parut un peu brutale à Lieber. Il est devenu un vrai faussaire, celui-ci. Pour ses mots d'excuse, il réussit la signature de sa mère mieux qu'elle.

Lieber sentit les maillons de la chaîne se mettre en place.

– C'est vrai ? s'exclama-t-il. Dis-moi, tu as un de ces petits chefs-d'œuvre fin prêt pour demain ?

Avec trois hochements de tête vifs et silencieux, le garçon avoua que oui. Il plongea la main dans son cartable et en sortit une chemise en carton. Il l'ouvrit. Une seule feuille de beau papier était à l'intérieur, proprement dactylographiée et signée. Il tendit le papier à Lieber. Ses gestes étaient précis et anormalement minutieux, presque de manière trop voyante ; Lieber se rappela que le père croyait que son fils s'était furtivement aventuré en ville pour traîner avec des magiciens de music-hall à la Boutique de la magie de Louis Tannen. Lieber examina le mot d'excuse du gamin.

Cher Monsieur Savarese,

Je vous prie de bien vouloir excuser l'absence de Tommy au lycée aujourd'hui. Une fois encore, comme je vous l'ai signalé précédemment, je crois qu'il a besoin de soins de type ophtalmologique chez son spécialiste new-yorkais.

Bien à vous,

Mrs Rosa Clay

– Je crains que votre fils ne soit responsable de tout ce remue-ménage, déclara Lieber, passant la lettre au père. C'est lui l'auteur de la lettre au *Herald Tribune*.

– J'avais un pressentiment, intervint le grand-père. Il m'a semblé reconnaître le style.

– Comment ? s'écria Sam Clay. Qu'est-ce qui vous permet de dire cela ?

– Les machines ont leur personnalité, expliqua le gamin d'une petite voix, en fixant ses pieds. C'est comme des empreintes digitales.

– C'est très souvent le cas, approuva Lieber.

Sammy examina à son tour le mot d'excuse, puis décocha un regard gêné à son fils.

– Tommy, c'est vrai ?

– Oui, monsieur.

– Tu veux dire que personne ne va sauter ?

Tommy secoua la tête.

– Tu as inventé cette histoire tout seul ?

Il inclina la tête.

– Eh bien, reprit Lieber. C'est grave ce que tu as fait, fiston. Je crains que tu n'aies commis un délit. (Il regarda le père.) Je suis navré pour votre cousin, poursuivit-il. Je sais que vous espériez qu'il serait revenu.

– Oui, je l'espérais, admit Sammy, surpris par cette prise de conscience, ou par le fait que Lieber l'eût deviné. Vous savez, je l'espérais vraiment, je crois...

– Mais il est vraiment revenu ! cria le petit garçon. (Même Lieber sursauta légèrement.) Il est ici.

– À New York ? demanda le père. (Son fils acquiesça d'un signe de tête.) Joe Kavalier est ici, à New York. (Nouveau signe de tête.) Mais où ? Comment le sais-tu ? Nom de Dieu ! Tommy, où est ton cousin Joe ?

Le gamin marmonna quelque chose d'une voix quasi inaudible. Puis, à leur grande surprise, il leur tourna le dos et entra dans l'immeuble. Il se dirigea vers les rangées d'ascenseurs et appela ceux qui montaient tout en haut.

5.

Tout a commencé – ou avait recommencé – avec la Boîte magique du Démon suprême.

Le 3 juillet précédent, pour son onzième anniversaire, le père de Tommy l'avait emmené voir *L'Histoire de Robin des Bois* au Criterion, déjeuner à l'Automat et visiter une reconstitution, à la bibliothèque de la Quarante-deuxième Rue, de l'appartement de Sherlock Holmes, comprenant des lettres non décachetées adressées au célèbre limier, une babouche bourrée de tabac, l'empreinte de patte du chien des Baskerville et un rat géant de Sumatra naturalisé. Tout cela à la demande de Tommy, et à la place de la fête d'anniversaire habituelle. Le seul ami de Tommy, Eugene Begelman, avait déménagé en Floride à la fin du cours élémentaire première année, et Tommy n'avait eu aucune envie de remplir le salon des Clay de gamins agités, renfrognés, qui roulaient des yeux et dont les parents les avaient forcés à venir par politesse envers les siens. Petit garçon solitaire, il était mal vu des professeurs comme des élèves. Il dormait toujours avec un castor empaillé du nom de Bucky. Mais en même temps il était fier – jusqu'à en devenir belliqueux, par défense – de son isolement par rapport au monde des enfants normaux, stupides, heureux et enviables de Bloomtown. Le mystère de son vrai père, qui – avait-il décidé, en décryptant les sous-entendus qu'il avait surpris ou les réflexions chuchotées en vitesse par ses parents et sa grand-mère avant sa mort – avait été un soldat tombé au champ d'honneur en Europe, était à la fois une source d'amour-propre et d'amère nostalgie, une grande occasion qu'il avait ratée mais qui n'aurait pu toutefois arriver qu'à lui. Il s'identifiait toujours avec les jeunes héros de romans dont les parents étaient morts ou les avaient abandonnés (autant pour les aider à accomplir leur destin remarquable de futur empereur ou de roi des pirates qu'à cause de l'atterrante cruauté générale vis-à-vis des enfants du monde entier). Dans son esprit, il ne faisait aucun doute qu'une telle destinée l'attendait, peut-être dans les colonies martiennes ou les mines de plutonium de la ceinture d'astéroïdes. Tommy était un peu petit et rondouillard pour son âge. Il avait été en butte à des manifestations de cruauté ordinaire au fil des ans, mais son caractère taciturne et ses résultats spectaculairement moyens à l'école lui avaient valu la sécurité d'une certaine invisibilité. Ainsi, avec le temps, avait-il conquis le droit de choisir de déserter complètement les théâtres ordinaires de la stratégie et de l'angoisse enfantine : les coups d'État de récréation, les sempiternels battements de cartes, les fêtes d'anniversaire et de Halloween, ou les parties de billard. Ces dernières le fascinaient, mais il s'interdisait de s'y intéresser. S'il ne pouvait pas s'envisager un destin dans l'immense salle de banquet en chêne d'un château, remplie d'un fumet d'ours ou de venaison rôtie à la broche, soûl, en compagnie de vaillants archers et rastaquouères qui entrechoquaient leurs gobelets, alors un jour à New York en compagnie de son père ferait bien l'affaire.

Le point crucial, l'élément clef des réjouissances, avait été une halte à la Boutique de la magie de Louis Tannen, dans la Quarante-deuxième Rue Ouest, pour acheter le cadeau d'anniversaire qu'avait demandé Tommy : la Boîte magique du Démon suprême. Dix-sept dollars quatre-vingt-quinze cents. C'était une générosité démesurée de la part de ses parents, mais depuis le début ils avaient été extraordinairement indulgents vis-à-vis de son intérêt récent pour la magie, comme si celui-ci concordait avec quelque itinéraire secret qu'ils avaient mentalement tracé pour lui.

C'était Eugene Begelman qui avait inauguré toute cette histoire de magie, après que son père fut revenu d'un voyage d'affaires à Chicago avec une boîte rectangulaire frappée aux couleurs des cartes à jouer, contenant, d'après l'étiquette, « tout ce qui est nécessaire pour ÉPATER et ABASOURDIR vos amis et faire de vous le boute-en-train de toutes les réunions ». Naturellement, Tommy avait feint de mépriser un tel programme, mais dès qu'Eugene eut brièvement fait disparaître les trois quarts d'un œuf dur et presque réussi à tirer une fausse souris un peu molle d'un bas de femme prétendument normal, Tommy n'avait plus tenu en place. Pareille impatience – oppression dans la poitrine, tapement de pieds, sensation proche du besoin d'uriner –, parfois insupportable, le gagnait chaque fois qu'il tombait sur quelque chose qu'il ne parvenait pas à comprendre. Il avait emprunté le Junior Magic Kit Abracadabra ! à Eugene pour l'emporter chez lui ; en un week-end, il maîtrisait chacun des tours. Eugene lui avait dit de le garder.

Par la suite, Tommy était allé à la bibliothèque et avait découvert tout un rayonnage, jusque-là insoupçonné, de livres sur les tours de cartes, les tours avec des pièces, les tours avec des mouchoirs de soie, des foulards et des cigarettes. Ses mains étaient grandes pour un garçon de son âge, avec de longs doigts, et il avait la capacité, qui le surprenait lui-même, de rester planté devant la glace avec une pièce ou une boîte d'allumettes, à répéter mille fois les mêmes petites flexions de doigts. S'entraîner à l'empalmage et à l'escamotage l'apaisait.

Il n'avait pas mis longtemps à repérer la boutique de Louis Tannen. Principale fournisseuse de tours et d'accessoires de la côte est, celle-ci était encore en 1953 la capitale officieuse de l'illusionnisme professionnel en Amérique, sorte de club informel de magiciens où des générations d'hommes en haut-de-forme qui traversaient la ville en route pour le Nord, le Sud ou l'Ouest, vers les scènes de variétés et de music-hall, les boîtes de nuit et les théâtres des boulevards de la nation entière, s'étaient croisés pour échanger des informations, resquiller de l'argent et s'éblouir mutuellement avec des raffinements par trop artistiques et trop subtils pour en faire profiter un public de voyeurs et de mateurs de femmes sciées en deux. La Boîte magique du Démon suprême était une des marques de fabrique de Mr Louis Tannen, un éternel best-seller, dont il garantissait personnellement qu'il réduisait une assistance – non pas, évidemment, d'écoliers de cours moyen amateurs de base-ball et tapeurs de carton, se figurait Tommy, mais de types en smoking qui fumaient de longues cigarettes à bord des paquebots et de femmes avec des gardénias piqués dans les cheveux – à un tas de gelée hébétée répandue par terre. Son nom seul suffisait à laisser Tommy haletant d'impatience.

À l'arrière du magasin, avait remarqué Tommy lors de précédentes visites, il y avait deux portes. Peinte en vert, l'une donnait sur le stock, où étaient entreposés les anneaux d'acier, les cages d'oiseaux truquées et les malles à double fond. L'autre porte, peinte en noir, restait généralement fermée, mais de temps à autre un individu venu de la rue entrait, saluait Louis Tannen ou un de ses vendeurs et disparaissait par celle-ci, donnant un bref aperçu du monde qui se cachait derrière. Ou bien un homme pouvait en sortir, qui, avec un signe de main à celui qu'il laissait derrière lui, fourrait cinq dollars dans sa poche ou secouait la tête d'étonnement devant le miracle dont il venait d'être témoin. C'était la fameuse arrière-boutique de Louis Tannen. Tommy eût donné n'importe quoi – il se serait passé de la Boîte magique du Démon suprême, de *L'Histoire de Robin des bois*, du meublé de Baker Street de Sherlock Holmes et même de l'Automat – juste pour pouvoir jeter un coup d'œil là-dedans et regarder les vieux pros brandir les troublants fleurons de leur art. Pendant que Mr Tannen en personne faisait au père de Tommy une démonstration du fonctionnement de la Boîte magique, lui montrant qu'elle était vide avant de la remplir de sept foulards, puis l'ouvrant pour lui prouver qu'elle était toujours vide, un inconnu entra nonchalamment, lança un « Bonjour, Lou ! » et se dirigea droit vers l'arrière-boutique. Au moment où la porte s'ouvrait et se refermait, Tommy entrevit quelques magiciens en pull-over et en costume qui lui tournaient le dos. Ils observaient un confrère à l'œuvre, un gaillard grand et mince au nez prononcé. L'individu au nez prononcé leva la tête, souriant devant le petit tour de force qu'il venait de réussir, même si ses yeux bleus creux aux paupières lourdes semblaient peu impressionnés. Les autres magiciens jurèrent en signe de remerciement. Les tristes yeux bleus croisèrent ceux de Tommy, s'arrondirent. La porte se referma.

– Épatant, commenta Sammy Clay en sortant son portefeuille. On en a pour son argent...

Mr Tannen tendit la boîte à Tommy, qui la saisit, sans quitter la porte des yeux. Il avait concentré ses pensées en un fin faisceau adamantin pour les braquer sur la poignée de porte, avec la volonté que celle-ci se rouvre. Sans résultat.

– Tommy ? (Tommy leva les yeux. Son père le regardait fixement. Il avait l'air fâché, et sa voix affectait un ton de fausse bonne humeur.) Te reste-t-il seulement un iota de désir pour ce machin ?

Il hocha la tête, bien que son père eût deviné la vérité. Il contempla la boîte en bois laquée de bleu pour laquelle, la veille au soir seulement, il avait brûlé d'une ferveur qui l'avait tenu éveillé jusqu'à minuit passé. Mais la connaissance des secrets de la Boîte magique du Démon suprême ne lui ouvrirait jamais la porte de l'arrière-boutique de Louis Tannen, où des hommes aguerris par les voyages concoctaient des prodiges privés pour leur propre plaisir mélancolique. Il reporta ses regards de la boîte sur la porte noire. Celle-ci demeurait close. Le Bug, il en était sûr, l'aurait enfoncée !

– C'est formidable, papa ! dit Tommy. Je l'adore. Merci.

Trois jours plus tard, un lundi, Tommy fit une halte au drugstore Spiegelman* pour ranger les illustrés. C'était un service qu'il fournissait gratuitement et, autant qu'il sache, à l'insu de Mr Spiegelman. Les nouveaux comics de la semaine arrivaient le lundi et, dès le jeudi, surtout vers la fin du mois, les longues rangées de présentoirs métalliques alignés contre le mur au fond du magasin offraient souvent un fouillis de titres écornés en pagaille. Chaque semaine, Tommy triait les bandes dessinées et les rangeait par ordre alphabétique, mettant les National avec les National, les Empire Comics avec les Empire Comics, les Timely avec les Timely, rassemblant les membres séparés de la famille Marvel, isolant les titres à l'eau de rose, qu'il méprisait même s'il essayait de le cacher à sa mère, dans un coin du bas. Bien sûr, il réservait les présentoirs centraux aux dix-neuf titres de Pharaoh. Il tenait une comptabilité minutieuse de ceux-ci, ravi quand le drugstore écoulait toute sa commande de *Brass Knuckle* en une semaine, accablé par un mystérieux sentiment de pitié et de honte quand la totalité des six exemplaires de *Sea Yarns*[1], chouchou personnel de son père, se morfondait tout un mois parmi les invendus sur le présentoir de Spiegelman. Il effectuait tous ses rangements clandestinement, en feignant de regarder les journaux. Chaque fois qu'un autre jeune entrait ou que Mr Spiegelman passait dans les parages, Tommy remisait en vitesse la pile égarée qu'il avait dans les mains et se mettait ostensiblement à siffloter d'un air innocent. D'ailleurs, il cachait sa rage secrète de bibliothécaire – laquelle était née surtout de sa loyauté envers son père, mais était également due à une aversion innée pour le désordre – en dépensant ses précieux dix cents hebdomadaires pour un comic book. Cela même si son père rapportait régulièrement à la maison des monceaux de « concurrents », dont beaucoup de titres que le drugstore de Spiegelman n'avait même pas en rayon.

Logiquement, si Tommy dilapidait son argent, ç'aurait dû être pour un des Pharaoh les moins lus, par exemple *Farm Stories*[2] ou la publication nautique mentionnée ci-dessus. Mais quand Tommy ressortait de chez Spiegelman tous les jeudis, c'était avec un comic book d'Empire à la main. Là résidait sa secrète petite infidélité à son père : Tommy adorait l'Artiste de l'évasion. Il admirait sa crinière dorée, son respect strict, parfois obsessionnel, des règles du fair-play et le large sourire bon enfant qu'il arborait en tout temps, même quand il encaissait un coup au menton du Kommandant X (qui s'était on ne peut plus facilement métamorphosé de nazi en coco), ou encore d'un des acolytes géants de Rose vénéneuse. Les origines troubles de l'Artiste, sorties de l'esprit de son père et de leur cousin disparu, Joe, entraient obscurément en résonance avec les siennes dans son imagination. Il lisait tout son illustré sur le chemin de la maison, en marchant lentement pour mieux le savourer, conscient du chuintement de ses tennis sur le trottoir refait à neuf, du progrès saccadé de son corps dans les ténèbres qui s'amassaient autour des marges extérieures des pages au fur et à mesure qu'il les tournait. Juste avant le carrefour où il prenait Lavoisier Drive, il jetait son journal dans la poubelle des D'Abruzzio.

Les portions de son trajet de la maison à l'école et vice versa qui n'étaient pas absorbées par la lecture – outre les comics, il dévorait de la science-fiction, des histoires de marins, H. Rider Haggard, Edgar Rice Burroughs, John Buchan et des romans sur l'histoire d'Amérique ou d'Angleterre – ou par des répétitions imaginaires détaillées des soirées de magie grâce auxquelles il avait l'intention un jour d'éblouir le monde, Tommy les parcourait dans la peau du

1. *Sagas marines.* (*N.d.T.*)
2. *Histoires de la ferme.* (*N.d.T.*)

batailleur Tommy Clay, écolier cent pour cent américain, alias le mystérieux Bug. Le Bug était le nom de son alter ego redresseur de torts costumé, qui était apparu un beau matin, alors que Tommy était en maternelle, et dont il enregistrait intérieurement depuis lors les aventures et la mythologie de plus en plus involutées. Il avait dessiné la valeur de plusieurs gros volumes d'histoires du Bug, même si ses capacités artistiques étaient sans aucune mesure avec la richesse de son imagerie mentale et si l'embrouillamini de traînées à la mine de plomb et de résidus de gomme qui en résultait le décourageait toujours. Le Bug était un *bug*, un véritable insecte – un scarabée, dans sa version courante – qui avait été pris, avec un bébé humain, dans le souffle d'une explosion atomique. Mystérieusement – Tommy restait vague sur ce point – leurs natures s'étaient mélangées ; désormais, l'âme et l'esprit du scarabée, armés de sa cuirasse de scarabée et d'une force de scarabée proportionnelle, habitaient le corps de un mètre trente d'un petit garçon humain, assis au troisième rang de la classe de Mr Landauer, sous un buste de Franklin B. Roosevelt. Parfois, il pouvait utiliser, encore une fois vaguement, les facultés caractéristiques des autres variétés de scarabées : voler, piquer avec son dard, filer de la soie. C'était toujours, en quelque sorte, enveloppé dans le manteau imaginaire du Bug que Tommy accomplissait son œuvre clandestine dans les présentoirs de Spiegelman, les antennes déployées et tendues, afin de détecter le plus léger frémissement de l'approche de ce dernier, à qui, dans cette situation, Tommy donnait en général le rôle de l'abominable Pince d'acier, membre fondateur de la Galerie de Photographies de repris de justice du Bug.

Cet après-midi-là, alors qu'il lissait le coin écorné d'un exemplaire de *Weird Date*, il se produisit un phénomène étonnant. Aussi loin qu'il se souvienne, c'était la première fois qu'il sentait un authentique frémissement dans les antennes sensibles du Bug. On les espionnait. Il regarda autour de lui. Un inconnu était planté là, à moitié dissimulé derrière un tambour rotatif constellé de lentilles de lunettes pour lire à cinquante cents. L'homme détourna le visage avec brusquerie et fit comme s'il avait toujours contemplé un reflet lumineux rose et bleu sur le mur du fond du magasin. Tommy reconnut immédiatement le magicien aux yeux tristes de l'arrière-boutique de Tannen. Il n'était pas du tout surpris de voir cet homme ici, au drugstore Spiegelman de Bloomtown, à Long Island ; c'était une chose qu'il ne devait jamais oublier par la suite. Il se sentit même content – peut-être cela était-il un peu surprenant – de revoir l'inconnu. Chez Tannen, l'apparition du magicien avait semblé plus ou moins agréable à Tommy. Il avait éprouvé une tendresse inexplicable pour la tignasse de boucles noires indisciplinée, la silhouette dégingandée dans son costume blanc maculé, les grands yeux bienveillants. Tommy comprenait à présent que cette affection déplacée n'avait été que les prémices de cette reconnaissance.

Quand l'homme s'aperçut que Tommy le regardait fixement, il renonça à sa comédie. Pendant un moment, il demeura comme en suspens, les épaules voûtées, le visage en feu. On eût dit qu'il avait l'intention de se sauver ; c'était encore une chose dont Tommy devait se souvenir plus tard. À ce moment-là, l'homme sourit.

– Salut, toi là-bas ! lança-t-il.

Sa voix était douce et trahissait un léger accent.

– Salut ! répondit Tommy.

– Je me suis toujours demandé ce qu'il y avait dans ces bocaux.

L'homme montra du doigt la devanture du magasin, où deux récipients en verre, des vases à bec baroque aux couvercles en forme de dômes bulbeux, contenaient d'éternels litres d'un liquide clair, teintés respectivement de rose et de bleu. Le soleil de fin d'après-midi les traversait, projetant l'ondoyante paire d'ombres pastel sur le mur du fond.

– J'ai déjà posé la question à Mr Spiegelman, avança Tommy. Deux ou trois fois.

– Que t'a-t-il répondu ?

– Que c'était un mystère de sa profession.

Son interlocuteur inclina gravement la tête.

– Un de ceux que nous devons respecter.

Il plongea la main dans sa poche et en tira un paquet de cigarettes Old Gold. Il en alluma une avec un claquement sec de son briquet et inhala lentement, les yeux rivés sur Tommy, l'air troublé, comme Tommy s'y attendait sans savoir pourquoi.

– Je suis ton cousin, annonça l'inconnu. Josef Kavalier.

– Je sais, répliqua Tommy. J'ai vu votre photo.

L'homme inclina la tête et tira une autre bouffée de sa cigarette.

– Tu vas venir dans notre maison ?

– Pas aujourd'hui.

– Tu vis au Canada ?

– Non, dit l'homme. Je ne vis pas au Canada. Je pourrais te dire où je vis, mais si je le fais, tu dois promettre de ne révéler mon adresse et mon identité à personne. C'est top secret.

On entendit un crissement sablonneux de semelles de cuir sur le linoléum. Levant la tête, cousin Joe eut un petit sourire crispé d'adulte et tourna les yeux de côté avec inquiétude.

– Tommy ? (C'était Mr Spiegelman. Il dévisageait le cousin Joe avec curiosité, non pas de manière inamicale, mais avec un intérêt que Tommy reconnut comme étant clairement non mercantile.) Je ne crois pas connaître ton ami.

– C'est... Joe, balbutia Tommy. Je... je le connais.

L'intrusion de Mr Spiegelman dans l'allée des comic books le secoua. La sensation de calme, comme dans un rêve, avec laquelle il avait retrouvé, dans un drugstore de Long Island, le cousin qui avait disparu d'un navire de transport militaire au large des côtes de Virginie huit ans plus tôt, l'abandonna. Joe Kavalier était le plus grand réducteur au silence d'adultes dans la famille Clay ; chaque fois que Tommy pénétrait dans une pièce et que tous les autres se taisaient, il était sûr qu'ils parlaient du cousin Joe. Évidemment, il les avait harcelés sans merci pour avoir des renseignements sur ce mystère d'homme. En général, son père refusait d'évoquer les premiers temps du partenariat qui avait produit l'Artiste de l'évasion – « Toute cette histoire me déprime un peu, mon grand », disait-il – mais il pouvait parfois se laisser entraîner à spéculer sur le refuge actuel de Joe, le cours de ses tribulations, la probabilité de son retour. Ce genre de propos, cependant, rendait nerveux le père de Tommy. Il tendait la main pour attraper une cigarette, un journal, le bouton de la radio. N'importe quoi pour couper court à la conversation.

C'est sa mère qui avait raconté à Tommy l'essentiel de ce qu'il savait sur Joe Kavalier. D'elle, il avait appris toute l'histoire de la genèse de l'Artiste, des énormes fortunes que les propriétaires d'Empire Comics avaient empochées grâce à l'œuvre de son père et de son cousin. Sa mère se tourmentait pour l'argent. La manne perdue que l'Artiste aurait représentée pour la famille si Sheldon Anapol et Jack Ashkenazy ne les avaient pas escroqués la hantait. « Ils les ont volés », répétait-elle souvent. Rosa gardait généralement ce genre de déclarations pour les moments où elle et son fils étaient seuls, mais, de temps en temps, quand le père de Tommy se trouvait dans les parages, elle remettait sur le tapis sa triste histoire dans le monde de la bande dessinée, où Joe Kavalier avait jadis joué un rôle clef, pour étayer une remarque plus large, plus absconse, sur l'état de leur existence, que Tommy, farouchement cramponné à sa vision puérile des choses, réussissait chaque fois à ne pas saisir. Sa mère, en l'occurrence, était en possession de toutes sortes de faits intéressants sur Joe. Elle savait où il était allé à l'école à Prague, quand et par quel chemin il était arrivé en Amérique, les endroits où il avait habité à Manhattan. Elle savait quels comics il avait dessinés et ce que Dolores del Río avait dit de lui un soir de printemps 1941 (« Vous dansez comme mon père »). La mère de Tommy savait aussi que la musique laissait Joe indifférent et qu'il avait un faible pour les bananes.

Tommy avait toujours pris la minutie, la durable intensité des souvenirs que sa mère avait de Joe comme allant de soi, mais, un après-midi de l'été précédent, à la plage, il avait entendu par hasard la mère d'Eugene discuter avec une autre voisine du quartier. Feignant de dormir sur sa serviette, Tommy avait écouté leurs chuchotements. Leur conversation était dure à suivre, mais une phrase lui tomba dans l'oreille et y resta logée bien des semaines après.

– Elle en a pincé pour lui durant toutes ces années, disait l'autre femme à Helene Begelman.

Elle parlait de sa mère, Tommy en était sûr. Pour une raison inconnue, il pensa aussitôt à la photo de Joe en smoking, une quinte flush dans les mains, que sa mère gardait dans un petit cadre d'argent, sur la coiffeuse qu'elle s'était installée à l'intérieur de la penderie de sa chambre. Mais la signification pleine et entière de cette expression, « en pincer pour », demeura obscure pour Tommy pendant plusieurs autres mois, jusqu'au jour où, en écoutant avec son père Frank Sinatra chanter l'intro de *Guess I'll Hang My Tears Out to Dry*, son sens lui devint limpide. Au même instant, il comprit qu'il savait depuis toujours que sa mère était amoureuse du cousin Joe. Bizarrement, l'information lui plaisait. Elle semblait concorder avec certaines idées qu'il s'était faites sur ce à quoi la vie d'adulte ressemblait vraiment, à force de lire attentivement les histoires maternelles parues dans *Heartache*, *Sweetheart* et *Love Crazy*.

N'empêche que Tommy ne connaissait pas du tout le cousin Joe, et il devait admettre, en le voyant avec les yeux de Mr Spiegelman, qu'il paraissait un peu louche, à traîner là avec son complet froissé et sa barbe naissante de plusieurs jours. Les boucles de ses cheveux se dressaient sur sa tête tels des copeaux d'emballage. Il avait l'air pâle et papillotant, comme s'il ne sortait pas souvent à la lumière du jour. Il allait être difficile d'expliquer sa présence à Mr Spiegelman sans révéler que c'était un parent. Et pourquoi ne devrait-il pas le lui révéler ? Pourquoi ne devrait-il pas annoncer à tous ceux qu'il connaissait – à ses parents, en particulier – que cousin Joe était revenu de ses tribulations ? C'était une grande nouvelle. S'il s'avérait plus tard qu'il l'avait cachée à sa mère et à son père, il s'attirerait sûrement des ennuis.

– C'est mon... euh..., bredouilla-t-il, voyant la lueur de méfiance s'aiguiser dans les doux yeux bleus de Mr Spiegelman. Mon... (Il avait « cousin » sur le bout de la langue et envisageait même de faire suivre ce mot de la nouveauté mélodramatique « perdu de vue depuis longtemps », quand une possibilité narrative bien plus intéressante se présenta à son esprit : à l'évidence, cousin Joe était venu spécialement pour lui. Il y avait eu cet instant où leurs regards s'étaient croisés de part et d'autre du comptoir de la Boutique de la magie de Louis Tannen. Puis, au cours des quelques jours qui avaient suivi, d'une façon ou d'une autre, Joe avait localisé Tommy, observé ses habitudes, il l'avait même suivi partout pour guetter le moment opportun. Quelles que soient ses raisons pour dissimuler son retour au reste de la famille, il avait choisi de se montrer à Tommy. Il serait injuste et stupide, songea Tommy, de ne pas respecter ce choix. Les héros des romans de John Buchan* ne laissaient jamais échapper la vérité dans ces circonstances. Pour eux, un mot était plus que suffisant, et la discrétion représentait l'essentiel du courage. Ce même sens du cliché mélo le retint de considérer l'éventualité que ses parents aient été au courant du retour de cousin Joe et le lui aient caché, comme c'était leur habitude avec les nouvelles intéressantes.) Mon professeur de magie, acheva-t-il. Je lui ai promis de le retrouver ici. Toutes les maisons se ressemblent, vous savez...

– C'est assurément vrai, renchérit Joe.

– Professeur de magie, répéta Mr Spiegelman. Voilà qui est nouveau pour moi !

– Il vous faut un professeur, monsieur Spiegelman, insista Tommy. Tous les grands hommes en ont un. (Après quoi Tommy eut un geste qui le surprit lui-même. Il tendit le bras et prit la main de son cousin.) Eh bien, allez ! Je vais vous montrer le chemin. Vous n'avez qu'à compter les carrefours. En réalité, les maisons ne se ressemblent pas toutes. Nous en avons huit modèles différents.

Ils commencèrent à remonter les présentoirs d'illustrés. Tommy se souvint qu'il avait eu l'intention de prendre le numéro de l'été 1953 des *Aventures de l'Artiste de l'évasion*, mais il avait peur de choquer peut-être ou même de contrarier son cousin. Tommy se contenta donc de continuer à marcher, en tirant Joe par la main. En passant devant, Tommy jeta un coup d'œil à la couverture du nº 54 des *Aventures de l'Artiste de l'évasion*, où l'Artiste, ligoté à un gros poteau, les mains derrière le dos et un bandeau sur les yeux, faisait face à un peloton d'exécution aux têtes patibulaires. L'ordre de tirer allait être donné par Tom Mayflower en personne, appuyé sur sa béquille, le bras tendu, le visage diabolique et égaré. « COMMENT EST-CE POSSIBLE ? criait l'Artiste dans une bulle dentelée par l'angoisse. JE VAIS ÊTRE EXÉCUTÉ PAR MON ALTER EGO !!! »

Tommy se sentait profondément remué par cette illustration provocante, même s'il savait fort bien qu'à la fin, quand on lisait l'histoire, la situation reproduite sur la couverture se révélait être un rêve, un malentendu, une exagération, voire un pur mensonge. De sa main libre, il resta là à tripoter sa pièce de dix cents dans la poche de sa salopette.

Cousin Joe exerça une pression sur son autre main.

– *Les Aventures de l'Artiste de l'évasion*, murmura-t-il d'un ton léger et railleur.

– Je le regardais seulement, se justifia Tommy.

– Prends-le, suggéra Joe. (Il enleva les quatre derniers titres de l'Artiste du présentoir.) Prends-les tous. Vas-y ! (Il salua le mur de la main, le geste farouche, les yeux étincelants.) Je t'achèterai tous ceux que tu veux.

Il était difficile de dire pourquoi, mais cette proposition extravagante effraya Tommy. Il commença à regretter son saut aventureux dans les plans inconnus de son cousin issu de germain.

– Non, merci, souffla-t-il. Mon père me les procure gratis. Tous, sauf ceux d'Empire.

– Bien sûr, dit Joe. (Il toussota dans son poing fermé et ses joues s'empourprèrent.) Eh bien, juste celui-ci alors.

– Dix cents, annonça Mr Spiegelman, qui fit sonner sa caisse enregistreuse, sans cesser d'étudier Joe.

Il prit la pièce que lui donna Joe, puis tendit la main.

– Hal Spiegelman, se présenta-t-il. Monsieur...

– Kornblum, acheva cousin Joe.

Ils sortirent du magasin et restèrent plantés sur le trottoir devant la boutique. Ce trottoir et les commerces qui y donnaient étaient les plus anciennes constructions de Bloomtown. Ils étaient là depuis les années vingt, quand Mr Irwin Bloom travaillait encore dans la cimenterie paternelle du Queens et qu'il n'y avait là que des champs de pommes de terre et ce petit village de Manticock, que Bloomtown avait depuis absorbé et remplacé. À la différence des trottoirs flambant neufs de l'utopie de Mr Irwin Bloom, celui-ci était craquelé, grisâtre, constellé de taches par des années de jets de chewing-gums, incrusté d'herbes folles. Devant il n'y avait pas de vaste parking, comme sur la place de Bloomtown ; la nationale 24 défilait avec fracas. Les devantures de magasins étaient étroites, revêtues de bardeaux, leurs corniches un fouillis hirsute de câbles téléphoniques et de lignes électriques envahis de vigne vierge. Tommy aurait voulu dire quelque chose sur tout cela à son cousin Joe. Il regrettait de ne pouvoir lui expliquer comment le trottoir cloqué, les corbeaux impérieux posés sur la vigne vierge dénudée et le bourdonnement agressif de l'enseigne au néon de Mr Spiegelman provoquaient en lui une espèce de tristesse prémonitoire pour la vie d'adulte, comme si Bloomtown, avec ses piscines, ses aires de jeux, ses pelouses et ses trottoirs éblouissants, représentait l'océan à la fois varié et uniforme de l'enfance elle-même, d'où émergeait cette bosse sénescente du village de Manticock, telle une île sinistre et sauvage. Il avait l'impression d'avoir mille choses à raconter à cousin Joe : l'histoire de leur vie depuis sa disparition, la pénible tragédie du départ d'Eugene Begelman pour la Floride, l'origine du mystérieux Bug... Tommy n'avait jamais réussi à se justifier devant les adultes à cause de leur calamiteuse inattention, mais il y avait dans les yeux de cousin Joe une expression de tolérance qui lui laissait penser que ce serait possible de se confier à cet homme.

– J'aimerais que tu viennes chez moi ce soir, avoua-t-il. Il y a du *chili con carne*.

– C'est appétissant. Ta mère a toujours été bonne cuisinière.

– Viens ! (Subitement, il comprit qu'il ne pourrait jamais taire le retour de Joe à ses parents. La question de savoir où était Joe avait été un souci pour eux depuis la naissance de Tommy. Ce serait injuste de leur cacher la nouvelle. Ce serait mal. Qui plus est, en voyant son cousin pour la première fois, il avait l'intuition que cet homme était des leurs.) Tu dois venir !

– Mais je ne peux pas. (Chaque fois qu'une voiture passait, Joe se retournait pour la regarder, scruter son intérieur.) Excuse-moi. Je suis passé te voir, mais il faut que je m'en aille maintenant.

– Et pourquoi ?

– Parce que je... parce que j'ai perdu la main. Je viendrai dans ta maison peut-être la prochaine fois, mais pas aujourd'hui. (Il consulta sa montre.) Mon train est dans dix minutes.

Il tendit la main à Tommy, qui la lui serra. Mais, à ce moment-là, Tommy se surprit lui-même et se jeta au cou de cousin Joe. L'odeur de cendres de l'étoffe rugueuse de son veston gonfla le cœur de l'adolescent.

– Où vas-tu ? demanda Tommy.

– Je ne peux pas te le dire. Ce ne serait pas juste. Je ne peux pas te demander de garder mes secrets pour moi. Après mon départ, tu devrais dire à tes parents que tu m'as vu, d'accord ? Ça m'est égal. Ils ne pourront jamais me retrouver. Mais pour être correct avec toi, je ne peux pas te dire où je vais.

– Je ne leur dirai rien, protesta Tommy. Je le jure devant Dieu, vraiment rien.

Joe posa ses mains sur les épaules de Tommy et le poussa légèrement en arrière pour qu'ils puissent se regarder mutuellement.

– Tu aimes bien la magie, hein ?

Tommy hocha la tête. Joe mit la main dans sa poche et en tira un jeu de cartes. C'était une marque de cartes française qui s'appelait Petit Fou. Tommy avait un jeu identique à la maison, qu'il avait acheté à la boutique de Louis Tannen. Les cartes européennes étaient moins grandes et ainsi plus faciles à manipuler pour les petites mains. Les rois et les reines avaient un air menaçant et chicaneur de vignettes médiévales, comme s'ils allaient vous dépouiller avec leurs épées incurvées et leurs lances. Joe sortit les cartes de leur étui criard et les tendit à Tommy.

– Qu'est-ce que tu sais faire ? reprit-il. Tu connais le saut de coupe ?

Tommy secoua la tête. Ses joues lui brûlaient. Il ne savait pas comment son cousin avait réussi à taper dans le mille de sa faiblesse de manipulateur de cartes.

– Je ne suis pas bon aux cartes, confessa-t-il, battant le jeu d'un air morose. Chaque fois qu'on dit dans un tour qu'il faut un saut de coupe, je passe.

– Les sauts de coupe sont difficiles, concéda Joe. Enfin, faciles à réaliser, mais pas faciles à réussir...

Ce n'était pas une nouveauté pour Tommy, qui, au début de l'été, avait consacré vainement quinze jours au ruban de cartes, au demi-paquet, à l'éventail et au saut de coupe de Charlier, entre autres, sans jamais pouvoir dissimuler les différents quarts et moitiés du paquet assez rapidement pour empêcher la supercherie au centre de tout saut de coupe – la permutation invisible de deux parties ou plus du jeu – d'apparaître même à l'œil le moins perspicace. Dans le cas de Tommy à celui de sa mère qui, lors de sa dernière tentative, avant qu'il ne laisse tomber le saut de coupe de dégoût une bonne fois pour toutes, avait roulé les yeux en s'écriant : « Bon, d'accord, si tu dois intervertir les moitiés du jeu comme ça... »

Joe leva la main droite de Tommy, examina ses phalanges, la retourna et étudia sa paume avec la minutie d'un chiromancien.

– Je sais qu'il faut que je l'apprenne, commença Tommy, mais je...

– Tu perdras ton temps, trancha Joe, lâchant sa main. Ce n'est pas la peine avant d'avoir des mains plus grandes.

– Comment ?

– Laisse-moi te montrer quelque chose.

Il prit le jeu de cartes, déploya celles-ci en un éventail bien régulier et pria Tommy d'en choisir une. Instantanément, Tommy jeta un coup d'œil au trois de trèfle, puis le remit avec détermination dans le jeu. Il était attentif aux mouvements des longs doigts de Joe et résolu à repérer son truc au moment opportun. Joe ouvrit les mains, paumes vers le ciel. Le jeu sembla se diviser en deux paquets bien nets, de gauche à droite, dans le bon ordre ; en ondulant avec un flair de magicien, les doigts de Joe donnèrent l'impression déconcertante d'une autre division, si fugace que Tommy ne savait pas trop s'il l'avait imaginée ou avait été poussé bêtement à voir plus qu'il n'y avait à voir par l'habile palpitation d'anémone des doigts et des pouces de son cousin. Tout bien pesé, on eût dit qu'il ne s'était rien passé d'autre avec les cartes qu'un simple transfert paresseux de la main gauche dans la droite. À ce moment-là, Tommy se retrouva avec une carte dans les mains. Il la retourna. C'était le trois de trèfle.

– Hé ! s'exclama Tommy. Oh là là !

– Tu as vu quelque chose ?

Tommy secoua la tête.

– Tu n'as pas vu le saut de coupe ?

– Non !

Tommy ne pouvait cacher une légère irritation.

– Ah ! fit Joe, avec un brin de théâtralité dans sa voix un peu grave. Mais il n'y a pas eu de saut de coupe. C'est le tour du faux saut de coupe.

– Le faux saut de coupe !

– Facile à réaliser, pas trop dur à réussir.

– Mais je n'ai rien...

– Tu regardais mes doigts. Ne regarde pas mes doigts. Mes doigts sont des petits menteurs. Je leur ai appris à raconter de beaux mensonges.

Cette confidence plut à Tommy. Une vive secousse ébranla la corde qui entravait son cœur ombrageux dans sa poitrine.

– Tu pourrais... ? commença Tommy, avant de s'interrompre.

– Tiens, dit Joe.

Passant derrière le gamin, il se pencha au-dessus de lui, les bras de part et d'autre, comme le père de Tommy avait fait jadis pour lui montrer comment on nouait sa cravate. Il disposa le jeu dans la main gauche de Tommy en lui ajustant les doigts, puis le guida lentement à travers les quatre manipulations simples, un enchaînement de chiquenaudes et de demi-tours, qui était juste ce qu'il fallait pour glisser le dessous du jeu par-dessus. Bien entendu, la ligne de séparation entre les deux paquets était la carte choisie, marquée invisiblement du bout de l'ongle de l'auriculaire gauche. Il resta derrière lui pour le regarder répéter les mouvements. Les volutes de son haleine à l'âcre odeur de tabac enveloppèrent progressivement la tête de Tommy, pendant que ce dernier se démenait pour produire l'effet requis. Au bout du sixième essai, même si ses manipulations étaient encore molles et lentes, il pressentait déjà qu'il finirait par prendre le coup. Il éprouva une détente dans les tripes, un sentiment de plénitude qui conservait pourtant en son centre une petite poche de malheur à combler. Il renversa sa tête contre le ventre plat de son cousin et leva les yeux vers son visage à l'envers. Le regard de Joe paraissait perplexe, plein de regrets, inquiet, mais Tommy avait lu un jour, dans un livre sur les illusions d'optique, que tous les visages avaient l'air tristes vus d'en bas.

– Merci, murmura Tommy.

Cousin Joe recula d'un pas pour s'écarter de lui. Tommy perdit l'équilibre et faillit tomber par terre. Il se rattrapa, puis se retourna face à son cousin.

– Il faut vraiment que tu saches réussir un saut de coupe, insista cousin Joe. Même si ce n'est qu'un faux...

6.

Le lundi suivant, Tommy alla nager au Centre de natation et de loisirs municipal de Bloomtown, qui venait juste de rouvrir après une alerte à la poliomyélite. Après être rentré à la maison à vélo, il trouva une lettre qui l'attendait sous une enveloppe long format, où était imprimée l'adresse de l'expéditeur, la Boutique de la magie de Louis Tannen. Il ne recevait pas souvent de courrier et sentit le regard de sa mère pendant qu'il l'ouvrait.

– On te propose un job, suggéra-t-elle.

Rosa était postée devant le bar de la cuisine, son crayon en suspens au-dessus de la liste de provisions qu'elle était en train de dresser. Parfois, sa mère ne mettait pas moins d'une heure et demie pour établir une liste de commissions relativement simple. Il avait la tendance stoïque de son père à serrer les dents, mais sa mère n'était pas le genre à accélérer une tâche qu'elle méprisait.

– Louis Tannen est mort et t'a laissé sa boutique dans son testament.

Tommy secoua la tête, incapable de sourire à ses taquineries. Il était si surexcité que la feuille de papier ministre, avec son mélange tapé à la machine de termes pompeux et exotiques, vibrait dans ses mains. Il savait que la lettre faisait partie intégrante du plan, mais oublia un instant quel était le plan. Il était confondu de plaisir.

– Alors, qu'est-ce que c'est ?

Avec audace, le ventre serré, Tommy lui tendit brusquement la feuille de papier. Elle leva à hauteur de l'arête de son nez les lunettes pour lire qu'elle portait accrochées à une chaîne d'argent autour du cou. C'était un fait nouveau, honni par sa mère. Elle ne posait jamais vraiment les lunettes sur son nez, mais se contentait de les tenir devant ses yeux, comme si elle voulait avoir aussi peu de rapport que possible avec elles.

– La Farandole des bouquets ? La Chasse aux pièces ? La Plume fantôme ?

Elle loucha légèrement en lisant le dernier mot.

– Des tours de prestidigitation, expliqua Tommy, lui reprenant la feuille, de peur qu'elle ne l'étudie de trop près. C'est une liste de prix.

– Je vois cela, dit-elle, en le dévisageant. « Farandole » est mal orthographié. E au lieu de A.

– Heu ! émit Tommy.

– Mais combien de tours te faut-il, chéri ? Nous venons de t'offrir ta boîte diabolique...

– Je sais, se défendit-il. C'est juste pour rêver.

– Eh bien, rêve ! s'écria-t-elle, abaissant une fois de plus ses lunettes. Mais garde ton manteau. On va au A&P.

– S'il te plaît, je peux rester à la maison ? Je suis assez grand.

– Pas aujourd'hui.

– S'il te plaît.

Il devina qu'elle allait probablement céder – ces derniers temps, ses parents faisaient l'expérience de le laisser tout seul – et que la seule raison qui lui donnait à réfléchir était son horreur des courses.

– Tu vas m'obliger à m'aventurer seule au cœur des ténèbres ?

Il inclina la tête.

– Tu n'auras pas peur ?

Il inclina une nouvelle fois la tête, de crainte, s'il ajoutait un mot, de vendre la mèche d'une façon ou d'une autre. Elle hésita encore un moment, puis haussa une épaule, prit son sac à main et s'en alla.

La lettre et son enveloppe dans les mains, Tommy resta assis jusqu'à ce qu'il eût entendu le ronronnement du moteur de la Studebaker et le raclement de son pare-chocs arrière au moment où sa mère reculait hors de l'allée. Puis il se leva. Il prit les ciseaux dans le tiroir de la cuisine, se dirigea vers le placard et en sortit un paquet de céréales Post Toasties. Il vit que sa mère, comme d'habitude, était partie sans sa liste de commissions. Celle-ci était écrite, remarqua-t-il, au dos d'une bande arrachée à une page d'iconographie – qui venait peut-être de *Kiss* – qu'elle avait abandonnée. Cachée derrière un vieux canot à rames tirée au sec, une jolie blonde espionnait une scène qui lui tirait des larmes. C'était sans doute son petit ami médecin qui embrassait sa meilleure amie l'infirmière ou quelque chose dans ce genre.

Tommy emporta les ciseaux et les céréales dans sa chambre. Au fond du sac en papier sulfurisé, il restait presque un centimètre de miettes, qu'il mastiqua consciencieusement. Comme il le faisait tous les matins depuis la semaine dernière, il étudia le texte imprimé à l'arrière du paquet, lequel vantait avec sérieux les mérites, formulés scientifiquement, des céréales et qu'il connaissait déjà par cœur. Après avoir terminé, il froissa le sac en boule, puis le jeta dans la corbeille à papier. Il ramassa ses ciseaux et découpa soigneusement la paroi arrière du paquet. Il la posa à plat sur son bureau. À l'aide d'un crayon et d'une règle, il traça un encadré autour de chaque occurrence des mots « Post Toasties ». Puis il prit les ciseaux et découpa en suivant les lignes qu'il avait tirées. Il reprit la paroi de carton, avec ses onze trous rectangulaires, et la superposa à la prétendue liste des tours de magie de chez Tannen.

Voilà comment Tommy apprit qu'il lui fallait prendre le train de 10 h 04 à la gare L.I.R.R. de Bloomtown le 3 décembre, un œil caché sous le bandeau qui allait lui être fourni, sous couvert d'un accessoire d'un faux tour baptisé Dollars espagnols, dans une seconde lettre de Joe. Tommy devait s'asseoir dans la dernière voiture, tout au fond, prendre la correspondance à Jamaica, descendre à Penn Station, puis longer les deux pâtés de maisons menant au fameux Empire State Building. Il devait ensuite monter par l'ascenseur au soixante-douzième étage, aller à la suite 7203 et tambouriner ses initiales en morse à la porte. S'il rencontrait un ami de la famille ou un autre adulte qui le questionnait sur sa destination, il devait montrer son bandeau et répondre simplement : « Ophtalmologiste ».

Pendant les sept mois suivants, Tommy suivit tous les jeudis la routine instaurée par cette première missive secrète de Joe. Il quittait la maison à neuf heures moins le quart, comme les autres jours, et se mettait en marche vers le collège William Floyd, où il était en cinquième. Mais au coin de Darwin Avenue, il tournait à gauche au lieu de droite, passait discrètement par l'arrière-cour des Marchetti, traversait Rutherford Drive et prenait son temps (à moins qu'il ne pleuve) pour déambuler dans le quartier est à moitié construit de Bloomtown, en direction du nouveau et insipide édifice d'acier et de parpaings qui avait remplacé l'ancienne gare de Manticock. Il passait alors la journée avec cousin Joe, dans son étrange meublé à trois cents mètres au-dessus de la Cinquième Avenue, et repartait à trois heures. Ensuite, suivant toujours la première consigne de Joe, il s'arrêtait devant les Fournitures de bureau Reliant, dans la Trente-troisième Rue, et tapait à la machine un mot d'excuse à remettre le lendemain matin au principal, Mr Savarese, sur une feuille de papier que Joe avait déjà ornementé d'un fac-similé parfait de la signature de Rosa Clay.

Les premiers mois, Tommy adorait ses expéditions à New York. La clandestinité du protocole, le risque d'être pris et la vue vertigineuse depuis les fenêtres de chez Joe n'auraient pu être mieux faits pour frapper l'imagination d'un petit garçon de douze ans qui consacrait une bonne partie de ses journées à feindre secrètement de s'identifier à un insecte humanoïde doté de pouvoirs surnaturels. Il aimait, avant tout, le trajet en ville. Comme pour beaucoup d'enfants solitaires, son problème, ce n'était pas la solitude en soi, mais le fait qu'il n'était jamais laissé libre d'en profiter. Il y avait toujours des adultes bien intentionnés qui essayaient de le taquiner, de l'améliorer et de le conseiller, de le soudoyer, de le cajoler ou de le maltraiter pour qu'il s'apprivoise, parle plus fort, prenne l'air. Des maîtres qui fouinaient et enjôlaient avec leurs exemples et leurs principes, alors que tout ce dont il avait réellement besoin, c'était qu'on lui donne une pile de manuels et qu'on le laisse tranquille. Ou bien, le pire de tout, des enfants qui avaient l'air de ne pas pouvoir jouer sans l'inclure si leurs jeux étaient cruels ou, s'ils étaient innocents, sans le tenir ouvertement à l'écart. L'isolement de Tommy avait trouvé une expression étrangement heureuse dans le tangage et le grondement des trains du L.I.R.R., le souffle vicié des ventilateurs à air chaud, l'odeur de porridge brûlant des cigarettes, le panorama desséché et anonyme vu des fenêtres, les heures entièrement consacrées à lui-même, à son livre et à ses rêveries. Il aimait également la ville elle-même. À l'aller comme au retour, il se gavait de hot-dogs et de tourtes de cafétéria, des briquets de prix et des feutres exposés dans les vitrines des grands magasins, suivait les garçons de courses avec leurs portants bruissant de fourrures et de pantalons. Il y avait des marins et des boxeurs professionnels. Il y avait des clochards, tristes et inquiétants, et des dames en vestes galonnées, avec des chiens dans leurs sacs à main. Tommy sentait les trottoirs vibrer et trembler quand les trains passaient sous ses pieds. Il entendait des hommes jurer et chanter de l'opéra. Par une journée ensoleillée, sa vision périphérique était pailletée des reflets de lumière sur les phares chromés des taxis, les boucles de chaussures des femmes, les insignes des policiers, les poignées des voitures à bras des marchands de casse-croûte, les décorations à toute épreuve sur les capots des camions forcenés en vadrouille. C'était Gotham City, Empire City, Métropolis. Ses cieux et ses toits grouillaient d'individus enroulés dans leur cape ou costumés, à l'affût des malfaiteurs, des saboteurs et des communistes. Tommy, lui, était le Bug, qui effectuait sa ronde solitaire dans New York, surgissant du sous-sol telle une cigale, sautillant sur ses puissantes pattes postérieures le long de la Cinquième Avenue aux trousses du Docteur Follehaine ou du Resquilleur, rampant ni vu ni connu comme une fourmi au milieu des troupeaux noir et gris et piaffants d'humains chargés de serviettes, dont il avait juré de protéger et de défendre l'existence fruste de mammifères, avant de débarquer enfin dans le repaire aérien secret d'un de ses compagnons justiciers masqués, qu'il surnommait parfois l'Aigle mais qui répondait plus généralement, dans l'imagination de Tommy, au sobriquet de Top Secret.

Top Secret vivait dans une enfilade de deux bureaux, dont les quatre fenêtres donnaient sur Bloomtown et le Groenland. Il avait un bureau, une chaise, une table de travail, un tabouret, un fauteuil, un lampadaire, une collection complexe de postes de radio multibande hérissés de mètres d'antenne grimpante et un petit meuble de rangement spécial dont beaucoup des tiroirs peu profonds étaient remplis de stylos, de crayons à papier, de tubes de peinture tordus et de gommes. Il n'y avait pas de téléphone, pas plus qu'il n'y avait de réchaud, de glacière ou de lit proprement dit.

– C'est illégal, annonça cousin Joe à Tommy lors de sa première visite. On n'a pas le droit d'habiter dans un immeuble de bureaux. Voilà pourquoi tu ne dois dire à personne que je suis ici.

Même à ce moment-là, avant de connaître la profondeur et l'étendue des pouvoirs surhumains d'autodissimulation de Top Secret, Tommy ne crut pas entièrement à cette explication. Dès le début, il avait senti, sans pouvoir l'exprimer – à son âge, le mot et l'expérience du chagrin étaient moins étrangers à sa psychologie que latents en lui et encore inconscients – qu'il y avait quelque chose qui clochait chez Joe ou qui lui était arrivé. Mais il était trop électrisé par le mode de vie de son cousin et les perspectives que celui-ci lui ouvrait pour trop réfléchir au problème. Il regarda Joe se diriger vers une autre porte à l'autre bout de la pièce et l'ouvrir. C'était un placard de fournitures. Il contenait des rames de papier, des bouteilles d'encre et autres accessoires de bureau. Il y avait aussi un lit bas pliant à roulettes, une plaque chauffante électrique, deux cartons de vêtements, une penderie en toile et un petit lavabo en faïence.

– Il n'y a pas de gardien ? lui demanda Tommy lors de sa deuxième escapade, après avoir accordé une certaine considération à sa question. Ou un concierge ?

– Le gardien arrive cinq minutes avant minuit, et je veille à ce que tout soit normal avant qu'il mette les pieds ici. Le concierge et moi sommes déjà de vieux amis.

Joe répondit à toutes les questions de Tommy sur les détails de sa vie et lui montra l'ensemble du travail qu'il avait réalisé depuis qu'il avait quitté le monde de la bande dessinée. En revanche, il refusa de dire à Tommy depuis combien de temps il se terrait dans l'Empire State Building, pourquoi il restait là et pour quel motif il tenait son retour secret. Il ne voulut pas non plus expliquer pourquoi il ne quittait jamais son bureau sauf pour se procurer ces fournitures qui ne pouvaient pas lui être livrées, souvent affublé d'une fausse barbe et de lunettes noires, ou pour passer régulièrement dans l'arrière-boutique de Tannen. Ou encore pourquoi, un après-midi de juillet, il avait fait une exception pour se rendre jusqu'à Long Island. C'étaient là les mystères de Top Secret. En tout cas, ce type d'interrogations n'étaient venues à l'esprit de Tommy que sous une forme fragmentaire et inexprimée. Après ses deux premières visites, et durant un bon moment par la suite, il se contenta de considérer la situation comme allant de soi. Joe lui enseignait des tours de cartes, des tours de pièces, des trucs avec des foulards, des aiguilles et du fil. Ils mangeaient des sandwiches achetés à la cafétéria du rez-de-chaussée. Ils échangeaient une poignée de main en guise de bonjour et d'au revoir. Et, mois après mois, Tommy gardait les secrets de Top Secret, même s'ils lui venaient toujours aux lèvres et cherchaient à s'échapper.

Tommy se fit seulement prendre deux fois avant le jour où le pot aux roses fut découvert. La première fois, il attira l'attention d'un contrôleur du L.I.R.R. atteint de nystagmus qui ne mit pas longtemps à sonder la superficialité de son histoire de couverture. Résultat, Tommy passa une bonne partie du mois de novembre 1953 enfermé dans sa chambre. Mais au collège – il considérait comme une partie de son châtiment qu'on continuât à l'envoyer en classe pendant le mois où il était consigné – il consulta Sharon Simchas qui était presque borgne. Il expédia une lettre d'explications à son cousin aux bons soins de Louis Tannen. Le jeudi qui suivit la levée de la punition, il reprit le chemin de Manhattan, muni cette fois du nom et de l'adresse du médecin de Sharon, d'une des cartes professionnelles du bon médecin et d'un plausible diagnostic de strabisme. Toutefois, le poinçonneur aux yeux vagabonds ne reparut pas.

La seconde fois où il se fit attraper tomba un mois avant le saut de l'Artiste de l'évasion. Tommy s'installa sur son siège habituel au fond de la voiture et ouvrit son exemplaire de *Houdini et la magie* de Walter B. Gibson. C'est cousin Joe qui le lui avait donné la semaine précédente ; il était dédicacé par l'auteur, créateur de The Shadow, « l'Ombre », avec lequel Joe jouait encore aux cartes de temps en temps. Tommy s'était déchaussé, il avait son bandeau sur son œil et un demi-paquet de Black Jack dans la bouche. Il entendit un cliquetis de talons et leva le nez à temps pour voir sa mère vêtue de son manteau de phoque entrer dans le wagon en trébuchant, essoufflée, son plus beau chapeau noir plaqué sur sa tête par un bras. Elle se trouvait à l'autre bout d'une voiture relativement pleine, et un homme de haute taille se tenait juste dans sa ligne de mire. Elle s'assit donc sans remarquer son fils. Ce coup de chance mit du temps à faire son chemin en lui. Tommy baissa les yeux sur l'ouvrage posé sur ses genoux. La boule de gomme gris foncé reposait dans une petite flaque de salive sur la page de gauche ; elle était tombée de sa bouche. Il la remit là où elle était et s'allongea en travers des deux sièges de sa rangée, le visage dissimulé dans la capuche de son manteau et derrière l'écran de son livre. Son sentiment de culpabilité était exacerbé par le fait qu'il savait que Harry Houdini avait idolâtré sa propre mère et ne l'aurait sans doute jamais trompée ni ne se serait caché d'elle. À Elmont, le contrôleur passa lui demander son billet et Tommy se redressa sur un coude. L'employé lui jeta un regard sceptique et, bien que ce fût la première fois qu'il le voyait, Tommy tapota son bandeau du bout du doigt et tenta d'imiter la nonchalance de cousin Joe.

– Ophtalmologiste, proféra-t-il.

Le contrôleur hocha la tête et poinçonna son billet. Tommy se rallongea.

À Jamaica il attendit que la voiture se soit entièrement vidée, puis il se rua sur le quai. Il arriva au train à destination de Penn Station juste au moment où les portes se refermaient. Il n'avait pas le temps d'essayer de deviner dans quelle voiture sa mère avait pu monter. L'idée de prendre le train suivant lui vint seulement quelques minutes plus tard, quand – dès qu'elle eut lâché le lobe d'oreille de son fils – cette possibilité lui fut suggérée par Rosa elle-même.

Tommy était presque littéralement tombé sur elle, ayant flairé son parfum juste avant qu'un coin dur de son sac à main simili-écaille ne lui entre dans l'œil.

– Oh !

– Ouille !

Il recula en trébuchant. Elle l'attrapa par la capuche de son manteau et l'attira à elle, puis, resserrant sa prise, le souleva même à deux centimètres du sol, tel un magicien qui brandit par les oreilles le lapin qu'il va faire disparaître ; ses pieds pédalaient sur une bicyclette invisible. Les joues de Rosa étaient fardées de rouge, ses paupières soulignées de crayon noir comme une héroïne de Caniff.

– Qu'est-ce que tu fabriques ? Pourquoi n'es-tu pas au collège ?

– Rien, répondit-il. Je vais juste... J'allais juste...

Il embrassa la voiture du regard. Évidemment, tous les autres voyageurs les épiaient. Sa mère le souleva un peu plus pour approcher son visage du sien. Le parfum qui émanait d'elle s'appelait *Embuscade*. Le flacon se trouvait sur le plateau en miroir posé sur sa coiffeuse, sous un manteau de poussière. Il n'arrivait pas à se rappeler la dernière fois où il l'avait senti sur elle.

– Je ne peux pas... commença-t-elle. (Mais elle ne put achever sa phrase parce qu'elle s'était mise à rire.) Enlève-moi ce sale bandeau de ton œil, ordonna-t-elle.

Rosa le reposa par terre et souleva ledit bandeau. Tommy battit des paupières. Elle rabattit le bandeau sur son œil. Sans lâcher la capuche de son Mighty Mac, elle le tira au fond de la voiture et le força à s'asseoir. Il était sûr qu'elle allait le tancer maintenant, mais, une fois de plus, elle le surprit en s'installant à côté de lui et en le prenant dans ses bras. Elle se balançait d'avant en arrière, le serrant toujours contre elle.

– Merci, reprit-elle d'une voix de gorge, enrouée, exactement comme les matins qui suivaient une nuit de bridge où elle avait grillé un paquet de cigarettes. Merci.

Elle enfouit son nez dans ses cheveux. Il sentit que les joues de sa mère étaient humides. Il se renversa sur son siège.

– Qu'est-ce qui ne va pas, maman ?

D'un geste brusque, elle ouvrit son sac à main et en sortit un mouchoir.

– Tout, répondit-elle. Qu'est-ce qui ne va pas chez toi, tu veux dire ? Comment peux-tu continuer à te conduire ainsi ? Tu allais encore chez Tannen ?

– Non, maman.

– Ne me mens pas, Tommy, murmura-t-elle. N'aggrave pas les choses.

– D'accord.

– Tu ne peux pas te comporter de cette manière. Tu ne peux quand même pas sécher la classe chaque fois que l'envie te prend d'aller à la Boutique de la magie de Tannen. Tu n'as que onze ans. Tu n'es pas un voyou.

– Je sais.

Le train vibra et les freins crissèrent. Ils arrivaient déjà à Pennsylvania Station. Tommy se leva et attendit qu'elle se lève à son tour et le traîne hors du train, pour l'obliger à traverser le quai et le ramener de force à Jamaica, puis à la maison. Mais elle resta assise à la même place et se regarda dans le miroir de son poudrier, en secouant piteusement la tête devant le plâtras créé par ses larmes.

– Maman ?

Elle leva les yeux.

– Je ne vois aucune raison de gâcher ma toilette et mon chapeau parce que tu aimes mieux voir une dame sciée en deux qu'apprendre les fractions, déclara-t-elle.

– Tu veux dire que je ne serai pas puni ?

– Je pensais que nous pourrions passer la journée en ville. Tous les deux. Manger Chez Schrafft. Peut-être même nous offrir une séance de cinéma...

– Alors tu ne vas pas me punir ?

Rosa secoua la tête, une seule fois, dédaigneusement, comme si la question l'ennuyait. Puis elle saisit sa main.

– Je ne vois non plus aucune raison de mettre ton père au courant, n'est-ce pas, Tommy ?

– Non, madame.

– Ton père a déjà assez de soucis comme cela.

– Oui, madame.

– Nous garderons ce petit incident pour nous.

Il hocha la tête, même s'il y avait dans les yeux maternels une lueur passionnée qui le mettait mal à l'aise. Brusquement, il éprouva une folle envie d'être de nouveau consigné.

– Mais si jamais tu recommences, ajouta-t-elle, je ramasserai toutes tes cartes, tes baguettes magiques et toutes ces autres idioties et les jetterai dans l'incinérateur.

Il se rassit et se détendit légèrement. Comme promis, ils déjeunèrent Chez Schrafft, elle de poivrons farcis, lui d'un sandwich Monte Cristo. Ils passèrent ensuite une heure chez Macy's, puis allèrent au cinéma voir *Une femme qui s'affiche* au Trans-Lux de la Cinquante-deuxième Rue. Ils prirent le 16 h 12 pour le retour. Le temps que son père rentre, Tommy dormait déjà. Le lendemain matin, quand il entra le réveiller pour aller à l'école, Sammy ne posa pas de questions à son fils. La rencontre dans le train se perdit dans les fissures de leur famille. Une fois, bien longtemps après, Tommy rassembla tout son courage pour demander à sa mère ce qu'elle faisait dans ce train pour New York, vêtue de ses plus beaux atours, mais elle s'était bornée à porter un doigt à ses lèvres et avait continué à se battre avec un autre spécimen des listes qu'elle oubliait sans cesse.

Le jour où tout avait changé, Tommy et cousin Joe étaient assis dans l'antichambre du siège des Crèmes invisibles Kornblum où trônait un faux bureau de réceptionniste. Les jambes ballantes, Tommy occupait le fauteuil, une grande bergère recouverte d'un tissu rugueux comme de la toile à sac, du vert des tables de billard, et buvait une boîte de soda à la vanille. Joe, lui, était étendu par terre, les bras croisés sous la nuque. Aucun des deux ne parlait depuis ce qui semblait plusieurs minutes à Tommy. Pendant leurs entrevues, il y avait souvent de longues périodes où ils ne disaient pas grand-chose. Tommy bouquinait, tandis que cousin Joe travaillait à la B.D. qu'il créait, disait-il, depuis qu'il avait élu domicile à l'Empire State Building.

– Comment va ton père ? lança abruptement Joe.

– Bien, répondit Tommy.

– C'est ce que tu dis toujours.

– Je sais.

– Il est inquiet à cause de ce livre du docteur Wertham, je parie. *La Séduction de l'innocence*.

– Très inquiet. Des sénateurs sont descendus de Washington.

Joe inclina la tête.

– Il est très occupé ?

– Il est toujours occupé.

– Combien de titres sort-il ?

– Pourquoi ne le lui demandes-tu pas toi-même ? rétorqua Tommy, avec une brusquerie involontaire.

Sa question demeura un bon moment sans réponse. Joe tira une longue bouffée sur sa cigarette.

– Peut-être le ferai-je, dit-il enfin. Un de ces jours.

– Je pense que tu devrais. Tu manques vraiment à tout le monde.

– Ton père a dit que je lui manquais ?

– Enfin, non, mais tu lui manques, répondit Tommy. (Ces derniers temps, il avait commencé à se tracasser pour Joe. Dans les mois suivant son incursion au fin fond de Long Island, ce dernier avait, de son propre aveu, quitté l'immeuble de moins en moins fréquemment, comme si les visites de Tommy avaient pris la place de l'expérience normale du monde extérieur.) Tu devrais peut-être venir à la maison avec moi, par le train. Il y a un lit de secours dans ma chambre.

– Un lit bas à roulettes.

– Ouais.

– Je pourrais utiliser ta serviette de bain des Brooklyn Dodgers ?

– Ouais, bien sûr ! Enfin, si tu veux.

Joe hocha de nouveau la tête.

– Peut-être le ferai-je un de ces jours, répéta-t-il.

– Pourquoi restes-tu toujours ici ?

– Pourquoi me poses-tu toujours cette question ?

– Eh bien, tu ne... ça ne t'embête pas de loger dans le même immeuble qu'eux ? Qu'Empire Comics ? S'ils vous ont traité si mal et tout ?

– Ça ne m'embête pas du tout. J'aime être près d'eux. De l'Artiste de l'évasion. Et puis on ne sait jamais. Un de ces jours, c'est peut-être moi qui pourrais les embêter...

Il se redressa en prononçant ces derniers mots, roula brusquement sur ses genoux.

– Qu'est-ce que tu veux dire ?

Joe écarta la question d'un mouvement de sa cigarette, la voilant d'un nuage de fumée.

– Peu importe.

– Dis-moi.

– N'y pense plus.

– J'ai horreur que les gens fassent ça, protesta Tommy.

– Oui, moi aussi, admit Joe. (Il laissa choir son mégot sur le sol de ciment nu et l'écrasa sous la pointe de sa sandale en caoutchouc.) À vrai dire, je n'ai pas encore décidé ce que j'allais faire. J'aimerais bien les embarrasser d'une manière ou d'une autre. Donner le mauvais rôle à ce Shelly Anapol. Je vais peut-être me déguiser en Artiste de l'évasion et... sauter du haut de cet immeuble. Il me faut seulement trouver un moyen de faire croire que j'ai sauté pour me suicider.

– Tu serais capable de faire ça ? Et si ton truc ne marchait pas et que tu te retrouves aplati comme une crêpe dans la Trente-quatrième Rue ?

– Ça les embarrasserait sûrement, murmura Joe, qui se palpa la poitrine. Où ai-je laissé... Ah !

C'est à cet instant précis que tout avait changé. Joe se dirigea vers sa table à dessin pour prendre son paquet d'Old Gold et trébucha sur le cartable de Tommy. Il bascula en avant, battant les airs devant lui, mais avant qu'il ait pu se rattraper à quoi que ce soit, son front heurta le coin de sa table à dessin avec un choc retentissant, qui sonna fâcheusement creux. Il émit une onomatopée, puis s'affala par terre, lourdement. Tommy resta assis, s'attendant à ce qu'il jure, se retourne ou éclate en larmes. Mais Joe ne bougeait plus. Il gisait à plat ventre, son grand nez écrasé contre le sol, les mains tournées en dehors de part et d'autre, inerte et silencieux. Tommy s'extirpa de sa bergère pour se précipiter auprès de lui. Il agrippa une de ses mains. Elle était encore chaude. Il attrapa Joe par les épaules et le tira, s'y prenant à deux fois avant de le retourner comme un rondin. Son front présentait une petite entaille, à côté du pâle croissant de lune formé par la cicatrice d'une ancienne plaie. L'entaille avait l'air profonde, même s'il n'y avait que très peu de sang. La poitrine de Joe se soulevait, puis s'abaissait, de manière imperceptible mais régulière, et son nez émettait un râle. Il était évanoui.

– Cousin Joe, cria Tommy, en le secouant. Hé ! Réveille-toi, je t'en prie.

Tommy courut dans l'autre pièce et ouvrit le robinet. Il imbiba d'eau fraîche un gant de toilette en lambeaux et revint au chevet de Joe. Avec des gestes doux, il tamponna la partie indemne de son front. Il ne se passa rien. Tommy étala la serviette sur le visage de son cousin et l'en frictionna vigoureusement. Joe respirait toujours, sans bouger. Toute une constellation de concepts qui étaient flous dans l'esprit de Tommy, comas, catalepsies et crises d'épilepsie, commença à l'inquiéter. Il ne savait pas quoi faire pour son cousin, comment le ranimer ou lui porter secours. Et voilà que l'entaille se mettait à saigner abondamment. Comment devait agir Tommy ? Sa première impulsion fut d'aller chercher de l'aide, mais il avait juré à Joe de ne jamais révéler sa présence à personne. N'empêche que Joe était un occupant de l'immeuble, illégal ou pas. Son nom devait bien apparaître sur un bail ou un document quelconque. Le syndic de l'immeuble savait où il était. Ses représentants pourraient-ils ou accepteraient-ils de l'aider ?

À ce moment-là, Tommy se souvint d'une sortie scolaire qui l'avait conduit ici, du temps de la maternelle. Il y avait une grande infirmerie – le guide avait parlé d'un mini-hôpital – à l'un des étages inférieurs. Une jeune et ravissante infirmière avec un calot blanc et des chaussures également blanches les avait accueillis. Elle saurait quoi faire. Tommy se releva et se mit en marche vers la porte. Puis il se retourna pour regarder Joe allongé par terre. Mais quel sort lui réserverait-on après l'avoir ranimé et avoir mis un pansement sur sa coupure ? Est-ce qu'on le mettrait en prison parce qu'il dormait toutes les nuits dans son bureau ? Le prendrait-on pour une espèce de dingue ? Était-il une espèce de dingue ? Est-ce qu'ils allaient l'enfermer dans un asile de dingues ?

La main de Tommy était déjà sur la poignée, mais il ne pouvait se résoudre à tourner celle-ci. Il était paralysé, indécis quant à la marche à suivre. Pour la première fois, il prit conscience du dilemme de Joe. Ce n'était pas qu'il refusât tout autre contact avec le monde en général et les Clay en particulier. Peut-être était-ce la manière dont cela avait commencé pour lui, dans cette drôle de période après la guerre, après qu'il fut revenu d'une quelconque mission secrète – c'était ce qu'avait dit la mère de Tommy – et eut appris que sa propre mère avait été exécutée dans les camps. Joe s'était sauvé, échappé sans laisser de trace, pour venir se cacher ici. Mais il était désormais prêt à rentrer à la maison. Le problème, c'est qu'il ne savait pas comment. Tommy ne devait jamais savoir combien d'efforts cela avait coûté à Joe d'entreprendre cette excursion à Long Island, combien ardent était son désir de voir le gamin, de lui parler, d'entendre sa petite voix flûtée. Mais Tommy voyait bien que Top Secret était piégé dans sa Chambre des secrets et que le Bug allait devoir le délivrer.

À cet instant, Joe gémit. Ses yeux s'ouvrirent en palpitant. Il porta un doigt à son front et regarda le sang qui le maculait. Il se redressa sur un coude en roulant vers Tommy, près de la porte. L'expression de Tommy n'avait pas dû être difficile à lire.

– Je vais bien, articula Joe d'une voix pâteuse. Reviens.

Tommy lâcha la poignée de porte.

– Tu vois, reprit Joe, en se relevant lentement. Ça te montre qu'on ne doit pas fumer. C'est mauvais pour la santé.

– D'accord, murmura Tommy, s'étonnant de l'étrange résolution qu'il avait prise.

Après avoir quitté Joe cet après-midi-là, Tommy se dirigea vers la machine à écrire Smith-Corona qui était enchaînée à un podium, devant les Fournitures de bureau Reliant. Il sortit la feuille de papier à écrire permettant aux gens d'essayer la machine. On pouvait y lire la petite fable hebdomadaire standard, longue d'une phrase, sur *The quick brown fox and the lazy dog*[1], et le rappel que l'heure était

1. « Le renard roux agile et le chien paresseux ». En fait, exercices dactylographique sur le clavier anglais. (*N.d.T.*)

désormais venue pour tous les hommes de bonne volonté de venir en aide à leur pays. Il introduisit à sa place l'habituelle page de papier à lettres, au bas de laquelle Joe avait imité le nom de sa mère. « Cher Monsieur Savarese », tapa-t-il du bout de ses deux index. Puis il s'arrêta. Il sortit le papier et le mit de côté. Il leva les yeux vers la pierre noire polie de la devanture. Son reflet lui rendit son regard. Il se précipita pour ouvrir la porte à poignée chromée et fut immédiatement intercepté par un employé maigrichon aux cheveux blancs, dont le pantalon était maintenu par une ceinture à hauteur du diaphragme. Cet homme observait souvent Tommy de l'entrée du magasin pendant que le gamin rédigeait ses mots d'excuse. Chaque semaine, Tommy croyait qu'il allait lui dire de filer. Au seuil de la boutique, qu'il franchissait pour la première fois, il hésita. Dans les épaules raidies de l'homme et l'inclinaison en arrière de sa tête, Tommy reconnut sa propre réaction face à un gros chien inconnu ou à un autre animal aux crocs bien aiguisés.

– Qu'est-ce tu veux, petit ? demanda l'homme.

– C'est combien une feuille de papier ?

– Je ne vends pas le papier à la feuille.

– Ah !

– Sauve-toi maintenant.

– Bon, c'est combien pour une boîte, alors ?

– Une boîte de quoi ?

– De papier.

– Quelle sorte de papier ? Pour quel usage ?

– Une lettre.

– D'affaires ? Personnelle ? C'est pour toi ? Tu vas écrire une lettre ?

– Oui, monsieur.

– Bon, quel genre de lettre ?

Tommy réfléchit un moment à la question, très sérieusement. Il ne voulait pas se tromper de papier.

– Une menace de mort, répondit-il à la fin.

Pour une raison inconnue, sa réponse dérida son interlocuteur, qui alla derrière son comptoir et se baissa pour ouvrir un tiroir.

– Tiens, dit-il, en tendant à Tommy une feuille de papier ocre épais, aussi lisse et frais au toucher que du massepain. Mon meilleur vélin à cent grammes. (Il riait encore.) Assure-toi de bien les tuer, d'accord ?

– Oui, monsieur, répondit Tommy.

Il ressortit pour retourner à la machine à écrire, inséra la feuille de papier fantaisie et tapa en une demi-heure le message qui devait finalement attirer une foule de gens sur les trottoirs de l'Empire State Building. Ce n'était pas forcément la conséquence qu'il prévoyait. Il ne savait pas très bien ce qu'il espérait en osant remettre sa missive au rédacteur en chef de l'édition new-yorkaise du *Herald Tribune*. Il essayait juste d'aider Joe à retrouver le chemin de la maison. Il ignorait à quoi tout cela mènerait, ou si sa lettre, dont les termes lui semblaient abominablement officiels et réalistes, serait même prise en considération. Après avoir fini, il la retira avec précaution de la machine à écrire et rentra dans le magasin.

– C'est combien une enveloppe ? s'enquit-il.

7.

Quand ils descendirent au soixante-douzième, le jeune garçon les entraîna sur la gauche, dépassant les entrées d'une société d'importation et d'un fabricant de postiches pour se diriger vers une porte dont la vitre en verre opaque portait l'inscription CRÈMES INVISIBLES KORNBLUM. Le collégien se retourna pour les regarder, un sourcil levé, se demandant, songea le capitaine, s'ils comprenaient la plaisanterie, même si Lieber ne savait pas au juste quelle était censée être la plaisanterie. Puis le jeune garçon frappa. Personne ne répondit. Il frappa une nouvelle fois.

– Où est-il passé ? s'écria-t-il.

– Capitaine Harley.

Ils firent volte-face. Un deuxième flic de l'immeuble, Rensie, les avait rejoints. Il porta un doigt à son nez, comme s'il allait leur communiquer une information délicate ou embarrassante.

– Qu'est-ce que c'est ? demanda Harley avec circonspection.

– Notre gars est là-haut, répondit Rensie. Le sauteur. Là-haut, sur le diamètre extérieur.

– Comment ?

Lieber fixa le gamin, plus perplexe qu'il ne jugeait acceptable de l'être pour un inspecteur.

– En costume ? s'enquit Harley.

Rensie hocha la tête.

– Un beau costume bleu, précisa-t-il. Un grand nez, maigre. C'est lui.

– Comment est-il monté là ?

– Nous l'ignorons, capitaine. Devant Dieu ! on surveillait tout. Nous avions un homme chargé de l'escalier, un autre des ascenseurs. Je ne sais pas comment il a pu entrer. Il est apparu, en quelque sorte.

– Venez, ordonna Lieber, déjà en marche vers les ascenseurs. Et emmenez votre fils, lança-t-il à Sammy Clay.

Il fallait apporter un piquet pour les y attacher solidement ! Le visage du gamin était devenu inexpressif et exsangue sous l'effet de ce que Lieber croyait être de la surprise. D'une façon ou d'une autre, son canular s'était réalisé.

Ils montèrent dans l'ascenseur, avec ses élégants chevrons et rayons de marqueterie.

– Il est sur le parapet ? demanda le capitaine Harley.

Rensie inclina la tête.

– Attendez une minute, intervint Sammy. Je suis perdu.

Lieber reconnut que lui aussi était un tantinet perdu. Il avait cru le mystère de la lettre au *Herald Tribune* résolu ; c'était une blague inoffensive, bien qu'impénétrable, montée par un potache de douze ans. Lui-même avait sans doute été plutôt impénétrable au même âge. Le jeune garçon voulait se rendre intéressant ; il tentait de marquer un point que nul ne pouvait saisir en dehors de la famille. Puis, mystérieusement, on avait compris que ce cousin perdu depuis longtemps, et que Lieber avait supposé jusque-là être un homme mort, écrasé sur l'épaulement d'une petite route à la périphérie de Cat Butt, dans le Wyoming, était en réalité plus ou moins terré dans une enfilade de bureaux au soixante-douzième étage de l'Empire State Building. Et tout portait à croire maintenant que le gamin n'était finalement pas l'auteur de la lettre. L'Artiste de l'évasion avait tenu sa sinistre promesse envers la ville de New York.

Ils étaient montés de quatorze étages – avec un ascenseur express jusqu'en haut – quand Rensie lâcha d'une petite voix réticente :

– Il y a des orphelins.

– Il y a quoi ?

– Des orphelins, répéta Clay, qui avait recourbé son bras autour du cou de son fils dans un geste paternel de reproche qui voulait passer pour de la sollicitude. (C'était une accolade qui signifiait « Attends un peu qu'on soit rentré à la maison ».) Pourquoi sont-ils là... ?

– Oui, caporal, dit Harley. Pourquoi sont-ils là ?

– Enfin, on ne pensait pas que le... euh... monsieur au costume bleu allait se montrer, répondit Rensie. Et ces petits ont fait tout le chemin depuis Watertown. Dix heures d'autocar...

– Un public de petits enfants, tonna Harley. Parfait.

– Et toi ? s'adressa Leiber au jeune garçon. Tu es perdu, toi aussi ?

Le jeune garçon écarquilla les yeux, puis hocha lentement la tête.

– Garde l'œil ouvert, Tom, reprit Leiber. Nous avons besoin que tu parles à ton oncle.

– Cousin issu de germain, rectifia Clay.

Il s'éclaircit la voix.

– Peut-être pourrais-tu parler de ses élastiques à ton cousin issu de germain, suggéra Rensie. Pour moi, c'est une nouveauté.

– Des élastiques, murmura le capitaine Harley. Et des orphelins... (Il frictionna la moitié accidentée de son visage.) Je parie qu'il y a aussi une bonne sœur.

– Un curé.

– D'accord, s'écria le capitaine Harley. Bon, c'est déjà quelque chose.

8.

Vingt-deux pensionnaires de l'orphelinat Saint-Vincent-de-Paul se blottissaient sur le toit de la ville battu par les vents, à trois cents mètres d'altitude. Une lumière grise maculait le ciel comme de la pommade sur un pansement. Les grosses fermetures Éclair métalliques des parkas en velours côtelé bleu foncé – don d'un grand magasin de Watertown de l'hiver précédent, avec les vingt-deux paires de caoutchoucs bruyants – étaient remontées jusqu'en haut contre les frimas d'avril. Les deux surveillants des enfants, le père Martin et Miss Mary Catherine Macomb, les encerclaient à la manière de deux chiens de berger menaçants, tentant de les mettre à la raison de la voix et des mains. Les yeux du père Martin larmoyaient à cause du vent vif, et les bras épais de Miss Macomb avaient la chair de poule. Ce n'étaient pas des gens impressionnables, mais la situation devenait incontrôlable et ils s'époumonaient.

– Reculez ! répéta plusieurs centaines de fois Miss Macomb aux enfants.

– De grâce, mon grand ! disait le père Marin au sauteur. Descendez !

Clignant des yeux, les bouilles timides des enfants trahissaient une certaine stupeur. Le submersible lent, sombre et ennuyeux de l'existence dont ils constituaient la cargaison humaine avait refait brusquement surface. L'émerveillement chargeait leur sang d'une sorte d'azote paralysant. Personne ne souriait ni ne riait, même si, pour les enfants, l'amusement semblait souvent être une affaire grave.

Au sommet de l'imposant parapet en béton du quatre-vingt-sixième étage, tel un éclatant trou dentelé percé dans les nuées, se tenait en équilibre un homme masqué souriant, en costume indigo et or. Bleu foncé avec les reflets chatoyants de la soie, ledit costume était plaqué sur sa silhouette dégingandée. L'équilibriste avait un caleçon de bain doré, et le devant de son jersey bleu était une épaisse applique de broderie, également dorée, en forme de passe-partout, semblable à la lettre qui orne le blouson d'un joueur d'une équipe universitaire. Il portait une paire de bottes souples, elles aussi dorées, assez informes, à la fine semelle de caoutchouc. Le caleçon était cloqué et le fond présentait une traînée blanche, comme si son propriétaire s'était un jour adossé à un montant de porte fraîchement peint. Son collant était grillé et distendu aux genoux, son jersey poché aux coudes, et les semelles de caoutchouc de ses bottes légères craquelées et tachées de graisse. Sa large poitrine était ceinte d'une fine corde semée de milliers de petits nœuds, enroulée sous ses aisselles, puis tendue en travers des six mètres du déambulatoire à ciel ouvert, jusqu'à la pointe d'un rayon de soleil ornemental qui saillait du toit du salon panoramique. L'Artiste donna une secousse à sa corde à nœuds, laquelle émit un ré bémol grave.

Il organisait un spectacle à leur intention. À celle des enfants et des policiers qui s'étaient amassés à ses pieds pour le maudire, le cajoler et le supplier de descendre. Il leur promettait une démonstration de vol humain du type qui figurait encore couramment, même à cette époque de perte de vitesse du super-héros, dans les pages des comics.

– Vous allez voir, cria-t-il. L'homme peut voler...

Il leur montra la solidité de sa corde extensible, tressée à partir de huit brins, dont chacun était composé de quarante des élastiques extra-longs, extra-épais, qu'il avait pris aux Fournitures de bureau Reliant. Les policiers restaient méfiants, mais ne savaient que penser. Le costume bleu nuit, avec son passe-partout et son étrange lustre hollywoodien, affectait leur jugement. Et puis il y avait le style professionnel de Joe, toujours remarquablement fluide et soigné après tant d'années d'inactivité. Sa confiance dans sa capacité à réussir le tour qui consistait à sauter du toit, à plonger cinquante mètres plus bas maximum en direction du trottoir lointain, puis à remonter, tiré vers le ciel par l'énorme élastique, pour atterrir avec le sourire aux pieds des policiers, semblait être absolue.

– Les petits ne pourront pas me voir voler, protesta Joe, une lueur trompeuse dans les yeux. Laissez-les approcher du bord.

Les enfants, qui approuvaient, se pressèrent en avant. Horrifiée, Miss Macomb et le père Martin les retinrent.

– Joe !

C'était Sammy. Lui et divers policiers, en tenue et en civil, débarquèrent en trébuchant sur le déambulatoire balayé par les vents, avec force gesticulations de bras. Ils étaient conduits par un Tommy Clay sur ses gardes.

Quand Joe vit le jeune garçon, son fils, rejoindre la foule hétéroclite qui s'était rassemblée sur le déambulatoire pour voir s'accomplir une promesse téméraire et imaginaire, il se souvint tout à coup d'une réflexion faite jadis par son maître Bernard Kornblum.

– Seul l'amour, avait déclaré le vieux magicien, peut forcer deux serrures gigognes Bramah en acier.

Il avait lancé cette remarque vers la fin de la dernière visite régulière de Joe à sa maison de la rue Maisel, tout en enduisant la peau de ses joues à vif et desquamée d'une goutte d'onguent à base de souci. Juché sur le couvercle de la caisse en pin naturel qu'il avait achetée à un fabricant de cercueils local, Kornblum disait en général très peu de choses durant la phase finale de ses leçons. Il fumait et prenait ses aises avec un exemplaire de *Di Cajt*[1], tandis qu'à l'intérieur de la caisse, roulé en boule, ligoté et enchaîné, Joe se permettait, par les narines, de petites aspirations vitales et parfumées à la sciure et accumulait des efforts aussi terribles qu'infimes. Kornblum, lui, restait assis, avec pour seul commentaire quelques rares rafales ironiques de flatulences, et attendait le triple petit coup sec de l'intérieur signifiant que Joe s'était libéré de ses menottes et de ses chaînes, avait arraché les trois fausses têtes de vis sciées du gond gauche du couvercle et était prêt à sortir. Parfois, cependant, si Joe traînait particulièrement, ou si la tentation d'un public captivé – à la lettre – s'avérait irrésistible, Kornblum se mettait à parler dans son allemand sommaire bien que vivant, limité cependant au jargon du métier. Il évoquait avec tendresse les prestations au cours desquelles, par malchance ou bêtise, il avait risqué la mort. Ou encore il se rappelait, avec des détails assommants et apostoliques, une des trois occasions bénies où il avait été assez fortuné pour suivre les traces de son prophète, Houdini. Une seule fois, juste avant que Joe ne tentât son malheureux plongeon dans la Moldau, les discours de Kornblum avaient quitté les sentiers de la rétrospection professionnelle pour s'aventurer dans les marges touffues et ombrées de la chronique mondaine.

Il avait été présent, raconta Kornblum – sa voix arrivait assourdie par les deux centimètres et demi de planche de pin et le fin sac de toile qui tenaient lieu de cocon à Joe – à ce que seuls les plus proches confidents du Roi de la menotte et les quelques confrères futés qui y assistèrent savaient avoir été l'heure où le grand homme avait échoué. Cela se passait au Palladium de Londres, précisa Kornblum, en 1906, après que Houdini eut relevé le défi public de se libérer d'une paire de menottes réputées invincibles. Ce défi avait été lancé par le *Mirror* londonien, lequel avait découvert, dans le Nord de l'Angleterre, un serrurier qui, après toute une vie de bricolage, avait conçu une paire de menottes pourvues d'une serrure si complexe et si épineuse que nul, pas même son inventeur nécromancien, ne pouvait la crocheter. Kornblum décrivit les menottes en question : deux gros anneaux

1. En yiddish, *Le Temps*, quotidien de Vilnius qui parut de 1924 à 1938. (*N.d.T.*)

d'acier implacablement soudés à un axe cylindrique. À l'intérieur de cet axe rigide se cachait le sinistre mécanisme du serrurier de Manchester. Là, une intonation de respect, voire d'effroi, perçait dans la voix de Kornblum. C'était une variation sur la Bramah, serrure notoirement irréductible qui ne pouvait être ouverte – et même alors non sans difficulté – que par une longue clef tubulaire ésotérique, dentée de façon complexe à une extrémité. Mise au point par l'Anglais Joseph Bramah vers 1760, elle était restée incrochetable, inviolée, pendant plus d'un demi-siècle avant d'être finalement forcée. Mais la serrure qui défiait Houdini sur la scène du Palladium se composait de deux tubes Bramah, l'un emboîté dans l'autre, et ne pouvait s'ouvrir qu'au moyen d'une drôle de double clef qui ressemblait un peu aux moitiés repliées d'une longue-vue, avec le cylindre denté de l'une sortant de l'intérieur de l'autre.

Sous les regards et les applaudissements de cinq mille spectateurs et spectatrices, le jeune Kornblum compris, le Mystériarche, en jaquette et gilet noir, se vit passer les terribles menottes. Puis, le visage impassible, sur un simple et muet signe de tête à sa femme, il se retira dans son petit meuble pour s'atteler à sa tâche impossible. L'orchestre attaqua *Annie Laurie*[1]. Vingt minutes plus tard éclataient des vivats frénétiques, alors que la tête et les épaules du magicien émergeaient du meuble ; mais il s'avéra que Houdini désirait seulement regarder à une meilleure lumière les menottes qui l'entravaient toujours. Il replongea à l'intérieur. L'orchestre joua l'ouverture des *Contes d'Hoffmann*. Un quart d'heure plus tard, au moment où Houdini sortait du meuble, la musique s'éteignait au milieu des bravos. Kornblum espérait contre toute attente que le Maître avait réussi, même s'il savait fort bien qu'il avait fallu deux jours entiers d'efforts continus à l'heureux crocheteur, un maître américain du nom de Hobbs, qui avait fini par forcer, au bout de soixante ans, la première Bramah à canon unique. Et voilà qu'il s'avérait que Houdini, en nage, un petit sourire crispé aux lèvres, le faux col cassé net et pendant libre d'un côté, était simplement – bizarrement – ressorti pour annoncer qu'il n'était pas encore disposé à jeter l'éponge, même si sa position accroupie dans le meuble lui donnait mal aux genoux. Par esprit sportif, le représentant du journal permit qu'on lui apportât un coussin. Houdini disparut une nouvelle fois dans son cabinet.

Après que Houdini fut resté dans sa boîte pendant près d'une heure, Kornblum commença à sentir le vent de la défaite. Le public, même un public si farouchement dédié à son héros, patienterait tant que l'orchestre bouclerait, avec un air de désespoir croissant, le cycle

1. Morceau de l'All Star Rhytm Sechon (1947). (*N.d.T.*)

des standards et des airs populaires du jour. À l'intérieur de son meuble, le vétéran de cinq cents cabarets et de dix mille tours pouvait sûrement sentir lui aussi que le flot d'espoir et de bienveillance qui coulait du poulailler sur la scène commençait à refluer. Dans un geste audacieux d'esprit sportif, il réapparut de nouveau, cette fois pour demander si le journaliste voulait bien lui enlever les menottes, le temps que le magicien retire sa jaquette. Peut-être Houdini espérait-il apprendre quelque chose en regardant ouvrir, puis refermer les fameuses menottes. Peut-être avait-il prévu que sa requête, après mûre réflexion, serait rejetée. Quand le monsieur du *Mirror* eut refusé à regret sous les sifflements et les huées retentissantes du public, Houdini réalisa un petit exploit qui, à sa manière, compta parmi les morceaux choisis de sa carrière d'artiste du spectacle. À force de se tortiller et de se contorsionner, il parvint à tirer du gousset de son gilet un petit canif, puis à le porter péniblement à sa bouche et à l'ouvrir avec ses dents. Il agita les épaules et se tourna de côté et d'autre jusqu'à ce que sa jaquette soit remontée à hauteur de sa tête, où le canif, toujours serré entre ses dents, put fendre celle-ci en deux, avec trois grands bruits de râpe. Un comparse finit de séparer les moitiés. Après avoir assisté à cette démonstration de cran et de panache, le public lui fut attaché comme par des liens d'acier. Et dans le brouhaha, disait Kornblum, personne ne remarqua le regard que le magicien échangea avec son épouse, cette petite femme docile qui s'était tenue sur le côté de la scène pendant que les minutes s'égrenaient, que l'orchestre jouait et que l'assistance épiait les légères ondulations du rideau du meuble.

Une fois le magicien réinstallé, désormais sans jaquette, dans sa boîte noire, Mrs Houdini demanda si elle abuserait de la bonté et de la longanimité de leur hôte de la soirée en apportant un verre d'eau à son mari. Il s'était écoulé une heure après tout, et comme tout le monde pouvait le voir, l'exiguïté du meuble et la difficulté des efforts de Houdini avaient levé son tribut. L'esprit sportif prévalut : un verre d'eau fut apporté, et Mrs Houdini alla le donner à son mari. Cinq minutes après, Houdini sortait de son cabinet pour la dernière fois, brandissant les menottes au-dessus de sa tête telle une coupe de l'amitié. Il était libre. La joie et le soulagement provoquèrent dans la foule une sorte de douloureux orgasme collectif. Une *Krise*, l'appela Kornblum. Alors que les arbitres et les notables présents hissaient le magicien sur leurs épaules et le portaient à travers la salle, peu de gens remarquèrent que son visage était décomposé par des larmes de rage, non de triomphe, et que ses yeux bleus brillaient d'une honte incandescente.

– C'était le verre d'eau, devina Joe, après être enfin parvenu à se libérer du défi beaucoup plus simple représenté par son sac de toile et la paire de menottes allemandes pipées avec du gros plomb. La clef.

Kornblum, qui massait les bandes de peau à vif sur les poignets de Joe, opina d'abord du bonnet. Puis il fit la moue en réfléchissant et secoua finalement la tête. Il cessa de frictionner les avant-bras de Joe. Il releva le nez et ses yeux, comme cela n'arrivait que rarement, croisèrent ceux de Joe.

– C'était Bess Houdini, corrigea-t-il. Elle connaissait les expressions de son mari. Elle a lu la marque de l'échec dans son regard. C'est elle qui a pu aller trouver le journaliste. Elle a pu le supplier, les yeux pleins de larmes et la poitrine en feu, d'imaginer la ruine de la carrière de son mari s'il mettait celle-ci en balance avec rien d'autre, en face, qu'une bonne manchette pour l'édition du lendemain matin. C'est elle qui a pu porter un verre d'eau à son mari, avec les petits pas et le visage grave de l'épouse. Ce n'est pas la clef qui l'a délivré, conclut-il, c'est la femme. Il n'y avait pas d'autre issue. C'était impossible, même pour Houdini. (Il se leva.) Seul l'amour peut forcer une paire de serrures gigognes Bramah en acier.

Du dos de la main, il frotta sa joue à vif, à deux doigts de partager avec lui quelque exemple de libération parallèle tiré de sa propre vie.

– Vous avez... êtes-vous jamais... ?

– La leçon est terminée pour aujourd'hui, le coupa Kornblum, refermant avec un bruit sec le couvercle de la boîte à onguent, avant de se débrouiller pour croiser de nouveau les yeux de Joe, non sans une certaine tendresse cette fois. Maintenant, rentre chez toi.

Plus tard, Joe se rendit compte qu'il y avait quelque raison de douter du récit de Kornblum. La fameuse séance des menottes du *Mirror* londonien avait eu lieu, apprit-il, à l'Hippodrome, non au Palladium, et en 1904, non en 1906. De nombreux chroniqueurs, dont le camarade de Joe, Walter B. Gibson, crurent que tout le numéro, y compris les requêtes de lumière, d'eau, de temps, de coussin, avait été arrangé à l'avance entre Houdini et le journal. D'aucuns allèrent même jusqu'à soutenir que Houdini en personne avait conçu les menottes, et qu'il avait froidement passé son temps de prétendus efforts dans son meuble à la Kornblum à lire le journal ou à fredonner de contentement de concert avec l'orchestre dans sa fosse.

Toujours est-il qu'après avoir vu Tommy sortir sur le toit le plus haut de la ville, arborant un petit sourire terrifié, Joe pressentit la vérité passionnée, sinon objective, qui se cachait derrière la sentence de Kornblum. Il était retourné à New York bien des années auparavant, avec l'intention de trouver un moyen de reprendre contact, si possible, avec la seule famille qui lui restait au monde. Finalement, par peur et par habitude, celle-ci étant le majordome de celle-là, il s'était emmuré dans son cabinet des mystères au soixante-douzième étage de l'Empire State Building, où un orchestre inlassablement improvisateur de courants d'air et de vents sanglotant, les trompettes des cornes de brume et des paquebots mélancoliques, et la bruyante basse continue des DC 3 en vol lui donnaient la sérénade. À l'instar de Harry Houdini, Joe n'avait pas réussi à se sortir du piège que lui-même avait créé. Mais maintenant l'amour d'un petit garçon l'avait réveillé et traîné enfin, clignant des yeux, sous les feux de la rampe.

– Mais c'est de l'acrobatie ! cria un ancien garde blond, que Joe reconnut.

C'était Harley, le chef de la police de l'immeuble.

– Non, c'est un truc, renchérit un individu plus jeune et bien bâti, planté à côté de Sammy. (Un policier en civil, à voir sa tête.) N'est-ce pas ?

– C'est un bel emmerdeur, rétorqua Harley.

Joe eut un choc en voyant à quel point le visage de son cousin s'était altéré ; Sammy avait une mine de déterré et, à trente-deux ans, semblait avoir enfin hérité des yeux creux des Kavalier. Il n'avait pas beaucoup changé. Pourtant il avait l'air complètement différent. Joe avait l'impression de regarder un imposteur intelligent. À ce moment-là, le père de Rosa émergea du salon panoramique. Avec ses cheveux rouges à deux cents et ses joues éternellement juvéniles, privilège de quelques obèses, lui semblait ne pas avoir du tout changé, même si, pour une raison inconnue, il était habillé comme George Bernard Shaw.

– Bonsoir, monsieur Saks, lança Joe.

– Bonsoir, Joe. (Saks s'appuyait, remarqua Joe, sur une canne à pommeau d'argent, d'une manière qui laissait penser que la canne n'était pas – ou pas seulement – un accessoire. Il y avait donc du changement.) Comment allez-vous ?

– Très bien, merci, répondit Joe. Et vous ?

– Nous nous maintenons, dit-il. (Il était le seul de toute la terrasse – enfants compris – à paraître vraiment ravi de voir Joe Kavalier en caleçon long bleu, debout sur le contrefort de l'Empire State Building.) Toujours plongé dans le scandale et les intrigues.

– Je suis content, commenta Joe, qui sourit à Sammy. Tu as pris du poids.

– Un peu. Pour l'amour de Dieu, Joe ! Qu'est-ce que tu fais là-haut ?

Joe rendit son attention au petit garçon qui l'avait défié de réaliser cette prouesse, de monter ici, à la cime de la ville où il s'était enterré. Le visage de Tommy était presque inexpressif, sauf qu'il était rivé à Joe. On eût dit qu'il n'arrivait pas en croire ses yeux. Joe leva les épaules avec une certaine recherche.

– Tu n'as pas lu ma lettre ? demanda-t-il à Sammy.

Il jeta ses bras derrière lui. Jusqu'ici il avait abordé cette cascade avec l'aride impartialité d'un ingénieur, se documentant sur la question, en discutant avec les gars de chez Tannen, étudiant la monographie secrète de Sidney Radner sur le saut d'un pont de Paris, raté mais excitant, que Hardeen[1] avait tenté en 1921. À sa grande surprise, malgré lui il mourait désormais d'envie de voler.

– Elle disait que tu allais mettre fin à tes jours, répliqua Sammy. Pas que tu allais jouer au yo-yo humain !

Joe abaissa les bras. Un bon point pour Sammy. Le problème, bien sûr, c'était que Joe n'avait pas écrit la lettre. L'eût-il fait, selon toute probabilité il n'aurait pas promis de se suicider en public dans un costume mangé aux mites. Il reconnaissait l'idée comme étant la sienne, bien sûr, mais filtrée par l'imagination follement compliquée qui, plus que tout autre chose – plus que la tignasse noire du petit garçon, ses mains fines ou son regard candide, habité par la délicatesse du cœur et une expression perpétuellement désenchantée –, rappelait à Joe son petit frère disparu. Mais il avait cru nécessaire, en relevant le défi du gamin, d'effectuer quelques ajustements ici et là.

– Le risque d'une issue fatale est réduit, déclara Joe, mais il existe, bien sûr.

– Et puis c'est pour vous à peu près le seul moyen d'éviter l'interpellation, monsieur Kavalier, ajouta le policier en civil.

– Je tâcherai de ne pas l'oublier, riposta Joe.

Une nouvelle fois, il jeta les bras en arrière.

– Joe ! (Sammy se fendit de cinq centimètres hésitants en direction de Joe.) Nom de Dieu ! tu sais fichtrement bien que l'Artiste de l'évasion ne vole pas !

– C'est ce que j'ai dit, commenta un des orphelins d'un air entendu.

Les policiers échangèrent un regard. Ils se préparaient à donner l'assaut au parapet.

Joe sauta en arrière dans le vide. La corde vibra, monta jusqu'à un do aigu, limpide. L'air environnant sembla miroiter, comme sous l'effet de la chaleur. Il y eut un son perçant, puis les témoins entendirent un bref choc sourd, comme de la viande crue sur le billot du boucher, suivi d'un faible gémissement. La descente continua ; la corde devenait de plus en plus fine, les nœuds s'écartaient de plus en plus, la note d'élongation atteignait les ultrasons. Puis le silence retomba.

---

1. *Le saut d'un pont de Paris en 1921 : une biographie de Hardeen*, New York. Édité à compte d'auteur, 1935. Aujourd'hui dans la collection du professeur Kenneth Silverman. (*N.d.A.*)

– Aïe !

Le capitaine Harley se donna une claque sur la nuque comme si une abeille l'avait piqué. Il leva les yeux au ciel, puis les baissa, enfin sauta lestement de côté. Tout le monde regarda à ses pieds. Là, de biais, toute tremblotante et distendue, se trouvait la corde élastique, terminée par la boucle rompue qui avait ceint la poitrine de Joe.

Tous les avertissements et les interdits étaient oubliés. Les enfants et les adultes coururent au parapet. Ceux qui furent assez heureux ou malins pour monter dessus contemplèrent l'homme étendu, bras et jambes écartées, un K un peu tordu, sur la corniche du toit du quatre-vingt-quatrième étage.

L'homme leva la tête.

– Ça va, cria-t-il.

Puis il inclina de nouveau la tête vers la surface couverte de graviers gris sur laquelle il était tombé et referma les yeux.

9.

Les brancardiers le descendirent jusqu'au garage souterrain de l'immeuble, où une ambulance attendait depuis quatre heures de l'après-midi. Sammy les accompagna dans l'ascenseur, ayant confié Tommy à son grand-père et au capitaine de la police de l'immeuble, qui avait défendu au petit garçon de le suivre. Sammy hésitait un peu à abandonner Tommy, mais cela lui semblait de la folie de laisser Joe être emporté ainsi, moins de dix minutes après sa réapparition. Que le gamin passe quelques minutes aux mains des policiers ! Cela lui donnerait peut-être une leçon.

Chaque fois que Joe fermait les yeux, les brancardiers lui demandaient avec une certaine brusquerie de se réveiller. Ils redoutaient une commotion cérébrale.

– Réveille-toi, Joe, le supplia Sammy.

– Mais je suis réveillé.

– Comment vas-tu ?

– Bien, répondit Joe. (Il s'était mordu la lèvre, et du sang avait coulé sur sa joue et son col de chemise. C'étaient les seules traces de sang que Sammy voyait.) Et toi, comment vas-tu ?

Sammy inclina la tête.

– J'ai lu *Weird Date* tous les mois, reprit Joe. C'est très bien enlevé, Sam.

– Merci, dit Sammy. Les compliments sont si précieux, venant d'un dingue.

– *Sea Yarns* est bon aussi.

– Tu trouves ?

– J'y apprends toujours quelque chose sur les bateaux ou je ne sais quoi.

– Je me documente pas mal. (Sammy sortit son mouchoir et tamponna la goutte sanglante sur la lèvre de Joe, se remémorant la période de la guerre de Joe contre les Allemands de New York.) À propos, j'ai tout pris au visage, ajouta-t-il.

– Qu'est-ce qu'il y a ?

– Le poids dont tu as parlé. J'ai tout pris au visage. Mais je manie encore les haltères chaque matin. Touche mon bras !

Joe leva la main, en tressaillant légèrement, et tâta le biceps de Sammy.

– Énorme, murmura Joe.

– Toi-même tu n'as pas l'air si rupin dans ce vieil accoutrement miteux...

Joe sourit.

– J'espérais qu'Anapol me verrait là-dedans. Ç'aurait été comme un mauvais rêve qui se serait réalisé.

– J'ai comme l'impression qu'un tas de ses mauvais rêves sont en train de se réaliser. Quand l'as-tu subtilisé, d'abord ?

– Il y a deux soirs. Excuse-moi. J'espère que tu ne m'en veux pas. Je comprends qu'il... a une valeur sentimentale pour toi.

– Il ne représente rien de spécial à mes yeux.

Joe inclina la tête, en scrutant son visage, et Sammy détourna les yeux.

– Je voudrais bien une cigarette, dit Joe.

Sammy en pêcha une dans son veston et la glissa entre les lèvres de Joe.

– Je suis désolé, poursuivit Joe.

– Toi, désolé ?

– Pour Tracy, je veux dire. Je sais que c'était il y a longtemps, mais...

– Ouais, le coupa Sammy. Tout était il y a longtemps...

– En tout cas, je suis désolé pour tout.

10.

Par les fenêtres, la vue était un pur amoncellement de nuages, une chaussette de laine grise enfilée sur la pointe de l'immeuble. Aux murs du drôle de logement de Joe étaient accrochés des croquis de la tête d'un rabbin, un homme aux traits fins et à la barbe blanche comme neige. Fixées par des épingles de couleur, les études représentaient ce monsieur à l'air noble en proie à diverses humeurs : extatique, autoritaire, effrayé. De gros livres occupaient les tables et les chaises : épais ouvrages de référence, traités, essais. Joe s'était un peu documenté, lui aussi. Sammy repéra, empilés soigneusement dans un coin, les cageots en bois où Joe avait toujours rangé ses comics. Sauf qu'il y en avait dix fois plus que dans son souvenir. Dans la pièce flottaient les miasmes de sa longue occupation par un homme solitaire : café brûlé, saucisse rance, linge sale.

– Bienvenue dans la grotte de la Chauve-souris ! lança Lieber à l'entrée de Sammy.

– À vrai dire, précisa Longman Harkoo, ce lieu est apparemment connu sous le nom de Chambre des secrets.

– Vraiment ? s'exclama Sammy.

– Enfin... euh... c'est comme ça que je l'appelle, expliqua Tommy, en rougissant. Mais ce n'est pas vrai.

On pénétrait dans la Chambre des secrets par une petite antichambre qui avait été laborieusement décorée pour figurer la réception d'une société modeste mais prospère. Il y avait un bureau métallique et une table pour taper à la machine, un fauteuil, un classeur, un téléphone, un porte-chapeaux. Sur le bureau étaient posés une plaque qui promettait à cette place la présence quotidienne d'une certaine Miss Smyslenka, ainsi qu'un vase de fleurs séchées et une photo du bébé souriant de Miss Smyslenka, joué par un certain Thomas E. Clay à l'âge de six mois. Un mur présentait une grande peinture publicitaire d'une usine d'aspect robuste, lumineuse dans l'éclat rosé d'un matin du New Jersey, avec ses cheminées d'où s'échappaient de ravissantes fumées bleutées. CRÈMES INVISIBLES

KORNBLUM HO-HO-KUS, NEW JERSEY, disait l'étiquette gravée apposée au bas du tableau.

Nul, pas même Tommy, ne savait vraiment depuis combien de temps Joe habitait l'Empire State Building, mais il était clair qu'au cours de cette période il avait travaillé très dur et lu une collection de bandes dessinées. Par terre se trouvaient dix piles de bristol ; toutes les feuilles de chaque pile étaient couvertes de planches bien nettes dessinées au crayon. Au début, Sammy était trop suffoqué par le nombre des pages – il devait bien y en avoir quatre ou cinq mille – pour en examiner une de près, mais il remarqua tout de même qu'elles semblaient ne pas être encrées. Joe avait utilisé divers calibres de mines de plomb, laissant à ses crayons le soin des jeux de lumière, d'ombre et de volume, habituellement obtenus au moyen de l'encre.

Outre les rabbins, il y avait des études de joueurs d'orgues de Barbarie, de soldats portant la cuirasse, d'une jolie fille avec un foulard, dans différentes attitudes et activités. On voyait également des constructions et des voitures à chevaux, des scènes de rue. Sammy ne mit pas longtemps à reconnaître les tours baroques et garnies de pointes ainsi que les porches en ruine de ce qui devait être Prague, des ruelles bordées de maisons biscornues tapies sous la neige, un pont orné de statues éclairé par la lune qui projetait une ombre irrégulière sur un fleuve, des venelles sinueuses. Les personnages, dans leur majorité, ressemblaient à des Juifs d'antan, vêtus de noir, croqués avec toute la fluidité et l'art du détail de Joe. Les visages, nota Sammy, étaient plus précis, plus personnels, plus laids, que le lexique des gueules génériques de comic books que Joe avait assimilé, puis exploité dans tous ses anciens travaux. C'étaient des masques humains émaciés, faméliques, dont les regards anticipaient l'horreur mais espéraient autre chose. Tous sauf un. Un personnage, répété maintes et maintes fois sur les esquisses accrochées aux murs n'avait presque pas de figure ; les V et les traits d'union conventionnels d'une physionomie burlesque étaient simplifiés presque jusqu'à l'abstraction absolue.

– Le golem, murmura Sammy.

– Apparemment, il écrivait un roman, lança Lieber.

– Oui, il écrivait un roman, intervint Tommy. Qui parle du golem. Rabbi Judah Ben Belzébuth a gravé le mot « vérité » sur son front et il s'est animé. Et une fois, à Prague, Joe a vu le vrai golem. Son père l'avait gardé dans un placard de la maison.

– Ça m'a tout l'air magnifique ! s'écria Longman. Il me tarde de le lire.

– Un roman illustré, commenta Sammy.

Il songea à son propre roman déjà légendaire, *Le Désenchantement* *américain*, cet ouragan qui, des années durant, s'était frayé un chemin erratique à travers les marécages de sa vie imaginaire, toujours au bord du sublime ou de la désintégration, aspirant les personnages et les intrigues comme des maisons et du bétail pour ensuite les jeter de côté et continuer à avancer. En diverses occasions, il avait pris la forme d'une comédie amère, d'une tragédie sociale à la Hemingway, d'une impitoyable leçon d'anatomie sociale proche d'un texte de John O'Hara*, d'un *Huckleberry Finn* urbain et teigneux. C'était l'autobiographie d'un homme incapable de se regarder en face, tout un système complexe d'échappatoires et de mensonges que ne rachetait pas la vertu artistique de l'autodérision. Deux ans s'étaient déjà écoulés depuis la dernière fois où il y avait mis la main, et jusqu'à cet instant précis il eût juré que ses anciennes ambitions d'être autre chose qu'un plumitif de bande dessinée au service d'une maison de cinquième zone étaient, selon l'expression, mortes et enterrées.

– Mon Dieu !

– Allons, monsieur Clay, dit Mr Lieber. Vous pouvez m'accompagner à l'hôpital.

– Pourquoi allez-vous à l'hôpital ? demanda Sammy, bien qu'il connût la réponse.

– Eh bien, j'ai la forte conviction que je dois l'arrêter. J'espère que vous comprenez.

– L'arrêter ? s'indigna Longman. Et pourquoi ?

– Pour trouble de l'ordre public, je pense. Ou nous l'interpellerons peut-être pour occupation illégale. L'immeuble va vouloir porter plainte, j'en suis sûr. Je ne sais pas encore. Je vais y réfléchir en chemin.

Sammy vit le petit sourire narquois de son beau-père se réduire à un petit bouton dur, ses yeux bleus généralement doux s'éteignirent et devinrent vitreux. C'était une expression que Sammy lui avait déjà vue dans l'enceinte de la galerie Longman[1], quand il avait eu affaire à un peintre qui surévaluait sa propre œuvre et à une dame titrée, avec les trois quarts d'une civette sur les épaules, qui était plus pourvue de fortune que de discernement. Rosa l'appelait « son regard de marchand de tapis », en référence aux origines commerçantes de son père.

– C'est ce que nous allons voir, répliqua Longman, avec une

1. Après la guerre, Les Organes du Facteur émigrèrent dans la Cinquante-septième Rue, trois portes plus loin que Carnegie Hall, un exil inexorable vers le nord et l'insignifiance culturelle, dans les derniers moments avant que le surréalisme ne soit submergé par les tribus déferlantes de l'Action Art, de la Beat Generation et du Pop Art. (*N.d.A.*)

imprudence délibérée et un regard oblique à Sammy. Le surréalisme dispose d'agents à tous les niveaux de l'appareil d'État. La semaine dernière, j'ai vendu une toile à la mère du maire.

Votre beau-père est un peu vantard, disaient les yeux de l'inspecteur Lieber. Je le sais, répondit Sammy par le même canal.

– Excusez-moi. (Il y avait un nouveau visiteur dans les bureaux des Crèmes invisibles Kornblum. Il était jeune, beau garçon dans le style fonctionnaire anonyme, et portait un costume bleu foncé. Dans une main, il tenait une longue enveloppe blanche.) Sam Clay ? demanda-t-il. Je cherche Mr Sam Clay. On m'a dit que je pourrais le trouver...

– Ici. (Sammy s'avança et prit l'enveloppe des doigts du jeune homme.) Qu'est-ce que c'est ?

– C'est une citation à comparaître devant le Congrès. (Le jeune homme adressa un signe de tête à Lieber, en effleurant le bord de son chapeau de deux doigts.) Désolé de vous déranger, messieurs.

Sammy resta un moment à tapoter l'enveloppe sur sa main.

– Il vaut mieux que tu téléphones à maman, dit Tommy.

11.

Rose Saxon, la reine de Romance Comics, était à sa table à dessin, dans le garage de son pavillon de Bloomtown, quand son mari téléphona de New York pour lui annoncer que, si elle était d'accord, il allait ramener à la maison l'amour de sa vie, qu'elle tenait pratiquement pour mort.

Miss Saxon travaillait au texte d'un nouveau récit, dont elle avait l'intention de commencer la mise en page le soir même, après avoir mis son fils au lit. Ce serait la pièce de résistance du numéro de juin de *Kiss Comics*. Elle pensait l'appeler *La Bombe a détruit mon mariage*. L'histoire serait inspirée d'un article qu'elle avait lu dans *Redbook* sur les difficultés humoristiques qu'il y avait à être mariée à un spécialiste de physique nucléaire employé par le gouvernement dans une installation top secret en plein désert du Nouveau-Mexique. Elle écrivait moins qu'elle ne préparait ses planches en détail, une à une, à la machine à écrire. Au fil des ans, les scripts de Sammy étaient devenus, non pas moins minutieux, mais plus souples ; il ne se donnait plus la peine d'indiquer au graphiste quoi dessiner. Rosa était incapable de fonctionner de cette manière-là. Elle détestait travailler à partir des scripts de Sammy. Elle avait besoin que tout soit défini à l'avance, plan par plan, pour ainsi dire. D'un story-board, comme on disait à Hollywood. Ses scripts à elle étaient une suite précisément numérotée de plans originaux, le découpage d'une saga à dix cents qui, par sa rare élégance de conception, ses perspectives allongées et sa profondeur de champ, ressemblait un peu, ainsi que le note Robert C. Harvey[1], aux films de Douglas Sirk. Elle s'échinait sur une volumineuse Smith-Corona et tapait avec une lenteur si appliquée que, lorsque son patron de mari l'appela, elle n'entendit pas tout de suite la sonnerie du téléphone.

Rosa avait débuté dans la bande dessinée peu après le retour de Sammy dans le milieu, une fois la guerre terminée. Après avoir

1. Dans son excellent *L'Art de l'illustré : une histoire de l'esthétique.* (*N.d.A.*)

accepté le poste de rédacteur en chef à Gold Star, le premier geste de Sammy avait été de liquider bon nombre d'incompétents et d'alcooliques qui plombaient le personnel de la maison. C'était une mesure courageuse et nécessaire, mais qui le laissa dans une pénurie aiguë de dessinateurs, en particulier d'encreurs.

Tommy était inscrit au jardin d'enfants. Rosa, elle, commençait à peine à comprendre l'horrible réalité de sa destinée, l'absence de but achevée de son existence quand son fils n'était plus dans les parages, lorsque, un jour, Sammy était rentré déjeuner, tourmenté et frénétique, avec une brassée de bristols, une bouteille d'encre Higgins et une poignée de pinceaux à cinq dollars, et l'avait suppliée de l'aider en faisant ce qu'elle pouvait. Elle avait passé la nuit blanche sur les pages en question – quelque épouvantable bande dessinée de Gold Star à la gloire d'un super-héros, *La Grenade humaine* ou *L'Étalon fantôme* – et avait terminé sa tâche lorsque Sammy était parti travailler le lendemain matin. Le règne de la Reine avait débuté.

Rose Saxon avait émergé lentement, en ne prêtant d'abord son pinceau à encre qu'à l'occasion, sans signature ni remerciements, à une histoire ou à une couverture qu'elle devait étaler sur la table du coin-cuisine. Rosa avait toujours eu un coup de patte, un trait puissant, un bon sens du contraste. C'était du travail réalisé sur le mode crise irréfléchie – chaque fois que Sammy était dans le pétrin ou à court de personnel – mais, au bout d'un moment, Rosa s'aperçut qu'elle se mettait à avoir un besoin maladif des jours où Sammy avait quelque chose pour elle.

Puis, un soir, alors qu'ils étaient couchés et discutaient dans le noir, Sammy lui dit que sa technique à l'encre excédait déjà de loin celle des meilleurs graphistes qu'il pouvait se permettre d'engager dans sa modeste maison Gold Star. Il lui demanda si elle avait jamais songé au travail au crayon, à la mise en page, à écrire et à dessiner vraiment des histoires de comic books. Il lui expliqua que Joe Simon et Jack Kirby remportaient en ce moment même un franc succès avec un nouveau type de feuilleton qu'ils avaient concocté, fondé en partie sur des parutions pour ados tels qu'*Archie* et *A Date with Judy*, en partie sur les vieux pulps à l'eau de rose (le dernier des vieux genres littéraires mineurs à être exhumé et ressuscité dans les comics). Cela s'appelait *Young Romance*[1]. Le public visé était féminin, et les histoires racontées étaient centrées sur des femmes. Jusque-là les femmes avaient été négligées en tant que lectrices de comics ; il semblait à Sammy qu'elles seraient peut-être contentes d'en lire un qui eût été vraiment écrit et dessiné par une des leurs. Rosa avait

1. *Jeune Romance.* (*N.d.T.*)

accepté la proposition de Sammy sur-le-champ, avec un sentiment de gratitude dont l'intensité n'avait toujours pas faibli.

Elle savait ce que cela avait signifié pour Sammy de retourner à la bande dessinée et d'accepter la place de rédacteur en chef chez Gold Star. Au cours de leur longue et intéressante union, c'était le seul moment où Sammy avait été sur le point de suivre son cousin dans l'univers des spécialistes de l'évasion. Il avait juré, crié, dit des choses odieuses à Rosa. Il lui avait reproché sa propre indigence, son complexe d'infériorité et l'état d'inachèvement du *Désenchantement américain.* S'il n'avait pas à subvenir aux besoins d'une femme et d'un enfant, un enfant qui n'était même pas le sien... Il était allé jusqu'à faire sa valise et à partir de la maison. Quand il était rentré le lendemain après-midi, il était rédacteur en chef des Publications Gold Star. Il permit au monde extérieur de l'enrouler définitivement dans ses chaînes et monta, une fois pour toutes, dans le cabinet des curiosités qu'était l'existence d'un homme ordinaire. Il y était resté. Des années plus tard, dans un tiroir de commode, Rosa avait retrouvé un billet, datant environ de cette terrible époque, pour une place assise d'un compartiment de seconde classe dans le Broadway Limited. Encore un autre train pour la côte ouest que Sammy n'avait jamais pris.

La nuit où il lui avait offert la possibilité de dessiner « un comic book pour les pépées », Sammy lui avait tendu une clef d'or, estimait Rosa. Le passe-partout qui lui ouvrait son être intime, une échappatoire à l'ennui de sa vie de femme au foyer et de mère de famille, d'abord à Midwood et désormais ici, à Bloomtown, prétendue capitale du « Rêve américain ». Ce sentiment durable de gratitude pour Sammy était une des forces vivantes de leur vie commune, quelque chose vers quoi se tourner, à invoquer, à quoi se cramponner, comme Tom Mayflower se cramponnait à son talisman de clef, chaque fois que les choses commençaient à se gâter. Et la vérité, c'était que leur mariage s'était bonifié après qu'elle eut commencé à travailler pour Sammy. En effet, il ne semblait plus (pour mal traduire) tout à fait aussi blanc. Ils étaient devenus des collègues, des collaborateurs, des associés, d'une manière inégale mais bien définie, qui leur rendait plus facile d'éviter de regarder de trop près le cabinet fermé à clef au cœur des choses.

Le résultat le plus immédiat de la proposition de Sammy avait été *Working Gals*[1], « des histoires bouleversantes mais authentiques, tirées de la vie trépidante des jeunes femmes ambitieuses ». *Working Gals* avait commencé dans les dernières pages de *Spree Comics*[2], à

1. *Les Filles actives.* (*N.d.T.*)
2. *Le Rigolo.* (*N.d.T.*)

l'époque le titre le moins vendeur publié par Gold Star. Après trois mois de hausse régulière des ventes, Sammy avait placé *Working Gals* au début du périodique et autorisé Rosa à le signer de son pseudonyme le plus célèbre[1]. Quelques mois après, *Working Gals* était lancé sous son propre titre ; un peu plus tard, Gold Star, entraîné par trois « Romances de Rose Saxon », commençait à être rentable pour la première fois depuis les premiers jours grisants de la guerre. Depuis lors, tandis que Sammy quittait Gold Star pour prendre la direction d'Olympic Publications et maintenant de Pharaoh House, Rosa, dans une campagne inlassable et (en grande partie) financièrement fructueuse pour dépeindre le cœur de cette créature mythique, la Femme Américaine, qu'elle méprisait et enviait à égale proportion, remplissait les pages de *Heartache*, *Love Crazy*, *Lovesick*, *Sweetheart* et désormais *Kiss*[2] de toute la force et la frustration de douze ans d'absence d'amour et de nostalgie.

Après que Sammy eut raccroché, Rosa garda un moment le combiné à la main, tâchant de donner un sens à ce qu'elle venait d'entendre. D'une façon ou d'une autre – c'était un peu confus –, leur adepte de l'école buissonnière de fils avait réussi à retrouver l'homme qui l'avait engendré. Joe Kavalier avait été débusqué, vivant, de sa cachette secrète dans l'Empire State Building (« Exactement comme Doc Savage », d'après Sammy). Et il venait dormir dans la maison de Rosa.

Elle prit du linge propre dans le placard mural de l'entrée et se dirigea vers le canapé sur lequel, d'ici quelques heures, Joe Kavalier allongerait son corps inoubliable, inimaginable. Là où le couloir donnait dans le séjour, elle passa devant une espèce de gribouillis atomique en forme d'étoile, avec un miroir pour noyau, et aperçut sa coiffure. Elle fit demi-tour, entra dans la chambre qu'elle partageait avec Sammy, posa son fardeau de draps odorants et arracha d'un coup l'assortiment de babioles, fournitures de bureaux et menue quincaillerie qu'elle utilisait pour dégager les cheveux de son visage quand elle était à la maison. Elle s'assit sur le lit, se releva, alla à son armoire et resta plantée devant ; la vision de sa garde-robe la remplit de doutes et d'une douce sensation d'amusement qu'elle reconnut, un peu magiquement, être ceux de Joe. Elle avait perdu depuis longtemps sa proximité avec ses robes, ses jupes et ses chemisiers ; c'étaient des tournures de rayonne et de coton connues par cœur qu'elle utilisait quotidiennement. Elles lui paraissaient désormais, jusqu'à la dernière jupe, effroyablement sérieuses et insipides. Elle ôta son pull et sa

1. Parmi une douzaine d'autres employés au fil des ans, croit-on. (*N.d.A.*)
2. En anglais, *Peine de cœur*, *Folle d'amour*, *Amoureuse*, *Mon ange* et *Baiser*. (*N.d.T.*)

salopette roulée. Elle alluma une cigarette et alla dans la cuisine en petite culotte et soutien-gorge, l'églantier de ses cheveux lâchés flottant autour de sa tête telle une couronne de plumes.

Une fois dans la cuisine, Rosa sortit une cocotte, roussit la valeur d'une demi-tasse de beurre et l'épaissit avec de la farine. À cette mixture elle ajouta un filet de lait, puis du sel, du poivre et de l'oignon en poudre. Elle retira son roux du feu et fit chauffer une casserole d'eau pour les pâtes. Après quoi elle revint dans le séjour pour mettre un disque sur la hi-fi. Elle n'avait aucune idée de ce que c'était. Quand la musique démarra, elle n'écoutait pas et, quand elle s'acheva, elle ne s'en aperçut même pas. Cela la déconcerta de voir qu'il n'y avait pas de draps sur le canapé. Elle avait les cheveux dans la figure. Elle se rendit alors compte que lorsque des flocons de cendre étaient tombés dans son roux, elle les avait intégrés à sa sauce en remuant, comme si c'était des brins de persil séché. Toujours est-il qu'elle avait oublié d'ajouter le vrai persil séché. Et pour une raison inconnue elle déambulait en soutien-gorge.

– D'accord, se dit-elle. Et alors ? (Le son de sa voix la calma et focalisa ses pensées.) Il ne connaît rien à la banlieue. (Elle écrasa sa cigarette dans un cendrier en forme de sourcil arqué par la surprise.) Il faut que je m'habille.

Elle retourna dans la chambre et enfila une robe bleue qui lui arrivait aux genoux, avec une ceinture blanche et un col en plumetis. Des voix insidieuses et contradictoires s'élevèrent alors en elle pour dire que cette robe la grossissait et lui donnait des airs de matrone aux hanches rondes, qu'elle devrait plutôt mettre un pantalon. Elle les ignora. Elle brossa ses cheveux jusqu'à ce qu'ils se dressent sur sa tête dans toutes les directions telle une fleur de pissenlit, puis les rabattit en arrière pour les réunir sur sa nuque et les attacher au moyen d'une barrette d'argent. Son attitude redevint hésitante et ahurie pour la question du maquillage, mais elle opta vite pour un soupçon de rouge à lèvres, deux traits prune pas particulièrement bien appliqués, et regagna la salle de séjour pour faire le lit. Dans la cuisine, le poêlon bouillait déjà, et elle secoua bruyamment une boîte de macaronis pour la vider dans l'eau. Puis, dans un saladier, elle se mit à râper un morceau de fromage jaune comme les bus scolaires. Des macaronis au fromage. Au cours de la vie de Rosa, le plat de macaronis semblait régner au cœur même de son sentiment d'embarras ; mais c'était le préféré de Tommy, et elle cédait à l'impulsion de récompenser son fils pour l'exploit qu'il avait accompli. Et, sans savoir pourquoi, elle doutait que Joe – s'était-il vraiment claquemuré dans un bureau de l'Empire State Building depuis les années 1940 ? – serait sensible au message socio-économique inhérent au rata brun et or qui bouillottait dans sa cocotte blanche Corning avec la fleur bleue sur le côté.

Après avoir glissé la cocotte dans le four, elle regagna la chambre pour enfiler une paire de bas et des escarpins bleus à boucles blanches qui étaient recouvertes du même tissu satiné que la ceinture de sa robe.

Ils seraient là dans deux heures. Elle retourna à sa table et s'assit pour travailler. C'était la seule chose sensée à laquelle elle pouvait penser. Chagrin, irritation, doutes, angoisses, ou toute autre turbulence émotionnelle susceptible autrement de l'empêcher de dormir, de manger ou, dans les cas extrêmes, de s'exprimer avec cohérence ou même de se lever, disparaissaient presque totalement dès qu'elle était occupée à raconter une histoire. Bien qu'elle n'en eût pas pondu autant que Sammy au fil des ans, spécialisée, comme elle l'était, exclusivement dans le genre sentimental, elle y avait peut-être mis plus d'intensité. Pour Rosa (dès le début la seule, parmi les rares femmes qui travaillaient alors dans la profession, à ne pas avoir seulement dessiné mais, grâce à l'indulgence de son mari rédacteur en chef, à être également l'auteur de presque tous ses textes), raconter l'histoire de la ravissante Nancy Lambert – une jeune Américaine comme les autres, originaire d'une petite île du Maine qui mettait sottement toute sa confiance entre les mains instables du beau et intelligent Lowell Burn, homme du monde et spécialiste de physique nucléaire – était une activité qui absorbait, non seulement toute son attention et son talent, mais aussi tous ses sens et toute sa mémoire. Ses pensées étaient celles de Nancy Lambert. Ses propres doigts blanchissaient aux phalanges quand Nancy apprenait que Lowell lui avait encore menti. Et peu à peu, à mesure qu'elle peuplait et développait le monde qu'elle construisait à partir de rangées et de colonnes de cases sur des feuilles de bristol de vingt-quatre sur trente-deux, le passé de Nancy devenait le sien. Les langues veloutées des cerfs apprivoisés du Maine avaient autrefois léché les paumes de ses mains d'enfant. La fumée des feux de feuilles mortes, les lucioles qui traçaient des alphabets dans le ciel nocturne d'été, les exquis geysers de vapeur salée s'échappant des palourdes passées au four, les craquements de la glace en hiver sur les grosses branches des arbres, toutes ces sensations gonflaient le cœur de Rosa d'une nostalgie presque insupportable, tandis que, contemplant l'horrible fleur rouge de la bombe qu'était devenue son Autre Femme, elle envisageait la possible destruction de tout ce qu'elle avait jamais connu, de l'adorable Miss Pratt dans la vieille école de l'île à la vision du vieux doris de son père au milieu des langoustiers qui rentraient le soir avec la pêche du jour. Dans de tels moments, elle n'inventait pas ses scripts ni n'imaginait ses personnages, elle s'en souvenait. Ses pages, bien que remarquées seulement de quelques collectionneurs, gardent l'empreinte de la foi du créateur dans sa création, de cette folie magnifique qui est assez rare dans toute forme d'art sauf dans l'univers de la bande dessinée, avec ses collaborations forcées et sa recherche inlassable, pratiquement sans précédent, du plus petit dénominateur commun.

Tout cela afin d'expliquer pourquoi Rosa, que le coup de téléphone de Sammy avait laissée en proie à la panique et à la confusion, accorda si peu de pensées à Josef Kavalier une fois installée à sa table de travail. Seule dans son atelier de fortune aménagé dans le garage, elle fumait, écoutait du Mahler et du Fauré sur W.Q.X.R.[1] et s'absorbait dans les vicissitudes et la silhouette fuselée de la malheureuse Nancy Lambert, comme elle l'eût fait un jour où il n'aurait pas été question des folles absences scolaires de son fils ou de revenants sortis du fin fond de son histoire de cœur. Elle ne leva même les yeux de son travail qu'après avoir entendu le crissement de la Studebaker dans l'allée.

Les macaronis au fromage se révélèrent être une attention superfétatoire : Tommy s'était endormi quand ils le ramenèrent à la maison. Sammy eut du mal à rentrer avec le gamin dans ses bras.

– A-t-il dîné ?

– Il a mangé un beignet.

– Ce n'est pas un repas.

– Il a pris un Coke.

Les joues empourprées, sa respiration sifflant entre ses dents, mystérieusement perdu dans un haut de survêtement extra-large de la Police Athletic League, Tommy dormait profondément.

– Tu t'es cassé les côtes, lança Rosa à Joe.

– Non, répondit Joe. Juste un gros bleu.

Il avait une marque enflammée sur la joue, partiellement recouverte d'un carré de gaze fixé avec du sparadrap. Les narines de son nez luisaient, comme après un saignement récent.

– Ôtez-vous de mon chemin, marmonna Sammy entre ses dents. Je n'ai pas envie de le lâcher.

– Laisse-moi faire, dit Joe.

– Mais tes côtes...

– Laisse-moi faire.

Je voudrais bien voir ça, pensa Rosa. En réalité, il n'y avait jamais rien eu dans sa vie qu'elle eût autant désiré voir.

– Pourquoi ne le laisses-tu pas faire ? dit-elle à Sammy.

Alors Sammy, le front plissé, retenant son souffle et tressaillant de compassion, bascula le petit garçon endormi dans les bras de Joe.

1. Station radiophonique de musique classique du *New York Times.* (*N.d.T.*)

Les traits de Joe se contractèrent de douleur, mais il supporta le choc et serra contre lui Tommy, dont il dévorait la frimousse des yeux avec une tendresse alarmante. Rosa et Sammy restèrent là, à regarder ardemment Joe Kavalier contempler son fils. Puis, au même moment, chacun parut remarquer que c'était ce que faisait l'autre, et tous deux sourirent en rougissant, noyés dans les courants de doute, de honte et de joie qui animaient tous les événements de leur famille de fortune.

Joe s'éclaircit la voix. Ou peut-être était-ce un grognement de douleur.

Les deux autres le fixèrent du regard.

– Où est sa chambre ? demanda Joe.

– Oh ! excuse-moi, balbutia Rosa. Ça va ?

– Très bien.

– C'est par ici.

Elle le guida dans le couloir et lui montra la chambre de Tommy. Joe étendit le gamin sur le dessus-de-lit, orné d'un motif d'enseignes de taverne du XVIIIe siècle et de parchemins aux coins enroulés, imprimés avec l'œil de caractère inégal de la guerre de Sécession. Cela faisait un bon bout de temps que le devoir et le plaisir de déshabiller son fils incombaient à Rosa. Depuis plusieurs années, elle souhaitait, voulait qu'il grandisse et devienne indépendant, une exigence générale qui dépassait son âge, comme si elle espérait le voir ricocher telle une pierre sur les eaux traîtresses de l'enfance. Et maintenant elle était touchée par une légère survivance du bébé en lui, dans ses lèvres boudeuses et l'éclat fiévreux de ses paupières. Elle se pencha pour dénouer ses chaussures, puis les lui retira. Ses chaussettes étaient collées à ses pieds blancs et moites. Joe prit les chaussures et les chaussettes des mains de Rosa. Rosa déboutonna le pantalon en velours côtelé de Tommy et le fit descendre le long de ses jambes, puis remonta sa chemise et le haut de survêtement jusqu'à ce que le paquet de sa tête et de ses bras se perdît dans leurs plis. Elle tira lentement, d'un geste expert, et la partie supérieure de son fils réapparut à l'air libre.

– Bien joué, approuva Joe.

Apparemment, au poste de police, on avait gavé Tommy de glaces et de sodas pour lui délier la langue. Il fallait lui laver la figure. Rosa alla chercher un gant. Joe la suivit dans la salle de bains, portant les chaussures dans une main et la paire de chaussettes soigneusement roulées en boule dans l'autre.

– J'ai de quoi dîner dans le four.

– J'ai une faim de loup.

– Tu ne t'es pas cassé une dent ou je ne sais quoi ?

– Non, heureusement.

C'était dingue : ils papotaient, ni plus ni moins. Sa voix était toujours la même, tonitruante, mais avec un léger nasillement de basson ; le drôle d'accent des Habsbourg était toujours là, doctoral et plus tout à fait authentique. Dans la salle de séjour, Sammy avait tourné le disque qu'elle avait mis plus tôt ; Rosa le reconnaissait maintenant : *New Concepts of Artistry in Rhythm* de Stan Kenton. Joe la suivit de nouveau dans la chambre, et Rosa nettoya l'époxyde sucré sur les lèvres et les doigts de bébé de Tommy. Un Charms Pop dans son emballage, qu'il avait fourré, à moitié sucé, dans la poche de son pantalon, avait dessiné un continent gluant dans le creux lisse et satiné de sa hanche. Rosa l'essuya bien. Tommy marmonnait et tressaillait sous ses soins. Une fois même, ses yeux s'ouvrirent brusquement, pleins d'intelligence et d'effroi, et Rosa et Joe échangèrent une grimace : ils l'avaient réveillé. Mais le petit referma les yeux et, Joe soulevant, Rosa tirant, ils le mirent en pyjama. Joe le reprit dans ses bras, tandis que Rosa ouvrait les couvertures de son lit. Puis ils le bordèrent. Joe dégagea les cheveux du front de Tommy.

– Quel grand garçon ! chuchota-t-il.

– Il va sur ses douze ans, répondit Rosa.

– Oui, je sais.

Elle regarda les mains de Joe qui pendaient le long de son corps. Il tenait toujours la paire de chaussures.

– Tu as faim ? s'enquit-elle, parlant toujours à voix basse.

– Très faim.

Au moment de sortir de la pièce, Rosa se retourna pour regarder Tommy et eut l'impulsion de revenir se coucher dans son lit, juste pour rester étendue un moment là, à savourer cette profonde nostalgie, cette sensation de manque absolu qui la submergeait chaque fois qu'elle le tenait endormi dans ses bras. Elle referma la porte derrière eux.

– Allons manger, dit-elle.

Ce n'est qu'après que tous les trois furent installés dans le coin cuisine que Rosa put, pour la première fois, regarder Joe avec attention. Il avait plus de densité désormais. Son visage semblait avoir moins vieilli que celui de Sammy ou, allez savoir, que le sien, et son expression, pendant qu'il découvrait les curiosités et les odeurs inconnues de la douillette cuisine de leur Penobscott[1], gardait l'empreinte du vieux Joe ahuri de son souvenir. Rosa avait lu quelque chose sur un voyageur einsteinien qui, au retour d'un périple à la vitesse de la lumière ayant occupé cinq ans de sa vie, avait retrouvé tous ceux qu'il connaissait et aimait courbés par l'âge ou tombant en poussière dans la terre. Elle avait l'impression que Joe était rentré

1. Nom d'un peuple amérindien vivant surtout dans le Maine. (*N.d.T.*)

comme cela, d'un ailleurs lointain, magnifique et incroyablement désolé.

Pendant qu'ils dînaient, Sammy relata à Rosa les péripéties de sa journée, depuis le moment où il avait rencontré ses camarades par hasard à l'Excelsior Cafeteria jusqu'à celui où Joe avait sauté dans le vide.

– Tu aurais pu te tuer ! s'écria Rosa, révulsée, en donnant une légère tape sur l'épaule de Joe. Très facilement même ! Des élastiques...

– Ce tour a été exécuté avec succès par Theo Hardeen en 1921 depuis le pont Alexandre III, protesta Joe. L'élastique a été spécialement préparé pour la circonstance, mais j'ai étudié la question, et la conclusion, c'est que le mien était encore plus solide et plus élastique.

– Sauf qu'il a cassé, observa Sammy.

Joe leva les épaules.

– Je me suis trompé.

Rosa éclata de rire.

– Je ne dis pas que je ne me suis pas trompé, je dis seulement que je ne pensais pas qu'il y ait de grandes chances pour que je me tue.

– As-tu réfléchi qu'il y avait des chances pour qu'on t'interne à Rickers Island ? ironisa Sammy. Il a été arrêté.

– Tu as été arrêté ! s'exclama Rosa. Et pourquoi ? Pour « trouble de l'ordre public » ?

Joe fit la grimace, à la fois gêné et contrarié. Puis il se servit une nouvelle ration de macaronis.

– C'était pour occupation illégale, expliqua Sammy.

– Ce n'est rien. (Joe leva les yeux de son assiette.) J'ai déjà été en prison.

Sammy se tourna vers elle.

– Il n'arrête pas de dire des choses comme ça.

– Le roi du mystère.

– Je trouve ça très agaçant.

– Tu as payé une caution ? s'enquit Rosa.

– Ton père m'a aidé.

– Mon père ? Il s'est rendu utile ?

– Apparemment, la vieille Mrs Wagner possède deux Magritte, expliqua Sammy. La mère du maire. Les poursuites ont été abandonnées.

– Deux des derniers Magritte, précisa Joe.

Le téléphone sonna.

– Je m'en occupe, lança Sammy, qui alla répondre.

– Allô ? Hein ? Quel journal ? Je vois. Non, il ne vous parlera pas. Parce que pour rien au monde il ne voudrait parler à un canard du groupe Hearst. Non, non et non, ce n'est pas vrai du tout ! (Manifestement, le désir de Sammy de rétablir la vérité était plus fort que son dédain pour le *Journal-American* new-yorkais. Il emporta le combiné dans la salle à manger ; ils venaient de faire poser un cordon extra-long afin de pouvoir atteindre la table à manger que Sammy utilisait comme bureau chaque fois qu'il travaillait chez lui.)

Pendant que Sammy se mettait à sermonner le reporter du *Journal-American*, Joe reposa sa fourchette.

– Très bon, dit-il. Je n'ai rien mangé de pareil d'aussi loin que je me souvienne.

– Tu en as eu assez ?

– Non.

Elle lui servit une nouvelle ration de macaronis.

– C'est à lui que tu as manqué le plus, déclara-t-elle. (Rosa fit un signe de tête en direction de la salle à manger, où Sammy relatait au reporter du *Journal-American* dans quelles circonstances Joe et lui avaient pondu l'idée de l'Artiste de l'évasion par une nuit glaciale d'octobre, il y avait des millions d'années. Le jour où un gars avait bondi par la fenêtre de la chambre de Jerry Glovsky et avait atterri, stupéfait, aux pieds de Rosa.) Il a même engagé des détectives privés pour essayer de te retrouver.

– L'un d'eux m'a bien retrouvé, répondit Joe. J'ai acheté son silence. (Il avala une bouchée, puis une deuxième, puis une troisième.) Il m'a manqué aussi, reprit-il enfin. Mais je me figurais toujours qu'il était heureux. Quand j'étais là-bas, le soir, et que je pensais parfois à lui, je lisais ses comic books – j'ai toujours su lesquels étaient les siens – et je me disais : « Bon, Sam se débrouille très bien, il doit être heureux. » (Il fit descendre la dernière bouchée de sa troisième ration d'une gorgée d'eau de Seltz.) C'est une grande déception pour moi de voir qu'il ne l'est pas.

– Parce qu'il ne l'est pas ? s'étonna Rosa, moins par mauvaise foi que sous l'effet persistant de ce qu'une autre génération aurait appelé son déni. Non. Non, tu as raison, il ne l'est pas réellement.

– Et son roman, *Le Désenchantement américain* ? J'y ai souvent pensé aussi, de temps en temps.

Son anglais, remarqua-t-elle, s'était dégradé pendant ses années dans le maquis ou partout où il avait pu traîner ses guêtres.

– Eh bien, répondit Rosa, il l'a terminé il y a deux ans. Pour la cinquième fois, en fait, je crois que c'était. Et nous l'avons envoyé par la poste. Il a bien eu quelques réponses polies, mais...

– Je vois.

– Joe, reprit-elle. Qu'est-ce que tu avais dans la tête ?

– Comment, qu'est-ce que j'avais dans la tête ? En sautant ?

– D'accord, commençons par là.

– Je ne sais pas. Quand j'ai vu la lettre dans le journal, tu sais, j'ai compris que Tommy en était l'auteur. Qui d'autre aurait-ce pu être ? Et j'ai pensé, enfin, puisque je suis celui qu'on lui cite en exemple sur ce sujet... je voulais... je voulais juste que ce soit vrai pour lui.

– Mais qu'est-ce que tu essayais de montrer ? Ton idée, c'était de couvrir de honte Sheldon Anapol pour qu'il vous donne plus d'argent à tous les deux ou bien... ?

– Non, l'interrompit Joe. Je ne crois pas que c'était ça, l'idée.

Elle attendit. Il repoussa son assiette et prit les cigarettes de Rosa. Il en alluma deux à la fois, puis lui en passa une, exactement comme il le faisait il y avait longtemps, très longtemps.

– Il ne sait rien, poursuivit Joe au bout d'un moment, comme pour offrir une explication à son saut du haut de l'Empire State Building.

Et même si Rosa ne comprit pas tout de suite, cette déclaration lui fit battre le cœur. Avait-elle tant de secrets pour les hommes de sa vie, tant de formes différentes de cachotteries coupables ?

– Qui ne sait pas quoi ? s'écria-t-elle.

Comme si de rien n'était, elle tendit le bras pour prendre un cendrier sur le bar de la cuisine, juste derrière la tête de Joe.

– Tommy. Il ne sait pas... ce que je sais. Sur moi, et sur lui. Que je...

Le cendrier – rouge et or, marqué des mots EL MOROCCO dans une élégante cursive dorée – tomba sur le sol de la cuisine et se brisa en une douzaine de morceaux.

– Merde !

– Ce n'est pas grave, Rosa.

– Non, ce n'est pas grave ! Mais j'ai cassé mon cendrier El Morocco, nom de Dieu !

Ils se retrouvèrent à genoux par terre, au milieu de la cuisine, séparés par les tessons du cendrier.

– Alors très bien, reprit-elle, tandis que Joe commençait à réunir les éclats du plat de la main. Tu sais.

– Maintenant je sais. Je l'ai toujours pensé, mais je...

– Tu l'as toujours pensé ? Depuis quand ?

– Depuis que j'ai appris la nouvelle. Tu m'as écrit, tu te rappelles, quand j'étais dans la marine, en 1942, je crois. Il y avait des photos, je l'ai reconnu.

– Tu savais depuis 1942 que tu (elle baissa la voix pour chuchoter avec fureur) que tu avais un fils et tu n'as jamais...

La rage qui sourdait soudain en elle lui parut dangereusement convaincante, et elle y eût bien donné libre cours, sans se soucier des conséquences pour son fils, son mari ou leur réputation dans le quartier, mais ce qui la retint au dernier moment, ce fut le feu ardent des joues de Joe. Assis par terre, la tête baissée, il empilait les morceaux du cendrier en un joli petit tumulus. Rosa se leva et alla chercher une pelle et une balayette dans le placard à balais. Elle balaya les débris et les jeta avec un tintement dans la poubelle de la cuisine.

– Tu ne lui as rien dit, murmura-t-elle à la fin.

Il secoua la tête sans la relever, toujours agenouillé au beau milieu de la cuisine.

– Nous n'avons jamais beaucoup parlé, avoua-t-il.

– Pourquoi cela ne me surprend-il pas ?

– Et toi, tu ne le lui as jamais dit non plus.

– Bien sûr que non, répondit Rosa. Pour autant qu'il sache (elle baissa encore la voix et fit un nouveau signe de tête vers la salle à manger), c'est lui son père.

– Mais ce n'est pas le cas.

– Comment ?

– Il m'a dit que Sammy l'avait adopté. Il a dû l'entendre, ou quelque chose dans ce genre. Il a plusieurs théories intéressantes sur son vrai père.

– Il... a-t-il jamais... crois-tu que...

– Parfois, j'ai eu l'impression qu'il finirait par me poser la question, répliqua Joe. Mais il ne me l'a jamais posée.

Elle lui donna alors sa main et il la prit dans la sienne. Un instant, celle de Joe parut à Rosa beaucoup plus sèche et plus calleuse que dans son souvenir, et celui d'après, exactement pareille. Ils se rassirent à la table de cuisine, devant leurs assiettes respectives.

– Tu ne m'as encore rien dit, lui rappela-t-elle. Les raisons de ton geste. Quel était l'intérêt de tout cela ?

Sammy revint dans la cuisine et raccrocha le téléphone, secouant la tête devant les épaisses ténèbres journalistiques pour l'éclaircissement desquelles il venait de perdre dix minutes.

– C'est juste ce que me demandait ce gars, dit-il. Quel était l'intérêt ?

Rosa et Sammy se tournèrent vers Joe, qui contempla un moment les deux centimètres de cendre au bout de sa cigarette avant de tapoter celle-ci dans le creux de sa main.

– Je pense que l'intérêt pour moi, déclara-t-il, c'était de rentrer. De me retrouver attablé ici avec vous, à Long Island, dans cette maison, en train de manger des pâtes préparées par Rosa.

Sammy leva les sourcils et émit un bref soupir. Rosa secoua la tête. Son destin semblait être de vivre avec des hommes dont les solutions étaient invariablement plus compliquées ou extrêmes que les problèmes qu'elles étaient censées résoudre.

– Tu n'aurais pas pu téléphoner ? s'insurgea Rosa. Je t'aurais invité, j'en suis sûr.

Joe secoua la tête et ses joues retrouvèrent leur couleur normale.

– Je ne pouvais pas. Mais ce n'est pas l'envie qui m'en manquait. Je vous appelais et je raccrochais. Je vous ai écrit des lettres mais je ne les ai pas envoyées. Et plus j'attendais, plus j'avais du mal à imaginer nos retrouvailles. Je ne savais pas comment m'y prendre, vous voyez ? Je ne savais pas ce que vous penseriez de moi. Comment vous seriez disposés envers moi...

– Seigneur ! Joe, espèce de satané idiot ! s'exclama Samy. Mais on t'aime.

Joe posa sa main sur l'épaule de Sammy et haussa les épaules, inclinant la tête comme pour acquiescer : Oui, il s'était conduit comme un idiot. Et cela suffirait aux cousins, songea Rosa. Douze ans de néant, une brève déclaration, un haussement d'épaules en guise d'excuse, et ces deux-là seraient comme neufs. Rosa rejeta un jet de fumée par les narines et secoua la tête. Joe et Sammy se tournèrent de son côté. Ils semblaient attendre d'elle un plan d'action, un petit script bien ficelé de Rose Saxon qu'ils pourraient tous suivre et dans lequel ils trouveraient tous le rôle de leur choix.

– Eh bien ! lança-t-elle. Qu'est-ce qu'on fait maintenant ?

Le silence qui suivit fut assez long pour que trois ou quatre des idiots proverbiaux d'Ethel Klayman passent en ce monde lugubre. Rosa voyait mille réponses possibles se frayer un chemin dans l'esprit de son mari, et elle se demanda laquelle il allait finalement choisir, mais ce fut Joe, en définitive, qui parla le premier :

– Il y a un dessert ? s'enquit-il.

12.

Un Ticonderoga aiguisé calé derrière l'oreille et un nouveau bloc-notes jaune pressé contre la poitrine, Sammy se coucha avec Rosa. Il portait un pyjama de coton raide – celui-ci était blanc à fines rayures citron, avec un motif en diagonale de têtes de cerf dorées – auquel tenait encore la douce odeur de vapeur du fer à repasser. En temps normal, il glissait dans l'enveloppe de leur lit une transcription olfactive de sa journée en ville, un riche résumé de Vitalis, de Pall Mall et de moutarde allemande, l'aigre empreinte du dossier en cuir de son fauteuil de bureau et la pellicule de café brûlé épaisse d'un demi-centimètre au fond du distributeur de la société. Mais, ce soir-là, il s'était douché, et ses joues et sa gorge dégageaient le piquant parfum mentholé de Lifebuoy. Il déplaça sa masse relativement légère du sol de la chambre vers la surface du matelas, avec son habituel récitatif de soupirs et de grognements. Autrefois, Rosa lui aurait demandé s'il y avait une cause générale ou spéciale à cette surprenante prestation, mais il n'y en avait aucune ; ses plaintes étaient une réponse musicale involontaire aux effets de la gravitation, comme le « chant » de certaines roches chargées d'humidité sur lequel elle avait lu quelque chose dans *Ripley's* et qui était produit par les premiers rayons du soleil matinal. Ou alors c'était juste l'inévitable libération nocturne de toutes les frustrations quotidiennes, après quinze heures passées à les ignorer ou à les refouler. Elle guetta le processus complexe par lequel il opérait un réarrangement complet du mucus dans ses poumons et dans sa gorge. Elle le sentit allonger ses jambes, puis lisser les couvertures par-dessus. À la fin, elle roula sur elle-même et se redressa sur un bras.

– Alors ? lança-t-elle.

Étant donné tout ce qui s'était passé ce jour-là, il y avait pas mal de réponses différentes possibles à sa question. Sammy aurait pu dire par exemple : « Apparemment, notre fils n'est pas un petit délinquant dévoyé par les comics et adepte de l'école buissonnière sorti tout droit des plus atroces chapitres de *La Séduction de l'innocence*. » Ou bien, pour la millième fois, avec son ordinaire mélange d'étonnement et d'hostilité : « Ton père est vraiment un personnage. » Ou encore – elle appréhendait et à la fois mourait d'envie de l'entendre : « Bon, tu l'as retrouvé. »

Mais il se borna à renifler une dernière fois et répondit :

– Ça me botte.

Rosa se redressa un petit peu plus.

– Vraiment ?

Il inclina la tête, croisant les bras derrière la nuque.

– C'est très troublant, poursuivit-il. (Rosa s'aperçut qu'elle savait dès le début que c'était la réponse à laquelle elle allait avoir droit. Ou plutôt que ce serait la phrase qu'il choisirait probablement, en réponse à son invite à peine déguisée à la remplir de désir et d'appréhension. Comme toujours, il lui tardait d'avoir l'opinion de Sammy sur son travail, et elle lui savait aussi gré d'accepter d'évaluer leur relation, juste encore un peu, en fonction de l'ancien calendrier, si plein de lacunes et d'erreurs de calcul qu'il ait pu être.) C'est comme si la Bombe était vraiment l'Autre Femme.

– La Bombe est sexy.

– C'est ça qui est troublant ! s'exclama Sammy. En réalité, ce qui est troublant, c'est que tu aies pu penser une chose pareille.

– Mais regarde qui parle !

– Tu as donné un visage à la Bombe. Un corps de femme...

– Cela sort tout droit du *World Book* de Tommy. Je n'ai rien inventé.

Sammy alluma une cigarette, puis contempla l'extrémité enflammée de l'allumette jusqu'au moment où il se brûla presque la peau des doigts. Il la secoua pour l'éteindre.

– Il a perdu la tête ? lança-t-il.

– Tommy ou Joe ?

– Il mène une vie secrète depuis ces dix dernières années. Je veux dire, vraiment secrète. Déguisements, fausses identités. Il m'a dit qu'une dizaine de personnes seulement savaient qui il était. Mais nul ne savait où il habitait.

– Qui savait ?

– Une bande de magiciens. C'est là que Tommy l'a vu pour la première fois. Dans l'arrière-boutique de Tannen.

– La Boutique de la magie de Louis Tannen, murmura-t-elle.

Voilà qui expliquait l'attachement – qui l'avait toujours irritée – porté par Tommy à cette miteuse officine de farces et de boniments vulgaires qui l'avait laissée déprimée la fois où elle s'y était rendue. « Il a l'air complètement obsédé par cet endroit », avait un jour remarqué son père. Elle repassa alors lentement dans son esprit l'étendue des mensonges tissés par Tommy au cours des dix derniers mois. Les listes de prix consciencieusement tapées à la machine, toutes fausses. Peut-être son intérêt pour la magie elle-même était-il entièrement feint. Et la parfaite imitation de sa signature sur ces navrants mots d'excuse ! C'était Joe qui en était l'auteur, bien sûr. La signature personnelle de Tommy était broussailleuse et fruste ; sa main était encore incontestablement mal assurée. Pourquoi n'était-il jamais venu avant à l'esprit de Rosa que Tommy n'aurait jamais pu commettre un faux tout seul ?

– Ils nous ont préparé un tour de passe-passe géant, reprit-elle. Le bandeau oculaire était un... comment Joe appelait-il ça ?

– Une fausse piste.

– Un mensonge pour couvrir un autre mensonge.

– J'ai questionné Joe sur Orson Welles, dit Sammy. Il était au courant.

Rosa montra le paquet de cigarettes du doigt et Sammy lui en tendit une. Elle était désormais assise en tailleur, face à lui. Elle avait mal au ventre. C'étaient les nerfs. Les nerfs et l'impact de l'écroulement simultané d'années et d'années de fantasmes, qui basculaient telle une rangée de décors peints. Elle avait imaginé Joe, non seulement renversé par des camions de passage sur une roue déserte, mais également noyé dans de lointaines criques de l'Alaska, abattu par des membres du Ku Klux Klan, étiqueté dans le tiroir d'une morgue du Midwest, tué pendant une révolte de prisonniers et dans quantité de divers types de suicide, de la pendaison à la défenestration. Elle ne pouvait s'en défendre. Les catastrophes excitaient son imagination ; une atmosphère de fin du monde imminente assombrissait les trois quarts de ses travaux, même les plus radieux. Elle avait deviné la présence de la violence dans l'histoire de la disparition de Joe (même si elle avait cru, à tort, que celle-ci se trouvait à la fin et non au début de l'aventure). On parlait de plus en plus de suicides – le « syndrome de la culpabilité du survivant », disait-on – parmi les parents, plus chanceux, de ceux qui avaient péri dans les camps. Chaque fois que Rosa lisait ou entendait parler d'un tel cas, elle ne pouvait s'empêcher de se représenter Joe en train de commettre le même acte, par les mêmes moyens : en général des cachets ou l'horrible ironie du gaz. Et pour le moindre article de presse sur le malheur d'un quidam de la cambrousse – par exemple, l'homme dont elle avait lu la veille qu'il était tombé d'une falaise à la périphérie de San Francisco – elle changeait la distribution pour donner le rôle principal à Joe. Qu'il s'agisse de lacérations par des ours, d'attaques d'abeilles ou du plongeon d'un autocar plein d'écoliers (Joe était au volant), Joe – ou du moins son souvenir – était toujours la victime. Aucune tragédie n'était trop baroque ni en apparence trop incroyable pour qu'elle ne trouvât moyen d'y intégrer Joe. Et depuis plusieurs années déjà elle vivait quotidiennement avec la souffrance de savoir – savoir ! –, tout fantasme mis à part, que Joe ne reviendrait plus jamais. Et elle semblait maintenant ne pas pouvoir assimiler l'idée apparemment simple que Joe Kavalier, sa vie secrète et le reste, dormait sur son canapé, dans sa salle de séjour, sous une vieille couverture en tricot d'Ethel Klayman.

– Non, reprit-elle, je ne crois pas qu'il ait perdu la tête. Tu sais ? J'ignore s'il peut y avoir une réaction saine à ce qu'il... à ce qui est arrivé à sa famille. Est-ce que ta réaction et la mienne... tu te lèves, tu vas travailler, tu joues au ballon dans la cour avec le gamin le dimanche après-midi. Est-ce si sain que cela ? Se contenter de planter des oignons de tulipes, de dessiner des comics et de répéter toujours les mêmes vieilles âneries comme s'il ne s'était rien passé ?

– Pertinent, commenta Sammy, l'air profondément indifférent à sa question.

Il remonta ses jambes vers lui et posa son bloc contre elles. Son crayon commença à courir sur le papier. Pour Sammy, la conversation était close. En principe, ils s'arrangeaient pour éviter les questions du style « Sommes-nous sains d'esprit ? » ou « Notre existence a-t-elle un sens ? » Ce besoin d'évitement était aigu et évident pour tous les deux.

– Qu'est-ce que c'est que ça ? s'enquit-elle.

– *Weird Planet*. (Il ne leva même pas son crayon de la page.) Un gars atterrit sur une planète. Il explore la galaxie, dresse la carte des confins de l'univers. (Pendant qu'il parlait, Sammy ne la regardait pas, pas plus qu'il n'interrompait le progrès régulier des petites capitales grasses qu'il déposait sur le papier à carreaux, symétriques et élégantes, comme s'il avait une machine à écrire à la place de la main. Il aimait lui raconter ses scénarios, passer au peigne fin les productions touffues de son esprit.) Il découvre une énorme cité dorée. Sans comparaison avec ce qu'il a déjà vu. Or il a tout vu. Les cités ruches de Deneb, les cités en feuilles de nénuphar de la Lyre. Ici, les indigènes sont de beaux humanoïdes dorés qui mesurent trois mètres de haut. Disons qu'ils ont de grandes ailes. Ils accueillent l'astronaute Jones. Ils lui font visiter les lieux. Mais quelque chose les préoccupe. Ils sont inquiets, ils ont peur. Il y a un seul bâtiment, un immense palais, qu'il n'a pas le droit de voir. Une nuit, notre lascar se réveille dans son grand lit, toute la cité tremble. Il entend un terrible rugissement, une fureur, comme une bête monstrueuse. Des cris. D'étranges éclairs électriques. Tout vient du palais. (Il déchira la page qu'il avait rédigée, la plia, la lissa, reprit le fil.) Le lendemain, tout le monde fait comme si de rien n'était. On lui dit qu'il a dû rêver. Naturellement, notre ami doit découvrir la vérité. C'est un explorateur. C'est son travail. Alors il s'introduit dans ce gigantesque palais désert et jette un regard à la ronde. Dans la plus haute tour, à un kilomètre et demi au-dessus de la planète, il tombe sur un géant. Six mètres de haut, ailes immenses, doré comme les autres, mais avec les cheveux ébouriffés, une longue barbe épaisse. Enchaîné. De chaînes atomiques géantes.

Elle attendit la suite pendant que lui attendait ses questions.

– Et alors ? souffla-t-elle finalement.

– On est au paradis sur cette planète, répondit Sam.

– Je ne suis pas sûre de...

– C'est Dieu.

– D'accord.

– Dieu est un fou. Il a perdu l'esprit, disons, il y a un milliard d'années. Juste avant de, tu sais, créer l'univers.

Ce fut au tour de Rosa de dire :

– Ça me botte. Est-ce qu'il... quoi ? Je parie qu'il dévore l'astronaute.

– Il le dévore.

– Le pèle comme une banane.

– Tu veux le dessiner ?

Elle tendit le bras et posa la main sur sa joue. Celle-ci était chaude et encore humide de la douche, sa barbe naissante agréablement rugueuse sous ses bouts de doigts. Elle se demanda combien de temps s'était écoulé depuis la dernière fois où elle lui avait touché le visage.

– Sam, allez ! Arrête un peu, murmura-t-elle.

– J'ai besoin de noter cette histoire.

Elle avança la main pour attraper le crayon et stoppa son mouvement mécanique. Il résista un moment ; on entendit un léger crissement, puis le crayon commença à se tordre. À la fin, il se cassa net en deux dans le sens de la longueur. Elle lui tendit sa moitié, le tube gris étique de mine de plomb qui étincelait comme le mercure montant dans un thermomètre.

– Sammy, comment l'as-tu tiré d'affaire ?

– Je te l'ai déjà dit.

– Mon père a appelé la mère du maire, psalmodia-t-elle. Qui a pu agir sur le système de police judiciaire de la ville de New York. Cela, grâce à son amour profond pour René Magritte...

– Apparemment.

– De la foutaise, oui !

Il haussa les épaules, mais elle savait qu'il mentait. Il lui mentait continuellement, et avec son accord, depuis des années. C'était un seul mensonge continu, la sorte de mensonge le plus grave possible dans un mariage : mais, une fois de temps en temps, de petits icebergs comme celui-ci se détachaient pour dériver en travers de leur route, souvenirs du continent inexploré des mensonges, point aveugle de leurs cartes.

– Comment l'as-tu tiré d'affaire ? répéta Rosa.

Jamais auparavant elle n'avait autant tenté de lui tirer les vers du nez. Elle avait parfois l'impression d'être Ingrid Bergman dans *Casablanca*, mariée à un homme qui avait des accointances dans le milieu. Les mensonges étaient pour son bien autant que pour le sien.

– J'ai discuté avec le policier qui l'a appréhendé, répondit Sammy, la regardant dans les yeux. L'inspecteur Lieber.

– Tu lui as parlé...

– Il m'a paru un type bien.

– C'est heureux !

– Nous allons déjeuner ensemble.

Sammy avait déjeuné par intermittence avec une douzaine d'individus au cours des dix dernières années. Ils avaient rarement des patronymes dans sa conversation ; c'était juste Bob, Jim, Pete ou Dick. L'un d'eux apparaissait en lisière de la conscience de Rosa, y restait six mois ou un an, vague méli-mélo de tuyaux boursiers, d'opinions et de blagues à la mode en costume gris, puis disparaissait aussi vite qu'il était venu. Rosa s'était toujours figuré que ces amitiés de Sammy – les seules relations à mériter ce nom depuis l'engagement de Joe dans la marine – n'allaient guère plus loin qu'une table à déjeuner au restaurant Le Marmiton ou Chez Laurent. C'était un de ses postulats de base.

– Eh bien alors, lança Rosa, peut-être que papa pourra encore t'aider avec cette commission du Sénat. Je parie qu'Estes Kefauver est un grand fan de Max Ernst.

– Nous devrions peut-être nous adresser à Max Ernst lui-même, renchérit Sammy. J'ai besoin de toute l'aide que je peux trouver.

– Ils convoquent vraiment tout le monde ? s'enquit Rosa.

Sammy secoua la tête. Il essayait de ne pas paraître soucieux, mais elle voyait bien qu'il l'était.

– De mon côté j'ai passé quelques appels, concéda-t-il. Gaines et moi semblons être les seuls éditeurs de bandes dessinées dont la convocation est de notoriété publique.

Bill Gaines était l'éditeur et le souverain pontife d'Entertainment Comics. C'était un garçon débraillé, intelligent, nerveux et volubile comme l'était Sammy – quand il s'agissait de travail – et, encore comme Sammy, il nourrissait des ambitions. Ses comics avaient des prétentions littéraires et cherchaient à trouver des lecteurs qui apprécieraient leur ironie, leur humour, la pieuse et originale morale libérale qui était leur marque de fabrique. Ils étaient aussi scandaleusement épouvantables. Les cadavres, les démembrements et les bagarres à coups de couteau y abondaient. Des gens ignobles faisaient des choses terribles à leurs horribles êtres chers et amis. Rosa n'avait jamais beaucoup aimé Gaines ni ses livres, bien qu'elle adorât Bernard Krigstein*, un des permanents d'Empire Comics, raffiné et élégant à la fois dans ses publications et dans sa personne, ainsi qu'un audacieux manipulateur de planches.

– Certaines de vos publications sont très violentes, Sam, déclara-t-elle. Vous dépassez les limites.

– Ce ne peut quand même pas être les coups de couteau et les vivisections, se défendit Sammy. (Puis, s'humectant les lèvres :) Du moins, pas seulement ça.

Elle attendit.

– Il y a... bon, il y a on peut le dire tout un chapitre sur moi dans *La Séduction de l'innocence*.

– C'est vrai ?

– Une partie d'un chapitre. Quelques pages.

– Et tu ne me l'as jamais montré ?

– Tu m'as dit que tu n'allais pas lire ce satané truc. J'ai cru que tu ne préférais pas savoir.

– Je t'ai demandé si le docteur Wertham avait parlé de toi. Tu m'as répondu... (Rosa tâchait de se rappeler ses mots exacts.) Tu m'as répondu que tu y apparaissais mais que tu n'étais pas dans l'index.

– Enfin, pas sous mon nom, précisa Sammy. C'est ce que j'ai voulu dire.

– Je vois, persifla Rosa. Mais il s'avère qu'il y a en fait tout un chapitre sur toi.

– Pas sur moi personnellement. Mon nom n'est même pas cité. Il est juste question d'histoires que j'ai écrites. Le Lumberjack, le Rectifier. Mais pas uniquement des miennes. Il y en a pas mal sur Batman. Et Robin. Et des passages sur Wonder Woman. Sur le fait qu'elle est un peu... un peu gouine.

– Oui, oui, je vois. (Tout le monde était au courant. C'était là ce qui rendait leur secret particulier, leur mensonge, si ironique ; bien que tacite et incontesté, celui-ci ne trompait personne. Le quartier bruissait de ragots. Rosa avait beau ne les avoir jamais entendus, elle pouvait parfois les flairer, les sentir flotter dans l'atmosphère d'un living-room où Sam et elle venaient d'entrer.) Le Sénat américain sait-il que c'est toi, l'auteur de ces histoires ?

– Sérieusement, j'en doute, répondit Sammy. Tout a paru sous un pseudonyme.

– Bon, d'accord.

– Tout se passera bien. (Il tendit de nouveau la main vers son bloc-notes, puis se retourna et fouilla le tiroir de la table de nuit, à la recherche d'un autre crayon. Mais quand il replongea sous les couvertures, il se borna à tambouriner sur son bloc avec le côté gomme.) Tu crois qu'il va rester quelque temps ? demanda-t-il.

– Non. Oui, oui. Peut-être. Je n'en sais rien. Avons-nous envie qu'il reste ? riposta-t-elle.

– Est-ce que tu l'aimes toujours ?

Il essayait de la surprendre à contre-pied, à la manière des avocats. Mais elle n'allait pas s'aventurer si loin, pas encore, ni fourgonner si profondément dans les braises de son amour pour Joe.

– Et toi ? répliqua-t-elle. (Et puis, avant qu'il eût le temps de prendre sa question au sérieux, Rosa enchaîna :) Est-ce que tu m'aimes toujours ?

– Tu sais bien que oui, énonça-t-il enfin. (En fait, elle savait que c'était vrai.) Tu n'as pas besoin de me poser la question.

– Et toi tu n'as pas besoin de me répondre, renchérit-elle.

Elle l'embrassa. C'était un baiser brusque, fraternel. Puis elle éteignit sa lampe et tourna son visage vers le mur. Le grattement du crayon reprit. Elle ferma les yeux, mais sans parvenir à se détendre. Elle mit très peu de temps à s'apercevoir qu'elle avait oublié le seul sujet dont elle souhaitait s'entretenir avec Sammy : Tommy.

– Il sait que tu l'as adopté, lança-t-elle. D'après Joe. (Le crayon s'arrêta. Rosa demeura face au mur.) Il sait que son vrai père est quelqu'un d'autre. Mais il ne sait pas qui.

– Joe ne lui a rien dit, alors.

– Il devrait ?

– Non, chuchota Sammy. Je pense qu'il ne devrait pas.

– Mais il faut que nous lui disions la vérité, Sam, déclara-t-elle. L'heure est venue. C'est le moment.

– Je travaille en ce moment, objecta Sammy. Je ne veux plus en parler.

Une longue expérience avait appris à Rosa à le prendre au mot. La conversation était officiellement terminée. Et elle n'avait rien dit de ce qu'elle voulait lui dire. Elle posa une main sur son épaule brûlante et l'y laissa un petit moment. Le contact de sa peau lui donna un nouveau léger choc, lui en rappelant une autre, plus fraîche.

– Et toi ? marmonna-t-elle, juste avant de finir par sombrer. Tu vas rester un moment ?

Mais si sa question eut une réponse, celle-ci lui échappa.

13.

À trente-cinq ans, avec ses rides naissantes au coin des yeux et une voix enrouée par l'abus des cigarettes, Rosa Clay était peut-être plus belle que la jeune fille des souvenirs de Joe. Elle avait abandonné son combat futile et obstiné contre sa constitution plantureuse. L'opulence générale de ses chairs rosées avait adouci l'angle dramatique de son nez, la longueur chevaline de ses mâchoires, l'évasement de ses pommettes. Ses cuisses étaient majestueuses, ses hanches généreuses. Et, au cours de ces quelques premiers jours, Joe trouva un puissant aiguillon à son amour renaissant dans la vision de ses seins blancs et semés de taches de rousseur qui remplissaient à ras bord les bonnets de son soutien-gorge, au risque, appétissant mais imaginaire, de déborder, qui lui fut offerte par un de ses tabliers, ou une rencontre fortuite et tardive à la porte de la salle de bains dans le couloir. Il avait pensé à Rosa un nombre incalculable de fois au cours de ses années de fuite, mais en la courtisant ou en l'embrassant de mémoire, il avait omis de se représenter les taches de son dont elle était constellée, et était maintenant saisi devant leur profusion. Elles apparaissaient et s'éteignaient sur sa peau avec la cadence impénétrable des étoiles dans un ciel nocturne. Elles invitaient au toucher aussi douloureusement que la trame du velours ou le miroitement d'un chiffon de soie moirée.

Assis à la table du petit déjeuner ou étendu sur le canapé, il la regardait vaquer à ses occupations domestiques, armée d'un balai-éponge ou d'un sac de toile plein d'épingles à linge, avec sa jupe qui peinait à contenir le balancement résolu de ses hanches et de ses fesses, et avait la sensation qu'en lui une corde de violon était tendue sur sa cheville. Parce qu'en réalité, il était toujours amoureux de Rosa. Sa passion pour elle avait survécu, intacte, à la glaciation, comme les bêtes d'ères disparues qui se décongelaient toujours au fil des pages des comic books pour se déchaîner dans les rues de Métropolis, de Gotham et d'Empire City. En se dégelant, cet amour dégageait un puissant fumet de mastodonte du passé. Joe était surpris de renouer avec ces sentiments, non pas tant à cause de leur survivance que de leur intensité et leur force indéniables. Un homme amoureux à trente ans se sent plus vivant qu'il ne le sera jamais ; en se retrouvant une nouvelle fois en possession de ce trésor enseveli, Joe comprit avec la plus grande clarté qu'il avait été plus ou moins un homme mort pendant les dix dernières années. Sa côte de porc grillée et son œuf au plat quotidien, sa collection de barbes et de moustaches postiches, les rapides toilettes à l'éponge devant le petit évier du placard, ces aspects routiniers et incontestés de son existence récente lui semblaient désormais le comportement d'une ombre, les impressions laissées par un roman fantastique sous l'influence d'une forte fièvre.

Le réveil de ses sentiments pour Rosa – de sa jeunesse même – eût dû être une cause de ravissement après un si long sommeil, mais Joe avait terriblement mauvaise conscience. Il ne voulait pas être ce pivot des histoires de Rosa, ce conducteur de Fiat à l'œil pétillant, amateur de lavallière, briseur de ménages. Au cours des quelques derniers jours, il avait perdu, c'est vrai, toutes ses illusions sur le mariage de Sammy et de Rosa (qu'il avait fini par idéaliser au fil des ans, comme on a tous tendance à le faire avec les occasions ratées). Le lien solide et bourgeois qu'il s'était représenté la nuit, de loin, avec moitié regret et moitié contentement, se révéla, vu de près, être encore plus compliqué et problématique que d'ordinaire. Mais, quelle que soit leur relation, Sammy et Rosa étaient mariés et l'étaient déjà depuis pas mal d'années. Sans aucun doute, ils formaient un couple. Ils avaient le même langage, employaient un jargon familial – « tête de limace » et « nouille », « téloche »... –, se disputaient la parole, finissaient mutuellement leurs phrases, se coupaient aimablement. Parfois, tous les deux allaient voir Joe en même temps pour lui raconter des variantes parallèles et complémentaires du même canevas et il se perdait dans les méandres conjugaux un tantinet ennuyeux de leur conversation. Sammy préparait du thé pour Rosa et le lui apportait dans son atelier. Elle repassait sa chemise avec une sévère méticulosité, tous les soirs avant de se retirer. Et puis ils avaient mis sur pied un remarquable système de production de bandes dessinées à deux (même s'ils collaboraient rarement ouvertement sur un scénario sous la double signature Clay & Clay). Sammy sortait des échantillons du stock inépuisable d'idées bon marché, fiables et efficaces dont Dieu l'avait pourvu à la naissance, puis Rosa lui exposait une intrigue, le submergeant d'un flot incessant de subtilités dont ni l'un ni l'autre ne paraissaient se rendre compte qu'elles venaient d'elle. Ou alors Sammy revoyait les pages des histoires de Rosa avec elle, planche par planche, critiquant ses dessins quand ils devenaient trop précieux, la poussant à force de cajoleries à garder le trait simple et puissant, stylisé, dédaigneux des détails, qui était son fort. Rosa et Sam n'étaient pas souvent ensemble – sauf au lit, lieu qui demeurait une source d'intérêt et de grand mystère pour Joe –, mais quand ils l'étaient, ils avaient l'air très absorbés l'un par l'autre.

Il était donc impensable qu'il s'immisce entre eux et exprime les revendications auxquelles le réveil de son amour l'exhortait. Mais il ne pouvait penser à rien d'autre. Ainsi tournait-il dans la maison en proie à un état permanent de gêne enflammée. Dans son hôpital cubain, il avait conçu une reconnaissance ardente pour une des infirmières, une ravissante ex-débutante originaire de Houston que tous appelaient Alexis du Texas, et avait passé un mois infernal dans la chaleur torride de la baie de Guatánamo à s'efforcer de ne pas avoir d'érection chaque fois qu'elle passait lui faire sa toilette. C'était la même chose avec Rosa maintenant. Il consacrait tout son temps à réprimer ses pensées, à réfréner ses sentiments. Il en avait mal aux articulations de la mâchoire.

D'ailleurs, il sentait qu'elle l'évitait, fuyait les avances importunes qu'il n'arrivait pas à se décider à faire, ce qui l'amenait à se voir encore plus dans la peau d'un chameau. Après leur première conversation dans la cuisine, Rosa et lui semblaient avoir du mal à en engager une deuxième. Pendant quelque temps, il fut tellement préoccupé par ses tentatives maladroites pour parler de choses et d'autres qu'il ne remarqua pas les propres réticences de Rosa chaque fois qu'ils se trouvaient en tête à tête. Lorsqu'il finit par s'en apercevoir, il attribua son silence à de l'animosité. Des jours durant il se tint sous la douche froide de son courroux imaginaire, qu'il avait l'impression de mériter entièrement. Non seulement pour l'avoir mise enceinte et plantée là, afin que lui puisse partir poursuivre vainement une vengeance impossible, mais encore pour n'être jamais revenu, n'avoir jamais téléphoné ni écrit un mot, n'avoir jamais pensé une fois à elle – c'est ce qu'il croyait qu'elle croyait – pendant toutes ces années de séparation. Le gaz du silence qui se dilatait entre eux n'en excitait que davantage sa honte et sa concupiscence. En l'absence d'échange verbal, il devint ultrasensible à d'autres signes émis par elle : le fouillis de ses produits de maquillage, de ses crèmes et de ses lotions dans la salle de bains, la mousse espagnole de sa lingerie accrochée à la tringle du rideau de douche, le tintement irrité de sa petite cuillère contre sa tasse de thé qui montait du garage, ses messages culinaires écrits à coups d'origan, de bacon et d'oignons cuits dans de la matière grasse.

À la fin, quand il ne put plus le supporter, Joe décida qu'il devait dire quelque chose, mais les seules paroles qu'il pouvait trouver, c'était : « Je t'en prie, pardonne-moi. » Il lui présenterait des excuses en bonne et due forme, aussi longues et abjectes qu'il le fallait, et s'en remettrait à sa merci. Joe en rumina, prépara, répéta les mots et, quand il la croisa par hasard dans le couloir, il se borna à lâcher le morceau.

– Écoute, balbutia-t-il. Je suis désolé.

– De ce que tu as fait ?

– Je suis désolé de tout, je veux dire.

– Oh ! De ça ? s'exclama-t-elle. Très bien.

– Je suis conscient que tu dois être fâchée.

Elle croisa les bras sur sa poitrine et le regarda fixement, les sourcils écartés et bien lisses, les lèvres pincées en une moue dubitative. Il ne parvint pas à déchiffrer l'expression de son regard, qui n'arrêtait pas de changer. Finalement, elle baissa les yeux sur ses avant-bras couverts de taches de rousseur, cramoisie.

– Je n'ai aucun droit de l'être.

– Je t'ai fait de la peine, je t'ai abandonnée, j'ai laissé ma place à Sammy.

– Je ne t'en veux pas, murmura-t-elle. Pas du tout. Et Sammy non plus, je ne crois pas, pas vraiment. Nous comprenons tous les deux pourquoi tu es parti. Nous avons compris tout de suite.

– Merci, dit Joe. Vous pourrez peut-être me l'expliquer un jour.

– C'est quand tu n'es pas rentré, Joe. C'est quand tu as sauté par-dessus bord ou je ne sais pas ce que tu as fabriqué...

– Je suis désolé pour ça aussi.

– Pour moi, c'a été quelque chose de très difficile à accepter.

Il tendit le bras pour prendre sa main, abasourdi par sa propre audace. Elle le laissa la tenir neuf secondes, puis se dégagea. Ses yeux louchaient légèrement de reproche.

– Je ne savais pas comment te revenir, souffla-t-il. J'ai essayé des années, crois-moi.

Tout à coup, il eut la surprise de trouver la bouche de Rosa sur la sienne. Il plaqua la main sur ses seins lourds. Ils s'affalèrent de côté contre le mur lambrissé, décrochant une photographie d'Ethel Klayman de son clou. Joe commença à fouiller dans la braguette à fermeture Éclair du jean de Rosa. Ses dents métalliques lui piquèrent le poignet. Il était certain qu'elle allait abaisser son jean et que lui allait la prendre, ici même, dans le couloir, avant que Tommy ne rentre de l'école. Il s'était trompé du début à la fin ; ce n'était pas son courroux qu'elle avait interposé entre eux, mais la vitre d'un désir indicible, identique au sien. Tout ce qu'il sut ensuite, c'était qu'ils étaient de nouveau debout au milieu du couloir. Les diverses sirènes et alarmes antiaériennes qui s'étaient déchaînées tout autour d'eux semblaient s'être brusquement tues. Elle remit en place les différentes choses qu'il avait laissées en désordre, remonta la fermeture Éclair de son pantalon, se lissa les cheveux. Le coloris de ses lèvres lui maculait les joues.

– Hum, articula-t-elle. (Et puis :) Peut-être pas encore.

– Je comprends, acquiesça-t-il. S'il te plaît, préviens-moi.

Il voulait avoir l'air patient et coopératif, mais ses paroles avaient une connotation méprisable. Rosa se mit à rire. Elle le prit par la taille et il frotta les taches de rouge à lèvres de ses joues jusqu'à leur disparition.

– Comment as-tu fait, à propos ? demanda-t-elle. (Les pointes de ses dents étaient teintées de thé.) Quitter le bord au beau milieu de l'océan, je veux dire.

– Je ne suis jamais monté, répliqua Joe. J'avais pris un avion la veille.

– Mais il y avait des consignes, je ne sais pas, des certificats médicaux. Sammy m'a montré les photostats.

Il esquissa son sourire énigmatique à la Cavalieri.

– Toujours fidèle à ton code, commenta-t-elle.

– C'était très bien joué.

– J'en suis sûre, chéri. Tu as toujours été un garçon intelligent.

Il pressa ses lèvres contre la raie de ses cheveux. Ceux-ci avaient une fascinante odeur soufrée, celle de son thé de Lapsang préféré.

– Qu'est-ce qu'on va faire ? chuchota-t-il.

Rosa ne répondit pas tout de suite. Elle le lâcha et s'écarta de lui, la tête penchée de côté, un sourcil levé. Un air narquois dont il se souvenait très bien depuis leur précédente cohabitation.

– J'ai une idée, s'écria-t-elle. Pourquoi n'essaies-tu pas de trouver un endroit où ranger tous tes satanés illustrés ?

14.

– Quatre-vingt-quinze, quatre-vingt-seize, quatre-vingt-dix-sept.
– Cent deux.
– Moi j'en suis à quatre-vingt-dix-sept.
– Tu as mal compté.
– Il va nous falloir un camion.
– C'est ce que je te disais.
– Un camion et puis tout un putain d'entrepôt !
– J'ai toujours voulu un entrepôt, murmura Joe. Ç'a toujours été mon rêve.

Même si Joe préférait rester flou sur la question du nombre de comics entassés dans des caisses en bois de pin de sa fabrication – collections complètes d'*Action* et de *Detective*, de *Blackhawk* et de *Captain America*, de *Le crime ne paie pas* et de *La justice piège les coupables*, de *Classics Illustrated* et de *Histoires en images de la Bible*, de *Whiz*, *Wow*, *Zip*, *Zoot*, *Smash*, *Crash*, *Pep* et *Punch*, d'*Amazing*, *Thrilling*, *Terrific* et *Popular* – qui étaient réellement en sa possession, la lettre qu'il avait reçue des avocats chargés de représenter Realty Associates Securities Corporation, propriétaire de l'Empire State Building, n'avait, elle, absolument rien de flou. Les Crèmes invisibles Kornblum avaient été expulsées pour violation des clauses du bail, ce qui signifiait que lesdites quatre-vingt-dix-sept ou cent deux caisses de bois remplies de bandes dessinées que Joe avait amassées – avec la totalité de ses autres biens – devaient être enlevées ou mises au rebut.

– Alors jette-les, suggéra Sammy. La belle affaire !

Joe soupira. Bien que tout le monde – même Sammy Clay, qui avait pourtant passé le plus clair de sa vie adulte à en produire et à en vendre – les considérât comme de la camelote, Joe adorait ses comics : pour leur séparation chromatique de qualité inférieure, leur stock de papier médiocrement massicoté, leurs réclames pour les fusils à air comprimé, les cours de danse et les crèmes contre l'acné, pour l'odeur de moisi indissociable des plus anciens, ceux qui étaient restés stockés quelque part pendant les tribulations de Joe. Avant tout, il les aimait pour les images et les histoires qu'ils contenaient, l'inspiration et les élucubrations de cinq cents gars vieillissants qui rêvaient le plus fort possible depuis quinze ans, sublimant leurs angoisses et leurs fantasmes, leurs souhaits et leurs doutes, leurs études officielles et leurs perversions sexuelles pour les transformer en quelque chose à quoi seule la plus aveugle des sociétés eût refusé le statut d'art. Les bandes dessinées l'avaient aidé à ne pas perdre la raison durant son séjour au pavillon psychiatrique de Gitmo. Pendant la totalité de l'automne et de l'hiver qui suivirent son retour sur le continent, que Joe avait passés à frissonner dans un cabanon de location sur la plage de Chincoteague, en Virginie, avec le vent qui sifflait dans les fentes des bardeaux, à moitié intoxiqué par l'odeur de poils brûlés d'un antique radiateur électrique, c'était seulement grâce à dix mille cigarettes Old Gold et à une pile de *Captain Marvel Adventures* (comprenant l'incroyable et épique combat du capitaine et d'un ver de terre télépathe parti à la conquête du monde, Mr Mind) que Joe avait pu résister une bonne fois pour toutes au besoin de morphine qu'il avait ramené de la banquise.

Pour lui qui avait perdu sa mère, son père, son frère, son grand-père, les amis et les ennemis de sa jeunesse, son maître bien-aimé Bernard Kornblum, sa ville natale, son histoire – sa maison –, l'habituelle accusation portée contre les comic books, selon laquelle ils n'offraient qu'une facile échappatoire à la réalité, semblait au contraire un puissant argument en leur faveur. Au cours de sa vie, il s'était déjà échappé de cordes, de chaînes, de caisses, de sacs et de cageots, de menottes et de fers, de pays et de régimes, des bras d'une femme qui l'aimait, d'accidents d'avions, d'une opiomanie et de tout un continent gelé bien décidé à provoquer sa mort. La fuite de la réalité était un noble défi, estimait-il, surtout juste après la guerre. Il devait se souvenir jusqu'à la fin de ses jours d'une demi-heure paisible passée à lire un exemplaire de *Betty and Veronica*[1] qu'il avait trouvé dans la salle de repos d'une station-service : il s'était étendu avec son butin sous un sapin, dans une forêt où le soleil tombait obliquement, à la sortie de Medford, petite ville de l'Oregon, totalement absorbé dans cet univers de mauvais gags, de traits épais à l'encre et de farce shakespearienne aux couleurs primaires, et dans le profond mystère, presque oriental, de ces deux jeunes déesses aux dents longues et à la taille de guêpe, la blonde et la brune, éternellement empêtrées dans leur amitié-haine. La douleur du deuil – bien qu'il n'en eût jamais parlé en ces termes – l'habitait continuellement à cette époque. Une petite boule froide et lisse dans la poitrine, juste

1. Deux copines d'*Archie Comics* (1940). (*N.d.T.*)

derrière le sternum. Lors de cette demi-heure passée dans l'ombre mouchetée des sapins de Douglas, à lire *Betty and Veronica*, cette boule glacée avait fondu sans même qu'il s'en aperçoive. C'était de la magie. Pas la magie apparente du prestidigitateur en haut-de-forme, ni la ruse hardie, brutale, de l'artiste de l'évasion, mais la magie authentique de l'art. C'était un signe de l'état de pourrissement et de délabrement du monde – de la réalité – qui avait englouti sa maison et sa famille qu'un tel chef-d'œuvre de l'évasion, pas du tout facile à réaliser, dût demeurer l'objet d'un si mépris universel.

– Je sais que tu penses que c'est de la merde, rétorqua-t-il. Mais tu ne devrais pas le penser, toi.

– Ouais, ouais, concéda Sammy. D'accord.

– Qu'est-ce que tu regardes ?

Sammy s'était faufilé dans la prétendue réception de Miss Smyslenka et dénouait un des cartons à dessins qui y étaient empilés. À neuf heures ce matin-là, sur le trajet des bureaux de Pharaoh, il avait déposé Joe ici, pour qu'il s'attaque à la pénible opération visant à débarrasser le plancher. Il était déjà près de huit heures du soir, et Joe avait déplacé, emballé et remballé toute la journée, sans discontinuer. Ses épaules lui élançaient, les extrémités de ses doigts étaient à vif, et il n'était pas dans son assiette. Cela l'avait désorienté de revenir en ce lieu et de le trouver dans l'état où il l'avait laissé, puis de devoir commencer à tout démonter. Puis il avait été piqué au vif par la lueur du regard de Sammy, au moment précis où ce dernier était entré et avait trouvé Joe encore à l'œuvre, en train de finir le travail. Sammy avait paru agréablement surpris. Moins de voir le boulot terminé, songea Joe, que de trouver Joe encore là. Ils pensaient tous – tous les trois – qu'il allait les quitter une fois de plus.

– Je jette juste un dernier coup d'œil à ces pages de ton cru, répondit Sammy. C'est excellent, je dois te le dire. J'ai vraiment hâte de tout lire.

– Je ne crois pas que tu vas aimer ça. Personne n'aimera sans doute. Trop sombre !

– En effet, cela m'a l'air sombre.

– Trop sombre pour un illustré, à mon avis.

– C'est le début ? Nom de Dieu ! regarde-moi ce frontispice ! (Sammy, son pardessus sur le bras, se laissa choir par terre, devant l'immense pile de cartons à dessin noirs dont ils avaient fait l'emplette le matin même à Pearl Paints, afin que Joe puisse empaqueter ses cinq années de production. Sa voix prit un ton lugubre, comme tissé de fils d'araignée.) Le golem !

Il secoua la tête en examinant le premier frontispice – en tout, il y en avait quarante-sept – en tête du premier chapitre de la bande dessinée de deux mille deux cent cinquante-six pages que Joe avait pondues pendant sa période des Crèmes invisibles Kornblum. Quand Tommy l'avait dénoncé aux autorités, il venait juste d'attaquer le quarante-huitième et dernier chapitre.

Joe était arrivé à New York à l'automne 1949 avec une double intention : commencer à travailler à une longue histoire sur le golem, qui lui venait, planche après planche et chapitre après chapitre, dans ses rêves, au restaurant, pendant ses longs périples en autocar à travers tout le sud et le nord-ouest, depuis qu'il était parti de Chincoteague trois ans plus tôt ; ensuite, petit à petit, prudemment, peut-être même d'abord furtivement, revoir Rosa. Il avait renoué quelques timides rapports avec New York – location d'un bureau dans l'Empire State Building, reprise de ses visites dans l'arrière-boutique de Louis Tannen, ouverture d'un compte à Pearl Paints –, puis s'était installé afin de mettre son double plan à exécution. Mais alors qu'il avait pris un départ foudroyant pour l'œuvre qui allait transformer, espérait-il à l'époque, la vision du public et la compréhension de la forme d'art qu'en 1949 lui seul voyait comme un moyen d'expression aussi puissant qu'un air de Cole Porter entre les mains d'un Lester Young, ou qu'un vulgaire mélodrame sur les malheurs d'un homme riche entre celles d'un Orson Welles, il se révéla bien plus difficile pour lui de revenir, ne serait-ce qu'un peu à chaque fois, dans l'orbite de Rosa Saks Clay. *Le Golem* avançait, il absorbait tout son temps et son attention. Et pendant qu'il s'immergeait de plus en plus profondément dans ses thèmes décisifs, Prague et ses Juifs, magie et meurtre, persécution et libération, culpabilité à jamais inexpiable et innocence privée de toute chance – et qu'il rêvait, nuit après nuit, à sa table de travail, la longue fable hallucinatoire d'un enfant contre nature, rétif, Josef Golem, qui se sacrifiait pour sauver et racheter le petit monde chichement éclairé qui lui avait été confié –, Joe finit par penser que cette tâche, le récit de cette histoire, l'aidaient à guérir. Tout le chagrin et toute la mélancolie qu'il n'avait jamais pu exprimer, avant ou après, à un psychiatre de la marine, ni à un compagnon d'errance dans quelque hôtel bon marché non loin d'Orlando en Floride, ni à son fils, ni à aucun des rares êtres qui restaient pour l'aimer quand il avait enfin réintégré le monde, tout cela donc entrait dans les angles vertigineux, les compositions dépouillées, les hachures croisées, les larges bandes de clair-obscur et les planches agrandies, fragmentées et admirablement découpées de sa monstrueuse bande dessinée.

À un moment, il avait commencé à penser que son plan n'était pas simplement double mais à deux temps, qu'il serait prêt à revoir Rosa après avoir terminé *Le Golem*. Il l'avait abandonnée – fuie – sous l'emprise du chagrin, de la rage et d'un accès de reproches irrationnels. Il serait préférable, se disait-il – n'était-ce pas vrai ? –, de lui revenir purgé de tout cela. Mais, alors qu'il aurait pu y avoir au début quelque mérite dans cette justification, en 1953, quand Tommy Clay l'avait croisé par hasard dans la boutique de magie, la capacité de Joe à guérir tout seul était depuis longtemps épuisée. Il avait besoin de Rosa – de son amour, de son corps, mais surtout de son pardon – pour achever le travail amorcé par ses crayons. Le seul problème, comme il l'avait expliqué à Rosa, c'était qu'il était déjà trop tard. Il avait trop attendu. Les cent kilomètres de Long Island qui le séparaient de Rosa semblaient plus infranchissables que le défilé déchiqueté de mille kilomètres entre la base de Kelvinator et Jotunheim, ou que les trois pâtés de maisons londoniens isolant Wakefield de son épouse aimante.

– Existe-t-il même un script ? s'enquit Sammy, tournant une autre page. C'est... comment ? C'est comme un film muet ?

Il n'y avait aucune bulle sur aucune des planches. Absolument aucun mot, à l'exception de ceux qui apparaissaient à titre d'iconographie – enseignes d'immeubles, panneaux indicateurs, étiquettes de bouteilles, adresses sur les lettres d'amour qui étaient partie intégrante de l'action... – et des deux mots LE GOLEM !, qui resurgissaient sur le frontispice au début de chaque chapitre, chaque fois sous un aspect différent, les sept lettres et leur point d'exclamation transformés tantôt en une rangée d'immeubles, tantôt en un escalier, en neuf marionnettes, en neuf taches de sang en forme d'araignée, les ombres allongées de neuf femmes hantées et dévastatrices... À la fin, Joe avait prévu d'insérer des bulles et de les remplir de texte, mais il n'avait jamais pu se résoudre à défigurer ainsi ses planches.

– Oui, il existe un script. En allemand.

– Ça devrait marcher du tonnerre.

– Ça ne marchera pas du tout. Ce n'est pas à vendre. (Il s'était produit un phénomène paradoxal au cours des cinq années où il avait travaillé sur *Le Golem* : plus il avait mis de lui-même, de son cœur et de ses peines dans la bande dessinée – plus il démontrait de manière convaincante le pouvoir de la B.D. en tant que véhicule de l'expression individuelle – moins il se sentait pressé de la montrer à autrui, d'exposer ce qu'étaient devenues les annales secrètes de son deuil, de sa culpabilité et de son châtiment. La seule vision de Sammy en train de la feuilleter le rendait nerveux.) Allez, Sam ! Hé ! On ferait peut-être mieux de partir...

Mais Sammy n'écoutait pas. Il tournait lentement les pages du premier chapitre, décryptant l'action à partir du flot d'images muettes répandu sur la page. En regardant Sammy lire son livre secret, Joe sentit une étrange chaleur au creux de son ventre, sous le diaphragme.

– Je... j'imagine que je pourrais tenter de t'ex... commença-t-il.

– Tout va bien, je pige. (Sans regarder, Sammy plongea la main dans la poche de son pardessus et sortit son portefeuille. Il en tira quelques billets de un dollar et un de cinq.) Écoute, reprit-il. Je crois que j'en ai pour un moment. (Il leva les yeux.) Tu n'as pas faim ?

– Tu vas lire mon livre maintenant ?

– Bien sûr.

– En entier ?

– Pourquoi non ? Je donne bien quinze ans de ma vie à grimper un tas d'inepties haut de trois mille mètres, je peux consacrer quelques heures à un mètre de génie.

Joe se frotta l'aile du nez, sentant la chaleur des flagorneries de Sammy gagner ses jambes et emplir sa gorge.

– D'accord, énonça-t-il finalement. Tu peux le lire, alors. Mais tu pourrais peut-être attendre qu'on soit arrivé à la maison ?

– Non, je n'ai pas envie d'attendre.

– Je suis expulsé.

– Je les emmerde.

Joe inclina la tête et prit l'argent des mains de Sammy. Il y avait longtemps, très longtemps qu'il n'avait pas permis à son cousin Sammy de le mener ainsi à la baguette. Comme autrefois, il s'aperçut que cela ne lui déplaisait pas.

– Et d'ailleurs, Joe, poursuivit Sammy, sans lever le nez de la pile de pages, nous avons parlé, Rosa et moi. Elle... euh... nous pensons que c'est d'accord, si tu veux... c'est-à-dire, nous pensons que Tommy devrait savoir que tu es son père.

– Je vois. Oui, j'imagine que vous... Je vais lui parler.

– Nous pourrions lui parler tous. Nous pourrions peut-être l'obliger à nous écouter. Toi, sa mère et moi.

– Sammy, objecta Joe. Je ne sais pas si c'est la bonne chose à dire, ni quelle est la bonne manière de la dire. Mais... merci.

– Merci de quoi ?

– Je sais ce que tu as fait. Je sais ce que cela t'a coûté. Je ne mérite pas d'avoir un ami comme toi.

– Eh bien ! J'aimerais bien pouvoir dire que je l'ai fait pour toi, Joe, parce que je suis un vrai ami. Mais la vérité, c'est qu'à ce moment-là, j'étais aussi effrayé que Rosa. Je l'ai épousée parce que je ne voulais pas être, bon, une tapette. Ce que je crois que je suis, en fait. Tu n'étais peut-être pas au courant.

– Plus ou moins, j'étais peut-être au courant.

– C'est aussi simple que cela.

Joe secoua la tête.

– Ce pourrait être ou c'est pour cette raison que tu l'as épousée, objecta-t-il. Mais cela n'explique pas comment il se fait que tu sois resté. C'est toi le père de Tommy, Sammy. Autant ou, je crois, bien plus que moi, vraiment.

– J'ai choisi la voie de la facilité, trancha Sammy. Essaie, tu verras. (Il reporta son attention sur la feuille de bristol entre ses mains, une partie de la longue séquence à la fin du premier chapitre qui présentait un bref historique du golem à travers les âges.) Alors, ils créent un imbécile.

– Un golem imbécile.

– Avec de la terre.

– Et puis... (Le doigt de Sammy suivit le cours de l'épisode jusqu'au bas de la page.) Après ils s'attirent tous ces ennuis. C'est un peu dangereux de créer un golem, on dirait.

– Ça l'est.

– Après toutes ces aventures, ils se contentent de... ils le mangent ?

Joe leva les épaules.

– Ils avaient faim, répliqua-t-il.

Sammy affirma savoir ce qu'ils ressentaient et, même si sa remarque semblait devoir être prise seulement à la lettre, Joe eut une soudaine vision de Sammy et de Rosa agenouillés tous les deux devant un creuset aux flammes vacillantes, en train de travailler à façonner quelque chose qui les nourrirait à partir des matériaux qui leur tombaient sous la main.

Il descendit dans le hall de l'immeuble et s'installa au bar de l'Empire State Pharmacy, sur son tabouret habituel, mais pour une fois sans ses habituelles lunettes noires, favoris postiches ou bonnet marin enfoncé sur les sourcils jusqu'aux orbites. Il commanda des œufs au plat et une côte de porc, comme à l'accoutumée. Il se renversa sur son siège et fit craquer ses doigts. Il vit que le serveur lui jetait un regard. Joe se leva et, non sans une certaine théâtralité, s'éloigna de deux tabourets, de manière à être assis juste à côté de la fenêtre qui donnait sur la Trente-troisième Rue, d'où tout le monde pouvait l'apercevoir.

– Donnez-moi plutôt un cheese-burger, lança-t-il.

En écoutant grésiller la lamelle de viande rose pâle sur le gril, Joe regarda par la fenêtre et médita les dernières révélations de Sammy. Il n'avait jamais attaché beaucoup d'importance aux sentiments qui avaient, durant quelques mois de l'automne et de l'hiver 1941, lié son cousin à Tracy Bacon. Dans la faible mesure où il avait réfléchi un tant soit peu à cette affaire, Joe avait supposé que ce flirt de jeunesse avec l'inversion n'avait été précisément que cela, un badinage homosexuel né d'un mélange de joie de vivre et de solitude qui s'était éteint brusquement, avec Bacon, quelque part au-dessus des îles Salomon. La soudaineté avec laquelle, à la suite de l'engagement de Joe dans la marine, Sammy avait fondu sur Rosa pour l'épouser – comme si, pendant tout ce temps, il avait attendu, torturé par une passion sexuelle à la fois à peine contenue et parfaitement convenue, d'être débarrassé de Joe – avait semblé à Joe marquer définitivement la fin des brèves expériences de Sammy dans le domaine de la rébellion bohème. Sammy et Rosa avaient eu un enfant, ils avaient déménagé en banlieue, s'étaient mis au boulot. Des années durant ils avaient incarné dans l'imagination de Joe le couple uni, le bras de Sammy autour des épaules de Rosa et son bras à elle qui encerclait la taille de son mari, encadré par une tonnelle de grosses roses rouges américaines. Ce n'était que maintenant, en observant les embouteillages de la Trente-troisième Rue, que toute la vérité lui apparaissait. Non seulement Sammy n'avait jamais aimé Rosa, mais il était incapable de l'aimer, sinon de l'affection aimable, à demi narquoise, qu'il avait toujours éprouvée à son égard. Une construction modeste, en aucun cas prévue pour une cohabitation prolongée, depuis longtemps enfouie sous les épaisses ronces des dettes et étouffée par le lierre des reproches et de la frustration. Ce n'était que maintenant que Joe comprenait le sacrifice que Sammy avait fait, pas seulement pour le bien de Joe, de Rosa ou de Tommy, mais pour son bien à lui. Ce n'était pas un simple geste de galanterie, mais un acte délibéré et conscient d'auto-enfermement. Joe était épouvanté.

Il songea tour à tour aux boîtes de comics qu'il avait accumulées en haut, dans les deux pièces exiguës où il s'était tapi pendant cinq ans, dans le double fond de l'existence dont Tommy l'avait libéré, puis aux milliers et aux milliers de petites boîtes soigneusement empilées sur des feuilles de bristol ou entassées par rangées sur les pages en lambeaux des comic books que Sammy et lui avaient remplies au cours des dix dernières années : des boîtes qui débordaient de matériaux bruts, de pacotilles à partir desquels ils avaient, chacun à leur manière, tenté de façonner leurs différents golems. Dans la littérature et le folklore, la signification des golems et la fascination exercée par eux – de Rabbi Judah Lowe à Victor von Frankenstein – résidaient dans leur absence d'âme, dans leur force infatigable et surhumaine, leur association métaphorique avec une ambition humaine démesurée et la facilité effrayante avec laquelle ils échappaient au contrôle de leurs créateurs horrifiés et admiratifs. Mais il semblait à Joe qu'aucun de ces traits – l'orgueil faustien moins que les autres – ne comptait parmi les vraies raisons qui avaient poussé maintes fois les hommes à se risquer à la création de golems. Pour lui, le façonnage d'un golem était un geste d'espoir contre tout espoir dans une situation désespérée. C'était l'expression du désir qu'une formule magique et une main adroite pouvaient produire quelque chose – une pauvre créature muette et vigoureuse – qui soit exempt des limitations humiliantes, des misères, des cruautés et des inévitables ratés de la Création du monde. En allant au fond des choses, c'était la formulation du vain souhait de s'évader. De se libérer, à l'instar de l'Artiste de l'évasion, du boulet de la réalité et de la camisole de force des lois physiques. Harry Houdini avait écumé les Palladium et les hippodromes du monde entier, chargé de toute une cargaison de caisses et de coffres bourrés de chaînes, de ferblanterie, de gros effets et de décors peints éclatants, animé tout le temps par un seul et même désir, jamais satisfait : vraiment s'évader, ne serait-ce qu'un instant, pointer la tête de l'autre côté des frontières de ce monde-ci, avec sa physique cruelle, dans le mystérieux monde spirituel qui s'étendait au-delà. Les articles de presse que Joe avait lus sur l'enquête imminente du Sénat dans les milieux de la bande dessinée citaient toujours le « désir d'évasion » parmi la litanie des conséquences néfastes de cette lecture et s'attardaient sur l'effet pernicieux, sur de jeunes esprits, qu'il y avait à satisfaire ce désir de s'évader du réel. Comme s'il pouvait y avoir service plus noble et plus nécessaire dans la vie !

– Vous désirez autre chose ? demanda le serveur, tandis que Joe s'essuyait la bouche, puis jetait sa serviette dans son assiette.

– Oui, un sandwich aux œufs au plat, répondit Joe. Avec beaucoup de mayonnaise.

Une heure après être parti, muni d'un sac en papier brun contenant le sandwich aux œufs frits et un paquet de Pall Mall, parce qu'il savait que son cousin n'aurait déjà plus de cigarettes, Joe retourna pour la dernière fois à la suite 7203. Sammy avait ôté son veston et ses chaussures. Sa cravate était enroulée autour de lui, par terre.

– Il faut le faire, annonça-t-il.

– Faire quoi ?

– Je vais te le dire dans une minute. Je pense que j'ai presque fini. Ai-je presque fini ?

Joe se pencha en avant pour voir où Sammy en était. Le golem avait l'air d'avoir atteint l'escalier de carton pâte en zigzag, tout en éclats de bois et en clous saillants – c'était presque, de propos délibéré, quelque chose sorti tout droit d'Elsie Crisler Segar ou de Fontaine Fox – qui devait le conduire aux portes en ruine du Paradis même.

– Oui, tu as presque fini.

– Ça va plus vite quand il n'y a pas de texte.

Sammy prit le sac des mains de Joe, l'ouvrit et regarda à l'intérieur. Il sortit le sandwich enveloppé de papier aluminium, puis le paquet de cigarettes.

– Je me prosterne à tes pieds, continua-t-il, tapotant le paquet d'un doigt.

Il l'ouvrit en le déchirant et en tira une cigarette avec ses dents.

Joe se dirigea vers une pile de cartons, où il s'assit. Sammy alluma sa cigarette et parcourut – un peu négligemment, au goût de Joe – la dernière douzaine de pages. Il posa sa cigarette sur le sandwich toujours emballé, puis rangea les planches dans le dernier carton à dessins. Il se remit la cigarette au bec, déballa son sandwich et en engloutit un quart, qu'il mâcha tout en fumant.

– Alors ?

– Alors, marmonna Sammy, il y a une quantité terrible de trucs juifs là-dedans...

– Je sais.

– Qu'est-ce qui t'arrive ? Tu as eu une rechute ?

– Je mange ma côte de porc quotidienne.

Joe plongea le bras dans un carton proche et en extirpa un livre sans couverture, avec ses pages souples et son dos cassé.

– *Mythes et légendes de l'ancien Israël* d'Angelo S. Rappoport, lut Sammy. (Il en feuilleta les pages, observant Joe avec une sorte de scepticisme respectueux, comme s'il pensait avoir trouvé le secret du salut de son cousin, dont il était désormais obligé de douter.) Tu es là-dedans maintenant ?

Joe haussa les épaules.

– Ce ne sont que contrevérités, rétorqua Joe. À mon avis.

– Je me rappelle la première fois où tu as débarqué ici. Le premier jour où nous avons mis les pieds dans le bureau d'Anapol. Tu te rappelles ?

Joe répondit qu'il se souvenait de ce jour-là, naturellement.

– Je t'ai tendu un illustré de *Superman* et t'ai demandé de nous proposer un super-héros, et tu as dessiné le golem. Mais je t'ai pris pour un idiot.

– Ce que j'étais.

– Ce que tu étais. Mais on était en 1939. En 1954, je ne te trouve plus aussi idiot avec ton golem. Laisse-moi te poser une question. (Il regarda autour de lui, en quête d'une serviette en papier, puis ramassa sa cravate et essuya ses lèvres luisantes avec.) Tu as vu ce que Bill Gaines fait là-bas, chez E.C.* ?

– Oui, bien sûr.

– Ils ne sortent pas des trucs pour les gosses là-bas. Ils ont la crème des dessinateurs. Ils ont Crandall. Je sais que tu l'as toujours aimé.

– Crandall est le meilleur, c'est sûr.

– Et les bouquins qu'ils sortent, ce sont des grands qui les lisent.

Des adultes. C'est sombre, c'est méchant aussi. Mais regarde autour de toi, l'époque où nous vivons est méchante. Tu as vu le Heap[1]* ?

– J'adore le Heap.

– Le Heap, je veux dire, voyons, c'est bien un personnage de bande dessinée ? Au fond, c'est quoi ? Un amas sensible de boue, d'herbes et, je ne sais pas, de sédiments. Avec ce tout petit bec. Il casse, mais il est censé être un héros.

– Je vois où tu veux en venir.

– Voilà où je veux en venir. On est en 1954. Tu as un tas de terre qui marche tout seul, les gosses trouvent que c'est excellent. Imagine comment ils trouveront le golem...

– Tu veux le publier ?

– Peut-être pas tout à fait dans son état actuel.

– Oh !

– C'est affreusement juif.

– Exact.

– Qui se doutait que tu connaissais tous ces trucs ? La Kabbale, c'est comme ça qu'on l'appelle ? Tous ces anges et... et... c'est bien ça ? Des anges ?

– Pour la plupart.

– C'est ce que je pense. Il y a quelque chose là-dedans. Pas seulement la figure du golem. Tes anges... ils ont des noms ?

– Il y a Métatron, Uriel, Michel, Raphaël, Samaël. C'est lui le méchant.

– Celui qui a des défenses ?

Joe inclina la tête.

– Je l'aime bien. Tu sais, tes anges ressemblent un peu à des super-héros.

– Bon, c'est une bande dessinée.

– C'est ce à quoi je pense.

– À des super-héros juifs ?

– Quoi ! Ils sont tous juifs, les super-héros. Superman, tu ne crois pas qu'il est juif ? Débarquer du vieux pays, changer de nom comme ça... Clark Kent, seul un Juif se choisirait un nom pareil !

Joe montra du doigt la pile de cartons à dessins bombés, posée par terre entre eux.

– Mais la moitié des personnages là-dedans sont des rabbins, Sammy...

– D'accord. Donc on adoucit le ton.

– Tu veux qu'on retravaille ensemble ?

– Eh bien... en fait... je ne sais pas... je parle sans réfléchir. Mais

1. « Le Tas ». (*N.d.T.*)

tes planches sont si fortes. Ça me redonne envie de produire quelque chose. Quelque chose dont je pourrai être un tantinet fier.

– Tu peux être fier, Sammy. Tu as fait du bon boulot. Je te l'ai toujours dit.

– Qu'est-ce que tu entends par toujours ? Tu es parti depuis Pearl Harbor.

– Mentalement.

– Rien d'étonnant si je n'ai pas reçu le message.

À ce moment-là, des coups sourds, hésitants, résonnèrent à la porte, les faisant sursauter tous les deux. On frappait au chambranle de la porte ouverte sur le couloir.

– Il y a quelqu'un ? lança une voix de hautbois, timide et étrangement familière à Joe. Ohé ?

– Sacrée Sensass Radio Miniature ! s'exclama Sammy. Regarde qui c'est.

– On m'a dit que je pourrais vous trouver ici, déclara Sheldon Anapol.

Il entra et serra la main de Sammy, puis alla à pas traînants se planter devant Joe. Il avait perdu presque tous ses cheveux, mais en rien sa corpulence, et ses bajoues, plus imposantes que jamais, lui donnaient un air méfiant et renfrogné. Mais ses yeux, sembla-t-il à Joe, brillaient, pleins de tendresse et de regrets, comme s'ils ne voyaient pas Joe, mais les douze ans qui s'étaient écoulés depuis leur dernière rencontre.

– Monsieur Kavalier.

– Monsieur Anapol.

Ils échangèrent une poignée de main, puis Joe se sentit enveloppé dans l'étreinte brutale et aigrelette du gros homme.

– Espèce de frappadingue ! murmura celui-ci après avoir lâché Joe.

– Oui, dit Joe.

– Tu as bonne mine. Comment vas-tu ?

– Pas mal.

– Qu'est-ce que c'était que tout ce *narrishkayt*[1], l'autre jour, hein ? Tu m'as ridiculisé. Je devrais être furieux contre toi. (Il se tourna vers Sammy.) Je devrais être furieux contre lui, tu ne crois pas ?

Sammy s'éclaircit la gorge.

– Sans commentaire, répondit-il.

– Et vous, comment allez-vous ? lui demanda Joe. Comment vont les affaires ?

– Question lourde de sens, comme toujours, qui sort de vos

1. En yiddish, « sottise », « idiotie ». Dérivé de l'allemand *Näruschkeit.* (*N.d.T.*)

bouches à tous les deux. Que puis-je vous dire ? Les affaires ne sont pas bonnes. En réalité, elles sont très, très mauvaises. Comme si la télévision ne suffisait pas ! Maintenant nous avons des hordes de cinglés de baptistes du fin fond de l'Alabama ou de quelque autre maudit bled qui jettent en tas des comics et y mettent le feu parce qu'ils sont une offense à Jésus et au drapeau américain. Ils y mettent le feu ! Vous pouvez le croire ? Pourquoi avons-nous fait la guerre si une fois qu'elle est finie on brûle des livres dans les rues de l'Alabama ? Ensuite, il y a ce docteur coincé-du-cul, Fredric Wertham, avec son fameux bouquin. Maintenant, nous avons en plus la commission sénatoriale qui vient à New York... tu es au courant ?

– Oui, je suis au courant.

– Ils m'ont convoqué, intervint Sammy.

– Tu as été cité à comparaître ? (Anapol avança la lèvre inférieure.) Moi, je ne l'ai pas été.

– Une omission ? suggéra Joe.

– Pourquoi te citeraient-ils à comparaître ? Tu n'es que rédacteur en chef dans une maison de cinquième zone, pardonne-moi mon franc-parler.

– Je l'ignore, admit Sammy.

– Qui sait ? Ils t'ont peut-être fiché. (Il sortit son mouchoir de sa poche et s'épongea le front.) Seigneur ! Quelle folie ! Je n'aurais jamais dû vous laisser me convaincre de lâcher le rayon des nouveautés. Personne n'a jamais entassé des coussins pétomanes pour y mettre le feu, laissez-moi vous dire. (Il se dirigea vers l'unique siège.) Vous permettez que je me pose ? (Il s'assit et poussa un long soupir, lequel parut commencer sans conviction, pour la galerie, mais exprimait à la fin une étonnante charge de tristesse.) Laissez-moi vous dire autre chose, reprit-il. Je crains de ne pas être monté juste parce que j'avais envie de dire bonjour à Kavalier. J'ai pensé que je devais... j'ai pensé que vous voudriez peut-être savoir...

– Savoir quoi ? le coupa Sammy.

– Vous vous rappelez que nous étions en procès ? énonça Anapol.

Le lendemain, le 21 avril 1954, la cour d'appel de l'État de New York devait rendre enfin son jugement dans l'affaire opposant National Periodical Publications à Empire Comics. Le litige était, à cette époque, passé et repassé devant les tribunaux, avec des règlements tour à tour proposés et rejetés, tissant un écheveau d'arrêts d'annulation et de procédures légales par trop complexe et trop ennuyeux pour pouvoir le démêler au fil de ces pages. Dans la profession, l'argumentation de National était généralement considérée comme faible. Bien que Superman et l'Artiste de l'évasion aient en commun des costumes moulants, une force herculéenne et la curieuse tendance à dissimuler leur véritable nature sous les traits d'êtres plus vulnérables et plus faillibles, ces mêmes qualités et ces mêmes particularités étaient partagées par une armée d'autres personnages apparus dans les comics depuis 1938. Ou l'avaient été, en tout cas, jusqu'à ce que ces personnages, un à un ou en masse, eussent trouvé la mort dans le grand bûcher de super-héros qui suivit la Deuxième Guerre mondiale. Même s'il était vrai que National avait également poursuivi en justice le Captain Marvel de Gene Fawcett et le Wonder Man de Victor Fox, un tas d'autres surhommes qui aimaient accomplir leurs prouesses, y compris voler, de préférence en caleçon – Amazing Man, Master Man, le Blue Beetle, le Black Condor, le Sub-Mariner – avaient été autorisés à vaquer tranquillement à leurs affaires, sans perte apparente de revenus pour National. Beaucoup, en réalité, devaient soutenir que des brèches plus importantes dans l'hégémonie commerciale de Superman étaient le fait de ses successeurs et de ses imitateurs au sein même de National – Hourman, Wonder Woman, Dr Fate, Starman, Green Lantern – dont certains n'étaient que des avatars ou de pâles reflets de l'original. Qui plus est, comme Sammy l'avait déjà souligné, le personnage de Superman représentait en soi la fusion d'« un bouquet d'idées que ces gars avaient volées à d'autres » : en particulier à Philip Wylie, dont Hugo Dann était le héros surhumain et à l'épreuve des balles de son roman *Gladiator* ; à Edgar Rice Burroughs, dont le héros orphelin, le jeune lord Greystoke, en grandissant devenait Tarzan, noble protecteur d'un monde de créatures inférieures ; enfin à *The Phantom*, bande dessinée de Lee Falk publiée en feuilleton, dont le héros éponyme avait lancé la vogue des combinaisons éclatantes chez les implacables ennemis du crime. Dans nombre de ses traits particuliers, le Maître de l'esquive – un artiste humain, vulnérable et dépendant de son équipe d'assistants – avait très peu de ressemblance avec le Fils de Krypton. Au cours des ans, plusieurs juges, parmi eux l'éminente Main experte[1], avaient tenté, pas toujours en plaisantant, de mettre de l'ordre dans ces belles et cruciales distinctions. On en était même arrivé à une définition du terme « héros[2] ». À la fin, dans leur sagesse, les jurés de la Cour d'appel, annulant l'arrêt de la cour suprême de l'État, devaient prendre parti contre l'opinion dominante dans le milieu des comics et donner gain de cause aux plaignants, scellant ainsi la perte de l'Artiste de l'évasion.

Mais, comme l'annonce du traité de Gand au général Lambert

1. Billings « Learned Hand » (1871-1962), juge de la Cour d'appel américaine de 1924 à 1951. (*N.d.T.*)

2. Un être d'une vaillance sans précédent, voué à des actes de bravoure dans l'intérêt général. (*N.d.A.*)

stationné à Biloxi, la nouvelle de l'arrêt de la cour, une fois connue, devait être déjà dépassée par les événements.

– Aujourd'hui, poursuivit Anapol, j'ai tué l'Artiste.

– Comment ça ?

– Je l'ai tué. Ou disons qu'il a pris sa retraite. J'ai appelé Louis Nizer. Je lui ai dit : « Nizer, tu as gagné. » À partir d'aujourd'hui, l'Artiste a pris officiellement sa retraite. J'abandonne, je me gare des voitures. Je signe son arrêt de mort.

– Et pourquoi ? s'enquit Joe.

– Je perds de l'argent avec les titres de l'Artiste depuis des années déjà. La propriété des droits me rapportait encore un peu, savez-vous, grâce à divers accords de licence. Je devais donc continuer à le publier, uniquement pour que la marque reste viable. Mais ses chiffres de tirage sont en chute libre depuis un bon bout de temps. Les super-héros sont morts, mes petits. N'y pensez plus. Aucun de nos grands succès – *Scofflaw, Jaws of Horror, Hearts and Flowers*[1], *Bobby Sox* – aucun d'eux ne parle de super-héros...

Joe avait atteint la même conclusion par le canal de Sammy. L'ère des super-héros costumés était passée depuis belle lurette. Les Angel, Arrow, Comet et Fin, Snowman, Sandman et Hydroman, Captain Courageous, Captain Flag, Captain Freedom, Captain Midnight, Captain Adventure et Major Victory, Flame, Flash, Ray, Monitor, Guardian, Shield et Defender, Green Lantern, Red Bee, Crimson Avenger, Blackhat et White Streak, Catman et Kitten, Bulletman et Bulletgirl, Hawkman et Hawkgirl, Star-Spangled Kid et Stripesy, Dr Mid-Nite, Mr Terrific, Mr Machine Gun, Mr Scarlet et Miss Victory, Doll Man, Atom et Minimidget, tous étaient tombés sous les lames de batteuse tournoyantes qu'étaient l'évolution des goûts, un lectorat vieillissant, l'arrivée de la télévision, un marché saturé et l'ennemi invincible qui avait rasé Hiroshima et Nagasaki. Parmi les grands héros des années quarante, seuls les piliers de National – Superman, Batman, Wonder Woman et quelques autres de leurs cohortes – réussirent à se maintenir avec un certain suivi ou poids commercial. Même eux avaient dû subir l'affront de voir leurs ventes de temps de guerre réduites de moitié ou plus, de figurer en seconde place pour leurs titres alors qu'ils étaient autrefois têtes d'affiche, ou encore de se voir imposer diverses fantaisies ou gadgets destinés à attirer l'attention par des auteurs de plus en plus désespérés, depuis quinze différentes teintes et saveurs de kryptonite jusqu'aux Chiens chauves-souris et Singes chauves-souris, en passant

1. Successivement : « Hors-la-loi », « Les griffes de l'horreur », « Cœurs et Fleurs »... (*N.d.T.*)

par un petit casse-pieds aux oreilles d'elfe et aux pouvoirs magiques appelé la Mite chauve-souris.

– Il est mort, répéta Sammy d'un air étonné. Je ne peux pas y croire.

– Tu peux y croire, insista Anapol. Tout ce secteur de l'industrie est mort après ces auditions. Vous avez la primeur de la nouvelle, mes petits. (Il se leva de son siège.) C'est pourquoi je ferme boutique.

– Vous fermez boutique ? Vous voulez dire que vous vendez Empire ?

Anapol inclina la tête.

– Après avoir téléphoné à Louis Nizer, j'ai appelé mon avocat personnel pour lui demander de commencer à préparer la paperasse. Je voudrais bien trouver un gogo avant que le toit me tombe sur la tête. (Il embrassa du regard les piles de caisses.) Regardez-moi ce bureau, poursuivit-il. Tu as toujours été un plouc, Kavalier.

– Exact, confirma Joe.

Anapol prit la direction de la sortie, puis se retourna.

– Vous vous rappelez ce fameux jour ? lança-t-il. Vous avez débarqué tous les deux avec cette image du golem en me certifiant que vous alliez me rapporter un million de dollars.

– Et c'était vrai, dit Sammy. Beaucoup plus qu'un million.

Anapol hocha la tête.

– Bonsoir, mes petits, dit-il. Bonne chance !

Après son départ, Sammy soupira :

– J'aimerais bien avoir un million de dollars...

Il le dit tendrement, en contemplant quelque chose de ravissant et d'invisible en face de lui.

– Pourquoi ? s'enquit Joe.

– Je rachèterais Empire.

– Tu quoi ? Moi qui croyais que tu détestais les comics, qu'ils te pompaient l'air ! Si tu avais un million de dollars, tu pourrais faire tout ce que tu veux.

– Ouais, acquiesça Sammy. Tu as raison. Qu'est-ce que je raconte ? Sauf que tu m'as remué avec ton golem. Tu as toujours eu le don d'inverser l'ordre de mes priorités.

– J'ai eu... j'ai ce don-là ?

– Tu te débrouillais toujours pour que ça paraisse normal de croire à toutes ces balivernes

– Mais je crois que c'était normal, protesta Joe. Je ne pense pas qu'aucun des deux aurait dû arrêter.

– Tu étais frustré, continua Sammy. Tu voulais mettre la main sur de vrais Allemands...

Joe ne dit rien pendant si longtemps qu'il sentit son silence commencer à devenir parlant pour Sammy.

– Hein ? émit-il à la fin.
– Tu as tué des Allemands ?
– Un seul, avoua Joe. C'était un accident.
– Est-ce que tu... est-ce que ça t'a...
– J'ai eu la sensation d'être la pire engeance du monde.
– Hum, fit Sammy.

Il était revenu au dernier chapitre du *Golem*. Debout, les yeux baissés, il fixait une image sur laquelle le battant de la cloche du portier qui était accrochée au montant des portes du Paradis se révélait être une tête de mort grimaçante.

– C'est drôle, pour l'Artiste de l'évasion, proféra Joe, conscient qu'il voulait recevoir l'accolade de Sammy, mais retenu par la pensée que c'était un geste nouveau pour lui. Je veux dire, pas drôle, mais...
– Et pourtant...
– Tu es triste ?
– Un peu. (Sammy leva les yeux de la dernière page du *Golem* et pinça les lèvres. Il donnait l'impression de braquer une lumière sur un coin sombre de ses sentiments, pour voir s'il n'y aurait pas quelque chose de caché.) Pas autant que je l'aurais cru. Il y a si longtemps, tu sais. (Il haussa les épaules.) Et toi ?
– C'est pareil. (Il avança d'un pas vers Sammy.) C'était il y a longtemps.

Maladroitement, Joe posa un bras sur les épaules de Sammy, qui baissa la tête. Et ils se balancèrent légèrement d'avant en arrière, se remémorant à haute voix ce fameux matin de 1939 où ils avaient apporté l'Artiste de l'évasion et ses compagnons d'aventures dans le bureau de Sheldon Anapol, au Kramler Building. Sammy sifflotait *Frenesi*, Joe savourait la rage extatique procurée par le coup de poing imaginaire qu'il venait de décocher au menton d'Adolf Hitler.

– C'était une bonne journée, commenta Joe.
– Une des meilleures, renchérit Sammy.
– Combien d'argent possèdes-tu ?
– Pas un million, c'est sûr. (Sammy s'échappa de dessous le bras de Joe. Ses yeux s'étrécirent, et il prit soudain un air madré et « anapolien ».) Pourquoi ? Et toi, Joe, combien as-tu ?
– Il n'y a pas tout à fait un million, répondit Joe.
– Il n'y a pas tout à fait... tu veux dire que tu... oh ! Tant d'argent !

Toutes les semaines pendant deux ans à partir de 1939, Joe avait versé de l'argent au capital qu'il destinait à la prise en charge des siens à leur arrivée en Amérique. Il prévoyait que leur santé pouvait avoir souffert et qu'il ne leur serait peut-être pas facile de trouver du travail. Avant tout, il désirait leur acheter un pavillon, un pavillon individuel entouré d'un terrain, quelque part dans le Bronx ou le New

Jersey. Il ne voulait plus qu'ils aient à partager un toit avec quiconque. Vers la fin de 1941, il mettait chaque fois plus de mille dollars de côté. Depuis lors – mis à part les dix mille dollars qu'il avait dépensés à condamner quinze enfants à reposer pour l'éternité parmi les sédiments de la dorsale médio-atlantique – il y avait à peine touché. En fait, même en son absence, le compte avait gonflé grâce aux droits d'auteur dégagés par l'émission radiophonique de l'Artiste de l'évasion, qui avait eu une bonne diffusion jusqu'en 1944, et grâce aux deux importants paiements forfaitaires qui avaient constitué sa part sur l'accord de cession en feuilleton de Parnassus.

– Oui, balbutia-t-il. Je l'ai toujours.

– Il est...

– Il dort à la banque, acheva Joe. À l'East Side Crafts Credit Union. Depuis... eh bien, depuis le naufrage de l'*Arche de Miriam*, le 6 décembre 1941.

– Il y a douze ans et quatre mois.

– ... qu'il dort à la banque.

– Ça fait longtemps aussi, observa Sammy.

Joe en tomba d'accord.

– Il n'y a vraiment aucune raison de le laisser dormir, je pense, déclara-t-il.

La pensée de retravailler avec Sammy était très alléchante. Il venait de passer cinq ans à réaliser une bande dessinée, à longueur de journée, tous les jours, marquant une pause de temps à autre, juste assez longue pour lire un ou deux illustrés. À ce moment-là, il se considérait comme le plus grand auteur de l'histoire mondiale de la bande dessinée. Il était capable de développer un épisode crucial de la vie d'un personnage sur dix pages, découpant ses planches toujours plus fin jusqu'à ce qu'elles arrêtent complètement le temps et basculent pourtant dans le passé sous la dynamique irréversible de la vie elle-même. Ou encore il était capable d'étaler un seul instant sur une double page en une unique planche géante, regorgeant de danseuses, de matériel de laboratoire, de chevaux, d'arbres et d'ombrages, de militaires, de convives éméchés d'un mariage. Quand il était en veine, Joe pouvait produire des planches qui étaient plus que du clair-obscur, du pur noir, où tout apparaissait quand même bien visible et bien clair, où l'action était évidente, les expressions des personnages distinctes. Grâce à son oreille non anglophone, il avait médité – et compris – comme les grands auteurs de bandes dessinées l'ont toujours fait, le pouvoir des onomatopées – de mots inventés comme *Shebam ! Pow ! Vlop ! Wizz !* – transcrites avec les lettres appropriées afin de donner vie à un couteau de poche, à une flaque d'eau de pluie, à une demi-couronne au fond de la sébile métallique d'un aveugle. Pourtant il était à court de sujets d'inspiration. Son

Golem était terminé, ou presque. Pour la première fois depuis des années, comme à chaque palier de sa vie et de ses émotions, il se demandait malgré lui ce qu'il allait faire ensuite.

– Tu penserais que je n'hésiterais pas, murmura Joe. Tu m'en croirais capable.

Plus que tout, il désirait pouvoir faire quelque chose pour Sammy. Cela le bouleversait de voir à quel point Sammy était devenu résigné, malheureux. Quel triomphe ce serait de plonger la main dans la manche sombre de son passé pour en tirer quelque chose qui modifierait complètement la situation de Sammy. Quelque chose qui le sauverait, le délivrerait, lui redonnerait vie. D'un coup de crayon, il pourrait tendre à Sammy, selon les antiques mystères de la Ligue, une clef d'or, afin de lui transmettre le don de libération que lui-même avait reçu et qui était resté impayé jusqu'ici.

– Je sais que je devrais, poursuivit Joe. (Pendant qu'il parlait, sa voix s'épaissit et ses joues s'enflammèrent. Il pleurait, sans savoir pourquoi.) Oh ! je devrais m'en débarrasser complètement.

– Non, Joe. (C'était maintenant au tour de Sammy de poser un bras sur les épaules de Joe.) Je comprends que tu n'aies pas envie de toucher à cet argent. J'entends, je crois comprendre. Je me rends compte qu'il... qu'il représente quelque chose pour toi que tu ne veux jamais oublier.

– J'oublie tous les jours, le contredit Joe, tentant de sourire. Tu sais ? Les jours passent et j'oublie de ne pas oublier...

– Tu gardes ton argent, dit doucement Sammy. Je n'ai pas besoin d'être propriétaire d'Empire Comics. C'est même la dernière chose dont j'aie besoin.

– Je... je n'ai pas pu. Sammy, j'aimerais pouvoir, mais je n'ai pas pu.

– Je saisis, Joe, conclut Sammy. Tu te raccroches à ton argent.

15.

Le lendemain du jour où l'Artiste de l'évasion, le Maître de l'esquive, qu'aucune chaîne ne pouvait retenir ni aucun mur emprisonner, avait été rayé de l'existence par la cour d'appel de New York, une fourgonnette blanche de modestes dimensions stoppa à hauteur du 127, Lavoisier Drive. Sur ses flancs, en arc de cercle au-dessus d'un bouquet peint de fleurettes bleues, on pouvait lire BACHELIER BUTTON DRAYAGE INC. NEW YORK[1] en lettres cursives également bleues, semblables à celles de l'étiquette d'une bouteille de bière. Il n'était pas loin de cinq heures, par un triste après-midi d'avril, et même s'il faisait encore amplement jour les lanternes de la fourgonnette étaient allumées, comme pour un convoi funéraire. Il avait plu par intermittence toute la journée et, à l'approche du crépuscule, le ciel lourd telle une couverture semblait lui-même tomber sur Bloomtown, en plis et replis gris entre les habitations. Sur les pelouses des voisins, les troncs fins des jeunes érables, des sycomores et des chênes des marais avaient l'air blancs, presque phosphorescents, dans la grisaille plus sombre de l'après-midi.

Le chauffeur coupa le contact, éteignit ses lanternes et descendit de la cabine. Il tourna la lourde clenche à l'arrière du véhicule, fit coulisser la barre de côté et ouvrit les portes toutes grandes avec un crissement métallique des gonds. C'était un homme d'une petitesse improbable pour son métier, râblé, les jambes arquées, avec une combinaison bleu vif. En l'épiant par les fenêtres de devant de la maison, Rosa le vit inspecter sa charge avec une expression hébétée. Étant donné la description de Sammy, elle supposa que les cent deux caisses de comics et autre bric-à-brac que Joe avait accumulés devaient en imposer même à un vétéran du déménagement. Mais le gars essayait peut-être seulement de décider comment diable il allait pouvoir transporter à lui seul toutes ces caisses dans la maison.

1. « Société de transport Button Bachelier, New York ». (*N.d.T.*)

– Qu'est-ce qu'il fait ? demanda Tommy, posté derrière elle, à la fenêtre du séjour.

Il venait d'avaler trois bols de riz au lait et avait une odeur de bébé.

– Il se demande probablement comment nous allons pouvoir caser toute cette merde dans cette boîte à chaussures, répliqua Rosa. Je n'arrive pas à croire que Joe n'ait pas trouvé moyen d'être ici pour le réceptionner.

– Tu as dit « merde ».

– Excuse-moi.

– Est-ce que je peux dire « merde » ?

– Non. (Rosa portait un tablier éclaboussé de sauce et tenait une cuillère en bois ensanglantée de la même sauce rouge.) Je ne peux pas croire que tout soit rentré dans cette petite camionnette !

– Maman, quand Joe va-t-il revenir ?

– Il sera de retour d'un moment à l'autre, j'en suis sûre. (C'était sans doute la quatrième fois qu'elle le répétait depuis que Tommy était rentré de l'école.) Je prépare du *chili con carne* et du riz au lait. Il ne voudra pas rater ça !

– Il adore vraiment ta cuisine.

– Il l'a toujours adorée.

– Il a dit que si jamais il revoit une côte de porc, ce sera trop tôt.

– Je ne servirai jamais de côte de porc.

– Le bacon, c'est du porc, et nous mangeons bien du bacon.

– Le bacon n'est pas vraiment du porc. Il y a un passage dans le Talmud en ce sens.

Ils sortirent sur le pas de porte.

– Kavalier ? cria l'homme, essayant de faire rimer ce nom avec son homonyme français.

– Comme dans Maurice, commenta Rosa.

– J'ai un colis.

– C'est plutôt un euphémisme, n'est-ce pas ?

L'homme ne répondit pas. Il grimpa dans sa fourgonnette et disparut un moment. D'abord, une rampe en bois émergea de l'arrière, telle une langue, pour s'avancer vers la Buick du voisin, puis pendit jusqu'à terre. Après quoi on entendit force coups violents et grincements, comme si le livreur manipulait à l'intérieur un tonnelet de bière. Au bout d'un certain temps, il réapparut et descendit péniblement la rampe avec un diable chargé d'une grande boîte en bois rectangulaire.

– Qu'est-ce que c'est ? s'enquit Rosa.

– Je n'ai jamais vu ça chez Joe, souffla Tommy. Ouaou ! Ça doit faire partie de son attirail ! On dirait... oh ! mince !... c'est une évasion de caisse d'emballage ! Oh ! mince ! Tu crois qu'il va m'apprendre comment on fait ?

« Je ne sais même pas s'il va revenir un jour », pensa Rosa.

– Je ne connais pas ses projets, mon chéri, répondit-elle.

La veille au soir, quand Joe et Sammy étaient rentrés de New York avec la nouvelle de la disparition de l'Artiste de l'évasion, tous deux avaient paru songeurs et n'avaient pas dit grand-chose avant d'aller au lit. Sammy avait l'air gêné, même aux petits soins avec Joe. Il lui prépara des œufs brouillés, lui demanda s'ils n'étaient pas trop liquides, pas trop cuits, proposa de faire sauter des pommes de terre. Joe s'exprimait par monosyllabes, presque de manière cassante, aurait dit Rosa. Il partit se coucher sur le canapé sans avoir échangé plus d'une dizaine de mots avec Rosa ou Sam. Elle voyait bien qu'il s'était passé quelque chose entre les deux garçons, mais puisque ni l'un ni l'autre n'en soufflait mot, elle supposa que cela devait concerner simplement la mort de leur création personnelle. Peut-être avaient-ils échangé des récriminations mutuelles sur les occasions perdues...

Cette nouvelle avait été assurément un choc pour Rosa. Même si elle n'était plus une lectrice assidue depuis l'époque de Kavalier & Clay – Sammy ne voulait pas de publications d'Empire dans la maison – elle suivait encore de temps à autre *Radio Comics* et *Les Aventures de l'Artiste de l'évasion*, en tuant une demi-heure à un kiosque de Grand Central ou pendant qu'elle attendait une ordonnance chez Spiegelman. Le personnage avait depuis longtemps glissé dans l'insignifiance culturelle, mais, autant qu'elle sache, les titres dont il était la vedette continuaient de se vendre. Plus ou moins inconsciemment, elle s'était imaginé que la petite gueule héroïque de l'Artiste serait toujours là, sur les gamelles, les serviettes de bain, les paquets de céréales, les boucles de ceintures et les écrans de réveils, même sur le Mutual Television Network[1], à la narguer avec la richesse et le contentement ineffable dont elle ne pouvait s'empêcher de penser, bien qu'elle sût à quoi s'en tenir, qu'ils eussent été ceux de Sammy s'il avait su récolter les fruits de l'unique et irréfutable moment d'inspiration qui lui avait été accordé pendant sa carrière éparpillée. Rosa avait veillé très tard en essayant de travailler, inquiète pour tous les deux, puis s'était levée encore plus tard que d'habitude. Le temps qu'elle se réveille, Joe et la Studebaker avaient tous les deux disparu. La totalité de ses affaires étaient dans sa valise, et il n'y avait pas de mot. Sammy semblait penser que c'était de bon augure.

– Il aurait laissé un mot, répliqua-t-il quand elle lui téléphona au bureau. Si c'était le cas. S'il allait partir, je veux dire...

---

1. *L'Artiste de l'évasion*, avec Peter Graves jeune dans le rôle-titre (1951-1953). (*N.d.A.*)

– Il n'y avait pas non plus de mot la dernière fois, objecta Rosa.
– Je ne crois vraiment pas qu'il nous volerait notre voiture.

Voilà donc toutes les affaires de Joe et lui n'était pas là ! C'était comme s'il leur avait joué un tour de substitution, le bon vieux numéro de la transformation.

– On n'a plus qu'à tout entasser dans le garage, je pense, dit-elle.

Haletant, grimaçant, le courageux petit déménageur remonta l'allée de devant, manquant de verser dans les pensées. En arrivant à la hauteur de Rosa et de Tommy, il inclina son diable vers l'avant et le cala sur sa béquille. La caisse vacilla et sembla envisager de basculer, avant de s'immobiliser sur sa base avec un tremblement.

– Elle pèse une tonne, commenta-t-il, fléchissant ses doigts comme s'ils étaient endoloris. Qu'est-ce qu'il a mis là-dedans ? Des briques ?

– Sans doute des chaînes de fer, expliqua Tommy d'un ton autoritaire. Et aussi des cadenas et de la ferraille.

L'homme hocha la tête.

– Une caisse de chaînes de fer, répéta-t-il. Ça cadre. Ravi de vous connaître. (Il s'essuya la main droite sur le devant de sa combinaison et la tendit à Rosa.) Al Button.

– Êtes-vous réellement bachelier ? s'informa Rosa.

– Le nom de la société, répondit Al Button avec un air de sincère regret, est un peu démodé. (Il plongea la main dans sa poche arrière et en sortit une liasse de reçus et de papiers carbones, puis pêcha un stylo dans une poche de poitrine et ôta le bouchon.) Je vais avoir besoin de votre John Hancock[1] là-dessus.

– N'est-il pas nécessaire que je pointe plus ou moins pendant le déchargement ? demanda Rosa. C'est ainsi que les choses se sont passées quand nous avons emménagé ici.

– Vous pouvez toujours pointer si vous voulez, répondit-il avec un signe de tête en direction de la caisse, en tendant le paquet de documents à Rosa. C'est tout ce que j'ai pour vous aujourd'hui.

Rosa vérifia la facture et s'aperçut qu'elle ne mentionnait qu'un seul article, qualifié avec précision de « caisse en bois ». Elle feuilleta les autres feuillets, mais c'étaient seulement des copies carbones du premier.

– Où est le reste ?

– C'est le seul article dont j'ai connaissance, répondit Button. Vous êtes peut-être plus au courant que moi.

– Il y a plus de cent caisses qui sont censées arriver de New York.

---

1. Allusion à la Déclaration d'indépendance des États-Unis, où la signature de John Hancock est bien visible. (*N.d.T.*)

De l'Empire State Building. Joe, Mr Kavalier, a organisé leur livraison hier après-midi.

– Mais celle-ci ne vient pas de l'Empire State Building, ma petite dame. Je l'ai réceptionnée ce main à Penn Station.

– Penn Station ? Attendez un instant. (Elle se remit à farfouiller dans les papiers et les copies carbones.) Qui nous l'a donc envoyée ?

Même si le nom de l'expéditeur n'était pas tout à fait lisible, il semblait commencer par un K. Mais l'adresse était une boîte postale à Halifax, Nouvelle-Écosse. Rosa se demanda si Joe ne s'était pas aventuré si loin pendant sa période d'errance, juste après la guerre, et n'avait pas laissé cette caisse au contenu mystérieux sur son passage.

– Nouvelle-Écosse, murmura-t-elle. Qui Joe connaît-il en Nouvelle-Écosse ?

– Et comment l'expéditeur savait-il qu'il était ici ? demanda Tommy.

C'était une très bonne question. Seule la police et quelques personnes de Pharaoh savaient que Joe séjournait chez les Clay.

Rosa signa le reçu de la caisse. Puis Al Button cajola et bouscula ladite caisse pour la rentrer dans le séjour, où Rosa et Tommy l'aidèrent à la descendre du chariot sur le tapis-sol.

– Une caisse pleine de chaînes de fer, répéta Button, dont la main sèche et rugueuse effleura celle de Rosa. Jésus, Marie, Joseph !

Après qu'il fut sorti pour bien refermer sa fourgonnette et regagner la grande ville de son allure funèbre, Rosa et Tommy restèrent dans le séjour à contempler la caisse en bois. Plus grande de soixante centimètres que Rosa et presque deux fois plus large, elle était en pin massif, noueux et non verni sauf par les frottements abrasifs de ses tribulations, jaune foncé et tachée comme un croc d'animal. À la regarder, on devinait qu'elle avait parcouru une longue route, avait été brutalement manipulée et exposée aux quatre vents, arrosée de substances infâmes. Peut-être avait-elle servi de table, de lit ou de barricade. On distinguait des éraflures noirâtres, et les coins et les arêtes étaient hérissés d'éclats de bois. Si ces marques n'étaient pas assez évocatrices de voyages au long cours, la profusion de ses étiquettes était aussi incroyable : tampons de douanes, décalcomanies de compagnies maritimes, autocollants de quarantaine, contrôles de réclamations, bordereaux de poids. Par endroits, il y avait plusieurs strates d'épaisseur : un pêle-mêle de fragments de noms de lieux, de couleurs et d'inscriptions à la main. Cela rappelait à Rosa un collage cubiste, un Kurt Schwitters. À l'évidence, Halifax n'était pas le point d'origine de la caisse. Rosa et Tommy cherchèrent à retracer son histoire en détachant les couches de cachets et d'autocollants, d'abord timidement, puis plus négligemment, à mesure qu'ils remontaient d'Halifax à Helsinki, puis à Murmansk, à Memel, à Leningrad, de nouveau à Memel, à Vilnius, en Lituanie, et finalement, en grattant désormais avec la pointe d'un couteau de cuisine une pustule particulièrement récalcitrante de papier adhésif proche du centre de ce qui paraissait être le couvercle de la caisse, à...

– Prague ! s'écria Rosa. Que dis-tu de cela ?

– Il est rentré, dit Tommy.

Rosa ne comprit ce qu'il voulait dire qu'après avoir reconnu le bruit de la Studebaker dans l'allée.

16.

Ce matin-là, Joe avait quitté la maison très tôt.

Des heures après avoir dit bonne nuit à Rosa et Sammy, et longtemps après que tous furent allés se coucher, Joe était resté étendu éveillé sur le canapé du séjour, harcelé par ses pensées et quelques rares et brefs gloussements de la chasse d'eau des W.-C. du couloir. Il avait prévu des retraits mensuels pour payer le loyer des bureaux des Crèmes invisibles Kornblum et s'était interdit de réfléchir au montant total des capitaux qu'il avait en dépôt depuis si longtemps. La diversité des programmes grandioses ou ordinaires que ceux-ci avaient jadis été censés financer était extravagante – à une époque il avait mentalement dépensé avec prodigalité – et, après la guerre, l'argent faisait toujours à Joe l'effet d'une dette passive et non remboursable. Il s'était mis en faillite sur des projets : une maison pour sa famille à Riverdale ou Westchester, un appartement pour son vieux maître Bernard Kornblum dans un bel immeuble de l'Upper West Side. Dans ses chimères, il veillait à ce que sa mère bénéficiât des services d'une cuisinière, d'un manteau de fourrure et du loisir d'écrire et de recevoir les patients de son choix. Son bureau dans la grosse demeure Tudor avait une bay-window et de grosses poutres apparentes, qu'elle avaient repeintes en blanc parce qu'elle avait horreur des pièces sombres. Il était lumineux et dépouillé, avec des tapis navajos et des cactus en pot. Pour son grand-père, il y avait une pleine penderie de complets, un chien, un tourne-disques Panamuse identique à celui de Sammy. Son grand-père s'installait dans la véranda avec trois amis de son âge et chantait des chansons de Weber au son de leurs flûtes. Pour Thomas, il y avait des cours d'équitation et d'escrime, des excursions au Grand Canyon, une bicyclette, une encyclopédie et – article très convoité en vente dans les pages des comics – une carabine à air comprimé, afin que son petit frère puisse tirer les corbeaux ou les marmottes d'Amérique, ou encore (plus probablement, étant donné son caractère pacifique) des boîtes de conserve, quand ils se rendaient pour le week-end à la maison de campagne que Joe comptait acquérir dans le comté de Putnam.

Ces élucubrations l'embarrassaient presque autant qu'elles l'attristaient. Mais la vérité, c'est qu'allongé là en caleçon en train de fumer, Joe était tourmenté, bien plus que par les ruines de ses rêves niais, par la conscience aiguë qu'encore maintenant, au fond de la mystérieuse fabrique de sottises qui était, d'une certaine façon, synonyme de son cœur, les deux cousins se préparaient à sortir toute une nouvelle ligne de sornettes. Il n'arrêtait pas de trouver des idées – dessins de costumes et toiles de fond, noms de personnages, plans narratifs – pour une collection de bandes dessinées fondées sur l'*haggada* et le folklore juifs ; c'était comme si elles avaient été là dès le début, n'attendant qu'un coup de pouce de Sammy pour se déverser en vrac. La perspective de dépenser les 974 000 dollars dont les intérêts s'accumulaient régulièrement à l'East Side Crafts Credit Union pour lancer la Kavalier & Clay réorganisée l'agitait tellement qu'il en avait mal au ventre. Non, agitation n'était pas le mot juste. Ce qu'il se sentait, c'était « excité ».

En 1939, Sammy avait eu raison sur les héros en caleçon long. Joe avait le pressentiment qu'il avait également raison en 1954. William Gaines et ses E. C. Comics avaient, à l'exception d'un seul, absorbé tous les genres classiques de la bande dessinée – mélo, western, histoires de guerre, policier, fantastique, etc. – et les avaient habillés de sentiments plus sombres, d'intrigues moins puériles, de plumes en vogue et d'encres romantiques. L'unique genre qu'ils avaient dédaigné ou évité (sauf à le ridiculiser dans les pages de *Mad*), c'était celui du super-héros costumé. Et si – il n'était pas sûr que ce soit ce que Sammy avait en tête, mais ce serait son argent après tout – on tentait le même type de transformation sur le super-héros ? S'ils essayaient de raconter des histoires de héros costumés qui étaient plus compliquées, moins puériles, aussi déchus que des anges...

À la fin, il épuisa son stock de cigarettes et renonça à dormir pour la nuit. Il se rhabilla, prit une banane dans la coupe posée sur le bar de la cuisine et sortit de la maison.

Il n'était pas encore cinq heures du matin. Les rues de Bloomtown étaient désertes, les maisons obscures, furtives, presque invisibles. Un vent iodé soutenu soufflait de la mer, distante de treize kilomètres. Plus tard, il apporterait des averses de pluie et l'obscurité que Mr Al Button essaierait de racheter en allumant les lanternes de sa fourgonnette, mais pour le moment il n'y avait pas de nuages. Le ciel qui, dans cette ville de plain-pied aux jeunes arbres chétifs et aux pelouses arides, pouvait sembler, le jour, aussi intolérablement haut et immense que les nues au-dessus d'une prairie desséchée du

Nebraska, s'offrait comme une bénédiction sur Bloomtown, remplissant le vide de velours bleu foncé et d'étoiles. Un chien aboya à deux rues de là, et Joe en eut la chair de poule. Il avait traversé et contourné maintes fois l'océan Atlantique depuis le naufrage de l'*Arche de Miriam* ; le fil des associations qui, dans l'esprit de Joe, reliait Thomas à la masse d'eau qui l'avait englouti s'était depuis longtemps usé. Mais de temps en temps, surtout si, comme à présent, son frère était déjà dans ses pensées, l'odeur de la mer pouvait déployer le souvenir de Thomas tel un pavillon. Son ronflement, le reniflement semi-animal de sa respiration venu de l'autre lit. Sa terreur des araignées, des langoustes et de tout ce qui rampait comme une main désincarnée. Une image mentale de lui, tout écornée, à l'âge de sept ou huit ans, avec une robe de chambre écossaise et des pantoufles, blotti à côté du gros Philips des Kavalier, les genoux remontés, les yeux hermétiquement clos, en train de se balancer d'avant en arrière, en écoutant de toutes ses oreilles un opéra italien ou un autre.

Cette robe de chambre aux revers surfilés de gros fil noir, ce poste de radio, ses lignes gothiques et son cadran pareil à un atlas des ondes, imprimé des noms des capitales du monde entier, ces mocassins de cuir avec leur tipi de perles sur l'empeigne, toutes ces choses, il ne les reverrait jamais plus. Cette pensée était banale, et pourtant, comme il arrivait de temps en temps, elle le prit plus ou moins par surprise et le dépita profondément. C'était absurde, mais sous-jacent à son expérience du monde, à un niveau profond, précambrien, subsistait l'espoir qu'un jour – mais quand ? – il reviendrait aux premiers chapitres de son existence. Tout était là, quelque part, et l'attendait. Oui, il reviendrait aux scènes de son enfance, à la table du petit déjeuner de l'appartement proche du Graben, à la splendeur orientale du vestiaire de la *Militär-und-Civilschwimmschule*. Non en touriste, pour visiter leurs ruines, mais pour de bon. Non par un quelconque enchantement, mais tout naturellement. Cette conviction n'était pas quelque chose de rationnel ni même un acte de foi, mais elle n'en existait pas moins, telle une ancienne erreur fondamentale dans sa connaissance de la géographie – selon laquelle, par exemple, le Québec se situerait à l'ouest de l'Ontario – qu'aucune correction ni expérience ultérieure ne pourrait jamais complètement effacer. Maintenant il se rendait compte que ce genre de certitude sans espoir mais tenace se trouvait au cœur même de son incapacité à lâcher l'argent qu'il avait déposé, il y avait toutes ces années, à l'East Side Stage Crafts Credit Union. Au fond de son cœur, où que soit caressé et nourri ce type d'erreurs, il croyait toujours que quelqu'un – sa mère, son grand-père, Bernard Kornblum... – pourrait encore, malgré tout, remontrer son nez. Ce genre d'événements arrivait tout le temps : ceux dont on disait qu'ils avaient été fusillés dans le ghetto de Lodz ou emportés par le typhus au camp de déportation de Zehlendorf reparaissaient épiciers à São Paulo ou frappaient à la porte d'un beau-frère, à Detroit, pour lui demander une aide – plus âgés, plus frêles, méconnaissables ou immuables au point d'en être désarmants – mais bien vivants.

Il retourna à la maison, noua sa cravate, mit un veston et détacha les clefs de la voiture de leur crochet dans la cuisine. Il ne savait pas où il allait, pas au début, mais l'odeur de la mer lui était restée dans le nez, et il avait le vague projet de prendre la voiture pour rouler une heure jusqu'à Fire Island, puis de rentrer avant que personne se soit même aperçu de son départ.

L'idée de circuler l'excitait aussi. Dès l'instant où il l'avait vue, la voiture de Sammy et de Rosa avait éveillé son intérêt. La marine avait appris à Joe à conduire, et il s'y était mis avec son aplomb habituel. Pendant la guerre, ses moments les plus heureux avaient été trois courtes excursions qu'il avait faites au volant d'une jeep à Guantánamo. C'était douze ans plus tôt ; il espérait ne pas avoir perdu ses réflexes.

Joe sortit sans encombre par la nationale 24, mais manqua plus ou moins la bifurcation pour East Islip et, avant d'avoir eu le temps de se reconnaître, il reprenait la direction de New York. L'auto sentait le rouge à lèvres de Rosa, la crème capillaire de Sammy et un résidu hivernal de sel et de laine. Longtemps il n'y avait eu presque personne sur la route, et, en croisant d'autres automobilistes, Joe éprouvait une légère et agréable sensation de parenté avec ceux qui suivaient le faisceau de leurs phares pour s'enfoncer dans les ténèbres de l'ouest. À la radio, Rosemary Clooney chantait *Hey There.* Puis, quand il tourna le bouton, elle était encore là : cette fois, elle chantait *This Ole House.* Il baissa la vitre ; tantôt il entendait un bruissement d'herbes, les insectes nocturnes, tantôt le mugissement d'un train. Joe se détendit au volant et s'absorba dans les instruments à cordes des chansons à succès et le ronronnement du moteur Champion à huit cylindres en ligne. Quelque temps plus tard, il s'apercevait qu'il s'était écoulé un bon moment sans qu'il ait pensé à rien du tout, surtout pas à ce qu'il allait faire exactement une fois arrivé à New York.

En approchant du pont de Williamsburg – sans savoir vraiment comment il avait réussi à se retrouver là – il éprouva un instant extraordinaire d'euphorie, de grâce. La circulation était beaucoup plus dense, mais la boîte de vitesses était moelleuse, et la robuste petite voiture très maniable pour changer de voies. Il se lança dans la traversée de l'East River. Il sentait le pont vibrer sous ses roues et avait tout autour de lui l'intuition de son ingénierie, des forces, des pressions et des rivets qui conspiraient tous ensemble à le maintenir en l'air. Au sud, il apercevait le pont de Manhattan, avec son air parisien, raffiné, élégant, son tablier remonté pour montrer ses piles d'acier fuselées et, plus loin, le pont de Brooklyn, pareille à une grande fibre musculaire noueuse. Dans la direction opposée se trouvait le pont de Queensboro, telles deux tsarines de fer se donnant la main pour danser. Et devant lui se profilait la ville qui l'avait accueilli, avalé, et lui avait rapporté une petite fortune : grise et brune, parée de guirlandes et de boas d'une substance nébuleuse argentée, mélange de brume portuaire, de rosée printanière et de ses propres émanations de vapeur. L'espoir était son ennemi, une faiblesse à maîtriser à tout prix, depuis si longtemps déjà qu'il s'écoula un bon moment avant que Joe veuille bien admettre qu'il devait le laisser regonfler son cœur.

À Union Square West, Joe s'arrêta devant l'immeuble du Workingman's Credit, maison mère de l'East Side Stage Crafts Credit Union. Bien entendu, on ne pouvait se garer nulle part. Les voitures s'agglutinèrent à l'arrière de la Studebaker pendant que Joe allait à la pêche aux places, et chaque fois qu'il ralentissait, la fanfare furibonde des avertisseurs redémarrait. Un autobus déboîta derrière lui en rugissant, et les têtes de ses voyageurs le foudroyèrent du regard par les vitres ou narguèrent sa maladresse par leur profonde indifférence. Lors de son troisième tour du pâté de maisons, Joe ralentit une nouvelle fois à hauteur de l'établissement. Ici, le trottoir était badigeonné de rouge vif. Joe s'immobilisa, tentant de décider la marche à suivre. À l'intérieur du magnifique édifice noirci du Workingman's Credit, dans les bureaux sombres, éclairés par des vasistas, de la banque du Crafts Union, son compte dormait sous des années d'intérêts et de poussière. Tout ce qu'il avait à faire, c'était entrer et dire qu'il souhaitait procéder à un retrait.

On frappa à la vitre du côté conducteur. Joe sursauta, appuyant du coup sur l'accélérateur. La voiture eut une embardée de quelques dizaines de centimètres avant qu'il ne trouve le frein à tâtons et ne la stoppe avec un petit renvoi inconvenant des pneus.

– Attendez ! hurla l'agent de police, qui était venu s'informer de ce que Joe cherchait au juste, en bloquant ainsi la circulation dans la Cinquième Avenue, à l'heure la plus animée de la matinée.

Brusquement il s'écarta du véhicule et sauta sur un pied, agrippant sa chaussure gauche luisante des deux mains.

Joe baissa la vitre de sa portière.

– Vous venez de m'écraser le pied ! brailla le policier.

– Je suis vraiment désolé, balbutia Joe.

Le policier reposa sa chaussure sur le trottoir avec précaution, puis petit à petit fit passer son poids considérable d'une jambe sur l'autre.

– Je crois que ça va. Vous avez écrasé le bout vide de la pointe. Vous avez de la chance.

– J'ai emprunté cette voiture à mon cousin, avoua Joe. Je ne la connais peut-être pas aussi bien que je le devrais.

– Ouais, enfin, vous ne pouvez pas rester là, mon gars. Vous y êtes depuis dix minutes. Vous devez partir.

– C'est impossible, protesta Joe. (Il ne pouvait pas s'être écoulé plus d'une ou deux minutes, au maximum.) Dix minutes...

L'agent de police tapota sa montre-bracelet.

– J'ai regardé ma montre à l'instant où vous vous êtes arrêté.

– Je suis désolé, monsieur l'agent, dit Joe. Je n'arrive pas à décider ce que je suis censé faire maintenant. (Il agita le pouce en direction du Workingman's Credit Building.) Mon argent est là-dedans, ajouta-t-il.

– Je me fiche que votre fesse gauche soit là-dedans, riposta le policier. Vous devez circuler, monsieur.

Joe commença à discuter, mais il avait en même temps conscience que, dès le moment où le policier avait tapé à la vitre, il s'était senti immensément soulagé. La décision avait été prise sans lui. Il était interdit de stationner ici, Joe ne pourrait donc pas tirer d'argent ce jour-là. Ce n'était peut-être pas une si bonne idée, après tout. Il remit la voiture en route.

– D'accord, dit-il, je m'en vais.

En essayant de retrouver le chemin de Long Island, il réussit à se perdre réellement dans le Queens. Il n'était pas loin de l'ancien site de la Foire mondiale avant de comprendre son erreur et de faire demi-tour. Au bout d'un moment, il se retrouva en train de longer une vaste étendue verte de cimetières, qu'il reconnut être Cypress Hills. Les pierres tombales et les monuments funéraires pointillaient les collines ondulées comme des moutons dans un Claude Lorrain. Il était venu ici autrefois, bien des années auparavant, peu après son retour à New York. C'était un soir de Halloween, et un groupe d'habitués de l'arrière-boutique de Tannen l'avaient décidé à se joindre à eux pour leur visite annuelle au tombeau de Harry Houdini, qui était inhumé ici, dans un cimetière juif appelé Machpelah. Munis de sandwiches, de flasques et d'une thermos de café, ils avaient passé la nuit à papoter sur la vie amoureuse étonnamment complexe de Mrs Houdini après le décès de son mari et à attendre que l'esprit du Mystériarche leur apparaisse, comme Houdini avait promis que ce serait le cas, si une telle chose se révélait faisable. À l'aube du jour de la Toussaint, ils avaient blagué, sifflé et feint d'être déçus de l'incapacité de Houdini à se montrer, mais dans le cas de Joe au moins – et il soupçonnait qu'il en avait été de même pour quelques autres – sa feinte déception n'avait servi qu'à masquer la déception réelle qu'il ressentait. Joe ne croyait pas du tout à l'au-delà, mais il eût sincèrement préféré pouvoir y croire. À la bibliothèque municipale de Halifax, un vieux dingue de chrétien avait une fois tenté de réconforter Joe en lui affirmant, avec un air très assuré, que c'était Hitler, et non les alliés, qui avait libéré les Juifs. Depuis la mort de son père – depuis le jour où il avait entendu pour la première fois un bulletin radiophonique sur le ghetto de Terezin – Joe n'avait jamais été si proche de la consolation. Tout ce qu'il lui eût fallu faire pour trouver du réconfort dans les paroles du chrétien, c'était de croire.

Il fut capable de retrouver Machpelah sans trop de problèmes – le cimetière était signalé par un imposant édifice funéraire, d'une munificence plutôt lugubre, de conception vaguement levantine qui rappela à Joe la demeure du père de Rosa – et franchit les grilles pour garer la voiture. La tombe de Houdini, la plus grande et la plus somptueuse du cimetière, tranchait complètement sur la modestie générale, voire l'austérité, des autres stèles et caveaux. C'était une curieuse construction, comme un grand balcon séparé de la façade de son palais : une balustrade de marbre en forme de C, avec des colonnes pour empattements à chaque extrémité, qui renfermait un long banc bas. Les colonnes portaient des inscriptions en anglais et en hébreu. Au centre, au-dessus de l'épitaphe laconique, HOUDINI, trônait un buste du défunt magicien, l'air de quelqu'un qui viendrait d'avaler une pile électrique. Une étrange statue de femme en pleurs, vêtue d'une toge, flanquait le banc, contre lequel elle était affalée dans une sorte de pâmoison et d'affliction éternelle. Joe la trouvait gauche et inquiétante. Il y avait des petits bouquets et des couronnes funéraires éparpillés à la ronde, à différents stades de putréfaction, et beaucoup de surfaces étaient jonchées de petits cailloux laissés là par la famille, supposait Joe, ou des admirateurs juifs. Les parents et les frères et sœurs de Houdini étaient tous enterrés ici. Tout le monde sauf sa dernière femme, Bess, dont l'admission avait été refusée parce qu'elle était une Catholique non convertie. Joe lut les hommages prolixes à la mère et au père rabbin que Houdini avait visiblement rédigés lui-même. Il se demanda ce qu'il aurait mis sur les pierres tombales de ses propres parents si l'occasion s'était présentée. Les noms et les dates seuls semblaient déjà une extravagance.

Il se mit à ramasser les cailloux que les gens avaient abandonnés et les disposa soigneusement sur la balustrade du balcon, en lignes, en cercles et en étoiles de David. Il remarqua que quelqu'un avait glissé un petit billet dans une fente du mausolée, entre deux pierres, puis aperçut d'autres mots dissimulés ici et là, partout où il y avait un joint ou une fissure. Il les sortit, déroula les bandelettes de papier et lut ce qui y était écrit. Tous semblaient être des messages déposés par divers adeptes du spiritualisme et disciples de l'autre monde qui offraient le pardon posthume au grand démystificateur pour avoir contesté la Vérité qu'il avait déjà indubitablement découverte. Au bout de quelque temps, Joe s'assit sur le banc, à bonne distance de la statue qui pleurait toutes les larmes de son corps. Il prit une profonde inspiration, secoua la tête et tendit intérieurement les doigts, avec hésitation, pour voir s'ils frôlaient quelque vestige de Harry Houdini, de Thomas Kavalier ou de qui que ce soit. Non. Il pouvait bien être ruiné cent fois par l'espoir, il ne serait jamais capable d'avoir la foi.

Peu après, il se confectionnait un oreiller avec son manteau et se renversait sur le banc de marbre. Il entendait les vagues grondantes de la circulation sur l'Interborough Parkway, le soupir intermittent des freins d'un autobus dans Jamaica Avenue. La rumeur paraissait répondre exactement au ciel gris pâle qu'il contemplait, par intervalles meurtri de bleu. Joe ferma un instant les yeux, juste pour écouter fugitivement le ciel. À un moment, il devint conscient de bruits de pas dans l'herbe non loin de lui. Il se redressa, embrassa du regard le pré vert vif – le soleil brillait alors, curieusement – et les collines, avec leurs troupeaux de moutons blancs, et vit venir vers lui son vieux maître Bernard Kornblum en jaquette. Les joues de Kornblum étaient irritées, ses yeux brillants et sévères. Sa barbe était relevée dans un filet.

– *Lieber Master !* s'écria Joe, tendant ses deux mains vers lui. (Ils se cramponnèrent l'un à l'autre au-dessus du gouffre qui les séparait, telles les flèches tsiganes du pont de Queensboro.) Que dois-je faire ?

Kornblum gonfla ses joues desquamées et secoua la tête, en roulant un peu des yeux, comme si c'était une des questions les plus stupides qu'on lui eût jamais posées.

– Pour l'amour du ciel ! répondit-il. Rentre à la maison.

Quand Joe passa la porte d'entrée du 127, Lavoisier Drive, il faillit perdre l'équilibre. Rosa était suspendue à son cou par un bras et, de l'autre, lui martelait le bras à coups de poing. Ses mâchoires étaient contractées, et il voyait bien qu'elle se retenait de pleurer. Tommy se jeta deux fois contre lui, comme un chien, puis s'écarta gauchement, recula dans le meuble hi-fi et renversa un vase d'étain rempli de soucis séchés. Là-dessus, tous deux se mirent à parler en même temps. Où étais-tu ? Pourquoi n'as-tu pas téléphoné ? Qu'y a-t-il dans la caisse ? Tu veux un peu de riz au lait ?

– Je suis parti me balader, bon Dieu ! répondit Joe. (Il comprit que Rosa et Tommy avaient cru qu'il les avait laissés, qu'il avait volé la voiture de la famille. Il se sentit honteux de mériter pareille suspicion dans leur esprit.) Je suis allé à New York. Quelle caisse ? Qu'est-ce que....

Joe reconnut le cercueil tout de suite, avec l'aisance et le naturel de celui qui est en plein rêve. Dans ses rêves, en effet, il voyageait à l'intérieur depuis l'automne 1939. Son compagnon de voyage, son petit frère, avait survécu à la guerre.

– Qu'y a-t-il là-dedans ? s'enquit Tommy. C'est un tour de magie ?

Joe s'approcha de la caisse. Il tendit la main et la poussa légèrement. Elle oscilla de deux ou trois centimètres, puis se stabilisa de nouveau sur sa base.

– Je ne sais pas, mais c'est quelque chose de sacrément lourd, dit Rosa.

Voilà comment Joe comprit que quelque chose clochait. Il se souvenait très bien combien la caisse leur avait paru légère avec le golem à l'intérieur, alors que Kornblum et lui la sortaient du 26, Nicholasgasse, pareille à une bière remplie d'oiseaux, à un paquet d'os. La pensée abominable qu'il pourrait encore y avoir un corps niché dedans avec le golem lui traversa l'esprit comme un éclair. Il approcha un peu plus son visage de la caisse. À un moment, nota-t-il, le judas d'observation articulé que Kornblum avait imaginé pour tromper la Gestapo et les gardes-frontières avait été fermé avec un cadenas.

– Pourquoi la renifles-tu ? demanda Rosa.

– C'est de la nourriture ? s'enquit Tommy.

Joe ne voulait pas dire ce que c'était. Il voyait bien qu'ils étaient à moitié fous de curiosité, maintenant qu'ils avaient été témoins de sa réaction face à la caisse. Tout naturellement, ils espéraient, non seulement qu'il leur révélât ce qu'il y avait dedans, mais qu'il le leur montrât séance tenante. La caisse était la même. De cela il n'avait aucun doute. Quant à son contenu mystérieusement lourd, ce pouvait être n'importe quoi. Ce pouvait même être quelque chose de très, très funeste.

– Tommy a dit au livreur que c'étaient tes chaînes, l'informa Rosa.

Joe tenta de songer à la matière ou à l'article le plus insipide que la caisse pourrait plausiblement contenir. Il faillit dire que c'était une cargaison de vieilles compositions scolaires. Puis il s'avisa que les chaînes n'avaient rien de très fascinant.

– C'est exact, déclara-t-il. Tu es extralucide.

– Ce sont vraiment tes chaînes ?

– Un simple tas de ferraille.

– Ouaou ! On peut l'ouvrir maintenant ? cria Tommy. J'ai vraiment envie de voir ça...

Joe et Rosa allèrent au garage chercher la boîte à outils de Sammy. Tommy s'apprêtait à les suivre, mais sa mère lui ordonna :

– Reste ici.

Ils trouvèrent immédiatement la boîte à outils, mais Rosa refusa de laisser Joe passer pour rentrer dans la maison.

– Qu'y a-t-il dans cette caisse ? le pressa-t-elle.
– Tu ne crois donc pas que ce sont des chaînes ?
Il se savait un piètre menteur.
– Pourquoi reniflerais-tu des chaînes ?
– J'ignore ce qu'il y a dedans, avoua Joe. Ce n'est pas ce que c'était avant.
– Et qu'est-ce que c'était avant ?
– Avant, c'était le golem de Prague.
Il avait toujours été très rare que Rosa n'eût pas le dernier mot. Les yeux levés vers lui, elle se contenta de s'écarter pour lui céder le passage. Mais il ne rentra pas dans la maison. Pas tout de suite.
– Permets-moi de te poser une question, reprit Joe. Si tu avais un million de dollars, les donnerais-tu à Sammy pour qu'il puisse racheter Empire Comics ?
– Sans l'Artiste de l'évasion ?
– Il ne peut pas en être autrement, je crois.
Elle rumina sa réponse un moment, durant lequel il la vit dépenser cette somme d'une douzaine de manières différentes. À la fin, elle secoua la tête.
– Je n'en sais rien, répondit-elle, comme si cela lui faisait de la peine de le reconnaître. L'Artiste, c'était en quelque sorte les joyaux de la couronne.
– C'est ce que je me disais.
– Pourquoi pensais-tu à ça ?
Il ne répliqua pas. Il apporta la boîte à outils dans la salle de séjour et, avec l'aide de Rosa et de Tommy, réussit à coucher le cercueil par terre. Il leva le cadenas, le soupesa, le tapota deux fois de l'index. Les crochets que Kornblum lui avait donnés – jusqu'à présent la seule relique de cette époque qu'il eût encore en sa possession – étaient dans sa valise. C'était une serrure d'assez mauvaise qualité, et avec un petit effort il pourrait sans doute en venir à bout. Il laissa la serrure retomber sur le moraillon et prit une pince à levier dans la boîte à outils. Pendant ce temps, il lui vint pour la première fois à l'esprit de se demander comment le golem était parvenu à le retrouver. Sa réapparition dans le séjour d'un pavillon de Long Island avait d'abord paru curieusement inéluctable, comme si Joe avait toujours su que le golem le suivait depuis les quinze dernières années et qu'il avait désormais fini par le rattraper. Joe examina certaines des étiquettes collées sur la caisse et s'aperçut que celle-ci avait traversé l'océan à peine quelques semaines plus tôt. Comment avait-il su le localiser ? Qu'est-ce qu'il attendait ? Qui pouvait bien tenir Joe à l'œil ?
Il passa du côté opposé au cadenas et inséra les dents de la pince dans la fente du couvercle, juste sous une tête de clou. Le clou grinça,

on entendit un bruit sec, tel un joint qui pète, puis le couvercle entier sauta, comme poussé de l'intérieur. Aussitôt une odeur vivace et entêtante de vase et de mousse de rivière, une puanteur d'été riche en tendres souvenirs nostalgiques, imprégna l'air.

– De la terre, dit Tommy, jetant un regard anxieux à sa mère.

– Mais, Joe, remarqua Rosa, ce n'est... ce ne sont pas des cendres.

Toute la caisse était remplie, sur une épaisseur de dix-huit centimètres, d'une glaise fine, gorge-de-pigeon et opalescente, que Joe identifia sur-le-champ, grâce aux excursions de son enfance, avec le lit limoneux de la Moldau. Mille fois il l'avait grattée de ses chaussures et brossée de son fond de culotte. Les spéculations de ceux qui craignaient que le golem puisse se dégrader, une fois éloigné des berges de la rivière qui l'avait enfanté, s'étaient révélées exactes.

Rosa vint s'agenouiller devant Joe. Elle posa son bras sur son épaule.

– Joe ? murmura-t-elle.

Elle le tira plus près, il se laissa choir contre elle. Il s'abandonna simplement, et elle le soutint.

– Joe, répéta-t-elle au bout d'un moment. Tu penses à racheter Empire Comics ? Tu as un million de dollars ?

Joe hocha la tête.

– Et une caisse de terre, ajouta-t-il.

– De la terre de Tchécoslovaquie ? s'enquit Tommy. Je peux y toucher ?

Joe hocha une nouvelle fois la tête. Tommy tâta la terre du bout du doigt, comme si c'était un baquet d'eau froide, puis y plongea la main jusqu'au poignet.

– C'est mou, reprit-il. Je trouve ça agréable.

Il se mit à remuer la main dans la terre, comme s'il cherchait quelque chose à tâtons. Visiblement, il n'était pas encore prêt à renoncer à son coffre magique.

– Il n'y a rien d'autre là-dedans, déclara Joe. Je suis désolé, Tom.

C'était étrange, songea Joe, que la caisse puisse peser aujourd'hui beaucoup plus que lorsque le golem était encore intact. Il se demanda si d'autre terre, un excédent de terre, n'était pas venu s'ajouter à la charge initiale, mais cela semblait improbable. Puis il se souvint que Kornblum, ce fameux soir, avait cité un paradoxe sur les golems, un aphorisme en hébreu selon lequel c'était l'âme contre nature du golem qui l'avait alourdi ; débarrassé de celle-ci, le golem de terre était léger comme l'air.

– Houp ! s'écria Tommy. Hé !

Son front se plissa. Il avait trouvé quelque chose. Les vêtements du géant s'étaient peut-être déposés au fond de la caisse.

Il exhuma un petit rectangle de papier maculé, imprimé de quelques mots d'un côté. Cet objet parut familier à Joe.

– Emil Kavalier, lut Tommy. *Endikron... endikrono...*

– Mon père, murmura Joe.

Il prit la vieille carte de visite paternelle des mains de Tommy, se remémora son œil de caractère tremblé et son central téléphonique disparu. Il y avait bien longtemps qu'elle avait dû être enfouie dans la poche de poitrine du complet colossal d'Alois Hora. Il tendit à son tour le bras et ramassa une poignée de limon nacré, le soupesant, le laissant couler entre ses doigts, se demandant à quel moment l'âme du golem avait réintégré son corps, ou s'il ne pouvait pas y avoir plus d'une âme perdue incarnée dans toute cette poussière pour faire pencher autant la balance.

17.

La sous-commission d'enquête sur la délinquance juvénile de la Commission sénatoriale des lois se réunit à New York les 21 et 22 avril 1954, afin d'examiner le rôle joué par l'industrie des comic books dans la formation d'enfants délinquants. Les dépositions faites par les témoins le premier jour sont de loin les plus connues. Parmi les experts, les éditeurs et les criminologistes cités à la barre le 21, trois se détachent des autres – si tant est que les audiences ont laissé un souvenir – dans la mémoire collective. Le premier était le docteur Fredric Wertham, le psychiatre éminent et bourré de bonnes intentions, auteur de *La Séduction de l'innocence**, qui fut, sur le plan moral et politique, un élément moteur derrière toute la controverse sur les effets pernicieux des comics. Le bon docteur déposa longuement, de manière quelque peu incohérente, mais plein de dignité d'un bout à l'autre et débordant, brûlant même d'indignation. Tout de suite après Wertham venait William Gaines, fils du célèbre inventeur de l'illustré, Max Gaines, et éditeur d'E.C. Comics, dont il défendit, avec pas mal d'éloquence mais un manque de sincérité pernicieux, la ligne graphique des comic books d'horreur. Enfin, ce jour-là, la Sous-commission entendit également une société de dessinateurs de presse, représentée par Walt Kelly de *Pogo* et l'ancienne idole de Sammy, le grand Milton Caniff, qui, avec humour, ironie et un dédain plein d'esprit, trahirent complètement leurs « frères d'encre », les livrant aux sénateurs Hendrickson, Hennings et Kefauver pour qu'ils soient, publiquement et à bon droit, sermonnés, si d'aventure ces messieurs daignaient s'en charger.

Les rebondissements de la deuxième journée d'audience, à laquelle Sam Clay avait été cité, sont moins bien connus. Sammy eut la malchance de succéder à deux témoins extrêmement peu coopératifs. Le premier était un certain Alex Segal, éditeur d'une série de livres « pédagogiques » bon marché dont Sam faisait la réclame dans les dernières pages des comics, qui d'abord nia puis reconnut que sa société avait autrefois vendu – « tout à fait accidentellement » – à des pornographes reconnus des listes de noms et d'adresses d'enfants ayant répondu aux petites annonces de sa société. Le second témoin récalcitrant était un des pornographes en question, un raté à l'air sournois, presque comique, du nom de Samuel Roth, atteint de strabisme divergent et suant abondamment, qui invoqua le cinquième amendement pour refuser de répondre, avant de se faire excuser au motif qu'il ne pouvait pas déposer légalement, étant donné qu'il était mis en examen pour colportage de publications obscènes par l'État de New York. Par conséquent, lorsque Sammy comparut, l'esprit des membres de la sous-commission était encore plus préoccupé que d'habitude par les questions de débauche et d'immoralité.

Le passage-clef de la transcription des débats est le suivant :

SÉNATEUR HENDRICKSON : Monsieur Clay, les personnages de bande dessinée, Batman et Robin, vous sont-ils familiers ?

MR CLAY : Bien sûr, monsieur le sénateur. Ce sont des personnages très connus et auréolés de succès.

HENDRICKSON : Je me demande. Pourriez-vous tenter de définir leur relation pour nous éclairer ?

CLAY : Définir ? Je suis désolé... je ne...

HENDRICKSON : Ils habitent ensemble, n'est-il pas vrai ? Dans un grand manoir, seuls.

CLAY : Il y a un majordome, je crois.

HENDRICKSON : Mais, à ce que je crois comprendre, ils ne sont pas père et fils, n'est-ce pas ? Ni frères, ni oncle et neveu, ni liés par aucune relation de cette nature...

SÉNATEUR HENNINGS : Peut-être sont-ils simplement de bons amis.

CLAY : Il y a déjà quelque temps que j'ai lu cette bande dessinée, messieurs les sénateurs, mais, d'après mes souvenirs, Dick Grayson, c'est-à-dire Robin, est présenté comme le pupille de Bruce Wayne ou Batman.

HENDRICKSON : Son pupille, oui. Il y a une foultitude de ce type de relations dans les illustrés de super-héros, n'est-ce pas ? Par exemple, Dick et Bruce.

CLAY : Je n'en sais rien, monsieur. Je...

HENDRICKSON : Laissez-moi voir. Je ne me rappelle pas exactement quelle pièce à conviction c'était, monsieur Clendennen. Est-ce que vous... je vous remercie.

Le directeur général Clendennen produit la pièce à conviction nº 15.

HENDRICKSON : Batman et Robin, Green Arrow et Speedy, Human

Torch et Toro, Monitor et Liberty Kid, Captain America et Bucky... Est-ce que ces noms vous sont familiers ?

CLAY : Euh, oui, monsieur. Monitor et Liberty Kid ont été ma création à une époque, monsieur le sénateur.

HENDRICKSON : Vraiment ! Vous les avez inventés...

CLAY : Oui, monsieur. Mais cette B.D. a été arrêtée... oh ! il y a déjà huit ou neuf ans, je crois.

HENDRICKSON : Mais vous avez créé un certain nombre d'autres couples de ce genre au fil des ans, n'est-ce pas ?

CLAY : De couples ? Je ne...

HENDRICKSON : Laissez-moi voir... Rectifier et Little Mack, le défenseur des mioches. Lumberjack et Timber Lad, l'Argonaute et Jason, Lone Wolf et Cubby...

CLAY : Enfin, ces personnages – Rectifier, Lumberjack, l'Argonaute... – ils existaient déjà. Ils avaient été créés par d'autres. Je me suis contenté de les reprendre, voyez-vous, quand je suis allé travailler chez leurs éditeurs respectifs.

HENDRICKSON : Et vous leur avez trouvé immédiatement des pupilles, oui ou non ?

CLAY : Enfin, oui. Mais c'est la règle quand on hérite d'une bande qui n'est pas... qui a peut-être perdu un peu de son dynamisme. On veut redresser la situation, attirer les lecteurs. Les jeunes aiment lire des trucs qui parlent de jeunes.

HENDRICKSON : N'est-il pas vrai que, dans le domaine de la bande dessinée, vous avez véritablement la réputation d'avoir un faible pour les jeunes assistants ?

CLAY : Je ne me rends pas compte... personne ne m'a jamais...

HENDRICKSON : Monsieur Clay, connaissez-vous bien la théorie du docteur Fredric Wertham, qu'il a exposée sous serment à la précédente audience et à laquelle, dois-je dire, je suis enclin à accorder un certain crédit après avoir feuilleté hier soir quelques-uns des comics de Batman en question, théorie selon laquelle la relation entre Batman et son pupille serait en fait une allégorie à peine voilée de l'inversion pédophile ?

CLAY : [inintelligible]

HENDRICKSON : Je suis désolé, monsieur, mais il faut que vous...

CLAY : Non, monsieur le sénateur. Cette partie de sa déposition a dû m'échapper...

HENDRICKSON : Et vous n'avez pas lu non plus le livre du docteur Wertham, je suppose.

CLAY : Pas encore, monsieur le sénateur.

HENDRICKSON : Ainsi, personnellement, vous n'avez jamais eu conscience qu'en habillant ces jeunes gens musclés et bien bâtis de pantalons moulants pour les envoyer zigzaguer ensemble dans le ciel, vous exprimiez ou cherchiez à répandre vos propres... tendances psychologiques ?

CLAY : Je crains de ne... Ce ne sont pas des tendances qui me sont familières, monsieur le sénateur. Avec tout le respect que je vous dois, si je puis dire, je proteste...

SÉNATEUR KEFAUVER : Pour l'amour du ciel, messieurs ! Passons.

18.

Jusqu'à cet après-midi-là, Sammy ne s'était poivré qu'une fois dans toute sa vie. C'était dans cette grosse demeure sur la côte battue des vents du Jersey, la veille de l'attaque de Pearl Harbor, quand il était tombé au milieu d'individus tantôt magnifiques, tantôt malfaisants. Ensuite, comme maintenant, c'était un rite auquel il sacrifiait surtout parce que c'était ce qu'on semblait attendre de lui. Après que le greffier l'eut délivré de son serment, il se tourna avec la sensation que le contenu de sa tête avait été aspiré, telle la liqueur d'un œuf de Pâques, par un trou d'épingle invisible, pour faire face à cette salle pleine d'Américains perplexes, les yeux écarquillés. Mais avant qu'il ait eu une chance de voir s'ils – les inconnus comme les amis – allaient détourner les yeux ou le toiser, rester bouche bée d'horreur ou de stupéfaction, ou encore hocher la tête avec l'air collet monté des presbytériens ou la suffisance des citadins, parce qu'ils le soupçonnaient depuis le début de nourrir ce noir désir de dépraver la jeunesse, d'aller et venir à pas feutrés dans son majestueux manoir avec un jeune assistant en veston d'intérieur assorti, avant, en d'autres mots, qu'il ait eu la moindre chance de commencer à prendre conscience de celui et de ce qu'il allait devenir dorénavant, Joe et Rosa l'enroulèrent comme des kidnappeurs dans un mélange de manteaux et de liasses de journaux, et le poussèrent hors de la onzième salle d'audience. Ils passèrent devant les opérateurs de télévision et les photographes de presse, dévalèrent l'escalier, traversèrent Foley Square, s'engouffrèrent dans une gargote voisine, s'approchèrent du comptoir, où ils le disposèrent avec un soin de fleuristes devant un verre de bourbon avec de la glace, exactement comme s'ils suivaient un protocole depuis longtemps établi, connu de toute personne civilisée, à mettre en œuvre au cas où un membre de sa famille était publiquement identifié à la télévision comme étant un homosexuel de toujours par des membres du Sénat des États-Unis.

– Je prendrai la même chose, lança Joe au barman.

– Trois bourbons, renchérit Rosa.

Le barman fixait Sammy, un sourcil levé. C'était un Irlandais, à peu près du même âge, corpulent et le front dégarni. Il consulta par-dessus son épaule la télévision trônant sur son étagère au-dessus du bar. Même si celle-ci montrait seulement une réclame pour la bière Ballantine, le poste se révéla calé sur 11 W.P.I.X.[1], la chaîne qui avait retransmis les auditions. Le barman revint à Sammy, une lueur de méchanceté toute irlandaise dans le regard.

Rosa mit ses mains en porte-voix de chaque côté de sa bouche.

– Hello ! Trois bourbons *on the rocks*.

– J'ai entendu, répondit le barman, prenant trois verres sous le bar.

– Et éteignez cette télé. Pourquoi ne l'éteignez-vous pas ?

– Pourquoi pas ? répliqua le barman avec un nouveau sourire à l'adresse de Sammy. Le spectacle est terminé.

D'un geste vif, Rosa tira des cigarettes de son sac à main et déchira le paquet pour en sortir une.

– Les salauds, les salauds ! lâcha-t-elle. Les satanés salauds...

Elle le répéta plusieurs fois. Ni Joe ni Sammy n'avaient l'air capables de trouver quelque chose à ajouter. Le barman leur servit leurs consommations. Ils les vidèrent rapidement, puis commandèrent une nouvelle tournée.

– Sammy, articula Joe. Je suis désolé.

– Ouais, répondit Sammy. Bon, je t'en prie. Je vais bien.

– Comment te sens-tu ? insista Rosa.

– Je ne sais pas, j'ai l'impression d'aller vraiment bien.

Même s'il était enclin à imputer cette sensation à l'alcool, Sammy s'aperçut qu'il semblait ne pas se cacher la moindre émotion, aucune du moins qu'il pût nommer ou identifier, derrière le choc causé par cette brutale publicité et son incrédulité devant la manière dont les choses s'étaient passées. État de choc et incrédulité : deux décors peints sur un plateau de cinéma, derrière lequel se déroulait une vaste étendue inconnue de grès, de lézards et de ciel.

Joe mit un bras autour des épaules de son cousin. De l'autre côté de Sammy, Rosa s'appuya contre lui, posa la tête sur la main de Joe et poussa un soupir. Ils restèrent un moment ainsi, à se soutenir les uns les autres.

– Je ne peux m'empêcher de remarquer que vous n'avez pas l'air très étonnés tous les deux, déclara à la fin Sammy.

Rosa et Joe se redressèrent sur leur siège, dévisagèrent Sammy, puis échangèrent un regard dans son dos. Ils piquèrent un fard.

– Pour Batman et Robin ? fit Rosa, étonnée.

– C'est un mensonge éhonté, reprit Sammy.

Ils avalèrent une nouvelle tournée. Puis l'un d'eux, Sammy ne

1. Station de radio et aujourd'hui chaîne télévisée de l'État de New York. (*N.d.T.*)

savait plus très bien qui, dit qu'il était temps de rentrer à Bloomtown, étant donné que les caisses de Joe devaient arriver dans la journée et que Tommy allait rentrer de l'école dans moins de deux heures. Suivirent un enfilage général de manteaux et d'écharpes, quelques bouffonneries avec des billets de dollars et la pluie de glaçons d'un verre. À un moment, Rosa et Joe parurent se rendre compte qu'ils passaient la porte du restaurant et que Sammy n'était pas avec eux.

– Vous êtes tous les deux trop ivres pour conduire de toute façon, leur dit Sammy quand ils rentrèrent le chercher. Prenez le train à Penn Station. Je ramènerai la voiture plus tard.

C'était la première fois qu'ils regardaient Sammy avec une expression proche du doute, de la méfiance, de la pitié qu'il avait redouté de lire sur leurs visages.

– Fichez-moi la paix ! poursuivit-il. Merde ! je ne vais pas précipiter la voiture dans l'East River ni rien de ce genre.

Ils ne bronchèrent pas.

– Je vous le jure, d'accord ?

Rosa consulta encore Joe du regard. Sammy se demanda si ce n'était pas simplement qu'ils craignaient qu'il puisse se nuire à luimême. Oui, ils craignaient peut-être que, dès leur départ, il ne fonce à Times Square pour tenter de draguer un marin. Et Sammy s'avoua qu'il en était capable, après tout.

Rosa revint vers lui et le serra très fort dans ses bras vacillants, manquant le faire dégringoler de son tabouret de bar. L'haleine chaude et fleurant l'odeur bouchonnée du bourbon, elle lui chuchota à l'oreille :

– Nous nous en tirerons, bredouilla-t-elle. Tous les trois.

– Je sais, répondit Sammy. Allez-y, les amis. Je vais juste rester ici. Je vais cuver mon vin.

Pendant l'heure qui suivit, Sammy sirota son verre, le menton au creux des paumes, les coudes posés sur le bar. Le goût brun foncé, sardonique, du bourbon, qu'il avait trouvé désagréable au début, ne lui semblait désormais guère différent de celui de sa langue dans sa bouche, des pensées dans son esprit, du cœur qui battait imperturbablement dans sa poitrine.

Il ne savait pas ce qui l'avait finalement poussé à repenser à Tracy. Peut-être était-ce le souvenir ravivé de cette nuit bien arrosée de 1941 à Pawtaw. À moins que ce ne soit juste l'unique ride rose qui plissait la nuque puissante du barman. Au fil des ans, Sammy avait presque tout regretté de son histoire avec Tracy, à l'exception, jusque-là, de sa discrétion. Le besoin de secret et de clandestinité était quelque chose qui, pour lui, était toujours allé de soi, comme condition nécessaire de cet amour-là et des amourettes fantômes, chacune plus pâle et plus furtive que la précédente, qu'il avait inaugurées. À l'été 1941 ils avaient risqué de perdre tant de choses, semblait-il, par suite de l'opprobre et de la ruine inhérents au scandale. Sammy ne pouvait pas savoir qu'un jour il finirait par voir tout ce que leur aventure avait semblé mettre tellement en péril – sa carrière dans la bande dessinée, ses relations avec sa famille, sa place dans la société – comme les murs d'une prison. Un donjon privé d'air et de lumière, d'où il n'y avait aucun espoir de s'échapper. Il y avait longtemps que Sammy avait cessé de surévaluer la sécurité qu'il avait été jadis si réticent à risquer. Voilà qu'il avait été démasqué, avec Bruce et Dick, Steve et Bucky, Oliver Queen (comme c'était clair !) et Speedy*, et que cette sécurité avait volé pour de bon en éclats. Et il n'y avait plus rien à regretter que sa lâcheté personnelle. Il se remémora sa séparation avec Tracy à Penn Station, le matin de Pearl Harbor, dans le compartiment de première classe de la Broadway Limited, leur numéro silencieux d'adieux virils normaux, la poignée de main, la tape sur l'épaule. Ils avaient façonné et modulé leur attitude avec soin, même s'il n'y avait absolument aucun témoin, si bien habitués au danger de ce qu'ils pourraient perdre qu'ils ne pouvaient se permettre de profiter de ce qu'ils avaient.

– Hé, Madeleine, cria le barman, d'un ton dont la menace n'était pas tout à fait feinte. Il est interdit de pleurer dans ce bar.

– Désolé, balbutia Sammy.

Il s'essuya les yeux avec le bout de sa cravate et renifla.

– Je vous ai vu à la télé cet après-midi, poursuivit le barman. Hein ?

– Pas possible ?

Le barman sourit d'une oreille à l'autre.

– Vous savez, je me suis toujours posé des questions sur Batman et Robin.

– Pas possible ?

– Ouais. Merci d'avoir élucidé ce point.

– Toi ici, lança une voix derrière Sammy, qui sentit une main sur son épaule.

S'étant retourné, il se trouva nez à nez avec George Debevoise Deasey. La moustache carotte s'était éclaircie pour prendre la couleur d'une tranche de pomme jaunie. Derrière leurs verres épais, les yeux étaient chassieux et striés de veinules rosâtres. Mais Sammy voyait bien qu'ils étaient animés par la même lueur de malice indignée.

Sammy se rejeta en arrière et moitié tomba, moitié descendit à bas de son tabouret. Il n'était pas aussi sobre qu'il aurait pu l'être.

– George ! Qu'est-ce que vous... vous étiez là ? Vous avez assisté à la séance ?

Deasey parut ne point entendre Sammy. Son regard était braqué sur le barman.

– Savez-vous pourquoi ils ont quelque chose à foutre ensemble ? demanda Deasey à l'autre.

Il avait contracté un léger branlement de tête, sembla-t-il à Sammy, ce qui lui donnait l'air plus maussade que jamais.

– Qu'est-ce qu'il y a ? se méfia le barman.

– J'ai dit : « Savez-vous pourquoi Batman et Robin ont quelque chose à foutre ensemble ? »

Il sortit son portefeuille et en tira un billet de dix dollars, nonchalant, préparant son coup.

Le barman secoua la tête avec un demi-sourire, alléché par une bonne aubaine.

– Pourquoi donc ? demanda-t-il.

– Parce qu'ils ne peuvent pas aller se faire foutre ailleurs. (Deasey jeta le billet sur le comptoir.) Comme vous. Allons, pourquoi ne vous rendez-vous pas utile en m'apportant un whiskey à l'eau, plus la même chose que ce qu'a déjà pris ce monsieur ?

– Dites, protesta le barman, je n'ai pas à tolérer ce genre de propos.

– Alors ne les tolérez pas, répliqua Deasey, se désintéressant tout à coup de la discussion. (Il grimpa sur le tabouret voisin de celui de Sammy et tapota le siège libéré par Sammy. Le barman se morfondit quelques instants dans le froid du vide conversationnel auquel Deasey l'avait soudain abandonné, puis s'écarta et prit deux verres dans le bar de derrière.) Rasseyez-vous, monsieur Clay, reprit Deasey.

Sammy obtempéra, un peu intimidé par George Deasey, comme toujours.

– Oui, j'étais là, pour répondre à votre question, concéda Deasey. Il s'est trouvé que j'étais en ville pour quelques semaines. Je vous ai vu sur la liste.

George Deasey avait abandonné le milieu des comics pendant la guerre, sans esprit de retour. Un ancien condisciple l'avait recruté dans un quelconque service de renseignements et Deasey était parti pour Washington, où il était resté après la fin de la guerre pour coudoyer des hommes comme Bill Donovan et les frères Dulles[1], ce dont il n'avait ni refusé ni accepté de parler, les rares fois où Sammy l'avait rencontré par hasard. Toujours vêtu avec originalité, il portait un de ses complets de marque Woodrow Wilson en flanelle grise, avec un col d'ecclésiastique et un nœud papillon à baguettes. Pendant qu'ils attendaient que le barman leur apporte leurs verres – le bougre

---

1. Surnommé Wild Bill Donovan, le premier est le père du renseignement américain, à l'époque où la C.I.A. s'appelait encore O.S.S. Allen Welsh Dulles (1893-1969) fut le troisième de la C.I.A. (1953-1961), et son frère, John Foster (1888-1959), secrétaire d'État. (*N.d.T.*)

prenait son temps ! – puis en avalaient une petite gorgée, Deasey demeura quelques minutes silencieux.

– Le navire coule, déclara-t-il à la fin. Vous devriez les remercier de vous avoir jeté par-dessus bord.

– Sauf que je ne sais pas nager, rétorqua Sammy.

– Ah bon ! s'exclama Deasey d'un ton léger. (Il termina son verre et fit signe au barman de lui en servir un autre.) Dites-moi, mon vieil ami Kavalier est-il vraiment de retour ? Se peut-il que l'histoire fantastique que j'ai entendue soit exacte ?

– Enfin, il n'allait pas vraiment sauter, précisa Sammy. Si c'est ce que vous avez entendu dire. Et il n'a pas non plus écrit de lettre. Tout était ... mon fils... c'est une longue histoire. Mais il habite chez moi en ce moment, ajouta Sammy. En fait, je crois que lui et ma femme...

Deasey leva une main.

– Je vous en prie, plaida-t-il. J'ai entendu assez de détails déplaisants sur votre vie privée pour aujourd'hui, monsieur Clay.

Sammy inclina la tête ; il n'allait pas discuter ce point.

– C'était vraiment quelque chose, hein ? lança-t-il.

– Oh ! vous avez été très bien, je suppose. Mais j'ai trouvé le pornographe extrêmement touchant. (Deasey se tourna vers Sammy et s'humecta les lèvres, comme pour se demander s'il devait abandonner son ton badin.) Comment tenez-vous le coup ?

Sammy tenta une nouvelle fois de savoir ce qu'il ressentait.

– Quand j'aurai dessoûlé, répondit-il, je vais probablement vouloir mettre fin à mes jours.

– Statu quo pour moi, renchérit Deasey.

Le barman abattit un autre verre de bourbon devant lui.

– Je n'en sais rien, reprit Sammy. Je devrais me sentir affreusement mal, j'en ai conscience. Honteux ou quoi encore... Je sais bien que je devrais ressentir ce que ce sale con là-bas – il agita le pouce en direction du barman – cherchait à me faire ressentir. Ce qui, j'imagine, est ce que je ressens plus ou moins depuis les dix dernières années de ma vie.

– Mais vous ne ressentez rien.

– Non, je ne ressens rien. Je me sens – le mot juste m'échappe. Soulagé, je pense.

– Je suis dans les services secrets depuis longtemps maintenant, Clay, proféra Deasey. Croyez-moi sur parole, un secret est une lourde sorte de chaîne. Je n'apprécie pas énormément vos penchants. En fait, je les trouve assez révoltants, surtout quand je vous imagine personnellement en train de vous y adonner.

– Merci beaucoup.

– Mais je ne serais guère surpris s'il s'avérait en fin de compte que le sénateur C. Estes Kefauver et ses copains venaient de vous remettre votre petite clef d'or personnelle.

– Mon Dieu ! s'exclama Sammy. Je pense que vous devez avoir raison.

– Bien sûr que j'ai raison.

Sammy était incapable de commencer même à se figurer quel effet cela devait faire, de passer une journée qui ne soit pas alimentée ou déformée par un mensonge.

– Monsieur Deasey, êtes-vous déjà allé à Los Angeles ?

– Une fois. J'ai senti que je pouvais être extrêmement heureux là-bas.

– Pourquoi n'y êtes-vous pas retourné ?

– Je suis beaucoup trop vieux pour être heureux, monsieur Clay. À la différence de vous.

– Ouais, murmura Sammy. L.A.

– Et que feriez-vous là-bas, je me le demande ?

– Je n'en sais rien. Tenter de trouver du travail à la télévision, peut-être.

– La télévision, oui, acquiesça Deasey avec une pointe de dégoût. Oui, vous devriez vous défendre.

19.

Il y en avait bien cent deux, après tout ; c'était ce qu'avait dit le bonhomme de l'entreprise de déménagement. Lui et son associé venaient de finir d'empiler la dernière d'entre elles dans le garage, autour, au-dessus et le long de la caisse contenant les restes nacrés du golem de Prague. Joe ressortit dans l'allée pour signer tous les papiers ; aux yeux de Tommy, il parut un peu comique, ébouriffé par le vent ou quelque chose, le visage rouge. Ses pans de chemise flottaient, et il sautait d'un pied sur l'autre, en chaussettes. La mère de Tommy observait la scène depuis la porte d'entrée. Elle avait retiré tous ses vêtements de ville et renfilé son peignoir. Joe signa et parapha les formulaires partout où c'était nécessaire, et les déménageurs remontèrent dans leur camion pour regagner New York. Puis Joe et Tommy retournèrent au garage et contemplèrent les caisses. Au bout d'un moment, Joe s'assit sur une d'elles et alluma une cigarette.

– Comment c'était à l'école ?

– On a regardé papa à la télé, répondit Tommy à Joe. Mr Landauer a apporté son poste en classe.

– Oui, oui, murmura Joe, en regardant Tommy avec une curieuse expression.

– Il était... enfin... il transpirait pas mal, raconta Tommy.

– Oh ! ce n'est pas vrai.

– Si, tous les élèves ont dit qu'il avait l'air en sueur.

– Qu'est-ce qu'ils ont dit d'autre ?

– C'est ce qu'ils ont dit. Je peux lire tes comic books ?

– Mais certainement, répliqua Joe. Ils sont à toi.

– Tu veux dire que je peux les avoir tous ?

– Tu es le seul à en vouloir.

La vision des caisses entassées comme des briques dans le garage donna une idée au jeune garçon · il se bâtirait un nid digne du

Bug[1]. Quand Joe rentra à la maison, Tommy se mit à tirer et à pousser les piles ici et là. Au bout d'une heure, il avait réussi à transférer de l'espace depuis les bords vers le centre, en se creusant un refuge au creux de la pyramide. Une cabane de Peau-Rouge en bois de pin noueux et raboteux, ouverte au sommet pour laisser entrer la lumière de la faîtière et à laquelle on accédait par un étroit passage, dont il dissimula l'entrée par un tas de trois caisses faciles à bouger. Une fois ces aménagements terminés, il se laissa tomber à quatre pattes et rampa à plat ventre par le Boyau d'accès dérobé jusqu'à la Cellule secrète du nid du Bug. Là, mâchouillant un crayon, il lut des illustrés et rendit inconsciemment hommage, dans son igloo de solitude, aux galeries de glace où son père avait autrefois échoué.

En mordillant la bague métallique striée de son crayon, ce qui suscita une douleur électromagnétique mêlé d'un goût acide dans l'amalgame d'une dent, le Bug remarqua qu'une des caisses qui constituaient les murs de son Nid était plus ou moins différente des autres : noircie par le temps, hérissée d'éclats, de forme plus fuselée que les autres caisses du magot de Joe. Il roula sur les genoux et rampa dans sa direction. Il la reconnaissait. Il l'avait vue mille fois dans les années précédant l'arrivée des affaires de Joe, cachée sous une bâche au fond du garage, avec un paquet d'autres vieilleries : un fabuleux tourne-disques Capehart automatique mais tristement défunt, une boîte inexplicable, pleine de peignes pour hommes. La caisse avait un couvercle à claire-voie branlant, grossièrement maintenu par des charnières faites de boucles de gros fil de fer, et un fermoir dans le même fil de fer tordu, attaché avec un bout de ficelle verte. Des mots français et le nom de France étaient tamponnés, ou peut-être gravés, sur ses flancs ; il devina qu'elle avait contenu jadis des bouteilles de vin.

Pour n'importe quel petit garçon, mais en particulier pour celui dont la chronique tenait dans le brouhaha d'une salle pleine d'adultes se taisant tous en même temps, le contenu de la caisse de vin, momifié par la poussière et les intempéries en une espèce de bloc

1. À cette époque de l'histoire de la bande dessinée, c'était seulement la marque des héros couronnés de succès d'avoir un repaire secret. Superman avait sa Forteresse de Solitude, Batman sa grotte, les Blackhawks leur Blackhawk Island battue des vents et l'Artiste de l'évasion ses meublés chics sous les planchers de l'Empire Palace. Ces redoutes étaient parfois décrites dans des planches montrant des plans en coupe détaillés du repaire secret ; chaque écran de téléviseur 3D, plate-forme pour hélicoptères escamotable, Salle des trophées et Galerie des criminels étaient soigneusement marqués par des flèches. Un seul de ces schémas en coupe a été publié pour le Trou de serrure, un dessin spécial double page détachable au milieu du n° 46 des *Aventures de l'Artiste de l'évasion.* (*N.d.A.*)

d'oubli massif, aurait paru un trésor. Avec la précision d'un archéologue, sans oublier qu'il lui faudrait tout remettre dans l'état où il l'avait trouvé, il en détacha les couches une par une, inventoriant les survivances fortuites de sa préhistoire.

- Un exemplaire du premier numéro de *Radio Comics*, glissé dans une pochette en plastique verte transparente. Les pages jaunies et, dans la main, épaisses et gonflées. La source même, le cœur palpitant de l'odeur de vieille couverture dégagée par la caisse.
- Une deuxième pochette en plastique verte, celle-ci bourrée de vieilles coupures de journaux, entrefilets de presse et réclames pour le grand-père de Tommy, le fameux hercule de music-hall, la Molécule Majuscule. Découpés dans les journaux à travers tous les États-Unis, typographie bizarre, style plus ou moins pâteux et difficile à suivre, rempli de termes d'argot obscurs et d'allusions à des chansons et à des célébrités oubliées. Quelques photos d'un petit homme ne portant qu'un pagne d'étoffe, dont la morphologie musculeuse avait un aspect compact, rembourré, semblable à celle de Buster Crabbe[1].
- Un dessin, plié et à moitié désagrégé, du golem, plus corpulent et aux allures en quelque sorte plus campagnardes que le héros de l'épopée de Joe, chaussé de gros souliers ferrés, en train de dévaler à grandes enjambées une rue éclairée par la lune. Bien que reconnaissable, le trait de Joe était plus sommaire, plus hésitant, plus proche de celui de Tommy.
- Une enveloppe contenant le talon déchiré d'un ticket de cinéma et un cliché possédant du grain, jauni et découpé dans un journal, de la séduisante actrice mexicaine Dolores del Río.
- Une boîte de papier à lettres inutilisé au nom de Kavalier & Clay, qui restait de l'avant-guerre, avec pour en-tête un charmant portrait de groupe de tous les divers personnages aux superpouvoirs et autres – Tommy ne reconnut avec certitude que l'Artiste de l'évasion, le Monitor et Papillon Lune – pondus à cette époque par l'équipe de Kavalier & Clay.
- Une enveloppe de papier kraft contenant un grand portrait en noir et blanc d'un bel homme aux cheveux qui brillaient comme une plaque de chrome moulé. La bouche était un trait fin et dur, mais les yeux gardaient de la joie en réserve, comme si le visage allait s'épanouir en un sourire. La mâchoire carrée, une fossette au menton. Dans le coin inférieur droit de la photo, une

1. Athlète américain né en 1907, vedette de films de série B : *Flash Gordon's Trip to Mars* (1938), *Buck Rogers* (1939), etc. (*N.d.T.*)

inscription signée Tracy Bacon, d'une grosse écriture pleine de boucles : « À celui qui m'a rêvé, avec toute mon affection ».

– Une paire d'épaisses chaussettes de laine au bout orange, dans une pochette en carton imprimée de deux bandes orange. Entre les bandes, un dessin stylisé d'une belle flambée dans une cheminée de campagne et le mot KO-ZEE-TOS en grosses lettres orange.

Puis, tordue, gondolée et à l'abandon au fond de la caisse, une bande de quatre photos de photomaton de sa mère et de Joe. Ils souriaient de toutes leurs dents, éblouis par la lumière du flash, les yeux exorbités, leurs joues et leurs tempes pressées l'une contre l'autre, puis échangeaient un baiser héroïque, les paupières lourdes, comme deux vedettes sur une affiche de cinéma. Sur les clichés, ils avaient l'air ridiculement frêles et jeunes. Et si bêtement amoureux que c'était évident même pour Tommy, un jeune garçon de douze ans qui n'avait jamais auparavant regardé de couple de sa vie avec la pensée consciente : « Ces deux-là sont amoureux. » Comme par magie, il entendit alors leurs voix, leurs rires, puis la poignée tourner, et les gonds de la porte grincer. Vite, il se remit à ranger les objets qu'il avait sortis de la boîte.

Le bruit de succion de leurs lèvres qui se touchaient et se séparaient, le tintement de leurs dents ou des boutons de leurs vêtements résonnaient encore dans ses oreilles.

– J'ai du travail, dit sa mère à la fin. « L'amour m'a métamorphosée en guenon. »

– Ah ! s'exclama-t-il. Ton autobiographie.

– Tais-toi.

– Et si je préparais le dîner, suggéra-t-il. Pour que tu puisses continuer à travailler...

– Hé ! ce serait chic. Inouï ! Il te faut peut-être faire attention. Je risque de m'y habituer.

« Ces deux-là sont amoureux. »

– As-tu déjà parlé à Tommy ? s'enquit-elle.

– En quelque sorte.

– En quelque sorte ?

– Je n'ai pas trouvé le moment.

– Joe, il faut que tu le lui dises.

La pochette remplie de souvenirs de la carrière de la Molécule Majuscule glissa de la main de Tommy. Des photos et des coupures de journaux voltigèrent partout. En essayant de les ramasser, il se cogna contre la caisse, dont le couvercle se referma avec un craquement grinçant.

– Qu'est-ce que c'était ?

– Tommy ? Oh, mon Dieu ! Tommy, tu es là ?

Tapi dans la cavité obscure de son sanctuaire, il pressait le ruban de photomatons contre son cœur.

– Non, répondit-il au bout d'un moment, conscient que c'était, sans conteste, le mot le plus pathétique qu'il eût jamais prononcé de sa vie.

– Laisse-moi, entendit-il Joe dire. (Après un raclement de caisses, quelques grognements, la tête de Joe pointa dans la Cellule secrète. Il s'était faufilé à plat ventre par le passage. Il s'appuya sur ses coudes, les bras croisés sous la poitrine. De près, son teint était brouillé, ses cheveux tout en épis et en chiendent.) Hé, fit-il. Salut.

– Salut !

– Qu'est-ce que tu fabriques ?

– Rien.

– Alors, reprit Joe, je parie que tu as peut-être entendu quelques trucs qu'on disait dehors.

– Ouais.

– Je peux venir ?

C'était sa mère.

– Je ne crois pas qu'il y ait la place, Rosa.

– Mais si.

Joe regarda Tommy.

– Qu'en penses-tu ?

Tommy haussa les épaules, il hocha la tête. Joe rampa et se tassa à l'intérieur, accroupi contre la paroi de la Cellule, les hanches coincées contre celles de Tommy. La tête de la mère de Tommy apparut, les cheveux relevés à la diable dans un foulard, les lèvres visibles sous son rouge à lèvres. Tommy et Joe tendirent chacun une main et la tirèrent auprès d'eux. Elle se remit en position assise, poussa un soupir et lança joyeusement « Eh bien ! », comme s'ils s'étaient installés tous ensemble sur un plaid à l'ombre, au bord d'un ruisseau moucheté de soleil.

– J'allais justement raconter une histoire à Tommy, poursuivit Joe.

– Oui, oui, acquiesça Rosa. Vas-y.

– Ce n'est pas quelque chose que je... j'y suis plus habitué... avec des images, tu sais ? (Il déglutit, fit craquer ses articulations et prit une profonde inspiration. Il ébaucha un pâle petit sourire, puis décrocha un stylo de la poche de sa chemise.) Je devrais peut-être la dessiner. Ha ! ha !

– J'ai déjà vu les images, lança Tommy.

Sa mère se pencha pour regarder avec Joe les deux êtres qu'ils avaient été autrefois.

– Oh, mon Dieu ! s'écria-t-elle. Je m'en souviens. C'est le soir où nous avons emmené ta tante au cinéma. Dans le hall du Loew's Pitkin...

Ils se rapprochèrent tous un peu plus, puis Tommy s'allongea, la tête sur les genoux de sa mère. Elle lui caressa les cheveux et il écouta Joe discourir un moment sans conviction sur les choses qu'on fait quand on est jeune, les erreurs qu'on commet et le frère mort de qui Tommy tenait son nom, ce petit garçon incroyable qui n'avait pas eu de chance. Et comment tout était différent alors, parce qu'il y avait la guerre, à quoi Tommy objecta qu'il y avait aussi eu, jusqu'à récemment, une guerre en Corée. Joe répondit que c'était vrai, et c'est à ce moment-là que Rosa et lui avaient compris tous les deux que le gamin n'écoutait plus ce qu'ils lui racontaient. Il restait simplement allongé là, en tenant la main de son père, pendant que sa mère dégageait la frange de son front.

– Je crois que tout va bien, déclara finalement Joe.

– Bon, acquiesça Rosa. Tommy ? Tu vas bien ? Tu comprends tout ça ?

– Je crois que oui, répondit le petit garçon. Seulement...

– Seulement quoi ?

– Seulement que devient papa ?

Sa mère soupira et lui promit qu'ils allaient devoir y songer.

20.

Sammy s'introduisit dans la maison. Il était minuit passé. Il n'avait pas bu une goutte, et dans ses poches se trouvaient des tickets pour la Broadway Limited et la ville de Los Angeles. Le séjour était allumé ; il vit que Joe s'était endormi dans le fauteuil, avec un de ses vieux livres poussiéreux sur la Kabbale ou Dieu savait quoi – le volume IV des *Légendes des Juifs* de Ginzberg – dressé comme une tente sur ses genoux. Une bouteille de Piels à moitié vide était posée sur un dessous de verre en raphia, sur la table en bois de pin à côté de lui. À l'entrée de Sammy, Joe se réveilla vaguement et changea de position sur son siège, levant une main pour protéger ses yeux de l'éclat de l'ampoule. Il dégageait un relent soporifique de bière et de tabac froid.

– Hé !

– Hé ! répondit Sammy. (Il s'avança vers Joe et posa une main sur son épaule. Il en pétrit les muscles, qui étaient durs et noueux au contact.) Tout le monde va bien ? Tommy va bien ?

– Mmm.

Joe inclina la tête, puis referma les yeux. Sammy éteignit la lumière. Il se dirigea vers le canapé, prit une couverture pêche et moutarde – une des rares choses tricotées par sa mère et sa seule relique visible dans la vie de Sammy –, la porta jusqu'au fauteuil et la drapa autour de Joe, veillant à bien couvrir les bouts orange de ses chaussettes.

Sammy s'engagea ensuite dans le couloir et entra dans la chambre de Tommy. Dans la bande lumineuse venant du couloir, il vit que Tommy avait rampé à l'autre bout du lit dans son sommeil et reposait le visage écrasé contre le mur. Il s'était entièrement découvert ; il portait un pyjama bleu pastel avec un liseré blanc aux revers et aux poignets (Sammy, naturellement, en possédait un identique). Tommy était un dormeur très tonique et, même après que Sammy lui eut écarté la tête du mur, le petit garçon continua à renifler et à tressaillir, avec une respiration si rapide qu'on eût presque prise pour le halètement d'un chien. Sammy commença à reborder les couvertures. Puis il s'interrompit et resta simplement là, à contempler Tommy, à l'aimer et à ressentir l'habituel spasme de honte à la pensée que c'était pendant qu'il regardait le gamin dormir qu'il se sentait le plus père. Ou plus exactement le plus heureux d'en être un.

Il avait été un père indifférent, meilleur que le sien, peut-être, mais cela ne voulait pas dire grand-chose. Quand Tommy était encore un têtard inconnu dans le ventre de Rosa, Sammy avait juré de ne jamais lui donner le sentiment d'être abandonné, de ne jamais le laisser tomber. Et jusque-là, jusqu'à ce soir-là, il avait réussi à tenir sa promesse, même s'il y avait eu des fois – le soir où il avait décidé d'accepter cette place à Gold Star Comics, par exemple – où ç'avait été difficile. Mais la vérité, c'était que, malgré toutes ses nobles intentions, si on ne comptait pas les heures où l'enfant dormait, alors Sammy avait raté la plus grande partie de son enfance. Comme beaucoup de petits garçons, pensa Sammy, Tommy avait grandi en l'absence de celui qu'il appelait son père, dans les intervalles entre les rares heures qu'ils passaient ensemble. Sammy se demanda si l'indifférence qu'il avait reprochée à son propre père n'était pas après tout, non le trait de caractère particulier d'un homme, mais une caractéristique paternelle universelle. Les « jeunes pupilles » qu'il assignait couramment à ses héros – une tendance qui devait entrer dans la tradition de la bande dessinée et hanter Sammy pour le restant de ses jours – représentait peut-être l'expression, non d'un point faible de sa personnalité, mais d'un désir plus profond et plus universel.

Le docteur Fredric Wertham était un imbécile. Il était évident que Batman n'avait pas l'intention, consciente ou inconsciente, de dépraver Robin ; il était censé remplacer son père et, par extension, tous les pères absents, indifférents, invisibles des petits Américains lecteurs de comics. Sammy regretta de ne pas avoir eu la présence d'esprit de déclarer devant la sous-commission que l'introduction d'un petit copain dans une bande dessinée au héros costumé garantissait une augmentation de vingt-deux pour cent de son tirage.

Mais quelle importance ? Mieux valait ne pas se défendre du tout. C'était fini maintenant. Il n'avait pas d'autre choix que de se libérer.

Pourtant Sammy semblait ne pas pouvoir s'arracher de la chambre de Tommy. Il resta là, au pied du lit, cinq bonnes minutes, à se repasser l'historique du sommeil dans cette pièce, depuis l'époque du bébé qui dormait sur le ventre au centre d'un berceau en fer émaillé, les jambes repliées sous lui, avec son touh'ès rembourré par la couche qui pointait dans les airs. Il se remémora une période que

Rosa avait baptisée « le délire nocturne[1] », quand Tommy avait deux ou trois ans. Le petit se réveillait toutes les nuits en hurlant comme s'il était écorché vif et aveuglé par l'horreur de ce qu'il venait de voir dans ses rêves. Ils avaient essayé une veilleuse, un biberon, une comptine, mais la seule chose susceptible de l'apaiser, en l'occurrence, c'était d'avoir Sammy dans son lit. Sammy caressait alors les cheveux de l'enfant à en avoir mal au poignet, à l'écoute de sa respiration, jusqu'au moment où tous les deux s'assoupissaient. Ç'avait été l'apogée de sa carrière de père ; c'était arrivé aussi en pleine nuit, quand l'enfant dormait.

Sammy se déchaussa et entra dans le lit. Il se retourna, s'étendit sur le dos, croisa les mains sous la tête en guise d'oreiller. Il pouvait peut-être rester là juste un moment, avant d'aller chercher sa valise au garage. Il s'avoua qu'il courait le risque de s'endormir – la journée avait été longue et il était exténué –, ce qui ruinerait son projet de partir de nuit. Et il n'était pas non plus assez convaincu de la justesse de sa décision pour donner à Rosa et à Joe, ou à quiconque, l'occasion de tenter de l'en dissuader. Mais c'était très agréable d'être étendu aux côtés de Tommy et de l'écouter encore dormir après si longtemps.

– Salut, papa, murmura Tommy, groggy, l'air désorienté.

– Ah ! (Sammy sursauta.) Hé, fiston !

– Tu as attrapé le singe ?

– De quel singe parles-tu, fiston ? demanda Samy.

Tommy agita la main en cercle, agacé de devoir tout expliquer une fois de plus.

– Le singe avec le machin, avec la spatule...

– Non, répondit Sammy. Je suis désolé. Il court toujours.

Tommy hocha la tête.

– Je t'ai vu à la télé, dit-il, l'air désormais plus réveillé.

– Ah, ouais ?

– Tu as été sensass.

– Merci.

– Mais tu avais l'air de transpirer un peu.

– Je transpirais à grosses gouttes, Tom.

– Papa ?

– Ouais, fiston ?

– Tu m'écrases un peu.

– Excuse-moi, chuchota Sammy, qui s'écarta légèrement de Tommy.

---

1. *Jeebies.* (Cf *It's Giving Me The Jeebies*, Dick Turner, dessin humoristique sous licence de N.E.A., *National Education Association*, 11 octobre 1951.) (*N.d.T.*)

Ils restèrent étendus là. Tommy se retourna avec un petit grognement de contrariété ou d'exaspération.

– Papa, tu es trop grand pour ce lit.

– D'accord, dit Sammy en s'asseyant. Bonne nuit, Tom.

– B'nuit.

Sammy suivit le couloir pour aller dans la chambre. Rosa aimait dormir dans l'obscurité totale, avec les stores baissés et les rideaux tirés, et ce n'est pas sans faux pas ni tâtonnements que Sammy trouva le chemin du vestiaire. Il referma la porte derrière lui et tira le cordon de la lumière. À la va-vite il descendit une valise en cuir blanc balafré et la remplit d'affaires prises à la tringle de la penderie ou dans la commode encastrée. Il faisait ses bagages pour un climat chaud : chemises en popeline et costumes légers, un gilet, sous-vêtements, boxers, chaussettes et fixe-chaussettes, cravates, maillot de bain, une ceinture marron et une noire, fourrant tout dans le sac à la hâte, au hasard et sans soin. Après avoir fini, il éteignit la lumière et se faufila dans la chambre, ébloui par le tourbillon de motifs géométriques style tapis persan qui lui emplit soudain les yeux. Il regagna le couloir, en se félicitant de ne pas avoir réveillé Rosa, et retourna à la cuisine. Il allait juste se préparer un sandwich, croyait-il. Son esprit était déjà occupé à rédiger le mot qu'il prévoyait de laisser.

Mais, à un ou deux mètres de la cuisine, il sentit l'odeur de la fumée.

– Tu m'as encore eu, murmura-t-il.

En peignoir, Rosa était assise devant sa citronnade chaude, son cendrier et les vestiges d'un gâteau entier. La phosphorescence nocturne de Bloomtown, un composé de réverbères, de lumières des vérandas, de phares des voitures de passage, de l'éclairage de la route nationale et de la lueur diffuse dans les nuages bas de la grande ville distante de cent kilomètres, entrait par les rideaux en plumetis et s'égrenait sur la bouilloire, le pendule et le robinet de cuisine qui fuyait.

– Tu tiens une valise, observa Rosa.

Sammy baissa les yeux sur l'objet incriminé, comme pour confirmer sa déclaration.

– Exact, répondit-il, semblant un peu surpris même à ses propres oreilles.

– Tu pars.

Il ne répondit pas.

– Je pense que c'est logique, déclara-t-elle.

– N'est-ce pas ? répliqua-t-il. Je veux dire, réfléchis.

– Si c'est ce que tu veux faire. Joe allait essayer de te convaincre de rester. Il a une espèce de projet. Et puis, bien sûr, il y a Tommy.

– Oui, Tommy.

– Tu vas lui briser le cœur.
– C'est du gâteau ? s'enquit Sammy.
– Je ne sais pas pourquoi mais j'ai fait un gâteau mousseline rouge, répondit Rosa. Glacé avec des crêtes.
– Tu es ivre ?
– J'ai bu une bouteille de bière.
– Tu aimes cuisiner quand tu es ivre.
– Pourquoi cela ? (Elle fit glisser à travers la table de cuisine les restes éboulés du gâteau mousseline rouge glacé avec des crêtes.) En tout cas, reprit-elle, je me suis crue obligée d'en manger les trois quarts, semble-t-il.

Sammy se dirigea vers le tiroir de cuisine et en sortit une fourchette. Il n'avait pas du tout faim en s'attablant, mais il prit quand même une bouchée de gâteau et ne put plus s'arrêter avant d'avoir fini ce qui restait. Le dessus glacé crissait et fondait entre ses dents. Rosa se leva pour lui servir un verre de lait, puis se posta derrière lui pendant qu'il buvait, lui ébouriffant les petits cheveux de la nuque.
– Tu ne m'as pas dit, lança Sammy.
– Je ne t'ai pas dit quoi ?
– Ce que tu veux que je fasse.

Il se renversa en arrière, la tête contre le ventre de Rosa. Soudain il était las. Il avait eu pour plan de partir tout de suite, afin de faciliter son départ, mais se demandait maintenant s'il ne devait pas plutôt attendre le lendemain matin.
– Tu sais bien que je veux que tu restes, murmura-t-elle. J'espère que tu le sais. Mon Dieu, Sammy, rien ne me ferait plus plaisir.
– Pour prouver ta théorie, c'est ce que tu dis.
– Oui.
– Comme quoi personne ne peut nous dicter notre conduite, absolument personne, et mêlez-vous de vos oignons. Voilà !

Elle cessa de lui caresser les cheveux. Il devina qu'elle avait perçu du sarcasme dans sa voix, même si lui-même ne se sentait pas du tout sarcastique. En réalité, il l'admirait parce qu'elle était prête à agir pour son bien à lui et l'avait toujours été.
– C'est juste, reprit-il, que j'ai besoin de prouver une autre théorie, je crois.

Un toussotement se fit entendre. Ils se retournèrent et virent Joe planté dans l'encadrement de la porte, les cheveux dressés sur la tête, la bouche ouverte, clignant des yeux pour tenter de chasser une vision qui lui était pénible.
– Est-ce qu'il... tu ne pars pas ?
– Quelque temps, répondit Sammy. Au moins.
– Où comptes-tu aller ?

– Je pensais à Los Angeles.

– Sammy, commença Joe, faisant vers Sammy un pas qui n'avait rien de menaçant. Merde ! Tu ne peux pas...

Sammy recula légèrement et leva le bras comme pour se protéger de son vieil ami.

– Calme-toi, Joe. J'apprécie tes sentiments, mais je...

– Il ne s'agit pas de sentiments, imbécile. Après t'avoir quitté ce matin, j'ai foncé là-bas et fait une offre pour Empire Comics. Pour racheter la maison. Et Shelly Anapol l'a acceptée.

– Comment ? Une offre ? Mais, Joe, es-tu fou ?

– Tu m'as dit que tu avais des idées. Tu m'as dit que je t'avais réveillé.

– Ouais, c'est vrai, mais je veux dire... Seigneur ! comment as-tu pu aller faire ça sans me demander d'abord mon avis ?

– C'est mon argent, trancha Joe. Tu n'as pas voix au chapitre.

– Hein ? émit Sammy. (Et puis encore :) Hein ? Bon. (Il s'étira et bâilla.) Je pourrais peut-être écrire mes histoires là-bas et te les envoyer par la poste, je ne sais pas. On verra. Je suis trop crevé pour discuter maintenant. D'accord ?

– Voyons, tu ne vas pas partir ce soir, Sam, ne sois pas dingue. C'est trop tard. Il n'y a plus de train à cette heure-ci.

– Reste au moins jusqu'à demain matin, supplia Rosa.

– Je peux dormir sur le canapé, je pense, concéda Sammy.

Rosa et Joe se regardèrent, saisis, alarmés.

– Sammy, Joe et moi ne sommes pas... ce n'est pas parce que... nous n'avons pas...

– Je sais, la coupa Sammy. Le canapé est parfait. Tu n'as même pas à changer les draps.

Rosa répliqua que, même si Sammy était peut-être pleinement disposé à embrasser la vie de clochard, il n'était pas question qu'il entamât sa nouvelle carrière dans sa maison. Elle alla au placard à linge et rapporta des draps et une taie d'oreiller frais. Elle mit de côté la pile bien nette du linge sale de Joe et déplia le propre, bordant, lissant et rabattant la couverture afin d'exposer l'envers lisse du drap à fleurs avec un beau pli diagonal. Sammy surveilla les opérations et en fit tout un plat, répétant à quel point tout cela lui paraissait appétissant après la journée qu'il avait passée. Quand elle lui permit de s'asseoir, il rebondit sur la banquette, se déchaussa et puis se renversa en arrière avec le soupir heureux d'un homme courbatu qui se glisse dans un agréable bain chaud.

– Cette situation me paraît très étrange, observa Rosa.

D'une main, elle agrippait la taie d'oreiller remplie des anciens draps de Joe tel un sac et, de l'autre, tamponnait les larmes de ses yeux.

– Elle est étrange depuis le début, la rassura Sammy.

Rosa inclina la tête. Puis elle tendit son sac de linge sale à Joe et sortit dans le couloir. Joe resta un moment planté devant le canapé. Il regardait Sammy avec une mine perplexe, comme s'il tentait de retracer une par une les phases de l'habile tour de substitution que son cousin venait de mener à bien.

Lorsque la maisonnée se réveilla le lendemain matin, relativement de bonne heure, le canapé avait été défait, les draps laissés pliés sur la table basse, avec l'oreiller en équilibre au sommet, et Sammy et sa valise avaient depuis longtemps disparu. En guise de mot ou de geste d'adieu, il avait seulement posé, au beau milieu de la table de cuisine, l'insignifiante petite carte qu'on lui avait donnée en 1948, quand il avait acheté le terrain sur lequel la maison avait été construite. Elle était froissée, écornée et salie par les longues années passées dans le portefeuille de Sammy. En la ramassant, Rosa et Joe s'aperçurent que Sammy avait pris un stylo pour barrer d'un trait appuyé le nom de la famille plus que théorique qui était imprimé au-dessus de l'adresse et inscrire à la place, encadrés dans un joli rectangle noir et liés par une esperluette, les patronymes Kavalier & Clay.

Annexes

Les informations suivantes n'existent pas dans l'édition originale. Concernant l'univers des bandes dessinées et des écrivains américains, elles nous ont paru apporter un éclairage nécessaire au texte de Michael Chabon.

Toutes les recherches ont été effectuées par la traductrice, Isabelle D. Philippe.

Première partie
L'Artiste de l'évasion

S.J. Perelman : Romancier et scénariste américain (1904-1979). Juif d'origine russe, ami de Nathaniel West, il rêvait de devenir dessinateur. Collaborateur des Marx Brothers sur *Monkey Business* et *Un jour aux courses*, il devint célèbre avec *Le Tour du monde en 80 jours* (1956). Représentatif de l'esprit du *New Yorker*, il compte parmi les humoristes et les stylistes les plus importants de la littérature américaine.

Clifton Fadiman : Écrivain et célèbre animateur de radio et de télévision, il a également collaboré au *New Yorker*.

Theodore Dreiser (1871-1945) : Auteur d'*Une tragédie américaine* (1925). Père du naturalisme américain, il exposa les problèmes sociaux liés à l'industrialisation.

Microbe Hunters, ***Les Chasseurs de Microbes*** : livre de Paul de Kruif (1926).

Zarkovien : D'après le docteur Hans Zarkov, ami de Flash Gordon (première parution le 7 janvier 1934).

Rockwell et **Leyendecker** étaient des peintres, auteurs de couvertures pour le *Saturday Evening Post*. **Alex Raymond** et **Milton Caniff** étaient de célèbres cartoonists. Raymond créa *Flash Gordon*, *Rip Kirby, Agent Spécial X 9*, entre autres, et Caniff créa *Terry and the Pirates*, *Chic and Noodles.*

Chester Gould : Auteur de *Dick Tracy.* **Burne Hogarth** : Remplaçant de **Harold Foster** sur *Tarzan*. **Lee Falk** : Auteur de *The Phantom* (en français, *Le Fantôme du Bengale*), *Mandrake le Magicien*. **George Herriman** : Auteur de *Krazy Kat*. **Harold Gray** : auteur de *Little Orphan Annie*. **Elzie Crisler Segar** : Auteur de *The Thimble Theater* et de *Popeye*.

Deuxième partie
Un tandem de gamins géniaux

Prince Valiant : Création de Harold ou Hal Foster (1937).
Action Comics : Revue éditée par Harry Donenfield. Le premier numéro (juin 1938) présente Superman en couverture.
Hal ou Harold Foster : auteur de *Prince Valiant*.
Li'l Abner et ***Abbie'n'Slats*** ont pour auteur Al Capp, ***Krazy Kat*** George Herriman et ***Gasoline Alley*** Frank King.
More Fun : Réédition des premiers strip comics New Fun Comics, avec *Oswald The Rabbit* (1935).
The Shadow fut créé par Walter B. Gibson et ***Dragon Lady*** apparaît dans *Terry et les Pirates* de Milton Caniff.
Doc Savage : Super-héros créé par Lester Dent et Walter B. Gibson.
Action Comics présenta Superman en juin 1938 et ***Detective Comics*** le non moins célèbre Batman en mai 1939.
L'Homme-Faucon : *Hawkman*, réincarnation d'un ancien prêtre d'Égypte, édité par Detective Comics, qui publia aussi les aventures de Superman et de Batman.
L'Homme-Feu et **l'homme-Eau** : respectivement, la Torche humaine et Submariner, édités en 1939 par la Marvel Publishing Company.
John Held et **Tad Dorgan** : John Held était illustrateur (1889-1958), de même que Tad Dorgan, connu pour son personnage du juge Runny (1877-1929).
Alfred Caplin : Mieux connu sous le pseudonyme d'**Al Capp**. Célèbre dessinateur, père des non moins célèbres comic strips *Li'l Abner.* Membre d'une famille bizarre (*The Yokum Family*) habitant la commune imaginaire de Dogpatch, États-Unis, Li'l Abner amuse follement le public américain depuis sa naissance, en 1934.
Schmoo : Être imaginaire bénéfique, mi-humain, mi-oiseau, qui apparaît dans *Li'l Abner* d'Al Capp.
Fritzi Ritz est l'héroïne de *Nancy*, bande typique des années 1920 sur une jolie jeune fille. **Blondie Bumstead** est le personnage éponyme du comic strip créé par Chic Young. On trouve **Daisy Mae** dans *Li'l Abner* d'Al Capp et **Dalie Arden** dans *Flash Gordon* d'Alex Raymond.
Elzie Crisler Segar (voir note en annexe de la première partie) et **George McManus** : Le premier est le créateur de *Popeye* et le second de *La Famille Illico* (*Bringing up Father*).
Craig Flessel : Auteur de *Boy Commandos.*
James Montgomery Flagg : Peintre et illustrateur, auteur notamment de l'image de l'Oncle Sam.
Al Capp : Voir plus haut Alfred Caplin.
John Steinbeck a remporté le prix Pulitzer de l'année 1940 pour ***Les Raisins de la colère***.

Troisième partie
La guerre des illustrés

Louis Fine : À qui l'on doit The Flame.
Popeye ou ***Toonerville Tramway*** : Œuvres respectivement d'Elzie Segar et de Fontaine Fox.

Thuggee : Membre d'une confrérie religieuse de l'Inde consacrée à Kali et adepte du meurtre rituel par strangulation. S'agit-il alors du livre de James Sleeman, *Thug or a million murders* (1920), où il écrit à propos de son grand-père W.H. Sleeman qu'il a démantelé l'association criminelle la plus importante du XIXe siècle, Thuggee ?

W. H. Auden et **Christopher Isherwood** : célèbres poètes anglais, connus aussi pour leur homosexualité.

Peter Blume (1906-1992), est un artiste américain d'origine russe auteur du tableau *La Cité éternelle*, où Mussolini est représenté avec une tête verte. **Edwin Dickinson** (1891-1978), proche de Georgia O'Keefe, se situe plutôt dans le courant moderniste. Quant à **Joseph Cornell** (1903-1973), marqué par Max Ernst et auteur de *The Hotel Eden*, il fabriqua des centaines de boîtes où il rangeait divers objets.

Ignatius Donnelly : Visionnaire futuriste qui publia *L'Atlantide, le monde diluvien* en 1882.

Jules Feiffer : Scénariste de *Popeye*.

The Human Torch et **Sub-Mariner** : Super-héros créés par Jack Kirby.

Will Eisner et **Victor Fox** : Auteurs respectifs de *Wonder Man*, *Captain Marvel Adventures* et de *Blackhawks*.

Quatrième partie
L'âge d'or

Whitman's Big Little Books : Édition des premiers livres illustrés, prisés des collectionneurs pour leurs couleurs vibrantes, leur format et leur typographie, où furent publiés *The Adventures of Dick Tracy Detective* ou *Little Orphan Annie*. Douze titres parurent de 1934 à 1938.

Irwin Shaw et **Ben Hecht** : Tous deux sont passés par l'école du *New Yorker*, le premier, né en 1913, est l'auteur du *Bal des Maudits* (1948), tandis que le second (1893-1964) est connu surtout comme dramaturge.

Little Nemo in Slumberland : « Petit Nemo au pays du sommeil », célèbre B.D. fantastique de Winsor McCay publiée tous les dimanches dans le *New York Herald* de 1905 à 1911.

Lion Feuchtwangler (1884-1958), écrivain allemand naturalisé américain qui, dans ses romans, met l'accent sur la destinée du peuple juif (*Le Juif Süss*). **Oswald Spengler**, lui, étudia le destin et le déclin de l'Occident et certaines de ses thèses furent utilisées par le national-socialisme (*Le Déclin de l'Occident*, *Prussianisme et Socialisme*).

L'Incendie de Los Angeles : Ouvrage de Nathaniel West.

Mutt-and-Jeff : Mutt and Jeff, Débrouillard et Tire-au-flanc. Strip comic de Bud Fisher qui réunit un gros malin habitué des champs de courses et un petit gros qui se prend pour un boxeur.

Mongo : Cette planète apparaît dans *Flash Gordon* (*Guy L'Éclair*, en français).

Joseph P. Lash : Le « vieux lion », auteur de la biographie classique des Roosevelt, *Eleanor et Franklin*. Lui-même aurait été l'amant secret de la Première dame des États-Unis.

Rusty : Allusion à la B.D. *Rusty et les Peaux-Rouges*, histoire de chasseurs de fourrures.

Sixième partie
La Ligue de la clef d'or

Corail : Allusion aux aventures de Captain Marvel, de Gene Fawcett.

Sax Rohmer, Walter Gibson, H. Rider Haggard, Rex Stout : Le premier est l'auteur des histoires du Dr Fu Manshu, le second est le créateur de *The Shadow*, le troisième est l'auteur du roman *Les Mines du roi Salomon* et de *She*, et le dernier écrivait des romans policiers (*L'Homme à l'orchidée*).

Spiegelman : Clin d'œil à Art Spiegelman, auteur de la terrible bande dessinée *Maus* (*Un survivant raconte : I Mon père saigne l'Histoire ; II Et c'est là que mes ennuis commencent*), parue en français aux Éditions Flammarion (1987, rééditée en 2001).

John Buchan : Auteur de 30 thrillers, notamment *Les Trente-Neuf Marches*, de romans historiques et aussi de 7 recueils de poèmes.

John O'Hara : Romancier américain (1905-1970) de l'école des « durs », dont les livres traitent de la désintégration humaine en milieu urbain et qui comportent un usage intensif de l'argot new-yorkais.

Bernard Krigstein : Peintre, il commença à travailler pour E.C. en 1943 et est considéré comme un des génies des comics (1919-1990).

E.C. : La légendaire maison d'édition Educational Comics, créée par Max Charles Gaines, devint Entertainment Comics sous la férule du fils.

Heap : Monstre d'*Air Fighter Comics* (1942), qui serait inspiré de It, personnage de Theodore Sturgeon.

La Séduction de l'innocence : Les activités de ladite Commission et le livre du bon docteur furent à l'origine, en octobre 1954, de la création par les maisons d'édition de leur propre organisme de contrôle, le « Code Comics Authority ».

Speedy : Alias Green Arrow, la Flèche verte, qui parut pour la première fois dans *More Fun Comics* de novembre 1941.

Note de l'auteur

Je suis redevable à Will Eisner, à Stan Lee et, en particulier, au défunt Gil Kane d'avoir bien voulu partager avec moi leurs souvenirs de l'âge d'or, à Dick Ayers, Sheldon Moldoff, Martin « Green Lantern » Nodell, ainsi qu'à Marv Wolfman et Lauren Shuler Donner d'avoir fourni des introductions à certains de ces géniaux créateurs. Merci également à Richard Bensam et à Peter Wallace pour leurs jugements experts. Roger Angell, Kenneth Turan, Cy Voris, Rosemary Graham, Louis B. Jones, Lee Skirboll et l'héroïque Douglas Stumpf m'ont aimablement fait bénéficier de leur générosité et de leur intelligence en lisant chemin faisant des brouillons ou des parties de ce livre. Je suis aussi reconnaissant à Eugene Feingold, Ricki Waldman, Kenneth Turan et Robert Chabon de la mémoire de leurs enfances new-yorkaises. À Russell Petrocelli, coordinateur de voyages de groupe en chemin de fer de la N.J. Transit. Et aux anciens et actuels membres du fichier d'adresses de Kirby (http ://fantasty.com/kirby-1).

Je tiens aussi à remercier la MacDowell Colony de m'avoir fait ce don magique de l'espace, du temps et de la tranquillité, ainsi que la Lila Wallace-Reader's Digest Fund pour son soutien.

La bibliothèque du Mémorial Doheny du Congrès américain, la bibliothèque universitaire de l'université de Los Angeles, la bibliothèque Bancroft de l'université de Berkeley, la bibliothèque McHenry de l'université de Santa Cruz et la New York Historical Society ont pour l'essentiel pris en charge la documentation nécessitée par ce roman.

J'ai tâché de respecter l'histoire et la géographie partout où ce respect servait mon dessein de romancier, mais là où ce n'était pas le cas, je les ai ignorés, allègrement ou à regret.

Je me suis appuyé sur le travail antérieur de nombreux écrivains, mais avant tout sur celui du collectif d'auteurs de la Work Projects Administration de 1939, le *New York City Guide* (John Cheever et Richard Wright entre autres), et sur l'œuvre d'E.J. Kahn junior, Brendan Gill, E.B. White, A.J. Liebling, Joseph Mitchell, St. Clair McKelway et de tous les autres grands portraitistes urbains, dont beaucoup anonymes, qui ne m'ont jamais manqué quand je suis allé chercher leur cité perdue dans de vieux numéros reliés et poussiéreux de *The New Yorker.* D'autres ouvrages m'ont été utiles ou indispensables : *Letters from Prague : 1939-1941*, compilées par Raya Czerner Shapiro et Helga Czerner Weinberg, *The Nightmare of Reason* d'Ernst Pawel et *Elder of the Jews* de Ruth Bondy ; *The World Almanac and Book of Facts for 1941*, édité par E. Eastman Irvine, *No Ordinary Time* de Doris Kearns Goodwin, *The Glory and the Dream* de William Manchester, *The Lost World of the Fair* de David Gelernter et *Delivered from Evil* de Robert Leckie ; *The Secrets of Houdini* de Harry Blackstone, *Professional Magic Made Easy* de Bruce Elliott, *Houdini on Magic* de Harry Houdini, *Houdini : The Man Who Walked Through Walls* de William Lindsay Gresham et *Houdini !!!* de Kenneth Silverman ; *Little America* et *Discovery*, tous deux de Richard E. Byrd, *A History of Antarctic Science* de G.E. Fogg, *The White Continent* de Thomas R. Henry, *Quest for a Continent* de Walter Sullivan et *Antarctic Night* de Jack Bursey ; *New York Panorama* du Projet fédéral des auteurs de la W.P.A., *The Empire State Building* de John Tauranac, *The Gay Metropolis, 1940-1996* de Charles Kaiser et *The Encyclopedia of New York City* éditée par Kenneth T. Jackson ; *The Great Comic Book Heroes* de Jules Feiffer, *All in Color for a Dime* de Dick Lupoff et Don Thompson, *The Great Comic Book Artists* et *Great History of Comic Books*, tous deux de Ron Goulart, *Superhero Comics of the Golden Age : The Illustrated History* de Mike Benton, *The Art of the Comic Book* de Robert C. Harvey et *The Comic Book Makers* de Joe Simon avec l'aide de Jim Simon ; *On the Kabbalah and Its Symbolism* de Gershom Scholem et *Gates to the Old City* de Raphael Patai ; *The Big Broadcast* de Frank Buston et Bill Owen, *Don't Touch That Dial* de J. Fred MacDonald et *The Book of Pratical Radio* de John Scott-Taggart ; ainsi que les sites suivants sur le Web mondial : *Lev Gleason's Comic House* de Michael Norwitz (http ://www.angelfire.com/mn/blaklion/index.html), *Houdini Tribute* de Bob King (http ://www.houdinitribute.com) et Levittown : *Documents of an Ideal American Suburb* (http ://www.uic.edu/~pbhales/levittown/index.html).

Je m'efforce de remplir les critères élevés de l'étonnante Mary Evans depuis près de quinze ans, et c'est seulement dans la mesure où mon travail les remplit que je puis en être satisfait. Kate Medina a béni ce voyage alors que je n'avais qu'une carte fictive pour me guider, et elle m'a attaché à la barre du gouvernail quand la mer a forci. Je sais gré à David Colden d'avoir flanqué la trouille à Sheldon Anapol. Je suis reconnaissant à Scott Rudin de sa foi et de sa patience, et aussi à Tania McKinnon, Benjamin Dreyer, E. Beth Thomas, Meaghan Rady, Frankie Jones, Alexa Cassanos et Paula Shuster. Et puis je voue une éternelle reconnaissance à Ayelet Waldman pour avoir inspiré, nourri et assuré de mille manières le moindre mot de ce roman jusqu'au point final.

Enfin, je voudrais reconnaître la profonde dette que j'ai, dans ce livre et tout ce que j'ai écrit d'autre, envers l'œuvre du regretté Jack Kirby, le roi des comics.

Remerciements

La traductrice tient à remercier Frédéric Manzano et les Éditions Déesse, Carlos Cardoso et El Loco de Comme Par Magie. Mille mercis aussi à Isabelle Rozenbaumas du musée d'Art et d'Histoire du judaïsme, à Mélodie pour ses Classics, à Olivier Fafa, spécialiste d'aérodynamique, et à Stéphane Lévine, fan de cinéma.

Table

Ce volume a été composé et mis en pages
par ÉTIANNE COMPOSITION
à Neuilly-sur-Seine.

Cet ouvrage a été imprimé par

FIRMIN DIDOT
GROUPE CPI

Mesnil-sur-l'Estrée

pour le compte des Éditions Robert Laffont
24, avenue Marceau, 75008 Paris
en décembre 2002

N° d'édition : 42862/01 – N° d'impression : 62019
Dépôt légal : janvier 2003
Imprimé en France